10년간 9회 전체 수석 합격자 배출

법무사시험 |
법원사무관승진시험 |
법원행정고등고시 |
변호사시험 |

이혁준 민법 정리

1차 | 기본강의

Vol. 1 민법총칙 물권법

브랜드만족 1위 박문각

근거자료 후면표기

제9판

박문각 법무사

박문각

먼저 그동안 본 교재에 보여 준 여러분들의 깊은 관심과 사랑에 다시 한번 머리 숙여 감사드리고, 평생 가슴속에 간직하며 살아갈 것을 다짐해 본다.

이번 민법 개정판(제9판)에서도 전판에서와 같이 방대한 민법을 체계적으로 정리하여 시험을 대비하는 데에 부족함이 없는 최적의 수험서가 되도록 많은 신경을 썼다. 즉 판례 교재로서 손색이 없도록 그 완결성을 기하였고, 단순한 요약서의 형식을 탈피하여 기본서로서의 면모를 갖출 수 있도록 하였다.

무릇 법을 공략함에는 논리적 체계를 전제로 한 이해와 정리가 선결되어야 한다. 아무런 의식 없이 단순히 무수히 많은 판례를 암기만 하려고 한다면, 도대체 민법을 어떻게 해야 하는가?라는 걱정만 늘어갈 것이다. 이에 대한 해답은 의외로 간단하고도 명료하다. 수험 민법을 접할 때 가장 현명한 자세는 민법의 일반 법리를 뼈대로 해서 거기에 조문과 판례를 정리해 가는 것이다. 그렇다면 일반 법리란 무엇인가? 간단히 말하면 요건효과론이다. 그럼 요건효과는 무엇인가? 어떤 사유나 원인이 있으면 어떤 효과가 있다는 것이다. 이런 요건효과는 어떻게 접근해야 하는가? 이는 기본적으로 조문 속에 담겨 있다. 결국 판례란 조문에 담겨 있는 요건효과에 대한 구체적인 해석의 결과물인 셈이다. 그럼 기본서는 어떻게 접근해서 활용해야 하는가? 조문에 담겨 있는 요건과 효과를 구체화시킨 것이 기본서에 구성되어 있는 목차이다. 결국 수험생은 조문, 목차, 판례의 순서로 법리를 접근하고 익혀야 하는 것이다. 이러한 방식이 무수히 많은 판례를 보다 자연스럽게 이해하고 용이하게 정리할 수 있는 방법으로, 시험 합격에 보다 더 앞서 나갈 수 있는 지혜로운 방법이다. 무작정 열심히만 하는 것이 능사가 아니라는 말이다. 본서는 이런 점을 염두에 두고 요약서의 형식을 탈피하며 판례서로서의 가치를 높이고자 하였다.
한편 이번 개정판에서도 가족법을 제외한 재산법까지만 다루기로 하였고, 가족법은 별권으로 출간하도록 한다.

이번 개정판(제9판)의 개편기조는 다음과 같다.

첫째, 내용을 다소 정비하였다.
오해의 소지가 있는 부분과 오탈자가 있는 부분을 바로 잡았고, 보다 간결하고 정확하게 기술하여 그 내용을 쉽게 이해할 수 있도록 하였다. 또한 새로이 개정된 법률뿐만 아니라 시행령 등을 반영하였고, 기존에 누락된 조문도 보충하였다.

둘째, 판례를 대거 보완하였다.
2023년까지 치러진 법무사시험과 2024년에 치러진 변호사시험 및 법원행시, 법원사무관 승진시험 등에 출제된 판례를 비롯하여, 2024년 상반기까지의 중요판례와 전원합의체 판결 등을 모두 반영하였다. 아울러 중요도 높은 판례를 중심으로 구체적인 사실관계나 소송과정을 축약함과 동시에 해설이나 보충설명도 간략히 소개함으로써 보다 쉽게 이해하고 입체적으로 정리할 수 있도록 힘을 쏟았다. 또한 판례서로서의 면모에 부합하게 누락된 판례도 보충하여 그 완결을 도모하였다. 나아가 중요하고 핵심적인 판례에는 별표(★)를 추가(중요도별로 가감)하여 보다 효율적인 공부를 할 수 있도록 신경을 썼다.

셋째, 중요한 법리에 대해서도 추가해서 정리하고 소개하였다.
또한 선명하게 정리되어 있지 않던 부분에 대해서도 추가로 서술하거나 보완하였다. 이로써 본서가 한층 새로워지고 충실해진 것으로 생각된다.

현 국가시험은 단순한 암기형 문제는 지양하고, 민법 전반에 걸친 이해와 판례에 대한 보다 구체적이고 정확한 이해를 요구하며 그 쓰임새를 알고 있는지를 묻는 문제들이 출제되는 경향이 있다. 따라서 민법은 거시적인 안목을 기반으로 법리를 자세하고 정확하게 공부하는 것이 정도라고 생각한다. 본서는 이러한 원칙에 입각하여 만들어진 것이다. 본서를 활용함에 있어 처음에는 다소 어려움이 있을 수 있으나, 반복적으로 보면서 차근차근 정리해 간다면 민법의 진면목을 엿볼 수 있고 시험에 합격함은 당연지사라 할 것이다.

언제나 그랬듯이 이번 개정판을 출간함에 있어서도 많은 분들의 도움이 있었다. 일일이 이름을 들어 감사의 말씀을 드리지는 못하나, 다시 한번 그분들에게 지면을 빌려 고마움을 전한다. 그리고 본서가 수험서로서 보다 새로워지고 충실해질 수 있도록 도움을 주신 박문각 朴容 회장님과 출판사 임직원 분들에게 감사의 말씀을 드린다.
마지막으로 이 책을 항상 격려와 관심 그리고 깊은 애정으로 지켜봐 주는 사랑하는 가족들에게 바친다.

개정판을 내면서 매해 그러하듯이, 본서가 민법을 공부하는 수험생 여러분들에게 조금이라도 도움이 되었으면 하는 바람이다. 앞으로도 계속적으로 다듬고 보충하여 좀 더 훌륭한 책이 될 수 있도록 끊임없이 노력할 것임을 약속드리며, 수험생 여러분들의 조속한 합격을 진심으로 기원한다.

이혁준 올림

CONTENTS
이 책의 차례

PREFACE GUIDE

PART 01 민법총칙

Chapter 01 통칙

Chapter 02 법률관계와 권리 · 의무

Chapter 03 권리의 주체

Chapter 04 권리의 객체 - 물건

Chapter 05 권리의 변동

PART

01

민법총칙

chapter
01 통칙

제1절 민법

1) 형식적 의미의 민법은 민법이라는 이름의 성문법전, 즉 민법전을 의미한다. 반면 실질적 의미의 민법은 모든 사람의 생활관계(재산관계와 가족관계)를 규율하는 실체법으로서의 일반사법을 의미한다. 형식적 의미의 민법에는 실질적 의미의 민법에 속하지 않는 규정들을 포함하고 있다. 법인의 이사 등에 대한 벌칙규정(제97조), 강제이행에 관한 규정(제389조)이 이에 해당한다. 이처럼 실질적 의미의 민법과 형식적 의미의 민법은 일치하지 않는다.
2) 사법과 공법의 구별실익은 다음과 같다. ① 지도원리가 다르다. 예컨대 전자는 사적자치의 원칙이 지배적이어서 원칙적으로 사인간의 자유로운 의사에 따른 법률관계의 형성이 허용되지만, 후자의 경우에는 법치주의가 적용되어 법이 허용하는 범위에서만 우월적 · 특수적 지위가 인정되어 공권력의 행사가 허용된다. ② 권리구제절차가 상이하다. 예컨대 전자는 원칙적으로 민사소송절차에 의해, 반면 후자의 경우에는 행정소송절차에 의해 구제를 받는다.

제2절 민법의 법원

> **제1조【법원】**
> 민사에 관하여 법률에 규정이 없으면 관습법에 의하고 관습법이 없으면 조리에 의한다.

1. 법원의 의의

법원이란 법의 인식근거로서 법의 존재형식이며, 실질적 의미의 민법의 존재형식을 의미한다. 민법 제1조는 민법의 법원 및 민사분쟁에 대하여 법원의 적용순서를 규정하고 있다. 즉 「법률 → 관습법 → 조리」의 순서로 적용된다고 함으로써 성문법주의를 원칙으로 하되 보충적으로 불문법(관습법과 조리)을 적용하도록 정하고 있다.

2. 법률 – 성문민법

민법 제1조의 '법률'이란 형식적 의미의 법률에 한정하지 않고 모든 성문법(제정법)을 의미한다. 따라서 명령, 규칙, 조약, 조례도 포함한다. 이 점에서 민법 제185조 물권법정주의에서의 법률과 같은 의미는 아니다.

3. 관습법

(1) 의의

관습법이란 사회의 거듭된 관행으로 생성한 사회생활규범이 사회의 법적 확신에 의하여 법적 규범으로 승인되기에 이른 것으로 헌법을 최상위 규범으로 하는 전체 법질서에 반하지 아니하는 것을 말한다.

(2) 성립요건 및 성립시기

1) 관습법이 성립하기 위해서는 ① 일정기간 반복된 관행이 존재하고, ② 그러한 관행이 사회구성원의 법적 확신에 의하여 지지되며, ③ 관행이 헌법을 최상위 규범으로 하는 전체 법질서에 반하지 아니하는 것으로서 정당성과 합리성이 있다고 인정될 수 있을 것을 요한다(대판(전) 2003. 7.24, 2001다48781 등).
2) 관습법의 성립시기에 대해 통설은 법원의 판결에 의해 관습법의 존재와 그 구체적 내용이 확인되면 관행이 사회구성원들에 의해 법적 확신을 얻은 때에 소급하여 관습법이 성립한다고 본다.

(3) 관습법의 효력

1) 성문법과 관습법의 우열관계

판례는 "가정의례준칙 제13조의 규정과 배치되는 관습법의 효력을 인정하는 것은 관습법의 제정법에 대한 열후적 · 보충적 성격에 비추어 민법 제1조의 취지에 어긋나는 것이다."라고 하여 보충적 효력설의 입장이다.

> **관습법의 열후적 · 보충적 성격**
> 가정의례준칙 제13조는 사망자의 배우자와 직계비속이 상제가 되고, 주상(제사주재자)은 장자가 되나 장자가 없는 경우에는 장손이 된다고 정하고 있으므로, 관습법의 제정법에 대한 열후적 · 보충적 성격에 비추어 그와 같은 관습법의 효력을 인정하는 것(제사주재자를 남편으로 인정하는 것)은 관습법의 법원으로서의 효력을 정한 민법 제1조의 취지에 어긋나는 것이다(대판 1983.6.14, 80다3231).

2) 관습법과 사실인 관습과의 관계

판례는 "관습법이란 사회의 거듭된 관행으로 생성한 사회생활규범이 사회의 법적 확신과 인식에 의하여 법적 규범으로 승인 · 강행되기에 이른 것을 말하고, 사실인 관습은 사회의 관행에 의하여 발생한 사회생활규범인 점에서 관습법과 같으나 사회의 법적 확신이나 인식에 의하여 법적 규범으로서 승인된 정도에 이르지 않은 것을 말하는 바, 관습법은 바로 법원으로서 법령과 같은 효력을 갖는 관습으로서 법령에 저촉되지 않는 한 법칙으로서의 효력이 있는 것이며, 이에 반하여 사실인 관습은 법령으로서의 효력이 없는 단순한 관행으로서 법률행위의 당사자의 의사를 보충함에 그치는 것이다."라고 함으로써 양자를 구별한다.

관습법과 사실인 관습

구분	관습법	사실인 관습
의의	사회생활에서 자연적으로 발생하고 반복적으로 행하여진 관행이 사회구성원의 법적 확신에 의한 지지를 받아 법적 규범화된 것(예 관습법상 법정지상권, 분묘기지권, 명인방법, 동산의 양도담보 등 / But 온천권이나 소유권에 준하는 관습상의 물권은 부정된다고 보는 것이 판례이다.)	사회의 관행에 의하여 발생한 사회생활규범인 점에서 관습법과 같으나 사회의 법적 확신에 의하여 법적 규범으로서 승인된 정도에 이르지 않은 것
성립 요건	① 관행 + 법적 확신(통설·판례) ② 헌법을 최상위 규범으로 하는 전체 법질서에 반하지 아니하여야 함(판례) ➡ 법원의 재판(국가승인)은 성립요건 ✗ ➡ 관습법은 법원의 판결에 의하여 비로소 그 존재가 인정되지만 그 성립시기는 그 관습이 법적 확신을 획득한 때로 소급한다.	① 관행 ② 선량한 풍속 기타 사회질서에 반하지 않아야 함 ➡ 법적 확신은 불요
효력	1) 성문법과의 우열관계 ➡ 보충적 효력설(판례) 2) 사실인 관습과의 관계 ➡ 양자의 구별 긍정설(판례) 3) 상관습법 ➡ 상관습법은 상법에 대하여 보충적 효력을 가질 뿐이지만 민법에 대해서는 우선적 효력을 갖는다(상법 제1조 참조).	법령으로서의 효력 ✗ ➡ 법률행위의 해석기준으로서 사적자치가 인정되는 분야에서 법률행위의 당사자의 의사를 보충하는 기능
법원성 유무	제1조 문언상 법원성 ○	법원성 ✗
입증 책임	당사자의 주장·입증을 기다림이 없이 법원이 직권으로 이를 확정하여야 함. 다만 법원이 이를 알 수 없는 경우 결국은 당사자가 이를 주장·입증할 필요가 있다(판례).	그 존재를 당사자가 주장·입증하여야 함. 다만 경험칙에 속하는 사실인 관습은 법관 스스로 직권에 의하여 판단할 수 있다(판례).

판례 연구 **관련판례 정리**

[대판 1983.6.14, 80다3231] ★

[1] 관습법이란 사회의 거듭된 관행으로 생성한 사회생활규범이 사회의 법적 확신과 인식에 의하여 법적 규범으로 승인·강행되기에 이른 것을 말하고, 사실인 관습은 사회의 관행에 의하여 발생한 사회생활규범인 점에서 관습법과 같으나 사회의 법적 확신이나 인식에 의하여 법적 규범으로서 승인된 정도에 이르지 않은 것을 말하는 바, 관습법은 바로 법원으로서 법령과 같은 효력을 갖는 관습으로서 법령에 저촉되지 않는 한 법칙으로서의 효력이 있는 것이며, 이에 반하여 사실인 관습은 법령으로서의 효력이 없는 단순한 관행으로서 법률행위의 당사자의 의사를 보충함에 그치는 것이다.

[2] 법령과 같은 효력을 갖는 관습법은 당사자의 주장 입증을 기다림이 없이 법원이 직권으로 이를 확정하여야 하고 사실인 관습은 그 존재를 당사자가 주장 입증하여야 하나, 관습은 그 존부자체도 명확하지 않을 뿐만 아니라 그 관습이 사회의 법적 확신이나 법적 인식에 의하여 법적 규범으로까지 승인되었는지의 여부를 가리기는 더욱 어려운 일이므로, 법원이 이를 알 수 없는 경우 결국은 당사자가 이를 주장 입증할 필요가 있다.

[3] 사실인 관습은 사적 자치가 인정되는 분야 즉 그 분야의 제정법이 주로 임의규정일 경우에는 법률행위의 해석기준으로서 또는 의사를 보충하는 기능으로서 이를 재판의 자료로 할 수 있을 것이나 이 이외의 즉 그 분야의 제정법이 주로 강행규정일 경우에는 그 강행규정 자체에 결함이 있거나 강행규정 스스로가 관습에 따르도록 위임한 경우 등 이외에는 법적 효력을 부여할 수 없다.

[4] 가족의례준칙 제13조의 규정과 배치되는 관습법의 효력을 인정하는 것은 관습법의 제정법에 대한 열후적, 보충적 성격에 비추어 민법 제1조의 취지에 어긋나는 것이다.

[대판(전) 2005.7.21, 2002다1178] ★★

[1] 관습법이란 사회의 거듭된 관행으로 생성한 사회생활규범이 사회의 법적 확신과 인식에 의하여 법적 규범으로 승인·강행되기에 이른 것을 말하고, 그러한 관습법은 법원으로서 법령에 저촉되지 아니하는 한 법칙으로서의 효력이 있는 것이고, 또 사회의 거듭된 관행으로 생성한 어떤 사회생활규범이 법적 규범으로 승인되기에 이르렀다고 하기 위하여는 헌법을 최상위 규범으로 하는 전체 법질서에 반하지 아니하는 것으로서 정당성과 합리성이 있다고 인정될 수 있는 것이어야 하고, 그렇지 아니한 사회생활규범은 비록 그것이 사회의 거듭된 관행으로 생성된 것이라고 할지라도 이를 법적 규범으로 삼아 관습법으로서의 효력을 인정할 수 없다.

[2] 사회의 거듭된 관행으로 생성된 사회생활규범이 관습법으로 승인되었다고 하더라도 사회 구성원들이 그러한 관행의 법적 구속력에 대하여 확신을 갖지 않게 되었다거나, 사회를 지배하는 기본적 이념이나 사회질서의 변화로 인하여 그러한 관습법을 적용하여야 할 시점에 있어서의 전체 법질서에 부합하지 않게 되었다면 그러한 관습법은 법적 규범으로서의 효력이 부정될 수밖에 없다.

[3] [다수의견] 종원의 자격을 성년 남자로만 제한하고 여성에게는 종원의 자격을 부여하지 않는 종래 관습에 대하여 우리 사회 구성원들이 가지고 있던 법적 확신은 상당 부분 흔들리거나 약화되어 있고, 무엇보다도 헌법을 최상위 규범으로 하는 우리의 전체 법질서는 개인의 존엄과 양성의 평등을 기초로 한 가족생활을 보장하고, 가족 내의 실질적인 권리와 의무에 있어서 남녀의 차별을 두지 아니하며, 정치·경제·사회·문화 등 모든 영역에서 여성에 대한 차별을 철폐하고 남녀평등을 실현하는 방향으로 변화되어 왔으며, 앞으로도 이러한 남녀평등의 원칙은 더욱 강화될 것인바, (중략) 공동선조의 후손 중 성년 남자만을 종중의 구성원으로 하고 여성은 종중의 구성원이 될 수 없다는 종래의 관습은, 공동선조의 분묘수호와 봉제사 등 종중의 활동에 참여할 기회를 출생에서 비롯되는 성별만에 의하여 생래적으로 부여하거나 원천적으로 박탈하는 것으로서, 위와 같이 변화된 우리의 전체 법질서에 부합하지 아니하여 정당성과 합리성이 있다고 할 수 없으므로, 종중 구성원의 자격을 성년 남자만으로 제한하는 종래의 관습법은 이제 더 이상 법적 효력을 가질 수 없게 되었다.

[4] [다수의견] 종중이란 공동선조의 분묘수호와 제사 및 종원 상호간의 친목 등을 목적으로 하여 구성되는 자연발생적인 종족집단이므로, 종중의 이러한 목적과 본질에 비추어 볼 때 공동선조와 성과 본을 같이 하는 후손은 성별의 구별 없이 성년이 되면 당연히 그 구성원이 된다고 보는 것이 조리에 합당하다.

[5] 위와 같이 변경된 견해를 소급하여 적용한다면, 최근에 이르기까지 수십 년 동안 유지되어 왔던 종래 대법원판례를 신뢰하여 형성된 수많은 법률관계의 효력을 일시에 좌우하게 되고, 이는 법적 안정성과 신의성실의 원칙에 기초한 당사자의 신뢰보호를 내용으로 하는 법치주의의 원리에도 반하게 되는 것이므로, 위와 같이 변경된 대법원의 견해는 이 판결 선고 이후의 종중 구성원의 자격과 이와 관련하여 새로이 성립되는 법률관계에 대하여만 적용된다고 함이 상당하다. 다만 원고들이 자신들의 권리를 구제받기 위하여 종래 관습법의 효력을 다투면서 자신들이 피고 종회의 회원(종원) 자격이 있음을 주장하고 있는 이 사건에 대하여도 위와 같이 변경된 견해가 적용되지 않는다면, 이는 구체적인 사건에 있어서 당사자의 권리구제를 목적으로 하는 사법작용의 본질에 어긋날 뿐만 아니라 현저히 정의에 반하게 되므로, 원고들이 피고 종회의 회원(종원) 지위의 확인을 구하는 이 사건 청구에 한하여는 위와 같이 변경된 견해가 소급하여 적용되어야 할 것이다.

타인 소유의 토지에 분묘를 설치한 경우에 20년간 평온, 공연하게 분묘의 기지를 점유하면 지상권과 유사한 관습상의 물권인 분묘기지권을 시효로 취득한다는 법적 규범이 2000.1.12. 법률 제6158호로 전부 개정된 '장사 등에 관한 법률'의 시행일인 2001.1.13. 이전에 설치된 분묘에 관하여 현재까지 유지되고 있는지 여부(적극) ★

[다수의견] ① 대법원은 분묘기지권의 시효취득을 우리 사회에 오랜 기간 지속되어 온 관습법의 하나로 인정하여, 20년 이상의 장기간 계속된 사실관계를 기초로 형성된 분묘에 대한 사회질서를 법적으로 보호하였고, 민법 시행일인 1960.1.1.부터 50년 이상의 기간 동안 위와 같은 관습에 대한 사회 구성원들의 법적 확신이 어떠한 흔들림도 없이 확고부동하게 이어져 온 것을 확인하고 이를 적용하여 왔다. 대법원이 오랜 기간 동안 사회 구성원들의 법적 확신에 의하여 뒷받침되고 유효하다고 인정해 온 관습법의 효력을 사회를 지배하는 기본적 이념이나 사회질서의 변화로 인하여 전체 법질서에 부합하지 않게 되었다는 등의 이유로 부정하게 되면, 기존의 관습법에 따라 수십 년간 형성된 과거의 법률관계에 대한 효력을 일시에 뒤흔드는 것이 되어 법적 안정성을 해할 위험이 있으므로, 관습법의 법적 규범으로서의 효력을 부정하기 위해서는 관습을 둘러싼 전체적인 법질서 체계와 함께 관습법의 효력을 인정한 대법원판례의 기초가 된 사회 구성원들의 인식·태도나 사회적·문화적 배경 등에 의미 있는 변화가 뚜렷하게 드러나야 하고, 그러한 사정이 명백하지 않다면 기존의 관습법에 대하여 법적 규범으로서의 효력을 유지할 수 없게 되었다고 단정하여서는 아니 된다. ② 우선 2001.1.13.부터 시행된 장사 등에 관한 법률(이하 개정 전후를 불문하고 '장사법'이라 한다)의 시행으로 분묘기지권 또는 그 시효취득에 관한 관습법이 소멸되었다거나 그 내용이 변경되었다는 주장은 받아들이기 어렵다. 2000.1.12. 법률 제6158호로 매장 및 묘지 등에 관한 법률을 전부 개정하여 2001.1.13.부터 시행된 장사법[이하 '장사법(법률 제6158호)'이라 한다] 부칙 제2조, 2007.5.25. 법률 제8489호로 전부 개정되고 2008.5.26.부터 시행된 장사법 부칙 제2조 제2항, 2015.12.29. 법률 제13660호로 개정되고 같은 날 시행된 장사법 부칙 제2조에 의하면, 분묘의 설치기간을 제한하고 토지소유자의 승낙 없이 설치된 분묘에 대하여 토지소유자가 이를 개장하는 경우에 분묘의 연고자는 토지소유자에 대항할 수 없다는 내용의 규정들은 장사법(법률 제6158호) 시행 후 설치된 분묘에 관하여만 적용한다고 명시하고 있어서, 장사법(법률 제6158호)의 시행 전에 설치된 분묘에 대한 분묘기지권의 존립 근거가 위 법률의 시행으로 상실되었다고 볼 수 없다. 또한 분묘기지권을 둘러싼 전체적인 법질서 체계에 중대한 변화가 생겨 분묘기지권의 시효취득에 관한 종래의 관습법이 헌법을 최상위 규범으로 하는 전체 법질서에 부합하지 아니하거나 정당성과 합리성을 인정할 수 없게 되었다고 보기도 어렵다. 마지막으로 화장률 증가 등과 같이 전

통적인 장사방법이나 장묘문화에 대한 사회 구성원들의 의식에 일부 변화가 생겼더라도 여전히 우리 사회에 분묘기지권의 기초가 된 매장문화가 자리 잡고 있고 사설묘지의 설치가 허용되고 있으며, 분묘기지권에 관한 관습에 대하여 사회 구성원들의 법적 구속력에 대한 확신이 소멸하였다거나 그러한 관행이 본질적으로 변경되었다고 인정할 수 없다. ③ 그렇다면 타인 소유의 토지에 분묘를 설치한 경우에 20년간 평온, 공연하게 분묘의 기지를 점유하면 지상권과 유사한 관습상의 물권인 분묘기지권을 시효로 취득한다는 점은 오랜 세월 동안 지속되어 온 관습 또는 관행으로서 법적 규범으로 승인되어 왔고, 이러한 법적 규범이 장사법(법률 제6158호) 시행일인 2001.1.13. 이전에 설치된 분묘에 관하여 현재까지 유지되고 있다고 보아야 한다(대판(전) 2017.1.19, 2013다17292).[1)]

4. 조리

조리란 사물의 본성, 사물의 본질적 법칙 또는 사물의 이치로서 법의 일반원리를 말한다. 경험칙, 사회통념, 신의성실 등으로 표현되기도 한다. 조리가 법원인가에 대해서는 견해가 대립하는데, 조리를 재판의 준칙으로 인정하는 것은 그것이 법원이기 때문이 아니라 성문법주의하에서 법의 흠결이 있을 때 법관이 재판을 거부할 수 없다는 사실에 기인할 뿐이라고 설명하는 견해가 유력하다.

5. 판례의 법원성 및 헌법재판소의 결정

판례는 법원조직법 제8조에 의해 사실상의 구속력을 갖는다고 하더라도 판례의 법원성을 부정하는 것이 일반적이다. 다만 헌법재판소의 결정은 법원 기타 국가기관과 지방자치단체를 기속하므로, 그 결정내용이 실질적으로 민사에 관한 것인 때에는 민법의 법원이 된다.

---

1) 이에 대한 반대의견은 다음과 같다. ① 현행 민법 시행 후 임야를 비롯한 토지의 소유권 개념 및 사유재산제도가 확립되고 토지의 경제적인 가치가 상승함에 따라 토지소유자의 권리의식이 향상되고 보호의 필요성이 커졌으며, 또한 상대적으로 매장을 중심으로 한 장묘문화가 현저히 퇴색함에 따라, 토지소유자의 승낙 없이 무단으로 설치된 분묘까지 취득시효에 의한 분묘기지권을 관습으로 인정하였던 사회적·문화적 기초는 상실되었고 이러한 관습은 전체 법질서와도 부합하지 않게 되었다. ② 비록 토지소유자의 승낙이 없이 무단으로 설치한 분묘에 관하여 분묘기지권의 시효취득을 허용하는 것이 과거에 임야 등 토지의 소유권이 확립되지 않았던 시대의 매장문화를 반영하여 인정되었던 관습이더라도, 이러한 관습은 적어도 소유권의 시효취득에 관한 대판 1997.8.21, 95다28625 全合 판결이 이루어지고 2001.1.13. 장사법(법률 제6158호)이 시행될 무렵에는 재산권에 관한 헌법 규정이나 소유권의 내용과 취득시효의 요건에 관한 민법 규정, 장사법의 규율 내용 등을 포함하여 전체 법질서에 부합하지 않게 되어 정당성과 합리성을 유지할 수 없게 되었다. 전통적인 조상숭배사상, 분묘설치의 관행 등을 이유로 타인 소유의 토지에 소유자의 승낙 없이 분묘를 설치한 모든 경우에 분묘기지권의 시효취득을 인정해 왔으나, 장묘문화에 관한 사회 일반의 인식 변화, 장묘제도의 변경 및 토지소유자의 권리의식 강화 등 예전과 달라진 사회현실에 비추어 볼 때, 분묘기지권 시효취득의 관습에 대한 우리 사회 구성원들이 가지고 있던 법적 확신은 상당히 쇠퇴하였고, 이러한 법적 확신의 실질적인 소멸이 장사법의 입법에 반영되었다고 볼 수 있다. ③ 따라서 토지소유자의 승낙이 없음에도 20년간 평온, 공연한 점유가 있었다는 사실만으로 사실상 영구적이고 무상인 분묘기지권의 시효취득을 인정하는 종전의 관습은 적어도 2001.1.13. 장사법(법률 제6158호)이 시행될 무렵에는 사유재산권을 존중하는 헌법을 비롯한 전체 법질서에 반하는 것으로서 정당성과 합리성을 상실하였을 뿐 아니라 이러한 관습의 법적 구속력에 대하여 우리 사회 구성원들이 확신을 가지지 않게 됨에 따라 법적 규범으로서 효력을 상실하였다. 그렇다면 2001.1.13. 당시 아직 20년의 시효기간이 경과하지 아니한 분묘의 경우에는 법적 규범의 효력을 상실한 분묘기지권의 시효취득에 관한 종전의 관습을 가지고 분묘기지권의 시효취득을 주장할 수 없다.

제3절 민법의 기본원리

근대 시민사회는 종래의 봉건적 속박으로부터 개인을 해방시키기 위하여 신분과 재산에 대한 자유주의와 개인주의를 사상적 기초로 삼았고, 이에 근대민법의 3대 기본원칙으로 나타난 것이 ① 법률행위자유의 원칙(계약자유의 원칙), ② 소유권절대의 원칙(사유재산권존중의 원칙), ③ 과실책임의 원칙이다. 그러나 그 후 자본주의하에서 빈부의 격차가 심화되고 경제적 강자와 약자의 대립이 격화됨에 따라 이러한 기본원칙들은 공공복리의 원칙하에 일정한 수정을 거치게 되는데, ① 법률행위자유의 제한(계약의 공정), ② 공공복리에 의한 소유권의 제한(소유권행사의 공공성), ③ 과실책임의 수정(무과실책임 내지 위험책임) 등이 그 주요내용으로 언급되고 있다.

다만 근대민법의 3대 원칙을 주요 골자로 할 것인지 아니면 이에 대한 수정원리를 주요 골자로 할 것인지에 대하여는 자유주의적 보수주의와 진보적 수정주의의 대립이 있다.

법해석의 방법과 한계

법은 원칙적으로 불특정 다수인에 대하여 동일한 구속력을 갖는 사회의 보편타당한 규범이므로 이를 해석함에 있어서는 법의 표준적 의미를 밝혀 객관적 타당성이 있도록 하여야 하고, 가급적 모든 사람이 수긍할 수 있는 일관성을 유지함으로써 법적 안정성이 손상되지 않도록 하여야 한다. 한편 실정법은 보편적이고 전형적인 사안을 염두에 두고 규정되기 마련이므로 사회현실에서 일어나는 다양한 사안에서 그 법을 적용함에 있어서는 구체적 사안에 맞는 가장 타당한 해결이 될 수 있도록 해석할 것도 또한 요구된다. 요컨대 법해석의 목표는 어디까지나 법적 안정성을 저해하지 않는 범위 내에서 구체적 타당성을 찾는 데 두어야 한다. 나아가 그러기 위해서는 가능한 한 법률에 사용된 문언의 통상적인 의미에 충실하게 해석하는 것을 원칙으로 하면서, 법률의 입법 취지와 목적, 그 제 · 개정 연혁, 법질서 전체와의 조화, 다른 법령과의 관계 등을 고려하는 체계적 · 논리적 해석방법을 추가적으로 동원함으로써, 위와 같은 법해석의 요청에 부응하는 타당한 해석을 하여야 한다(대판 2023.4.13, 2021다271725).

제4절 민법의 효력(범위)

1. 시간적 범위

법률은 그 효력이 생긴 이후에 발생한 사실에 관해서만 적용되는 것이 원칙이다(법률불소급의 원칙). 기득권의 존중 및 법적 안정성을 보장하기 위함이다. 그러나 민법에서는 소급효를 인정하여도 법적 안정성을 해치는 경우가 적으므로, 민법 부칙 제2조에서는 “본법은 특별한 규정이 있는 경우 외에는 본법 시행일 전의 사항에 대해서도 이를 적용한다.”고 규정함으로써 형식적으로 소급효를 인정하고 있다. 다만 동조 단서에서는 “이미 구법에 의하여 생긴 효력에 영향을 미치지 아니한다.”고 함으로써 실질적으로 법률불소급의 원칙을 인정하는 것과 같다.

2. 인적 · 장소적 범위

① 민법은 우리 국민 모두에게 적용되고, 외국에 있는 국민에게도 적용된다(속인주의).

② 민법은 대한민국의 전 영토 내에 그 효력이 미친다.

민법의 용어 정리

(1) **준용 · 유추적용** – 준용이란 이미 규정되어 있는 내용과 동일한 내용을 다른 규정에서 다시 두고자 할 때 그 내용을 반복적으로 정하지 않고 유추적용할 것을 밝히는 입법기술의 하나이다. 반면 유추적용이란 어떤 사안에 대해 적용할 규정이 없는 경우 그와 유사한 사안에 관한 규정을 적용하는 것으로서 법률 해석의 방법 중 하나이다.

(2) **선의 · 악의** – 민법에서 선의란 선량한 뜻이 있다는 것이 아니라 어떤 사정을 알지 못하는 것을 말하고, 반면에 악의란 그러한 사정을 알고 있는 것을 말한다.

(3) **추정 · 간주** – 추정은 다른 사실의 증거를 통해서 그 추정을 복멸시킬 수 있는 경우이고, 간주는 다른 사실의 증거를 통해서는 그 간주되는 효과를 부정할 수 없다. 민법은 간주조항을 "…으로 본다."고 표현한다.

(4) **제3자** – 당사자 및 포괄승계인 이외의 자를 말한다.

(5) **대항하지 못한다** – 법률행위의 당사자가 제3자에 대하여 법률행위의 효력, 예컨대 무효 또는 취소의 효력을 주장하지 못한다는 의미이다.

chapter

02 법률관계와 권리 · 의무

제1절 법률관계

1. 개념

법률관계란 「법에 의하여 규율되는 생활관계」를 말한다(법적 생활관계설).

2. 법률관계의 내용

법률관계는 사람과 사람의 관계로 나타나며, 당사자를 기준으로 보면 법에 의해 보호받는 자와 이에 의해 구속되는 자의 관계로 나타난다. 전자의 지위를 권리, 후자의 지위를 의무라고 한다. 즉 법률관계는 권리 · 의무관계이다.

3. 호의관계

(1) 개념

호의관계란 법적인 의무가 없음에도 불구하고 호의에 의하여 어떤 이익을 주고받기로 한 생활관계 내지 법적으로 구속 받으려는 의사 없이 행해진 생활관계를 말한다.

(2) 법률관계와의 구별기준 및 판단

호의관계인지 아니면 법률관계인지의 여부는 「당사자에게 법적인 구속을 받을 의사가 있었는지 여부」에 따라 판단되어야 하는데, 이는 결국 법률행위해석의 문제로 귀결된다.

(3) 법률관계로의 전환

① 호의관계는 기본적으로 인간관계에 지나지 않으므로 법률문제는 발생하지 않으나 그에 수반하여 손해가 발생한 경우에는 그 손해까지 호의관계인 것은 아니며, 가해자에게 불법행위에 기한 손해배상의 책임이 인정될 수 있다(대판 1996.3.22, 95다24302).

② 다만 그 호의성에 비추어 손해배상책임의 면제 또는 경감이 문제되는데, 판례는 신의칙이나 형평의 원칙을 근거로 가해자의 손해배상액을 경감할 수는 있으나, 단순히 호의로 동승하였다는 사실만 가지고 바로 이를 배상액 경감사유로 삼을 수는 없다고 한다.

> **호의관계에서의 손해배상책임의 경감**
>
> 호의동승 요구의 목적과 적극성 등에 제반 사정을 고려하여 가해자에게 일반의 교통사고와 같은 책임을 지우는 것이 신의칙이나 형평의 원칙에 비추어 매우 불합리한 것으로 인정되는 경우에는 그 배상액을 감경할 사유로 삼을 수 있다(대판 1987.12.22, 86다카2994).

제2절 권리와 의무

Ⅰ. 권리

1. 개념

권리란 권리주체가 자기의 일정한 이익을 주장할 수 있는 법률상의 힘을 말한다(권리법력설).

2. 구별개념

(1) 권한

권한은 타인을 위하여 그 자에게 일정한 법률효과를 발생케 하는 행위를 할 수 있는 법률상의 자격을 말한다. 예 대리권・대표권이 대표적으로 이에 속한다.

(2) 권능

권능이란 권리의 내용을 이루는 개개의 법률상의 힘을 말한다. 예 소유권에는 사용・수익・처분의 권능이 있다.

(3) 권원

일정한 법률상 또는 사실상의 행위를 하는 것을 정당화시키는 법률상의 원인을 말한다. 예 타인의 권원에 의하여 부동산에 부속된 물건에 대하여는 부합이 인정되지 않는데(제256조 단서), 여기서 권원은 지상권이나 임차권과 같이 다른 사람의 부동산에 자기의 물건을 부속시켜 그 부동산을 이용할 수 있게 하는 법률상의 원인을 말한다.

3. 권리의 분류

(1) 권리내용을 기준으로 한 분류

1) 재산권

재산에 관한 권리로서, 물권(우리 민법은 물권법정주의에 의해 8가지의 물권만을 인정한다)・채권(특정인(채권자)이 다른 특정인(채무자)에 대해 일정한 행위(급부)를 요구할 수 있는 권리)・무체재산권 등으로 분류된다.

2) 가족권

친족 및 상속에 관한 권리를 말한다.

3) 인격권

권리의 주체와 분리할 수 없는 인격적 이익, 즉 생명・신체・자유・명예・신용・성명・초상・정조 등을 독점적・배타적으로 향유할 수 있는 권리를 말한다.

4) 사원권

사단법인의 사원의 권리, 주식회사의 주주의 권리 등 단체의 구성원이라는 지위에서 누리는 포괄적 권리를 말한다.

(2) 권리작용(효력)을 기준으로 한 분류

1) 지배권

지배권이란 권리자가 그 객체를 직접적으로 지배하며 따라서 권리의 실현을 위하여 별도로 제3자의 협력을 필요로 하지 않는 권리를 말한다. 지배권은 절대권·대세권으로서 모든 사람에게 주장할 수 있는 성질을 가지며, 제3자에 의한 침해가 있을 때 권리자에게 방해배제청구권과 불법행위로 인한 손해배상청구권이 발생한다. 예 물권·무체재산권·인격권·친권 등이 이에 해당한다.

2) 청구권

청구권이란 권리자가 의무자에 대하여 특정의 행위(작위 또는 부작위)를 요구할 수 있는 권리를 말한다. 이와 같은 청구권은 상대권·대인권으로서 특정인에게만 주장할 수 있는 성질을 가진다. 채권도 재산권이므로 제3자에 의해 침해될 수 있다. 다만, 제3자는 외부에서 채권의 존재를 인식하지 못하는 경우가 대부분이므로 제3자에 의한 채권침해가 인정되기 위해서는 침해자의 고의·과실 등 별도의 논의가 필요하다.

청구권과 채권의 구별

(1) 특정인이 다른 특정인에 대하여 특정의 행위를 청구할 수 있는 권리라는 점에서 공통점을 갖는다. 그러나 채권은 청구권 외에 급부보유력, 소구력, 집행력 등 여러 권능으로 구성되어 있다. 또한 청구권은 채권 이외에도 물권과 가족권 등에 의해서도 발생한다(물권적 청구권, 부양청구권, 동거청구권 등).
(2) 채권이 곧 청구권은 아니지만 채권은 청구권을 그 핵심적 요소로 하므로 청구권은 채권의 주된 내용이 된다.
(3) 다만 이행기가 도래하지 않은 채권은 아직 청구권이 발생하지 않는다. 즉, 정지조건부 채권에서 아직 정지조건이 성취되지 않은 경우라면 그 이행청구권은 없다. 따라서 양자는 동일한 개념이 아니다.

3) 형성권

가) 의의

형성권이란 권리자의 일방적 의사표시에 의하여 법률관계의 발생·변경·소멸을 일으키는 권리를 말한다. 형성권은 권리자의 일방적인 의사에 의해 법률관계의 변동이 생긴다는 점에서 반드시 당사자의 약정 또는 법률의 근거(형성권의 법정주의)가 있어야 한다.

나) 형성권의 종류

① **일방적 의사표시에 의하여 행사할 수 있는 것** : 제한능력자의 법률행위에 대한 법정대리인의 동의권(제5조, 제10조, 제13조), 제한능력을 이유로 한 제한능력자와 그 대리인 및 그 승계인의

취소권(제5조, 제10조, 제13조, 제140조), 착오에 의해 의사표시를 한 표의자와 그 대리인 및 승계인의 취소권(제109조 제1항, 제140조), 추인권(제143조), 제한능력자 상대방의 최고권(제15조)과 철회권 및 거절권(제16조), 상계권(제492조), 계약의 해제권과 해지권(제543조), 매매의 일방예약완결권(제564조), 약혼해제권(제805조) 등이 이에 속한다.

명칭은 청구권이지만 형성권인 경우

명칭에 구애받지 않고 그 성질에 따라 공유물분할청구권(제268조), 지상권자의 지상물매수청구권(제283조), 지료증감청구권(제286조), 부속물매수청구권(제316조), 임차인과 전차인의 매수청구권(제643조~제647조)은 형성권이다.

② 재판상으로만 행사하여야 하는 것 : 채권자취소권(제406조), 혼인취소권(제816조), 재판상 이혼청구권(제840조), 친생부인권(제846조), 재판상 파양청구권(제905조) 등이 이에 속한다.

4) 항변권

가) 의의

항변권이란 상대방의 청구권의 행사를 연기적 또는 영구적으로 저지하여 급부의 이행을 거절할 수 있는 권리를 말한다. 즉, 상대방의 권리의 존재를 인정함을 전제로 그 권리행사에 별개의 사유를 들어 대항할 수 있는 권리를 말한다.

나) 종류

① 청구권의 행사를 일시적으로 저지할 수 있는 항변권으로서 연기적 항변권(예 동시이행의 항변권(제536조), 보증인의 최고 및 검색의 항변권(제437조) 등), ② 청구권의 행사를 영구적으로 저지할 수 있는 항변권으로서 영구적 항변권(예 상속인의 한정승인의 항변권(제1028조), 실효원칙에 따른 항변 등)이 있다.

(3) 기타의 분류

1) 절대권과 상대권

절대권(대세권)이란 누구에 대해서도 주장할 수 있는 권리를 말한다. 반면 상대권(대인권)이란 특정인에 대해서만 주장할 수 있는 권리를 말한다.

2) 일신전속권과 비전속권

① 일신전속권은 그 권리가 고도로 인격적이기 때문에 타인에게 이전되어서는 의미가 없는 귀속상의 일신전속권(부양청구권 등, 따라서 타인에게 양도하거나 상속될 수 없다)과 권리자 이외의 타인이 그 권리를 대위행사할 수 없는 행사상의 일신전속권(친권 등)이 있다. ② 이러한 일신전속권을 제외한 나머지 권리로서 대부분의 재산권은 비전속권에 포함된다.

3) 주된 권리와 종된 권리

종된 권리란 다른 권리에 의존하는 권리를 말하며, 그 다른 권리를 주된 권리라고 한다. 예 금전채권에서 원본채권은 주된 권리이고, 이자채권은 종된 권리에 해당한다.

Ⅱ. 의무

1. 개념

의무자의 의사와는 관계없이 반드시 따라야 할 법률상의 구속을 말한다. 그 종류로는 작위 · 부작위 등을 들 수 있다.

2. 구별개념 – 책무(간접의무)

법률상의 구속을 준수하지 않았을 경우에 권리자는 의무자를 상대로 소구권 · 강제집행권 · 손해배상청구권 등을 행사할 수 있다. 반면에 책무란 그것을 준수하지 않은 경우에 그 부담자에게 법에 의한 일정한 불이익이 돌아가지만, 그렇다고 그것을 강제하거나 손해배상을 청구할 수 없는 것을 말한다.

3. 권리와 의무의 상호관계

의무는 보통 권리에 대응되지만, 예외적으로 권리만 있고 의무는 없는 경우(예 취소권 · 추인권 · 해제권 등)도 있고, 반대로 의무만 있는 경우(예 제88조 · 제93조의 공고의무, 제50조~제53조 · 제85조 · 제94조의 등기의무, 제755조의 감독의무 등)도 있다.

제3절 권리의 경합과 충돌

Ⅰ. 권리의 경합

1. 의의

권리의 경합이란 하나의 사실에 대하여 수 개의 법규(권리근거규정)의 요건을 충족하여 동일한 목적을 가지는 여러 개의 권리가 발생하여 1인에게 귀속하게 되는 경우를 말한다.

예 임대차기간 만료 후에 임차인이 임차물을 반환하지 않은 경우에 임대인의 소유권에 기한 반환청구권과 임대차계약의 채권에 따른 반환청구권의 경합, 채무불이행으로 인한 손해배상청구권(제390조)과 불법행위로 인한 손해배상청구권(제750조)의 경합 등이 있다.

2. 경합의 모습

(1) 청구권 경합

경합하는 여러 개의 권리 중 하나의 권리를 행사함으로써 만족을 얻게 되면 다른 권리는 소멸한다. 그러나 경합하는 여러 개의 권리는 각각 독립해서 존재하므로 따로 행사할 수 있고 소멸시효기간도 각각 별도로 진행한다. 예 채무불이행으로 인한 손해배상청구권(제390조)과 불법행위로 인한 손해배상청구권(제750조)의 경합이 이에 해당한다.

(2) 형성권의 경합

계약해제권과 취소권이 경합하는 경우가 이에 해당한다.

(3) 법조경합

① 하나의 사실이 수개의 법규가 정하는 요건을 충족하지만, 그 중의 한 법규가 다른 법규를 배제하여 적용되는 경우로서, 주로 일반법과 특별법의 관계에서 나타난다. 예 공무원이 직무집행 중에 고의・과실로 위법하게 타인에게 손해를 입힌 경우 사용자인 국가 등의 책임으로 민법 제756조와 국가배상법 제2조의 경합, 자동차손해배상보장법과 민법의 경합, 법인의 불법행위책임(제35조 제1항)과 사용자책임(제756조)의 경합 등이 이에 속한다.

② 하자담보책임(제580조)과 착오에 기한 취소(제109조)의 관계에 대해서, 판례는 매도인의 하자담보책임이 성립하는지 여부와 상관없이 착오를 이유로 매매계약을 취소할 수 있다고 함으로써 법조경합관계를 부정하였다(대판 2018.9.13, 2015다78703).

Ⅱ. 권리의 충돌

권리의 충돌이란 동일한 객체에 여러 개의 권리가 존재하는 경우를 말한다. ① 물권 상호간에는 순위의 원칙이 적용된다. 다만 소유권과 제한물권 사이에는 제한물권의 성질상 언제나 소유권에 우선한다. ② 채권 상호간에는 채권평등의 원칙에 따라 선행주의가 적용되며, ③ 물권과 채권 상호간에는 원칙적으로 물권이 우선한다. 다만 예외적으로 등기된 부동산임차권(제621조)과 대항력(주택인도와 주민등록)을 갖춘 주택임차권(주임법 제3조)은 뒤에 성립된 물권보다 우선한다.

제4절 권리의 행사와 의무의 이행(신의성실의 원칙)

제2조【신의성실】
① 권리의 행사와 의무의 이행은 신의에 좇아 성실히 하여야 한다.
② 권리는 남용하지 못한다.

Ⅰ. 서설

1. 의의

신의성실의 원칙이란 일정한 법률관계에 있는 당사자는 서로 상대방의 신뢰에 어긋나지 않도록 성실하게 행동해야 한다는 원칙을 말한다.

2. 법적 성격

1) 오늘날 신의성실의 원칙은 사법 전 영역에서 적용되며, 민사소송법, 행정법, 세법 등의 공법분야에도 적용된다. 즉 계약법의 영역에 한정되지 않고 모든 법률관계를 규제하는 지배원리이며(대판 1983.5.24, 82다카1919), 추상적 규범으로서 법질서 전체를 관통하는 일반 원칙으로 작용한다.

2) 신의칙위반이나 권리남용은 강행규정에 위반되는 것이므로, 당사자의 주장이 없더라도 법원은 직권으로 판단할 수 있다(대판 1995.12.22, 94다42129).

신의성실의 원칙의 의미 및 그 위배를 이유로 권리행사를 부정하기 위한 요건

① 신의성실의 원칙은 법률관계의 당사자가 상대방의 이익을 배려하여 형평에 어긋나거나 신뢰를 저버리는 내용 또는 방법으로 권리를 행사하거나 의무를 이행해서는 안 된다는 추상적 규범을 말한다. 신의성실의 원칙에 위배된다는 이유로 권리행사를 부정하기 위해서는 상대방에게 신의를 제공하였거나 객관적으로 보아 상대방이 신의를 가지는 것이 정당한 상태에 이르러야 하고 이와 같은 상대방의 신의에 반하여 권리를 행사하는 것이 정의관념에 비추어 용인될 수 없는 정도에 이르러야 한다. 상대방에게 신의를 창출한 바 없거나 상대방이 신의를 가지는 것이 정당한 상태에 있지 않을 뿐만 아니라 권리행사가 정의의 관념에 반하지 않는 경우에는 권리행사를 신의성실의 원칙에 반한다고 볼 수 없다(대판 2020.10.29, 2018다228868).

② 민법상 신의성실의 원칙은, 법률관계의 당사자가 상대방의 이익을 배려하여 형평에 어긋나거나 신뢰를 저버리는 내용 또는 방법으로 권리를 행사하거나 의무를 이행하여서는 아니 된다는 추상적 규범을 말한다. 법률관계의 한쪽 당사자가 상대방에게 신의를 공여하였거나 객관적으로 보아 상대방이 신의를 가짐이 정당한 상태에 있음에도, 이러한 상대방의 신의에 반하는 주장을 하거나 권리를 행사하는 것이 정의 관념에 비추어 용인될 수 없는 정도의 상태에 이른 경우 신의성실의 원칙 위배를 이유로 그 일방의 주장을 배척하거나 권리행사를 부정할 수 있다(대판 2024.3.28, 2019다253700).

노동조합이나 근로자들의 집단적 동의권의 남용

근로기준법상 취업규칙의 불이익변경 과정에서 노동조합이나 근로자들이 집단적 동의권(근로기준법상의 절차적 권리)을 행사할 때도 신의성실의 원칙과 권리남용금지 원칙이 적용되어야 한다. 따라서 노동조합이나 근로자들이 집단적 동의권을 남용하였다고 볼 만한 특별한 사정이 있는 경우에는 그 동의가 없더라도 취업규칙의 불이익변경을 유효하다고 볼 수 있다. 한편 신의성실 또는 권리남용금지 원칙의 적용은 강행규정에 관한 것으로서 당사자의 주장이 없더라도 법원이 그 위반 여부를 직권으로 판단할 수 있으므로, 집단적 동의권의 남용에 해당하는지에 대하여도 법원은 직권으로 판단할 수 있다(대판(전) 2023.5.11. 2017다35588 · 35595).

3. 기능

(1) 권리발생적 기능

신의칙은 권리와 의무의 내용을 구체화하는 기능을 가진다. 즉 법률과 법률행위의 해석을 통해 그 내용을 보다 명확하게 하는 기능이 있다. 채무자의 주된 급부의무 이외에 추가로 인정되는 부수적 의무(보호의무를 포함) 역시 신의칙에서 도출된다.

재산권의 거래관계에 있어서 고지의무의 대상

① 재산권의 거래관계에 있어서 계약의 일방 당사자가 상대방에게 그 계약의 효력에 영향을 미치거나 상대방의 권리 확보에 위험을 가져올 수 있는 구체적 사정을 고지하였다면 상대방이 그 계약을 체결하지 아니하거나 적어도 그와 같은 내용 또는 조건으로 계약을 체결하지 아니하였을 것임이 경험칙상 명백한 경우 그 계약 당사자는 신의성실의 원칙상 상대방에게 미리 그와 같은 사정을 고지할 의무가 있다고 하겠으나, 이때에도 상대방이 고지의무의 대상이 되는 사실을 미리 알고 있거나 이를 확인할 의무가 있는 경우 또는 거래 관행상 상대방이 당연히 알고 있을 것으로 예상되는 경우 등에는 상대방에게 위와 같은 사정을 알리지 아니하였다고 하여 고지의무를 위반하였다고 볼 수 없다(대판 2013.11.28. 2011다59247; 대판 2014.7.24. 2013다97076).

② 재산적 거래관계에 있어서 계약의 일방 당사자가 상대방에게 계약의 효력에 영향을 미치거나 상대방의 권리 확보에 위험을 가져올 수 있는 구체적 사정을 고지하였다면 상대방이 계약을 체결하지 아니하거나 적어도 그와 같은 내용 또는 조건으로 계약을 체결하지 아니하였을 것임이 경험칙상 명백한 경우 계약당사자는 신의성실의 원칙상 상대방에게 미리 그와 같은 사정을 고지할 의무가 있다. 이는 계약당사자가 조금만 주의를 기울였다면 위와 같은 구체적 사정을 알 수 있었을 경우에도 마찬가지이다(대판 2023.8.18. 2022다291702).

계속적 계약의 일방 당사자가 계약을 이행하는 과정에서 상대방의 생명, 신체, 건강 등의 안전에 위해가 발생할 위험이 있는 경우, 계약 당사자가 그러한 위험이 있음을 상대방에게 미리 고지하여 상대방으로 하여금 위험을 회피할 적절한 방법을 선택할 수 있게 하거나 계약 당사자가 위험 발생 방지를 위한 합리적 조치를 함으로써 위험을 제거하였는지를 확인할 수 있게 할 의무가 있는지 여부(적극)

계약의 일방 당사자는 신의성실의 원칙상 상대방에게 계약의 효력에 영향을 미치거나 상대방의 권리 확보에 위험을 가져올 수 있는 사정 등을 미리 고지할 의무가 있다. 이러한 의무는 계약을 체결할 때뿐만 아니라 계약 체결 이후 이를 이행하는 과정에서도 유지된다. 당사자 상호 간의 신뢰관계를 기초로 하는 계속적 계약의 일방 당사자가 계약을 이행하는 과정에서 상대방의 생명, 신체, 건강 등의 안전에 위해가 발생할 위험이 있고 계약 당사자에게 그 위험의 발생 방지 등을 위하여 합리적 조치를 할 의무가 있는 경우, 계약 당사자는 그러한 위험이 있음을 상대방에게 미리 고지하여 상대방으로 하여금 그 위험을 회피할 적절한 방법을 선택할 수 있게 하거나 계약 당사자가 위험 발생 방지를 위한 합리적 조치를 함으로써 그 위험을 제거하였는지를 확인할 수 있게 할 의무가 있다. 특히 계속적 계약의 일방 당사자가 고도의 기술이 집약된 제품을 대량으로 생산하는 제조업자이고 상대방이 소비자라면 정보 불균형으로 인한 부작용을 해소하기 위해 제조업자에 대하여 위와 같은 고지의무를 인정할 필요가 더욱 크다(대판 2022.5.26, 2020다215124).

운동경기에 참가하는 자가 부담하는 주의의무의 내용(안전배려의무) 및 판단기준

① 운동경기에 참가하는 자는 자신의 행동으로 인해 다른 경기자 등이 다칠 수도 있으므로, 경기규칙을 준수하면서 다른 경기자 등의 생명이나 신체의 안전을 확보하여야 할 신의칙상 주의의무인 안전배려의무가 있다. ② 그런데 권투나 태권도 등과 같이 상대선수에 대한 가격이 주로 이루어지는 형태의 운동경기나 다수의 선수들이 한 영역에서 신체적 접촉을 통하여 승부를 이끌어내는 축구나 농구와 같은 형태의 운동경기는 신체접촉에 수반되는 경기 자체에 내재된 부상 위험이 있고, 경기에 참가하는 자는 예상할 수 있는 범위 내에서의 위험은 어느 정도 감수하고 경기에 참가하는 것이다. 이러한 유형의 운동경기에 참가한 자가 앞서 본 주의의무를 다하였는지는 해당 경기의 종류와 위험성, 당시 경기진행 상황, 관련 당사자들의 경기규칙의 준수 여부, 위반한 경기규칙이 있는 경우 규칙의 성질과 위반 정도, 부상의 부위와 정도 등 제반 사정을 종합적으로 고려하여 판단하되, 그 행위가 사회적 상당성의 범위를 벗어나지 않았다면 이에 대하여 손해배상책임을 물을 수 없다(대판 2019.1.31, 2017다203596).[2]

(2) 권리변경적 · 수정 기능

신의칙은 제한적이나마 계약의 내용을 수정하는 기능을 가진다. 사정변경의 원칙이 이에 해당한다.

변호사와 의뢰인이 약정한 변호사 보수액이 부당하게 과다한 경우 민법상 일반원칙인 신의칙이나 형평의 관념에 의하여 변호사 보수액을 감액할 수 있는지 여부(대판(전) 2018.5.17, 2016다35833)

변호사의 소송위임 사무처리 보수에 관하여 변호사와 의뢰인 사이에 약정이 있는 경우 위임사무를 완료한 변호사는 원칙적으로 약정 보수액 전부를 청구할 수 있다. 다만 의뢰인과의 평소 관계, 사건 수임 경위, 사건처리 경과와 난이도, 노력의 정도, 소송물 가액, 의뢰인이 승소로 인하여 얻게 된 구체적 이익, 그 밖에 변론에 나타난 여러 사정을 고려하여, 약정 보수액이 부당하게 과다하여 신의성실의 원칙이나 형평의 관념에 반한다고 볼 만한 특별한 사정이 있는 경우에는 예외적으로 적당하다고 인정되는 범위 내의 보수액만을 청구할 수 있다. 그런데 이러한 보수 청구의 제한은 어디까지나 계약자유의 원칙에 대한 예외를 인정하는 것이므로, 법원은 그에 관한 합리적인 근거를 명확히 밝혀야 한다.[3]

---

2) 조기축구회 경기 중 골키퍼를 맡은 甲이 골문 앞에서 공을 쳐내기 위해 다이빙 점프를 하여 착지하다가 상대 팀 공격수인 乙과 충돌하여 목척수 손상 등의 상해를 입은 사안에서, 격렬한 신체접촉이 수반되는 축구경기의 내재적 위험성, 골대 앞으로 날아오는 공을 두고 공격수와 골키퍼 사이에 발생할 수 있는 신체접촉의 일반적인 형태 등에 비추어도 甲의 행위가 사회적 상당성의 범위를 벗어나 乙에 대한 안전배려의무를 위반하였다고 단정하기 어렵다고 한 사례이다.

3) 참고로 위와 같은 다수의견에 대하여, 법률에서 제한 규정을 두고 있지 않는 한 사적 자치 및 계약자유의 원칙상 계약 내용대로 그 효력을 인정하여야 하고, 법률행위의 무효사유로 규정하고 있지 않은 민법 제2조의 신의칙 또는 민법에 규정되어 있지도 않은 형평의 관념은 당사자가 계약으로 정한 변호사 보수를 제한할 수 있는 근거가 될 수 없다는 이유로, 신의칙 및 형평의 관념에 의하여 변호사 보수를 감액한 원심판결이 잘못되었다는 취지의 대법관 김신, 대법관 조희대의 별개의견이 있었다.

(3) 권리소멸 · 금지적 기능

신의칙은 개별사안에서 법률을 형식적으로 적용함으로써 발생하는 부작용을 피하여 그 사안의 특수성을 정당하게 평가함으로써 법률적용의 엄격성을 완화하는 기능을 담당한다. 모순된 행위의 금지원칙이나 실효의 원칙이 이런 기능에서 인정된다.

Ⅱ. 적용상의 한계

신의칙의 적용에는 한계가 있다. 즉 권리 행사가 신의칙에 위배된다고 하여 그 효력을 제한하면 ① 민법의 기초이념(의사무능력 · 제한능력자제도), ② 법적 안정성(기판력제도), ③ 강행법규의 취지에 반하는 결과가 발생하는 경우에는 신의칙이 적용되지 않으며, 이러한 경우 권리 행사는 허용된다.

강행규정의 위반과 신의칙 적용의 한계

단체협약 등 노사합의의 내용이 근로기준법의 강행규정을 위반하여 무효인 경우에, 무효를 주장하는 것이 신의칙에 위배되는 권리의 행사라는 이유로 이를 배척한다면 강행규정으로 정한 입법 취지를 몰각시키는 결과가 될 것이므로, 그러한 주장이 신의칙에 위배된다고 볼 수 없음이 원칙이다. 그러나 노사합의의 내용이 근로기준법의 강행규정을 위반한다고 하여 노사합의의 무효 주장에 대하여 예외 없이 신의칙의 적용이 배제되는 것은 아니다. 신의칙을 적용하기 위한 일반적인 요건을 갖춤은 물론 근로기준법의 강행규정성에도 불구하고 신의칙을 우선하여 적용하는 것을 수긍할 만한 특별한 사정이 있는 예외적인 경우에 한하여 노사합의의 무효를 주장하는 것은 신의칙에 위배되어 허용될 수 없다(대판(전) 2013.12.18, 2012다89399; 대판 2019.2.14, 2015다217287).[4]

합법성의 원칙과 신뢰보호의 원칙 – 합법성의 원칙보다 구체적 신뢰보호를 우선할 필요가 있는 경우인지 판단하는 기준 ★

① 사적 자치의 영역을 넘어 공공질서를 위하여 공익적 요구를 선행시켜야 할 경우 합법성의 원칙은 신의성실의 원칙보다 우월한 것이므로, 신의성실의 원칙은 합법성의 원칙을 희생하여서라도 구체적 신뢰보호의 필요성이 인정되는 경우에 한하여 예외적으로 적용되는 것인바, 어떠한 경우에 합법성의 원칙보다 구체적 신뢰보호를 우선할 필요가 있는지를 판단하기 위하여는 신뢰보호를 주장하는 사람에게 위법행위와 관련한 주관적 귀책사유가 있는지 여부 및 그와 같은 신뢰가 법적으로 보호할 가치가 있는지 여부 등을 종합적으로 고려하여야 한다(대판 2014.5.29, 2012다44518).[5]

---

4) 임금협상 과정을 거쳐 이루어진 노사합의에서 정기상여금은 그 자체로 통상임금에 해당하지 아니한다고 오인한 나머지 정기상여금을 통상임금 산정 기준에서 제외하기로 합의하고 이를 전제로 임금수준을 정한 경우, 근로자 측이 앞서 본 임금협상의 방법과 경위, 실질적인 목표와 결과 등은 도외시한 채 임금협상 당시 전혀 생각하지 못한 사유를 들어 정기상여금을 통상임금에 가산하고 이를 토대로 추가적인 법정수당의 지급을 구함으로써, 노사가 합의한 임금수준을 훨씬 초과하는 예상 외의 이익을 추구하고 그로 말미암아 사용자에게 예측하지 못한 새로운 재정적 부담을 지워 중대한 경영상의 어려움을 초래하거나 기업의 존립을 위태롭게 한다면, 이는 종국적으로 근로자 측에까지 피해가 미치게 되어 노사 어느 쪽에도 도움이 되지 않는 결과를 가져오므로 정의와 형평 관념에 비추어 신의에 현저히 반하고 도저히 용인될 수 없음이 분명하므로, 이와 같은 경우 근로자 측의 추가 법정수당 청구는 신의칙에 위배되어 받아들일 수 없다고 본 사례이다.

5) 甲 주식회사가 乙 소유의 농지에 관하여 매매계약을 체결하고 甲 회사 명의로 소유권이전청구권가등기를 마쳤는데, 乙을 대위한 기술신용보증기금이 위 매매계약이 구 농지개혁법상 무효임을 이유로 가등기 말소를 구한 사안에서, 법인의 농지 소유권 취득을 금지한 구 농지개혁법 관련 규정은 그 성질상 경자유전의 원칙이라는 공익적 요구를 구체적

② 실정법에 정하여진 개별 법제도의 구체적 내용에 좇아 판단되는 바를 신의칙과 같은 일반조항에 의한 법원칙을 들어 배제 또는 제한하는 것은 중요한 법가치의 하나인 법적 안정성을 후퇴시킬 우려가 있다. 특히 소멸시효 제도는 법률관계의 주장에 일정한 시간적 한계를 설정함으로써 그에 관한 당사자 사이의 다툼을 종식시키려는 것으로서, 누구에게나 무차별적·객관적으로 적용되는 시간의 경과가 1차적인 의미를 가지는 것으로 설계되었음을 고려하면, 법적 안정성의 요구는 더욱 선명하게 제기된다. 따라서 소멸시효 완성의 주장이 신의성실의 원칙에 반하여 허용되지 아니한다고 평가하는 것은 신중을 기할 필요가 있다(대판 2016.9.30, 2016다218713·218720).[6]

채권자가 유효하게 성립한 계약에 따른 급부의 이행을 청구하는 경우, 법원이 공평의 이념 또는 신의칙과 같은 일반원칙에 의한 급부의 일부 감축이 허용되는지 여부(원칙적 소극) ★

① 유효하게 성립한 계약상의 책임을 공평의 이념 또는 신의칙과 같은 일반원칙에 의하여 제한하는 것은 사적 자치의 원칙이나 법적 안정성에 대한 중대한 위협이 될 수 있으므로, 채권자가 유효하게 성립한 계약에 따른 급부의 이행을 청구하는 때에 법원이 급부의 일부를 감축하는 것은 원칙적으로 허용되지 않는다(대판 2016.12.1, 2016다240543).

② 채권자의 권리행사가 신의칙에 비추어 용납할 수 없는 것인 때에는 이를 부정하는 것이 예외적으로 허용될 수 있을 것이나, 일단 유효하게 성립한 계약상 책임을 공평의 이념 및 신의칙과 같은 일반원칙에 의하여 제한하는 것은 자칫하면 사적 자치의 원칙이나 법적 안정성에 대한 중대한 위협이 될 수 있으므로 신중을 기하여 가능한 한 예외적으로 인정하여야 한다(대판 2024.4.4, 2022다239131).

으로 실천하기 위한 강행규정으로서 이 사건은 그와 같은 합법성의 원칙이라는 토대 위에서 그 당부를 검토하여야 할 사안이라 할 것이고, 구 농지개혁법에 위반되는 이 사건 등기가 이루어지게 된 경위에는 스스로 불법을 인식한 채 이 사건 각 매매계약을 체결한 피고에게도 주관적 귀책사유가 있다고 할 것이므로, 이에 관한 피고의 신뢰를 합법성의 원칙을 희생하면서까지 보호할 것은 아니라고 한 사례이다.

6) 甲 보험회사와 보험계약을 체결한 乙이 계약의 책임개시일로부터 2년 후 자살하였는데 수익자인 丙이 甲 회사를 상대로 재해사망특약에 기한 보험금의 지급을 구한 사안에서, 丙의 재해사망보험금 청구권은 소멸시효의 완성으로 소멸하였고, 甲 회사가 특약에 기한 재해사망보험금 지급의무가 있음에도 지급을 거절하였다는 사정만으로는 甲 회사의 소멸시효 항변이 권리남용에 해당하지 않는다고 본 원심판단이 정당하다고 한 사례이다.

Ⅲ. 파생원칙 - 신의성실 원칙의 구체적 적용

1. 모순행위금지의 원칙(금반언의 원칙)

일방의 선행행위가 있고 그 행위에 대한 상대방의 보호가치 있는 신뢰가 있는 경우, 그 행위자 일방은 선행행위와 모순되는 후행행위를 해서는 안 된다는 원칙이다.

2. 실효의 원칙

(1) 의의 및 요건

실효의 원칙이란 ① 권리행사의 기대가능성이 있음에도 상당기간이 경과하도록 이를 행사하지 아니하여, ② 상대방으로서도 이제는 그 권리를 행사하지 아니할 것으로 신뢰할만한 정당한 기대를 가지게 된 후, ③ 새삼스럽게 그 권리를 행사하는 것이 법질서 전체를 지배하는 신의성실원칙에 위반되는 결과로 되는 때에는 그 행사가 인정되지 않는다는 원칙이다(대판 1992.1.21, 91다30118).[7)]

(2) 적용범위

종전 권리자의 권리 불행사에 따른 실효의 원칙은 그 권리를 취득한 새로운 권리자에게 적용되는 것은 아니다. 판례도 "송전선이 토지 위를 통과하고 있다는 점을 알고서 토지를 취득하였다고 하여 그 취득자가 그 소유 토지에 대한 소유권의 행사가 제한된 상태를 용인하였다고 할 수 없고, 종전 토지소유자가 자신의 권리를 행사하지 않았다는 사정은 그 토지의 소유권을 취득한 새로운 권리자에게 실효의 원칙을 적용함에 있어서 고려할 것은 아니다"라고 하여 마찬가지이다(대판 1995.8.25, 94다27069).

판례 연구 **관련판례 정리**

☑ **실효의 원칙에 관한 판례**

1. 실효의 원칙 위배로 인정한 경우

[1] 동일한 사유로 의원면직된 다른 자가 그 무효확인의 소를 제기하여 대법원의 승소확정판결을 받음으로써 의원면직처분이 무효임을 안 자가 그 후 2년 6월, 사직원 제출 후 12년이 지난 뒤에 제기한 해고무효소송은 인정되지 않는다(대판 1992.1.21, 91다30118).

[2] 1년 4개월 전에 발생한 해제권을 행사하지 않고 오히려 그 채무의 이행을 최고한 자가 새삼스럽게 해제권을 행사하는 것은 인정되지 않는다(대판 1994.11.25, 94다12234).

[3] 근로자가 사직원의 작성・제출이 자신이 아닌 그의 형에 의하여 이루어졌음을 이유로 의원면직의 무효확인을 구하는 사안에서, 근로자의 형이 사직원을 제출하게 된 경위 및 근로자가 아무런 이의 없이 퇴직금을 수령한 점 등 제반 사정에 비추어 볼 때 의원면직일로부터 5년이 넘게 경과한 후에 위와 같은 소송을 제기한 것은 신의칙에 반하는 것이다(대판 2005.10.28, 2005다45827).

---

7) 실효의 원칙을 적용하기 위해서는 의무자인 상대방이 더 이상 권리자가 그 권리를 행사하지 아니할 것으로 믿을 만한 정당한 사유가 있을 것을 요건으로 한다(대판 1995.8.25, 94다27069).

2. 실효의 원칙에 위배되지 않는다고 본 경우 ★

[1] 토지소유자가 그 무단점유자에 대하여 부당이득반환청구권을 장기간 적극적으로 행사하지 아니하였다는 사정만으로는 부당이득반환청구권이 이른바 실효의 원칙에 따라 소멸하였다고 볼 수 없다(대판 2002.1.8, 2001다60019).

[2] 인지청구권의 행사는 실효의 원칙이 적용되지 않는다. 즉 인지청구권은 본인의 일신전속적인 신분관계상의 권리로서 포기할 수도 없으며 포기하였더라도 그 효력이 발생할 수 없는 것이고, 이와 같이 인지청구권의 포기가 허용되지 않는 이상 거기에 실효의 법리가 적용될 여지도 없다(대판 2001.11.27, 2001므1353).

3. 사정변경의 원칙

(1) 의의

법률행위의 성립 당시에 그 기초가 되었던 객관적 사정이 당사자가 예견할 수 없었던 사유로 현저히 변경되고, 당초의 계약 내용대로 구속력을 인정하면 현저히 신의칙에 반하는 경우, 법률행위의 내용을 변경된 사정에 맞게 수정하거나 해제·해지시킬 수 있는 원칙을 말한다.

사정변경의 원칙에서 '사정'의 의미

① 계약 성립의 기초가 된 사정이 현저히 변경되고 당사자가 계약의 성립 당시 이를 예견할 수 없었으며, 그로 인하여 계약을 그대로 유지하는 것이 당사자의 이해에 중대한 불균형을 초래하거나 계약을 체결한 목적을 달성할 수 없는 경우에는 계약준수 원칙의 예외로서 사정변경을 이유로 계약을 해제하거나 해지할 수 있다. 여기에서 말하는 사정이란 당사자들에게 계약 성립의 기초가 된 사정을 가리키고, 당사자들이 계약의 기초로 삼지 않은 사정이나 어느 일방당사자가 변경에 따른 불이익이나 위험을 떠안기로 한 사정은 포함되지 않는다. 또한 사정변경에 대한 예견가능성이 있었는지는 추상적·일반적으로 판단할 것이 아니라, 구체적인 사안에서 계약의 유형과 내용, 당사자의 지위, 거래경험과 인식가능성, 사정변경의 위험이 크고 구체적인지 등 여러 사정을 종합적으로 고려하여 개별적으로 판단하여야 한다. 이때 합리적인 사람의 입장에서 볼 때 당사자들이 사정변경을 예견했다면 계약을 체결하지 않거나 다른 내용으로 체결했을 것이라고 기대되는 경우 특별한 사정이 없는 한 예견가능성이 없다고 볼 수 있다.

② 경제상황 등의 변동으로 당사자에게 손해가 생기더라도 합리적인 사람의 입장에서 사정변경을 예견할 수 있었다면 사정변경을 이유로 계약을 해제할 수 없다. 특히 계속적 계약에서는 계약의 체결 시와 이행 시 사이에 간극이 크기 때문에 당사자들이 예상할 수 없었던 사정변경이 발생할 가능성이 높지만, 이러한 경우에도 위 계약을 해지하려면 경제적 상황의 변화로 당사자에게 불이익이 발생했다는 것만으로는 부족하고 위에서 본 요건을 충족하여야 한다(대판 2017.6.8, 2016다249557, 대판 2021.6.30, 2019다276338).

(2) 판례의 구체적 예

1) 일시적 계약관계

판례는 ① 매매계약과 같은 일시적 계약의 경우에 있어서는 "민법상 사정변경의 원리를 내세워서 그 매매계약을 해제할 수 없다"고 하여 인정하지 않았으나, 최근에 "사정변경으로 인한 계약해제는, 계약 성립 당시 당사자가 예견할 수 없었던 현저한 사정의 변경이 발생하였고 그러한 사정의 변경이 해제권을 취득하는 당사자에게 책임 없는 사유로 생긴 것으로서, 계약내용대로의 구속력을 인정한다면 신의칙에 현저히 반하는 결과가 생기는 경우에 계약준수 원칙의 예외로서 인정되는 것이고, 여기에서 말하는 사정이라 함은 계약의 기초가 되었던 객관적인 사정으로서, 일방 당사자의 주관적 또는 개인적인 사정을 의미하는 것은 아니다. 또한, 계약의 성립에 기초가 되지 아니한 사정이 그 후 변경되어 일방 당사자가 계약 당시 의도한 계약목적을 달성할 수 없게 됨으로써 손해를 입게 되었다 하더라도 특별한 사정이 없는 한 그 계약내용의 효력을 그대로 유지하는 것이 신의칙에 반한다고 볼 수도 없다"고 하여 인정하고 있다(대판 2007.3.29, 2004다31302). 또한 ② "특정채무에 대한 보증의 경우 사정변경을 이유로 한 해지권은 인정하지 않고, 채권자의 권리행사가 신의칙에 비추어 용납할 수 없는 성질의 것인 때에는 보증인의 책임을 제한하는 것이 예외적으로 허용될 수 있다"고 판시하였다.

2) 계속적 계약관계

판례는 기간의 정함이 없는 계속적 보증계약과 같은 계속적 계약관계에서는 "회사의 임원이나 직원의 지위에 있기 때문에 회사의 요구로 부득이 회사와 제3자 사이의 계속적 거래로 인한 회사의 채무에 대하여 보증인이 된 자가 그 후 회사로부터 퇴사하여 임원이나 직원의 지위를 떠난 때에는 보증계약 성립 당시의 사정에 현저한 변경이 생긴 경우에 해당하므로 사정변경을 이유로 보증계약을 해지할 수 있다"는 입장으로 이 원칙을 인정하고 있다.

계약 성립에 기초가 되지 않는 사정이 그 후 변경되어 일방 당사자가 계약 당시 의도한 계약 목적을 달성할 수 없게 됨으로써 손해를 입은 경우, 사정변경을 이유로 한 계약 해제가 인정되는지 여부(원칙적 소극) **및 이러한 법리가 계속적 계약관계에서 사정변경을 이유로 계약 해지를 주장하는 경우에도 적용되는지 여부**(적극) ★★

사정변경을 이유로 한 계약 해제는 계약 성립 당시 당사자가 예견할 수 없었던 현저한 사정의 변경이 발생하였고 그러한 사정의 변경이 해제권을 취득하는 당사자에게 책임 없는 사유로 생긴 것으로서, 계약 내용대로의 구속력을 인정한다면 신의칙에 현저히 반하는 결과가 생기는 경우에 계약준수 원칙의 예외로서 인정된다. 그리고 여기서 말하는 사정이라 함은 계약의 기초가 되었던 객관적인 사정으로서, 일방 당사자의 주관적 또는 개인적인 사정을 의미하는 것은 아니다. 따라서 계약의 성립에 기초가 되지 아니한 사정이 그 후 변경되어 일방 당사자가 계약 당시 의도한 계약 목적을 달성할 수 없게 됨으로써 손해를 입게 되었다 하더라도 특별한 사정이 없는 한 그 계약 내용의 효력을 그대로 유지하는 것이 신의칙에 반한다고 볼 수 없다. 이러한 법리는 계속적 계약관계에서 사정변경을 이유로 계약의 해지를 주장하는 경우에도 마찬가지로 적용된다(대판(전) 2013.9.26, 2013다26746).

보험자에게 위 해지권에 관한 사전 설명의무가 있는지 여부(소극) 및 보험자의 위 해지권 행사를 상법 제663조나 약관의 규제에 관한 법률 제9조 제2호 위반으로 볼 수 있는지 여부(소극)

보험계약은 장기간의 보험기간 동안 존속하는 계속적 계약일 뿐만 아니라, 도덕적 위험의 우려가 있어 당사자의 윤리성과 선의성이 강하게 요구되는 특성이 있으므로 당사자 사이에 강한 신뢰관계가 있어야 한다. 따라서 보험계약의 존속 중에 당사자 일방의 부당한 행위 등으로 인하여 계약의 기초가 되는 신뢰관계가 파괴되어 계약의 존속을 기대할 수 없는 중대한 사유가 있는 때에는 상대방은 그 계약을 해지함으로써 장래에 향하여 그 효력을 소멸시킬 수 있다. (중략) 한편 이러한 해지권은 신의성실의 원칙을 정한 민법 제2조에 근거한 것으로서 보험계약 관계에 당연히 전제된 것이므로, 보험자에게 사전에 설명할 의무가 있다거나 보험자가 이러한 해지권을 행사하는 것이 상법 제663조나 약관의 규제에 관한 법률 제9조 제2호를 위반한 것이라고 볼 수 없다. 또한 보험자가 보험금 지급에 관한 심사를 하는 단계에서 지급요건을 충족하지 못한 것을 밝히지 못하고 보험금을 지급했다는 이유만으로, 보험자가 이러한 해지권을 행사하는 것이 보험계약상 신의성실의 원칙 위반이라고 볼 수도 없다. 다만 (중략) 구체적 사안에서 보험자가 이와 같은 해지권을 행사할 수 있는지는 신중하고 엄격하게 판단하여야 한다(대판 2020.10.29, 2019다267020).

계약준수 원칙의 예외로서 사정변경을 이유로 계약을 해제하거나 해지할 수 있는 경우

계약 성립의 기초가 된 사정이 현저히 변경되고, 당사자가 계약의 성립 당시 이를 예견할 수 없었으며, 그로 인하여 계약을 그대로 유지하는 것이 당사자의 이해에 중대한 불균형을 초래하거나 계약을 체결한 목적을 달성할 수 없는 경우에는 계약준수 원칙의 예외로서 사정변경을 이유로 계약을 해제하거나 해지할 수 있다(대판 2020.12.10, 2020다254846).

금전소비대차계약이 성립된 이후에 차주의 신용불안이나 재산상태의 현저한 변경이 생겨 장차 대주의 대여금반환청구권 행사가 위태롭게 되는 등 사정변경이 생긴 경우, 대주가 대여의무의 이행을 거절할 수 있는지 여부(적극)

민법 제599조는 "대주가 목적물을 차주에게 인도하기 전에 당사자 일방이 파산선고를 받은 때에는 소비대차는 그 효력을 잃는다."라고 정한다. 위 규정의 취지는 소비대차계약의 목적물이 인도되기 전에 당사자의 일방이 파산한 경우에는 당사자 사이의 신뢰관계가 깨어져 당초의 계약관계를 유지하는 것이 타당하지 아니한 사정변경을 반영한 것이다. 위와 같은 규정의 내용과 그 입법 취지에 비추어 보면, 금전소비대차계약이 성립된 이후에 차주의 신용불안이나 재산상태의 현저한 변경이 생겨 장차 대주의 대여금반환청구권 행사가 위태롭게 되는 등 사정변경이 생기고 이로 인하여 당초의 계약내용에 따른 대여의무를 이행케 하는 것이 공평과 신의칙에 반하게 되는 경우에 대주는 대여의무의 이행을 거절할 수 있다고 보아야 한다(대판 2021.10.28, 2017다224302).

4. 권리남용금지의 원칙

(1) 의의

외형상으로는 권리의 행사인 것처럼 보이지만 실질적으로는 권리 본래의 사회적 목적에 반하여 정당한 권리의 행사로 볼 수 없는 경우 그 권리의 행사는 신의칙에 반하여 금지된다는 원칙을 말한다.

(2) 요건

1) 객관적 요건

① 권리의 존재 및 행사와 ② 권리 행사가 그 권리의 정당한 이익을 결여하여야 한다.

2) 주관적 요건

권리행사의 목적이 오직 상대방에게 고통을 주고 손해를 입히려는 것인 주관적 요건의 요부에 대해 판례는 일관된 입장을 취하지 않고 다양한 태도를 보이고 있다. 다만 개괄적으로 보면, ① 객관적 요건 외에 주관적 요건을 모두 요구하는 태도가 주류적인 입장이라고 할 것이고, 이 이외에 ② 객관적 사정에 의해 주관적 요건을 추인할 수 있다고 본 경우, ③ 주관적 요건을 필요로 하는 것은 아니라고 본 경우(예 상계권의 남용을 인정함에 상계권자의 가해목적, 즉 주관적 요건을 요하지 않는다)가 있다.

토지소유자의 통행금지청구의 권리남용 해당 여부 및 부당이득반환청구 ★

[1] 권리의 행사에 해당하는 외관을 지닌 어떠한 행위가 권리남용에 해당하는지 판단하는 기준

권리의 행사가 주관적으로 오직 상대방에게 고통을 주고 손해를 입히려는 데 있을 뿐 이를 행사하는 사람에게는 이익이 없고 객관적으로 사회질서에 위반된다고 볼 수 있으면, 그 권리의 행사는 권리남용으로서 허용되지 아니하고, 이때 권리의 행사가 상대방에게 고통이나 손해를 주기 위한 것이라는 주관적 요건은 권리자의 정당한 이익을 결여한 권리행사로 보이는 객관적 사정을 모아 추인할 수 있으며, 이와 같이 권리의 행사에 해당하는 외관을 지닌 어떠한 행위가 권리남용이 되는지는 권리남용 제도의 취지 및 그 근간이 되는 동시대 객관적인 사회질서의 토대 아래 개별적 · 구체적 상황을 종합하여 판단하여야 한다(대판 2023.3.13, 2022다293999).

→ [사실관계] : 甲 등이 취득한 빌딩과 乙 등이 구분소유하는 빌딩 사이에 乙 등의 빌딩에 출입하는 사람과 인근 주민들이 통행로로 사용하는 부지가 있고, 그중 대부분이 甲 등의 빌딩 부지에 포함되어 있는데, 甲이 乙 등을 상대로 위 통행로 중 甲 등의 소유 부분에 대한 통행금지를 구한 사안에서, 乙 등의 빌딩의 사용승인이 이루어지기 이전부터 인근 주민들을 비롯한 불특정 다수인이 해당 부분을 통행함에 제한이 없었고, 甲 등의 빌딩 부지의 전 소유자는 乙 등의 빌딩이 건축될 당시 해당 부분의 무상 사용과 불특정 다수인의 통행을 수인했던 것으로 보이며, 甲 등은 이와 같은 이용 상황 및 소유권의 제약 상태를 알고서 빌딩 및 부지를 취득한 점 등의 제반 사정에 비추어 甲 등이 乙 등에 대해서만 선별적 · 자의적으로 통행을 금지하는 것은 소유권의 행사에 따른 실질적 이익도 없이 단지 상대방의 통행의 자유에 대한 침해라는 고통과 손해만을 가하는 것이 되어 법질서상 원칙적으로 허용될 수 없는 '권리남용'이라고 볼 여지가 크다고 한 사례이다.

[2] 타인 소유의 토지를 법률상 권원 없이 점유한 경우, 토지 소유자가 입은 통상의 손해는 점유 토지의 임료 상당액인지 여부(원칙적 적극) 및 수익자가 공로에 이르는 통로로 통행지를 통행함에 그치고 통행지 소유자의 점유를 배제할 정도의 배타적인 점유를 하고 있지 않은 경우, 제반 사정을 고려하여 이를 감경할 수 있는지 여부(적극)

타인 소유의 토지를 법률상 권원 없이 점유함으로 인하여 토지 소유자가 입은 통상의 손해는 특별한 사정이 없는 한 점유 토지의 임료 상당액이지만, 수익자가 단지 공로에 이르는 통로로 통행지를 통행함에 그치고 통행지 소유자의 점유를 배제할 정도의 배타적인 점유를 하고 있지 않다면, 통행지 소유자가 통행지를 본래 목적대로 사용 · 수익할 수 없게 되는 경우의 손해액이라 할 수 있는 임료 상당액 전부가 통행지 소유자의 손해액이 된다고 볼 수는 없고, 구체적 사안에서 사회통념에 따라 쌍방 토지의 토지소유권 취득 시기와 가격, 통행지에 부과되는 재산세, 본래 용도에의 사용 가능성, 통행지를 공동으로 이용하는 사람이 있는지를 비롯하여 통행 횟수 · 방법 등의 이용태양, 쌍방 토지의 지형적 · 위치적 형상과 이용관계, 부근의 환경, 상린지 이용자의 이해득실 기타 제반 사정을 고려하여 이를 감경할 수 있다(대판 2023.3.13, 2022다293999).

권리남용의 요건 및 공로로 제공된 도로 및 그 도로 지하 부분에 매설된 시설의 철거청구가 권리남용에 해당하는지 여부(적극) ★★

① 권리의 행사가 주관적으로 오직 상대방에게 고통을 주고 손해를 입히려는 데 있을 뿐 이를 행사하는 사람에게는 이익이 없고, 객관적으로 사회질서에 위반된다고 볼 수 있으면, 그 권리의 행사는 권리남용으로서 허용되지 아니하고, 이때 권리의 행사가 상대방에게 고통이나 손해를 주기 위한 것이라는 주관적 요건은 권리자의 정당한 이익을 결여한 권리행사로 보이는 객관적인 사정들을 모아서 추인할 수 있으며, 이와 같이 권리의 행사에 해당하는 외관을 지닌 어떠한 행위가 권리남용이 되는가의 여부는 권리남용 제도의 취지 및 그 근간이 되는 동시대 객관적인 사회질서의 토대하에서 개별적이고 구체적인 상황을 종합하여 판단하여야 한다. ② 어떤 토지가 그 개설경위를 불문하고 일반 공중의 통행에 공용되는 도로, 즉 공로가 되면 그 부지의 소유권 행사는 제약을 받게 되며, 이는 소유자가 수인하여야만 하는 재산권의 사회적 제약에 해당한다. 따라서 공로 부지의 소유자가 이를 점유·관리하는 지방자치단체를 상대로 공로로 제공된 도로의 철거, 점유 이전 또는 통행금지를 청구하는 것은 법질서상 원칙적으로 허용될 수 없는 '권리남용'이라고 보아야 한다. 그 경우 특별한 사정이 없는 한 그 도로 지하 부분에 매설된 시설에 대한 철거 등 청구도 '권리남용'이라고 봄이 상당하다(대판 2023.9.14, 2023다214108).

(3) 효과

권리행사가 권리남용으로 인정되면 그 권리행사로서의 법률효과가 발생하지 않는다. 그러나 권리 자체를 박탈시키는 것은 아니다. 따라서 권리 자체가 소멸되지는 않으므로 부당이득의 문제는 발생할 수 있다. 다만 예외적으로 법률의 규정이 있는 경우, 즉 친권 남용(제924조)의 경우에는 권리 자체가 소멸된다.

(4) 관련문제

1) 소멸시효 주장의 남용

① ⅰ) 채무자가 시효완성 전에 채권자의 권리행사나 시효중단을 불가능 또는 현저히 곤란하게 하거나 그러한 조치가 불필요하다고 믿게 하는 행동을 하였거나, 객관적으로 채권자가 권리를 행사할 수 없는 장애사유가 있었거나, 또는 ⅱ) 일단 시효완성 후에 채무자가 시효를 원용하지 아니할 것 같은 태도를 보여 권리자로 하여금 그와 같이 신뢰하게 하였거나, ⅲ) 채권자 보호의 필요성이 크고 같은 조건의 다른 채권자가 채무의 변제를 수령하는 등의 사정이 있어 채무이행의 거절을 인정함이 현저히 부당하거나 불공평하게 되는 등의 특별한 사정이 있는 경우에 한하여 채무자가 소멸시효의 완성을 주장하는 것이 신의성실의 원칙에 반하여 권리남용으로서 허용될 수 없다(대판 1999.12.7, 98다42929).

② 국가에게 국민을 보호할 의무가 있다는 사유만으로 국가가 소멸시효의 완성을 주장하는 것 자체가 신의성실의 원칙에 반하여 권리남용에 해당한다고 할 수는 없으므로, 국가의 소멸시효 완성 주장이 신의칙에 반하고 권리남용에 해당한다고 하려면 일반 채무자의 소멸시효 완성 주장에서와 같은 특별한 사정이 인정되어야 할 것이고, 또한 그와 같은 일반적 원칙을 적용하여 법이 두고 있는 구체적인 제도의 운용을 배제하는 것은 법해석에 있어 또 하나의 대원칙인 법적 안정성을 해할 위험이 있으므로 그 적용에는 신중을 기하여야 한다(대판 2005.5.13, 2004다71881).

2) 대표권 남용과 신의칙

판례는 주식회사의 대표이사가 대표권의 범위 내에서 한 행위는 설사 대표이사가 회사의 영리 목적과 관계없이 자기 또는 제3자의 이익을 도모할 목적으로 권한을 남용한 것이라도 일응 회사의 행위로서 유효하다. 그러나 행위의 상대방이 그와 같은 정을 알았던 경우에는 그로 인하여 취득한 권리를 회사에 대하여 주장하는 것이 신의칙에 반하므로 회사는 상대방의 악의를 입증하여 행위의 효과를 부인할 수 있다고 하였다(대판 2016.8.24, 2016다222453).

판례 연구 **관련판례 정리**

☑ **구체적 적용에 관한 판례**

1. 신의칙 내지 권리남용금지의 원칙 위배로 인정한 경우

[1] 경매목적인 부동산의 소유자가 경매가 진행 중인 사실을 알면서 이의 없이 배당금을 수령하고 경락인 명의로 부동산을 인도해 준 후 그 기초가 된 근저당권이나 공정증서의 무효를 주장하여 이전등기의 말소를 청구하는 것은 신의칙에 위배된다(대판 1993.12.24, 93다42603).

[2] 한전이 변전소를 설치하기 위하여 토지를 수용하고 보상금을 공탁했으나, 공탁이 부적법하여 수용자체가 실효된 사안에서 '토지소유자가 변전소의 철거 및 대지인도'를 구하는 것은 권리남용에 해당한다(대판 1999.9.7, 99다27613).

★ 주의 – 토지소유자가 토지상공에 송전선이 설치된 사정을 알면서 13년이 지나서야 토지이용권 확보나 보상미비 등의 이유로 송전선의 철거를 청구했다는 것만으로는 권리남용에 해당한다고 볼 수 없다고 본 판례사안(대판 1996.5.14, 94다54283)과 혼동하지 말아야 한다.

[3] 주택소유자인 딸이 父를 모시고 사는 남동생을 상대로 명도를 구하고 父를 상대로 퇴거를 구하는 청구는 부자간의 인륜을 파괴하는 행위로서 권리남용에 해당하고(대판 1998.6.12, 96다52670), 자신의 친딸로 하여금 그 소유의 대지상에 건물을 신축하도록 승낙한 자가 위 건물이 친딸의 채권자에 의한 강제경매신청에 따라 경락되자 경락인에 대하여 그 철거를 구하는 행위는 신의칙에 반한다고 한다(대판 1991.6.11, 91다9299).

[4] 송금의뢰인이 착오송금임을 이유로 수취은행에 그 송금액의 반환을 요청하고 수취인도 착오송금임을 인정하여 수취은행에 그 반환을 승낙하고 있는 경우, 수취은행이 수취인에 대한 대출채권 등을 자동채권으로 하여 착오송금된 금원 상당의 예금채권과 상계하는 것이 신의칙 위반 내지 권리남용에 해당한다(대판 2010.5.27, 2007다66088).★

[5] 甲이 대리권 없이 乙 소유 부동산을 丙에게 매도하여 부동산소유권이전등기 등에 관한 특별조치법에 의하여 소유권이전등기를 마쳐주었다면 그 매매계약은 무효이고 이에 터 잡은 이전등기 역시 무효가 되나, 甲은 乙의 무권대리인으로서 민법 제135조 제1항의 규정에 의하여 매수인인 丙에게 부동산에 대한 소유권이전등기를 이행할 의무가 있으므로 그러한 지위에 있는 甲이 乙로부터 부동산을 상속받아 그 소유자가 되어 소유권이전등기이행의무를 이행하는 것이 가능하게 된 시점에서 자신이 소유자라고 하여 자신으로부터 부동산을 전전매수한 丁에게 원래 자신의 매매행위가 무권대리행위여서 무효였다는 이유로 丁 앞으로 경료된 소유권이전등기가 무효의 등기라고 주장하여 그 등기의 말소를 청구하거나 부동산의 점유로 인한 부당이득금의 반환을 구하는 것은 금반언의 원칙이나 신의성실의 원칙에 반하여 허용될 수 없다(대판 1994.9.27, 94다20617). ★★

→ 무권대리인이 본인의 지위를 상속한 후 본인의 지위에서 추인거절권을 행사하는 것은 신의칙상 허용되지 않는다고 본 사례이다.

[6] ① 임대인이 자기소유의 건물을 담보로 은행융자를 받음에 있어 임차인이 임대인으로 하여금 건물의 담보가치를 높게 평가받도록 하기 위하여 은행직원에게 아무런 임료도 지급함이 없이 무상으로 거주하고 있다는 거짓 내용의 확인서를 작성하여 주어, 경매절차가 끝날 때에 이르러 은행(경락인)이 그 임차인에게 건물의 명도를 청구하자 태도를 번복하여 임대차관계에 있음을 주장하여 임차보증금의 반환을 받을 때까지 건물을 명도해 줄 수 없다고 하는 것은 금반언 및 신의칙에 반한다(대판 1987.12.8, 87다카1738). ② 근저당권자가 담보로 제공된 건물에 대한 담보가치를 조사할 당시 대항력을 갖춘 임차인이 그 임대차 사실을 부인하고 임차보증금에 대한 권리주장을 않겠다는 내용의 확인서를 작성해 준 경우, 그 후 그 건물에 대한 경매절차에서 이를 번복하여 대항력 있는 임대차의 존재를 주장함과 아울러 근저당권자보다 우선적 지위를 가지는 확정일자부 임차인임을 주장하여 그 임차보증금반환채권에 대한 배당요구를 하는 것은 특별한 사정이 없는 한 금반언 및 신의칙에 위반되어 허용될 수 없다(대판 1997.6.27, 97다12211). 또한 ③ 경매절차에 그 무상임대차 확인서가 제출되어 매수인이 그 확인서의 내용을 신뢰하여 매수신청금액을 결정하는 경우와 같이, 임차인이 작성한 무상임대차 확인서에서 비롯된 매수인의 신뢰가 매각절차에 반영되었다고 볼 수 있는 사정이 존재하는 경우에는, 비록 매각물건명세서 등에 위 건물에 대항력 있는 임대차 관계가 존재한다는 취지로 기재되었다고 하더라도 임차인이 제3자인 매수인의 건물인도청구에 대하여 대항력 있는 임대차를 주장하여 임차보증금 반환과의 동시이행의 항변을 하는 것은 금반언 또는 신의성실의 원칙에 반하여 허용될 수 없다(대판 2016.12.1, 2016다228215). ★★

2. 신의칙 내지 권리남용금지의 원칙 위배로 인정하지 않은 경우

[1] 채권자가 주채무자인 회사의 다른 주주들이나 임원들에 대하여는 회사의 채무에 대하여 연대보증을 요구하지 아니하였고, 오로지 대표이사의 처이고 회사의 감사라는 지위에 있었다는 이유만으로 그 회사의 주주도 아닌 자에게만 연대보증을 요구하여 그가 연대보증을 하게 되었다 하더라도, 그 연대보증계약을 들어 신의칙위반이라 할 수 없다고 한다(대판 2002.4.12, 2000다43352).

★ 주의 – 甲이 하여야 할 연대보증을 그 부탁으로 乙이 대신 한 경우, 甲이 그 연대보증채무를 대위변제하였다는 이유로 乙에 대하여 구상권을 행사하는 것은 신의칙에 반한다고 본 판례(대판 2000.5.12, 99다38293)와 혼동하지 말아야 한다.

[2] 계약의 성립에 기초가 되지 아니한 사정이 그 후 변경되어 일방 당사자가 계약 당시 의도한 계약목적을 달성할 수 없게 됨으로써 손해를 입게 되었음에도 그 계약내용의 효력을 그대로 유지하는 것은 신의칙에 반하지 않는다(대판 2007.3.29, 2004다31302).

[3] 소유권이전등기가 경료된 부동산에 관하여 중복하여 소유권보존등기를 마친 자의 점유취득시효가 완성된 경우, 후행 보존등기의 말소를 구하는 것이 신의칙에 반하거나 권리남용에 해당하지 않는다(대판 2008.2.14, 2007다63690). ★

[4] 추심명령 또는 전부명령이나 확정일자 있는 증서에 의하여 채권양도를 받은 다수의 다른 채권자들이 제3채무자를 상대로 추심금청구 등의 소송을 제기하여 재판이 진행 중인 사실을 알고 있는 전부채권자가 제3채무자로부터 소를 제기하여 다른 채권자들과 같은 기회에 배당받을 것을 권유받았음에도 불구하고 소송을 제기하는 등 아무런 조치를 취하지 않고 있다가, 다른 채권자들이 제기한 소송이 모두 법원의

조정에 갈음하는 결정으로 확정되어 제3채무자가 다른 채권자들에게 전부채권 전액에 상당하는 조정금액을 전부 지급한 후 비로소 자신의 채권의 지급을 구하는 것이라 하더라도, 전부채권자가 제3채무자의 위와 같은 제의에 명시적 또는 묵시적으로 승낙한 바가 없는 이상, 전부채권자가 제3채무자에 대하여 스스로의 전부채권을 포기한다거나 행사하지 않기로 한다는 신의를 준 것이라고 볼 수 없고, 설령 제3채무자가 전부채권자가 그 당시 바로 소를 제기하지 아니함으로써 자신의 채권을 행사하지 않는 것으로 믿었다고 하더라도 그러한 신뢰가 객관적으로 정당한 것으로 평가될 수도 없으며, 전부채권자가 다른 채권자들과 통모하여 위와 같은 결과를 초래하게 하였다는 등의 특별한 사정이 없는 한 전부채권자의 전부금청구가 정의관념에 비추어 용인될 수 없는 권리의 행사라고 할 수도 없으므로, 전부채권자의 위 전부금청구가 신의성실의 원칙에 위배되지 않는 것으로 본 사례(대판 2001.7.13, 2000다5909)

3. 신의칙 적용의 한계

[1] ① 민법의 기본이념(예 의사・제한능력자 보호), ② 강행법규, ③ 법적 안정성(예 기판력 제도) → 구체적인 판례의 예 : 판례는 ① 사립학교법 제28조 제2항, 생전상속포기약정, 유동적 무효사안, 투자수익보장약정사안 등의 경우 신의칙의 한계를 인정, ② 중혼취소권 행사, 인지청구권 행사, 상호권 사용금지청구, 소유권에 기한 부당이득반환청구권 행사 등이 실효의 원칙에 걸리지 않는다고 보았다.

[2] 타인의 사망을 보험사고로 하는 보험계약에서는 보험계약체결 시에 그 타인의 서면에 의한 동의를 얻어야 한다는 상법 제731조 제1항의 규정은 강행법규로서 위 규정에 위반하여 체결된 보험계약은 무효라고 할 것이고, 상법 제731조 제1항을 위반하여 계약을 체결한 자 스스로가 무효를 주장함이 신의성실의 원칙 또는 금반언의 원칙에 위배되는 권리행사라는 이유로 이를 배척한다면, 위와 같은 입법취지를 완전히 몰각시키는 결과가 초래되므로 특단의 사정이 없는 한 그러한 주장이 신의성실 또는 금반언의 원칙에 반한다고 볼 수는 없다(대판 1996.11.22, 96다37084).

[3] 법정대리인의 동의를 얻지 않고 신용카드 가맹점과 신용구매계약을 체결한 미성년자가 사후에 법정대리인의 동의 없음을 들어 그 계약을 취소하는 것은 신의칙에 반하지 않는다(대판 2007.11.16, 2005다71659・71666・71673).

[4] 의사무능력자가 자신의 명의로 대출계약을 체결하고 자신 소유의 부동산에 관하여 근저당권을 설정한 다음, 의사무능력자의 특별대리인이 위 대출계약 및 근저당권설정계약의 효력을 부인하는 것은 신의칙에 반하지 않고(대판 2006.9.22, 2004다51627), 매매계약을 체결한 후 토지거래허가가 나지 않아 증여를 원인으로 소유권이전등기를 한 후 증여세 납부의무를 다투는 것은 신의칙에 반하지 않는다(대판(전) 1997.3.20, 95누18383). ★★

[5] 강행법규를 위반한 투자신탁회사 스스로가 그 약정의 무효를 주장함이 신의칙에 위반되는 권리의 행사라는 이유로 그 주장을 배척한다면, 이는 오히려 강행법규에 의하여 배제하려는 결과를 실현시키는 셈이 되어 입법취지를 완전히 몰각하게 되므로, 달리 특별한 사정이 없는 한 위와 같은 주장이 신의성실의 원칙에 반하는 것이라고 할 수 없다(대판 1999.3.23, 99다4405).

[6] 강행규정을 위반한 법률행위를 한 사람이 스스로 그 무효를 주장하는 것이 신의칙에 위배되는 권리의 행사라는 이유로 이를 배척한다면 강행규정의 입법 취지를 몰각시키는 결과가 되므로 그러한 주장은 신의칙에 위배된다고 볼 수 없음이 원칙이다. 다만 신의칙을 적용하기 위한 일반적인 요건을 갖추고 강행규정성에도 불구하고 신의칙을 우선하여 적용할 만한 특별한 사정이 있는 예외적인 경우에는 강행규정을 위반한 법률행위의 무효를 주장하는 것이 신의칙에 위배될 수 있다(대판 2021.11.25, 2019다277157).

[7] 기판력이 신의칙에 반하는 방법으로 편취되었더라도 기판력을 주장하는 것은 권리남용이 아니다(대판 1961.1.26, 4294민상629).

[8] 상속인 중의 1인이 피상속인의 생존시에 피상속인에 대하여 상속을 포기하기로 약정하였다고 하더라도, 상속개시 후 민법이 정하는 절차와 방식에 따라 상속포기를 하지 아니한 이상, 상속개시 후에 자신의 상속권을 주장하는 것은 정당한 권리행사로서 권리남용에 해당하거나 또는 신의칙에 반하는 권리의 행사라고 할 수 없다(대판 1998.7.24, 98다9021). ★

[9] 혼인 외의 자가 38년간 친부에 대하여 인지청구권을 행사하지 않다가, 친부가 사망하자 상속재산을 되찾기 위해 인지청구권을 행사하는 경우에 이러한 인지청구권의 행사는 이미 실효된 것으로 볼 수 없다(대판 2001.11.27, 2001므1353).

4. 권리행사가 권리남용에 해당하기 위한 요건 ★★

[1] 권리행사가 권리의 남용에 해당한다고 할 수 있으려면, 주관적으로 그 권리행사의 목적이 오직 상대방에게 고통을 주고 손해를 입히려는 데 있을 뿐 행사하는 사람에게 아무런 이익이 없는 경우이어야 하고, 객관적으로는 그 권리행사가 사회질서에 위반된다고 볼 수 있어야 하는 것이며, 이와 같은 경우에 해당하지 않는 한 비록 그 권리의 행사에 의하여 권리행사자가 얻는 이익보다 상대방이 잃을 손해가 현저히 크다고 하여도 그러한 사정만으로는 이를 권리남용이라 할 수 없다(대판 1991.6.14, 90다10346).

[2] 경매를 통하여 토지를 취득한 자가 그 지상 건물의 철거와 토지의 인도를 구하는 사안에서, 건물의 철거로 인한 권리행사자의 이익보다 건물소유자의 손해가 현저히 크고 사회경제적으로도 큰 손실이 될 것으로 보이기는 하나, 건물소유자가 위 건물에 대한 권리를 인수할 당시 그 철거가능성을 알았다고 보이는 점, 토지에 대한 투자가치가 있어 건물철거 등의 청구가 권리행사자에게 아무런 이익이 없다거나 오직 상대방에게 손해를 입히려는 것이라고 보기 어려운 점 등에 비추어, 권리남용에 해당하지 않는다고 한 사례(대판 2010.2.25, 2009다58173)

[3] 권리의 행사가 주관적으로 오직 상대방에게 고통을 주고 손해를 입히려는 데 있을 뿐 이를 행사하는 사람에게는 아무런 이익이 없고, 객관적으로 사회질서에 위반된다고 볼 수 있으면 그 권리의 행사는 권리남용으로서 허용되지 아니한다고 할 것이고, 그 권리의 행사가 상대방에게 고통이나 손해를 주기 위한 것이라는 주관적 요건은 권리자의 정당한 이익을 결여한 권리행사로 보여지는 객관적인 사정에 의하여 추인할 수 있다(대판 1993.5.14, 93다4366).

[4] 부도 직전에 있는 甲에 대하여 채무를 부담하고 있는 乙이 甲의 채권자들로부터 채권을 헐값으로 양도받아, 상계하는 경우에는 일반적인 권리남용의 경우에 요구되는 주관적 요건을 필요로 하지 않는다(대판 2003.4.11, 2002다59481).

[5] 일반적으로 동시이행의 관계가 인정되는 경우에는 그러한 항변권을 행사하는 자의 상대방이 그 동시이행의 의무를 이행하기 위하여 과다한 비용이 소요되거나 또는 그 의무의 이행이 실제적으로 어려운 반면 그 의무의 이행으로 인하여 항변권자가 얻는 이득은 별달리 크지 아니하여 동시이행의 항변권의 행사가 주로 자기 채무의 이행만을 회피하기 위한 수단이라고 보여지는 경우에는 그 항변권의 행사는 권리남용으로서 배척되어야 한다(대판 1992.4.28, 91다29972).

chapter

03 권리의 주체

제1절 총설

권리주체란 권리의 귀속주체를 말하며, 이와 같은 권리의 귀속주체가 될 수 있는 지위 또는 자격을 권리능력(인격)이라고 한다. 현행민법상 권리주체로는 자연인과 법인이 있다.[8)]

제2절 자연인

제1관 자연인의 능력

Ⅰ. 권리능력

> 제3조【권리능력의 존속기간】
> 사람은 생존한 동안 권리와 의무의 주체가 된다.

1. 권리능력의 시기

자연인은 출생한 때부터 권리능력을 취득한다. 출생의 시기에 관해서는 전부노출설이 통설이다.

2. 태아의 권리능력

(1) 태아보호의 필요성

① 태아는 아직 출생 전의 상태이므로 민법상 사람이 아니며 따라서 권리능력을 가지지 못한다(제3조). 그러나 이 원칙을 획일적으로 적용한다면 태아에게 불이익하거나 공평에 반하는 결과가 발생할 수 있으므로 일정한 경우에는 권리능력을 인정하여 그의 이익을 보호할 필요성이 있다.

② 민법은 개별적인 규정을 통해 중요한 법률관계에서만 태아의 권리능력을 예외적으로 인정하는 개별적 보호주의를 취하고 있다.

---

8) 자연인과 법인 이외에는 권리능력을 갖는 것은 없다. 예컨대 동물의 생명을 보호할 목적으로 동물보호법이 제정되어 있다고 하더라도, 민법이나 그 밖의 법률에서 동물에 대해 권리능력을 인정하는 규정이 없고 이를 인정하는 관습법도 있지 않으므로, 동물 자체가 위자료 청구권의 주체가 될 수 없고, 이는 그 동물이 애완견 등 이른바 반려동물이라고 하여 달리 볼 수 없다(대판 2013.4.25, 2012다118594).

(2) 태아의 권리능력이 인정되는 사유

> 제762조【손해배상청구권에 있어서의 태아의 지위】
> 태아는 손해배상의 청구권에 관하여는 이미 출생한 것으로 본다.
> 제1000조【상속의 순위】
> ① 상속에 있어서는 다음 순위로 상속인이 된다.
> 1. 피상속인의 직계비속
> 2. 피상속인의 직계존속
> 3. 피상속인의 형제자매
> 4. 피상속인의 4촌 이내의 방계혈족
> ② 전항의 경우에 동순위의 상속인이 수인인 때에는 최근친을 선순위로 하고 동친 등의 상속인이 수인인 때에는 공동상속인이 된다.
> ③ 태아는 상속순위에 관하여는 이미 출생한 것으로 본다.
> 제1001조【대습상속】
> 전조 제1항 제1호와 제3호의 규정에 의하여 상속인이 될 직계비속 또는 형제자매가 상속개시 전에 사망하거나 결격자가 된 경우에 그 직계비속이 있는 때에는 그 직계비속이 사망하거나 결격된 자의 순위에 갈음하여 상속인이 된다.
> 제1118조【준용규정】
> 제1001조, 제1008조, 제1010조의 규정은 유류분에 이를 준용한다.
> 제1064조【유언과 태아, 상속결격자】
> 제1000조 제3항, 제1004조의 규정은 수증자에 준용한다.

1) 불법행위에 의한 손해배상청구

① 제762조는 태아 자신이 불법행위의 직접적인 피해자인 경우에 한하여 적용되는 규정이다. 父의 생명침해로 인하여 父에게 발생한 손해배상청구권은 상속규정(제1000조 제3항)에 의하여 태아에게 상속된다.

② 직계존속의 생명침해에 대한 위자료청구권(제752조)은 인정되나 채무불이행에 기한 손해배상청구권은 인정되지 않는다.

③ 태아도 손해배상청구권에 관하여는 이미 출생한 것으로 보는바, 부가 교통사고로 상해를 입을 당시 태아가 출생하지 아니하였다고 하더라도 그 뒤에 출생한 이상 부의 부상으로 인하여 입게 될 정신적 고통에 대한 위자료를 청구할 수 있다(대판 1993.4.27, 93다4663). 즉 판례는 태아가 피해 당시 정신상 고통에 대한 감수성을 갖추고 있지 않더라도 장래 감수할 것임이 현재 합리적으로 기대할 수 있는 경우에 있어서는 즉시 그 청구를 할 수 있다고 하여 태아의 위자료 청구권을 긍정하고 있다(대판 1962.3.15, 4294민상903).

2) 상속 등

태아는 상속순위에 관하여 이미 출생한 것으로 보며, 이 규정은 유증에 준용된다(제1064조). 통설은 상속과 관련하여 발생하는 대습상속(제1001조)・유류분반환청구권(제1118조)에 있어서도 태아의 권리능력을 인정한다.

3) 사인증여

판례는 단독행위인 유증과 달리 사인증여는 계약이므로 그 성질이 달라 사인증여에는 태아의 권리능력을 인정할 수 없다고 한다. 증여(생전증여)에 관하여 태아는 수증능력이 인정되지 아니하고, 또 태아인 동안에는 법정대리인이 있을 수 없으므로 법정대리인에 의한 수증행위도 할 수 없다(대판 1982.2.9, 81다534 – 엄밀히 말하면 사인증여에 관해 명시적인 입장을 밝힌 판례는 없다).

4) 인지청구권

태아는 부에 대하여 인지청구의 소를 제기할 수 없다. 즉 생부는 태아를 인지할 수 있음에 반해, 태아의 인지청구권을 인정하는 명문의 규정이 없는 이상 이를 부정하는 것이 통설이다(제858조 참조).

(3) "이미 출생한 것으로 본다"의 이론구성

구분	정지조건설(판례)	해제조건설(다수설)
사상적 기초	제3자의 보호・거래안전에 중점	태아의 보호에 중점
내용	태아인 동안에는 권리능력을 취득하지 못하지만 살아서 출생한 때에는 권리능력의 취득의 효과가 사건이 발생한 때(불법행위 시 혹은 상속개시 시)에 소급해서 생긴다는 견해	문제된 사실이 발생한 때로부터 제한적인 권리능력을 갖지만, 사산한 경우에는 권리능력 취득의 효과가 과거의 문제의 사건발생 시에 소급하여 소멸한다고 보는 견해
특징	① 태아인 동안에는 권리능력이 인정되지 않으므로 법정대리인도 있을 수 없다. ② 태아가 사산되더라도 타인에게 불측의 손해를 줄 염려가 없다.	① 태아인 동안에도 권리능력이 인정되므로 법정대리인이 있을 수 있다. ② 태아가 사산된 경우 법정대리인의 행위가 소급해서 무효가 되기 때문에 상대방・제3자에게 불측의 손해를 줄 염려가 있다.
공통점	태아가 살아서 출생하면 사건발생 시부터 권리능력이 인정되고, 사산된 때에는 권리능력을 갖지 못한다는 데에는 견해대립의 실익이 없다(대판 1976.9.14, 76다1365).	

판례 연구 관련판례 정리

[1] 피해자가 차량충격에 의한 강력한 뇌진탕과 두개골절 및 뇌출혈 등으로 인간의 지각 내지 의식작용이 순간적으로 소실되었다 하더라도 치명상을 받을 때와 사망과의 간에는 시간적 간격이 있었다 할 것이고 아무리 순간적이라 할지라도 피해자로서의 정신적 고통을 느끼는 순간이 있었다 할 것이다(대판 1973.9.25, 73다1100).

[2] 판례는 정지조건설을 취하므로 태아인 동안에는 법정대리인이 존재할 수 없고, 따라서 태아의 조건부권리를 보존・관리할 수 없다(대판 1976.9.14, 76다1365).

[3] 태아가 특정한 권리에 있어서 이미 태어난 것으로 본다는 것은 살아서 출생한 때에 출생시기가 문제의 사건의 시기까지 소급하여 그때에 태아가 출생한 것과 같이 법률상 보아 준다고 해석하여야 상당하므로, 그가 모체와 같이 사망하여 출생의 기회를 못 가진 이상 손해배상청구권을 논할 여지가 없다(대판 1976.9.14, 76다1365).

[4] 상해보험계약을 체결할 때 약관 또는 보험자와 보험계약자의 개별 약정으로 태아를 상해보험의 피보험자로 할 수 있다. 그 이유는 다음과 같다. 상해보험은 피보험자가 보험기간 중에 급격하고 우연한 외래의 사고로 인하여 신체에 손상을 입는 것을 보험사고로 하는 인보험이므로, 피보험자는 신체를 가진 사람임을 전제로 한다(상법 제737조). 그러나 상법상 상해보험계약 체결에서 태아의 피보험자 적격이 명시적으로 금지되어 있지 않다. 인보험인 상해보험에서 피보험자는 '보험사고의 객체'에 해당하여 그 신체가 보험의 목적이 되는 자로서 보호받아야 할 대상을 의미한다. 헌법상 생명권의 주체가 되는 태아의 형성 중인 신체도 그 자체로 보호해야 할 법익이 존재하고 보호의 필요성도 본질적으로 사람과 다르지 않다는 점에서 보험보호의 대상이 될 수 있다. 이처럼 약관이나 개별 약정으로 출생 전 상태인 태아의 신체에 대한 상해를 보험의 담보범위에 포함하는 것이 보험제도의 목적과 취지에 부합하고 보험계약자나 피보험자에게 불리하지 않으므로 상법 제663조에 반하지 아니하고 민법 제103조의 공서양속에도 반하지 않는다. 따라서 계약자유의 원칙상 태아를 피보험자로 하는 상해보험계약은 유효하고, 그 보험계약이 정한 바에 따라 보험기간이 개시된 이상 출생 전이라도 태아가 보험계약에서 정한 우연한 사고로 상해를 입었다면 이는 보험기간 중에 발생한 보험사고에 해당한다(대판 2019.3.28, 2016다211224).

3. 권리능력의 종기

(1) 사망

자연인은 사망으로 권리능력이 소멸되는데, 그 사망의 시기에 관하여는 맥박정지설이 통설이다.

(2) 사망의 입증곤란을 구제하기 위한 각종 제도

수난, 전란, 화재 기타 사변에 편승하여 타인의 불법행위로 사망한 경우에 있어서는 확정적인 증거의 포착이 손쉽지 않음을 예상하여 법은 인정사망, 위난실종선고 등의 제도와 그밖에도 보통실종선고제도도 마련해 놓고 있으나 그렇다고 하여 위와 같은 자료나 제도에 의함이 없는 사망사실의 인정을 수소법원이 절대로 할 수 없다는 법리는 없다(대판 1989.1.31, 87다카2954).

1) 동시사망의 추정

제30조【동시사망】
2인 이상이 동일한 위난으로 사망한 경우에는 동시에 사망한 것으로 추정한다.

① 동시사망자 사이에는 상속의 문제가 발생하지 않는다. 다만 동시사망으로 추정되는 경우 대습상속이 가능하다(대판 2001.3.9, 99다13157).

② 추정규정이므로 반대사실의 증명이 있으면 그 추정은 번복된다. 이 경우 민법 제30조의 동시사망의 추정을 번복하기 위해서는 동시사망의 전제사실에 대한 반증이나 각기 다른 시기에 사망했다는 본증을 통하여 충분하고도 명백하게 입증하여야 한다(대판 1998.8.21, 98다8974).

③ 구체적으로 민법 제30조의 동시사망의 추정은 법률상 추정이므로, 전제사실에 대하여 법원의 확신을 흔들리게 하는 반증을 제출하거나 또는 법원에 확신을 줄 수 있는 본증을 제출하여야 하고, 관계인들의 법적 지위에 중대한 영향을 미치는 점을 감안할 때 충분하고도 명백한 입증이 없는 한, 위 추정은 깨어지지 아니한다.

2) 인정사망

수해, 화재 기타 재난 등으로 사망한 자가 있는 경우에 이를 조사한 관공서의 사망통보에 의해 가족관계등록부에 사망의 기재를 하게 된 때 즉시 그 자는 사망한 것(추정)으로 다루어진다(가족관계의 등록 등에 관한 법률 제87조). 이를 인정사망이라 한다.

3) 실종선고

부재자의 생사불명의 상태가 일정기간(5년 또는 1년) 계속된 경우, 가정법원의 선고에 의해 사망으로 의제하는 제도를 말한다(제27조). 이에 대해서는 후술하기로 한다.

Ⅱ. 의사능력과 책임능력

1. 의사능력

(1) 의의

① 의사능력이란 자기 행위에 대한 의미나 결과를 판단할 수 있는 정신능력을 말한다. 민법상 의사능력에 관한 명문규정은 없지만, 의사능력은 사적 자치의 원칙이 당연히 전제로 하는 것이므로 명문의 규정이 없이도 당연히 요구된다.

② 의사능력의 유무는 구체적인 법률행위와 관련하여 개별적으로 판단되어야 한다.

의사능력의 의미(대판 2006.9.22, 2006다29358; 대판 2022.5.26, 2019다213344) ★

① 의사능력이란 자신의 행위의 의미나 결과를 정상적인 인식력과 예기력을 바탕으로 합리적으로 판단할 수 있는 정신적 능력 내지는 지능을 말하는바, 특히 어떤 법률행위가 그 일상적인 의미만을 이해하여서는 알기 어려운 특별한 법률적인 의미나 효과가 부여되어 있는 경우 의사능력이 인정되기 위하여는 그 행위의 일상적인 의미뿐만 아니라 법률적인 의미나 효과에 대하여도 이해할 수 있을 것을 요한다고 보아야 하고, 의사능력의 유무는 구체적인 법률행위와 관련하여 개별적으로 판단되어야 할 것이다.

② 장애인복지법 제2조 제2항 제2호, 장애인복지법 시행령 제2조 제1항 [별표 1] 제6호, 장애인복지법 시행규칙 제2조 제1항 [별표 1] 제6호에 따르면, 특별한 사정이 없는 한 지능지수가 70 이하인 사람은 교육을 통한 사회적·직업적 재활이 가능하더라도 지적장애인으로서 위 법령에 따른 보호의 대상이 된다. 지적장애인에 해당하는 경우에도 의학적 질병이나 신체적 이상이 드러나지 않아 사회 일반인이 보았을 때 아무런 장애가 없는 것처럼 보이는 경우가 있다. 반면 지적장애를 가진 사람이 장애인복지법령에 따라 지적장애인 등록을 하지 않았다거나 등록 기준을 충족하지 못하였다고 해서 반드시 의사능력이 있다고 단정할 수 없다.

③ 의사무능력을 이유로 법률행위의 무효를 주장하는 측은 그에 대하여 증명책임을 부담한다(대판 2022.12.1, 2022다261237).

(2) 의사무능력의 효과

1) 절대적 무효

의사무능력자의 법률행위는 무효이고, 이러한 법률행위의 무효를 주장하는 것은 신의칙에 반하지 않는다.

2) 부당이득반환의 범위

판례는 민법 제141조 단서(현존이익의 반환범위)는 민법 제748조의 특칙으로서 제한능력자의 보호를 위해 그 선의·악의를 묻지 아니하고 반환범위를 현존 이익에 한정시키려는 데 그 취지가 있으므로, 의사능력의 흠결을 이유로 법률행위가 무효가 되는 경우에도 유추적용되어야 할 것이라고 하였다(대판 2009.1.15, 2008다58367).

2. 책임능력

불법행위영역에서 자기 행위의 결과를 변식할 수 있는 정신능력 내지 판단능력을 말한다. 책임능력도 의사능력의 경우와 마찬가지로 구체적·개별적으로 판단하여야 한다. 책임무능력자는 타인에게 위법한 가해행위를 하더라도 스스로 불법행위책임을 지지 않는다.

Ⅲ. 행위능력

1. 총설

(1) 의의

제한능력자제도는 객관적·획일적인 기준에 의하여 의사능력을 객관적으로 획일화함으로써, 의사능력의 유무를 문제 삼지 않고 그 자가 단독으로 행한 일정 범위의 법률행위에 대해서는 무조건 취소할 수 있도록 마련된 제도이다. 이 점에서 행위능력은 단독으로 유효한 법률행위를 할 수 있는 지위 내지 자격을 의미한다고 할 수 있다.

(2) 의사무능력과 제한능력의 경합 – 무효와 취소의 이중효 법리

무효와 취소의 상대화를 근거로 의사무능력을 이유로 무효를 주장하든지 제한능력을 이유로 취소를 주장하든지 선택적으로 주장할 수 있다(통설).

(3) 현행 민법상 제한능력자 제도

1) 제한능력자제도는 거래의 안전을 희생시키더라도 제한능력자의 법률행위를 취소할 수 있게 함으로써 제한능력자 개인의 이익을 보호하는 데에 그 근본결단이 있다. 따라서 미성년자는 법률행위의 취소를 가지고 선의의 제3자에게도 대항할 수 있다.
2) 제한능력자제도에 관한 규정은 강행규정에 해당하고, 민법상 제한능력자로서 거론되는 자는 미성년자, 피한정후견인, 피성년후견인, 피특정후견인이 있다.
3) 제한능력자제도는 재산상 (준)법률행위에만 적용되고 원칙적으로 가족법상의 행위에는 적용되지 않는다(가족법상의 행위에 대해서는 그에 관한 특별규정이 존재하기 때문이다). 또한 불법행위에 관하여도 적용되지 않는다(불법행위에 관하여는 책임능력이 문제되기 때문이다).

2. 미성년자

제4조【성년】

사람은 19세로 성년에 이르게 된다.

제5조【미성년자의 능력】

① 미성년자가 법률행위를 함에는 법정대리인의 동의를 얻어야 한다. 그러나 권리만을 얻거나 의무만을 면하는 행위는 그러하지 아니하다.

② 전항의 규정에 위반한 행위는 취소할 수 있다.

제6조【처분을 허락한 재산】

법정대리인이 범위를 정하여 처분을 허락한 재산은 미성년자가 임의로 처분할 수 있다.

제7조【동의와 허락의 취소】

법정대리인은 미성년자가 아직 법률행위를 하기 전에는 전2조의 동의와 허락을 취소할 수 있다. → 동조의 취소는 철회로 해석된다.

제8조【영업의 허락】

① 미성년자가 법정대리인으로부터 허락을 얻은 특정한 영업에 관하여는 성년자와 동일한 행위능력이 있다.

② 법정대리인은 전항의 허락을 취소 또는 제한할 수 있다. 그러나 선의의 제3자에게 대항하지 못한다.

제117조【대리인의 행위능력】

대리인은 행위능력자임을 요하지 아니한다(필요하지 않다).

제140조【법률행위의 취소권자】

취소할 수 있는 법률행위는 제한능력자, 착오로 인하거나 사기·강박에 의하여 의사표시를 한 자, 그의 대리인 또는 승계인만이 취소할 수 있다.

제1061조【유언적령】

17세에 달하지 못한 자는 유언을 하지 못한다.

제141조【취소의 효과】

취소된 법률행위는 처음부터 무효인 것으로 본다. 다만, 제한능력자는 그 행위로 인하여 받은 이익이 현존하는 한도에서 상환할 책임이 있다.

【상법】

제7조【미성년자와 무한책임사원】

미성년자가 법정대리인의 허락을 얻어 회사의 무한책임사원이 된 때에는 그 사원자격으로 인한 행위에는 능력자로 본다.

【근로기준법】

제67조【근로계약】

① 친권자나 후견인은 미성년자의 근로계약을 대리할 수 없다.

② 친권자, 후견인 또는 노동부장관은 근로계약이 미성년자에게 불리하다고 인정하는 경우에는 이를 해지할 수 있다.

③ 사용자는 18세 미만인 자와 근로계약을 체결하는 경우에는 제17조에 따른 근로조건을 서면(「전자문서 및 전자거래 기본법」 제2조 제1호에 따른 전자문서를 포함한다)으로 명시하여 교부하여야 한다.

> **제68조【임금의 청구】**
> 미성년자는 독자적으로 임금을 청구할 수 있다.

(1) 개념

미성년자란 19세가 되지 아니한 사람을 말한다(제4조). 다만 미성년자가 혼인을 한 때에는 성년자로 본다(제826조의2). 또한 이후에 혼인이 해소되더라도 성년의제의 효과는 존속한다고 보는 것이 통설이다.

(2) 미성년자의 법률행위의 효력

1) 원칙

가) 취소 : ① 미성년자가 법률행위를 할 때에는 원칙적으로 법정대리인의 동의를 얻어야 하며(제5조 제1항 본문), 이에 위반한 경우 미성년자 자신(제140조)이나 법정대리인이 그 법률행위를 취소할 수 있다. ② 미성년자의 행위에 대해 동의가 있었다는 사실에 관하여는 상대방이 입증책임을 진다(대판 1970.2.24, 69다1568).

> **법정대리인의 묵시적 동의**
> 모(母)와 미성년자인 딸이 함께 있는 자리에서 주민등록등본을 첨부하여 도피 중이던 부(父)의 채무를 연대하여 지급하기로 하는 지불각서를 작성 · 교부해 준 경우, 모(母)는 딸의 위 의사표시에 대하여 법정대리인으로서 묵시적으로 동의한 것으로 봄이 상당하다(대판 2000.4.11, 2000다3095).

나) 부당이득반환 : ① 법정대리인의 동의를 얻지 않아 계약이 취소된 경우 미성년자 측에서는 선악을 불문하고 현존이익만을 반환하면 된다(제141조 단서). ② 판례는 부당이득 일반의 증명책임에 대해서 (ㄱ) 금전은 현존이익이 추정되므로 이득자가 현존이익 없음을 증명하고, (ㄴ) 금전 이외의 것은 현존이익이 추정되지 아니하므로 손실자가 현존이익 있음을 증명해야 한다는 입장이다.

2) 예외

가) 단순히 권리만을 얻거나 의무(법률상 불이익)만을 면하는 행위(제5조 제1항 단서) : 경제적으로 유리한 매매계약의 체결은 민법 제5조 제1항 단서에 해당되지 않는다.

① 해당 예 : (ㄱ) 부담 없는 증여의 수령, 채무면제의 청약에 대한 승낙, 미성년자가 무상으로 보관하고 있는 타인의 물건을 반환하는 것은 가능하다. 또한, 미성년자는 부양청구권을 단독으로 행사할 수 있다(대판 1972.7.11, 72므5). (ㄴ) 미성년자가 부동산을 증여받는 결과 증여세가 부과되는 경우 또는 미성년자가 저당권이 설정된 부동산을 증여받는 경우는 권리만을 얻는 행위에 해당하므로 법정대리인의 동의가 필요 없다.

② **부정 예** : 기존의 채권에 대하여 변제를 받는 경우 또는 미성년자가 스스로 그의 채무의 변제만을 하는 경우, 부담부증여를 받는 경우, 유리한 매매계약을 체결하는 경우, 상속을 승인 · 포기하는 행위, 경매목적물을 경락하는 행위는 단순히 권리만을 얻거나 의무만을 면하는 행위라 할 수 없고 상계권 행사도 할 수 없다.

나) **처분을 허락한 재산**(제6조) : '범위를 정하여'에서의 범위의 의미에 관하여는 재산의 범위를 의미하고 사용목적의 범위를 의미하지 않는다는 입장이 통설이다(목적불구속설).

판례 연구 **관련판례 정리**

미성년자에게 처분이 허락된 재산의 처분행위(대판(전) 2007.11.16, 2005다71659 · 71666 · 71673) ★★

[1] 행위무능력자 제도(현행 제한능력자제도, 이하 동일)는 사적자치의 원칙이라는 민법의 기본이념, 특히, 자기책임 원칙의 구현을 가능케 하는 도구로서 인정되는 것이고, 거래의 안전을 희생시키더라도 행위무능력자를 보호하고자 함에 근본적인 입법 취지가 있는바, 행위무능력자 제도의 이러한 성격과 입법 취지 등에 비추어 볼 때, 신용카드 가맹점이 미성년자와 신용구매계약을 체결할 당시 향후 그 미성년자가 법정대리인의 동의가 없었음을 들어 스스로 위 계약을 취소하지는 않으리라고 신뢰하였다 하더라도 그 신뢰가 객관적으로 정당한 것이라고 할 수 있을지 의문일 뿐만 아니라, 그 미성년자가 가맹점의 이러한 신뢰에 반하여 취소권을 행사하는 것이 정의관념에 비추어 용인될 수 없는 정도의 상태라고 보기도 어려우며, 미성년자의 법률행위에 법정대리인의 동의를 요하도록 하는 것은 강행규정인데, 위 규정에 반하여 이루어진 신용구매계약을 미성년자 스스로 취소하는 것을 신의칙 위반을 이유로 배척한다면, 이는 오히려 위 규정에 의해 배제하려는 결과를 실현시키는 셈이 되어 미성년자 제도의 입법 취지를 몰각시킬 우려가 있으므로, 법정대리인의 동의 없이 신용구매계약을 체결한 미성년자가 사후에 법정대리인의 동의 없음을 사유로 들어 이를 취소하는 것이 신의칙에 위배된 것이라고 할 수 없다.

[2] 미성년자가 법률행위를 함에 있어서 요구되는 법정대리인의 동의는 언제나 명시적이어야 하는 것은 아니고 묵시적으로도 가능한 것이며, 미성년자의 행위가 위와 같이 법정대리인의 묵시적 동의가 인정되거나 처분허락이 있는 재산의 처분 등에 해당하는 경우라면, 미성년자로서는 더 이상 행위무능력(현행 제한능력)을 이유로 그 법률행위를 취소할 수 없다.

[3] 미성년자의 법률행위에 있어서 법정대리인의 묵시적 동의나 처분허락이 있다고 볼 수 있는지 여부를 판단함에 있어서는, 미성년자의 연령 · 지능 · 직업 · 경력, 법정대리인과의 동거 여부, 독자적인 소득의 유무와 그 금액, 경제활동의 여부, 계약의 성질 · 체결경위 · 내용, 기타 제반 사정을 종합적으로 고려하여야 할 것이고, 위와 같은 법리는 묵시적 동의 또는 처분허락을 받은 재산의 범위 내라면 특별한 사정이 없는 한 신용카드를 이용하여 재화와 용역을 신용구매한 후 사후에 결제하려는 경우와 곧바로 현금구매하는 경우를 달리 볼 필요는 없다.

[4] 미성년자가 월 소득범위 내에서 신용구매계약을 체결한 사안에서, 스스로 얻고 있던 소득에 대하여는 법정대리인의 묵시적 처분허락이 있었다고 보아 위 신용구매계약은 처분허락을 받은 재산범위 내의 처분행위에 해당한다고 본 사례이다.

→ [보충] : 미성년자가 신용카드발행인과 사이에 신용카드 이용계약을 체결하여 신용카드거래를 하다가 신용카드 이용계약을 취소하는 경우 미성년자는 그 행위로 인하여 받은 이익이 현존하는 한도에서 상환할 책임이 있는바, 신용카드 이용계약이 취소됨에도 불구하고 신용카드회원과 해당 가맹점 사이에 체결된 개별적인 매매계약은 특별

한 사정이 없는 한 신용카드 이용계약취소와 무관하게 유효하게 존속한다 할 것이고, 신용카드발행인이 가맹점들에 대하여 그 신용카드사용대금을 지급한 것은 신용카드 이용계약과는 별개로 신용카드발행인과 가맹점 사이에 체결된 가맹점 계약에 따른 것으로서 유효하므로, 신용카드발행인의 가맹점에 대한 신용카드이용대금의 지급으로써 신용카드회원은 자신의 가맹점에 대한 매매대금 지급채무를 법률상 원인 없이 면제받는 이익을 얻었으며, 이러한 이익은 금전상의 이득으로서 특별한 사정이 없는 한 현존하는 것으로 추정된다(대판 2005.4.15, 2003다60297). 즉 신용카드 이용계약이 취소된 경우 소급 무효(제141조)에 따라 신용카드회사는 신용카드 이용계약에 기한 신용카드 이용대금을 청구할 수 없고 부당이득반환청구만 할 수 있다. 이 경우 제141조 단서에 기해 반환해야 하는 현존이익은 가맹점과의 매매계약을 통해 얻은 물품이 아니라, 면제받은 가맹점에 대한 매매대금 지급채무를 반환하여야 한다.

다) 영업이 허락된 미성년자의 그 영업에 관한 행위(제8조 제1항) : ① 반드시 영업의 종류를 특정해야 하며 모든 종류의 영업에 대한 포괄적 허락은 허용되지 않고, ② '영업에 관하여는'이란 영업을 하는 데 직접·간접으로 필요한 모든 행위를 포함한다. ③ 그 효과로서 미성년자는 성년자와 동일한 행위능력을 가진다. 따라서 이 범위에서 법정대리권이 소멸한다.

(3) 법정대리인

① 미성년자의 법정대리인은 제1차로 친권자가 되고, 미성년자에게 친권자가 없거나 친권자가 법률행위의 대리권과 재산관리권을 행사할 수 없는 경우에는 제2차로 미성년후견인을 두어야 한다(제928조).

② 후견인은 친권자와 달리 미성년자의 일정한 행위에 동의할 경우 「후견감독인의 동의」를 얻어야 하는 제한이 있다(제950조). 만약 후견인이 후견감독인의 동의 없이 하였을 때에는 피후견인 또는 후견감독인이 그 행위를 취소할 수 있다(제950조 제3항).

3. 피성년후견인, 피한정후견인과 피특정후견인

(1) 피성년후견인

제9조 【성년후견개시의 심판】
① 가정법원은 질병, 장애, 노령, 그 밖의 사유로 인한 정신적 제약으로 사무를 처리할 능력이 지속적으로 결여된 사람에 대하여 본인, 배우자, 4촌 이내의 친족, 미성년후견인, 미성년후견감독인, 한정후견인, 한정후견감독인, 특정후견인, 특정후견감독인, 검사 또는 지방자치단체의 장의 청구에 의하여 성년후견개시의 심판을 한다.
② 가정법원은 성년후견개시의 심판을 할 때 본인의 의사를 고려하여야 한다.
제10조 【피성년후견인의 행위와 취소】
① 피성년후견인의 법률행위는 취소할 수 있다.
② 제1항에도 불구하고 가정법원은 취소할 수 없는 피성년후견인의 법률행위의 범위를 정할 수 있다.
③ 가정법원은 본인, 배우자, 4촌 이내의 친족, 성년후견인, 성년후견감독인, 검사 또는 지방자치단체의 장의 청구에 의하여 제2항의 범위를 변경할 수 있다.

④ 제1항에도 불구하고 일용품의 구입 등 일상생활에 필요하고 그 대가가 과도하지 아니한 법률행위는 성년후견인이 취소할 수 없다.

제11조【성년후견종료의 심판】
성년후견개시의 원인이 소멸된 경우에는 가정법원은 본인, 배우자, 4촌 이내의 친족, 성년후견인, 성년후견감독인, 검사 또는 지방자치단체의 장의 청구에 의하여 성년후견종료의 심판을 한다.

제929조【성년후견심판에 의한 후견의 개시】
가정법원의 성년후견개시심판이 있는 경우에는 그 심판을 받은 사람의 성년후견인을 두어야 한다.

제936조【성년후견인의 선임】
① 제929조에 따른 성년후견인은 가정법원이 직권으로 선임한다.

제938조【후견인의 대리권 등】
① 후견인은 피후견인의 법정대리인이 된다.

1) 정신적 제약으로 사무를 처리할 능력이 지속적으로 결여된 사람에 대하여 가정법원은 일정한 자의 청구에 의해 성년후견개시의 심판을 하는데(제9조), 그 심판을 받은 자를 피성년후견인이라고 한다.
2) 정신적 제약이 아닌 신체적 장애만으로는 이에 해당하지 않으며, 일정한 자의 청구를 요하므로 가정법원은 직권으로 하지 못한다.
3) 피성년후견인이 단독으로 한 법률행위는 성년후견인이 취소할 수 있다. 다만 일용품의 구입 등 일상생활에 필요하고 그 대가가 과도하지 아니한 법률행위는 피성년후견인이 단독으로 할 수 있다(제10조). 또한 가정법원은 피성년후견인이 단독으로 할 수 있는 법률행위의 범위를 정할 수 있고, 일정한 자의 청구에 의해 그 범위를 변경할 수도 있다(제10조). 이로써 금치산자가 법률행위를 하는 경우 법정대리인의 동의가 없다면 절대적 무능력자로 취급하여 언제나 취소할 수 있게 하였던 종전 제도와는 다르게 되었다. 즉 피성년후견인의 법률행위는 원칙적으로는 취소할 수 있으나 예외적으로 단독으로 가능하여 취소할 수 없게 되었다.
4) 가정법원의 성년후견개시심판이 있는 경우에는 그 심판을 받은 사람의 성년후견인을 두어야 하고, 성년후견인은 피성년후견인의 법정대리인이 된다(제929조, 제938조 제1항). 성년후견인은 가정법원이 성년개시심판을 하면서 직권으로 선임한다(제936조 제1항).
5) 가정법원은 필요하다고 인정하면 직권으로 또는 피성년후견인, 친족, 성년후견인, 검사, 지방자치단체의 장의 청구에 의하여 성년후견감독인을 선임할 수 있다(제940조의4 제1항). 종전 친족회 제도를 폐지하고 그 대신에 가정법원이 임의기관으로서 성년후견감독인을 선임할 수 있는 것으로 개정하였다. 이 후견감독인은 종전 친족회에 인정되었던 권한을 수행한다.

(2) 피한정후견인

제12조【한정후견개시의 심판】
① 가정법원은 질병, 장애, 노령, 그 밖의 사유로 인한 정신적 제약으로 사무를 처리할 능력이 부족한 사람에 대하여 본인, 배우자, 4촌 이내의 친족, 미성년후견인, 미성년후견감독인, 성년후견인, 성년

후견감독인, 특정후견인, 특정후견감독인, 검사 또는 지방자치단체의 장의 청구에 의하여 한정후견개시의 심판을 한다.
② 한정후견개시의 경우에 제9조 제2항을 준용한다.
제13조【피한정후견인의 행위와 동의】
① 가정법원은 피한정후견인이 한정후견인의 동의를 받아야 하는 행위의 범위를 정할 수 있다.
② 가정법원은 본인, 배우자, 4촌 이내의 친족, 한정후견인, 한정후견감독인, 검사 또는 지방자치단체의 장의 청구에 의하여 제1항에 따른 한정후견인의 동의를 받아야만 할 수 있는 행위의 범위를 변경할 수 있다.
③ 한정후견인의 동의를 필요로 하는 행위에 대하여 한정후견인이 피한정후견인의 이익이 침해될 염려가 있음에도 그 동의를 하지 아니하는 때에는 가정법원은 피한정후견인의 청구에 의하여 한정후견인의 동의를 갈음하는 허가를 할 수 있다.
④ 한정후견인의 동의가 필요한 법률행위를 피한정후견인이 한정후견인의 동의 없이 하였을 때에는 그 법률행위를 취소할 수 있다. 다만, 일용품의 구입 등 일상생활에 필요하고 그 대가가 과도하지 아니한 법률행위에 대하여는 그러하지 아니하다.
제14조【한정후견종료의 심판】
한정후견개시의 원인이 소멸된 경우에는 가정법원은 본인, 배우자, 4촌 이내의 친족, 한정후견인, 한정후견감독인, 검사 또는 지방자치단체의 장의 청구에 의하여 한정후견종료의 심판을 한다.
제959조의2【한정후견의 개시】
가정법원의 한정후견개시의 심판이 있는 경우에는 그 심판을 받은 사람의 한정후견인을 두어야 한다.
제959조의3 제1항【한정후견인의 선임 등】
제959조의2에 따른 한정후견인은 가정법원이 직권으로 선임한다.
제959조의4 제1항【한정후견인의 대리권 등】
가정법원은 한정후견인에게 대리권을 수여하는 심판을 할 수 있다.

1) 정신적 제약으로 사무를 처리할 능력이 부족한 사람에 대하여 가정법원은 일정한 자의 청구에 의해 한정후견개시의 심판을 하는데(제12조), 그 심판을 받은 자를 피한정후견인이라고 한다.
2) 가정법원은 피한정후견인이 한정후견인의 동의를 받아야 하는 행위의 범위를 정할 수 있고, 일정한 자의 청구에 의해 그 범위를 변경할 수 있다. 나아가 동의를 필요로 하는 행위에 대하여 한정후견인이 동의를 하지 않음으로써 피한정후견인의 이익이 침해될 염려가 있는 경우에는, 가정법원은 피한정후견인의 청구에 의하여 한정후견인의 동의에 갈음하는 허가를 할 수 있다(제13조).
3) 한정후견인의 동의가 필요한 법률행위를 피한정후견인이 한정후견인의 동의 없이 하였을 때에는 그 법률행위를 취소할 수 있다. 다만, 일용품의 구입 등 일상생활에 필요하고 그 대가가 과도하지 아니한 법률행위는 피한정후견인이 단독으로 할 수 있다(제13조).

피성년후견인과 피한정후견인의 유언에 관하여 민법 제10조 및 제13조가 적용되는지 여부

민법 제1060조는 '유언은 본법의 정한 방식에 의하지 아니하면 효력이 발생하지 아니한다.'고 정하여 유언에 관하여 엄격한 요식성을 요구하고 있으나, 피성년후견인과 피한정후견인의 유언에 관하여는 행위능력에 관한 민법 제10조 및 제13조가 적용되지 않으므로(민법 제1062조), 피성년후견인 또는 피한정후견인은 의사능력이 있는 한 성년후견인 또는 한정후견인의 동의 없이도 유언을 할 수 있다(대판 2022.12.1, 2022다261237).

4) 한정후견인에 대해서는 성년후견인과는 달리 피후견인의 법정대리인이 된다고 규정하고 있지 않다. 즉 한정후견인에 대해서는 가정법원은 한정후견인에게 대리권을 수여하는 심판을 할 수 있다고 규정함으로써(제959조의4 제1항), 한정후견인을 당연한 법정대리인으로 취급하지 않는다.

(3) 피특정후견인

> 제14조의2【특정후견의 심판】
> ① 가정법원은 질병, 장애, 노령, 그 밖의 사유로 인한 정신적 제약으로 일시적 후원 또는 특정한 사무에 관한 후원이 필요한 사람에 대하여 본인, 배우자, 4촌 이내의 친족, 미성년후견인, 미성년후견감독인, 검사 또는 지방자치단체의 장의 청구에 의하여 특정후견의 심판을 한다.
> ② 특정후견은 본인의 의사에 반하여 할 수 없다.
> ③ 특정후견의 심판을 하는 경우에는 특정후견의 기간 또는 사무의 범위를 정하여야 한다.
> 제14조의3【심판 사이의 관계】
> ① 가정법원이 피한정후견인 또는 피특정후견인에 대하여 성년후견개시의 심판을 할 때에는 종전의 한정후견 또는 특정후견의 종료 심판을 한다.
> ② 가정법원이 피성년후견인 또는 피특정후견인에 대하여 한정후견개시의 심판을 할 때에는 종전의 성년후견 또는 특정후견의 종료 심판을 한다.

1) 정신적 제약으로 일시적 후원 또는 특정한 사무에 관한 후원이 필요한 사람에 대하여 가정법원은 일정한 자의 청구에 의해 특정후견의 심판을 하는데(제14조의2), 그 심판을 받은 자를 피특정후견인이라고 한다.
2) 특정후견의 경우에도 정신적 제약을 원인으로 하는 것이므로, 성년후견이나 한정후견과 본질적으로 다른 것은 아니다. 즉 성년후견이나 한정후견의 요건을 충족하는 경우에도 특정후견의 제도를 이용할 수 있다.
3) 특정후견인은 한정후견인과 마찬가지로 피특정후견인의 법정대리인으로 취급되지는 않는다(제959조의11 제1항).

(4) 판단기준시기

제한능력자에 해당하는가의 판단은 법률행위 당시를 기준으로 판단한다. 따라서 행위 당시에 제한능력자가 아니라면 그 자의 법률행위는 취소할 수 없다. 판례도 표의자가 법률행위 당시 심신상실이나 심신미약상태에 있더라도 금치산 또는 한정치산선고(현행 피성년・피한정후견개시심판, 이하 동일)를 받은 사실이 없는 이상 그 후 금치산 또는 한정치산선고가 있어 그의 법정대리인이 된 자는 금치산 또는 한정치산자의 행위능력 규정을 들어 그 선고 이전의 법률행위를 취소할 수 없다고 하였다(대판 1992.10.13, 92다6433). 다만 이 경우 의사무능력을 입증하여 무효를 주장하는 것은 가능하다.

4. 제한능력자의 상대방 보호

제15조【제한능력자의 상대방의 확답을 촉구할 권리】

① 제한능력자의 상대방은 제한능력자가 능력자가 된 후에 그에게 1개월 이상의 기간을 정하여 그 취소할 수 있는 행위를 추인할 것인지 여부의 확답을 촉구할 수 있다. 능력자로 된 사람이 그 기간 내에 확답을 발송하지 아니하면 그 행위를 추인한 것으로 본다.

② 제한능력자가 아직 능력자가 되지 못한 경우에는 그의 법정대리인에게 제1항의 촉구를 할 수 있고, 법정대리인이 그 정하여진 기간 내에 확답을 발송하지 아니한 경우에는 그 행위를 추인한 것으로 본다.

③ 특별한 절차가 필요한 행위는 그 정하여진 기간 내에 그 절차를 밟은 확답을 발송하지 아니하면 취소한 것으로 본다.

제16조【제한능력자의 상대방의 철회권과 거절권】

① 제한능력자가 맺은 계약은 추인이 있을 때까지 상대방이 그 의사표시를 철회할 수 있다. 다만, 상대방이 계약 당시에 제한능력자임을 알았을 경우에는 그러하지 아니하다.

② 제한능력자의 단독행위는 추인이 있을 때까지 상대방이 거절할 수 있다.

③ 제1항의 철회나 제2항의 거절의 의사표시는 제한능력자에게도 할 수 있다.

제143조【추인의 방법, 효과】

① 취소할 수 있는 법률행위는 제140조에 규정한 자가 추인할 수 있고 추인 후에는 취소하지 못한다.

② 전조의 규정은 전항의 경우에 준용한다.

제144조【추인의 요건】

① 추인은 취소의 원인이 소멸된 후에 하여야만 효력이 있다.

② 제1항은 법정대리인 또는 후견인이 추인하는 경우에는 적용하지 아니한다.

제145조【법정추인】

취소할 수 있는 법률행위에 관하여 전조의 규정에 의하여 추인할 수 있는 후에 다음 각 호의 사유가 있으면 추인한 것으로 본다. 그러나 이의를 보류한 때에는 그러하지 아니하다.

1. 전부나 일부의 이행
2. 이행의 청구
3. 경개
4. 담보의 제공
5. 취소할 수 있는 행위로 취득한 권리의 전부나 일부의 양도
6. 강제집행

제146조【취소권의 소멸】

취소권은 추인할 수 있는 날로부터 3년 내에, 법률행위를 한 날로부터 10년 내에 행사하여야 한다.

개관

- 일반적 보호방안
  - ① 제143조 : 추인
  - ② 제145조 : 법정추인사실
  - ③ 제146조 : 단기제척기간의 경과사실
- 특유보호방안
  - ① 제15조 : 확답촉구권
  - ② 제16조 : 철회권 · 거절권
  - ③ 제17조 : 속임로 인한 취소권 배제
    - 속임수(판례) : 적극적으로 사기수단을 쓴 것을 말하고 단순히 자기가 능력자라 칭한 것(소극적 기망수단으로서 침묵이나 부작위)만으로는 ✗
    - 능력자로 믿게 하거나 법정대리인의 동의가 있는 것으로 믿게 할 것
    - 그에 따라 상대방이 제한능력자와 법률행위를 하였을 것
- 착오 또는 사기에 의한 취소(제109조, 제110조)

(1) 확답촉구권 · 철회권 · 거절권 비교

구분	확답촉구권(제15조)	철회권(제16조 제1항)	거절권(제16조 제2항)
성질	준법률행위(의사의 통지)	법률행위(의사표시)	준법률행위(의사의 통지)
상대방	법정대리인 및 능력자로 된 자(능력자로 되기 전의 제한능력자에 대한 최고는 무효)	법정대리인 및 제한능력자 본인에 대해서도 가능(제16조 제3항)	법정대리인 및 제한능력자 본인에 대해서도 가능(제16조 제3항)
상대방의 선의요부	선의 不要(상대방이 계약 당시에 제한능력자임을 알고 있었어도 행사 가능)	선의 要(상대방이 계약당시에 제한능력자임을 알고 있었던 때에는 행사 불가)(제16조 제1항 단서)	선의 不要(통설)
방법	취소할 수 있는 행위 적시, 1월 이상 유예기간을 정해서 하여야 한다(제15조 제1항).	본인의 추인이 있을 때까지(본인의 추인이 있기 전) 할 수 있다.	본인의 추인이 있을 때까지(본인의 추인이 있기 전) 할 수 있다.
효과	(1) 확답이 있는 경우 그 유예기간 내에 추인 또는 취소의 확답을 하면 그 의사표시대로 추인 또는 취소의 효과가 발생한다. (2) 확답이 없는 경우 1) 제한능력자가 능력자로 된 후 : 추인한 것으로 본다(제15조 제1항). 2) 법정대리인에 대한 최고의 효과 : 단독으로 추인할 수 있는 경우에 법정대리인이 최고기간 내에 아무런 확답을 발하지 않은 때에는 추인한 것으로 간주하고(제15조 제2항), 법정대리인이 단독으로 확답을 할 수 없고, 특별절차를 밟아야 하는 경우에는 취소한 것으로 간주한다(제15조 제3항). 여기서 특별한 절차란 후견감독인의 동의절차를 말한다(제950조 제1항 제1호 내지 제6호).	취소와 동일하게 계약의 소급적 소멸효과 발생	상대방이 있는 단독행위(예 채무면제)의 소급적 소멸효과 발생

의사표시의 최고에 대하여 민법이 정하는 상대방 침묵의 법적 효과

1) 제한능력자의 상대방이 제한능력자가 능력자가 된 후에 1월 이상의 기간을 정하여 그 취소할 수 있는 행위의 추인 여부의 확답을 최고한 경우에, 능력자로 된 자가 그 기간 내에 확답을 발하지 아니한 때에는 그 행위를 추인한 것으로 본다(제15조 제1항).
2) 대리권 없는 자가 타인의 대리인으로 계약을 한 경우에 상대방은 상당한 기간을 정하여 본인에게 그 추인 여부의 확답을 최고하였음에도, 본인이 그 기간 내에 확답을 발하지 아니한 때에는 추인을 거절한 것으로 본다(제131조).
3) 제3자를 위한 계약을 체결하고 채무자가 상당한 기간을 정하여 계약 이익의 향수 여부의 확답을 제3자에게 최고하였음에도 상당한 기간 내에 확답을 받지 못하면 제3자가 계약의 이익을 받을 것을 거절한 것으로 본다(제540조, 제539조).
4) 제3자가 채무자와의 계약으로 채무를 인수한 경우에 제3자 또는 채무자가 상당한 기간을 정하여 승낙 여부의 확답을 채권자에게 최고하였음에도, 채권자가 그 기간 내에 확답을 발송하지 아니한 때에는 거절한 것으로 본다(제454조, 제455조).

(2) 제한능력자의 속임수(사술) – 취소권의 배제

제17조【제한능력자의 속임수】
① 제한능력자가 속임수로써 자기를 능력자로 믿게 한 경우에는 그 행위를 취소할 수 없다.
② 미성년자나 피한정후견인이 속임수로써 법정대리인의 동의가 있는 것으로 믿게 한 경우에도 제1항과 같다.

1) 의의

제한능력자 자신이 ① 상대방으로 하여금 자기가 능력자임을 오신케 하거나, ② 법정대리인의 동의가 있는 것으로 오신케 하기 위하여 속임수를 쓴 경우에는 제한능력자의 취소권이 배제된다(제17조).

2) 요건

① 제1항의 경우는 모든 제한능력자가 포함되지만, 제2항의 경우에는 피성년후견인은 제외된다. 피성년후견인의 법률행위는 원칙적으로 취소할 수 있으므로(제10조 제1항), 그가 속임수로써 법정대리인의 동의가 있는 것으로 믿게 한 경우라도 제17조 제2항은 적용되지 않고 그 행위를 취소할 수 있다.

② 민법 제17조에서 이른바 속임수를 쓴 것이라 함은 적극적으로 사기수단을 쓴 것을 말하는 것이고 단순히 자기가 능력자라 사언함은 속임수(사술)를 쓴 것이라고 할 수 없다(대판 1971.12.14, 71다2045). 즉 적극적 기망수단을 쓴 것을 의미하므로, 단순히 침묵(부작위)하거나, '성년자로 군대에 갔다 왔다'고 말하거나, '자기가 사장이라고 말한 것'만 가지고는 속임수를 쓴 것으로 보지 않는다.

③ 미성년자와 계약을 체결한 상대방이 미성년자의 취소권을 배제하기 위하여 본조 소정의 미성년자가 속임수를 썼다고 주장하는 때에는 그 주장자인 상대방 측에 그에 대한 입증책임이 있다(대판 1971.12.14, 71다2045).

3) 효과

제한능력자 본인은 물론이고 그 법정대리인이나 기타의 취소권자는 제한능력을 이유로 그 행위를 취소하지 못한다. 또한 상대방은 사기를 이유로 자신의 의사표시를 취소할 수 있고(제110조), 불법행위를 이유로 손해배상을 청구할 수도 있다(제750조).

제2관 주소

제18조 【주소】
① 생활의 근거가 되는 곳을 주소로 한다.
② 주소는 동시에 두 곳 이상 있을 수 있다. → 복수주의
제19조 【거소】
주소를 알 수 없으면 거소를 주소로 본다.
제20조 【거소】
국내에 주소 없는 자에 대하여는 국내에 있는 거소를 주소로 본다.
제21조 【가주소】
어느 행위에 있어서 가주소를 정한 때에는 그 행위에 관하여는 이를 주소로 본다.
→ 가주소는 당사자의 의사에 의하여 설정되며(따라서 제한능력자는 독자적으로 가주소를 설정할 수 없다), 특정행위(당해 거래관계)에 관하여만 가주소를 주소로 본다.

제3관 부재와 실종

사람이 그의 주소를 떠나 당분간 돌아올 가망이 없는 경우에 그 자의 재산을 관리하고 잔존배우자나 상속인 등의 이해관계인을 보호할 수 있는 조치가 필요하다. 이에 우리 민법은 1차적으로 부재자 재산관리제도와 2차적으로 실종선고제도를 둠으로써 2단계의 조치를 취하고 있다.

Ⅰ. 부재자의 재산관리

제22조 【부재자의 재산의 관리】
① 종래의 주소나 거소를 떠난 자가 재산관리인을 정하지 아니한 때에는 법원은 이해관계인이나 검사의 청구에 의하여 재산관리에 관하여 필요한 처분을 명하여야 한다. 본인의 부재중 재산관리인의 권한이 소멸한 때에도 같다.
② 본인이 그 후에 재산관리인을 정한 때에는 법원은 본인, 재산관리인, 이해관계인 또는 검사의 청구에 의하여 전항의 명령을 취소하여야 한다.

제23조【관리인의 개임】
부재자가 재산관리인을 정한 경우에 부재자의 생사가 분명하지 아니한 때에는 법원은 재산관리인, 이해관계인 또는 검사의 청구에 의하여 재산관리인을 개임할 수 있다.
제24조【관리인의 직무】
① 법원이 선임한 재산관리인은 관리할 재산목록을 작성하여야 한다.
② 법원은 그 선임한 재산관리인에 대하여 부재자의 재산을 보존하기 위하여 필요한 처분을 명할 수 있다.
③ 부재자의 생사가 분명하지 아니한 경우에 이해관계인이나 검사의 청구가 있을 때에는 법원은 부재자가 정한 재산관리인에게 전2항의 처분을 명할 수 있다.
④ 전3항의 경우에 그 비용은 부재자의 재산으로써 지급한다.
제25조【관리인의 권한】
법원이 선임한 재산관리인이 제118조에 규정한 권한을 넘는 행위를 함에는 법원의 허가를 얻어야 한다. 부재자의 생사가 분명하지 아니한 경우에 부재자가 정한 재산관리인이 권한을 넘는 행위를 할 때에도 같다.
제26조【관리인의 담보제공, 보수】
① 법원은 그 선임한 재산관리인으로 하여금 재산의 관리 및 반환에 관하여 상당한 담보를 제공하게 할 수 있다.
② 법원은 그 선임한 재산관리인에 대하여 부재자의 재산으로 상당한 보수를 지급할 수 있다.
③ 전2항의 규정은 부재자의 생사가 분명하지 아니한 경우에 부재자가 정한 재산관리인에 준용한다.

1. 부재자의 개념

부재자란 종래의 주소나 거소를 떠나 당분간 돌아올 가망이 없는 자로서 그의 재산을 관리할 필요가 있는 자를 말한다. 이러한 부재자는 자연인에 한하여 인정되며, 법인은 부재자가 될 수 없다 (대결 1965.2.9, 64스9).

2. 부재자 자신이 재산관리인을 두지 않은 경우

(1) 법원의 조치

1) 이해관계인, 검사의 청구에 의하여 가정법원은 재산관리에 관한 필요한 처분을 명한다.
2) 여기서 이해관계인이란, ① 부재자의 재산의 보전에 관하여 법률상 이해관계를 가지는 자를 말하며(예 상속인, 배우자, 채권자, 보증인 등), 사실상 이해관계를 가진 자(예 사실혼배우자, 친구)는 포함되지 않는다. ② 또한 자가 부재자인 경우 친권자는 자의 재산을 관리할 권한이 있으므로 청구권자에 포함되지 않는다.

(2) 재산관리인의 지위

1) 일종의 법정대리인에 해당하고, 재산관리인의 권한은 법원의 명령에 의해 정해지지만, 그 정함이 없는 경우에는 제118조에서 정한 보존행위와 관리행위(이용·개량 행위)만을 할 수 있는 것이 원칙이다. 따라서 그 범위를 넘어 처분행위, 예 재산의 매각·담보제공 등의 행위를 한 경우에는 법원의 허가를 받아야 한다. 만일 이를 위반한 경우에는 무권대리행위로서 원칙적으로 무효이다. 다만 기왕의 처분행위에 대한 추인으로서 법원의 허가를 받으면 유효하다.

2) 한편 허가를 받았으나 그러한 처분행위가 부재자 본인을 위한 것이 아닌 경우에 대해서 판례는 무권대리행위로 취급한다.
3) 선임된 관리인은 수임인에 준하는 지위를 가지므로, 선임관재인은 선관주의로서 사무를 처리해야 한다(제681조).
4) 선임된 재산관리인은 언제든지 사임할 수 있고, 법원도 언제든지 개임할 수 있다(대판 1961.1.25, 4293민재항349).

판례 연구 **관련판례 정리**

1. 허가의 방법

[1] 허가받은 재산에 대한 장래의 처분행위뿐 아니라 기왕의 처분행위를 추인하는 방법으로도 할 수 있다. 따라서 관리인이 허가 없이 부재자 소유 부동산을 매각한 경우라도 사후에 법원의 허가를 얻어 이전등기절차를 경료케 하였다면 추인에 의하여 유효한 처분행위로 된다(대판 1982.9.14, 80다3063; 대판 1982.12.14, 80다1872·1873). ★

[2] 부재자 재산관리인의 부재자 소유 부동산에 대한 매매계약에 관하여 법원의 허가를 받지 아니하였다는 이유로 소유권이전등기청구소송의 패소판결이 확정된 후 그 권한초과행위에 대하여 법원의 허가를 받게 되면 다시 그 매매계약에 기한 소유권이전등기청구의 소를 제기할 수 있다. 또한 부재자 재산관리인이 권한을 초과하여 체결한 부동산 매매계약에 관하여 허가신청절차를 이행하기로 약정하고도 이를 이행하지 않는 경우, 상대방은 부재자 재산관리인을 상대로 허가신청절차의 이행을 소구할 수 있다(대판 2002.1.11, 2001다41971).

2. 선임재산관리인의 권한 범위

[1] 부재자의 재산에 대한 임대료 청구 또는 불법행위로 인한 손해배상청구는 허가를 요하지 않는다(대판 1957.10.14, 4290민재항104).

[2] 부동산소유권이전등기말소등기절차이행청구나 인도청구는 보존행위에 불과하므로 법원의 허가 없이 할 수 있다(대판 1964.7.23, 64다108).

[3] 부재자재산관리인이 부재자를 위한 소송비용 때문에 피고로부터 돈을 차용하고 그 돈을 임대보증금으로 하여 본건 임야를 골프장을 하는 피고에게 임대하였다면 이는 성질을 변하지 아니한 이용 또는 개량행위로서 법원의 허가를 요하지 않는다(대판 1980.11.11, 79다2164).

3. 허가취소, 선임결정취소의 효과 – 비소급효(장래효) ★★

[1] 법원의 허가를 얻어 권한초과행위를 한 후에는 그 허가결정이 취소되더라도 소급효가 없으며, 취소전의 처분행위는 유효하다(대판 1960.2.4, 4291민상636).

[2] 법원에 의하여 부재자재산관리인으로 선임된 자는 그 부재자의 사망이 확인된 후라 할지라도 위 선임결정이 취소되지 않는 한 관리인으로서의 권한이 소멸하지 않고(대판 1971.3.23, 71다189; 대판 1991.11.26, 91다11810), 부재자 재산관리인으로서 권한초과 행위의 허가를 받고 그 선임결정이 취소되기 전에 위 권한에 의하여 이루어진 행위는 부재자에 대한 실종선고기간이 만료된 뒤에 이루어졌다고 하더라도 유효하다(대판 1981.7.28, 80다2668).

[3] 법정절차에 의하여 재산관리인 선임결정이 취소되지 않는 한 선임된 부재자재산관리인의 권한이 당연히는 소멸되지 아니하고 또 위 결정 이후에 취소된 경우에도 그 취소의 효력은 장래에 향하여서만 생기는 것이며 그간의 부재자재산관리인의 적법한 권한행사의 효과는 이미 사망한 그 부재자의 재산상속인에게 미친다 할 것이다(대판 1970.1.27, 69다719).

4. 허가받은 처분행위의 한계 ★

[1] 법원의 매각처분허가를 받았다면 저당권설정을 위해 다시 법원의 허가를 얻을 필요는 없다. 다만 법원의 허가가 있었더라도 그 처분은 부재자의 이익을 위한 것에 한정되고, 부재자의 이익을 위한 정당한 관리행위가 아닌 때에는 그 권한범위를 일탈한 것으로서 무권대리로 되고 표현대리가 성립하지 않는 한 본인에 대하여 효력이 없다.

[2] 따라서 관리인이 법원의 매각처분허가를 얻었더라도 부재자와 아무 관계없는 남의 채무의 담보를 위하여 부재자 재산에 근저당권을 설정한 때에는 달리 그 권한이 있다고 믿음에 정당한 이유가 없는 한 상대방은 선의, 무과실이라 볼 수 없고 본인은 책임이 없다(대결 1976.12.21, 75마551; 대판 1977.11.8, 77다1159).

3. 부재자 자신이 재산관리인을 둔 경우

1) 그 재산관리인은 부재자의 수임인으로서 임의대리인이므로, 대리권의 범위는 당사자의 약정에 의하여 정해진다. 따라서 부재자가 재산관리인을 선임하면서 처분권까지 부여하였다면, 부재자 재산관리인의 처분행위에는 법원의 허가를 받을 필요가 없다. 다만 그러한 약정이 없으면 민법 제118조가 적용된다.

부재자 스스로 위임한 재산관리인의 권한범위

부재자 스스로 위임한 재산관리인이 있는 경우에는, 그 재산관리인의 권한은 그 위임의 내용에 따라 결정될 것이며 그 위임관리인에게 재산처분권까지 위임된 경우에는 그 재산관리인이 그 재산을 처분함에 있어 법원의 허가를 요하는 것은 아니라 할 것이므로 재산관리인이 법원의 허가 없이 부동산을 처분하는 행위를 무효라고 할 수 없다(대판 1973.7.24, 72다2136).

2) 법원은 원칙적으로 이에 간섭하지 않는다. 다만 재산관리권이 본인부재 중 소멸한 때(제22조 제1항 후단) 또는 부재자의 생사가 분명하지 않게 된 때(제24조)에는 예외적으로 법원이 개입·간섭하고, 이 경우 종전 수임인이 재산관리인으로 되었더라도 종전 수임인의 부재자 위임에 의한 재산관리 처분권한은 종료된다. 따라서 그 후 부재자의 재산을 처분하는 경우 민법 제25조에 따른 권한 초과 행위의 허가를 받아야 하며 허가를 받지 아니하고 한 부재자의 재산매각은 무효이다(대판 1977.3.22, 76다1437).

Ⅱ. 실종선고

1. 의의

실종선고란 부재자의 생사불명의 상태가 일정기간 계속되고 있는 경우 가정법원의 선고에 의해 사망한 것으로 간주함으로써, 종래의 주소・거소를 중심으로 하는 법률관계를 확정하는 제도를 말한다.

2. 실종선고의 요건

> **제27조【실종의 선고】**
> ① 부재자의 생사가 5년간 분명하지 아니한 때에는 법원은 이해관계인이나 검사의 청구에 의하여 실종선고를 하여야 한다.
> ② 전지에 임한 자, 침몰한 선박 중에 있던 자, 추락한 항공기 중에 있던 자 기타 사망의 원인이 될 위난을 당한 자의 생사가 전쟁종지 후 또는 선박의 침몰, 항공기의 추락 기타 위난이 종료한 후 1년간 분명하지 아니한 때에도 제1항과 같다.

(1) 부재자의 생사 불분명

생사불명이란 생존 또는 사망에 대한 증명을 할 수 없는 상태이므로 가족관계등록부(과거의 호적부)에 사망한 것으로 기재된 자에 대하여는 특단의 사정이 없는 한 실종선고를 청구할 수 없다.

> **제27조 해당 여부**
> ① 호적부(현 가족관계등록부)의 기재사항은 이를 번복할 만한 명백한 반증이 없는 한 진실에 부합하는 것으로 추정되고, (중략) 호적상 이미 사망한 것으로 기재되어 있는 자는 그 호적상 사망기재의 추정력을 뒤집을 수 있는 자료가 없는 한 그 생사가 불분명한 자라고 볼 수 없어 실종선고를 할 수 없다(대결 1997.11.27, 97스4).
> ② 민법 제27조의 문언이나 규정의 체계 및 취지 등에 비추어, 그 제2항에서 정하는 "사망의 원인이 될 위난"이라고 함은 화재・홍수・지진・화산 폭발 등과 같이 일반적・객관적으로 사람의 생명에 명백한 위험을 야기하여 사망의 결과를 발생시킬 가능성이 현저히 높은 외부적 사태 또는 상황을 가리킨다. (따라서) 甲이 잠수장비를 착용한 채 바다에 입수하였다가 부상하지 아니한 채 행방불명되었다 하더라도, 이는 "사망의 원인이 될 위난"이라고 할 수 없다(대결 2011.1.31, 2010스165).

(2) 실종기간의 경과

생사불명이 일정기간 계속되어야 한다. 민법은 보통실종기간으로 5년, 특별실종기간으로 1년을 규정하고 있다.

(3) 이해관계인 등의 청구

1) 실종선고의 청구권자로서 이해관계인이란 부재자의 사망으로 직접적으로 신분상 또는 경제상의 권리를 취득하거나 의무를 면하게 되는 자만을 뜻한다(→ 배우자, 상속인, 법정대리인, 재산관리인 등을 의미한다는 점에서 부재자재산관리를 청구할 수 있는 이해관계인의 범위와 다름을 유의

한다). 따라서 부재자의 상속인의 내연의 처로부터 재산을 매수한 자는 실종선고를 청구할 수 있는 이해관계인이 아니다.

2) 부재자의 자매로서 제2순위 내지 제3순위 상속인에 불과한 자는 부재자에 대한 실종선고의 여부에 따라 상속지분에 차이가 생긴다고 하더라도 위 부재자의 사망 간주시기에 따른 간접적인 영향에 불과하고 부재자의 실종선고 자체를 원인으로 한 직접적인 결과는 아니므로 부재자에 대한 실종선고를 청구할 이해관계인이 될 수 없다. 판례도 마찬가지의 입장이다(대결 1992.4.14, 92스4·92스5·92스6).

(4) 절차상 요건

실종선고를 할 때에는 6개월 이상의 공시최고가 반드시 필요하나, 실종선고취소를 할 때에는 공시최고를 요하지 아니한다.

3. 실종선고의 효과 - 사망의제(간주)

> 第28조【실종선고의 효과】
> 실종선고를 받은 자는 전조의 기간이 만료한 때에 사망한 것으로 본다.

1) 사망한 것으로 추정하는 것이 아니라는 점에서 인정사망과 다르고, 사망한 것으로 간주되므로 생존사실 등 기타의 반증을 하여도 실종선고의 효력을 다툴 수 없으며, 오직 실종선고를 취소하여야만 사망의 효과를 뒤집을 수 있다.

> **실종선고 효과의 번복방법**
> 민법 제28조는 "실종선고를 받은 자는 민법 제27조 제1항 소정의 생사불명기간이 만료된 때에 사망한 것으로 본다"고 규정하고 있으므로 실종선고가 취소되지 않는 한 반증을 들어 실종선고의 효과를 다툴 수는 없다(대판 1995.2.17, 94다52751).

2) 실종선고는 종래의 주소와 거소를 중심으로 한 사법상의 법률관계에 관하여만 사망한 것으로 간주할 뿐 권리능력을 박탈하는 제도는 아니다. 따라서 선거권 등 공법상의 법률관계에는 영향을 미치지 않는다.

3) 부재자의 생사가 분명하지 아니한 경우, 부재자는 법원의 실종선고가 없는 한 사망자로 간주되지 아니하며, 부재자의 재산관리인이 부재자의 대리인으로서 소를 제기하여 그 소송계속 중에 부재자에 대한 실종선고가 확정되어 그 소 제기 이전에 부재자가 사망한 것으로 간주되는 경우에도, 실종선고의 효력이 발생하기 전에는 실종기간이 만료된 실종자라 하여도 소송상 당사자능력을 상실하는 것은 아니므로, 실종선고가 확정된 때에 소송절차가 중단되어 부재자의 상속인 등이 이를 수계할 수 있을 뿐이고, 위 소 제기 자체가 소급하여 당사자능력이 없는 사망한 자가 제기한 것으로 되는 것은 아니다(대판 2008.6.26, 2007다11057). 또한 실종자를 당사자로 한 판결이 확정된 후에 실종선고가 확정되어 그 사망간주의 시점이 소 제기 전으로 소급하는 경우에도 위 판결 자체가 소급하여 당사자능력이 없는 사망한 사람을 상대로 한 판결로서 무효가 된다고는 볼 수 없다(대판 1992.7.14, 92다2455).

4) 부재자가 실종선고를 받은 경우에 실종자는 그가 사망한 것으로 간주되는 시기까지 생존한 것으로 간주된다는 것이 판례이다(대판 1977.3.22, 77다81·82).
5) 사망한 것으로 간주된 자가 그 이전에 생사불명의 부재자로서 그 재산관리에 관하여 법원으로부터 재산관리인이 선임되어 있었다면 재산관리인은 그 부재자의 사망을 확인했다고 하더라도 선임결정이 취소되지 아니하는 한 계속하여 권한을 행사할 수 있다 할 것이므로 재산관리인에 대한 선임결정이 취소되기 전에 재산관리인의 처분행위에 기하여 경료된 등기는 법원의 처분허가 등 모든 절차를 거쳐 적법하게 경료된 것으로 추정된다(대판 1991.11.26, 91다11810).
6) 실종선고를 받은 자는 실종기간이 만료한 때에 사망한 것으로 간주되는 것이므로, 실종선고로 인하여 실종기간 만료시를 기준으로 하여 상속이 개시된 이상 설사 이후 실종선고가 취소되어야 할 사유가 생겼다고 하더라도 실제로 실종선고가 취소되지 아니하는 한, 임의로 실종기간이 만료하여 사망한 때로 간주되는 시점과는 달리 사망시점을 정하여 이미 개시된 상속을 부정하고 이와 다른 상속관계를 인정할 수는 없다(대판 1994.9.27, 94다21542).
7) 피상속인의 사망 후에 실종선고가 이루어졌으나 피상속인의 사망 이전에 실종기간이 만료된 경우, 실종선고된 자는 재산상속인이 될 수 없다(대판 1982.9.14, 82다144).

실종선고 - 동일인에 대하여 2차례의 실종선고가 있는 경우, 상속관계의 판단 기준 시점

실종자에 대하여 1950.7.30. 이후 5년간 생사불명을 원인으로 이미 1988.11.26. 실종선고가 되어 확정되었는데도, 그 이후 타인의 청구에 의하여 1992.12.28. 새로이 확정된 실종신고를 기초로 상속관계를 판단한 것은 잘못이다(대판 1995.12.22, 95다12736).

4. 실종선고의 취소

제29조【실종선고의 취소】
① 실종자의 생존한 사실 또는 전조의 규정과 상이한 때에 사망한 사실의 증명이 있으면 법원은 본인, 이해관계인 또는 검사의 청구에 의하여 실종선고를 취소하여야 한다. 그러나 실종 선고 후 그 취소 전에 선의로 한 행위의 효력에 영향을 미치지 아니한다.
② 실종선고의 취소가 있을 때에 실종의 선고를 직접원인으로 하여 재산을 취득한 자가 선의인 경우에는 그 받은 이익이 현존하는 한도에서 반환할 의무가 있고 악의인 경우에는 그 받은 이익에 이자를 붙여서 반환하고 손해가 있으면 이를 배상하여야 한다.

(1) 요건 및 절차

1) 요건

① 실질적 요건으로 실종자가 생존한 사실 또는 실종기간이 만료한 때와 다른 때에 사망한 사실(제29조 제1항), 실종기간의 기산점 이후의 어떤 시점에 생존하고 있었던 사실이 증명되어야 하고,
② 형식적 요건으로 본인·이해관계인 또는 검사의 청구가 있어야 한다(제29조 제1항).

2) 절차

실종선고의 취소는 본인 주소지의 가정법원의 전속관할에 속한다(가사소송법 제44조). 그 취소절차에는 실종선고의 경우와는 달리 공시최고 절차는 필요하지 않다. 취소의 요건을 갖추면 법원은 반드시 실종선고를 취소하여야 한다(제29조 제1항).

(2) 효과

1) 원칙 - 소급 무효

실종선고가 취소되면 처음부터 실종선고가 없었던 것으로 되어 실종선고로 인하여 발생한 법률관계는 원칙적으로 소급하여 무효가 된다.

2) 예외

가) 실종선고 후 그 취소 전에 선의로 한 행위의 효력(제29조 제1항 단서)

실종선고 후 그 취소 전에 선의로 한 행위의 효력에 영향을 미치지 아니한다. 여기서 선의의 구체적 의미에 대해서는 견해가 대립한다. 동조는 실종선고 전에 한 행위 또는 실종선고취소 후에 한 행위에는 적용이 없으므로, 선의인 경우라도 소급하여 무효가 된다.

① 재산행위

(ㄱ) 단독행위

오직 단독행위자의 선의만을 요구하는 것이 통설이다.

(ㄴ) 계약

ⅰ) 쌍방 선의설 : 제29조의 문리해석상 당사자 전부가 선의일 때만 보호받고 그중에서 1인이라도 악의인 경우에는 반환하여야 한다.

ⅱ) 상대적 효력설 : 개별적으로 판단하여 선의자는 보호를 받고 악의자는 반환하여야 한다(→ 엄폐물 법칙 적용 ✗).

ⅲ) 절대적 효력설 → 전제 : 엄폐물 법칙 적용 O

- 쌍방선의설에 근거한 절대적 효력설
- 상대적 효력설에 근거한 절대적 효력설

② 신분행위

통설은 신분행위에도 제29조 제1항 단서가 적용됨을 전제로 쌍방의 선의를 요구한다고 하며, 적어도 어느 한쪽이 악의일 때는 전혼은 부활하나 이혼사유(제840조 제6호)가 있게 되고 후혼은 중혼으로 취소될 수 있다고 본다.

나) 실종선고를 직접원인으로 재산을 취득한 자(상속인 · 생명보험의 수익자)의 반환의무(제29조 제2항)

반환의무의 성질은 부당이득의 반환이고, 따라서 반환청구권은 실종선고 취소 시부터 10년의 소멸시효에 걸린다. 반환범위도 부당이득에 있어서와 같다(→ 선의 - 현존이익 / 악의 - 받은 이익 + 이자 + 손해).

다) 양자의 관계

선택적 관계이다. 따라서 실종선고의 취소를 받은 실종자는 제29조 제1항 단서에 의해서 전득자에게 반환청구를 하든지, 아니면 직접수익자에게 제29조 제2항에 의한 부당이득반환청구를 해야 한다. 다만 쌍방이 선의이기 때문에 제29조 제1항 단서에 의해서 전득자에 대하여 반환을 청구할 수 없는 때에는 제29조 제2항에 의해서 직접수익자에 대해서만 반환을 청구할 수 있다.

3) 타 제도와의 관계

예외요건에 해당하지 않아 소급적으로 소멸되더라도 재산취득자에게 취득시효 · 선의취득 · 첨부 등과 같은 별개의 권리취득사유가 있으면 실종선고의 취소에 의한 영향을 받지 않고, 별개의 취득사유에 따라 권리를 취득할 수 있다.

제3절 법인

제1관 총설

Ⅰ. 법인제도

1. 법인의 의의

법인이라 함은 법률에 의하여 권리능력(법인격)이 인정된 사단 또는 재단을 말한다. 즉 일정한 목적하에 결합된 사람의 조직체로서 권리능력이 부여된 사단법인과 일정한 목적을 위해 바쳐진 재산의 집합에 권리능력이 부여된 재단법인이 있다.

2. 법인격 부인론

(1) 의의 및 근거

법인격 부인론이란 회사가 외형상으로는 법인의 형식을 갖추고 있으나 이는 법인의 형태를 빌리고 있는 것에 지나지 아니하고 그 실질에 있어서는 완전히 그 법인격의 배후에 있는 타인의 개인기업에 불과(=법인의 형해화)하거나 그것이 배후자에 대한 법률적용을 회피하기 위한 수단으로 함부로 쓰여진 경우(=법인격의 남용), 이를 규제하기 위해 특정사안에 있어서만 법인격을 일시적 · 잠정적으로 부인하여 회사는 물론 그 배후자인 타인에 대하여도 회사의 행위에 관한 책임을 인정하기 위한 이론이다. 이렇게 해석함이 신의칙에 합당하다.

(2) 효과

1) 채무이행의 청구

기존회사가 채무를 면탈할 목적으로 기업의 형태·내용이 실질적으로 동일한 신설회사를 설립하였다면, 기존회사의 채권자에 대하여 위 두 회사가 별개의 법인격을 갖고 있음을 주장하는 것은 신의성실의 원칙상 허용될 수 없다 할 것이어서, 기존회사의 채권자는 위 두 회사 어느 쪽에 대하여서도 채무의 이행을 청구할 수 있다(대판 2004.11.12, 2002다66892). 이러한 법리는 어느 회사가 이미 설립되어 있는 다른 회사 가운데 기업의 형태·내용이 실질적으로 동일한 회사를 채무를 면탈할 의도로 이용한 경우에도 적용된다(대판 2019.12.13, 2017다271643, 대판 2023.2.2, 2022다276703).

회사의 법인격을 부인하여 그 배후에 있는 개인에게 책임을 물을 수 있는 경우 및 회사에 대하여 회사 설립 전 개인이 부담한 채무의 이행을 청구하는 것이 가능한 경우

① 주식회사는 주주와 독립된 별개의 권리주체이므로 그 독립된 법인격이 부인되지 않는 것이 원칙이다. 그러나 개인이 회사를 설립하지 않고 영업을 하다가 그와 영업목적이나 물적 설비, 인적 구성원 등이 동일한 회사를 설립하는 경우에 그 회사가 외형상으로는 법인의 형식을 갖추고 있으나 법인의 형태를 빌리고 있는 것에 지나지 않고, 실질적으로는 완전히 그 법인격의 배후에 있는 개인의 개인기업에 불과하거나, 회사가 개인에 대한 법적 책임을 회피하기 위한 수단으로 함부로 이용되고 있는 예외적인 경우까지 회사와 개인이 별개의 인격체임을 이유로 개인의 책임을 부정하는 것은 신의성실의 원칙에 반하므로, 이러한 경우에는 회사의 법인격을 부인하여 그 배후에 있는 개인에게 책임을 물을 수 있다. ② 나아가 그 개인과 회사의 주주들이 경제적 이해관계를 같이하는 등 개인이 새로 설립한 회사를 실질적으로 운영하면서 자기 마음대로 이용할 수 있는 지배적 지위에 있다고 인정되는 경우로서, 회사 설립과 관련된 개인의 자산 변동 내역, 특히 개인의 자산이 설립된 회사에 이전되었다면 그에 대하여 정당한 대가가 지급되었는지 여부, 개인의 자산이 회사에 유용되었는지 여부와 그 정도 및 제3자에 대한 회사의 채무 부담 여부와 그 부담 경위 등을 종합적으로 살펴보아 회사와 개인이 별개의 인격체임을 내세워 회사 설립 전 개인의 채무 부담행위에 대한 회사의 책임을 부인하는 것이 심히 정의와 형평에 반한다고 인정되는 때에는 회사에 대하여 회사 설립 전에 개인이 부담한 채무의 이행을 청구하는 것도 가능하다고 보아야 한다(대판 2021.4.15, 2019다293449). ③ 개인의 채무 부담행위에 대한 회사의 책임을 부인하는 것이 심히 정의와 형평에 반한다고 인정되어 회사에 대하여 개인이 부담한 채무의 이행을 청구하는 법리는 채무면탈을 목적으로 회사가 새로 설립된 경우뿐 아니라 같은 목적으로 기존 회사의 법인격이 이용되는 경우에도 적용되는데, 여기에는 회사가 이름뿐이고 실질적으로는 개인기업에 지나지 않은 상태로 될 정도로 형해화 된 경우와 회사의 법인격이 형해화 될 정도에 이르지 않더라도 개인이 회사의 법인격을 남용하는 경우가 있을 수 있다. 이때 회사의 법인격이 형해화 되었다고 볼 수 있는지 여부는 원칙적으로 문제가 되고 있는 법률행위나 사실행위를 한 시점을 기준으로, 회사의 법인격이 형해화 될 정도에 이르지 않더라도 개인이 회사의 법인격을 남용하였는지 여부는 채무면탈 등의 남용행위를 한 시점을 기준으로 각 판단하여야 한다(대판 2023.2.2, 2022다276703).

2) 기판력 및 집행력의 확장 여부

甲 회사와 乙 회사가 기업의 형태·내용이 실질적으로 동일하고, 甲 회사는 乙 회사의 채무를 면탈할 목적으로 설립된 것으로서 甲 회사가 乙 회사의 채권자에 대하여 乙 회사와는 별개의 법인격을 가지는 회사라는 주장을 하는 것이 신의성실의 원칙에 반하거나 법인격을 남용하는 것으로 인정되는 경우에도, 권리관계의 공권적인 확정 및 그 신속·확실한 실현을 도모하기 위하여 절차의

명확·안정을 중시하는 소송절차 및 강제집행절차에 있어서는 그 절차의 성격상 乙 회사에 대한 판결의 기판력 및 집행력의 범위를 甲 회사에까지 확장하는 것은 허용되지 않는다(대판 1995.5.12, 93다44531).

Ⅱ. 법인의 종류

1. 사단법인과 재단법인

사단법인은 일정한 목적을 위해 결합된 사람의 단체(사단)를 그 실체로 하는 법인이고, 재단법인은 일정한 목적에 바쳐진 재산(재단)이 그 실체를 이루는 법인이다.

2. 영리법인과 비영리법인

> 제39조【영리법인】
> ① 영리를 목적으로 하는 사단은 상사회사설립의 조건에 좇아 이를 법인으로 할 수 있다.
> ② 전항의 사단법인에는 모두 상사회사에 관한 규정을 준용한다.

영리법인이라 함은 오로지 구성원의 경제적 이익을 기하고, 종국적으로는 법인의 이익을 이익배당 기타 어떠한 방법으로든지 구성원 개인에게 분배하여 경제적 이익을 주는 것을 목적으로 하는 법인을 말한다. 따라서 구성원의 개념이 없는 재단법인은 비영리법인일 수밖에 없다. 이에 반하여 학술·종교·자선 등 영리 아닌 사업을 목적으로 하는 사단법인 또는 재단법인을 비영리법인이라 한다.

제2관 법인의 설립

Ⅰ. 법인의 성립

> 제31조【법인성립의 준칙】
> 법인은 법률의 규정에 의함이 아니면 성립하지 못한다. → 법인설립에 관한 자유설립주의의 배제

Ⅱ. 비영리사단법인의 설립과정

> 제32조【비영리법인의 성립과 허가】
> 학술, 종교, 자선, 기예, 사교 기타 영리 아닌 사업을 목적으로 하는 사단 또는 재단은 주무관청의 허가를 얻어 이를 법인으로 할 수 있다. → 법인설립에 관해 비영리법인의 경우 허가주의를 채택
> 제33조【법인설립의 등기】
> 법인은 그 주된 사무소의 소재지에서 설립등기를 함으로써 성립한다. → 등기사항은 제49조 제2항에 규정되어 있다.

1. 목적의 비영리성

구성원의 경제적 이익을 추구하고 종국적으로 수익이 구성원들에게 분배되는 것이 아닌 사업을 목적으로 하여야 한다. 그러나 필요한 범위에서 본질에 반하지 않는 정도의 영리행위를 하는 것은 무방하다(다만 그렇더라도 어떠한 형식으로든 구성원에게 이익을 분배해서는 안 된다).

2. 설립행위

(1) 의의 및 정관의 성질

정관작성행위(제40조)가 사단법인에서의 설립행위이다. 사단법인의 정관의 법적성질은 계약이 아니라 자치법규로 이해된다. 따라서 어디까지나 객관적인 기준에 따라 그 규범적인 의미와 내용을 확정하는 법규해석의 방법으로 해석되어야 하는 것이지, 작성자의 주관이나 사원의 다수결방식(사원총회의 결의)에 의한 방법으로 자의적으로 해석될 수 없다(대판 2000.11.24, 99다12437).

(2) 정관기재사항

> 제40조【사단법인의 정관】
> 사단법인의 설립자는 다음 각 호의 사항을 기재한 정관을 작성하여 기명날인하여야 한다.
> 1. 목적
> 2. 명칭
> 3. 사무소의 소재지
> 4. 자산에 관한 규정
> 5. 이사의 임면에 관한 규정
> 6. 사원자격의 득실에 관한 규정
> 7. 존립시기나 해산사유를 정하는 때에는 그 시기 또는 사유

① 재단법인의 정관의 필요적 기재사항은 본조 제1호에서 제5호까지이다(제43조).

② 그중 명칭, 사무소 소재지, 이사의 임면규정이 흠결된 경우에는 일정한 자의 청구에 의하여 법원에서 보충한다(제44조).

3. 주무관청의 허가

비영리법인의 성립요건으로 주무관청의 허가를 요건으로 하고 있다. 이는 제45조, 제46조에 있어 정관변경에 관한 주무관청의 허가가 인가적 성격이 있는 것과 달리 자유재량행위이므로 설립허가를 해주지 않은 주무관청의 불허가 처분을 행정법원에 다툴 수 없다.

> 민법은 제31조에서 "법인은 법률의 규정에 의함이 아니면 성립하지 못한다"고 규정하여 법인의 자유설립을 부정하고 있고, 제32조에서 "학술, 종교, 자선, 기예, 사교 기타 영리 아닌 사업을 목적으로 하는 사단 또는 재단은 주무관청의 허가를 얻어 이를 법인으로 할 수 있다"고 규정하여 비영리법인의 설립에 관하여 허가주의를 채용하고 있으며, 현행 법령상 비영리법인의 설립허가에 관한 구체적인 기준이 정하여져 있지 아니하므로, 비영리법인의 설립허가를 할 것인지 여부는 주무관청의 정책적 판단에 따른 재량에 맡겨져 있다(대판 1996.9.10, 95누18437).

4. 설립등기

주된 사무소의 소재지에서 설립등기를 하여야 하며, 설립등기를 함으로써 법인은 성립한다(제33조).

Ⅲ. 비영리재단법인의 설립과정

제43조【재단법인의 정관】
재단법인의 설립자는 일정한 재산을 출연하고 제40조 제1호 내지 제5호의 사항을 기재한 정관을 작성하여 기명날인하여야 한다.

제44조【재단법인의 정관의 보충】
재단법인의 설립자가 그 명칭, 사무소 소재지 또는 이사임면의 방법을 정하지 아니하고 사망한 때에는 이해관계인 또는 검사의 청구에 의하여 법원이 이를 정한다. → 사단법인의 경우에는 정관의 보충에 관한 규정이 없다.

제47조【증여, 유증에 관한 규정의 준용】
① 생전처분으로 재단법인을 설립하는 때에는 증여에 관한 규정을 준용한다.
② 유언으로 재단법인을 설립하는 때에는 유증에 관한 규정을 준용한다.

제48조【출연재산의 귀속시기】
① 생전처분으로 재단법인을 설립하는 때에는 출연재산은 법인이 성립된 때로부터 법인의 재산이 된다.
② 유언으로 재단법인을 설립하는 때에는 출연재산은 유언의 효력이 발생한 때(→ 유언자의 사망 시)로부터 법인에 귀속한 것으로 본다.

제186조【부동산물권변동의 효력】
부동산에 관한 법률행위로 인한 물권의 득실변경은 등기하여야 그 효력이 생긴다.

제187조【등기를 요하지 아니하는 부동산물권취득】
상속, 공용징수, 판결, 경매 기타 법률의 규정에 의한 부동산에 관한 물권의 취득은 등기를 요하지 아니한다. 그러나 등기를 하지 아니하면 이를 처분하지 못한다.

재단법인의 설립과정을 보면, ① 목적의 비영리성, ② 설립행위, ③ 주무관청의 허가, ④ 설립등기로 구분할 수 있다. 이 중 특히 설립행위의 면에서 사단법인과 차이가 있다.

1. 설립행위의 개념과 성질

1) 재단법인의 설립행위는 '재산의 출연과 정관의 작성'으로 이루어져 있다. 이러한 재단법인의 설립행위는 재단에 법인격취득의 효과를 발생시키려는 의사표시를 요소로 하는 '상대방 없는 단독행위'에 해당한다(대판 1999.7.9, 98다9045).

2) 재단법인 설립을 위해 서면에 의한 출연을 한 경우, 민법총칙규정에 따라 출연자가 착오에 기한 의사표시라는 이유로 출연의 의사표시를 취소할 수 있고, 상대방 없는 단독행위인 재단법인에 대한 출연행위라고 하여 달리 볼 것은 아니다. 나아가 재단법인에 대한 출연자와 법인과의 관계에 있어서 그 출연행위에 터 잡아 법인이 성립되면 그로써 출연재산은 민법 제48조에 의하여 법인성립 시에 법인에게 귀속되어 법인의 재산이 되는 것이고, 출연재산이 부동산인 경우에 있어서도 위 양 당사자 간의 관계에 있어서는 법인의 성립 외에 등기를 필요로 하는 것은 아니라 할지라도, 재단법인의 출연자가 착오를 원인으로 취소를 한 경우에는 출연자는 재단법인의 성립 여부나 출연된 재산의 기본재산인 여부와 관계없이 그 의사표시를 취소할 수 있다(대판 1999.7.9, 98다9045).

2. 재산의 출연

(1) 출연재산의 종류

출연재산의 종류에는 법률상 아무런 제한이 없다. 따라서 부동산, 동산의 소유권뿐만 아니라 각종 물권과 채권 등이 모두 출연재산이 될 수 있다.

재단법인 설립과정에서 그 출연자들이 장래 설립될 재단법인의 기본재산으로 귀속될 부동산에 관하여 소유명의만을 신탁하는 약정을 한 경우, 이러한 명의신탁계약이 새로 설립된 재단법인에 대하여 효력을 미치는지 여부(소극)

재단법인의 기본재산은 재단법인의 실체를 이루는 것이므로, 재단법인 설립을 위한 기본재산의 출연행위에 관하여 그 재산출연자가 소유명의만을 재단법인에 귀속시키고 실질적 소유권은 출연자에게 유보하는 등의 부관을 붙여서 출연하는 것은 재단법인 설립의 취지에 어긋나는 것이어서 관할 관청은 이러한 부관이 붙은 출연재산을 기본재산으로 하는 재단법인의 설립을 허가할 수 없고, 또한 재단법인 설립과정에서 그 출연자들이 장래 설립될 재단법인의 기본재산으로 귀속될 부동산에 관하여 소유명의만을 신탁하는 약정을 하였다고 하더라도, 관할 관청의 설립허가 및 법인설립등기를 통하여 새로이 설립된 재단법인에게 아무 조건 없이 기본재산 증여를 원인으로 한 소유권이전등기를 마친 이후에까지 이러한 명의신탁계약이 설립된 재단법인에 효력이 미친다고 보면 재단법인의 기본재산이 상실되어 재단법인의 존립 자체에 영향을 줄 것이므로, 위와 같은 명의신탁계약은 새로 설립된 재단법인에 대해서는 효력을 미칠 수 없다(대판 2011.2.10, 2006다65774).

(2) 재단법인 출연재산의 귀속시기

재단법인 설립을 위한 출연재산의 귀속시기에 관한 제48조는 ① 물권변동에 있어서는 성립요건주의의 대원칙(제186조, 제188조)과, ② 채권양도에 있어서는 지시채권의 양도에는 배서·교부(제508조)를, 무기명채권의 양도에는 증서의 교부(제523조)를 성립요건으로 하는 규정들과 충돌하여 어느 규정을 우선적용할 것인지 해석론상 문제된다.

1) 출연재산이 '물권'인 경우

구분	설립등기시설 (물권적 귀속설)	이전등기시설 (채권적 귀속설)	판례 (소유권의 관계적 귀속설)
소유권	재단법인	제3자	출연자와 법인 사이 : 등기 불요 ➡ 제48조 적용 제3자에 대한 관계 : 등기 필요 ➡ 제186조 적용
논거	제48조는 제187조의 '기타 법률의 규정'에 해당	① 제187조의 '기타 법률의 규정'은 당사자 의사에 기하지 않은 경우 ② 재단법인 설립행위로 인한 물권이전은 제186조·제188조에 따라 등기나 인도를 해야 한다.	
제48조 입법취지	재단법인의 보호	거래상대방 보호	
비판 및 재비판	① 이전등기시설에 의할 경우 재산 없는 재단법인 발생 우려 ② 출연행위 = 물권행위	① 재산권이전청구권도 재산권이므로 재산 없는 재단법인 ✗ ② 법인성립시설에 의할 경우 형식주의에 반함	

[대판 1993.9.14, 93다8054] ★★★

[1] 민법 제48조는 재단법인 성립에 있어서 재산출연자와 법인과의 관계에 있어서의 출연재산의 귀속에 관한 규정이고, 이 규정은 그 기능에 있어서 출연재산의 귀속에 관하여 출연자와 법인과의 관계를 상대적으로 결정함에 있어서의 기준이 되는 것에 불과하여, ① 출연재산은 출연자와 법인과의 관계에 있어서 그 출연행위에 터 잡아 법인이 성립되면 그로써 출연재산은 민법의 위 조항에 의하여 법인성립 시에 법인에게 귀속되어 법인의 재산이 되는 것이고, 출연재산이 부동산인 경우에 있어서도 위 양당사자 간의 관계에 있어서는 위 요건(법인의 성립) 외에 등기를 필요로 하는 것이 아니나, ② 제3자에 대한 관계에 있어서는 출연행위가 법률행위이므로 출연재산의 법인에의 귀속에는 부동산의 권리에 관해서는 법인성립 외에 등기를 필요로 한다.

[2] 유언으로 재단법인을 설립하는 경우에도 제3자에 대한 관계에서는 출연재산이 부동산인 경우는 그 법인에의 귀속에는 법인의 설립 외에 등기를 필요로 하는 것이므로, 재단법인이 그와 같은 등기를 마치지 아니하였다면 유언자의 상속인의 한 사람으로부터 부동산의 지분을 취득하여 이전등기를 마친 선의의 제3자에 대하여 대항할 수 없다.

2) 출연재산이 '채권'인 경우

지시채권(배서 · 교부 – 제508조) · 무기명채권(교부 – 제523조)의 경우에는 위 논의가 그대로 적용된다. 다만 지명채권인 경우에는 어느 학설에 의하더라도 제48조에서 규정한 시기에 당연히 재단법인에게 귀속된다. 제450조의 통지나 승낙은 대항요건에 불과하기 때문이다(→ 지명채권은 견해대립 없이 제48조를 적용한다).

제3관 법인의 능력

Ⅰ. 법인의 권리능력

> 제34조【법인의 권리능력】
> 법인은 법률의 규정에 좇아 정관으로 정한 목적의 범위 내에서 권리와 의무의 주체가 된다.

(1) 성질에 의한 제한

법인은 자연인을 전제로 하는 생명권, 친권 등은 누릴 수 없다. 다만 재산권, 명예권, 성명권, 신용권, 정신적 자유권이 있으며, 재산상속권은 자연인만이 향유할 수 있으나 법인은 포괄적 유증을 받을 수 있어 상속과 동일한 효과를 가져 올 수 있다.

비법인사단의 명칭에 관한 권리 및 침해 시 구제방법(대판 2022.11.17, 2018다249995)

[1] 비법인사단이 인격권의 주체로서 명칭에 관한 권리를 가질 수 있는지 여부(적극) 및 비법인사단의 명칭이 지리적 명칭이나 보편적 성질을 가리키는 용어 등 일반적인 단어로 이루어졌다고 하더라도 명칭에 관한 권리를 인정받을 수 있는 경우 / 다른 비법인사단 등이 특정 비법인사단의 명칭과 같거나 유사한 명칭을 사용하는 행위가 비법인사단의 명칭에 관한 권리를 침해하는 것인지 판단하는 방법
성명권은 개인을 표시하는 인격의 상징인 이름에서 연유되는 이익을 침해받지 않고 자신의 관리와 처분 아래 둘 수 있는 권리로서 헌법상 행복추구권과 인격권의 한 내용을 이룬다. 비법인사단도 인격권의 주체가 되므로 명칭에 관한 권리를 가질 수 있고, 자신의 명칭이 타인에 의해 함부로 사용되지 않도록 보호받을 수 있다. 또한 비법인사단의 명칭이 지리적 명칭이나 보편적 성질을 가리키는 용어 등 일반적인 단어로 이루어졌다고 하더라도 특정 비법인사단이 그 명칭을 상당한 기간 사용하여 활동해 옴으로써 그 명칭이 해당 비법인사단을 표상하는 것으로 널리 알려졌다면 비법인사단은 그 명칭에 관한 권리를 인정받을 수 있다. 다만 특정 비법인사단의 명칭에 관한 권리 보호는 다른 비법인사단 등(이하 '타인'이라고 한다)이 명칭을 선택하고 사용할 자유를 제한할 수 있으므로, 타인이 특정 비법인사단의 명칭과 같거나 유사한 명칭을 사용하는 행위가 비법인사단의 명칭에 관한 권리를 침해하는 것인지 여부는 특정 비법인사단과 그 명칭을 사용하려는 타인의 권리나 이익을 비교 · 형량하여 신중하게 판단하여야 한다.

[2] 인격권의 침해에 대해서는 사전(예방적) 구제수단으로 침해행위 정지 · 방지 등의 금지청구권이 인정되는지 여부(적극) / 비법인사단이 자신의 명칭을 사용하여 권리를 침해한 다른 비법인사단 등을 상대로 명칭 사용의 금지를 청구할 수 있는 요건

인격권은 성질상 일단 침해된 후의 구제수단(금전배상이나 명예회복 처분 등)만으로는 그 피해의 완전한 회복이나 손해전보의 실효성을 기대하기 어려우므로 인격권의 침해에 대해서는 사전(예방적) 구제수단으로 침해행위 정지 · 방지 등의 금지청구권이 인정될 수 있다. 따라서 다른 비법인사단 등(이하 '타인'이라고 한다)이 비법인사단의 명칭을 사용함으로써 비법인사단의 명칭에 관한 권리를 침해하였음이 인정될 경우, 그러한 침해행위가 계속되어 금전배상을 명하는 것만으로는 비법인사단의 권리 구제에 실효성을 기대하기 어렵고 침해행위 금지로 보호되는 비법인사단의 이익과 그로 인한 타인의 불이익을 비교 · 형량할 때 비법인사단의 이익이 더 크다고 인정되면 비법인사단은 자신의 명칭을 사용하여 권리를 침해한 타인을 상대로 명칭 사용의 금지를 청구할 수 있다.

(2) 목적에 의한 제한

1) 법적 성격

정관으로 정한 목적의 범위 내에서 권리와 의무의 주체가 된다(제34조). 제34조는 법인의 권리능력을 정관으로 정해진 목적의 범위 내로 제한하는 취지의 규정이다. 그러므로 법인의 이사가 정관으로 정해진 목적의 범위 외의 거래를 행한 경우, 그 거래행위는 무효가 된다.

2) 목적의 범위

여기서 정관에 정한 목적의 범위 내라 함은 목적을 수행하는 데 있어서 직접 · 간접으로 필요한 행위를 모두 포함하고, 목적수행에 필요한지 여부는 행위의 객관적 성질에 따라 판단할 것이고 행위자의 주관적, 구체적 의사에 따라 판단할 것은 아니다(대판 1991.11.22, 91다8821). 구체적으로 판례는 학교경영을 목적으로 하는 재단법인도 정관에 따라 교육목적 달성에 수반하는 채무를 부담할 수 있으므로 동 채무에 대하여 학교건물을 대물변제로 제공하는 행위는 법인의 목적범위 내에 속한다고 하였다.

▸ **법인의 권리능력에 있어서 목적범위 내의 행위의 의미와 판단기준 ★**

회사도 법인인 이상 그 권리능력이 정관으로 정한 목적에 의하여 제한됨은 당연하나 정관에 명시된 목적 자체에는 포함되지 않는 행위라 할지라도 목적수행에 필요한 행위는 회사의 목적범위 내의 행위라 할 것이고, 그 목적수행에 필요한 행위인가의 여부는 문제된 행위가 정관기재의 목적에 현실적으로 필요한 것이었던가 여부를 기준으로 판단할 것이 아니라 그 행위의 객관적 성질에 비추어 추상적으로 판단할 것이다(대판 1987.10.13, 86다카1522).

Ⅱ. 법인의 행위능력

법인의 행위능력에 관해서는 명시적인 규정을 두고 있지 않으나, 법인은 대표기관에 의하여 행위하므로 특별히 행위능력의 문제는 일어나지 않는다. 따라서 권리능력의 범위와 행위능력의 범위

는 일치한다고 보는 것이 통설이다. 즉 법인의 권리능력 내에 속하는 대표기관의 대표행위만이 법인의 행위로 인정되며, 이를 벗어난 경우에는 대표기관 개인의 행위에 지나지 않고 법인의 행위로는 평가될 수 없다.

Ⅲ. 법인의 불법행위능력

> 第35조【법인의 불법행위능력】
> ① 법인은 이사 기타 대표자가 그 직무에 관하여 타인에게 가한 손해를 배상할 책임이 있다. 이사 기타 대표자는 이로 인하여 자기의 손해배상책임을 면하지 못한다.
> ② 법인의 목적범위 외의 행위로 인하여 타인에게 손해를 가한 때에는 그 사항의 의결에 찬성하거나 그 의결을 집행한 사원, 이사 및 기타 대표자가 연대하여 배상하여야 한다.

1. 적용범위 – 타 제도와의 관계

(1) 第750조 일반불법행위책임과의 관계

법인의 불법행위는 第35조가 따로 그 요건을 규정하는 점에서 第750조에 대한 특별규정에 해당한다.

(2) 第756조 사용자책임과의 관계

1) 법인의 대표기관의 불법행위에 대해 법인은 第756조가 아닌 第35조 第1항에 의하여 책임을 진다. 그러나 대표기관이 아닌 단순한 피용자의 불법행위에 대해 법인은 第756조에 의해 책임을 진다.
2) 사용자책임에 관해서는 第756조 第1항의 명문상 면책이 허용되지만, 第35조 第1항의 법인의 불법행위책임에 있어서는 이러한 면책규정이 없다. 따라서 법인이 대표자의 선임감독에 과실이 없어도 그 책임을 면할 수 없다.

2. 법인의 불법행위 성립요건

(1) 대표기관의 행위

1) 이사 외의 기타 대표자에 임시이사, 특별대리인, 청산인, 직무대행자가 있다. 민법 第35조에서 말하는 '이사 기타 대표자'는 ① 법인의 대표기관을 의미하는 것이고 대표권이 없는 이사는 법인의 기관이기는 하지만 대표기관은 아니기 때문에 그들의 행위로 인하여 법인의 불법행위는 성립하지 않는다(대판 2005.12.23, 2003다30159). 또한 ② 여기서 '법인의 대표자'에는 그 명칭이나 직위 여하, 또는 대표자로 등기되었는지 여부를 불문하고 당해 법인을 실질적으로 운영하면서 법인을 사실상 대표하여 법인의 사무를 집행하는 사람을 포함한다고 해석함이 상당하다(대판 2011.4.28, 2008다15438).

2) 대표기관이 아닌 자, 예컨대 감사의 행위에 관하여는 법인의 불법행위는 성립될 수 없다. 반면 발기인 중 1인이 회사의 설립을 추진 중에 행한 불법행위가 외형상 객관적으로 설립 후 회사의 대표이사로서의 직무와 밀접한 관련이 있는 경우에는 회사의 불법행위는 성립될 수 있다(대판 2000.1.28, 99다35737).

3) 이사가 제62조에 의하여 특정행위에 관하여 선임한 대리인이나 이사로부터 일정한 대리권이 부여된 지배인의 불법행위에 관하여는 제35조 제1항의 법인의 불법행위는 성립되지 않고, 민법 제756조 제1항의 사용자책임이 성립될 수 있을 뿐이다(통설).

법인의 대표자가 직무에 관하여 불법행위를 한 경우, 사용자책임을 규정한 민법 제756조 제1항을 적용할 수 있는지 여부(소극) ★

민법 제35조 제1항은 "법인은 이사 기타 대표자가 그 직무에 관하여 개인에게 가한 손해를 배상할 책임이 있다"고 규정하고 있고, 민법 제756조 제1항은 "타인을 사용하여 어느 사무에 종사하게 한 자는 피용자가 그 사무집행에 관하여 제3자에게 가한 손해를 배상할 책임이 있다"고 규정하고 있다. 따라서 법인에 있어서 그 대표자가 직무에 관하여 불법행위를 한 경우에는 민법 제35조 제1항에 의하여, 법인의 피용자가 사무집행에 관하여 불법행위를 한 경우에는 민법 제756조 제1항에 의하여 각기 손해배상책임을 부담한다(대판 2009.11.26, 2009다57033).

비법인사단의 제 문제(대판 2011.4.28, 2008다15438) ★★

[1] 비법인사단의 대표자가 사단의 제반 업무처리를 타인에게 포괄적으로 위임할 수 있는지 여부(소극) 및 위 대표자가 타인에게 한 포괄적 위임과 그에 따른 포괄적 수임인의 대행행위가 비법인사단에 효력이 미치는지 여부(소극)

비법인사단에 대하여는 사단법인에 관한 민법 규정 가운데 법인격을 전제로 하는 것을 제외하고는 이를 유추적용하여야 하는데, 민법 제62조에 비추어 보면 비법인사단의 대표자는 정관 또는 총회의 결의로 금지하지 아니한 사항에 한하여 타인으로 하여금 특정한 행위를 대리하게 할 수 있을 뿐 비법인사단의 제반 업무처리를 포괄적으로 위임할 수는 없으므로 비법인사단 대표자가 행한 타인에 대한 업무의 포괄적 위임과 그에 따른 포괄적 수임인의 대행행위는 민법 제62조를 위반한 것이어서 비법인사단에 대하여 그 효력이 미치지 않는다.

[2] 민법 제35조 제1항에서 정한 '법인의 대표자'에 당해 법인을 실질적으로 운영하면서 법인을 사실상 대표하여 법인의 사무를 집행하는 사람도 포함되는지 여부(적극) 및 그러한 사람에 해당하는지 여부의 판단 기준

민법 제35조 제1항은 "법인은 이사 기타 대표자가 그 직무에 관하여 타인에게 가한 손해를 배상할 책임이 있다"라고 정한다. 여기서 '법인의 대표자'에는 그 명칭이나 직위 여하, 또는 대표자로 등기되었는지 여부를 불문하고 당해 법인을 실질적으로 운영하면서 법인을 사실상 대표하여 법인의 사무를 집행하는 사람을 포함한다고 해석함이 상당하다. 구체적인 사안에서 이러한 사람에 해당하는지는 법인과의 관계에서 그 지위와 역할, 법인의 사무 집행 절차와 방법, 대내적·대외적 명칭을 비롯하여 법인 내부자와 거래 상대방에게 법인의 대표행위로 인식되는지 여부, 공부상 대표자와의 관계 및 공부상 대표자가 법인의 사무를 집행하는지 여부 등 제반 사정을 종합적으로 고려하여 판단하여야 한다. 그리고 이러한 법리는 주택조합과 같은 비법인사단에도 마찬가지로 적용된다.

→ [사실관계] : 甲 주택조합의 대표자가 乙에게 대표자의 모든 권한을 포괄적으로 위임하여 乙이 그 조합의 사무를 집행하던 중 불법행위로 타인에게 손해를 발생시킨 데 대하여 불법행위 피해자가 甲 주택조합을 상대로 민법 제35조에서 정한 법인의 불법행위책임에 따른 손해배상청구를 한 사안에서, 甲 주택조합의

등기부상 대표자는 조합 설립 시부터 乙에게 대표자로서의 모든 권한을 일임하여 乙이 조합의 도장, 대표자의 신분증 등을 소지하면서 조합 대표자로서 사무를 집행한 점, 甲 주택조합의 등기부상 대표자는 乙로부터 월급을 받는 직원에 지나지 아니하여 乙의 사무집행에 관여할 지위에 있지 않았고, 실제로도 일절 대표자로서의 사무를 집행하지 않은 점 등 여러 사정에 비추어 볼 때, 乙은 甲 주택조합을 실질적으로 운영하면서 법인을 사실상 대표하여 법인의 사무를 집행하는 사람으로서 민법 제35조에서 정한 '대표자'에 해당한다고 보아야 함에도, 乙이 甲 주택조합의 적법한 대표자 또는 대표기관이라고 볼 수 없다는 이유로 甲 주택조합에 대한 법인의 불법행위에 따른 손해배상청구를 배척한 원심판결에는 법리오해의 위법이 있다고 한 사례이다.

(2) 직무관련성

1) 외형이론

① 행위의 외형상 법인의 대표자의 직무행위라고 인정할 수 있는 것이라면 설사 그것이 대표자 개인의 사리를 도모하기 위한 것이었거나 혹은 법령의 규정에 위배된 것이었다 하더라도 직무행위에 해당한다(대판 1969.8.26, 68다2320). 따라서 ② 대표기관이 개인적인 목적으로 권한을 남용하거나 부정한 대표행위를 한 경우에도 법인은 제35조에 의한 책임이 인정된다.

2) 제한

법인의 대표자의 행위가 직무에 관한 행위에 해당하지 아니함을 피해자 자신이 알았거나 또는 중대한 과실로 인하여 알지 못한 경우에는 법인에게 손해배상책임을 물을 수 없다(대판 2004.3.26, 2003다34045).

비법인사단과 민법 제35조 제1항의 책임(대판 2003.7.25, 2002다27088) ★★★

[1] 주택조합과 같은 비법인사단의 대표자가 직무에 관하여 타인에게 손해를 가한 경우 그 사단은 민법 제35조 제1항의 유추적용에 의하여 그 손해를 배상할 책임이 있으며, 비법인사단의 대표자의 행위가 대표자 개인의 사리를 도모하기 위한 것이었거나 혹은 법령의 규정에 위배된 것이었다 하더라도 외관상, 객관적으로 직무에 관한 행위라고 인정할 수 있는 것이라면 민법 제35조 제1항의 직무에 관한 행위에 해당한다.

[2] 비법인사단의 경우 대표자의 행위가 직무에 관한 행위에 해당하지 아니함을 피해자 자신이 알았거나 또는 중대한 과실로 인하여 알지 못한 경우에는 비법인사단에게 손해배상책임을 물을 수 없다고 할 것이고, 여기서 중대한 과실이라 함은 거래의 상대방이 조금만 주의를 기울였더라면 대표자의 행위가 그 직무권한 내에서 적법하게 행하여진 것이 아니라는 사정을 알 수 있었음에도 만연히 이를 직무권한 내의 행위라고 믿음으로써 일반인에게 요구되는 주의의무에 현저히 위반하는 것으로 거의 고의에 가까운 정도의 주의를 결여하고, 공평의 관점에서 상대방을 구태여 보호할 필요가 없다고 봄이 상당하다고 인정되는 상태를 말한다.

법인의 불법행위책임 – 외형이론

법인이 대표자의 불법행위로 인하여 손해배상의무를 지는 것은 그 대표자의 직무에 관한 행위로 인하여 손해가 발생한 것임을 요한다. 법인의 대표자의 행위가 대표자 개인의 사리를 도모하기 위한 것이었거나 혹은 법령의 규정에 위배된 것이었다 하더라도 외관상 객관적으로 직무에 관한 행위라고 인정할 수 있다면 민법 제35조 제1항의 직무에 관한 행위에 해당하는바, 외관상 객관적으로 법인의 대표자의 직무에 관한 것인지 여부는 법인의 목적, 대표자의 통상적 업무와 불법행위와의 관련 정도를 고려하여 판단하여야 한다(대판 2023.6.1, 2020다9268).

(3) 대표기관 자신의 불법행위의 성립(제750조)

대표기관의 고의·과실이 있을 것, 가해행위가 위법행위일 것, 가해행위와 손해 사이에 인과관계가 있을 것, 피해자가 손해를 입었을 것이 요구된다.

> **주식회사의 대표이사가 업무집행과 관련하여 정당한 권한 없이 직원으로 하여금 타인의 부동산을 지배·관리하게 하는 등으로 소유자의 사용수익권을 침해한 경우, 회사와 별도로 손해배상책임을 부담하는지 여부**(적극)
>
> 주식회사의 대표이사가 업무집행을 하면서 고의 또는 과실에 의한 위법행위로 타인에게 손해를 가한 경우 주식회사는 상법 제389조 제3항, 제210조에 의하여 제3자에게 손해배상책임을 부담하게 되고, 대표이사도 민법 제750조 또는 상법 제389조 제3항, 제210조에 의하여 주식회사와 연대하여 불법행위책임을 부담하게 된다. 따라서 주식회사의 대표이사가 업무집행과 관련하여 정당한 권한 없이 직원으로 하여금 타인의 부동산을 지배·관리하게 하는 등으로 소유자의 사용수익권을 침해하고 있는 경우, 부동산의 점유자는 회사일 뿐이고 대표이사 개인은 독자적인 점유자는 아니기 때문에 부동산에 대한 인도청구 등의 상대방은 될 수 없다고 하더라도, 고의 또는 과실로 부동산에 대한 불법적인 점유상태를 형성·유지한 위법행위로 인한 손해배상책임은 회사와 별도로 부담한다고 보아야 한다. 대표이사 개인이 부동산에 대한 점유자가 아니라는 것과 업무집행으로 인하여 회사의 불법점유 상태를 야기하는 등으로 직접 불법행위를 한 행위자로서 손해배상책임을 지는 것은 별개라고 보아야 하기 때문이다(대판 2013.6.27, 2011다50165).

3. 법인의 불법행위의 효과

(1) 법인의 불법행위가 성립하는 경우

1) 법인의 배상책임

법인은 피해자에게 무과실 손해배상책임을 진다. 법인에 대한 손해배상책임원인이 대표기관의 고의적인 불법행위라고 하여도, 피해자에게 그 불법행위 내지 손해발생에 과실이 있다면 법원은 과실상계의 법리에 좇아 손해배상의 책임 및 그 금액을 정함에 있어 이를 참작하여야 한다(대판 1987.12.8, 86다카1170). 불법행위와 채무불이행에 있어서의 과실상계는 당사자가 주장, 입증하지 않더라도 필요적으로 참작되어야 한다. 다만 표현대리, 손해배상예정의 경우 등 본래의 급부가 이행되어야 할 관계에 있는 때에는 과실상계법리는 적용되지 않는다.

> **법인의 불법행위 책임과 간접손해의 배상 여부 ★**
>
> 도시재개발법에 의하여 설립된 재개발조합의 조합원이 조합의 이사 기타 조합장 등 대표기관의 직무상의 불법행위로 인하여 직접 손해를 입은 경우에는 도시재개발법 제21조, 민법 제35조에 의하여 재개발조합에 대하여 그 손해배상을 청구할 수 있으나, 재개발조합의 대표기관의 직무상 불법행위로 조합에게 과다한 채무를 부담하게 함으로써 재개발조합이 손해를 입고 결과적으로 조합원의 경제적 이익이 침해되는 손해와 같은 간접적인 손해는 민법 제35조에서 말하는 손해의 개념에 포함되지 아니하므로 이에 대하여는 위 법 조항에 의하여 손해배상을 청구할 수 없다(대판 1999.7.27, 99다19384).

사원의 책임

법인의 대표자가 그 직무에 관하여 타인에게 손해를 가함으로써 법인에 손해배상책임이 인정되는 경우에, 대표자의 행위가 제3자에 대한 불법행위를 구성한다면 그 대표자도 제3자에 대하여 손해배상책임을 면하지 못하며(민법 제35조 제1항), 또한 사원도 위 대표자와 공동으로 불법행위를 저질렀거나 이에 가담하였다고 볼 만한 사정이 있으면 제3자에 대하여 위 대표자와 연대하여 손해배상책임을 진다. 그러나 사원총회, 대의원 총회, 이사회의 의결은 원칙적으로 법인의 내부 행위에 불과하므로 특별한 사정이 없는 한 그 사항의 의결에 찬성하였다는 이유만으로 제3자의 채권을 침해한다거나 대표자의 행위에 가공 또는 방조한 자로서 제3자에 대하여 불법행위책임을 부담한다고 할 수는 없다. 이 때 의결에 참여한 사원 등이 대표자와 공동으로 불법행위를 저질렀거나 이에 가담하였다고 볼 수 있는지 여부는, 그 의결에 참여한 법인의 기관이 당해 사항에 관하여 의사결정권한이 있는지 여부 및 대표자의 집행을 견제할 위치에 있는지 여부, 그 사원이 의결과정에서 대표자의 불법적인 집행 행위를 적극적으로 요구하거나 유도하였는지 여부 및 그 의결이 대표자의 업무 집행에 구체적으로 미친 영향력의 정도, 침해되는 권리의 내용, 의결내용, 의결행위의 태양을 비롯한 위법성의 정도를 종합적으로 평가하여 법인 내부 행위를 벗어나 제3자에 대한 관계에서 사회상규에 반하는 위법한 행위라고 인정될 수 있는 정도에 이르러야 한다(대결 2009.1.30, 2006마930).

2) 부진정연대책임과 구상권

이사 기타 대표자도 그 자신의 제750조의 손해배상책임을 면하지 못하며, 법인과 경합하여 피해자에게 배상책임을 진다. 양자의 관계는 부진정연대채무의 관계이며, 법인이 피해자에게 배상을 하면 법인은 기관개인에 대하여 구상권을 행사할 수 있다(제35조 제1항 후단 참조).

(2) 법인의 불법행위가 성립하지 않은 경우

대표기관의 가해행위가 외형설의 입장에서 보더라도 직무관련성을 결한 경우 등에는 법인은 책임을 지지 않는다. 다만 이 경우 민법은 "그 사항의 의결에 찬성하거나 그 의결을 집행한 사원, 이사 및 기타 대표자"는 그들 사이에 공동불법행위의 성립 여부를 묻지 않고 연대하여 배상하도록 규정(제35조 제2항)하여 피해자를 두텁게 보호하고 있다. 여기서 연대의 의미는 부진정연대로 해석하는 것이 일반적이다.

4. 비법인사단에의 적용 여부

판례는 권리능력 없는 사단의 경우에도 제35조가 유추적용될 수 있다고 본다(대판 2003.7.25, 2002다27088).

제4관 법인의 기관

Ⅰ. 총설

법인이 독립된 주체로서 목적사업을 수행하기 위해서 법인의 의사를 결정하고 집행하며 그 내무사무를 처리하기 위해 일정한 조직을 필요로 하는데, 이를 법인의 기관이라고 한다. 이에는 의사결정기관인 사원총회, 의사집행기관인 이사, 감독기관인 감사가 있다.

사단법인의 필수기관으로는 이사와 사원총회가 있고, 감사는 임의기관에 불과하다. 반면 재단법인은 성질상 사원이 없으므로 사원총회는 있을 수 없다.

Ⅱ. 이사

> 第57조【이사】
> 법인은 이사를 두어야 한다.

이사는 대외적으로는 법인을 대표하고 대내적으로는 업무를 집행하는 상설 필요기관이다(제57조).

1. 이사의 임면

(1) 선임 · 해임 · 퇴임

이는 정관에 의해 정해지지만, 내부적으로 법인과 이사 사이는 위임에 유사하므로 정관에 규정이 없다면 위임규정(제680조~제692조)이 유추적용된다(통설 · 판례).

이사의 해임(대판 2024.1.4, 2023다263537) ★

[1] 법인의 정관에 이사의 해임사유에 관한 규정이 있는 경우, 정관에서 정하지 아니한 사유로 이사를 해임할 수 있는지 여부(원칙적 소극)

법인과 이사의 법률관계는 신뢰를 기초로 하는 위임 유사의 관계이다. 민법 제689조 제1항에 따르면 위임계약은 각 당사자가 언제든지 해지할 수 있다. 그러므로 법인은 원칙적으로 이사의 임기 만료 전에도 언제든지 이사를 해임할 수 있다. 다만 이러한 민법 규정은 임의규정이므로 법인이 자치법규인 정관으로 이사의 해임사유 및 절차 등에 관하여 별도 규정을 둘 수 있다. 이러한 규정은 법인과 이사의 관계를 명확히 하는 것 외에 이사의 신분을 보장하는 의미도 아울러 가지고 있으므로 이를 단순히 주의적 규정으로 볼 수는 없다. 따라서 법인의 정관에 이사의 해임사유에 관한 규정이 있는 경우 이사의 중대한 의무위반 또는 정상적인 사무집행 불능 등의 특별한 사정이 없는 이상 법인은 정관에서 정하지 아니한 사유로 이사를 해임할 수 없다.

[2] 법인이 정관에서 이사의 해임사유를 정한 경우, 해임사유가 발생하였다는 요건 외에 이로 인하여 법인과 이사 사이의 신뢰관계가 더 이상 유지되기 어려울 정도에 이르렀다는 요건이 추가로 충족되어야 이사를 해임할 수 있는지 여부(소극)

법인의 자치법규인 정관을 존중할 필요성은 법인이 정관에서 정하지 아니한 사유로 이사를 해임하는 경우뿐만 아니라 법인이 정관에서 정한 사유로 이사를 해임하는 경우에도 요구된다. 법인이 정관에서 이사의 해임사유와 절차를 정하였고 그 해임사유가 실제로 발생하였다면, 법인은 이를 이유로 정관에서 정한 절차에 따라 이사를 해임할 수 있다. 이때 정관에서 정한 해임사유가 발생하였다는 요건 외에 이로 인하여 법인과 이사 사이의 신뢰관계가 더 이상 유지되기 어려울 정도에 이르러야 한다는 요건이 추가로 충족되어야 법인이 비로소 이사를 해임할 수 있는 것은 아니다. 해임사유의 유형이나 내용에 따라서는 그 해임사유 자체에 이미 법인과 이사 사이의 신뢰관계 파탄이 당연히 전제되어 있거나 그 해임사유 발생 여부를 판단하는 과정에서 이를 고려하는 것이 적절한 경우도 있으나, 이 경우에도 궁극적으로는 해임사유에 관한 정관 조항 자체를 해석 · 적용함으로써 해임사유 발생 여부를 판단하면 충분하고, 법인과 이사 사이의 신뢰관계 파탄을 별도 요건으로 보아 그 충족 여부를 판단해야 하는 것은 아니다.

판례 연구 **관련판례 정리**

[1] 법인의 이사를 사임하는 행위는 상대방 있는 단독행위라 할 것이어서 그 의사표시가 상대방에게 도달함과 동시에 그 효력을 발생하고 그 의사표시가 효력을 발생한 후에는 마음대로 이를 철회할 수 없음이 원칙이나, 사임서 제시 당시 즉각적인 철회권유로 사임서 제출을 미루거나, 대표자에게 사표의 처리를 일임하거나, 사임서의 작성일자를 제출일 이후로 기재한 경우 등 사임의사가 즉각적이라고 볼 수 없는 특별한 사정이 있을 경우에는 별도의 사임서 제출이나 대표자의 수리행위 등이 있어야 사임의 효력이 발생하고, 그 이전에 사임의사를 철회할 수 있다(대판 2006.6.15, 2004다10909).

[2] 법인과 이사의 법률관계는 신뢰를 기초로 한 위임 유사의 관계이므로, 이사는 민법 제689조 제1항이 규정한 바에 따라 언제든지 사임할 수 있고, 법인의 이사를 사임하는 행위는 상대방 있는 단독행위이므로 그 의사표시가 상대방에게 도달함과 동시에 그 효력을 발생하고, 그 의사표시가 효력을 발생한 후에는 마음대로 이를 철회할 수 없음이 원칙이다. 그러나 법인이 정관에서 이사의 사임절차나 사임의 의사표시의 효력발생시기 등에 관하여 특별한 규정을 둔 경우에는 그에 따라야 하는바, 위와 같은 경우에는 이사의 사임의 의사표시가 법인의 대표자에게 도달하였다고 하더라도 그와 같은 사정만으로 곧바로 사임의 효력이 발생하는 것은 아니고 정관에서 정한 바에 따라 사임의 효력이 발생하는 것이므로, 이사가 사임의 의사표시를 하였더라도 정관에 따라 사임의 효력이 발생하기 전에는 그 사임의사를 자유롭게 철회할 수 있다(대판 2008.9.25, 2007다17109). ★

[3] 학교법인의 이사는 법인에 대한 일방적인 사임의 의사표시에 의하여 법률관계를 종료시킬 수 있고, 그 의사표시는 수령권한 있는 기관에 도달됨으로써 바로 효력을 발생하는 것이며, 그 효력발생을 위하여 이사회의 결의나 관할관청의 승인이 있어야 하는 것은 아니다(대판 2003.1.10, 2001다1171).

[4] 법인과 이사의 법률관계는 신뢰를 기초로 한 위임 유사의 관계로 볼 수 있는데, 민법 제689조 제1항에서는 위임계약은 각 당사자가 언제든지 해지할 수 있다고 규정하고 있으므로, 법인은 원칙적으로 이사의 임기 만료 전에도 이사를 해임할 수 있지만, 이러한 민법의 규정은 임의규정에 불과하므로 법인이 자치법규인 정관으로 이사의 해임사유 및 절차 등에 관하여 별도의 규정을 두는 것도 가능하다. 그리고 이와 같이 법인이 정관에 이사의 해임사유 및 절차 등을 따로 정한 경우 그 규정은 법인과 이사와의 관계를 명확히 함은 물론 이사의 신분을 보장하는 의미도 아울러 가지고 있어 이를 단순히 주의적 규정으로 볼 수는 없다. 따라서 법인의 정관에 이사의 해임사유에 관한 규정이 있는 경우 법인으로서는 이사

의 중대한 의무위반 또는 정상적인 사무집행 불능 등의 특별한 사정이 없는 이상, 정관에서 정하지 아니한 사유로 이사를 해임할 수 없다(대판 2013.11.28, 2011다41741).

[5] 임기만료된 이사의 업무수행권은 이사에 결원이 있음으로써 법인이 정상적인 활동을 할 수 없는 사태를 방지하자는 데 취지가 있으므로, 이사 중 일부의 임기가 만료되었더라도 아직 임기가 만료되지 아니한 다른 이사들로 정상적인 활동을 할 수 있는 경우에는 임기만료된 이사로 하여금 이사로서 직무를 행사하게 할 필요가 없고, 이러한 경우에는 임기만료로서 당연히 퇴임하며, 법인의 정상적인 활동이 가능한지는 이사의 임기만료 시를 기준으로 판단하여야 하지 그 이후의 사정까지 고려할 수는 없다(대결 2014.1.17, 2013마1801).

(2) 등기

이사의 성명과 주소는 등기사항이고(제49조 제2항 제8호), 선임·해임·퇴임이 있음에도 등기하지 않은 때에는 제3자에게 대항할 수 없다(제54조 제1항).

2. 이사의 직무권한

(1) 법인의 대표권(대외적 권한)

> 제59조 【이사의 대표권】
> ① 이사는 법인의 사무에 관하여 각자 법인을 대표한다. 그러나 정관에 규정한 취지에 위반할 수 없고 특히 사단법인은 총회의 의결에 의하여야 한다.
> ② 법인의 대표에 관하여는 대리에 관한 규정을 준용한다.

1) 대표권

대외적으로 법인사무에 관하여 법인을 대표하고 수인의 이사가 있는 경우 각자 법인을 단독대표하며(제59조 제1항 본문), 대표의 방식에는 대리규정을 준용한다(제59조 제2항).

법인의 적법한 대표권을 가진 자가 하는 법률행위의 경우, 성립상 효과뿐만 아니라 위반의 효과인 채무불이행책임까지 대표기관이 아닌 법인에 귀속되는 것이 원칙인지 여부(적극) / 이때 법인의 대표기관이 법인과 계약을 체결한 거래상대방인 제3자에 대하여 자연인으로서 민법 제750조에 기한 불법행위책임을 지기 위한 요건 및 판단 기준 ★

① 법인이 대표기관을 통하여 법률행위를 한 때에는 대리에 관한 규정이 준용된다(민법 제59조 제2항). 따라서 적법한 대표권을 가진 자와 맺은 법률행위의 효과는 대표자 개인이 아니라 본인인 법인에게 귀속하고, 마찬가지로 그러한 법률행위상의 의무를 위반하여 발생한 채무불이행으로 인한 손해배상책임도 대표기관 개인이 아닌 법인만이 책임의 귀속주체가 되는 것이 원칙이다. 또한, 민법 제391조는 법정대리인 또는 이행보조자의 고의·과실을 채무자 자신의 고의·과실로 간주함으로써 채무불이행책임을 채무자 본인에게 귀속시키고 있는데, 법인의 경우도 법률행위에 관하여 대표기관의 고의·과실에 따른 채무불이행책임의 주체는 법인으로 한정된다. 따라서 법인의 적법한 대표권을 가진 자가 하는 법률행위는 그 성립상 효과뿐만 아니라 위반의 효과인 채무불이행책임까지

법인에게 귀속될 뿐이고, 다른 법령에서 정하는 등의 특별한 사정이 없는 한 법인이 당사자인 법률행위에 관하여 대표기관 개인이 손해배상책임을 지려면 민법 제750조에 따른 불법행위책임 등이 별도로 성립하여야 한다. ② 이 때 법인의 대표기관이 법인과 사이에 계약을 체결한 거래상대방인 제3자에 대하여 자연인으로서 민법 제750조에 기한 불법행위책임을 진다고 보기 위해서는, 그 대표기관의 행위로 인해 법인에 귀속되는 효과가 대외적으로 제3자에 대한 채무불이행의 결과를 야기한다는 점만으로는 부족하고, 법인의 내부행위를 벗어나 제3자에 대한 관계에서 사회상규에 반하는 위법한 행위라고 인정될 수 있는 정도에 이르러야 한다. 그와 같은 행위에 해당하는지 여부는 대표기관이 의사결정 및 그에 따른 행위에 이르게 된 경위, 의사결정의 내용과 그 절차과정, 침해되는 권리의 내용, 침해행위의 태양, 대표기관의 고의 내지 해의의 유무 등을 종합적으로 평가하여 개별적·구체적으로 판단하여야 한다(대판 2009.1.30, 2006다37465; 대판 2019.5.30, 2017다53265).

→ [사실관계 및 해설] : 乙 조합이 도시 및 주거환경정비법상 정비사업전문관리업자인 甲과 사이에 용역계약을 체결하면서 민법 제689조 제1항, 제2항과 다른 내용으로 계약의 해지사유 및 절차, 손해배상책임 등을 정하였으므로 위 민법 규정은 본건 용역계약에 적용될 수 없다. 乙 조합이 위 용역계약상 의무를 이행하지 아니하여 조합 차원에서 손해배상책임을 진다 하더라도, 그 자체만으로는 위원장이던 丙이 불법행위책임을 지는 것은 아니라고 본 사례이다.

2) 대표권의 제한

제41조【이사의 대표권에 대한 제한】
이사의 대표권에 대한 제한은 이를 정관에 기재하지 아니하면 그 효력이 없다.
제60조【이사의 대표권에 대한 제한의 대항요건】
이사의 대표권에 대한 제한은 등기하지 아니하면 제3자에게 대항하지 못한다.
제62조【이사의 대리인선임】
이사는 정관 또는 총회의 결의로 금지하지 아니한 사항에 한하여 타인으로 하여금 특정한 행위를 대리하게 할 수 있다.
제64조【특별대리인의 선임】
법인과 이사의 이익이 상반하는 사항에 관하여는 이사는 대표권이 없다. 이 경우에는 전조의 규정에 의하여 특별대리인을 선임하여야 한다.

가) 정관 또는 사원총회 의결에 의한 제한

① 이사의 대표권은 정관의 규정이나 사원총회의 의결을 통해 제한할 수 있다(제59조 제1항). 각자대표에 대한 제한으로서 단독대표나 공동대표로 하는 경우가 일반적 모습이고, 판례는 법인의 채무부담행위에 대해 이사회 내지 사원총회의 의결을 거치도록 한 정관의 규정 등이 이에 해당하는 것으로 보고 있다(대판 1987.11.24, 86다카2484).

② 이사의 대표권의 제한은 정관에 기재하여야 그 효력이 생기며(제41조), 이를 등기하지 아니하면 제3자에게 대항할 수 없다(제60조). 즉 대표권의 제한은 정관에 기재하는 것으로 족하지 않고 등기해야만 제3자에 대항할 수 있다(제41조, 제49조 제2항 제9호, 제54조 제1항). 이 경우 등기되지 않은 경우 법인은 악의의 제3자에게 대항할 수 있는지 문제되는데, 판례는 등기하면 선의의 제3자에게 대항할 수 있으나, 등기하지 않으면 악의의 제3자에게도 대항할 수 없다는 입장이다(대판 1992.2.14, 91다24564).

법인 대표권의 제한에 관한 규정이 등기되어 있지 않은 경우 위 대표권 제한으로써 대항할 수 없는 제3자의 범위 ★★★

법인의 정관에 법인 대표권의 제한에 관한 규정이 있으나 그와 같은 취지가 등기되어 있지 않다면 법인은 그와 같은 정관의 규정에 대하여 선의냐 악의냐에 관계없이 제3자에 대하여 대항할 수 없다(대판 1992.2.14, 91다24564).

나) 복임권의 제한

민법 제62조의 규정에 비추어 보면 비법인 사단의 대표자는 정관 또는 총회의 결의로 금지하지 아니하는 사항에 한하여 타인으로 하여금 특정한 행위를 대리하게 할 수 있을 뿐, 비법인 사단의 제반 업무처리를 포괄적으로 위임할 수는 없다(대판 1996.9.6, 94다18522). 이와 같이 선임된 자는 법인을 위한 보통의 임의대리인으로서 법인의 기관은 아니다. 따라서 법인은 대리인의 직무상 행위로 제3자가 손해를 입은 경우 사용자 책임을 진다(통설).

다) 법인과 이사의 이익상반행위

① 법인과 이사의 이익이 상반하는 경우 이사는 대표권이 없으며 이해관계인이나 검사의 청구에 의해 법원이 선임한 특별대리인이 법인을 대표한다(제64조). 이에 위반하여 이사가 대표행위를 한 경우에는 무권대리행위가 된다(제59조 제2항, 제124조). ② 사단법인의 이사장 직무대행자가 개인의 입장에서 사단법인을 상대로 소송을 하는 것은 이익상반행위가 된다(대판 2003.5.27, 2002다69211).

영농조합법인과 대표이사의 이익이 상반하는 사항에 관하여 대표이사에게 대리권이 있는지 여부(소극) 및 대표이사가 민법 제124조를 위반하여 영농조합법인을 대리한 행위가 영농조합법인에 대하여 효력이 있는지 여부(소극)(대판 2018.4.12, 2017다271070)

① 구 농어업경영체 육성 및 지원에 관한 법률 제16조는, 제1항에서 협업적 농업경영을 통하여 생산성을 높이고 농산물의 출하·유통·가공·수출 등을 공동으로 하려는 농업인 등은 5인 이상을 조합원으로 하여 영농조합법인을 설립할 수 있다고 하면서, 제3항과 제7항에서 영농조합법인은 법인으로 하되 영농조합법인에 관하여 위 법에서 규정한 사항 외에는 민법 중 조합에 관한 규정을 준용한다고 정하고 있다. 그리고 이러한 규정은 구 농어업경영체 육성 및 지원에 관한 법률 부칙 제3조에 의하여 위 법 제정 전에 설립된 영농조합법인의 경우에도 그대로 적용된다.

② 영농조합법인과 대표이사의 이익이 상반하는 사항에 관하여는 구 농어업경영체법 등에 특별히 규정된 것이 없으므로, 민법 중 조합에 관한 규정을 준용하여야 한다. 민법 제709조에 의하면, 조합계약으로 업무집행자를 정하였거나 또는 선임한 때에는 업무집행조합원은 조합의 목적을 달성하는 데 필요한 범위에서 조합을 위하여 모든 행위를 할 대리권이 있는 것으로 추정된다. 또한 민법 제124조는, 대리인은 본인의 허락이 없으면 본인을 위하여 자기와 법률행위를 하지 못한다고 규정하고 있는데, 본인과 대리인 간의 이해의 충돌이 있는 때에도 위 규정이 적용된다. 이러한 규정에 비추어 보면, 영농조합법인과 대표이사의 이익이 상반하는 사항에 관하여 대표이사는 대리권이 없다. 그럼에도 대표이사가 민법 제124조를 위반하여 영농조합법인을 대리한 경우에 그 행위는 무권대리행위로서 영농조합법인에 대하여 효력이 없다.

→ [사실관계] : 법인의 이익과 대표이사의 개인적 이익이 충돌하여 대표이사에게 선량한 관리자로서의 의무이행을 기대하기 어렵다면, 이 사건 근저당권 설정계약을 체결하는 것은 이익이 상반하는 행위에 해당하므로, 대표이사는 이 사건 법인을 대표할 권한이 없고, 위와 같은 근저당권 설정계약을 체결하기 위해서

는 민법 제64조 규정에 의하여 법원이 선임하는 특별대리인이 이 사건 법인을 대표하였어야 하는데, 특별대리인이 선임되지 아니한 채 대표이사가 이 사건 법인을 대표하여 이 사건 근저당권 설정계약을 체결하였으므로, 위 법리에 비추어 이 사건 근저당권 설정계약은 민법 제709조, 제124조가 적용되어 무권대리행위가 된다고 본 사례이다.

판례 연구 관련판례 정리

[1] 후임이사나 감사의 선임이 없거나 또는 그 후임이사나 감사의 선임이 있었다고 하더라도 그 선임결의가 무효이고, 임기가 만료되지 아니한 다른 이사나 감사만으로는 정상적인 법인의 활동을 할 수 없는 경우, 임기가 만료된 구 이사나 감사로 하여금 법인의 업무를 수행케 함이 부적당하다고 인정할 만한 특별한 사정이 없는 한, 구 이사나 감사는 후임이사나 감사가 선임될 때까지 종전의 직무를 수행할 수 있다(대판 1998.12.23, 97다26142).

[2] 임기 만료되거나 사임한 구 이사가 후임 이사가 선임될 때까지 종전의 직무를 수행할 수 있는 경우, 구 이사가 다른 이사를 해임하거나 후임 이사를 선임한 이사회결의의 무효확인을 구할 법률상의 이익이 있다(대판 2005.3.25, 2004다65336).

[3] 학교법인 임원취임승인의 취소처분 후 그 임원의 임기가 만료되고 구 사립학교법 제22조 제2호 소정의 임원결격사유기간마저 경과한 경우 또는 위 취소처분에 대한 취소소송 제기 후 임시이사가 교체되어 새로운 임시이사가 선임된 경우, 위 취임승인취소처분 및 당초의 임시이사선임처분의 취소를 구할 소의 이익이 있다(대판(전) 2007.7.19, 2006두19297).

[4] 비법인사단의 경우에는 대표자의 대표권 제한에 관하여 등기할 방법이 없어 민법 제60조의 규정을 준용할 수 없고, 비법인사단의 대표자가 정관에서 사원총회의 결의를 거쳐야 하도록 규정한 대외적 거래행위에 관하여 이를 거치지 아니한 경우라도, 이와 같은 사원총회 결의사항은 비법인사단의 내부적 의사결정에 불과하다 할 것이므로, 그 거래 상대방이 그와 같은 대표권 제한 사실을 알았거나 알 수 있었을 경우가 아니라면 그 거래행위는 유효하다고 봄이 상당하고, 이 경우 거래의 상대방이 대표권 제한 사실을 알았거나 알 수 있었음은 이를 주장하는 비법인사단 측이 주장·입증하여야 한다(대판 2003.7.22, 2002다64780). ★★★

[5] 이사의 행위가 주관적으로 사리를 꾀할 의도가 있더라도 객관적으로 권한의 범위 내인 경우, 상대방에게 불측의 손해를 주지 않기 위하여 그 행위는 원칙적으로 유효로 된다. 다만 상대방이 이상의 의도에 대하여 악의·유과실의 경우에는 상대방을 보호할 필요가 없다. 이 경우 판례는 민법 제107조 제1항 단서를 유추적용하여 상대방이 이사의 의도에 대하여 악의·유과실의 경우에는 대표행위가 무효로 된다고 본다(대판 2004.3.26, 2003다34045). ★

[6] 이사장 등 직무집행정지 가처분에 의하여 선임된 사단법인의 이사장 직무대행자는 위 법인에 대하여 이사와 유사한 권리의무와 책임을 부담하므로, 위 법인과의 사이에 이익이 상반하는 사항에 관하여는 민법 제64조가 준용되고, 위 법인의 이사장 직무대행자가 개인의 입장에서 원고가 되어 법인을 상대로 소송을 하는 경우에는 민법 제64조가 규정하는 이익상반 사항에 해당함이 분명하다(대판 2003.5.27, 2002다69211).

[7] 계약체결의 요건을 규정하고 있는 강행법규에 위반한 계약은 무효이므로 그 경우에 계약상대방이 선의·무과실이라 하더라도 민법 제107조의 비진의표시의 법리 또는 표현대리 법리가 적용될 여지는 없다(대판 1983.12.27, 83다548, 대판 1996.8.23, 94다38199 등 참조). 따라서 도시정비법(도시 및 주거환경정비법)에 의한 주택재건축조합의 대표자가 그 법에 정한 강행규정에 위반하여 적법한 총회의 결의 없이 계약을 체결한 경우에는 상대방이 그러한 법적 제한이 있다는 사실을 몰랐다거나 총회 결의가 유효하기 위한 정족수 또는 유효한 총회결의가 있었는지에 관하여 잘못 알았다고 하더라도 그 계약이 무효임에는 변함이 없다. 또한 총회결의의 정족수에 관하여 강행규정에서 직접 규정하고 있지 않지만 강행규정이 유추적용되어 과반수보다 가중된 정족수에 의한 결의가 필요하다고 인정되는 경우에도 그 결의 없이 체결된 계약에 대하여 비진의표시 또는 표현대리의 법리가 유추적용될 수 없는 것은 마찬가지이다. 강행규정이 유추적용되는 경우라고 하여 강행법규의 명문 규정이 직접 적용되는 경우와 그 효력을 달리 볼 수는 없기 때문이다(대판 2016.5.12, 2013다49381).[9] ★

(2) 법인의 업무집행권(대내적 권한)

> 제58조 【이사의 사무집행】
> ① 이사는 법인의 사무를 집행한다.
> ② 이사가 수인인 경우에는 정관에 다른 규정이 없으면 법인의 사무집행은 이사의 과반수로써 결정한다.

1) 이사는 법인의 모든 내부적인 업무를 집행할 권한이 있다.
2) 이사가 수인이 있는 경우 정관에 다른 규정이 없으면 법인의 사무집행은 이사의 과반수로써 결정한다(제58조).

법인의 이사회 소집(대결 2017.12.1, 2017그661)

[1] 민법상 법인의 정관에 대표권 있는 이사만 이사회를 소집할 수 있고, 다른 이사가 요건을 갖추어 이사회 소집을 요구하면 대표권 있는 이사가 이에 응하도록 규정하고 있는데도 대표권 있는 이사가 다른 이사의 정당한 이사회 소집을 거절한 경우, 이사가 정관의 규정 또는 민법에 기초하여 이사회를 소집할 수 있는지 여부(적극)

민법 제58조 제1항은 민법상 법인의 사무집행은 이사가 하도록 규정하고 있고, 같은 조 제2항은 이사가 수인인 경우에는 이사의 과반수로써 결정하되 정관에 다른 규정이 있으면 이에 따르도록 규정하고 있다. 그러므로 이사가 수인인 민법상 법인의 정관에 대표권 있는 이사만 이사회를 소집할 수 있다고 규정하고 있다고 하더라도 이는 과반수의 이사가 본래 할 수 있는 이사회 소집에 관한 행위를 대표권 있는 이사로 하여금 하게 한 것에 불과하다. 따라서 정관에 다른 이사가 요건을 갖추어 이사회 소집을 요구하면 대표권 있는 이사가 이에

---

9) 당초의 재건축결의에서 채택한 조합원의 비용분담조건을 변경하는 안건은 구 도시정비법의 관련 규정을 유추적용하여 조합원 3분의 2 이상의 동의에 의한 총회 결의가 있어야 유효한데, 이를 거치지 아니한 이상 원고 조합장은 원고 조합을 대표하여 위 안건을 주된 내용으로 하는 계약을 체결할 권한이 없어 위 계약은 무효이므로, 위 계약 체결행위에 표현대리의 법리가 준용되거나 유추적용될 여지가 없다고 판단한 사안이다.

응하도록 규정하고 있는데도 대표권 있는 이사가 다른 이사의 정당한 이사회 소집을 거절하였다면, 대표권 있는 이사만 이사회를 소집할 수 있는 규정은 적용될 수 없다. 이 경우 이사는 정관의 이사회 소집권한에 관한 규정 또는 민법에 기초하여 법인의 사무를 집행할 권한에 의하여 이사회를 소집할 수 있다.

[2] 민법상 법인에서 과반수에 미치지 못하는 이사가 정관의 특별한 규정에 근거하여 이사회를 소집하거나 과반수의 이사가 민법 제58조 제2항에 근거하여 이사회를 소집하는 경우, 법원의 허가를 받을 필요 없이 이사회를 소집할 수 있는지 여부(적극) 및 법원이 민법상 법인의 이사회 소집을 허가할 법률상 근거가 있는지 여부(소극)

민법상 법인의 필수기관이 아닌 이사회는 이사가 사무집행권한에 의해 소집하는 것이므로, 과반수에 미치지 못하는 이사는 특별한 사정이 없는 한 민법 제58조 제2항에 반하여 이사회를 소집할 수 없다. 반면 과반수에 미치지 못하는 이사가 정관의 특별한 규정에 근거하여 이사회를 소집하거나 과반수의 이사가 민법 제58조 제2항에 근거하여 이사회를 소집하는 경우에는 법원의 허가를 받을 필요 없이 본래적 사무집행권에 기초하여 이사회를 소집할 수 있다. 법원은 민법상 법인의 이사회 소집을 허가할 법률상 근거가 없고, 다만 이사회 결의의 효력에 관하여 다툼이 발생하면 소집절차의 적법 여부를 판단할 수 있을 뿐이다.

[3] 법원의 허가를 얻어 임시총회를 소집할 수 있도록 규정한 민법 제70조 제3항을 민법상 법인의 이사회 소집에 유추적용할 수 있는지 여부(소극)

사단법인의 소수사원이 이사에게 요건을 갖추어 임시총회의 소집을 요구하였으나 2주간 내에 이사가 총회 소집의 절차를 밟지 아니한 경우 법원의 허가를 얻어 임시총회를 소집할 수 있도록 규정한 민법 제70조 제3항은, 사단법인의 최고의결기관인 사원총회의 구성원들이 사원권에 기초하여 일정한 요건을 갖추어 최고의결기관의 의사를 결정하기 위한 회의의 개최를 요구하였는데도 집행기관인 이사가 절차를 밟지 아니하는 경우에 법원이 후견적 지위에서 소수사원의 임시총회 소집권을 인정한 법률의 취지를 실효성 있게 보장하기 위한 규정이다. 따라서 위 규정을 구성과 운영의 원리가 다르고 법원이 후견적 지위에서 관여하여야 할 필요성을 달리하는 민법상 법인의 집행기관인 이사회 소집에 유추적용할 수 없다.

(3) 이사의 주요사무

제55조【재산목록과 사원명부】

① 법인은 성립한 때 및 매년 3월내에 재산목록을 작성하여 사무소에 비치하여야 한다. 사업연도를 정한 법인은 성립한 때 및 그 연도 말에 이를 작성하여야 한다.

② 사단법인은 사원명부를 비치하고 사원의 변경이 있는 때에는 이를 기재하여야 한다.

이사가 집행하여야 할 주요사무로는 재산목록의 작성(제55조 제1항), 사원명부의 작성(제55조 제2항), 사원총회의 소집(제69조, 제70조), 총회의사록의 작성(제76조), 파산신청(제79조), 파산 이외의 사유로 해산한 때 청산인이 되는 것(제82조), 각종의 법인등기 등이 있다.

3. 이사의 주의의무

> 제61조【이사의 주의의무】
> 이사는 선량한 관리자의 주의로 그 직무를 행하여야 한다.
> 제65조【이사의 임무해태】
> 이사가 그 임무를 해태한 때에는 그 이사는 법인에 대하여 연대하여 손해배상의 책임이 있다.

이사는 법인의 집행기관으로서 정관 또는 사원총회의 결의에 따라 법인을 위하여 필요한 대내적, 대외적인 모든 사무를 집행할 직무권한을 가진다. 이러한 사무집행을 함에 있어서 이사는 선량한 관리자의 주의로서 해야 한다(제61조). 선관의무위반 등 임무를 해태한 때에는 손해배상책임이 있다(제65조).

4. 기타

(1) 임시이사

> 제63조【임시이사의 선임】
> 이사가 없거나 결원이 있는 경우에 이로 인하여 손해가 생길 염려가 있는 때에는 법원은 이해관계인이나 검사의 청구에 의하여 임시이사를 선임하여야 한다.

1) 민법 제63조는 법인의 조직과 활동에 관한 것으로서 법인격을 전제로 하는 조항이 아니고, 법인 아닌 사단이나 재단의 경우에도 이사가 없거나 결원이 생길 수 있으며, 통상의 절차에 따른 새로운 이사의 선임이 극히 곤란하고 종전 이사의 긴급처리권도 인정되지 아니하는 경우에는 사단이나 재단 또는 타인에게 손해가 생길 염려가 있을 수 있으므로, 민법 제63조는 법인 아닌 사단이나 재단에도 유추적용할 수 있다(대판(전) 2009.11.19, 2008마699).
2) 임시이사는 정식이사가 선임될 때까지의 한시적 기관으로 이사와 동일한 권한을 갖는 법인의 기관이다. 따라서 비법인 사단에 대하여 민법 제63조에 의하여 법원이 선임한 임시이사는 원칙적으로 정식이사와 동일한 권한을 가진다(대판 2019.9.10, 2019다208953).
3) 법인의 정관에서 이사들 중 대표권이 전속된 이사장이나 그 직무대행자인 부이사장을 법인의 회원이나 대의원으로 이루어진 총회에서 선출하도록 정하였고, 이러한 대표권이 전속된 이사장이나 그 직무대행자로 정한 부이사장이 없거나 결원이 있으며, 이로 인하여 손해가 생길 염려가 있는 때에는 법원은 민법 제63조에 따라 이해관계인이나 검사의 청구에 의하여 법인의 대표권이 전속된 '임시 이사장이나 그 직무대행자인 임시 부이사장'을 선임할 수 있다(대결 2018.11.20, 2018마5471).

(2) 직무대행자

제60조의2【직무대행자의 권한】
① 제52조의2의 직무대행자는 가처분명령에 다른 정함이 있는 경우 외에는 법인의 통상사무에 속하지 아니한 행위를 하지 못한다. 다만, 법원의 허가를 얻은 경우에는 그러하지 아니하다.
② 직무대행자가 제1항의 규정에 위반한 행위를 한 경우에도 법인은 선의의 제3자에 대하여 책임을 진다.

1) 민사집행법 제300조 제2항의 임시의 지위를 정하는 가처분은 권리관계에 다툼이 있는 경우에 권리자가 당하는 위험을 제거하거나 방지하기 위한 잠정적이고 임시적인 조치로서 그 분쟁의 종국적인 판단을 받을 때까지 잠정적으로 법적 평화를 유지하기 위한 비상수단에 불과한 것으로, 가처분결정에 의하여 학교법인의 이사의 직무를 대행하는 자를 선임한 경우에 그 직무대행자는 단지 피대행자의 직무를 대행할 수 있는 임시의 지위에 놓여 있음에 불과하므로, 가처분결정에 다른 정함이 있는 경우 외에는 학교법인을 종전과 같이 그대로 유지하면서 관리하는 한도 내의 학교법인의 통상업무에 속하는 사무만을 행할 수 있다(대판 2006.1.26, 2003다36225).
2) 가처분결정에 의하여 선임된 학교법인 이사직무대행자가 그 가처분의 본안소송의 제1심판결에 대한 항소권을 포기하는 행위는 위 법인의 통상업무에 속하는 행위가 아니다(대판 2006.1.26, 2003다36225).
3) 가처분재판에 의하여 법인 등 대표자의 직무대행자가 선임된 상태에서 피대행자의 후임자가 적법하게 소집된 총회의 결의에 따라 새로 선출되었다 해도 그 직무대행자의 권한은 위 총회의 결의에 의하여 당연히 소멸하는 것은 아니므로 사정변경 등을 이유로 가처분결정이 취소되지 않는 한 직무대행자만이 적법하게 위 법인 등을 대표할 수 있고, 총회에서 선임된 후임자는 그 선임결의의 적법 여부에 관계없이 대표권을 가지지 못한다(대판 2010.2.11, 2009다70395).

Ⅲ. 감사

제66조【감사】
법인은 정관 또는 총회의 결의로 감사를 둘 수 있다.
제67조【감사의 직무】
감사의 직무는 다음과 같다.
1. 법인의 재산상황을 감사하는 일
2. 이사의 업무집행의 상황을 감사하는 일
3. 재산상황 또는 업무집행에 관하여 부정, 불비한 것이 있음을 발견한 때에는 이를 총회 또는 주무관청에 보고하는 일
4. 전호의 보고를 하기 위하여 필요 있는 때에는 총회를 소집하는 일

Ⅳ. 사원총회

1. 의의 및 권한과 종류 등

제68조 【총회의 권한】
사단법인의 사무는 정관으로 이사 또는 기타임원에게 위임한 사항 외에는 총회의 결의에 의하여야 한다.
제69조 【통상총회】
사단법인의 이사는 매년 1회 이상 통상총회를 소집하여야 한다.
제70조 【임시총회】
① 사단법인의 이사는 필요하다고 인정한 때에는 임시총회를 소집할 수 있다.
② 총사원의 5분의 1 이상으로부터 회의의 목적사항을 제시하여 청구한 때에는 이사는 임시총회를 소집하여야 한다. 이 정수는 정관으로 증감할 수 있다.
③ 전항의 청구 있는 후 2주간 내에 이사가 총회소집의 절차를 밟지 아니한 때에는 청구한 사원은 법원의 허가를 얻어 이를 소집할 수 있다.
제71조 【총회의 소집】
총회의 소집은 1주간 전에 그 회의의 목적사항을 기재한 통지를 발하고 기타 정관에 정한 방법에 의하여야 한다.
제72조 【총회의 결의사항】
총회는 전조의 규정에 의하여 통지한 사항에 관하여서만 결의할 수 있다. 그러나 정관에 다른 규정이 있는 때에는 그 규정에 의한다.
제73조 【사원의 결의권】
① 각사원의 결의권은 평등으로 한다.
② 사원은 서면이나 대리인으로 결의권을 행사할 수 있다.
③ 전2항의 규정은 정관에 다른 규정이 있는 때에는 적용하지 아니한다.
제74조 【사원이 결의권 없는 경우】
사단법인과 어느 사원과의 관계사항을 의결하는 경우에는 그 사원은 결의권이 없다.
제75조 【총회의 결의방법】
① 총회의 결의는 본법 또는 정관에 다른 규정이 없으면 사원 과반수의 출석과 출석사원의 결의권의 과반수로써 한다.
② 제73조 제2항의 경우에는 당해 사원은 출석한 것으로 본다.
제76조 【총회의 의사록】
① 총회의 의사에 관하여는 의사록을 작성하여야 한다.
② 의사록에는 의사의 경과, 요령 및 결과를 기재하고 의장 및 출석한 이사가 기명날인하여야 한다.
③ 이사는 의사록을 주된 사무소에 비치하여야 한다.

1) 재단법인에는 사원이 없으므로 사원총회는 없고 총회는 사단법인에만 존재한다. 총회는 최고의 의사결정기관으로서 법인의 필요기관이므로 정관으로도 이를 폐지할 수 없다.
2) 정관으로 이사 또는 기타 임원에게 위임한 사항을 제외하고는 법인의 사무의 전부에 관하여 결정권을 가진다(제68조). 정관변경(제42조), 임의해산(제77조 제2항)은 총회의 전권사항이며, 정관에 의해서도 총회의 이 권한을 박탈하지 못한다.

3) 정관변경과 임의해산에 관하여는 정관에 다른 규정이 없는 한, 각각 총사원의 3분의 2, 4분의 3 이상의 결의를 요한다.
4) 총회의 소집통지는 관념의 통지이며 발신주의가 적용된다.
5) 민법 제70조 제2항 후문에서 정관으로 임시총회 소집 권한을 부여한 소수사원의 범위를 증감시킬 수 있음을 명시하였더라도, 민법 제70조의 입법취지 및 목적에 비추어 소수사원에게 부여된 임시총회 소집 권한을 박탈하거나 이를 해치는 수준에 이르지 못한다는 내재적 한계를 가진다. 결국 사단법인의 정관에서 임시총회 소집 권한을 가지는 사원의 정수를 '총사원의 1/2 이상'으로 정하거나, 소집 절차 중 '회의의 목적사항 제시' 요건을 구체화하는 등 절차적 요건을 보다 구체화하거나 명확히 하는 것 이외에 사실상 소수사원으로 하여금 총회 소집 권한을 행사하는 것을 어렵게 하거나 그 부담을 과도하게 가중시키는 임시총회 소집 요건 또는 절차적 요건을 부과하는 것은 민법 제70조의 입법취지 및 목적에 반하여 원칙적으로 무효라고 보아야 한다(대결 2023.8.18, 2023그608).
6) 법원의 소집허가에 의하여 개최된 종중임시총회에서는 법원의 소집허가결정 및 소집통지서에 기재된 회의 목적사항과 이에 관련된 사항에 관하여 결의할 수 있다(대판 1993.10.12, 92다50799).
7) 민법 제74조는 사단법인과 어느 사원과의 관계사항을 의결하는 경우 그 사원은 의결권이 없다고 규정하고 있으므로, 민법 제74조의 유추해석상 민법상 법인의 이사회에서 법인과 어느 이사와의 관계사항을 의결하는 경우에는 그 이사는 의결권이 없다. 이때 의결권이 없다는 의미는 상법 제368조 제4항, 제371조 제2항의 유추해석상 이해관계 있는 이사는 이사회에서 의결권을 행사할 수는 없으나 의사정족수 산정의 기초가 되는 이사의 수에는 포함되고, 다만 결의 성립에 필요한 출석이사에는 산입되지 아니한다고 풀이함이 상당하다(대판 2009.4.9, 2008다1521).

2. 사원권

> **제56조【사원권의 양도, 상속금지】**
> 사단법인의 사원의 지위는 양도 또는 상속할 수 없다.

1) "사단법인의 사원의 지위는 양도 또는 상속할 수 없다"고 한 민법 제56조의 규정은 강행규정은 아니라고 할 것이므로, 정관에 의하여 이를 인정하고 있을 때에는 양도·상속이 허용된다(대판 1992.4.14, 91다26850).
2) 사원권의 득실은 정관의 필요적 기재사항이며(제40조 제6호), 입사 등으로 사원권을 취득하고 사망·퇴사·제명 등에 의해 사원권은 소멸한다.
3) 사단법인은 일정한 목적을 위해 결합한 사람의 단체에 법인격이 인정된 것을 말하고, 사단법인에 있어 사원 자격의 득실변경에 관한 사항은 정관의 기재사항이므로(제40조 제6호), 어느 사단법인과 다른 사단법인이 동일한 것인지 여부는 그 구성원인 사원이 동일한지 여부에 따라 결정됨이 원칙이다. 다만 사원 자격의 득실변경에 관한 정관의 기재사항이 적법한 절차를 거쳐서 변경된

경우에는 구성원이 다르더라도 그 변경 전후의 사단법인은 동일성을 유지하면서 존속하는 것이고, 이러한 법리는 법인 아닌 사단에 있어서도 마찬가지이다(대판 2008.9.25, 2006다37021).

제5관 법인에 관한 그 밖의 규정들

Ⅰ. 법인의 주소

> 제36조【법인의 주소】
> 법인의 주소는 그 주된 사무소의 소재지에 있는 것으로 한다.

Ⅱ. 정관의 변경

1. 사단법인의 정관변경

> 제42조【사단법인의 정관의 변경】
> ① 사단법인의 정관은 총사원 3분의 2 이상의 동의가 있는 때에 한하여 이를 변경할 수 있다. 그러나 정수에 관하여 정관에 다른 규정이 있는 때에는 그 규정에 의한다.
> ② 정관의 변경은 주무관청의 허가를 얻지 아니하면 그 효력이 없다.

1) 정관에 변경할 수 없다고 규정한 정관의 변경도 총사원의 동의가 있으면 가능하며, 정관목적의 변경도 민법에 규정된 정관변경절차에 따라 가능하다.
2) 그러나 비영리법인을 영리법인으로 변경하지는 못한다. 즉 동일성을 해하거나 사단법인의 본질에 반하는 정관변경은 허용되지 않는다.
3) 사단법인의 정관은 법적 성질이 계약이 아니라 자치법규로 보는 것이 타당하므로, 어느 시점의 사단법인의 사원들이 정관의 규범적인 의미내용과 다른 해석을 사원총회의 결의라는 방법으로 표명하였다고 하더라도 그 결의에 의한 해석은 그 사단법인의 구성원인 사원이나 법인을 구속할 수 없다(대판 2000.11.24, 99다12437).

2. 재단법인의 정관변경

> 제45조【재단법인의 정관변경】
> ① 재단법인의 정관은 그 변경방법을 정관에 정한 때에 한하여 변경할 수 있다.
> ② 재단법인의 목적달성 또는 그 재산의 보전을 위하여 적당한 때에는 전항의 규정에 불구하고 명칭 또는 사무소의 소재지를 변경할 수 있다.

> ③ 제42조 제2항의 규정은 전2항의 경우에 준용한다. → 재단법인의 기본재산은 법인의 실체이고 정관의 필요적 기재사항이므로 그 처분행위는 곧 정관의 변경에 해당한다.
>
> **제46조【재단법인의 목적 기타의 변경】**
>
> 재단법인의 목적을 달성할 수 없는 때에는 설립자나 이사는 주무관청의 허가를 얻어 설립의 취지를 참작하여 그 목적 기타 정관의 규정을 변경할 수 있다.

민법 제32조, 제40조 제4호, 제42조 제2항, 제43조, 제45조 제1항, 제3항에 의하면, 재단법인은 정관에 재단법인의 자산에 관한 규정을 두어야 하고, 재단법인의 설립과 정관의 변경에는 주무관청의 허가를 얻어야 한다. 따라서 주무관청의 허가를 얻은 정관에 기재된 기본재산의 처분행위로 인하여 재단법인의 정관 기재사항을 변경하여야 하는 경우에는, 그에 관하여 주무관청의 허가를 얻어야 한다.

재단법인과 주무관청의 허가(대결 2018.7.20, 2017마1565) ★★

[1] 재단법인의 기본재산에 대한 강제집행의 실시로 재단법인의 정관 기재사항을 변경하여야 하는 경우, 그에 관하여 주무관청의 허가를 얻어야 하는지 여부(적극) 및 이 경우 주무관청의 허가는 경매개시요건이 아니라 경락인의 소유권취득에 관한 요건인지 여부(적극) / 집행법원이 재단법인의 기본재산에 대한 경매절차를 진행하는 구체적 방법

민법 제32조, 제40조 제4호, 제42조 제2항, 제43조, 제45조 제3항, 제1항에 의하면, 재단법인은 정관에 재단법인의 자산에 관한 규정을 두어야 하고, 재단법인의 설립과 정관의 변경에는 주무관청의 허가를 얻어야 한다. 따라서 주무관청의 허가를 얻은 정관에 기재된 기본재산의 처분행위로 인하여 재단법인의 정관 기재사항을 변경하여야 하는 경우에는, 그에 관하여 주무관청의 허가를 얻어야 한다. ① 이는 재단법인의 기본재산에 대하여 강제집행을 실시하는 경우에도 동일하나, ② 주무관청의 허가는 반드시 사전에 얻어야 하는 것은 아니므로, 재단법인의 정관변경에 대한 주무관청의 허가는, 경매개시요건은 아니고, 경락인의 소유권취득에 관한 요건이다. 그러므로 집행법원으로서는 그 허가를 얻어 제출할 것을 특별매각조건으로 경매절차를 진행하고, 매각허가결정 시까지 이를 제출하지 못하면 매각불허가결정을 하면 된다.

[2] 재단법인의 기본재산에 관하여 저당권을 설정하는 경우, 주무관청의 허가를 얻어야 하는지 여부(원칙적 소극)

민법상 재단법인의 기본재산에 관한 저당권 설정행위는 특별한 사정이 없는 한 정관의 기재사항을 변경하여야 하는 경우에 해당하지 않으므로, 그에 관하여는 주무관청의 허가를 얻을 필요가 없다.

[3] 민법상 재단법인의 정관에 기본재산은 주무관청의 허가·승인을 받은 경우에 담보설정 등을 할 수 있다는 취지로 정해져 있는 등 특별한 사정이 있는 경우

민법상 재단법인의 정관에 기본재산은 담보설정 등을 할 수 없으나 주무관청의 허가·승인을 받은 경우에는 이를 할 수 있다는 취지로 정해져 있고, 정관 규정에 따라 주무관청의 허가·승인을 받아 민법상 재단법인의 기본재산에 관하여 근저당권을 설정한 경우, 그와 같이 설정된 근저당권을 실행하여 기본재산을 매각할 때에는 주무관청의 허가를 다시 받을 필요는 없다(대결 2019.2.28, 2018마800).

판례 연구 관련판례 정리

[1] 기본재산의 변경은 곧 정관의 변경이 되므로 정관을 변경하여 주무관청의 허가를 얻지 아니하면 그 효력이 없는 것이고, 정관변경의 절차와 주무관청의 허가를 얻으면 처분이 가능하다. 다만 기본재산이 아닌 재산의 매각은 정관변경을 초래하지 않으므로 주무관청의 허가를 요하지 않는다(대판 1967.12.19, 67다1337).

[2] 재단법인의 채권자가 그 기본재산에 대하여 강제집행을 실시하여 법원으로부터 매각허가결정을 받은 경우에도 주무관청의 허가를 요한다(대판 1965.5.18, 65다114).

[3] 재단법인의 기본재산 처분은 정관변경을 요하는 것이므로 주무관청의 허가가 없으면 그 처분행위는 물권계약으로 무효일 뿐 아니라 채권계약으로서도 무효이다(대판 1974.6.11, 73다1975). ★

[4] 허가받지 않은 재단법인 기본재산처분행위는 사후의 정관변경과 추인으로 유효하게 된다. 즉, 재단법인의 정관에는 자산에 관한 규정을 기재하여야 하므로 재단법인의 기본재산의 처분은 결국 정관의 변경을 초래하게 되어 주무관청의 허가를 얻지 못하면 그 효력이 발생하지 않는 것이지만, 그 후 재단법인이 그 기본재산을 보통재산으로 변경하는 정관변경에 대하여 주무관청으로부터 허가를 받은 다음 그 재산의 처분행위를 추인하였다면 종전의 처분행위는 추인한 때로부터 유효하게 된다(대판 2006.3.23, 2005다66534 · 66541).

[5] 기본재산의 매매 등 계약성립 전에 감독청의 허가를 받아야만 하는 것은 아니고, 매매 등 계약성립 후에라도 감독청의 허가를 받으면 그 매매 등 계약이 유효하게 되며, 감독청의 허가 없이 학교법인의 기본재산인 부동산에 대한 매매계약을 체결하였다면 매수인은 매도인에 대해 감독청의 허가를 조건으로 소유권이전등기절차의 이행을 청구할 수 있다(대판 1998.7.24, 96다27988).

[6] 민법 제45조 제3항, 제46조는 정관변경 시 주무관청의 허가를 받도록 규정하고 있는 바, 여기서 말하는 허가는 법률상의 표현이 허가로 되어 있기는 하나 그 성질에 있어 법률행위의 효력을 보충해 주는 것이지 일반적 금지를 해제하는 것은 아니므로 그 법적성격은 인가라고 보아야 한다고 한다(대판(전) 1996.5.16, 95누4810).

[7] 재단법인의 기본재산에 관한 사항은 정관의 기재사항으로서 기본재산의 변경은 정관의 변경을 초래하기 때문에 주무부장관의 허가를 받아야 하고, 따라서 기존의 기본재산을 처분하는 행위는 물론 새로이 기본재산으로 편입하는 행위도 주무부장관의 허가가 있어야만 유효하다(대판 1982.9.28, 82다카499). ★★

[8] 학교법인이 사립학교법 제47조 제1항에 의한 해산명령을 받아 해산되고 고등교육법 제62조 제1항에 의한 학교폐쇄 처분을 받아 사실상 학교법인으로서 실체를 상실하고 기능을 수행할 수 없게 된 경우에도 사립학교법 제28조 제1항이 여전히 적용되어 그 기본재산을 처분하고자 할 때에는 관할청의 허가를 받아야 한다고 해석함이 상당하다(대판 2010.4.8, 2009다93329).

Ⅲ. 법인의 소멸

1. 해산

> **제38조【법인의 설립허가의 취소】**
> 법인이 목적 이외의 사업을 하거나 설립허가의 조건에 위반하거나 기타 공익을 해하는 행위를 한 때에는 주무관청은 그 허가를 취소할 수 있다.
> **제77조【해산사유】**
> ① 법인은 존립기간의 만료, 법인의 목적의 달성 또는 달성의 불능 기타 정관에 정한 해산사유의 발생, 파산 또는 설립허가의 취소로 해산한다.
> ② 사단법인은 사원이 없게 되거나 총회의 결의로도 해산한다. → 이사가 하나도 없게 된 때는 해산사유가 되지 않는다.
> **제78조【사단법인의 해산결의】**
> 사단법인은 총사원 4분의 3 이상의 동의가 없으면 해산을 결의하지 못한다. 그러나 정관에 다른 규정이 있는 때에는 그 규정에 의한다. → 제77조는 사단법인, 재단법인의 공통되는 해산사유이고, 제78조는 사단법인에만 해당하는 특유한 해산사유이다.
> **제79조【파산신청】**
> 법인이 채무를 완제하지 못하게 된 때에는 이사는 지체 없이 파산신청을 하여야 한다.

1) 민법 제38조는 "법인이 목적 이외의 사업을 하거나 설립허가의 조건에 위반하거나 기타 공익을 해하는 행위를 한 때에는 주무관청은 그 허가를 취소할 수 있다."고 규정하여 비영리법인에 관한 설립허가취소사유를 정하고 있다. 여기서 비영리법인이 '목적 이외의 사업'을 한 때란 법인의 정관에 명시된 목적사업과 그 목적사업을 수행하는 데 직접 또는 간접으로 필요한 사업 이외의 사업을 한 때를 말하고, 이때 목적사업 수행에 필요한지는 행위자의 주관적·구체적 의사가 아닌 사업 자체의 객관적 성질에 따라 판단하여야 한다(대판 2014.1.23, 2011두25012).
2) 민법 제38조에 정한 '공익을 해하는 행위를 한 때'에 해당하기 위해서는, 해당 법인의 목적사업 또는 존재 자체가 공익을 해한다고 인정되거나 해당 법인의 행위가 직접적·구체적으로 공익을 침해하는 것이어야 하고, 목적사업의 내용, 행위의 태양 및 위법성의 정도, 공익 침해의 정도와 경위 등을 종합하여 볼 때 해당 법인의 소멸을 명하는 것이 공익에 대한 불법적인 침해 상태를 제거하고 정당한 법질서를 회복하기 위한 제재수단으로서 긴요하게 요청되는 경우이어야 한다(대판 2023.4.27, 2023두30833).
3) 감독관청에 제출할 서류를 기한보다 지연하여 제출한 사실만으로 설립허가조건을 위배하였다 하여 설립허가를 취소하는 행위는 재량권의 범위를 심히 일탈한 위법한 처분이다(대판 1977.8.23, 76누145).
4) 실제 설립허가취소가 되어야 법인은 해산되며(제77조 제1항), 설립허가 취소사유가 있다는 것만으로는 해산되지 않는다.

2. 청산

제81조【청산법인】
해산한 법인은 청산의 목적범위 내에서만 권리가 있고 의무를 부담한다.

제82조【청산인】
법인이 해산한 때에는 파산의 경우를 제하고는 이사가 청산인이 된다. 그러나 정관 또는 총회의 결의로 달리 정한 바가 있으면 그에 의한다.

1) 민법상의 청산절차에 관한 규정은 모두 제3자의 이해관계에 중대한 영향을 미치기 때문에 이른바 강행규정이다(대판 1995.2.10, 94다13473).
2) 청산인은 법인의 이사와 같은 지위에 있으므로 이사에 관한 규정을 준용한다.

제83조【법원에 의한 청산인의 선임】
전조의 규정에 의하여 청산인이 될 자가 없거나 청산인의 결원으로 인하여 손해가 생길 염려가 있는 때에는 법원은 직권 또는 이해관계인이나 검사의 청구에 의하여 청산인을 선임할 수 있다.

제84조【법원에 의한 청산인의 해임】
중요한 사유가 있는 때에는 법원은 직권 또는 이해관계인이나 검사의 청구에 의하여 청산인을 해임할 수 있다.

제85조【해산등기】
① 청산인은 파산의 경우를 제하고는 취임 후 3주간 내에 해산의 사유 및 연월일, 청산인의 성명 및 주소와 청산인의 대표권을 제한한 때에는 그 제한을 주된 사무소 및 분사무소소재지에서 등기하여야 한다.
② 제52조의 규정은 전항의 등기에 준용한다.

제86조【해산신고】
① 청산인은 파산의 경우를 제하고는 취임 후 3주간 내에 전조 제1항의 사항을 주무관청에 신고하여야 한다.
② 청산 중에 취임한 청산인은 그 성명 및 주소를 신고하면 된다.

제87조【청산인의 직무】
① 청산인의 직무는 다음과 같다.
  1. 현존사무의 종결
  2. 채권의 추심 및 채무의 변제
  3. 잔여재산의 인도
② 청산인은 전항의 직무를 행하기 위하여 필요한 모든 행위를 할 수 있다.

제88조【채권신고의 공고】
① 청산인은 취임한 날로부터 2월 내에 3회 이상의 공고로 채권자에 대하여 일정한 기간 내에 그 채권을 신고할 것을 최고하여야 한다. 그 기간은 2월 이상이어야 한다.
② 전항의 공고에는 채권자가 기간 내에 신고하지 아니하면 청산으로부터 제외될 것을 표시하여야 한다.
③ 제1항의 공고는 법원의 등기사항의 공고와 동일한 방법으로 하여야 한다.

제89조【채권신고의 최고】
청산인은 알고 있는 채권자에게 대하여는 각각 그 채권신고를 최고하여야 한다. 알고 있는 채권자는 청산으로부터 제외하지 못한다.
제90조【채권신고기간 내의 변제금지】
청산인은 제88조 제1항의 채권신고기간 내에는 채권자에 대하여 변제하지 못한다. 그러나 법인은 채권자에 대한 지연손해배상의 의무를 면하지 못한다.
제91조【채권변제의 특례】
① 청산중의 법인은 변제기에 이르지 아니한 채권에 대하여도 변제할 수 있다.
② 전항의 경우에는 조건 있는 채권, 존속기간의 불확정한 채권 기타 가액의 불확정한 채권에 관하여는 법원이 선임한 감정인의 평가에 의하여 변제하여야 한다.
제92조【청산으로부터 제외된 채권】
청산으로부터 제외된 채권자는 법인의 채무를 완제한 후 귀속권리자에게 인도하지 아니한 재산에 대하여서만 변제를 청구할 수 있다.
제93조【청산중의 파산】
① 청산중 법인의 재산이 그 채무를 완제하기에 부족한 것이 분명하게 된 때에는 청산인은 지체 없이 파산선고를 신청하고 이를 공고하여야 한다.
② 청산인은 파산관재인에게 그 사무를 인계함으로써 그 임무가 종료한다.
③ 제88조 제3항의 규정은 제1항의 공고에 준용한다.
제94조【청산종결의 등기와 신고】
청산이 종결한 때에는 청산인은 3주간 내에 이를 등기하고 주무관청에 신고하여야 한다.
제96조【준용규정】
제58조 제2항(이사의 사무집행), 제59조 내지 제62조(이사의 대표권, 동제한, 주의의무, 대리인선임), 제64조(특별대리인의 선임), 제65조 및 제70조(이사의 임무해태, 임시총회의 소집)의 규정은 청산인에 이를 준용한다.

판례 연구 관련판례 정리

[1] 법인이 소멸하는 것은 청산종결등기가 된 때가 아니고 청산사무가 사실상 종결된 때이다. 청산종결의 등기가 종료한 후에도 청산사무가 종결되었다고 할 수 없는 경우에는 청산법인으로 계속 존속한다(대판 1980.4.8, 79다2036).

[2] 회사가 부채과다로 사실상 파산지경에 있어 업무도 수행하지 아니하고 대표이사나 그 외의 이사도 없는 상태에 있다고 하여도 적법한 해산절차를 거쳐 청산을 종결하기까지는 법인의 권리능력이 소멸한 것으로 볼 수 없다(대판 1985.6.25, 84다카1954).

[3] 비법인사단에 해산사유가 발생하였다고 하더라도 곧바로 당사자능력이 소멸하는 것이 아니라 청산사무가 완료될 때까지 청산의 목적범위 내에서 권리・의무의 주체가 되고, 이 경우 청산 중의 비법인사단은 해산 전의 비법인사단과 동일한 사단이고 다만 그 목적이 청산 범위 내로 축소된 데 지나지 않는다(대판 2007.11.16, 2006다41297).

3. 잔여재산의 귀속

> 제80조【잔여재산의 귀속】
> ① 해산한 법인의 재산은 정관으로 지정한 자에게 귀속한다.
> ② 정관으로 귀속권리자를 지정하지 아니하거나 이를 지정하는 방법을 정하지 아니한 때에는 이사 또는 청산인은 주무관청의 허가를 얻어 그 법인의 목적에 유사한 목적을 위하여 그 재산을 처분할 수 있다. 그러나 사단법인에 있어서는 총회의 결의가 있어야 한다.
> ③ 전2항의 규정에 의하여 처분되지 아니한 재산은 국고에 귀속한다.

1) 잔여재산의 귀속순서는 ① 정관으로 지정한 자(제80조 제1항), ② 법인의 목적에 유사한 목적을 위한 처분(제80조 제2항 → 사단법인인 경우는 총회의 결의 필요), ③ 국고귀속(제80조 제3항) 순서에 의한다.
2) 민법 제80조 제1항과 제2항의 각 규정 내용을 대비하여 보면, 법인 해산 시 잔여재산의 귀속권리자를 직접 지정하지 아니하고 사원총회나 이사회의 결의에 따라 이를 정하도록 하는 등 간접적으로 그 귀속권리자의 지정방법을 정해 놓은 정관 규정도 유효하다(대판 1995.2.10, 94다13473).
3) 이사 전원의 결의로 잔여재산을 처분하도록 한 정관의 규정은 성질상 등기하여야만 제3자에게 대항할 수 있는 청산인의 대표권의 제한으로 볼 수 없다(대판 1995.2.10, 94다13473).
4) 해산한 법인이 해산 시 잔여재산이 지정한 자에게 귀속한다는 정관 규정에 따라 구체적으로 확정된 잔여재산이전의무의 이행으로서 잔여재산인 토지를 그 귀속권리자에게 이전하는 것은 채무의 이행에 불과하므로, 그 귀속권리자의 대표자를 겸하고 있던 해산한 법인의 대표청산인에 의하여 잔여재산 토지에 관한 소유권이전등기가 그 귀속권리자에게 경료되었다고 하더라도 이는 쌍방대리금지 원칙에 반하지 않는다(대판 2000.12.8, 98두5279).

Ⅳ. 법인의 등기 등

1. 법인의 등기

> 제49조【법인의 등기사항】
> ① 법인설립의 허가가 있는 때에는 3주간 내에 주된 사무소 소재지에서 설립등기를 하여야 한다.
> ② 전항의 등기사항은 다음과 같다.
> 1. 목적
> 2. 명칭
> 3. 사무소
> 4. 설립허가의 연월일
> 5. 존립시기나 해산사유를 정한 때에는 그 시기 또는 사유
> 6. 자산의 총액
> 7. 출자의 방법을 정한 때에는 그 방법

8. 이사의 성명, 주소
9. 이사의 대표권을 제한한 때에는 그 제한

제50조【분사무소설치의 등기】

① 법인이 분사무소를 설치한 때에는 주사무소소재지에서는 3주간 내에 분사무소를 설치한 것을 등기하고 그 분사무소소재지에서는 동기간 내에 전조 제2항의 사항을 등기하고 다른 분사무소소재지에서는 동 기간 내에 그 분사무소를 설치한 것을 등기하여야 한다.
② 주사무소 또는 분사무소의 소재지를 관할하는 등기소의 관할구역 내에 분사무소를 설치한 때에는 전항의 기간 내에 그 사무소를 설치한 것을 등기하면 된다.

제51조【사무소이전의 등기】

① 법인이 그 사무소를 이전하는 때에는 구소재지에서는 3주간 내에 이전등기를 하고, 신소재지에서는 동기간 내에 제49조 제2항에 게기한 사항을 등기하여야 한다.
② 동일한 등기소의 관할구역 내에서 사무소를 이전한 때에는 그 이전한 것을 등기하면 된다.

제52조【변경등기】

제49조 제2항의 사항 중에 변경이 있는 때에는 3주간 내에 변경등기를 하여야 한다.

제52조의2【직무집행정지 등 가처분의 등기】

이사의 직무집행을 정지하거나 직무대행자를 선임하는 가처분을 하거나 그 가처분을 변경·취소하는 경우에는 주사무소와 분사무소가 있는 곳의 등기소에서 이를 등기하여야 한다.

제53조【등기기간의 기산】

전3조의 규정에 의하여 등기할 사항으로 관청의 허가를 요하는 것은 그 허가서가 도착한 날로부터 등기의 기간을 기산한다.

제54조【설립등기 이외의 등기의 효력과 등기사항의 공고】

① 설립등기 이외의 본 절의 등기사항은 그 등기 후가 아니면 제3자에게 대항하지 못한다.
② 등기한 사항은 법원이 지체 없이 공고하여야 한다.

민법 제54조 제1항, 제85조 제1항의 규정에 따르면 법인이 해산한 경우에 청산인은 파산의 경우를 제외하고 해산등기를 하기 전에는 제3자에게 해산사실을 대항할 수 없다(대판 1984.9.25, 84다카493).

2. 법인의 감독

제37조【법인의 사무의 검사, 감독】

법인의 사무는 주무관청이 검사, 감독한다. → 본조는 평시의 사무검사·감독을 주무관청이 한다는 것을 의미하고, 해산·청산 시에는 법원이 사무를 검사·감독한다는 것을 유의한다(제95조).

제95조【해산, 청산의 검사, 감독】

법인의 해산 및 청산은 법원이 검사, 감독한다.

(1) 주무관청의 감독사항

비영리법인의 허가, 정관변경 허가, 법인의 사무 검사·감독, 법인의 설립허가 취소 등이 이에 해당한다.

(2) 법원의 감독사항

임시이사·특별대리인 선임, 파산선고, 청산인 선임·해임, 법인의 해산, 청산의 검사·감독 등이 이에 해당한다.

3. 벌칙

> **제97조【벌칙】**
> 법인의 이사, 감사 또는 청산인은 다음 각 호의 경우에는 500만원 이하의 과태료에 처한다. → 총회소집절차를 위반한 경우에는 과태료를 물지 않는다.
> 1. 본장에 규정한 등기를 해태한 때
> 2. 제55조의 규정에 위반하거나 재산목록 또는 사원명부에 부정기재를 한 때
> 3. 제37조, 제95조에 규정한 검사, 감독을 방해한 때
> 4. 주무관청 또는 총회에 대하여 사실 아닌 신고를 하거나 사실을 은폐한 때
> 5. 제76조와 제90조의 규정에 위반한 때
> 6. 제79조, 제93조의 규정에 위반하여 파산선고의 신청을 해태한 때
> 7. 제88조, 제93조에 정한 공고를 해태하거나 부정한 공고를 한 때

제6관 법인 아닌 사단과 재단

Ⅰ. 법인 아닌 사단(비법인사단)

1. 의의

법인 아닌 사단이란 사단으로서의 실체는 가지고 있지만 주무관청의 허가를 얻어 설립등기를 마치지 않아 법인격을 갖지 못한 조직형태를 말한다.

2. 성립요건

1) 비법인사단이 되기 위해서는 사단으로서의 실체를 갖추는 조직행위가 있어야 하는데 이에 대해 판례는 "① 어떤 단체가 고유의 목적을 가지고 사단적 성격을 가지는 규약을 만들어 이에 근거하여 의사결정기관 및 집행기관인 대표자를 두는 등의 조직을 갖추고 있고, ② 기관의 의결이나 업무집행방법이 다수결의 원칙에 의하여 행하여지며, ③ 구성원의 가입, 탈퇴 등으로 인한 변경에 관계없이 단체 그 자체가 존속되고, ④ 그 조직에 의하여 대표의 방법, 총회나 이사회 등의 운영, 자본의 구성, 재산의 관리 기타 단체로서의 주요사항이 확정되어 있는 경우에는 비법인사단으로서의 실체를 가진다고 할 것이다"라고 한다.
2) 다만 '종중'의 경우에는 자연발생적 집단이므로 예외적으로 특별한 조직행위 없이도 당연히 비법인사단으로 성립될 수 있다.

3. 비법인사단의 법률관계

(1) 사단법인 규정의 유추적용(범위)

1) 민법은 권리능력 없는 사단의 법적 지위에 관한 규정을 두고 있지 않지만, 권리능력 없는 사단은 법인등기를 하지 않았을 뿐 법인의 실질을 갖고 있는 것이므로 사단법인에 관한 민법의 규정 중에서 법인격을 전제로 하는 것을 제외하고는 법인격 없는 사단에 유추적용해야 한다.
2) 따라서 사단의 권리능력, 행위능력, 대표기관의 권한과 그 대표의 형식, 사단의 불법행위능력 등은 모두 사단법인의 규정을 유추적용한다.
3) 비법인사단의 경우에는 대표자의 대표권 제한에 관하여 등기할 방법이 없어 민법 제60조의 규정을 준용할 수 없고, 비법인사단의 대표자가 정관에서 사원총회의 결의를 거쳐야 하도록 규정한 대외적 거래행위에 관하여 이를 거치지 아니한 경우라도, 이와 같은 사원총회 결의사항은 비법인사단의 내부적 의사결정에 불과하다 할 것이므로, 그 거래 상대방이 그와 같은 대표권 제한 사실을 알았거나 알 수 있었을 경우가 아니라면 그 거래행위는 유효하다고 봄이 상당하다(대판 2003.7.22, 2002다64780).
4) 사단법인의 사원의 지위는 양도 또는 상속할 수 없다고 규정한 민법 제56조의 규정은 강행규정이라고 할 수 없으므로, 비법인사단에서도 사원의 지위는 규약이나 관행에 의하여 양도 또는 상속될 수 있다.

(2) 재산귀속관계

1) 법인격 없는 사단의 소유관계는 총유이다(제275조 제1항). 비법인사단재산의 관리・처분의 권능은 단체에게 귀속되고(제276조 제1항), 각 구성원들은 사용・수익만을 할 수 있다(제276조 제2항).
2) 총유물의 관리 및 처분행위는 사원총회의 결의에 의하여야 한다. 따라서 사원총회의 결의 없이 총유물을 처분하는 행위는 무효이다. 이 경우 제126조의 표현대리도 성립될 수 없다.

비법인사단이 사원총회의 결의 없이 제기한 소송의 적법 여부(소극) ★★

총유재산에 관한 소송은 비법인사단이 그 명의로 사원총회의 결의를 거쳐 하거나 또는 그 구성원 전원이 당사자가 되어 필수적 공동소송의 형태로 할 수 있을 뿐이며, 비법인사단이 사원총회의 결의 없이 제기한 소송은 소제기에 관한 특별수권을 결하여 부적법하다(대판 2007.7.26, 2006다64573).

주택조합의 대표자가 조합원 총회의 결의를 거치지 아니하고 건물을 처분한 행위에 관하여 민법 제126조 표현대리에 관한 규정을 준용할 수 있는지 여부(소극) ★★★

비법인사단인 피고 주택조합의 대표자가 조합총회의 결의를 거쳐야 하는 조합원 총유에 속하는 재산의 처분에 관하여는 조합원 총회의 결의를 거치지 아니하고는 이를 대리하여 결정할 권한이 없다 할 것이어서 피고 주택조합의 대표자가 행한 총유물인 이 사건 건물의 처분행위에 관하여는 민법 제126조의 표현대리에 관한 규정이 준용될 여지가 없다 할 것이다(대판 2003.7.11, 2001다73626).

3) 보존행위에 대해서는 민법 규정이 없지만 정관 또는 규약에 다른 규정이 없으면 총유재산의 보존행위 역시 사원총회의 결의를 거쳐야 한다는 것이 판례이다.

판례 연구 **관련판례 정리**

[1] 민사소송법 제52조가 비법인사단의 당사자능력을 인정하는 이유는 법인이 아니라도 사단으로서의 실체를 갖추고 대표자 또는 관리인을 통하여 사회적 활동이나 거래를 하는 경우에는 그로 인하여 발생하는 분쟁은 그 단체가 자기 이름으로 당사자가 되어 소송을 통하여 해결하도록 하기 위한 것이므로, 여기서 말하는 사단이라 함은 일정한 목적을 위하여 조직된 다수인의 결합체로서 대외적으로 사단을 대표할 기관에 관한 정함이 있는 단체를 말하고, 사단법인의 하부조직의 하나라 하더라도 스스로 단체로서의 실체를 갖추고 독자적인 활동을 하고 있다면 사단법인과는 별개의 독립된 비법인사단으로 볼 수 있다(대판 2009.1.30, 2006다60908, 대판 2022.8.11, 2022다227688). ★

[2] 총유물의 관리 및 처분행위라 함은 총유물 그 자체에 관한 법률적·사실적 처분행위와 이용·개량행위를 말하는 것으로서 재건축조합이 재건축사업의 시행을 위하여 설계용역 계약을 체결하는 것은 단순한 채무부담행위에 불과하여 총유물 그 자체에 대한 관리 및 처분행위라고 볼 수 없다(대판 2003.7.22, 2002다64780). ★★★

[3] 민법 제276조 제1항에서 말하는 총유물의 관리 및 처분이라 함은 총유물 그 자체에 관한 이용·개량행위나 법률적·사실적 처분행위를 의미하는 것이므로, 비법인사단이 타인간의 금전채무를 보증하는 행위는 총유물 그 자체의 관리·처분이 따르지 아니하는 단순한 채무부담행위에 불과하여 이를 총유물의 관리·처분행위라고 볼 수는 없다. 따라서 비법인사단인 재건축조합의 조합장이 채무보증계약을 체결하면서 조합규약에서 정한 조합 임원회의 결의를 거치지 아니하였다거나 조합원총회 결의를 거치지 않았다고 하더라도 그것만으로 바로 그 보증계약이 무효라고 할 수는 없다(대판(전) 2007.4.19, 2004다60072·60089). ★★★

[4] 종중은 민법상의 비법인사단에 해당하고, 민법 제275조, 제276조 제1항이 총유물의 관리 및 처분에 관하여는 정관이나 규약에 정한 바가 있으면 그에 의하고 정관이나 규약에서 정한 바가 없으면 사원총회의 결의에 의하도록 규정하고 있으므로, 이러한 절차를 거치지 아니한 총유물의 관리·처분행위는 무효라 할 것이나, 위 법조에서 말하는 총유물의 관리 및 처분이라 함은 총유물 그 자체에 관한 이용·개량행위나 법률적·사실적 처분행위를 의미하는 것이므로, 피고 종중이 그 소유의 이 사건 토지의 매매를 중개한 중개업자에게 중개수수료를 지급하기로 하는 약정을 체결하는 것은 총유물 그 자체의 관리·처분이 따르지 아니하는 단순한 채무부담행위에 불과하여 이를 총유물의 관리·처분행위라고 할 수 없다(대판 2012.4.12, 2011다107900).

[5] 법인 아닌 사단의 구성원 중 일부가 탈퇴하여 새로운 법인 아닌 사단을 설립하거나, 법인 아닌 사단이 해산한 후 그 구성원들이 나뉘어 여러 개의 법인 아닌 사단들을 설립하는 경우, 종전의 법인 아닌 사단의 구성원들이 총유의 형태로 소유하고 있는 재산을 새로이 설립된 법인 아닌 사단의 구성원들에게 양도하는 것은 허용된다(대판 2008.1.31, 2005다60871).

[6] 총유재산에 관한 소송은 법인 아닌 사단이 그 명의로 사원총회의 결의를 거쳐 하거나 또는 그 구성원 전원이 당사자가 되어 필수적 공동소송의 형태로 할 수 있을 뿐이다. 그러므로 그 사단의 구성원은 설령 그가 사단의 대표자라거나 사원총회의 결의를 거쳤다고 하더라도 그 소송의 당사자가 될 수 없다. 이러한 법리는 총유재산의 보존행위로서 소를 제기하는 경우에도 마찬가지이다(대판 2007.7.26, 2006다64573; 대판(전) 2005.9.15, 2004다44971). ★★★

[7] 비법인사단(원고 '유기견에게 사랑을 주세요')이 당사자인 사건에서 대표자에게 적법한 대표권이 있는지는 소송요건에 관한 것으로서 법원의 직권조사사항이므로 비법인사단 대표자의 대표권 유무가 의심스러운 경우에 법원은 이를 직권으로 조사하여야 하고, 비법인사단이 총유재산에 관한 소송을 제기할 때에는 정관에 다른 정함이 있다는 등의 특별한 사정이 없는 한 사원총회 결의를 거쳐야 하므로 비법인사단이 이러한 사원총회 결의 없이 그 명의로 제기한 소송은 소송요건이 흠결된 것으로서 부적법하다(대판 2013.4.25, 2012다118594). ★★

4. 종중 – 판례 등의 정리

(1) 의의

공동선조의 분묘수호와 제사 및 종원 상호간의 친목을 도모할 목적으로, 공동선조의 자손 중 성년 이상의 남녀를 종원으로 하여 구성되는 자연발생적 종족단체이다.

종중의 성질 및 종중의 구성원 지위의 취득 / 민법 제781조 제6항에 따라 자녀의 성과 본이 모의 성과 본으로 변경되었을 경우, 성년인 그 자녀는 모가 속한 종중의 공동선조와 성과 본을 같이 하는 후손으로서 당연히 종중의 구성원이 되는지 여부(적극) ★

종중이란 공동선조의 분묘수호와 제사 및 종원 상호 간의 친목 등을 목적으로 하여 구성되는 자연발생적인 종족집단이므로, 종중의 이러한 목적과 본질에 비추어 볼 때 공동선조와 성과 본을 같이 하는 후손은 성별의 구별 없이 성년이 되면 당연히 그 구성원이 된다. 민법 제781조 제6항에 따라 자녀의 복리를 위하여 자녀의 성과 본을 변경할 필요가 있어 자녀의 성과 본이 모의 성과 본으로 변경되었을 경우 성년인 그 자녀는 모가 속한 종중의 공동선조와 성과 본을 같이 하는 후손으로서 당연히 종중의 구성원이 된다(대판 2022.5.26, 2017다260940).

(2) 성립

1) 종중이라 함은 종족의 자연발생적 집단으로서 선조의 사망과 동시에 자손에 의하여 성립하는 것이고 성립을 위하여 특별한 조직행위를 필요로 하는 것이 아니며, 다만 목적인 공동선조의 분묘수호, 제사봉행, 종원 상호간의 친목을 위한 활동을 규율하기 위하여 규약을 정하는 경우가 있고, 또 대외적인 행위를 할 때에는 대표자를 정할 필요가 있는 것에 지나지 아니하며, 반드시 특정한 명칭의 사용 및 서면화된 종중규약이 있어야 하거나 종중의 대표자가 계속하여 선임되어 있는 등 조직을 갖추어야 하는 것도 아니다(대판 1998.7.10, 96다488).
2) 고유 의미의 종중이란 공동선조의 분묘 수호와 제사 및 종중원 상호간의 친목 등을 목적으로 하는 자연발생적인 관습상의 종족집단체로서 특별한 조직행위를 필요로 하는 것이 아니고, 공동선조의 후손 중 성년 이상의 남자는 당연히 그 종중원이 되는 것이며 그 중 일부 종중원을 임의로 그 종중원에서 배제할 수 없는 것이므로, 종중총회의 결의나 규약에서 일부 종중원의 자격을 임의로 제한하였다면 그 총회의 결의나 규약은 종중의 본질에 반하여 무효이고, 공동선조의 후손 중 특정 지역 거주자나 특정 범위 내의 자들만으로 구성된 종중이란 있을 수 없으므로, 만일 공동선조의 후손 중 특정 지역 거주자나 지파 소속 종중원만으로 조직체를 구성하

여 활동하고 있다면 이는 본래의 의미의 종중으로는 볼 수 없고, 종중 유사의 권리능력 없는 사단이 될 수 있을 뿐이다(대판 1996.10.11, 95다34330).

3) 종원은 자기의사와 무관하게 종중의 구성원이 되고, 종중에서 탈퇴할 수 없고 종중도 종원을 축출할 수 없으므로, 일부 종원에 대하여 그 자격을 박탈하는 규약은 종중의 본질에 반하는 것으로서 무효이다(대판 1983.2.8, 80다1194).

4) 종중이 '그 구성원인 종원에 대하여 그 자격을 박탈하는 소위 割宗' 및 '10년 이상 종원의 자격(각종의 회의에의 참석권 · 발언권 · 의결권 · 피선거권 · 선거권)을 정지하는 징계처분'은 비록 그 같은 관행이 있다고 하더라도, 이것은 공동선조의 후손으로서 혈연관계를 바탕으로 하여 자연적으로 구성되는 종족단체인 종중의 본질에 반한다. 따라서 그러한 관행이나 징계처분은 위법 무효이므로, 피징계자인 종중원으로서의 신분이나 지위를 박탈하는 효력이 없다(대판 2006.10.26, 2004다47024; 대판 1983.2.8, 80다1194).

(3) 법률관계

1) 소집통지

① 사단법인의 총회소집에 관한 규정이 준용되며, 이에 위반한 때는 특별한 사정이 없는 한 총회결의가 무효이다. 즉, 적법한 소집권자에 의하여 소집되지 않은 총회에서 한 대표자선임결의는 효력이 없다(대판 1990.11.13, 90다28542). 그러나 종중원이 매년 시제일에 묘소에 모여 시제를 지내고 그날 거기에 모인 종중원들이 다수결로 중요한 종중일을 처리하는 것이 그 종중의 관례라면 그 종중회의의 소집통지나 결의사항통지가 없었다고 하여 그 회의의결이 무효라 할 수 없다(대판 1989.3.28, 88다카11602).

② 일부 종원에게 소집통지를 하지 않고 개최된 종중총회의 결의도 원칙적으로 효력이 없고, 이는 그 결의가 통지 가능한 종원 중 과반수의 찬성을 얻은 것이라 하여 달리 볼 수 없다(대판 1994.6.14, 93다45015). 다만 나중에 적법하게 소집된 종중총회에서 추인하면 처음부터 유효하게 된다(대판 1995.6.16, 94다53563).

③ 종중총회는 특별한 사정이 없는 한 족보에 의하여 소집통지 대상이 되는 종중원의 범위를 확정한 후 국내에 거주하고 소재가 분명하여 통지가 가능한 모든 종중원에게 개별적으로 소집통지를 함으로써 각자가 회의와 토의 및 의결에 참가할 수 있는 기회를 주어야 하고, 일부 종중원에게 소집통지를 결여한 채 개최된 종중총회의 결의는 효력이 없으나, 그 소집통지의 방법은 반드시 직접 서면으로 하여야 하는 것은 아니고 구두 또는 전화로 하여도 되고, 다른 종중원이나 세대주를 통하여 하여도 무방하다(대판 2000.2.25, 99다20155). 그러나 소집권자가 지파 또는 거주지별 대표자에게 총회소집을 알리는 것만으로는 총회소집이 적법하게 통지되었다고 볼 수 없다(대판 1994.6.14, 93다45244).

④ 종중의 족보에 종중원으로 등재된 성년 여성들에게 소집통지를 함이 없이 개최된 종중 임시총회에서의 결의는 모두 무효이다(대판 2007.9.6, 2007다34982). 대판(전) 2005.7.21, 2002다1178 이후에는 공동 선조의 자손인 성년 여자도 종중원이므로, 종중 총회 당시 남자 종중원들에게만

소집통지를 하고 여자 종중원들에게 소집통지를 하지 않은 경우 그 종중 총회에서의 결의는 효력이 없다(대판 2010.2.11, 2009다83650, 대판 2021.11.11, 2021다238902).

2) 보존행위

종중이 그 총유재산에 대한 보존행위로서 소송을 하는 경우, 종중 총회의 결의를 거쳐야 한다. 즉 총유물의 보존에 있어서는 공유물의 보존에 관한 민법 제265조의 규정이 적용될 수 없고, 특별한 사정이 없는 한 민법 제276조 제1항의 규정에 따라 사원총회의 결의를 거쳐야 하므로, 법인 아닌 사단인 종중이 그 총유재산에 대한 보존행위로서 소송을 하는 경우에도 특별한 사정이 없는 한 종중 총회의 결의를 거쳐야 한다(대판 2010.2.11, 2009다83650).

3) 처분행위

① 종중의 재산은 종중의 총유에 해당하므로, 그 관리·처분은 종중규약에 정한 바 있으면 그에 따르고, 없으면 종중총회의 결의에 의한다(대판 1994.9.30, 93다27703 등). 따라서 총회결의 없는 종중재산처분은 무효(대판 2000.10.27, 2000다22881)이며 상대방은 표현대리를 주장할 수 없고, 법인의 불법행위책임을 추궁해야 한다. 또한 종중원이 종산에 분묘를 설치하는 행위는 단순한 사용·수익에 불과한 것이 아니고, 관습법에 의한 지상권 유사의 물권을 취득하게 되는 처분행위에 해당하므로, 종중의 결의가 필요하다(대판 1967.7.18, 66다1600).

② 비법인사단인 종중의 토지 매각대금은 종원의 총유에 속하고, 그 매각대금의 분배는 총유물의 처분에 해당하므로, 정관 기타 규약에 달리 정함이 없는 한 종중총회의 결의에 의하여 그 매각대금을 분배할 수 있고, 그 분배 비율, 방법, 내용 역시 결의에 의하여 자율적으로 결정할 수 있다. 그러나 종중은 공동선조의 분묘수호와 제사 및 종원 상호간의 친목 등을 목적으로 하여 구성되는 자연발생적인 종족집단으로 그 공동선조와 성과 본을 같이하는 후손은 그 의사와 관계없이 성년이 되면 당연히 그 구성원(종원)이 되는 종중의 성격에 비추어, 종중재산의 분배에 관한 종중총회의 결의 내용이 현저하게 불공정하거나 선량한 풍속 기타 사회질서에 반하는 경우 또는 종원의 고유하고 기본적인 권리의 본질적인 내용을 침해하는 경우 그 결의는 무효이다. 여기서 종중재산의 분배에 관한 종중총회의 결의 내용이 현저하게 불공정한 것인지 여부는 종중재산의 조성 경위, 종중재산의 유지·관리에 대한 기여도, 종중행사 참여도를 포함한 종중에 대한 기여도, 종중재산의 분배 경위, 전체 종원의 수와 구성, 분배 비율과 그 차등의 정도, 과거의 재산분배 선례 등 제반 사정을 고려하여 판단하여야 한다(대판 2010.9.9, 2007다42310·42327).

③ 총유물인 종중 토지 매각대금의 분배는 정관 기타 규약에 달리 정함이 없는 한 종중총회의 결의에 의하여만 처분할 수 있고 이러한 분배결의가 없으면 종원이 종중에 대하여 직접 분배청구를 할 수 없다. 따라서 종중 토지 매각대금의 분배에 관한 종중총회의 결의가 무효인 경우, 종원은 그 결의의 무효확인 등을 소구하여 승소판결을 받은 후 새로운 종중총회에서 공정한 내용으로 다시 결의하도록 함으로써 그 권리를 구제받을 수 있을 뿐이고 새로운 종중총회의 결의도 거치지 아니한 채 종전 총회결의가 무효라는 사정만으로 곧바로 종중을 상대로 하여 스스로 공정하다고 주장하는 분배금의 지급을 구할 수는 없다(대판 2010.9.9, 2007다42310,42327).

④ 비법인사단인 종중의 토지에 대한 수용보상금은 종원의 총유에 속하고, 그 수용보상금의 분배는 총유물의 처분에 해당하므로, 정관 기타 규약에 달리 정함이 없는 한 종중총회의 결의에 의하여 그 수용보상금을 분배할 수 있고, 그 분배 비율, 방법, 내용 역시 결의에 의하여 자율적으로 결정할 수 있다(대판 2010.9.30, 2007다74775).

4) 기타

① 종중도 그 명의로 시효취득할 수 있다(대판 1983.4.12, 82누4214).

② 부동산실명법 제정 후에도 종중소유의 부동산을 일부 종원에게 명의신탁하는 것은 유효하며, 종래의 명의신탁이론이 적용된다(부동산실명법 제8조). 그러나 부동산실명법의 제정목적, 위 조항에 의한 특례의 인정취지, 다른 비법인사단과의 형평성 등을 고려할 때 위 조항에서 말하는 종중은 고유의 의미의 종중만을 가리키고, 종중유사의 비법인사단은 포함되지 않는다. 따라서 공동선조의 후손 중 특정 지역 거주자나 지파 소속 종중원만으로 조직체를 구성하여 활동하는 종중유사의 비법인사단은 부동산실명법 제8조 제1호의 종중에 포함되지 않는다(대판 2007.10.25, 2006다14165).

③ 종중도 그 자체 명의로 소유권취득 및 등기할 수 있고(부동산등기법 제26조), 그 대표자가 정해져 있으면 소송법상 당사자능력이 있다(민소법 제52조).

④ 종중총회의 결의방법에 있어 종중규약에 다른 규정이 없는 이상 종원은 서면이나 대리인으로 결의권을 행사할 수 있으므로 일부 종원이 총회에 직접 출석하지 아니하고 다른 출석 종원에 대한 위임장 제출방식에 의하여 종중의 대표자 선임 등에 관한 결의권을 행사하는 것도 허용된다(대판 2000.2.25, 99다20155).

⑤ 종중과 위임에 유사한 계약관계에 있는 종중의 임원은 종중재산의 관리·처분에 관한 사무를 처리함에 있어 종중규약 또는 종중총회의 결의에 따라야 함은 물론 선량한 관리자로서의 주의를 다하여야 할 의무가 있다(대판 2017.10.26, 2017다231249).

(4) 종중 유사단체 – 사적단체

1) 인위적인 조직행위를 거쳐 성립된 종중 유사단체의 회칙 등에서 공동선조의 후손 중 남성만으로 구성원을 한정하고 있는 경우, 그러한 사정만으로 회칙 등이 무효로 되는지 여부(소극)

종중 유사단체는 비록 그 목적이나 기능이 고유한 의미의 종중과 별다른 차이가 없다 하더라도 공동선조의 후손 중 일부에 의하여 인위적인 조직행위를 거쳐 성립된 경우에는 사적 임의단체라는 점에서 자연발생적인 종족집단인 고유한 의미의 종중과 그 성질을 달리하므로, 그러한 경우에는 사적 자치의 원칙 내지 결사의 자유에 따라 그 구성원의 자격이나 가입조건을 자유롭게 정할 수 있음이 원칙이다. 따라서 그러한 종중 유사단체의 회칙이나 규약에서 공동선조의 후손 중 남성만으로 그 구성원을 한정하고 있다 하더라도 특별한 사정이 없는 한 이는 사적 자치의 원칙 내지 결사의 자유의 보장범위에 포함되고, 위 사정만으로 그 회칙이나 규약이 양성평등 원칙을 정한 헌법 제11조 및 민법 제103조를 위반하여 무효라고 볼 수는 없다(대판 2011.2.24, 2009다17783).

2) 사적 단체의 구성원에 대한 성별에 따른 차별처우가 불법행위를 구성하기 위한 요건

사적 단체는 사적 자치의 원칙 내지 결사의 자유에 따라 그 단체의 형성과 조직, 운영을 자유롭게 할 수 있으므로, 사적 단체가 그 성격이나 목적에 비추어 그 구성원을 성별에 따라 달리 취급하는 것이 일반적으로 금지된다고 할 수는 없다. 그러나 사적 단체의 구성원에 대한 성별에 따른 차별처우가 사회공동체의 건전한 상식과 법감정에 비추어 볼 때 도저히 용인될 수 있는 한계를 벗어난 경우에는 사회질서에 위반되는 행위로서 위법한 것으로 평가할 수 있고, 위와 같은 한계를 벗어났는지 여부는 사적 단체의 성격이나 목적, 차별처우의 필요성, 차별처우에 의한 법익 침해의 양상 및 정도 등을 종합적으로 고려하여 판단하여야 한다. 특히 사적 단체의 성격이나 목적과 관련해서는, 대외적으로 그 단체가 사회공동체 내에서 순수하게 사적인 영역에서만 활동하는지 아니면 일정 부분 공공적 영역에서 활동하며 공익적 기능도 수행하는지와 대내적으로 그 단체의 구성원들에게 제공되는 구체적인 역무의 내용과 성격 등을, 차별처우의 필요성과 관련해서는 그러한 차별처우가 단체의 정체성을 유지하기 위하여 불가피한 것으로서 필요한 한도 내의 조치였는지 여부를, 차별처우에 의한 법익 침해의 양상 및 정도와 관련해서는 해당 구성원의 단체가입 목적, 이를 위한 단체 내 활동에서의 제약 정도와 기간, 그 가입목적 달성을 위한 대체적 단체의 가입 가능성 유무, 가입 시 단체 내 차별처우의 존재에 대한 인식 여부, 차별처우에 대한 문제제기 기간과 이에 대한 그 단체의 대응방식 등을 우리 사회의 건전한 상식과 법감정에 비추어 합리적으로 고려하여야 한다(대판 2011.1.27, 2009다19864).

종중 유사의 권리능력 없는 사단(대판 2019.2.14, 2018다264628; 대판 2020.4.9, 2019다216411; 대판 2020.10.15, 2020다232846; 대판 2021.11.11, 2021다238902) ★★

[1] 고유 의미의 종중이 공동선조의 후손 중 일부를 임의로 종원에서 배제할 수 있는지 여부(소극) 및 공동선조의 후손 중 특정 범위 내의 종원만으로 조직체를 구성하여 활동하는 단체의 법적 성격(종중 유사의 권리능력 없는 사단)

고유 의미의 종중이란 공동선조의 분묘 수호와 제사, 종원 상호 간 친목 등을 목적으로 하는 자연발생적인 관습상 종족집단체로서 특별한 조직행위를 필요로 하는 것이 아니고, 공동선조의 후손은 그 의사와 관계없이 성년이 되면 당연히 그 구성원(종원)이 되는 것이며 그중 일부 종원을 임의로 그 종원에서 배제할 수 없다. 따라서 공동선조의 후손 중 특정 범위 내의 자들만으로 구성된 종중이란 있을 수 없으므로, 만일 공동선조의 후손 중 특정 범위 내의 종원만으로 조직체를 구성하여 활동하고 있다면 이는 본래의 의미의 종중으로는 볼 수 없고, 종중 유사의 권리능력 없는 사단이 될 수 있을 뿐이다.

[2] 종중 유사의 권리능력 없는 사단이 공동선조의 후손 중 일부에 의하여 인위적인 조직행위를 거쳐 성립된 경우, 구성원의 자격이나 가입조건을 자유롭게 정할 수 있는지 여부(원칙적 적극)

종중 유사의 권리능력 없는 사단은 비록 그 목적이나 기능이 고유 의미의 종중(이하 '고유 종중'이라 한다)과 별다른 차이가 없다 하더라도 공동선조의 후손 중 일부에 의하여 인위적인 조직행위를 거쳐 성립된 경우에는 사적 임의단체라는 점에서 고유 종중과 그 성질을 달리하므로, 그러한 경우에는 사적 자치의 원칙 내지 결사의 자유에 따라 구성원의 자격이나 가입조건을 자유롭게 정할 수 있음이 원칙이다.

[3] 종중 유사의 권리능력 없는 사단은 창립총회를 열어 정식의 조직체계를 갖추지 않았더라도 공동의 목적을 달성하기 위하여 공동의 재산을 형성하고 일을 주도하는 사람을 중심으로 계속적으로 사회적인 활동을 하여 왔다면 이미 그 무렵부터 단체로서의 실체가 존재한다고 하여야 하는지 여부(적극) 및 위 사람들이 어느 시점에 비로소 창립총회를 열어 조직체로서의 실체를 갖춘 경우, 그 이전부터 행한 행위나 그때까지 형성한 재산이 위 조직에 귀속되는지 여부(원칙적 적극)

종중 유사의 권리능력 없는 사단은 반드시 총회를 열어 성문화된 규약을 만들고 정식의 조직체계를 갖추어야만 비로소 단체로서 성립하는 것이 아니라, 실질적으로 공동의 목적을 달성하기 위하여 공동의 재산을 형성하고 일을 주도하는 사람을 중심으로 계속적으로 사회적인 활동을 하여 온 경우에는 이미 그 무렵부터 단체로서의 실체가 존재한다고 하여야 한다.[10] 계속적으로 공동의 일을 수행하여 오던 일단의 사람들이 어느 시점에 이르러 비로소 창립총회를 열어 조직체로서의 실체를 갖추었다면, 그 실체로서의 조직을 갖추기 이전부터 행한 행위나 또는 그때까지 형성한 재산은, 다른 특별한 사정이 없는 한, 모두 이 사회적 실체로서의 조직에게 귀속되는 것으로 봄이 타당하다.

[4] 어떠한 단체가 종중 유사의 권리능력 없는 사단을 표방하면서 그 단체에 권리가 귀속되어야 한다고 주장하는 경우, 증명이 필요한 사항들

어떠한 단체가 고유 의미의 종중이 아니라 종중 유사의 권리능력 없는 사단(이하 '종중 유사단체'라고 한다)을 표방하면서 그 단체에 권리가 귀속되어야 한다고 주장하는 경우, 우선 권리 귀속의 근거가 되는 법률행위나 사실관계 등이 발생할 당시 종중 유사단체가 성립하여 존재하는 사실을 증명하여야 하고, 다음으로 당해 종중 유사단체에 권리가 귀속되는 근거가 되는 법률행위 등 법률요건이 갖추어져 있다는 사실을 증명하여야 한다.

[5] 자연발생적으로 형성된 고유 의미의 종중이 아니라 그 구성원 중 일부만으로 범위를 제한한 종중 유사의 권리능력 없는 사단이 성립되었는지 판단할 때, 특히 고려하여야 할 사항

자연발생적으로 형성된 고유 의미의 종중(이하 '고유 종중'이라 한다)이 아니라 그 구성원 중 일부만으로 범위를 제한한 종중 유사의 권리능력 없는 사단(이하 '종중 유사단체'라고 한다)의 성립을 인정하려면, 고유 종중이 소를 제기하는 데 필요한 여러 절차(종중원 확정, 종중 총회 소집, 총회 결의, 대표자 선임 등)를 우회하거나 특정 종중원을 배제하기 위한 목적에서, 단체의 실질이 고유 종중인데도 종중 유사단체임을 표방하였다고 볼 여지가 없는지 그 성격을 신중하게 판단하여야 한다.

3) 통합종중

① 고유한 의미의 종중은 공동선조의 후손들에 의하여 그 선조의 분묘수호와 제사 및 후손 상호간의 친목을 목적으로 형성되는 자연발생적인 종족단체로서 그 선조의 사망과 동시에 그 자손에 의하여 성립하므로, 같은 혈족이지만 공동선조를 달리 하던 별개의 소종중이 통합하여 새로 구성된 종족집단으로서의 통합종중은 고유한 의미의 종중이 아니긴 하지만 그 단체로서의 실체를 인정할 수 있을 경우에는 종중 유사의 권리능력 없는 사단으로서 단체성만을 인정할 수 있고, 그 경우에도 자연발생적 집단으로서 선조의 사망과 동시에 자손에 의하여 자연발생적으로 성립하는 고유한 의미의 종중인 통합 전 소종중의 객관적 실체가 없어지는 것은 아니다.

---

10) 당사자능력은 소송요건에 관한 것으로서 그 청구의 당부와는 별개의 문제인 것이며, 소송요건은 사실심의 변론종결 시에 갖추어져 있으면 되는 것이므로, 고유 의미의 종중 또는 종중 유사의 권리능력 없는 단체(종중 유사단체)가 비법인 사단으로서의 실체를 갖추고 당사자로서의 능력이 있는지 여부는 사실심인 원심의 변론종결 시를 기준으로 하여 그 존부를 판단하여야 한다(대판 2020.10.15, 2020다232846).

② 통합종중의 규약에서 통합 전 소종중의 재산이 통합종중에 귀속되는 것으로 정하였다 하더라도 통합 전 소종중원의 총유에 속하는 재산의 처분에 관하여는 그 소종중의 규약 혹은 종중총회결의에 따른 적법한 처분절차를 거치지 아니하는 이상 그 유효성을 인정할 수 없고, 그 주장입증에 대한 책임은 처분행위의 유효를 주장하는 측에 있다(대판 2008.10.9, 2008다41567).

5. 교회 – 판례 정리

1) **[대판(전) 2006.4.20, 2004다37775]** [1] 우리 민법이 사단법인에 있어서 구성원의 탈퇴나 해산은 인정하지만 사단법인의 구성원들이 2개의 법인으로 나뉘어 각각 독립한 법인으로 존속하면서 종전 사단법인에게 귀속되었던 재산을 소유하는 방식의 사단법인의 분열은 인정하지 아니한다. 그 법리는 법인 아닌 사단에 대하여도 동일하게 적용되며, 법인 아닌 사단의 구성원들의 집단적 탈퇴로써 사단이 2개로 분열되고 분열되기 전 사단의 재산이 분열된 각 사단들의 구성원들에게 각각 총유적으로 귀속되는 결과를 초래하는 형태의 법인 아닌 사단의 분열은 허용되지 않는다. 교회가 법인 아닌 사단으로서 존재하는 이상, 그 법률관계를 둘러싼 분쟁을 소송적인 방법으로 해결함에 있어서는 법인 아닌 사단에 관한 민법의 일반 이론에 따라 교회의 실체를 파악하고 교회의 재산 귀속에 대하여 판단하여야 하고, 이에 따라 법인 아닌 사단의 재산관계와 그 재산에 대한 구성원의 권리 및 구성원 탈퇴, 특히 집단적인 탈퇴의 효과 등에 관한 법리는 교회에 대하여도 동일하게 적용되어야 한다. 따라서 교인들은 교회 재산을 총유의 형태로 소유하면서 사용·수익할 것인데, 일부 교인들이 교회를 탈퇴하여 그 교회 교인으로서의 지위를 상실하게 되면 탈퇴가 개별적인 것이든 집단적인 것이든 이와 더불어 종전 교회의 총유 재산의 관리처분에 관한 의결에 참가할 수 있는 지위나 그 재산에 대한 사용·수익권을 상실하고, 종전 교회는 잔존 교인들을 구성원으로 하여 실체의 동일성을 유지하면서 존속하며 종전 교회의 재산은 그 교회에 소속된 잔존 교인들의 총유로 귀속됨이 원칙이다. 그리고 교단에 소속되어 있던 지교회의 교인들의 일부가 소속 교단을 탈퇴하기로 결의한 다음 종전 교회를 나가 별도의 교회를 설립하여 별도의 대표자를 선정하고 나아가 다른 교단에 가입한 경우, 그 교회는 종전 교회에서 집단적으로 이탈한 교인들에 의하여 새로이 법인 아닌 사단의 요건을 갖추어 설립된 신설 교회라 할 것이어서, 그 교회 소속 교인들은 더 이상 종전 교회의 재산에 대한 권리를 보유할 수 없게 된다.
[2] 특정 교단에 가입한 지교회가 교단이 정한 헌법을 지교회 자신의 자치규범으로 받아들였다고 인정되는 경우에는 소속 교단의 변경은 실질적으로 지교회 자신의 규약에 해당하는 자치규범을 변경하는 결과를 초래하고, 만약 지교회 자신의 규약을 갖춘 경우에는 교단변경으로 인하여 지교회의 명칭이나 목적 등 지교회의 규약에 포함된 사항의 변경까지 수반하기 때문에, 소속 교단에서의 탈퇴 내지 소속 교단의 변경은 사단법인 정관변경에 준하여 의결권을 가진 교인 2/3 이상의 찬성에 의한 결의를 필요로 하고, 그 결의요건을 갖추어 소속 교단을 탈퇴하거나 다른 교단으로 변경한 경우에 종전 교회의 실체는 이와 같이 교단을 탈퇴한 교회로서 존속하고 종전 교회 재산은 위 탈퇴한 교회 소속 교인들의 총유로 귀속된다.

교회의 실체와 재산 귀속에 관한 판단 기준(=법인 아닌 사단에 관한 민법의 일반 이론) **/ 지교회의 소속 교단 탈퇴 내지 변경을 위한 결의요건**(=의결권을 가진 교인 2/3 이상의 찬성) **및 위 정수에 관하여 지교회의 규약에 다른 규정을 두고 있는 경우, 그 규정에 의한 결의가 필요한지 여부**(원칙적 적극) ★
① 교회가 법인 아닌 사단으로서 존재하는 이상 그 법률관계를 둘러싼 분쟁을 소송을 통해 해결함에 있어서는 법인 아닌 사단에 관한 민법의 일반 이론에 따라 교회의 실체를 파악하고 교회의 재산 귀속에 대하여 판단하여야 한다. ② 한편 특정 교단에 가입한 지교회가 교단이 정한 헌법을 지교회 자신의 자치규범으로 받아들였다고 인정되는 경우에는 소속 교단의 변경은 실질적으로 지교회 자신의 규약에 해당하는 자치규범을 변경하는 결과를 초래하고, 만약 지교회 자신의 규약을 갖춘 경우에는 교단변경으로 인하여 지교회의 명칭이나 목적 등 지교회의 규약에 포함된 사항의 변경까지 수반하기 때문에, 소속 교단에서의 탈퇴 내지 소속 교단의 변경은 사단법인 정관 변경에 준하여 의결권을 가진 교인 2/3 이상의 찬성에 의한 결의를 필요로 하며, ③ 다만 정수에 관하여 지교회의 규약에 다른 규정을 두고 있는 때에는 특별한 사정이 없는 한 그 규정에 의한 결의(민법 제42조 제1항 단서)가 필요하다(대판 2023.11.2, 2023다259316).

2) **[대판 2008.2.28, 2007다37394 · 37400]** 교회가 그 실체를 갖추어 법인 아닌 사단으로 성립한 경우에 교회의 대표자가 교회를 위하여 취득한 권리의무는 교회에 귀속되나, 교회가 아직 실체를 갖추지 못하여 법인 아닌 사단으로 성립하기 전에 설립의 주체인 개인이 취득한 권리의무는 그것이 앞으로 성립할 교회를 위한 것이라 하더라도 바로 법인 아닌 사단인 교회에 귀속될 수는 없고, 또한 설립 중의 회사의 개념과 법적 성격에 비추어, 법인 아닌 사단인 교회가 성립하기 전의 단계에서 설립중의 회사의 법리를 유추적용할 수는 없다.
3) **[대판 2009.2.12, 2006다23312]** 비법인사단인 교회의 대표자는 총유물인 교회 재산의 처분에 관하여 교인총회의 결의를 거치지 아니하고는 이를 대표하여 행할 권한이 없다. 그리고 교회의 대표자가 권한 없이 행한 교회 재산의 처분행위에 대하여는 민법 제126조의 표현대리에 관한 규정이 준용되지 아니한다.
4) **[대판 2001.6.15, 99두5566]** 교회는 일반적으로 권리능력 없는 사단이라 할 것이므로, 그 재산의 귀속형태는 총유로 봄이 상당하고, 따라서 교회재산의 관리와 처분은 그 교회의 정관 기타 규약에 의하되 그것이 없는 경우에는 그 소속교회 교인들 총회의 과반수 결의에 의하여야 하므로, 토지나 건축물을 소유한 교회가 재개발조합의 설립 및 사업시행에 대하여 동의를 하는 경우에도 정관 기타 규약이 없으면 교인들 총회의 과반수 결의에 의하여야 한다.

Ⅱ. 법인 아닌 재단(비법인재단)

1) 법인 아닌 재단이란 재단의 실체(일정한 목적재산)를 가지고 있으나 아직 설립등기를 마치지 않아 법인격을 갖지 못한 조직형태를 말한다.
2) 법인 아닌 재단에도 재단법인에 관한 규정 중 법인격을 전제로 하는 것을 제외한 나머지 규정들을 유추적용한다.
3) 법인 아닌 재단도 등기능력과 당사자능력이 인정된다. 재산소유형태와 관련해서 부동산에 관한 권리는 법인 아닌 재단의 단독소유에 속한다(부동산등기법 제26조).

사찰에 관한 제 문제 1(대판 2020.12.24. 2015다222920)[11)]

[1] 사찰이 독립한 실체로서 권리의무의 주체가 되기 위하여 갖추어야 할 요건

사찰이란 불교교의를 선포하고 불교의식을 행하기 위한 시설을 갖춘 승려, 신도의 조직인 단체로서 독립한 사찰로서의 실체를 가지기 위해서는 물적 요소인 불당 등의 사찰재산이 있고, 인적 요소인 주지를 비롯한 승려와 상당수의 신도가 존재하며, 단체로서의 규약을 가지고 사찰이 그 자체 생명력을 가지고 사회적 활동을 할 것을 필요로 한다.

[2] 사찰이 특정 종단에 소속하려면 사찰과 종단 사이의 합의가 전제되어야 하는지 여부(적극) / 사찰이 특정 종단에 가입하거나 소속 종단을 변경하기 위해서는 사찰 자체의 자율적 의사결정이 전제되어야 하는지 여부(적극) 및 그 의사결정의 방법(=사찰 자체의 규약에서 정한 방법)

법인격 없는 사단이나 재단으로서 권리의무의 주체가 되는 독립한 사찰은 독자적으로 존속할 수도 있지만 종교적 이념이나 교리 또는 종교적 이해관계를 같이하는 사람과 단체로 구성된 상위 종단에 소속되어 존속하기도 하는데, 사찰의 종단소속관계는 사법상 계약의 영역으로서 사찰이 특정 종단에 소속하려면 이에 관한 사찰과 특정 종단 사이의 합의가 전제되어야 한다. 또한 사찰이 특정 종단과 종단소속에 관한 합의를 하게 되면 그때부터는 그 종단의 소속 사찰이 되어 종단의 종헌이나 종법을 사찰의 자치법규로 삼아 따라야 하고 사찰의 주지임면권도 종단에 귀속되는 등 사찰 자체의 지위나 권한에 중대한 변화를 가져오게 되므로 어느 사찰이 특정 종단에 가입하거나 소속 종단을 변경하기 위해서는 사찰 자체의 자율적인 의사결정이 기본적인 전제가 되어야 한다. 한편 사찰의 자율적인 의사결정 방법은 사찰의 법적 성격이 법인격 없는 사단인지 아니면 법인격 없는 재단인지에 따라 달라질 수 있겠지만 적어도 사찰 자체의 규약에서 정하는 방법에 따라야 할 것이다.

[3] 어느 종단소속인지 불분명한 사찰이 구 불교재산관리법에 따라 특정 종단의 소속임을 밝히면서 사찰 등록신청을 하여 관할관청에 등록된 경우, 위 사찰을 특정 종단소속 사찰로 인정할 수 있는지 여부(원칙적 적극) / 사찰이 특정 종단에 소속되었다는 내용으로 관할관청에 등록되었으나 사찰이 자율적인 의사결정을 거쳐 등록 내용대로 종단과 종단소속관계를 합의한 것이 아니라고 볼만한 사정이 다수 밝혀진 경우, 위 사찰의 종단소속관계를 판단하는 방법

어느 종단에 소속하는지 불분명한 사찰이 구 불교재산관리법(1987.11.28. 법률 제3974호 전통사찰보존법 부칙 제2조로 폐지, 이하 같다)에 따라 특정 종단의 소속임을 밝히면서 사찰 등록신청을 하였고 관할관청의 요건흠결 심사를 거쳐 등록이 되었다면 특별한 사정이 없는 한 특정 종단의 소속 사찰로 인정할 수 있다. 구 불교재산관리법에 따라 등록신청을 하는 사찰이 관할관청에 소속 종단에 관한 사항을 제출하는 것은 해당 사찰이 자율적인 의사결정을 거쳐 자신이 속하기로 한 특정 종단과 종단소속관계의 합의를 하였음을 대외적으로 밝히는 의사표시로 볼 수 있기 때문이다. 그렇지만 사찰이 권리의무의 주체로 되는 데 구 불교재산관리법에 따른 관할관청에의 등록이 반드시 그 요건이 되는 것은 아니고, 구 불교재산관리법에 따른 관할관청에의 등록자체로 인하여 사찰의 민사상 권리 또는 법률관계에 변동을 가져오거나 사찰의 실체를 좌우하는 것도 아니다. 어느 사찰이 특정 종단에 소속되었다는 내용으로 관할관청에 등록되었더라도 사찰이 자율적인 의사결정을 거쳐 등록 내용대로 종단과 종단소속관계를 합의한 것이 아니라고 볼만한 사정이 다수 밝혀진 경우에는 사찰의 자율적인 의사에 따라 결정한 종단소속관계가 무엇인지를 정확히 파악하여 이를 인정하여야 하고, 구 불교재산관리법에 따른 관할관청에의 등록 내용만으로 그 사찰의 종단소속관계를 섣불리 단정하여서는 안 된다.

---

11) 사찰의 법적 성격을 법인이 아닌 '사단'으로 볼 것인지, 아니면 법인이 아닌 '재단'으로 볼 것인지에 따라, 특히 재산의 소유형태와 처분권한의 귀속, 사찰의 업무집행 및 종단변경 등의 문제들과 관계되는 것이어서 중요한 의미를 갖는다. 다만 판례는 사찰의 법적 성격에 대하여는 법인이 아닌 재단, 법인이 아닌 사단, 법인이 아닌 사단 또는 재단이라고 판시하는 등 그 입장을 명확히 밝히고 있지 않고 있다.

사찰에 관한 제 문제 2

① 개인사찰로 관리 · 운영되어 오던 사찰이 종단 소속 사찰로 등록되어 종단으로부터 주지 임명을 받은 후 관할 관청에 종단 소속으로 사찰등록 및 주지등록을 하고 사찰부지에 관하여 사찰 명의로 소유권이전등기를 경료한 경우, 특별한 사정이 없는 한 그 사찰은 종단 소속 불교단체 내지는 법인 아닌 사단 또는 재단으로서의 실체를 갖춘 독립된 사찰로 보아야 한다(대판 1999.9.3, 98다13600).

② 개인사찰에 있어서 창건주에 의하여 건립되었던 사찰건물이 그와 무관하게 멸실된 후 동일 용도의 사찰건물을 새로 건립하거나 산신각 등 추가적인 사찰건물이 필요하게 되어 이를 건립한 경우 창건주가 직접 그 건물들을 건립하지 아니하고 창건주에 의하여 임명된 주지가 주도하여 신도들의 시주를 주된 재원으로 하여 이를 건립하였다고 할지라도 특정 신도가 대부분의 자금을 출연하고 건물의 소유권을 보유하되 사찰의 건물로만 제공한다는 등의 특별한 사정이 존재하지 않는 이상 신도들의 시주와 건물 건립은 모두 그 사찰을 위하여 이루어진 것으로서 위 추가로 건립된 사찰건물들은 역시 창건주의 소유로 귀속된다(대판 2005.6.24, 2003다54971). 즉 추가로 건립된 사찰건물들이 창건주가 아닌 주지와 신도들의 소유로 귀속되는 것이 아니다.

③ 사찰이 소속 종단의 종헌에 따르지 아니하고 그 신도와 승려가 결합하여 그 소속 종단을 탈종하였다 하더라도 이는 그 신도와 승려 개인이 소속 종단에서 탈퇴하게 되는 데에 그치는 것일 뿐 그로써 이미 독립한 권리 · 의무의 귀속 주체로 성립한 사찰 자체의 종단 소속이 변경되게 되는 것은 아니고, 사찰이 일단 성립한 이상 사찰 그 자체의 분열도 인정되지 않는다(대판 2000.5.12, 99다69983).

비법인사단과 조합의 비교

구분	비법인사단	조합
구별기준과 예	▸ 민법상의 조합과 법인격은 없으나 사단성이 인정되는 비법인사단을 구별함에 있어서는 일반적으로 그 단체성의 강약을 기준으로 판단하여야 하는바, 조합은 … 어느 정도 단체성에서 오는 제약을 받게 되는 것이지만 구성원의 개인성이 강하게 드러나는 인적 결합체인 데 비하여 비법인사단은 구성원의 개인성과는 별개로 권리의무의 주체가 될 수 있는 독자적 존재로서의 단체적 조직을 가지는 특성이 있다 하겠는데, 민법상 조합의 명칭을 가지고 있는 단체라 하더라도 고유의 목적을 가지고 사단적 성격을 가지는 규약을 만들어 이에 근거하여 의사결정기관 및 집행기관인 대표자를 두는 등의 조직을 갖추고 있고, 기관의 의결이나 업무집행방법이 다수결의 원칙에 의하여 행해지며, 구성원의 가입, 탈퇴 등으로 인한 변경에 관계없이 단체 그 자체가 존속되고, 그 조직에 의하여 대표의 방법, 총회나 이사회 등의 운영, 자본의 구성, 재산의 관리 기타 단체로서의 주요사항이 확정되어 있는 경우에는 비법인사단으로서의 실체를 가진다고 할 것이다(대판 1992.7.10, 92다2431). ▸ 비법인사단의 例 – 아파트입주자대표회의(단체), 자연부락, 종중, 교회 ❍ ▸ 서울대학교는 국가가 설립·경영하는 학교임은 공지의 사실이고, 학교는 법인도 아니고 대표자 있는 법인격 없는 사단 또는 재단도 아닌 교육시설의 명칭(영조물)에 불과하여 민사소송에 있어서 당사자능력을 인정할 수 없다.	
재산소유형태	총유(채무는 구성원에게 준총유로 부담)	합유
권리능력	부정(구성원이 주체)	부정(구성원이 주체)
사단·단체의 명의	당사자능력 : 명문의 규정 有(민소법 제52조) ➡ ∴ 비법인사단 명의로 소송수행 可	당사자능력 : 명문의 규정 無 ➡ 통설·판례(대판 1991.6.25, 88다카6358 등) – 부정
구성원 전원의 명의	통설·판례(실체법설) ➡ 총유재산에 관한 소송은 민법 제276조에 의해 총유물의 관리처분권(소송수행권)이 구성원 전원에 귀속 ➡ 고유필수적 공동소송에 해당 함(∴ 구성원 전원이 당사자가 되어야 하고, 일부누락하면 부적법한 소❍)	통설·판례(실체법설) ➡ 합유재산에 관한 소송은 민법 제272조에 의해 합유물의 관리처분권(소송수행권)은 조합원 전원에게 귀속 ➡ 원칙적으로 고유필수적 공동소송(∴ 구성원 전원이 당사자가 되어야 하고, 일부누락하면 부적법한 소❍)
구성원 일부의 명의	(1) 관리·처분행위 ➡ 고유필수적 공동소송 ∴구성원 일부의 소제기는 부적법 (2) 보존행위 [종래 판례 – 긍정 변경 판례 – 종래의 판례를 변경하여 사단의 구성원 일부는 총유재산의 보존행위로서 소를 제기하는 경우에도 소송의 당사자가 될 수 없다고 함으로써 부정(대판(전) 2005.9.15, 2004다44971)	(1) 관리·처분행위 ➡ 고유필수적 공동소송 ∴ 조합원 일부의 소제기는 당사자적격이 없어 부적법 (2) 보존행위 ➡ 민법 제272조 단서에 의해 보존행위는 각자가 할 수 있다. ∴ 통상공동소송의 형태 ➡ 조합원 일부라도 단독으로 소송수행 可

chapter

04 권리의 객체 - 물건

제1절 의의

> 제98조【물건의 정의】
> 본법에서 물건이라 함은 유체물 및 전기 기타 관리할 수 있는 자연력을 말한다.

권리의 객체란 권리의 내용 또는 목적이 성립하기 위해 필요한 대상을 말한다. 이러한 권리의 객체는 권리의 종류에 따라 다르다. ① 물권의 경우에는 물건, ② 채권의 경우에는 특정인인 채무자의 일정한 행위(급부), ③ 형성권의 경우에는 형성의 대상이 되는 법률관계, ④ 항변권은 항변의 대상이 되는 상대방의 청구권, ⑤ 상속권은 상속재산 등이 이에 해당한다.
민법은 이에 관한 일반규정을 두지 않고 총칙편에서 물건에 대해서만 규정하고 있다.

제2절 물건

1. 개념 및 구성요건

민법상 물건이란 유체물 및 전기 기타 관리할 수 있는 자연력을 말한다(제98조). 물건의 요건으로는 ① 유체물이나 자연력일 것(유체물·무체물), ② 배타적 지배가능성으로 관리가능할 것(관리가능성), ③ 외계의 일부로서 사람이 아닌 비인격성을 갖출 것이 요구된다(비인격성). 아울러 ④ '일물일권주의'의 원칙에 따라 물건의 일부나 구성부분 또는 물건의 집단은 원칙적으로 물권의 객체가 되지 못한다. 즉 물건은 원칙적으로 독립성이 있는 물건이어야 한다(독립성). 다만 물권의 대상이 되기에 적합한 특정성을 구비하고 공시방법이 있으며 사회적 필요가 있다면 물건의 일부나 집단에도 물권이 인정될 수 있다. 토지의 일부에 대한 지상권, 부동산의 일부에 대한 전세권 등이 이에 해당한다. 독립성과 관련해서는 특히 다음과 같은 집합물이 문제된다.

공동상속인들 사이에 제사주재자에 관한 협의가 이루어지지 않는 경우 제사주재자 및 그 결정방법(대판(전) 2023.5.11, 2018다248626) ★★★

[1] 종전 판례의 변경

<u>대법원 2008.11.20. 2007다27670 전원합의체 판결</u>(이하 '2008년 전원합의체 판결'이라 한다)은 <u>피상속인의 유체·유해</u>가 민법 제1008조의3 소정의 제사용 재산에 준해서 <u>제사주재자에게 승계되고</u>, <u>제사주재자는</u>

우선적으로 공동상속인들 사이의 협의에 의해 정하되, 협의가 이루어지지 않는 경우에는 그 지위를 유지할 수 없는 특별한 사정이 있지 않는 한 장남 또는 장손자 등 남성 상속인이 제사주재자라고 판시하였다. 그러나 공동상속인들 사이에 협의가 이루어지지 않는 경우 제사주재자 결정방법에 관한 2008년 전원합의체 판결의 법리는 더 이상 조리에 부합한다고 보기 어려워 유지될 수 없다. 그 이유는 다음과 같다. ① 과거에는 조리에 부합하였던 법규범이라도 사회관념과 법의식의 변화 등으로 인해 헌법을 최상위 규범으로 하는 전체 법질서에 부합하지 않게 되었다면, 대법원은 전체 법질서에 부합하지 않는 부분을 배제하는 등의 방법으로 그러한 법규범이 현재의 법질서에 합치하도록 하여야 한다. ② 공동상속인들 사이에 협의가 성립되지 않는 경우 특별한 사정이 없는 한 장남 또는 장손자 등 남성 상속인을 제사주재자로 우선하는 것은 성별에 의한 차별을 금지한 헌법 제11조 제1항 및 개인의 존엄과 양성의 평등에 기초한 혼인과 가족생활의 성립과 유지를 보장하는 헌법 제36조 제1항의 정신에 합치하지 않는다. ③ 현대사회의 제사에서 부계혈족인 남성 중심의 가계계승의 의미는 상당 부분 퇴색하고, 망인에 대한 경애와 추모의 의미가 보다 중요해지고 있다. 이와 같은 현재의 법질서, 국민들의 변화된 의식 및 정서와 생활양식 등을 고려하면, 장남 또는 장손자 등 남성 상속인이 여성 상속인에 비해 제사주재자로 더 정당하다거나 그 지위를 우선적으로 인정받아야 한다고 볼 수 없다. ④ 제사 및 제사용 재산의 승계제도는 조상숭배라는 전통에 근거하는 것이면서도 헌법상 개인의 존엄 및 양성평등의 이념과 조화되도록 운영하여야 한다는 한계를 가진다. 제사주재자를 정할 때 여성 상속인을 열위에 두는 것은 이러한 현대적 의미의 전통에 부합하지 않는다. 제사주재자로 남성 상속인을 우위에 두지 않는다고 하여 제사제도에 내포된 숭조사상, 경로효친과 같은 전통문화나 미풍양속이 무너진다고 볼 수도 없다.

[2] 제사주재자의 결정 방법

공동상속인들 사이에 협의가 이루어지지 않는 경우에는 제사주재자의 지위를 인정할 수 없는 특별한 사정이 있지 않는 한 피상속인의 직계비속 중 남녀, 적서를 불문하고 최근친의 연장자가 제사주재자로 우선한다고 보는 것이 가장 조리에 부합한다. 그 이유는 다음과 같다. ① 2008년 전원합의체 판결에서 조리에 부합한다고 본 제사주재자 결정방법이 현재의 법질서와 조화되지 않는다면 기존 법규범의 연장선상에서 현재의 법질서에 부합하도록 이를 조금씩 수정·변형함으로써 명확하고 합당한 기준을 설정할 필요가 있다. ② 민법 제1008조의3은 제사용 재산의 특수성을 고려하여 제사용 재산을 유지·보존하고 그 승계에 관한 법률관계를 간명하게 처리하기 위하여 일반 상속재산과 별도로 특별승계를 규정하고 있다. 이러한 취지를 고려하면 어느 정도 예측 가능하면서도 사회통념상 제사주재자로서 정당하다고 인정될 수 있는 특정한 1인을 제사주재자로 정해야 할 필요가 있다. ③ 피상속인의 직계비속 중 최근친의 연장자를 제사주재자로 우선하는 것은 우리의 전통 미풍양속과 현행 법질서 및 사회 일반의 보편적 법인식에 부합한다고 볼 수 있다.

[3] 제사주재자의 지위를 인정할 수 없는 특별한 사정

제사주재자의 지위를 인정할 수 없는 특별한 사정에는 2008년 전원합의체 판결에서 판시한 바와 같이 장기간의 외국 거주, 평소 부모를 학대하거나 모욕 또는 위해를 가하는 행위, 조상의 분묘에 대한 수호·관리를 하지 않거나 제사를 거부하는 행위, 합리적인 이유 없이 부모의 유지 또는 유훈에 현저히 반하는 행위 등으로 인하여 정상적으로 제사를 주재할 의사나 능력이 없다고 인정되는 경우뿐만 아니라, 피상속인의 명시적·추정적 의사, 공동상속인들 다수의 의사, 피상속인과의 생전 생활관계 등을 고려할 때 그 사람이 제사주재자가 되는 것이 현저히 부당하다고 볼 수 있는 경우도 포함된다.

→ [사실관계 및 해설] : ① 甲남은 A녀와 혼인하여 장녀 B와 차녀 C를 두었는데, 혼인관계에 있던 중 甲남은 乙녀와 사이에 장남 丙을 두고 사망하였다. 甲이 사망하자 丙은 망인 甲의 유체를 화장한 후 그 유해를 재단이 운영하는 추모공원 내 봉안당에 봉안하였고, 이에 A, B, C는 丙과 재단을 상대로 甲의 유해인도를 구하였다. ② 원심은 장남인 丙이 제사주재자로서 망인의 유해에 대한 권리를 가지고 있다고 보아, 원고들의 청구를 모두 기각하였으나, ③ 대법원은 공동상속인들 사이에 제사주재자에 관한 협의가 이루어지지 않은 경우, 망인의 직계비속 중 남녀를 불문하고 최근친의 연장자를 제사주재자로 우선하고,

다만 그 사람이 제사주재자가 되는 것이 현저히 부당하다고 볼 사유가 있는지를 심리하여 누가 망인에 대한 제사주재자인지를 판단하여야 한다고 하면서, 원심은 제사주재자 결정방법에 관한 법리를 오해하고 필요한 심리를 다하지 아니하였다는 이유로 원심을 파기하였다.

2. 집합물

(1) 의의

다수의 물건들이 집합하여 경제적으로 하나의 경제적 가치를 가지고 거래상으로도 일체로 취급되는 물건을 말한다(예 장의 설비 · 기계의 전부, 상점에 있는 상품전체 등).

양도담보설정계약이 내구연수가 장기간이고 가공이나 유통 과정에 있지 아니한 여러 개의 동산을 목적으로 하고, 담보목적물마다 특정하고 있는 경우, 특정된 동산들을 일괄하여 양도담보의 목적물로 한 계약으로 보아야 하는지 여부(원칙적 적극) **및 이때 향후 편입되는 동산을 양도담보의 목적으로 하기 위한 특정의 정도**

여러 개의 동산을 일괄하여 양도담보의 목적으로 하는 양도담보설정계약을 체결하면서 향후 일정 장소에 편입되는 동산에 대해서도 양도담보의 효력을 받는 것으로 약정한 경우에, 이를 특정된 동산들을 목적물로 한 양도담보로 볼 것인지, 일단의 증감 변동하는 동산을 하나의 물건으로 보아 이를 목적물로 한 이른바 유동집합동산 양도담보로 볼 것인지는 양도담보설정계약의 해석의 문제이다. 양도담보설정계약이 기계기구 또는 영업설비 등 내구연수가 장기간이고 가공 과정이나 유통 과정 중에 있지 아니한 여러 개의 동산을 목적으로 하고 있으며, 담보목적물마다 명칭, 성능, 규격, 제작자, 제작번호 등으로 특정하고 있는 경우에는, 원칙적으로 특정된 동산들을 일괄하여 양도담보의 목적물로 한 계약이라고 보아야 하므로 향후 편입되는 동산을 양도담보 목적으로 하기 위해서는 편입 시점에 제3자가 그 동산을 다른 동산과 구별할 수 있을 정도로 구체적으로 특정되어야 한다(대판 2016.4.28, 2015다221286).

(2) 허용성 여부

공장저당법 등과 같은 특별법이 있는 경우에는 집합물 위에 하나의 물권이 성립될 수 있다는 점에 의문이 없으나, 특별법이 없는 경우에도 이를 긍정할 것인지가 문제이다. 이는 집합동산의 양도담보에 관한 논의로 결부된다.

(3) 집합동산의 양도담보

1) 유효성

일반적으로 일단의 증감 변동하는 동산을 하나의 물건으로 보아 이를 채권담보의 목적으로 삼으려는 이른바 집합물에 대한 양도담보설정계약 체결도 가능하며 이 경우 그 목적 동산이 담보설정자의 다른 물건과 구별될 수 있도록 그 종류, 장소 또는 수량지정 등의 방법에 의하여 특정되어 있으면 그 전부를 하나의 재산권으로 보아 이에 유효한 담보권의 설정이 된 것으로 볼 수 있다(대판 1990.12.26, 88다카20224).

2) 유동집합물에 대한 양도담보의 효력

집합물에 대한 양도담보권설정계약이 이루어지면 그 집합물을 구성하는 개개의 물건이 변동되거나 변형되더라도 한 개의 물건으로서 동일성을 잃지 아니하므로 양도담보권의 효력은 항상 현재의 집합물 위에 미치는 것이고, 따라서 양도담보권자가 담보권설정계약 당시 존재하는 집합물을 점유개정의 방법으로 그 점유를 취득하면 그 후 양도담보 설정자가 그 집합물을 이루는 개개의 물건을 반입하였다 하더라도 그때마다 별도의 양도담보권 설정계약을 맺거나 점유개정의 표시를 하여야 하는 것은 아니다(대판 1990.12.26, 88다카20224).

판례 연구 관련판례 정리

[1] 성장을 계속하는 어류일지라도 기본적으로는 원자재, 제품의 원료, 재고상품과 달리 볼 이유가 없고 집합물양도담보의 대상이 될 수 있으므로 양만장 내 뱀장어의 전부에 대한 양도담보계약은 담보목적물이 특정되었기 때문에 담보계약은 유효하다(대판 1990.12.26, 88다카20224).

[2] 돈사에서 대량으로 사육되는 돼지를 집합물에 대한 양도담보의 목적물로 삼은 경우, 위 양도담보권의 효력은 양도담보설정자로부터 이를 양수한 양수인이 당초 양수한 돈사 내에 있던 돼지들 및 통상적인 양돈방식에 따라 그 ① 돼지들을 사육・관리하면서 돼지를 출하하여 얻은 수익으로 새로 구입하거나 그 돼지와 교환한 돼지 또는 그 돼지로부터 출산시켜 얻은 새끼돼지에 한하여 미치는 것이지, ② 양수인이 별도의 자금을 투입하여 반입한 돼지에까지는 미치지 않는다(대판 2004.11.12, 2004다22858). ★

[3] 특별한 사정이 없는 한 목적물에 대한 사용수익권은 양도담보설정자에게 있는 것이고, 그 천연과실의 수취권은 원물인 돼지의 사용수익권을 가지는 양도담보설정자에게 귀속되는 것이므로, 당사자 사이에 달리 특별한 약정이 없는 한 천연과실은 양도담보의 효력이 미치지 않는다(대판 1996.9.10, 96다25463). ★

제3절 부동산과 동산

> 제99조 【부동산, 동산】
> ① 토지 및 그 정착물은 부동산이다.
> ② 부동산 이외의 물건은 동산이다.

1. 부동산

(1) 토지

1) 토지의 개수

토지의 개수는 지적법에 의한 지적공부상의 토지의 필수를 표준으로 하여 결정되는 것으로서 1필지의 토지를 수필의 토지로 분할하여 등기하려면 지적법이 정하는 바에 따라 먼저 지적공부 소관청에 의하여 지적측량을 하고 그에 따라 필지마다 지번, 지목, 경계 또는 좌표와 면적이 정하여진 후 지적공부에 등록되는 등 분할의 절차를 밟아야 되고, 가사 등기부에만 분필의 등기가 이루어졌다고 하여도 이로써 분필의 효과가 발생할 수는 없다(대판 1995.6.16, 94다4615).

2) 토지의 일부

토지의 일부는 분필절차를 밟기 전에 그것을 양도할 수 없으나, 지상권・전세권 등의 용익물권은 분필절차를 밟지 않아도 1필의 토지 일부 위에 설정될 수 있다.

(2) 토지의 정착물

1) 의의

토지의 정착물이란 토지에 고정적으로 부착되어 쉽게 이동될 수 없는 물건을 말한다. 토지의 정착물은 모두 부동산이다. 다만 이 가운데에는 토지와 독립된 부동산으로 취급되는 것(독립 정착물 : 예 건물)도 있고, 토지의 일부에 불과한 것(종속 정착물 : 예 돌담・도로의 포장)과 원래는 토지의 일부에 지나지 않으나 공시방법을 갖춘 경우에는 토지와 독립된 부동산으로 취급되는 것(반독립 정착물 : 예 수목・미분리과실)이 있다.

2) 건물

건물은 토지와는 별개의 부동산이다. 건축의 진행단계에서 어느 순간 토지로부터 독립한 건물이 되는가에 대해서는 '사회통념'에 따라 판단할 수밖에 없는데, 판례는 최소한의 기둥과 지붕, 주벽이 이루어진 때라고 본다(대판 1986.11.11, 86누173).

판례 연구 관련판례 정리

[1] 미완성의 아파트를 인도받아 건축함에 의하여 그 소유권을 원시취득한 것이라고 하기 위하여는 아직 사회통념상 건물이라고 볼 수 있는 형태와 구조를 갖추지 못한 정도의 아파트를 넘겨 받아 이를 건물로 완성하였음을 필요로 한다(대판 1984.9.25, 83다카1858).

★ 비교판례 – 사회통념상 독립한 건물이라고 볼 수 있는 미완성 건물을 인도받아 완공한 경우, 원시취득자는 원래의 건축주이다(대판 2003.5.30, 2002다21592·21608).

[2] 신축 건물이 경락대금 납부 당시 이미 지하 1층부터 지하 3층까지 기둥, 주벽 및 천장 슬라브 공사가 완료된 상태이었을 뿐만 아니라 지하 1층의 일부 점포가 일반에 분양되기까지 하였다면, 비록 토지가 경락될 당시 신축 건물의 지상층 부분이 골조공사만 이루어진 채 벽이나 지붕 등이 설치된 바가 없다 하더라도, 지하층 부분만으로도 구분소유권의 대상이 될 수 있는 구조라는 점에서 신축 건물은 경락 당시 미완성 상태이기는 하지만 독립된 건물로서의 요건을 갖추었다(대판 2003.5.30, 2002다21592·21608).

[3] 건물 신축의 공사가 진행되다가 독립한 부동산인 건물로서의 요건을 아직 갖추지 못한 단계에서 중지된 것을 제3자가 이어받아 계속 진행함으로써 별개의 부동산인 건물로 성립되어 그 소유권을 원시취득한 경우에 그로써 애초의 신축 중 건물에 대한 소유권을 상실한 사람은 민법 제261조, 제257조, 제259조를 준용하여 건물의 원시취득자에 대하여 부당이득 관련 규정에 기하여 그 소유권의 상실에 관한 보상을 청구할 수 있다(대판 2010.2.25, 2009다83933).

★ 독립성에 관한 판례

[1] 미분리의 천연과실과 수목의 집단은 토지의 일부이지만 명인방법을 갖춘 경우에는 독립한 부동산이다(대판 1977.4.12, 76도2887). ★

[2] 시설부지에 정착된 레일은 사회통념상 그 부지에 계속적으로 고착되어 있는 상태에서 사용된 시설의 일부에 해당하는 물건이다(대결 1972.7.27, 72마741). 또한 건물의 옥개부분(대판 1960.8.18, 4292민상859)과 논의 논둑(대판 1964.6.23, 64다120)도 구성부분에 해당하며 독립한 물건이 되지 않는다고 한다.

[3] 아무런 권원 없이 타인의 토지에서 경작·재배한 경우에는 명인방법을 갖추지 않았다 하더라도 그 농작물의 소유권은 경작자에게 있다(대판 1963.2.21, 62다913). ★

[4] 각 점포의 경계나 특정을 위한 칸막이나 차단시설이 설치되어 있지 않은 어시장 건물 내의 각 점포는 어시장으로 이용되고 있다는 이용상의 특성을 감안하여도 구조상의 독립성을 갖추었다고 볼 수 없으므로 독립한 소유권의 객체로 인정할 수 없다(대판 1995.6.9, 94다40239).

[5] 바다에 인접한 토지가 유실되어 바닷물에 잠기게 되더라도 과다한 비용을 요하지 아니하고 원상복구가 가능하다면 아직 종전 소유권이 소멸하였다고는 보기 어렵다(대판 1972.9.26, 71다2488; 대판 1995.8.25, 95다18659). → 토지소유권의 상실 원인이 되는 포락이라 함은 토지가 바닷물이나 하천법상의 적용 하천의 물에 개먹어 무너져 바다나 적용 하천에 떨어져 그 원상복구에 과다한 비용이 요하는 등 사회통념상 불가능한 상태에 이르렀을 때를 말하고, 그 원상회복의 불가능 여부는 포락 당시를 기준으로 결정되어야 한다. (따라서) 해변에 있는 토지가 1972년 이전부터 바닷물에 잠겨 있었고, 그러한 상태로 계속 방치되어 오다가 1988년경 하구둑 건설을 위하여 방파제를 축조하면서 성토된 것이라면, 그 토지는 1972년 이전부터 포락되었고 이러한 상태가 일시적이 아니고 장기간 계속된 것으로 보아, 현재와 같은 대규모적인 장비와 인력의 동원이 어려웠던 당시로서는 과다한 비용을 들이지 않고는 그 복구가 매우 어렵게 되었다고 할 것이니, 포락으로 당시에 이미 그 토지에 관한 소유권은 소멸된 것으로 봄이 타당하다.

2. 동산

부동산 이외의 물건은 동산이다. 다만 금전은 동산의 일종이기는 하지만 개성을 갖고 있지 않고 가치 그 자체이기 때문에 동산에 관한 규정이 금전에는 적용되지 않는 경우가 많다. 특히 금전이 있는 곳에 소유가 있으므로, 금전을 도난당한 경우에는 소유권에 기한 물권적 반환청구권(제213조)이 인정되는 것이 아니라, 채권으로서 부당이득반환청구 또는 불법행위로 인한 손해배상청구권이 인정된다.

제4절 주물과 종물

> 제100조【주물, 종물】
> ① 물건의 소유자가 그 물건의 상용에 공하기 위하여 자기소유인 다른 물건을 이에 부속하게 한 때에는 그 부속물은 종물이다.
> ② 종물은 주물의 처분에 따른다.

1. 의의

물건의 소유자가 그 물건의 상용(常用)에 공(供)하기 위하여 자기소유인 다른 물건을 이에 부속하게 한 때에는 그 물건을 '주물'이라 하고, 주물에 부속된 다른 물건을 '종물'이라고 한다.

2. 종물의 요건

(1) 주물의 상용에 공할 것

계속적으로 주물의 경제적 효용을 도와야 한다. 어느 건물이 주된 건물의 종물이기 위하여는 주된 건물의 경제적 효용을 보조하기 위하여 계속적으로 이바지되어야 하는 관계가 있어야 한다(대판 1988.2.23, 87다카600). → 폐수처리시설이 공장저당법에 의하여 근저당권이 설정된 공장 토지와 그에 인접한 공장 토지가 아닌 타인 소유의 토지에 걸쳐서 설치되어 있는 경우, 주물의 소유자나 이용자의 상용에 공여되고 있더라도 주물 그 자체의 효용과 직접 관계가 없는 물건은 종물이 아니다(대판 1997.10.10, 97다3750).

(2) 장소적 밀접성

"상용에 공한다"는 의미는 사회통념상 계속하여 주물의 효용을 완성시키는 작용을 한다고 인정되는 종류의 물건이고 또 특정의 주물에 부속된다고 인정될 만한 장소적 관계에 있어야 한다는 것을 의미한다(대판 1988.2.23, 87다카600).

(3) 독립한 물건

종물이 주물의 구성부분이거나, 주종이 합하여 단일물이나 합성물인 경우는 종물이 아니며, 주물·종물은 모두 동산이건 부동산이건 상관없다(→ 주유소의 주유기, 백화점 내의 전화교환설비, 횟집건물 내의 수족관, 양수시설). 정화조는 건물의 대지가 아닌 다른 필지의 지하에 설치되어 있다 하더라도 독립된 물건인 종물이라기보다 건물의 구성부분이다(대판 1993.12.10, 93다42399).

(4) 동일 소유자 여부

원칙적으로 주물, 종물 모두 동일한 소유자에 속하여야 한다.

판례 연구 **관련판례 정리**

☑ **종물의 인정** 例(**판례**)

[1] 주유소의 주유기는 계속해서 주유소 건물 자체의 경제적 효용을 다하게 하는 작용을 하고 있으므로 주유소건물의 상용에 공하기 위하여 부속시킨 종물이다(대판 1995.6.29, 94다6345). ★ 단, 유류저장탱크는 토지의 부합물이다(대판 1995.6.29, 94다6345). 그런데 최근 이와 상반되는 판결이 있다. 즉 판례는 甲이 토지소유자 乙에게서 토지를 임차한 후 주유소 영업을 위하여 지하에 유류저장조를 설치한 사안에서, 유류저장조의 매설 위치와 물리적 구조, 용도 등을 감안할 때 이를 토지로부터 분리하는 데에 과다한 비용을 요하거나 분리하게 되면 경제적 가치가 현저히 감소되므로 토지에 부합된 것으로 볼 수 있으나, 사실상 분리복구가 불가능하여 거래상 독립한 권리의 객체성을 상실하고 토지와 일체를 이루는 구성부분이 되었다고는 보기 어렵고, 또한 甲이 임차권에 기초하여 유류저장조를 매설한 것이므로, 위 유류저장조는 민법 제256조 단서에 의하여 설치자인 임차인 甲의 소유에 속한다고 하였다(대판 2012.1.26, 2009다76546). ★★

[2] 백화점 지하에 설치된 전화교환설비는 백화점건물의 종물이다(대판 1993.8.13, 92다43142). ★

[3] 호텔의 각 방실에 시설된 텔레비전, 전화기, 호텔세탁실에 시설된 세탁기, 탈수기, 드라이클리닝기, 호텔주방에 시설된 냉장고 제빙기, 호텔방송실에 시설된 브이티알(비디오), 앰프 등이 포함되어 있는 사실이 인정되는 바 위 사실관계에 의하면 적어도 위에 적시한 물건들에 관한 한 위 물건들이 위 호텔의 경영자나 이용자의 상용에 공여됨은 별론으로 하고 주물인 같은 제1,2목록 기재부동산 자체의 경제적 효용에 직접 이바지 하지 아니함은 경험칙상 명백하므로 위 부동산에 대한 종물이라고는 할 수 없다(대판 1985.3.26, 84다카269 판결이유 중). ★

[4] 횟집으로 사용할 점포건물에 신축한 수족관은 점포건물의 종물이다(대판 1993.2.12, 92도3234). ★

[5] 낡은 가재도구 등의 보관장소로 이용되는 방, 연탄창고, 공동변소 등은 본체에서 떨어져 축조되어 있어도 본체의 종물이다(대판 1991.5.14, 91다2779). 또한, 농지에 부속한 양수시설도 종물성이 있다(대판 1967.3.7, 66누176). ★★

3. 종물의 효과

(1) 처분에 있어 수반성(제100조 제2항)

1) 의의

종물은 주물의 처분에 따른다. 이때 처분은 물권적 처분뿐만 아니라 채권적 처분도 포함하므로 소유권양도, 저당권설정뿐만 아니라 매매, 임대차 등을 의미한다. 판례는 압류와 같은 공법상의 처분의 경우에도 처분의 수반성 원칙을 관철한다. 즉, 구분건물의 대지사용권은 전유부분과 종속적 일체불가분성이 인정되는 점 등에 비추어 볼 때, 구분건물의 전유부분에 대한 소유권보존등기만 경료되고 대지지분에 대한 등기가 경료되기 전에 전유부분만에 대해 내려진 가압류결정의 효력은, 대지사용권의 분리처분이 가능하도록 규약으로 정하였다는 등의 특별한 사정이 없는 한, 종물 내지 종된 권리인 그 대지권에까지 미친다고 본다(대판 2006.10.26, 2006다29020).

2) 주물 위에 저당권이 설정된 경우

종물의 설치시기는 저당권설정 전후를 불문하고 저당권의 효력이 종물에도 미친다(제358조 본문).

3) 주물 위에 질권이 설정된 경우

물권변동에 관한 형식주의 원칙상 종물이 인도된 경우에 한하여 질권의 효력은 종물에도 미친다.

4) 종물에 대한 공시의 문제

종된 권리가 물권이라면 물권취득의 공시방법을 갖추어야 한다. 지상권이 존재하는 건물의 매수인이 지상권을 취득하기 위해서는 건물의 이전등기와 함께 지상권의 이전등기도 경료할 것을 요한다(대판(전) 1985.4.9, 84다카1131·1132). 즉, 종물은 주물의 처분에 따른다는 제100조 제2항의 규정은 물건의 경제적 효용의 관점에서 주물, 종물을 하나의 집합물로서 다룬다는 취지일 뿐이고 물권변동에서 요구되는 공시방법은 이와 별개로 갖추어야 한다.

(2) 제100조 제2항 규정의 성격

제100조 제2항은 강행규정이 아닌 임의규정이므로 당사자의 약정에 의하여 종물만의 처분도 가능하다(대판 2012.1.26, 2009다76546).

4. 종물이론의 유추적용

1) 종물이론은 권리상호 간에 유추적용된다. 따라서 건물이 양도되면 그 건물을 위한 대지의 임차권도 건물의 양수인에게 이전하며, 원본채권이 양도되면 기본적 이자채권도 원본채권과 운명을 같이한다.

2) "저당권의 효력은 저당부동산에 부합된 물건과 종물에 미친다"는 제358조 본문의 규정은 저당부동산에 관한 종된 권리에도 유추적용되어서, 건물에 대한 저당권의 효력은 그 건물의 소유를 목적으로 하는 지상권에도 미친다(대판 1992.7.14, 92다527).

3) 건물에 대한 저당권의 효력은 건물의 종된 권리인 지상권에도 미치므로 경락인은 등기 없이 지상권도 취득하고, 이 건물을 제3자에 양도한 때에는 건물과 함께 지상권도 양도한 것으로 봄이 상당하며 이때 경락인으로부터 건물을 양도받은 자는 등기를 하여야 건물소유권 및 지상권을 취득하게 된다(대판 1996.4.26, 95다52864).

4) 구분건물의 대지권은 전유부분에 대한 종된 권리이다. 판례에 따르면 구분건물의 대지권을 구분건물의 전유부분에 종된 권리로 파악하여 구분건물의 전유부분만에 관하여 설정된 저당권의 효력은 대지권의 분리처분이 가능하도록 규약으로 정하는 등의 특별한 사정이 없는 한, 그 전유부분의 소유자가 사후라도 대지권을 취득함으로써 전유부분과 대지권이 동일 소유자의 소유에 속하게 되었다면 그 대지사용권에까지 미친다. 따라서 전유부분에 저당권을 설정한 자는 대지권과 함께 경매를 청구할 수 있다(대판 2001.9.4, 2001다22604). 여기의 대지사용권에는 지상권 등 용익권 이외에 대지소유권도 포함되는 것이다(대결 2005.11.14, 2004그31).

판례 연구 관련판례 정리

[1] 민법 제100조는 종물에 관하여 '자기 소유인 다른 물건'이라고 규정하고 있어 종물이 주물 소유자의 소유물인 것을 전제로 하고 있지만, 종물이 타인의 소유라고 하더라도 그 타인의 권리를 해하지 아니하는 범위에서 민법 제100조가 적용된다고 할 것이고, 따라서 주물이 처분된 경우에 종물의 소유자가 동의 또는 추인하거나, 종물이 동산인 경우에 상대방이 선의취득의 요건을 갖추면 종물의 소유권을 취득하게 되는 것이며, 또한 동산의 선의취득을 주장하는 자는 점유취득 시에 무과실이었다는 점을 주장·입증하여야 한다(대판 2002.2.5, 2000다38527).

★ 정리 – 종물은 물건의 소유자가 그 물건의 상용에 공하기 위하여 자기 소유인 다른 물건을 이에 부속하게 한 것을 말하므로(민법 제100조 제1항), 주물과 다른 사람의 소유에 속하는 물건은 종물이 될 수 없다(대판 2008.5.8, 2007다36933·36940). ★★ 다만 종물이 주물 소유자의 소유가 아니어도 타인의 권리를 해하지 않는 범위 내에서 종물에 관한 제100조가 적용된다(대판 2002.2.5, 2000다38527 참조).

[2] 저당권의 실행으로 부동산이 경매된 경우에 그 부동산에 부합된 물건은 그것이 부합될 당시에 누구의 소유이었는지를 가릴 것 없이 그 부동산을 낙찰받은 사람이 소유권을 취득하지만, 그 부동산의 상용에 공하여진 물건일지라도 그 물건이 부동산의 소유자가 아닌 다른 사람의 소유인 때에는 이를 종물이라고 할 수 없으므로 부동산에 대한 저당권의 효력에 미칠 수 없어 부동산의 낙찰자가 당연히 그 소유권을 취득하는 것은 아니며, 나아가 부동산의 낙찰자가 그 물건을 선의취득하였다고 할 수 있으려면 그 물건이 경매의 목적물로 되었고 낙찰자가 선의이며 과실 없이 그 물건을 점유하는 등으로 선의취득의 요건을 구비하여야 한다(대판 2008.5.8, 2007다36933·36940). ★★

[3] 구분건물의 대지사용권은 전유부분과 종속적 일체불가분성이 인정되는 점 등에 비추어 볼 때, 구분건물의 전유부분에 대한 소유권보존등기만 경료되고 대지지분에 대한 등기가 경료되기 전에 전유부분만에 대해 내려진 가압류결정의 효력은, 대지사용권의 분리처분이 가능하도록 규약으로 정하였다는 등의 특별한 사정이 없는 한, 종물 내지 종된 권리인 그 대지권에까지 미친다고 보아야 할 것이다(대판 2006.10.26, 2006다29020). ★★

[4] 토지 지하에 설치된 유류저장탱크와 건물에 설치된 주유기가 토지에 부합되거나 건물의 상용에 공하기 위하여 부속시킨 종물로서 토지 및 건물에 대한 경매의 목적물이 된다(대결 2000.10.28, 2000마5527).

[5] 저당권은 법률에 특별한 규정이 있거나 설정행위에 다른 약정이 있는 경우를 제외하고 그 저당 부동산에 부합된 물건과 종물 이외에까지 그 효력이 미치는 것이 아니므로, 토지에 대한 경매절차에서 그 지상 건물을 토지의 부합물 내지 종물로 보아 경매법원에서 저당 토지와 함께 경매를 진행하고 경락허가를 하였다고 하여 그 건물의 소유권에 변동이 초래될 수 없다(대판 1997.9.26, 97다10314). ★★

제5절 원물과 과실

제101조【천연과실, 법정과실】
① 물건의 용법에 의하여 수취하는 산출물은 천연과실이다.
② 물건의 사용대가로 받은 금전 기타의 물건은 법정과실로 한다.
제102조【과실의 취득】
① 천연과실은 그 원물로부터 분리하는 때에 이를 수취할 권리자에게 속한다.
② 법정과실은 수취할 권리의 존속기간일수의 비율로 취득한다.

물건으로부터 생기는 수익을 과실이라 하고 이와 같은 과실을 생기게 하는 물건을 원물이라 한다. 민법은 과실로서 천연과실과 법정과실을 인정하고 있다.

1. 천연과실

(1) 의의

1) 천연과실이란 물건의 용법에 의하여 수취되는 산출물을 말하는데, 여기서 "물건의 용법에 의하여"란 원물의 경제적 용도에 따른다는 것을 의미한다.

2) "산출물"이란 자연적・유기적으로 생산되는 물건(예 열매, 우유, 가축의 새끼, 양모)과 인공적・무기적으로 생산되는 것(예 석재, 토사)도 포함한다.

(2) 천연과실의 귀속

1) 천연과실은 그 원물로부터 분리하는 때에 이를 수취할 권리자에게 속한다. 보통은 원물의 소유자가 과실수취권을 가지나, 예외적으로 선의의 점유자(제201조), 지상권자(제279조), 전세권자(제303조), 사용차주(제609조), 임차인(제618조) 등에게 과실수취권이 인정된다.

2) 다만 유치권자, 질권자, 저당권자 등은 과실을 가지고 변제에 충당할 수 있는 변제충당권을 가지며 압류가 있은 후 담보권의 효력이 과실에 미치는 것에 불과하므로 다른 수취권자들과는 그 성질을 달리한다.

3) 제102조 제1항은 강행규정이 아니라 임의규정이므로 귀속관계는 특약으로 달리 정할 수 있다.

2. 법정과실

1) 법정과실이란 물건의 사용대가로 받는 금전 기타의 물건을 말한다. 건물사용의 대가인 차임, 토지사용의 대가인 지료, 금전사용의 대가인 이자 등이 이에 해당한다.
2) 법정과실은 수취할 권리의 존속기간일수의 비율로 취득한다. 제102조 제2항도 임의규정이다.

3. 사용이익

물건을 현실적으로 사용하여 얻은 이익을 사용이익이라고 하는데, 이러한 사용이익은 그 실질이 과실과 다르지 않으므로 과실에 관한 규정이 유추적용된다. 판례 역시 "건물을 사용함으로써 얻는 이득은 법정과실에 준하여 보아야 하므로 선의로 건물을 점유하고 있던 자는 과실을 취득(민법 제201조 제1항에 의하여 선의의 점유자는 과실을 취득한다)하고 부당이득반환의무는 발생하지 않는다."고 하였다(대판 1996.1.26, 95다44290).

chapter

05 권리의 변동

제1절 총설

Ⅰ. 권리의 변동

권리의 발생 · 변경 · 소멸을 권리의 변동이라 말하며, 이러한 권리변동을 권리주체의 관점에서 파악하면 권리의 취득 · 변경 · 상실이 된다.

Ⅱ. 권리변동의 모습

1. 권리의 취득(발생)

(1) 원시취득

타인의 권리에 기초하지 않고 원시적으로 취득하는 것을 말한다. 이에 따르면 종전 권리에 대한 제한은 소멸하게 된다. 예 건물의 신축과 취득시효(제245조), 선의취득(제249조) 등이 이에 해당한다.

(2) 승계취득

타인의 권리에 기초로 하여 권리를 취득하는 것을 말한다. 즉, 종전 권리에 대한 제한은 존속하고, 전주의 권리 범위 내에서만 취득이 가능하며, 무권리자로부터 취득할 수 없다. 여기에는 이전적 승계(예 구권리자에 속하고 있었던 권리가 동일성을 유지하면서 신권리자에게 이전되는 것)와 설정적 승계(예 구권리자는 그대로 그의 권리를 보유하면서, 그 권리에 기초하여 제약된 새로운 권리를 발생하게 하여 이를 신권리자에게 취득하게 하는 것)가 있고, 이전적 승계는 다시 특정승계와 포괄승계로 나뉜다.

1) 포괄승계

하나의 취득원인에 의하여 다수의 권리가 일괄해서 취득되는 것을 말한다. 예 상속(제997조), 포괄유증(제1078조), 회사의 합병(상법 제235조) 등이 중요한 예이다.

2) 특정승계

개개의 권리가 각각의 취득원인(특히 계약)에 의해 취득하는 것을 말한다. 예 매매(제563조), 증여(제554조) 등의 경우가 이에 해당한다.

2. 권리의 변경

권리가 그 동일성을 유지하면서 그 주체 · 내용 · 작용에 관해 변경이 생기는 것을 말한다. 주체의 변경은 권리의 이전적 승계에 해당하고, 내용의 변경은 본래의 채권이 손해배상책임으로 전환되는 경우가 대표적이다. 그 밖에 작용의 변경에는 저당권의 순위 변경 등이 있다.

3. 권리의 소멸

권리주체로부터 권리가 떨어져 나가는 것을 말한다. 권리의 소멸은 권리 자체가 완전히 없어지는 절대적 소멸(예 목적물의 멸실로 인한 소유권의 상실 등)과 권리가 타인에게 이전되어 종래의 권리자만이 권리를 잃는 상대적 소멸(예 권리이전)이 있다.

Ⅲ. 권리변동의 원인

1. 법률요건

일정한 법률효과 내지 권리의 변동을 발생시키는 요건(원인)을 법률요건이라 한다. 그중 가장 중요한 것은 법률행위이며, 그 밖에 불법행위·부당이득 등이 있다.

2. 법률사실

(1) 의의

법률요건을 구성하는 개개의 사실을 법률사실이라고 한다. 법률요건은 유언처럼 하나의 의사표시가 법률사실인 동시에 법률요건이 되는 경우이거나, 계약처럼 청약과 승낙이라는 의사표시가 각각 법률사실을 이루고 이러한 두 개의 법률사실이 합치하여 법률요건을 이루는 것이 있다. 예 청약·승낙의 의사표시(법률사실) → 청약과 승낙의 합치로 인한 계약의 성립(법률행위 : 법률요건) → 계약의 효과발생(법률효과)

(2) 분류

1) 용태

사람의 정신작용에 기한 법률사실(용태)가 있으며, 이는 다시 의사가 외부로 나타나는 행위인 외부적 용태와 의사가 외부에 나타나지 않는 내심의 의식에 지나지 않는 내부적 용태(선의·악의, 소유의 의사 등)로 구분된다. 외부적 용태는 다시 적법행위와 위법행위(채무불이행과 불법행위)로 나뉜다. 이 중 적법행위에는 법률행위와 준법률행위가 있으며, ① 법률행위는 의사표시를 본질적 요소로 하여 당사자가 의욕한 대로 법률효과가 발생하는 것임에 반해, ② 준법률행위는 표의자의 의사와 관계없이 법률규정에 의해 일정한 법률효과가 발생하는 것을 말한다(예 대표적으로 표현행위 중 각종 최고나 거절과 같이 자기의 의사를 표시하는 의사의 통지와 시효중단사유로서의 채무승인과 같이 일정한 사실을 알리는 행위인 관념의 통지 등이 이에 해당한다).

2) 사건

사람의 정신작용에 의하지 않는 법률사실로서 사람의 출생과 사망·실종·시간의 경과 등이 이에 해당한다.

제2절 법률행위

제1관 법률행위 일반론

Ⅰ. 법률행위의 의의 및 종류

1. 의의

법률행위란 일정한 법률효과의 발생을 목적으로 하는 하나 또는 수 개의 의사표시를 본질적 요소로 하는 법률요건을 말한다. 이와 같은 법률행위는 사적 자치, 특히 개인에게 자기의 법률관계를 그의 자유로운 의사에 따라 형성할 수 있는 원칙을 구현하는 법률적 수단이 된다.

2. 종류

(1) 단독행위 · 계약 · 합동행위

1) 단독행위는 1개의 의사표시만으로 성립하는 법률행위로서, 상대방의 존재 유무를 기준으로 상대방 있는 단독행위(예 취소, 상계, 해제, 추인 등)와 상대방 없는 단독행위(예 재단법인의 설립행위, 유언, 권리의 포기 등)로 나뉜다.

2) 계약이란 2인 이상의 당사자의 「청약」과 「승낙」이라는 서로 대립하는 의사표시의 합치로 성립하는 법률행위이다(예 매매계약 등).

3) 합동행위는 같은 방향의 수 개의 의사표시가 합치함으로써 성립하는 법률행위(통설)를 말하는데, 사단법인의 설립행위가 그 예로 언급되고 있다. 단 그 개념을 부정하는 견해도 있다.

(2) 채권행위 · (준)물권행위

채권행위란 채권을 발생시키는 법률행위를 말한다. 채권은 채무자에 대해 일정한 급부를 해야 할 의무를 발생시킨다는 점에서, 채권행위를 의무부담행위라고도 한다. 반면 물권의 변동을 목적으로 하는 의사표시를 요소로 성립하는 법률행위를 물권행위라고 한다(준물권행위는 물권 이외의 권리를 종국적으로 변동시키는 법률행위를 말한다). (준)물권행위는 채권행위와 달리 이행의 문제를 남기지 않는다는 점에서 법률적 처분행위라고도 한다.

처분행위와 처분수권

[1] 처분행위는 기존의 권리에 대한 변동의 효과를 가져오는 행위로서 소유권의 이전과 채권의 양도, 제한물권의 설정, 권리의 포기, 채무인수 등이 이에 해당한다. 이와 같은 처분행위에 의해 직접 권리의 변경이 생기는 것이므로(다만 물권변동에서는 공시방법을 갖출 것이 요청된다), 채권행위와 다른 다음과 같은 특색이 있다. ① 처분행위가 유효하려면 행위자에게 처분권한이 있어야 한다. 처분권한은 원칙적으로 소유자가 가지지만 소유자가 제3자에게 처분권을 수여할 수 있고(이른바 처분수권), 소유자이지만 법률에 의해 처분권한이 없게 되는 경우도 있다(예 압류 · 가압류 · 가처분 등이 있는 경우). ② 처분권한 없는 자의 처분행위는 원칙적으로

무효이다. 다만 권리자의 추인이나 동산의 경우라면 선의취득 또는 제3자 보호규정(제107조 제2항 ~ 제110조 제3항, 제548조 제1항 단서)에 의해 예외적으로 유효일 수 있다.

[2] 다양한 원인에 기해 처분수권이 행하여질 수 있다(예 소유권유보부 매매에서 매도인이 매수인에게 처분수권을 하는 경우). ① 이와 같이 소유자가 제3자에게 처분수권을 하는 경우라도 그 수권에 기하여 행하여진 제3자의 처분행위(부동산의 경우에 처분행위가 유효하게 성립하려면 단지 양도 기타의 처분을 한다는 의사표시만으로는 부족하고, 처분의 상대방 앞으로 그 권리 취득에 관한 등기가 있어야 한다. 민법 제186조 참조)가 대세적으로 효력을 가지게 되고 그로 말미암아 소유자가 소유권을 상실하거나 제한받게 될 수는 있다고 하더라도, 그러한 제3자의 처분이 실제로 유효하게 행하여지지 아니하고 있는 동안에는 소유자는 처분수권이 제3자에게 행하여졌다는 것만으로 그가 원래 가지는 처분권능에 제한을 받지 아니한다(대판 2014.3.13, 2009다105215). 또한 ② 처분수권을 받은 자는 법률행위의 당사자로서 「자기 이름으로」 법률행위를 한다는 점에서, 본인의 이름으로 법률행위를 하고 그 효과도 본인에게 귀속하게 되는 대리와 다르다.

(3) 출연행위 · 비출연행위

1) 유상행위 · 무상행위

자기의 출연(出捐)에 대하여 상대방으로부터도 그것에 대응하는 대가적 출연을 받는 경우를 유상행위라 하고, 그렇지 않은 것이 무상행위이다. 예 매매, 임대차 등은 유상행위이고, 증여, 사용대차 등은 무상행위이다.

2) 유인행위 · 무인행위

모든 출연행위에는 출연을 하게 된 원인이 존재하는데, 이러한 원인이 무효 · 취소로 존재하지 않게 되면 그 출연행위도 효력을 상실하게 되는 유인행위와 출연의 원인이 존재하지 않더라도 출연행위는 여전히 유효한 채로 남게 되는 무인행위가 있다.

(4) 주된 행위와 종된 행위

법률행위가 유효하게 성립하기 위하여 다른 법률행위의 존재를 전제로 하는 법률행위를 종된 행위라 하고, 그 전제가 되는 행위를 주된 행위라고 한다. 종된 행위는 주된 행위와 통상 법률상 운명을 같이 한다(예 피담보채권을 발생시키는 행위인 소비대차계약은 주된 행위이고, 그 피담보채권을 담보하기 위하여 저당권을 설정하는 행위는 종된 행위이다. 따라서 피담보채권이 소멸하면 저당권도 당연히 소멸한다).

Ⅱ. 법률행위의 요건

법률행위가 당사자가 원한대로 그 효과를 발생하려면 일정한 요건이 구비되어야 하는데, 그 요건은 '성립요건'과 '효력요건'으로 나뉜다. 전자는 법률행위의 '존재'가 인정되기 위해 요구되는 최소한의 외형적 · 형식적 요건이고, 후자는 이미 성립한 법률행위가 '법률상 효력'을 발생하는 데에 필요한 요건이다.

1. 법률행위의 성립요건

법률행위가 성립하려면 ① 「당사자, 목적, 의사표시」라는 일반적 성립요건과 ② 개별적인 법률행위에서 요구되는 특별성립요건(예 혼인에 있어서의 신고, 법인에 있어서의 설립등기, 유언에서의 방식 등)이 존재하여야 한다.

2. 법률행위의 효력요건

1) 성립된 법률행위가 유효하게 효력을 발생하기 위해서는 일반적 효력요건으로서 ① 당사자에게 의사능력 · 행위능력이 존재하고, ② 법률행위의 목적이 확정 · (실현)가능 · 적법성 · 사회적 타당성을 갖추어야 하며, ③ 의사표시에 관해 의사와 표시가 일치하고 사기 · 강박에 의한 의사표시가 아니어야 한다.
2) 개개의 법률행위에 특유한 효력요건으로서 특별효력요건이 있다. 예 미성년자의 법률행위에 있어서 법정대리인의 동의, 대리행위에 있어서 대리권의 존재, 조건부 · 기한부 법률행위에 있어서 조건의 성취 · 기한의 도래, 토지거래허가제에서 관할관청의 허가 등을 들 수 있다.

III. 법률행위의 해석

> 제106조 【사실인 관습】
> 법령중의 선량한 풍속 기타 사회질서에 관계없는 규정과 다른 관습이 있는 경우에 당사자의 의사가 명확하지 아니한 때에는 그 관습에 의한다.

1) 법률행위의 해석은 당사자가 표시행위에 부여한 객관적인 의미를 명백하게 확정하는 것으로서, 당사자가 표시한 문언에 의하여 객관적인 의미가 명확하게 드러나지 아니하는 경우에는 문언 내용과 법률행위가 이루어지게 된 동기 및 경위, 당사자가 법률행위에 의하여 달성하려고 하는 목적과 진정한 의사, 거래관행 등을 종합적으로 고찰하여 사회정의와 형평의 이념에 맞도록 논리와 경험의 법칙 그리고 사회일반의 상식과 거래의 통념에 따라 합리적으로 해석하여야 한다(대판 2013.7.11, 2011다101483). 특히 당사자 일방이 주장하는 법률행위의 내용이 상대방의 권리의무관계에 중대한 영향을 초래하게 되는 경우에는 더욱 엄격하게 해석하여야 한다(대판 2018.7.24, 2017다242959).
2) 계약의 당사자가 누구인지는 그 계약에 관여한 당사자의 의사해석의 문제이고, 타인 명의로 계약을 체결하는 경우 계약을 체결한 자와 상대방의 의사가 일치한다면 그 일치된 의사대로 당사자를 확정하면 된다(대판 1998.3.13, 97다22089 등). → [오표시 무해의 원칙] : 표의자가 표시를 잘못하였으나 당사자 간에 진의(의사)가 일치하는 경우 법률행위는 당사자가 실제로 이해한 대로 성립한다는 이론이다. 이는 잘못된 표시는 해가 되지 않는다는 것으로 법률행위의 해석방법 중 자연적 해석에 해당한다.

계약당사자가 누구인지 확정하는 방법 및 당사자 사이에 법률행위의 해석을 둘러싸고 이견이 있어 당사자의 의사해석이 문제 되는 경우, 법률행위를 해석하는 방법

일반적으로 계약의 당사자가 누구인지는 계약에 관여한 당사자의 의사해석의 문제에 해당한다. 당사자 사이에 법률행위의 해석을 둘러싸고 이견이 있어 당사자의 의사해석이 문제가 되는 경우에는 법률행위의 내용, 그러한 법률행위가 이루어진 동기와 경위, 법률행위에 의하여 달성하려는 목적, 당사자의 진정한 의사 등을 종합적으로 고찰하여 논리와 경험칙에 따라 합리적으로 해석하여야 한다(대판 2019.1.17, 2016다256999).[12]

매매계약의 당사자가 목적물의 지번에 관하여 착오를 일으켜 계약서상 목적물을 잘못 표시한 경우 그 매매계약의 목적물 ★

부동산의 매매계약에 있어 쌍방 당사자가 모두 특정의 Y 토지를 계약의 목적물로 삼았으나 그 목적물의 지번 등에 관하여 착오를 일으켜 계약을 체결함에 있어서는 계약서상 그 목적물을 Y 토지와는 별개인 X 토지로 표시하였다 하여도, Y 토지에 관하여 이를 매매의 목적물로 한다는 쌍방 당사자의 의사합치가 있은 이상 그 매매계약은 Y 토지에 관하여 성립한 것으로 보아야 하고 X 토지에 관하여 매매계약이 체결된 것으로 보아서는 안 될 것이며, 만일 X 토지에 관하여 그 매매계약을 원인으로 하여 매수인 명의로 소유권이전등기가 경료되었다면 이는 원인 없이 경료된 것으로서 무효이다(대판 1996.8.20, 96다19581 · 19598).

어떠한 의무를 부담하는 내용의 기재가 있는 문면에 '최대한 노력하겠습니다.', '최대한 협조한다.' 또는 '노력하여야 한다.'고 기재되어 있는 경우, 당사자가 위 의무를 법률상 부담하겠다는 취지로 해석하여야 하는지 여부(원칙적 소극) 및 위와 같은 문구에도 불구하고 위 의무를 법적 구속력이 있는 의무라고 보아야 하는 경우 ★

어떠한 의무를 부담하는 내용의 기재가 있는 문면에 '최대한 노력하겠습니다.', '최대한 협조한다.' 또는 '노력하여야 한다.'고 기재되어 있는 경우, 특별한 사정이 없는 한 당사자가 위와 같은 문구를 기재한 의미는 문면 그 자체로 볼 때 그러한 의무를 법적으로는 부담할 수 없지만 사정이 허락하는 한 그 이행을 사실상 하겠다는 취지로 해석함이 타당하다. 당사자가 그러한 표시행위에 의하여 나타내려고 한 의사는 그 문구를 포함한 전체의 문언을 고려하여 해석해야 하는데, 그러한 의무를 법률상 부담하겠다는 의사였다면 굳이 위와 같은 문구를 사용할 필요가 없고, 위와 같은 문구를 삽입하였다면 그 문구를 의미 없는 것으로 볼 수 없기 때문이다. 다만 계약서의 전체적인 문구 내용, 계약의 체결 경위, 당사자가 계약을 체결함으로써 달성하려는 목적과 진정한 의사, 당사자에게 의무가 부과되었다고 볼 경우 이행가능성이 있는 것인지 여부 등을 종합적으로 고려하여 당사자가 그러한 의무를 법률상 부담할 의사였다고 볼 만한 특별한 사정이 인정되는 경우에는 위와 같은 문구에도 불구하고 법적으로 구속력이 있는 의무로 보아야 한다(대판 2021.1.14, 2018다223054).

---

12) 연예인인 甲 등이 연예기획사인 乙 주식회사와 전속계약을 체결하고 방송사들의 프로그램에 출연하였는데, 甲 등이 방송사들을 상대로 출연료 지급을 요청하자, 위 방송사들이 '甲 등과 乙 회사, 乙 회사의 채권양수인 및 채권자들이 출연료채권에 관한 권리를 주장하고 있어 누가 진정한 권리자인지 알 수 없다'는 이유로 각 출연료를 혼합공탁한 사안에서, 방송사들이 공탁하고 甲 등이 권리를 주장하는 프로그램 출연료에 관하여 직접 근거가 될 수 있는 출연계약서가 존재하지 않는 경우, 방송프로그램 출연계약의 당사자가 누구인지를 확정하기 위해서는 출연계약의 내용, 출연계약 체결의 동기와 경위, 출연계약에 의해 달성하려는 목적, 당사자의 진정한 의사 등을 종합적으로 고찰하여 합리적으로 해석해야 하는데, 출연계약의 특성, 출연계약 체결 당시 연예인으로서 甲 등이 갖고 있었던 영향력과 인지도, 연예기획사와의 전속의 정도 및 출연계약서가 작성되지 아니한 사정 등을 고려하면, 방송사들이 연예인인 甲 등을 출연계약의 상대방으로 하여 직접 프로그램 출연계약을 체결한다는 의사로서 행위하였다고 봄이 타당한 점 등에 비추어, 위 방송사들과의 출연계약 당사자는 甲 등이고 출연료채권이 甲 등에게 귀속된다고 한 사례이다.

3) 계약의 해석을 통하여 보충되는 당사자의 의사는 당사자의 주관적 의사가 아니라 거래관행이나 신의칙 등에 의하여 객관적으로 추인되는 의사를 의미한다(대판 2006.11.23, 2005다13288).

4) 사실인 관습은 사적자치가 적용되는 분야에서 당사자 의사가 명확하지 않고, 강행법규에 위배되지 않은 사실인 관습일 때 임의법규에 앞서 의사표시해석의 기준이 된다.

5) 처분문서는 그 성립의 진정함이 인정되는 이상 법원은 그 기재 내용을 부인할 만한 분명하고도 수긍할 수 있는 반증이 없으면 처분문서에 기재된 문언대로 의사표시의 존재와 내용을 인정하여야 한다(대판 2018.7.12, 2017다235647). 다만 처분문서의 문언의 객관적인 의미가 명확하게 드러나지 않는 경우에는 그 문언의 내용과 계약이 이루어지게 된 동기 및 경위, 당사자가 계약에 의하여 달성하려고 하는 목적과 당사자의 진정한 의사, 거래의 관행 등을 종합적으로 고찰하여 사회정의와 형평의 이념에 맞도록 논리와 경험의 법칙, 그리고 사회일반의 상식과 거래의 통념에 따라 계약내용을 합리적으로 해석하여야 한다(대판 2002.5.24, 2000다72572; 대판 2008.3.14, 2007다11996; 대판 2022.4.14, 2021다275611 등).

계약문서에 나타난 당사자의 의사를 해석하는 방법(당사자 사이에 계약의 해석을 둘러싸고 다툼이 있어 처분문서에 나타난 당사자의 의사해석이 문제 되는 경우, 처분문서를 해석하는 방법)

① 계약당사자 사이에 어떠한 계약내용을 처분문서인 서면으로 작성한 경우에 문언의 객관적인 의미가 명확하다면 특별한 사정이 없는 한 문언대로의 의사표시의 존재와 내용을 인정하여야 하고, 특히 문언의 객관적 의미와 달리 해석함으로써 당사자 사이의 법률관계에 중대한 영향을 초래하게 되는 경우에는 그 문언의 내용을 더욱 엄격하게 해석하여야 한다(대판 2023.4.13, 2022다279733 · 279740, 대판 2023.5.18, 2021다304533). ★

② 법률행위의 해석은 당사자가 그 표시행위에 부여한 객관적인 의미를 명백하게 확정하는 것이다. 계약문서에 나타난 당사자의 의사해석이 문제 되는 경우에는 문언의 내용, 약정이 이루어진 동기와 경위, 약정으로 달성하려는 목적, 당사자의 진정한 의사 등을 종합적으로 고찰하여 논리와 경험칙에 따라 합리적으로 해석하여야 한다(대판 2019.4.11, 2018다284400, 대판 2019.5.30, 2016다221429).

③ 당사자 사이에 계약의 해석을 둘러싸고 이견이 있어 처분문서에 나타난 당사자의 의사해석이 문제 되는 경우에는 문언의 내용, 약정이 이루어진 동기와 경위, 약정으로 달성하려는 목적, 당사자의 진정한 의사 등을 종합적으로 고찰하여 논리와 경험의 법칙에 따라 합리적으로 해석하여야 한다. 이 경우 문언의 객관적인 의미가 명확하다면, 특별한 사정이 없는 한 문언대로 의사표시의 존재와 내용을 인정하여야 한다(대판 2019.10.17, 2018두60588).

④ 계약에서 요구되는 일정한 요건을 갖춘 경우 어느 당사자에게 여러 가지 권리행사 방법 중 하나를 선택할 수 있는 권한이 부여되어 있다면, 계약의 해석상 그 선택의 순서가 정해져 있다는 등 특별한 사정이 없는 한 그 권한을 부여받은 자가 그중 어느 권리를 행사할지를 선택할 수 있고 다른 당사자로서는 그와 같이 선택된 권리행사를 존중하고 이에 협력하여야 한다(대판 2022.3.17, 2021다231598).

계약서가 두 개의 언어본으로 작성된 경우, 계약 해석의 방법

① 일반적으로 계약을 해석할 때에는 형식적인 문구에만 얽매여서는 안 되고 쌍방당사자의 진정한 의사가 무엇인가를 탐구하여야 한다. 계약 내용이 명확하지 않은 경우 계약서의 문언이 계약 해석의 출발점이지만, 당사자들 사이에 계약서의 문언과 다른 내용으로 의사가 합치된 경우 그 의사에 따라 계약이 성립한 것으로 해석하여야 한다. 당사자 사이에 계약의 해석을 둘러싸고 이견이 있어 당사자의 의사 해석이 문제 되는 경우에는 계약의 형식과 내용, 계약이 체결된 동기와 경위, 계약으로 달성하려는 목적, 당사자의 진정한 의사, 거래 관행 등을 종합적으로

고려하여 논리와 경험의 법칙, 그리고 사회일반의 상식과 거래의 통념에 따라 합리적으로 해석하여야 한다(대판 2021.5.27, 2017다230963, 대판 2021.11.25, 2018다260299, 대판 2022.4.14, 2017다3024, 대판 2022.7.14, 2022다225767).

② 이러한 법리는 계약서가 두 개의 언어본(예컨대, 국문과 영문)으로 작성된 경우에도 적용될 수 있다. 두 언어본이 일치하지 않는 경우 당사자의 의사가 어느 한쪽을 따르기로 일치한 때에는 그에 따르고, 그렇지 않은 때에는 위에서 본 계약 해석방법에 따라 그 내용을 확정해야 한다(대판 2021.3.25, 2018다275017).

처분문서의 해석(대판 2020.12.30, 2017다17603) ★★

[1] 당사자 사이에 법률행위의 해석을 둘러싸고 다툼이 있어 처분문서에 나타난 당사자의 의사해석이 문제 되는 경우, 처분문서를 해석하는 방법

처분문서는 그 성립의 진정함이 인정되는 이상 법원은 그 기재 내용을 부인할 만한 분명하고도 수긍할 수 있는 반증이 없으면 처분문서에 기재된 문언대로 의사표시의 존재와 내용을 인정하여야 한다. 당사자 사이에 법률행위의 해석을 둘러싸고 다툼이 있어 처분문서에 나타난 당사자의 의사해석이 문제되는 경우에는 문언의 내용, 법률행위가 이루어진 동기와 경위, 법률행위로써 달성하려는 목적, 당사자의 진정한 의사 등을 종합적으로 고찰하여 논리와 경험칙에 따라 합리적으로 해석하여야 한다.

[2] 하나의 법률관계를 둘러싸고 각기 다른 내용을 정한 여러 개의 계약서가 순차로 작성되어 있으나 당사자가 그 계약서에 따른 법률관계나 우열관계를 명확하게 정하지 않은 경우, 각 계약서의 내용 중 서로 양립할 수 없는 부분에 관하여 해석하는 방법

하나의 법률관계를 둘러싸고 각기 다른 내용을 정한 여러 개의 계약서가 순차로 작성되어 있는 경우 당사자가 그러한 계약서에 따른 법률관계나 우열관계를 명확하게 정하고 있다면 그와 같은 내용대로 효력이 발생한다. 그러나 여러 개의 계약서에 따른 법률관계 등이 명확히 정해져 있지 않다면 각각의 계약서에 정해져 있는 내용 중 서로 양립할 수 없는 부분에 관해서는 원칙적으로 나중에 작성된 계약서에서 정한 대로 계약 내용이 변경되었다고 해석하는 것이 합리적이다.

→ [사실관계] : 甲이 乙로부터 상가건물 일부를 임차하는 임대차계약을 체결하면서 임대차기간을 5년으로 정하였는데, 그 후 甲과 乙이 위 임대차계약의 내용을 변경하면서 임차면적, 임대차기간, 월차임, 특약사항에 관하여 내용이 약간씩 다른 4개의 임대차계약서를 차례로 작성한 사안에서, 세 번째로 작성된 임대차계약서가 세무서에 제출할 목적으로 허위로 작성된 사실에 대하여는 甲과 乙 사이에 다툼이 없으나, 가장 마지막으로 작성된 임대차계약서(이하 '제4 임대차계약서'라 한다)에 대하여는 乙만이 이를 허위로 작성된 이면계약서라고 주장하는데, 乙이 제출한 증거나 乙의 주장에 부합하는 취지의 사실확인서만으로는 제4 임대차계약서가 허위로 작성된 이면계약서라고 볼 수 없고, 제4 임대차계약서의 특약사항으로 임대시작일이 명시된 점 등에 비추어 甲과 乙이 임차면적을 확대하면서 임대차기간을 8년으로 연장하기로 하여 2개의 임대차계약서를 작성하였다가 다시 임대차기간을 5년으로 단축하기로 하여 제4 임대차계약서를 새로 작성한 것으로 보이므로, 제4 임대차계약서에 기재된 문언에 따라 임대차계약 기간을 위 계약서의 특약사항에서 정한 임대시작일로부터 5년이라고 본 원심판단에는 법리오해 등의 잘못이 없다고 한 사례이다.

6) 대출계약서상 채무자로 기재된 대출명의자의 의사에 따라 대출계약이 체결되었고 대출계약서의 문언대로 계약당사자 사이의 대출계약의 존재와 내용이 인정됨에도, 대출계약서의 기재 내용과 달리 대출계약서에 채무자로 표시되어 있지 않은 자를 대출의 실질적 채무자로 보는 것은 타당하지 않다(대판 2010.5.13, 2009다92487).

7) 甲이 배우자인 乙을 대리하여 금융기관과 乙의 실명확인 절차를 거쳐 乙 명의의 예금계약을 체결한 사안에서, 甲과 乙의 내부적 법률관계에 불과한 자금 출연경위, 거래인감 및 비밀번호의 등록·관리, 예금의 인출 상황 등의 사정만으로, 금융기관과 甲 사이에 예금명의자 乙이 아닌 출연자 甲을 예금계약의 당사자로 하기로 하는 묵시적 약정이 체결되었다고 보아 甲을 예금계약의 당사자라고 판단함은 잘못이다(대판(전) 2009.3.19, 2008다45828).

8) 민법 제211조는 '소유자는 법률의 범위 내에서 그 소유물을 사용, 수익, 처분할 권리가 있다.'고 규정하고 있다. 소유자의 위와 같은 소유권 행사에는 다양한 공법상 또는 사법상 제한이 따를 수 있고, 소유자 스스로의 의사에 기한 임차권 등 용익권의 설정에 의하여 소유권 행사가 제한될 수도 있다. 그러나 임대차기간 등 용익권 설정계약의 기간이 경과한 후에는 소유자가 용익권 설정으로 인한 제한으로부터 벗어나 자유롭게 소유권을 행사할 수 있는 권리가 보장되어야 하므로, 임대차기간 중의 해제·해지 의사표시에 어떠한 절차가 요구되거나 제한이 따른다고 하여 임대차기간 만료에 의한 임대차계약의 종료 시에도 당연히 그와 같은 제한이 적용된다고 확대해석하여서는 안 되고, 기간만료로 인한 임대차계약의 종료에 어떠한 제한이 따른다고 하기 위해서는 그러한 내용의 법률 규정이나 당사자 사이의 별도의 명시적 또는 묵시적 약정이 있어야 한다(대판 2014.6.26, 2014다14115).

9) 법률행위의 해석은 궁극적으로는 법원이 한다. 매매계약사항에 이의가 있을 때에는 매도인의 해석에 따른다고 약정을 하였더라도, 그것이 법원의 법률행위 해석권을 구속하지는 못한다(대판 1974.9.24, 74다1057).

법률행위의 해석방법

구분	자연적 해석	규범적 해석	보충적 해석
개념	표의자의 내심의 진의를 밝히는 해석방법(표의자 입장) → 당사자가 사실상 일치하여 이해한 경우에는 그 의미대로 효력을 인정	표의자의 내심적 의사의 확정이 불가능한 경우 표시행위의 객관적 의미를 밝히는 해석방법(합리적인 상대방 입장)	이미 성립한 법률행위의 내용에 흠결이 있는 경우 당사자의 '가정적 의사'를 통하여 그 흠결을 보충하는 해석방법(제3자 입장) → 자연적 해석 또는 규범적 해석에 의하여 법률행위의 성립이 인정된 후에 비로소 문제
적용범위 및 효과	[1] 상대방 없는 단독행위 자연적 해석이 적용되는 대표적인 경우(유언 등 단독행위에 있어서는 표시를 잘못한 때에도 언제나 진의에 따른 효과가 발생) [2] 계약 ① 오표시 무해의 원칙 적용 ② 진의와 표시가 달라도 당사자 모두 진의대로 이해한 경우, 표의자의 진의를 상	[1] 표의자가 표시를 잘못하고 상대방도 표시된 대로 이해한 경우에 적용되며, 일단 표시된 대로의 법률행위가 유효하게 성립하며 다만 착오에 의한 취소 문제가 발생하게 된다. [2] 甲이 98만원에 매도할 생각이 있었으나 89만원으로 잘못 표기하고 상대방 乙은	[1] 계약이 이미 성립하였고, 그 내용에 흠결이 있는 경우에 한하여 적용(법률행위 성립단계에서 적용되는 자연적, 규범적 해석과 구별) [2] 흠결내용에 대한 임의법규나 관습이 있는 때는 그를 통하여 법률행위내용의 간극을 보충할 수 있으나 그러한 보충이 불가능한 때는

	대방이 이미 올바르게 파악한 경우 등에서 진의에 따른 효과가 인정된다. → 상대방의 이익은 고려되지 않으며 표시행위가 가지는 객관적 의미는 문제되지 않는다.	89만원으로 인식하고 도장을 찍은 경우	'당사자의 가상적 의사'를 통하여 간극을 보충
착오와의 관계	착오규정이 적용✗(그릇된 표시에도 불구하고 당사자가 일치하여 생각한 의미대로 효력이 있기 때문)	착오가 중요한 문제로 제기 [1] 규범적 해석을 통해 표시대로의 효과가 발생한 후에는 표의자는 착오를 이유로 취소할 수 있는 여지가 있다. [2] 그러나 그 표시가 표의자에게 유리하거나, 상대방이 표의자의 진의에 동의한 때는 착오를 이유로 취소할 수 없다.	착오 문제가 발생✗(표의자가 실제 원하던 바와 보충된 법률행위의 내용이 다를 수 있지만, 보충된 법률행위의 내용은 법원이 당사자의 가정적 의사라고 인정한 것이므로 이에 대하여 표의자가 착오를 주장할 수는 없다)
판례상 적용례	목적물 지번에 관한 당사자 쌍방의 공통하는 착오 – 甲, 乙이 모두 A토지를 계약목적으로 삼았으나 계약서에 B토지를 잘못 표기한 경우에도 쌍방 당사자의 의사합치가 있는 이상 A토지에 관하여 매매계약이 성립하며, 만약 B토지에 관해 이전등기가 경료되었다면 이는 원인 없이 경료된 것으로 무효이다(대판 1993.10.26, 93다2629·2636).	[1] 영수증 총완결사건 – 채권자가 채무액을 수령하면서 실제로 더 받을 금원이 있음에도 영수증에 '총완결'이라는 문언을 부기한 경우에는 더 받을 금원을 탕감한 것이며, 이는 총완결을 부기하지 않으면 변제하지 않겠다는 압박에 의한 경우에도 동일하다(대판 1969.7.8, 69다563). [2] 어떠한 의무를 부담하는 내용의 기재가 있는 문면에 "최대한 노력하겠습니다"라고 기재되어 있는 경우, 특별한 사정이 없는 한 당사자가 위와 같은 문구를 기재한 객관적인 의미는 문면 그 자체로 볼 때 그러한 의무를 법적으로는 부담할 수 없지만 사정이 허락하는 한 그 이행을 사실상 하겠다는 취지로 해석함이 상당하다(대판 1994.3.25, 93다32668). → 따라서 중간에 보수를 중단한 경우라도 채무불이행이 되는 것은 아니다. 즉 위 약정	[1] 계약당사자 쌍방의 공통하는 동기착오의 문제 – 흠결을 보충하여 법률행위의 수정가능성 있음 → 수정 안되면 취소 可 [2] 교통사고 피해자가 배상액을 합의하고 청구포기각서를 교부한 후라도 예상치 못한 후유증이 발생하였다면, 특별한 사정이 없는 한 그로 인한 배상청구권까지 포기하는 취지로 합의한 것이라고 볼 수 없다(대판 1989.7.25, 89다카968 등).

		에 대해 법률관계가 아닌 호의관계로 파악하여 임금 등의 법적 지급의무가 없다는 것이다.	

제2관 법률행위의 목적(내용)

법률행위의 목적 혹은 내용이란 법률행위를 하는 자가 그 행위에 의해 발생시키려고 하는 법률효과를 말한다. 법률행위가 유효하기 위해서는 목적의 확정성・실현 가능성・적법성・사회적 타당성의 요건을 갖추어야 한다.

Ⅰ. 목적의 확정성과 실현 가능성

1. 목적의 확정성

법률행위의 목적은 확정되어 있거나 확정할 수 있는 것이어야 한다.

2. 목적의 실현가능성

(1) 서설

법률행위의 목적은 법률행위 성립 당시에 실현 가능한 것이어야 하고, 실현 불가능한 경우에는 원칙적으로 무효이다. 이와 같은 실현 가능성 여부는 사회통념에 의해 결정한다.

(2) 불능의 종류 및 효과

1) 불능의 종류

불능의 종류에는 ① 법률행위 성립 당시에 이미 불능인 원시적 불능과 법률행위 성립 당시에는 가능하였지만 그 후에 불능인 후발적 불능, ② 법률행위 목적이 전부 불능인 전부불능과 그 일부만이 불능인 일부불능, ③ 어느 누구도 법률행위의 목적을 실현할 수 없는 객관적 불능과 해당 채무자만이 실현할 수 없는 주관적 불능으로 나눌 수 있다. 이 중 특히 중요한 것은 원시적 불능과 후발적 불능이다.

2) 원시적 불능과 후발적 불능의 효과

가) 원시적 불능

① 법률행위의 목적이 원시적・객관적・전부불능인 경우 그 법률행위는 무효이고, 일부불능의 경우 불능 아닌 부분은 제137조의 일부무효의 법리가 적용된다.

② 민법은 제535조 제1항에서 원시적 · 객관적 · 전부 불능의 경우를 규율하고 있다. 즉 원시적 불능을 목적으로 하는 법률행위는 무효이지만 채무자가 그 불능을 알았거나 알 수 있었을 경우에는 그 상대방이 계약을 유효로 믿었기 때문에 받은 손해를 배상할 책임, 즉 계약체결상 과실책임을 지게 된다.

③ 원시적 불능이지만 전부불능 또는 객관적 불능이 아닌 경우에는 담보책임이 문제된다(제571조 이하).

나) 후발적 불능

① 계약체결 후 이행기 전에 불능이 된 경우에는 귀책사유가 있으면 채무불이행책임(제390조, 제546조)이 문제되고, 귀책사유가 없으면 위험부담(제537조)이 문제된다.

② 반면 이행기 경과 후에 이행을 하지 않던 중 불능이 된 경우에는 제392조, 제401조에 의해 규율되고 있다.

Ⅱ. 목적의 적법성

> **제105조【임의규정】**
> 법률행위의 당사자가 법령 중의 선량한 풍속 기타 사회질서에 관계없는 규정과 다른 의사를 표시한 때에는 그 의사에 의한다.

1) 법률행위가 유효하기 위해서는 그 목적이 적법하여야 한다. 즉 강행법규에 위반하지 않아야 한다.
2) 강행규정은 '법령 중 선량한 풍속 기타 사회질서에 관계있는 규정'으로서 당사자의 의사에 의하여 그 적용을 배제할 수 없는 규정이다. 반면 임의규정은 '법령 중 선량한 풍속 기타 사회질서에 관계없는 규정'으로서 당사자의 의사에 의하여 그 적용을 배제할 수 있는 규정을 말한다.
3) 강행규정은 다시 위반 시 무효가 되는 효력규정과 단지 거래행위를 금지하고 위반 시 법률행위의 효력에는 영향이 없고 일정한 제재만이 따를 뿐인 단속규정(예 식품위생법상 무허가 음식물 판매 등)으로 나눌 수 있다(다수설).

지역주택조합의 조합원 자격에 관한 구 주택법 제32조 제5항 및 구 주택법 시행령 제38조 제1항의 법적 성질(=단속규정) 및 이를 위반하는 약정이 당연 무효인지 여부(소극) / 당사자가 통정하여 단속규정을 위반하는 법률행위를 한 경우, 선량한 풍속 기타 사회질서에 위반한 사항을 내용으로 하는 법률행위에 해당하는지 여부(적극)

지역주택조합의 조합원 자격에 관한 구 주택법(2015.7.24. 법률 제13435호로 개정되기 전의 것) 제32조 제5항 및 구 주택법 시행령(2014.12.23. 대통령령 제25880호로 개정되기 전의 것) 제38조 제1항은 단순한 단속규정에 불과할 뿐 효력규정이라고 할 수 없어 당사자 사이에 이를 위반한 약정을 하였다고 하더라도 그 약정이 당연히 무효라고 할 수는 없다. 다만 당사자가 통정하여 위와 같은 단속규정을 위반하는 법률행위를 한 경우에 비로소 선량한 풍속 기타 사회질서에 위반한 사항을 내용으로 하는 법률행위에 해당하게 된다(대판 2022.7.14, 2021다281999 · 282008).

4) 효력규정을 위반한 경우 당해 법률행위는 절대적 무효이므로 당사자뿐만 아니라 전득자에게도 무효를 주장할 수 있다. 또한 확정적 무효이므로 무효행위의 추인을 할 수 없는 것이 원칙이다. 다만 행위의 일부만이 강행규정에 위반하는 경우에는 일부무효의 법리에 의해서 해결해야 한다(제137조).

법규정을 위반한 법률행위의 효력 및 효력 유무의 판단방법 ★

[1] 사법상의 계약 기타 법률행위가 일정한 행위를 금지하는 구체적 법규정에 위반하여 행하여진 경우, 법률행위가 무효인지 또는 법원이 법률행위 내용의 실현에 대한 조력을 거부하거나 다른 내용으로 그 효력을 제한하여야 하는지 판단하는 기준

사법상의 계약 기타 법률행위가 일정한 행위를 금지하는 구체적 법규정에 위반하여 행해진 경우, 법률행위가 무효인가 또는 법원이 법률행위 내용의 실현에 대한 조력을 거부하거나 다른 내용으로 효력을 제한하여야 하는가의 여부는, 당해 법규정이 가지는 넓은 의미에서의 법률효과에 관한 문제의 일환으로, 그 법규정의 해석에 따라 정해진다. 따라서 ① 그 점에 관한 명문의 정함이 있다면 그에 따라야 할 것이고, ② 그러한 정함이 없는 때에는 종국적으로 그 금지규정의 목적과 의미에 비추어 그에 반하는 법률행위의 무효 기타 효력 제한이 요구되는지를 검토하여 이를 정할 것이다(대판 2018.7.11, 2017다274758; 대판 2018.10.12, 2015다219528; 대판 2019.6.13, 2018다258562).

→ [사실관계] : ① 甲이 구 노인복지법에 의하여 노인의료복지시설 설치신고를 하고 甲 소유 부동산에서 노인의료복지시설을 설치·운영하다가 乙 주식회사가 丙 주식회사에 대하여 부담하는 기업시설자금 대출채무를 담보하기 위하여 위 부동산에 관한 근저당권을 丙 회사에 설정해 주었는데, 그 후 甲이 노인의료복지시설이 설치된 부동산에 대한 저당권 설정을 금지하고 있는, 구 노인복지법 제35조 제3항의 위임에 따른 구 노인복지법 시행규칙 제22조 제1항 [별표 4] 제2항 (가)목 전문이 강행규정이라고 주장하면서 저당권설정등기의 말소를 구한 사안에서, 위 조항은 그 금지규정의 목적과 취지·의미 및 다른 규정과의 관계 등에 비추어 강행규정이 아니고 근저당권설정계약의 효력에 영향이 없다고 한 사례이다(대판 2018.10.12, 2015다219528). ② 원고가 금융기관에 외환거래계좌를 개설하여 금원을 입금하면 피고가 원고로부터 투자를 일임받아 이를 운용하고 거기서 발생하는 수익 50%씩을 나누어 가지기로 하는 내용의 약정을 체결한 사안에서, 금융투자업등록을 하지 않은 투자일임업을 금지하는 자본시장과 금융투자업에 관한 법률 제17조는 단속규정에 불과하여 원고와 피고 사이의 투자일임계약이 자본시장법이 금지하는 미등록 영업행위로서 무효가 된다고는 볼 수 없다고 판단한 사례이다.

[2] 법률에서 해당 규정을 위반한 법률행위를 무효라고 정하고 있거나 해당 규정이 효력규정이나 강행규정이라고 명시하고 있는 경우, 그러한 규정을 위반한 법률행위의 효력(무효) 및 금지 규정 등을 위반한 법률행위의 효력에 관하여 명확하게 정하지 않은 경우, 그 법률행위의 효력을 판단하는 방법

① 계약 등 법률행위의 당사자들에게 일정한 의무를 부과하거나 일정한 행위를 금지하는 법규에서 이를 위반한 법률행위의 효력을 명시적으로 정하고 있는 경우에는 그 규정에 따라 법률행위의 유·무효를 판단하면 된다. 법률에서 해당 규정을 위반한 법률행위를 무효라고 정하고 있거나 해당 규정이 효력규정이나 강행규정이라고 명시하고 있으면 그러한 규정을 위반한 법률행위는 무효이다.

② 이와 달리 금지 규정 등을 위반한 법률행위의 효력에 관하여 명확하게 정하지 않은 경우에는 그 규정의 입법 배경과 취지, 보호법익, 위반의 중대성, 당사자에게 법규정을 위반하려는 의도가 있었는지 여부, 규정 위반이 법률행위의 당사자나 제3자에게 미치는 영향, 위반 행위에 대한 사회적·경제적·윤리적 가치평가, 이와 유사하거나 밀접한 관련이 있는 행위에 대한 법의 태도 등 여러 사정을 종합적으로 고려해서 효력을 판단하여야 한다(대판 2018.10.12, 2015다256794; 대판 2019.1.17, 2015다227000; 대판 2020.11.12, 2017다228236; 대판 2021.9.30, 2016다252560; 대판 2022.7.28, 2021다235132).

[3] 퇴직금청구권을 미리 포기하기로 하는 약정의 효력(무효) 및 근로자가 퇴직하여 더 이상 근로계약관계에 있지 않은 상황에서 퇴직 시 발생한 퇴직금청구권을 나중에 포기하는 것이 허용되는지 여부(적극)
퇴직금은 사용자가 일정 기간을 계속근로하고 퇴직하는 근로자에게 계속근로에 대한 대가로서 지급하는 후불적 임금의 성질을 띤 금원으로서 구체적인 퇴직금청구권은 근로관계가 끝나는 퇴직이라는 사실을 요건으로 발생한다. ① 최종 퇴직 시 발생하는 퇴직금청구권을 미리 포기하는 것은 강행법규인 근로기준법, 근로자퇴직급여 보장법에 위반되어 무효이다. 그러나 ② 근로자가 퇴직하여 더 이상 근로계약관계에 있지 않은 상황에서 퇴직 시 발생한 퇴직금청구권을 나중에 포기하는 것은 허용되고, 이러한 약정이 강행법규에 위반된다고 볼 수 없다(대판 2018.7.12, 2018다21821 · 25502).

[4] 당사자 사이에 체결된 계약이 강행법규 위반으로 무효인 경우, 계약 불이행을 이유로 진술 · 보장 약정에 따른 손해배상채무를 이행하는 것이 강행법규가 금지하는 것과 동일한 결과를 가져올 때에도 진술 · 보장 조항 위반을 이유로 손해배상을 청구할 수 있는지 여부(소극)
농업협동조합의 차입 상대방을 엄격하게 제한한 규정은 이 법의 목적을 반영하여 외부자본의 부당한 침투를 막고 궁극적으로 농업인의 자주적인 협동조직인 농업협동조합의 재정 건전성을 확보하기 위한 것이다. 이러한 취지에 비추어 보면, 위 규정은 강행법규로 이에 위반된 행위는 무효이다. 농업협동조합이 다른 사람의 채무를 보증하는 등으로 실질적으로 위 규정에서 정한 기관이 아닌 제3자에 대하여 차입에 준하여 채무를 부담하게 되었다면, 이러한 행위 역시 강행법규에 위반되어 무효이다. 한편 ① 계약당사자 사이에서 일방이 상대방에 대해 계약의 체결이 관련 법령 등에 위반되지 않는다는 점과 함께 그 계약의 이행을 진술 · 보장하였는데도 계약을 이행하지 못하여 상대방에게 손해를 입힌 경우에는 계약상 의무를 이행하지 않은 것에 해당하므로 일종의 채무불이행 책임이 성립한다(대판 2018.10.12, 2017다6108 참조). 그러나 ② 당사자 사이에 체결된 계약이 강행법규 위반으로 무효인 경우에 그 계약 불이행을 이유로 진술 · 보장 약정에 따른 손해배상채무를 이행하는 것이 강행법규가 금지하는 것과 동일한 결과를 가져온다면 이는 강행법규를 잠탈하는 결과가 되고, 이러한 경우에는 진술 · 보장 조항 위반을 이유로 손해배상을 청구할 수 없다고 보아야 한다(대판 2019.6.13, 2016다203551).

법규정을 위반한 법률행위의 무효 여부의 판단기준 및 유추적용 요건(대판 2024.5.9, 2023다311665)

[1] 사법상 계약 기타 법률행위가 일정한 행위를 금지하는 구체적 법규정을 위반하여 행하여진 경우, 그 법률행위가 무효인지 판단하는 기준 및 자본시장과 금융투자업에 관한 법률 제17조에서 같은 법에 따른 금융투자업 등록을 하지 않고 투자자문업 또는 투자일임업을 영위하는 것을 금지하는 취지 및 위 규정의 법적 성질(=단속규정)
① 사법상 계약 기타 법률행위가 일정한 행위를 금지하는 구체적 법규정을 위반하여 행하여진 경우에 그 법률행위가 무효인지 여부는 당해 법규정이 가지는 넓은 의미에서의 법률효과에 관한 문제의 일환으로, 그 법규정의 해석 여하에 의하여 정하여진다. 따라서 그 점에 관한 명문의 정함이 있다면 당연히 이에 따라야 하고, 그러한 정함이 없는 때에는 종국적으로 금지규정의 목적과 의미에 비추어 그에 반하는 법률행위의 무효 기타 효력 제한이 요구되는지를 검토하여 이를 정해야 한다. ② 자본시장과 금융투자업에 관한 법률(이하 '자본시장법'이라 한다) 제17조는 "누구든지 이 법에 따른 금융투자업 등록을 하지 아니하고는 투자자문업 또는 투자일임업을 영위하여서는 아니 된다."라고 규정한다. 자본시장법에 따른 등록을 하지 않고 투자자로부터 투자판단의 전부 또는 일부를 일임받아서 그 투자자의 재산상태나 투자목적 등을 고려하여 투자재산을 운용하는 것을 영업으로 하는 '투자일임업'과 투자자의 투자판단에 관한 자문에 응하는 것을 영업으로 하고 최종 투자판단 및 투자재산 운용 행위는 투자자가 직접 수행하게 되는 '투자자문업'을 영위하는 것을 금지하는 취지는 고객인 투자자를 보호하고 금융투자업을 건전하게 육성하고자 함에 있다. 그런데 위 규정을 위반하여 체결한 투자일임계약 내지 투자자문계약 자체가 그 사법상 효력까지도 부인하지 않으면 안 될

정도로 현저히 반사회성, 반도덕성을 지닌 것이라고 할 수 없고, 그 행위의 사법상 효력을 부인하여야만 비로소 입법 목적을 달성할 수 있다고 볼 수 없으므로, 위 규정은 효력규정이 아니라 단속규정에 해당한다.

[2] 법적 규율이 없는 사안에 대하여 그와 유사한 사안에 관한 법규범을 유추적용하기 위한 요건
법률의 유추적용은 법률의 흠결을 보충하는 것으로 법적 규율이 없는 사안에 대하여 그와 유사한 사안에 관한 법규범을 적용하는 것이다. 이러한 유추를 위해서는 법적 규율이 없는 사안과 법적 규율이 있는 사안 사이에 공통점 또는 유사점이 있어야 하고, 법규범의 체계, 입법 의도와 목적 등에 비추어 유추적용이 정당하다고 평가되어야 한다.

5) 판례는 구 농지법이 농지임대를 원칙적으로 금지하는 취지는, 농지는 농민이 경작 목적으로 이용함으로써 농지로 보전될 수 있도록 하고, 또한 외부자본이 투기 등 목적으로 농지를 취득할 유인을 제거하여 지가를 안정시킴으로써 농민이 농지를 취득하는 것을 용이하게 하여 궁극적으로 경자유전의 원칙을 실현하려는 데에 있으므로, 농지의 임대를 금지한 구 농지법 제23조의 규정은 강행규정이다. 따라서 구 농지법 제23조가 규정한 예외사유에 해당하지 아니함에도 이를 위반하여 농지를 임대하기로 한 임대차계약은 무효라고 하였다(대판 2017.3.15, 2013다79887 · 79894).[13]

6) 판례는 ① 공공건설임대주택의 임대사업자가 임대주택법령 상의 임차인 동의 절차를 거치지 않고 일방적으로 임대보증금과 임대료의 상호전환 조건을 제시하여 체결한 임대차계약은 사법적 효과를 제한하는 효력규정을 위반한 경우로서 무효라고 하였다. 다만 ② 절차상 위법이 있어 강행법규 위반으로 무효가 되는 경우에는 특별한 사정이 없는 한 임대사업자와 임차인이 임대보증금과 임대료의 상호전환을 하지 않은 원래의 임대 조건, 즉 표준임대보증금과 표준임대료에 의한 임대 조건으로 임대차계약을 체결할 것을 의욕하였으리라고 봄이 타당하므로 임대차계약은 민법 제138조에 따라 표준임대보증금과 표준임대료를 임대 조건으로 하는 임대차계약으로서 유효하게 존속한다고 하였다(대판(전) 2016.11.18, 2013다42236).

7) 판례는 부동산중개업에 관한 규정에 대하여, ① 중개사무소 개설등록에 관한 구 부동산중개업법 관련 규정들은 공인중개사 자격이 없는 자가 중개사무소 개설등록을 하지 아니한 채 부동산중개업을 하면서 체결한 중개 수수료 지급약정의 효력을 제한하는 강행법규이다(대판 2010.12.23, 2008다75119). 그러나 ② 공인중개사 자격이 없는 자가 우연한 기회에 단 1회 타인 간의 거래

---

13) 나아가 판례는 민법 제746조에서 말하는 '불법'이 있다고 하려면, 선량한 풍속 기타 사회질서에 위반될 뿐 아니라 반사회성 · 반윤리성 · 반도덕성이 현저하거나, 급부가 강행법규를 위반하여 이루어졌지만 이를 반환하게 하는 것이 오히려 규범 목적에 부합하지 아니하는 경우 등에 해당하여야 한다. 그런데 구 농지법(2015.1.20. 법률 제13022호로 개정되기 전의 것, 이하 같다)의 적용 대상인 농지의 임대차는 특별한 사정이 없는 한 계약 내용이나 성격 자체로 반윤리성 · 반도덕성 · 반사회성이 현저하다고 단정할 수는 없다. 또한 임대차 계약기간 동안 임차인이 당해 농지를 사용 · 수익함으로써 얻은 토지사용료 상당의 점용이익에 대하여 임대인이 부당이득반환이나 손해배상을 청구하는 것마저 배척하여 임차인으로 하여금 사실상 무상사용을 하는 반사이익을 누릴 수 있도록 하여야만 구 농지법의 규범 목적이 달성된다고 볼 것은 아니다. 따라서 농지임대차가 구 농지법에 위반되어 계약의 효력을 인정받을 수 없다고 하더라도, 특별한 사정이 없는 한 농지 임대인이 임대차기간 동안 임차인의 권원 없는 점용을 이유로 손해배상을 청구한 데 대하여 임차인이 불법원인급여의 법리를 이유로 반환을 거부할 수는 없다고 하였다.

행위를 중개한 경우 등과 같이 '중개를 업으로 한' 것이 아니라면 그에 따른 중개수수료 지급약정은 유효하다고 하였다(대판 2012.6.14, 2010다86525). 또한 ③ 개업공인중개사 등이 중개의뢰인과 직접 거래를 하는 행위를 금지하는 공인중개사법 제33조 제6호는 강행규정이 아니라 단속규정이라고 하였다(대판 2017.2.3, 2016다259677).[14)]

8) 판례는 변호사 아닌 자가 법률사무의 취급에 관여하는 것을 금지함으로써 변호사제도를 유지하고자 하는 변호사법 제109조 제1호의 규정 취지와 법무사 아닌 자가 법무사의 사무를 업으로 하는 것 등을 금지함으로써 법무사제도를 유지하고자 하는 법무사법 제3조 제1항 및 제74조 제1항 제1호의 규정 취지에 비추어 보면, 변호사법 제109조 제1호와 법무사법 제3조 제1항 및 제74조 제1항 제1호는 모두 강행법규이고, 이를 위반하는 내용을 목적으로 하는 계약은 그 자체가 반사회적 성질을 띠게 되어 사법적 효력도 부정된다고 하였다(대판 2018.8.1, 2016다242716·242723).

판례 연구 **관련판례 정리**

1. 단속규정

1) 부동산등기특별조치법상 조세포탈과 부동산투기 등을 방지하기 위하여 위 법률 제2조 제2항 및 제8조 제1호에서 등기하지 아니하고 제3자에게 전매하는 행위를 일정 목적범위 내에서 형사처벌하도록 되어 있으나 이로써 순차매도한 당사자 사이의 중간생략등기합의에 관한 사법상 효력까지 무효로 한다는 취지는 아니다(대판 1993.1.26, 92다39112). ★

2) 금융실명거래 및 비밀보장에 관한 법률을 위반한 비실명금융거래계약도 사법상 효력이 있다(대판 2001.12.28, 2001다17565).

3) 농지법 제8조 제1항 소정의 농지취득자격증명은 농지를 취득하는 자에게 농지취득의 자격이 있다는 것을 증명하는 것일 뿐 농지취득의 원인이 되는 법률행위의 효력을 발생시키는 요건은 아니므로, 농지에 관한 명의신탁자가 명의신탁을 해지하고 그 반환을 구하는 청구를 하는 경우 수탁자는 신탁자 명의의 농지취득자격증명이 발급되지 아니하였다는 사정을 내세워서 그 청구를 거부할 수 없다(대판 2006.1.27, 2005다59871; 대판 2008.4.10, 2008도1033).

2. 효력규정

1) 부동산 중개수수료 약정 중 소정의 한도를 초과하는 부분에 대한 사법상의 효력을 제한하는 규정은 이른바 강행법규에 해당하고, 따라서 구 부동산중개업법 등 관련 법령에서 정한 한도를 초과하는 부동산

---

14) 개업공인중개사 등이 중개의뢰인과 직접 거래를 하는 행위를 금지하는 공인중개사법 제33조 제6호의 규정 취지는 개업공인중개사 등이 거래상 알게 된 정보를 자신의 이익을 꾀하는 데 이용하여 중개의뢰인의 이익을 해하는 경우가 있으므로 이를 방지하여 중개의뢰인을 보호하고자 함에 있는바, 위 규정에 위반하여 한 거래행위가 사법상의 효력까지도 부인하지 않으면 안 될 정도로 현저히 반사회성, 반도덕성을 지닌 것이라고 할 수 없을 뿐만 아니라 행위의 사법상의 효력을 부인하여야만 비로소 입법 목적을 달성할 수 있다고 볼 수 없고, 위 규정을 효력규정으로 보아 이에 위반한 거래행위를 일률적으로 무효라고 할 경우 중개의뢰인이 직접 거래임을 알면서도 자신의 이익을 위해 한 거래도 단지 직접 거래라는 이유로 효력이 부인되어 거래의 안전을 해칠 우려가 있으므로, 위 규정은 강행규정이 아니라 단속규정이다.

중개수수료 약정은 그 한도를 초과하는 범위 내에서 무효이다(대판(전) 2007.12.20, 2005다32159, 대판 2021.7.29, 2017다243723).

2) 지방자치단체가 사인과 사법상의 계약을 체결할 때 따라야 할 요건과 절차를 규정한 법령은 강행규정이다(대판 2004.1.27, 2003다14812).

3) 구 임대주택건설촉진법 또는 임대주택법에 위반하여 임대의무기간 경과 전에 임대주택을 매각하는 계약은 무효이다(대판 2005.6.9, 2005다11046).

4) 구 임대주택법의 관련 법령은 임대주택의 건설을 촉진하고 국민주거생활의 안정을 도모함을 입법목적으로 하고 있고, 그 목적 달성을 위해 임대사업자에게 각종 지원과 더불어 각종 제한을 부과하면서, 특히 임대의무기간 경과 후 무주택 임차인에게 임대주택의 우선분양전환권을 인정하고 분양전환가격의 산정기준을 상세히 규정함으로써 임대사업자가 자의적으로 분양전환가격을 정하는 것을 방지하고 합리적인 분양전환가격에 임대주택의 분양이 이루어지도록 하고 있다. (중략) 이러한 분양전환가격 산정기준에 관한 구 임대주택법 관련 법령의 규정은 강행법규에 해당한다고 보아야 하고, 그 규정들에서 정한 산정기준에 의한 금액을 초과한 분양전환가격으로 체결된 분양계약은 초과하는 범위 내에서 무효이다(대판(전) 2011.4.21, 2009다97079).

5) 담배 사재기가 물가안정에 관한 법률에 의하여 금지되고 그 위반행위는 처벌되는 것이라고 하여도 이는 국민경제의 정책적 차원에서 일정한 제한을 가하고 위반행위를 처벌하는 것에 불과하므로, 이에 위반하는 행위가 무효(주 구 담배사업법은 강행규정에 해당한다)라고 하더라도 이것을 선량한 풍속 기타 사회질서에 반하는 행위라고는 할 수 없다. 따라서 구 담배사업법 소정의 등록도매업자 또는 지정소매인이 아닌 자가 담배사재기를 위하여 한국담배인삼공사로부터 담배를 구입키로 하고 지급한 담배구입대금은 불법원인급여에 해당하지 않아 그 반환을 청구할 수 있다(대판 2001.5.29, 2001다1782).

6) 구 산업집적활성화 및 공장설립에 관한 법률 제28조의4 제1항에 의하면, 아파트형 공장을 설립한 자가 아파트형 공장을 분양 또는 임대하고자 하는 경우에는 공장건축물 착공 후 산업자원부령이 정하는 바에 의하여 모집공고안을 작성하여 시장·군수 또는 구청장의 승인을 얻어 공개로 입주자(아파트형 공장을 분양 또는 임대받아 제조업 기타 사업을 영위하는 자를 말한다)를 모집하여야 하도록 규정하고 있는바, 이는 효력규정으로 보아야 하므로 이를 위반하여 아파트형 공장을 설립한 자가 모집공고안에 대한 승인 없이 임의로 이를 분양 또는 임대한 행위는 그 효력이 없다(대판 2009.4.9, 2008다1521).

7) 의료법이 의료인이나 의료법인 등 비영리법인이 아닌 자의 의료기관 개설(주 비의료인이 그 의료기관의 시설 및 인력의 충원·관리, 개설신고, 의료업의 시행, 필요한 자금의 조달, 그 운영성과의 귀속 등을 주도적인 입장에서 처리하는 것을 의미하는 것으로서 의료인의 자격이 없는 일반인이 필요한 자금을 투자하여 시설을 갖추고 유자격 의료인을 고용하여 그 명의로 의료기관 개설신고를 한 행위는 형식적으로만 적법한 의료기관의 개설로 가장한 것일 뿐 실질적으로는 의료인 아닌 자가 의료기관을 개설한 경우에 해당하고, 개설신고가 의료인 명의로 되었다거나 개설신고 명의인인 의료인이 직접 의료행위를 하였다 하여 달리 볼 수 없다)을 원천적으로 금지하고 있는 의료법 제33조 제2항은 이른바 강행법규에 속하는 것으로서 이에 위반하여 이루어진 약정은 무효이다(대판 2022.4.14, 2019다299423).

3. 증권거래법위반 관련

1) ① 투자수익보장은 무효이며 강행법규위반의 대리행위에 관하여 표현대리는 성립하지 않고(대판 2002.12.26, 2000다56952), 정당한 사유 없는 손실보전의 약속 또는 그 실행행위는 무효이며 고객이 증권회

사로부터 지급받은 이익금은 증권회사의 손실에 기한 부당이득으로서 고객이 증권회사에 반환할 의무가 있으나(대판 2002.12.26, 2000다56952; 대판 1997.2.14, 95다19140), ② 포괄적 일임매매약정은 유효이다(대판 2002.3.29, 2001다49128). ★

2) 주식매매거래계좌설정약정 및 일임매매약정에 기하여 주식거래가 계속되어 새로운 법률관계가 계속적으로 형성되어 왔다면, 투자수익보장약정이 무효라고 하여 주식매매거래계좌설정약정이나 일임매매약정까지 무효가 된다고 할 수는 없다(대판 2002.3.29, 2001다49128).
→ 일부무효의 법리가 적용되는 경우이다.

3) 증권회사 직원의 주식임의매매행위로 인하여 발생한 이득을 가지고 불법행위로 인한 손해산정에 있어서 손익상계를 할 수 없고(대판 2003.1.24, 2001다2129), 강행법규에 위반하여 무효인 수익보장약정의 체결을 제의한 투자신탁회사가 그 약정의 무효를 주장함이 신의칙에 반하지 않는다(대판 1999.3.23, 99다4405).

Ⅲ. 목적의 사회적 타당성

1. 반사회적 법률행위

> **제103조【반사회질서의 법률행위】**
> 선량한 풍속 기타 사회질서에 위반한 사항을 내용으로 하는 법률행위는 무효로 한다.

(1) 반사회적 법률행위의 태양

1) 의의

본조의 선량한 풍속이란 최소한의 도덕률·윤리관을 말하고, 사회질서란 사회의 공공적·일반적 전체 법질서를 의미한다. 여기서 선량한 풍속은 사회질서의 한 예시에 해당한다고 봄이 보통이다.

2) 일반적 기준

민법 제103조에 의하여 무효로 되는 반사회질서행위는 ① 법률행위의 목적인 권리의무의 내용이 선량한 풍속 기타 사회질서에 위반하는 경우뿐만 아니라, 그 내용 자체는 반사회질서적인 것이 아니라고 하여도 ② 법률적으로 이를 강제하거나 ③ 그 법률행위에 반사회질서적인 조건 또는 금전적 대가가 결부됨으로써 반사회질서적 성질을 띠게 되는 경우 및 ④ 표시되거나 상대방에게 알려진 법률행위의 동기가 반사회질서적인 경우를 포함한다(대판 2001.2.9, 99다38613).

3) 반사회질서 행위로서 무효로 인정되는 경우

① 범죄 기타 부정행위에 가담하는 계약, 경매나 입찰의 담합행위, 범죄의 포기를 대가로 금전을 주는 계약, 이중매매는 제2매수인이 매도인의 배임행위에 '적극가담'하는 경우, ② 子가 부모와 동거하지 않겠다는 계약, 첩계약, ③ 일생 동안 혼인 또는 이혼하지 않겠다는 계약, ④ 도박계약,

도박채무의 변제로서 토지의 양도 계약, 보험금을 편취하기 위한 생명보험계약, ⑤ 윤락녀의 화대를 포주와 나누는 계약은 공서양속에 반하는 법률행위에 해당하여 무효이다. ⑥ 소송사건에서 일방 당사자를 위하여 증인으로 출석하여 증언하였거나 증언할 것을 조건으로 어떤 대가를 받을 것을 약정한 경우, 증인은 법률에 의하여 증언거부권이 인정되지 않은 한 진실을 진술할 의무가 있는 것이므로 그 대가의 내용이 통상적으로 용인될 수 있는 수준(예컨대 증인에게 일당과 여비가 지급되기는 하지만 증인이 법원에 출석함으로써 입게 되는 손해에는 미치지 못하는 경우 그러한 손해를 전보해 주는 정도)을 초과하는 경우에는 그와 같은 약정은 금전적 대가가 결부됨으로써 선량한 풍속 기타 사회질서에 반하는 법률행위가 되어 민법 제103조에 따라 효력이 없다(대판 1999.4.13, 98다52483). 이는 증언거부권이 있는 증인이 그 증언거부권을 포기하고 증언을 하는 경우라고 하여 달리 볼 것이 아니다(대판 2010.7.29, 2009다56283). 다만 수사기관에서 유리하게 진술해 줄 것을 부탁하고 금품을 수수하기로 하는 약정은 급부의 상당성 여하를 불문하고 무효이다. 또한 ⑦ 부부관계의 종료를 해제조건으로 하는 증여계약의 경우에는 조건만이 무효가 되는 것이 아니라 법률행위자체가 무효가 된다(대판 1966.6.21, 66다530). ⑧ 혼인관계가 존속 중인 사실을 알면서 남의 첩이 되어 부첩행위를 계속한 경우에는 본처의 사전승인이 있었다 하더라도 장래의 부첩관계의 사전승인이라는 것은 선량한 풍속에 위배되는 행위이므로 본처에 대하여 불법행위가 성립한다(대판 1967.10.6, 67다1134). ⑨ 어떠한 위임계약이 행정청의 허가 등을 목적으로 하는 신청행위를 대상으로 하는 경우에 신청행위 자체에는 전문성이 크게 요구되지 않고 허가에는 공무원의 재량적 판단이 필요하며, 신청과 관련된 절차에 필수적으로 필요한 비용은 크지 않은 데 반하여 약정보수액은 지나치게 다액으로서, 수임인이 허가를 얻기 위하여 공무원의 직무 관련 사항에 관하여 특별한 청탁을 하면서 뇌물공여 등 로비를 하는 자금이 보수액에 포함되어 있다고 볼 만한 특수한 사정이 있는 때에는 위임계약은 반사회질서적인 조건이 결부됨으로써 반사회질서적 성질을 띠고 있어 민법 제103조에 따라 무효이다(대판 2016.2.18, 2015다35560). ⑩ 행정기관에 진정서를 제출하여 상대방을 궁지에 빠뜨린 다음 이를 취하하는 조건으로 거액의 급부를 제공받기로 약정한 경우라면, 민법 제103조 소정의 반사회질서의 법률행위에 해당한다(대판 2000.2.11, 99다56833).

4) 반사회질서 행위에 해당하지 않는 경우

① 불륜관계의 단절을 조건으로 하는 금전지급계약, 첩의 생활비나 자녀의 양육비를 지급하는 계약(대판 1980.6.24, 80다458), ② 부정행위를 용서받는 대가로 손해를 배상함과 아울러 가정에 충실하겠다는 서약의 취지에서 처에게 부동산을 양도하되 부부관계가 유지되는 동안에는 처가 임의로 처분할 수 없다는 제한을 붙여서 한 계약(대판 1992.10.27, 92므204·211), ③ 또한 반사회적 행위에 의하여 조성된 재산인 이른바 비자금을 소극적으로 은닉하기 위하여 임치한 경우에는 사회질서에 반하는 법률행위로 볼 수 없어서 불법원인급여가 아니라고 하고(대판 2001.4.10, 2000다49343), 매매계약체결 당시에 정당한 대가를 지급하고 목적물을 매수하는 계약을 체결하였다면, 비록 그 후 목적물이 범죄행위로 취득된 것을 알게 되었다고 하더라도, 계약의 이행을 구하는 것 자체가 선량한 풍속 기타 사회질서에 위반하는 것으로 볼 만한 특별한 사정이 없는 한, 그러한 사유만으로 당초의 매매계약에 기하여 목적물에 대한 소유권이전등기를 구하는 것이 민법 제103조의 공

서양속에 반하는 행위라고 단정할 수 없다고 하였다(대판 2021.11.9, 2001다44987). ④ 국가기관이 헌법상 보장된 국민의 기본권을 침해하는 위헌적인 공권력을 행사한 결과 국민이 그 공권력의 행사에 외포되어 자유롭지 못한 의사표시를 하였다고 하더라도 그 의사표시의 효력은 의사표시의 하자에 관한 민법의 일반원리에 의하여 판단되어야 할 것이고, 그 강박행위의 주체가 국가공권력이고 그 공권력 행사의 내용이 기본권을 침해하는 것이라고 하여 그 강박에 의한 의사표시가 항상 반사회성을 띠게 되어 당연히 무효로 된다고는 볼 수 없다고 하였다(대판 2002.12.10, 2002다56031). 나아가 ⑤ 법률행위의 내용 자체는 반사회질서적인 것이 아니더라도 금전적 대가와 결부된 경우 그 금전적 대가가 통상 용인될 수 있는 정도에 불과한 경우에는 제103조 위반이 아니지만, 그 수준을 초과한다면 그 약정은 제103조 위반으로 무효가 된다. 또한 ⑥ 주택매매계약에 있어서 매도인으로 하여금 주택의 보유기간이 3년 이상으로 되게 함으로써 양도소득세를 부과받지 않게 할 목적으로 매매를 원인으로 한 소유권이전등기는 3년 후에 넘겨 받기로 특약을 하였다고 하더라도, 그와 같은 목적은 위 특약의 연유나 동기에 불과한 것이어서 위 특약 자체가 사회질서나 신의칙에 위반한 것이라고는 볼 수 없다고 하였고(대판 1991.5.14, 91다6627), 최근 판례는 양도소득세의 일부를 회피할 목적으로 매매계약서에 실제로 거래한 가액보다 낮은 금액을 매매대금으로 기재한 것만으로 그 매매계약이 사회질서에 반하는 법률행위로서 무효로 되지 않는다고 하였다(대판 2007.6.14, 2007다3285). 나아가 ⑦ 명의신탁약정이 부동산실명법에 반하여 무효가 되더라도 "명의신탁약정의 무효로 인하여 명의신탁자가 입은 손해는 당해 부동산 자체가 아니라 명의수탁자에게 제공한 매수자금이라 할 것이고, 따라서 명의수탁자는 당해 부동산 자체가 아니라 명의신탁자로부터 제공받은 매수자금만을 부당이득한다"라고 하여 명의신탁약정은 반사회질서의 법률행위로 보지 않는다는 입장이다(대판 2008.2.14, 2007다69148 · 69155). 더욱이 ⑧ 판례는 일관하여 '강제집행'을 면탈하기 위한 목적의 법률행위나(대판 2004.5.28, 2003다70041), '세금면탈'을 위한 약정 등만으로는 제103조 위반이 되는 것은 아니라고 한다(대판 1992.12.22, 91다35540 · 35557). 또한 ⑨ 단체협약이 민법 제103조의 적용대상에서 제외될 수는 없으므로 단체협약의 내용이 선량한 풍속 기타 사회질서에 위배된다면 그 법률적 효력은 배제되어야 한다. 다만 단체협약이 선량한 풍속 기타 사회질서에 위배되는지를 판단할 때에는 단체협약이 헌법이 직접 보장하는 기본권인 단체교섭권의 행사에 따른 것이자 헌법이 제도적으로 보장한 노사의 협약자치의 결과물이라는 점 및 노동조합 및 노동관계조정법에 의해 이행이 특별히 강제되는 점 등을 고려하여 법원의 후견적 개입에 보다 신중할 필요가 있다. 헌법 제15조가 정하는 직업선택의 자유, 헌법 제23조 제1항이 정하는 재산권 등에 기초하여 사용자는 어떠한 근로자를 어떠한 기준과 방법에 의하여 채용할 것인지를 자유롭게 결정할 자유가 있다. 다만 사용자는 스스로 이러한 자유를 제한할 수 있는 것이므로, 노동조합과 사이에 근로자 채용에 관하여 임의로 단체교섭을 진행하여 단체협약을 체결할 수 있고, 그 내용이 강행법규나 선량한 풍속 기타 사회질서에 위배되지 아니하는 이상 단체협약으로서의 효력이 인정된다. 사용자가 노동조합과의 단체교섭에 따라 업무상 재해로 인한 사망 등 일정한 사유가 발생하는 경우 조합원의 직계가족 등을 채용하기로 하는 내용의 단체협약(이른바 '산재 유족 특별채용 조항')을 체결하였다면, 그와 같은 단체협약이 사용자의 채용의 자유를 과도하게 제한하는 정도에 이르거나 채용 기회의 공정성을 현저히 해하는 결과를 초래하는 등의 특별한 사정이 없는 한 선량한 풍속 기타 사회질서에 반한다고 단정할 수 없다고 하였다(대판(전) 2020.8.27, 2016다248998).15)

5) 동기의 불법

'법률행위의 동기'는 법률행위를 하게 된 이유일 뿐이므로, 법률행위의 내용이 아니다. 따라서 이러한 동기가 사회질서에 위반되더라도 법률행위가 무효로 되지는 않는 것이 원칙이다. 다만 예외적으로 동기가 표시되거나 상대방에게 알려진 경우에는 제103조가 적용되어 법률행위 자체가 무효로 될 수 있다(대판 1984.12.11, 84다카1402).

6) 법률행위의 성립과정에서 불법적 방법의 사용

법률행위 성립과정에서 불법적 방법이 사용된 데 불과한 때에 그 불법이 의사표시의 형성에 영향을 미친 경우에는 의사표시의 하자를 이유로 그 효력을 논의할 수 있을지언정 반사회질서의 법률행위로서 무효라고 할 수는 없다(대판 1996.4.26, 94다34432).

7) 형사사건에 관한 성공보수약정

형사사건에 관한 성공보수약정이 선량한 풍속 기타 사회질서에 위배되는 것으로 평가할 수 있는지 여부(적극) **및 어느 법률행위가 선량한 풍속 기타 사회질서에 위반되어 무효인지 판단하는 기준 시점**(=법률행위가 이루어진 때)**과 판단 기준 / 종래 이루어진 보수약정이 성공보수 명목으로 되어 있는 경우, 민법 제103조에 의하여 무효라고 단정할 수 있는지 여부**(소극) **및 이 판결 선고 후 체결된 성공보수약정의 효력**(무효) ★

[1] 형사사건에 관하여 체결된 성공보수약정이 가져오는 여러 가지 사회적 폐단과 부작용 등을 고려하면, 구속영장청구 기각, 보석 석방, 집행유예나 무죄 판결 등과 같이 의뢰인에게 유리한 결과를 얻어내기 위한 변호사의 변론활동이나 직무수행 그 자체는 정당하다 하더라도, 형사사건에서의 성공보수약정은 수사·재판의 결과를 금전적인 대가와 결부시킴으로써, 기본적 인권의 옹호와 사회정의의 실현을 사명으로 하는 변호사 직무의 공공성을 저해하고, 의뢰인과 일반 국민의 사법제도에 대한 신뢰를 현저히 떨어뜨릴 위험이 있으므로, 선량한 풍속 기타 사회질서에 위배되는 것으로 평가할 수 있다.

15) 다음과 같은 반대의견도 있었다. 즉 반대의견은 "노사가 업무상 재해로 사망한 근로자의 가족을 보호하기 위한 대책을 마련해 두는 것은 권장할 일이지만 그러한 대책은 실질적으로 공평하며 법질서에 맞는 것이어야 한다. 그러한 대책이 유족과 같은 입장에서 절실하게 직장을 구하는 구직희망자를 희생하거나, 사망 근로자 중 일부의 유족만 보호하고 다른 유족은 보호에서 제외하는 방식이어서는 안 된다. 특정한 목적을 달성하기 위해 기업의 필요성이나 업무능력과 무관한 채용기준을 채택하기로 노사가 합의하였고 그러한 기준이 기업의 규모와 근로자 수, 해당 기업의 일반적인 채용방식, 특정한 목적 달성을 위한 채용기준의 적합성, 관련 법령의 규정, 채용 기회의 공정에 대한 사회적 인식 등에 비추어 볼 때 해당 기업에 대한 구직희망자들이나 다른 조합원을 합리적 이유 없이 차별하는 것이어서 공정한 채용에 관한 정의관념과 법질서를 벗어난 경우에는 민법 제103조가 정하는 사회질서에 위반되는 법률행위로 평가할 수 있다."고 하였다.

[2] 다만 선량한 풍속 기타 사회질서는 부단히 변천하는 가치관념으로서 어느 법률행위가 이에 위반되어 민법 제103조에 의하여 무효인지는 법률행위가 이루어진 때를 기준으로 판단하여야 하고, 또한 그 법률행위가 유효로 인정될 경우의 부작용, 거래자유의 보장 및 규제의 필요성, 사회적 비난의 정도, 당사자 사이의 이익균형 등 제반 사정을 종합적으로 고려하여 사회통념에 따라 합리적으로 판단하여야 한다. 그런데 그동안 대법원은 수임한 사건의 종류나 특성에 관한 구별 없이 성공보수약정이 원칙적으로 유효하다는 입장을 취해 왔고, 대한변호사협회도 1983년에 제정한 '변호사보수기준에 관한 규칙'에서 형사사건의 수임료를 착수금과 성공보수금으로 나누어 규정하였으며, 위 규칙이 폐지된 후에 권고양식으로 만들어 제공한 형사사건의 수임약정서에도 성과보수에 관한 규정을 마련하여 놓고 있었다. 이에 따라 변호사나 의뢰인은 형사사건에서의 성공보수약정이 안고 있는 문제점 내지 그 문제점이 약정의 효력에 미칠 수 있는 영향을 제대로 인식하지 못한 것이 현실이고, 그 결과 당사자 사이에 당연히 지급되어야 할 정상적인 보수까지도 성공보수의 방식으로 약정하는 경우가 많았던 것으로 보인다.

[3] 이러한 사정들을 종합하여 보면, 종래 이루어진 보수약정의 경우에는 보수약정이 성공보수라는 명목으로 되어 있다는 이유만으로 민법 제103조에 의하여 무효라고 단정하기는 어렵다. 그러나 대법원이 이 판결을 통하여 형사사건에 관한 성공보수약정이 선량한 풍속 기타 사회질서에 위배되는 것으로 평가할 수 있음을 명확히 밝혔음에도 불구하고 향후에도 성공보수약정이 체결된다면 이는 민법 제103조에 의하여 무효로 보아야 한다.

[4] 민사사건은 대립하는 당사자 사이의 사법상 권리 또는 법률관계에 관한 쟁송으로서 형사사건과 달리 그 결과가 승소와 패소 등으로 나누어지므로 사적 자치의 원칙이나 계약자유의 원칙에 비추어 보더라도 성공보수약정이 허용됨에 아무런 문제가 없고, 의뢰인이 승소하면 변호사보수를 지급할 수 있는 경제적 이익을 얻을 수 있으므로, 당장 가진 돈이 없어 변호사보수를 지급할 형편이 되지 않는 사람도 성공보수를 지급하는 조건으로 변호사의 조력을 받을 수 있게 된다는 점에서 제도의 존재 이유를 찾을 수 있다. 그러나 형사사건의 경우에는 재판결과에 따라 변호사와 나눌 수 있는 경제적 이익을 얻게 되는 것이 아닐 뿐 아니라 법원은 피고인이 빈곤 그 밖의 사유로 변호인을 선임할 수 없는 경우에는 국선변호인을 선정하여야 하므로(형사소송법 제33조), 형사사건에서의 성공보수약정을 민사사건의 경우와 같이 볼 수 없다(대판(전) 2015.7.23, 2015다200111).

8) 연명치료의 중단

연명치료 중단의 허용 기준 / 환자가 의료계약을 체결하고 진료를 받다가 연명치료 거부 내지 중단에 관한 의사를 밝히지 아니한 상태에서 회복불가능한 사망의 단계에 진입하였고 연명치료 중단을 명하는 판결이 확정된 경우, 기존 의료계약이 판결 주문에서 중단을 명한 연명치료를 제외한 나머지 범위 내에서 유효하게 존속하는지 여부(원칙적 적극)(대판 2016.1.28, 2015다9769)

[1] 의학적으로 환자가 의식의 회복가능성이 없고 생명과 관련된 중요한 생체기능의 상실을 회복할 수 없으며 환자의 신체상태에 비추어 짧은 시간 내에 사망에 이를 수 있음이 명백한 경우(이하 '회복불가능한 사망의 단계'라 한다)에 이루어지는 진료행위(이하 '연명치료'라 한다)는 원인이 되는 질병의 호전을 목적으로 하는 것이 아니라 질병의 호전을 사실상 포기한 상태에서 오로지 현 상태를 유지하기 위하여 이루어지는 치료에 불과하므로, 그에 이르지 아니한 경우와는 다른 기준으로 진료중단 허용 가능성을 판단하여야 한다. 그러므로 회복불가능한 사망의 단계에 이른 후에 환자가 인간으로서의 존엄과 가치 및 행복추구권에 기초하여 자기결정권을 행사하는 것으로 인정되는 경우에는 특별한 사정이 없는 한 연명치료의 중단이 허용될 수 있다.

[2] 한편 환자가 의료인과 사이에 의료계약을 체결하고 진료를 받다가 미리 의료인에게 자신의 연명치료 거부 내지 중단에 관한 의사를 밝히지 아니한 상태에서 회복불가능한 사망의 단계에 진입을 하였고, 환자 측이 직접

법원에 연명치료 중단을 구하는 소를 제기한 경우에는, 특별한 사정이 없는 한, 연명치료 중단을 명하는 판결이 확정됨으로써 그 판결 주문에서 중단을 명한 연명치료는 더 이상 허용되지 아니하지만, 환자와 의료인 사이의 기존 의료계약은 판결 주문에서 중단을 명한 연명치료를 제외한 나머지 범위 내에서는 유효하게 존속한다.16)

(2) 위반의 효과

1) 절대적 무효

무효행위의 추인·전환의 문제가 발생하지 않으며, 무효를 가지고 선의의 제3자에게도 대항할 수 있다. 판례도 마찬가지이다(대판 1996.10.25, 96다29151; 대판 1973.5.2, 72다2249).

제103조의 절대적 무효 ★★

부동산의 이중매매가 반사회적 법률행위에 해당하는 경우에는 이중매매계약은 절대적으로 무효이므로, 당해 부동산을 제2매수인으로부터 다시 취득한 제3자는 설사 제2매수인이 당해 부동산의 소유권을 유효하게 취득한 것으로 믿었더라도 이중매매계약이 유효하다고 주장할 수 없다. 이러한 법리는 담보권설정계약에서도 마찬가지라 할 것이다(대판 1996.10.25, 96다29151).

제103조의 위반(대판 2023.2.23, 2022다287383)

[1] 민법 제103조에 따라 무효로 되는 반사회질서 행위의 개념 및 경제력의 차이로 우월한 지위에 있는 사업자가 그 지위를 이용하여 부당한 이득을 얻고 상대방에게 과도한 반대급부 내지 부당한 부담을 지우는 것으로 이를 강제하는 것이 사회적 타당성이 없다고 평가할 수 있는 경우가 이에 해당하는지 여부(적극)

민법 제103조에 따라 무효로 되는 반사회질서 행위는 법률행위의 목적인 권리의무의 내용이 선량한 풍속 기타 사회질서에 위반되는 경우, 권리의무의 내용 자체는 반사회질서적인 것이 아니라고 하여도 법률적으로 이를 강제하거나 그 법률행위에 반사회질서적인 조건 또는 금전적 대가가 결부됨으로써 반사회질서적 성격을 띠는 경우, 표시되거나 상대방에게 알려진 법률행위의 동기가 반사회질서적인 경우 등을 포괄하는 개념이다. 법률행위의 일방 당사자로서 경제력의 차이로 인하여 우월한 지위에 있는 사업자가 그 지위를 이용하여 자기는 부당한 이득을 얻고 상대방에게 과도한 반대급부 내지 부당한 부담을 지우는 것으로 이를 강제하는 것이 사회적 타당성이 없다고 평가할 수 있는 경우 역시 이에 해당하여 무효가 된다.

[2] 경제적 지위에서 우위에 있는 당사자와의 관계에서 상대방의 계약상 의무와 그 위반에 따른 손해배상 책임에 관하여 구체적이고 상세한 규정을 두는 등 계약상 책임의 요건과 범위 및 절차 등을 정한 경우, 이러한 요건과 절차에 따르지 않은 채 상대방에게 이를 초과하는 책임을 추궁하는 것은 계약상 별도의 약정에 기한 것이라도 민법 제103조에 위반되어 무효로 볼 여지가 있는지 여부(적극)

16) 망인이 원고와 의료계약을 체결하고 기관지 내시경을 이용한 폐종양 조직 검사를 받던 중 과다 출혈 등으로 심정지가 발생하여 지속적 식물인간상태에 빠졌고, 이에 망인과 그 자식들인 피고들이 원고를 상대로 연명치료중단 소송을 제기하여 승소확정판결을 받았으며, 원고 병원이 위 판결에 따라 망인에게 부착된 인공호흡기를 제거하였으나 그 후에도 망인이 상당기간 생존하여 자발호흡으로 연명하다가 사망한 사안에서, 환자와 의료인 사이의 기존 의료계약은 판결 주문에서 중단을 명한 연명치료를 제외한 나머지 범위 내에서는 유효하게 존속한다는 이유로 원고(병원 측)의 피고들에 대한 진료계약상 진료비(입원비 등)를 청구할 수 있다고 본 사례이다.

계약 등 법률행위의 내용이 민법 제103조에서 정한 선량한 풍속 기타 사회질서에 위반한 법률행위로서 무효인지 여부는 계약 등의 실질을 살펴 판단하여야 하는데, 경제적 지위에서 우위에 있는 당사자와의 관계에서 상대방의 계약상 의무와 그 위반에 따른 손해배상책임에 관하여 구체적이고 상세한 규정을 두는 등 계약상 책임의 요건과 범위 및 절차 등을 정한 경우, 그 취지는 계약상 책임의 부과 절차의 객관성 · 공정성을 확보하기 위한 것이므로, 이러한 요건과 절차에 따르지 않은 채 상대방에게 이를 초과하는 책임을 추궁하는 것은 비록 그것이 계약상 별도의 약정에 기한 것이더라도 달리 그 합리성 · 필요성을 인정할 만한 사유가 존재하지 않는 한 경제적 지위의 남용에 따른 부당한 이익의 취득 및 부담의 강요로서 민법 제103조에 위반되어 무효로 볼 여지가 있다.

→ [사실관계] : 甲 주식회사와 대출업자인 乙 주식회사가, 甲 회사는 乙 회사에 수산물담보대출상품 등의 이용자를 알선하고 乙 회사는 甲 회사에 대출업무 중 일부를 위탁하는 내용의 계약을 체결하면서 甲 회사가 알선 및 위탁업무 수행과정의 고의 · 과실로 인한 손해배상책임을 부담하도록 정하였는데, 그 후 甲 회사의 알선을 통해 체결된 대출약정에 관하여 이용자의 기한의 이익이 상실되는 경우 사유에 관계없이 甲 회사에 모든 책임과 위험을 전가시키는 취지의 별도 약정이 체결된 사안에서, 별도 약정은 민법 제103조에서 정한 선량한 풍속 기타 사회질서에 반하여 무효라고 봄이 타당하다고 한 사례이다.

거래 상대방이 배임행위를 유인 · 교사하거나 배임행위의 전 과정에 관여하는 등 배임행위에 적극 가담하는 경우, 실행행위자와 체결한 계약이 무효로 될 수 있는지 여부(적극) / 반사회질서 법률행위를 원인으로 부동산에 관한 소유권이전등기를 마친 등기명의자가 소유권에 기한 물권적 청구권을 행사하는 경우, 권리 행사의 상대방이 법률행위의 무효를 항변으로서 주장할 수 있는지 여부(적극) ★★★

① 거래 상대방이 배임행위를 유인 · 교사하거나 배임행위의 전 과정에 관여하는 등 배임행위에 적극 가담하는 경우에는 실행행위자와 체결한 계약이 반사회적 법률행위에 해당하여 무효로 될 수 있고, 선량한 풍속 기타 사회질서에 위반한 사항을 내용으로 하는 법률행위의 무효는 이를 주장할 이익이 있는 자는 누구든지 무효를 주장할 수 있다.

② 그러나 관여의 정도가 거기에까지 이르지 아니하고 법질서 전체적인 관점에서 볼 때 거래 상대방이 반대편에서 독자적으로 거래에 따르는 위험을 피하고 합리적인 이익을 보호하기 위하여 필요한 조치를 요구하는 등 그 계약의 동기, 목적 및 의도, 그 계약의 내용 및 요구된 조치의 필요성 내지 관련성, 거래 상대방과 배임행위의 실행행위자와 관계 등을 종합할 때 사회적 상당성을 갖추고 있다고 평가할 수 있는 경우에는 비록 거래 상대방이 그 계약의 체결에 임하는 실행행위자의 행위가 배임행위에 해당할 수 있음을 알거나 알 수 있었다 하더라도 그러한 사정만으로 그 계약을 반사회적 법률행위에 해당한다고 보아 무효라고 할 수는 없다(대판 2016.12.29, 2016다242273).[17]

③ 그리고 반사회질서 법률행위를 원인으로 하여 부동산에 관한 소유권이전등기를 마쳤더라도 그 등기는 원인무효로서 말소될 운명에 있으므로 등기명의자가 소유권에 기한 물권적 청구권을 행사하는 경우에, 권리 행사의 상대방은 법률행위의 무효를 항변으로서 주장할 수 있다(대판 2016.3.24, 2015다11281).

---

17) 나아가 동 판례는 선의의 점유자는 점유물의 과실을 취득하고(민법 제201조 제1항), 악의의 점유자는 수취한 과실을 반환하여야 한다(민법 제201조 제2항). 점유자는 선의로 점유한 것으로 추정되고(민법 제197조 제1항), 권원 없는 점유였음이 밝혀졌다고 하여 바로 그동안의 점유에 대한 선의의 추정이 깨어졌다고 볼 것은 아니지만, 선의의 점유자라도 본권에 관한 소에서 패소한 때에는 그 소가 제기된 때부터 악의의 점유자로 보며(민법 제197조 제2항), '소가 제기된 때'란 소송이 계속된 때, 즉 소장 부본이 피고에게 송달된 때를 말한다. 한편 토지를 사용함으로써 얻는 이득은 그 토지로 인한 과실과 마찬가지이므로, 선의의 점유자는 비록 법률상 원인 없이 타인의 토지를 점유 · 사용하고 이로 말미암아 그에게 손해를 입혔다고 하더라도 그 점유 · 사용으로 인한 이득을 반환할 의무는 없다고 하였다.

2) 불법원인급여와의 관계

이행 전에는 이행할 필요가 없고, 이행 후에는 제746조 본문에 의하여 불법원인급여가 되어 그 반환청구는 부정된다. 즉, 판례는 제746조의 불법의 의미에 대해서 제103조의 반사회성과 동일하게 파악하고 있다. 다만, 제746조의 단서에 의하여 반환청구를 하는 것은 별개 문제이다.

3) 물권적 청구권과 불법원인급여

제746조에 의하여 반환청구가 인정되지 않는 경우에, 소유권에 기한 물권적 청구권을 행사하여 반환받을 수 있는가에 대하여 종래의 판례는 이를 긍정하였으나, 변경 판례는 이를 부정하고, 그 반사적 효과로서 급부한 물건의 소유권은 급여를 받은 상대방에게 귀속하게 되는 것이라고 하였다. 즉 민법 제746조는 불법의 원인으로 인하여 재산을 급여한 때에는, 그 이익의 반환을 청구하지 못한다고 규정하고 있는 바, 이 규정은 선량한 풍속, 기타 사회질서에 위반한 사항을 내용으로 하는 법률행위를 무효로 하는 민법 제103조와 표리를 이루어, 사회적 타당성이 없는 행위를 한 사람을 보호할 수 없다는 법의 이념을 실현하려고 하는 것으로서 급여를 한 사람은 그 원인행위가 법률상 무효라 하여 상대방에게 부당이득을 원인으로 한 반환청구를 할 수 없음은 물론, 그 원인행위가 무효이기 때문에 급여한 물건의 소유권은 여전히 자기에게 있다고 하여, 소유권에 기한 반환청구도 할 수 없는 것이고, 그리하여 그 반사적 효과로서 급여한 물건의 소유권은 급여를 받은 상대방에게 귀속하게 되는 것이라고 해석함이 타당하다고 하였다(대판(전) 1979.11.13, 79다483).

(3) 부동산 이중매매

논점정리 부동산 이중매매의 법률관계 ★★★

1. 의의

부동산 이중매매는 자유경쟁의 원리상 원칙적으로 유효하다. 따라서 제2매수인이 먼저 소유권이전등기를 경료받은 경우에는 유효하게 소유권을 취득하며, 제1매수인은 제2매수인에게 직접 권리를 주장할 수 없고 매도인을 상대로 이행불능에 따른 권리를 주장할 수 있을 뿐이다. 다만 판례는 제2매수인이 매도인의 배임행위에 적극 가담한 경우에는 이중매매행위는 반사회적 행위로서 무효가 된다고 한다(대판 1980.6.10, 80다569).

2. 이중매매가 유효인 경우의 법률관계

(1) 제2매수인의 소유권 취득 여부

이중매매행위는 원칙적으로 채권의 상대성 원칙 및 자유경쟁의 원리상 유효하다. 설령 제2매수인이 매도인의 배임행위에 적극 가담하지 않는 한, 매도인의 매매사실을 알고 있었더라도 제2매매가 무효로 되는 것은 아니다. 따라서 제2매수인은 완전한 소유권을 취득한다.

(2) 제1매수인과 제2매수인 사이의 법률관계

1) 채권자대위권 행사의 가부

제2매매는 유효하므로 제1매수인이 매도인을 대위하여 제2매수인을 상대로 행사할 권리(피대위권리)가 없기 때문에 제1매수인은 채권자대위권을 행사할 수 없다.[18]

2) 채권자취소권 행사의 가부 – 피보전권리

가) **소유권이전등기청구권의 피보전권리성** – 채권자취소권을 특정물에 대한 소유권이전등기청구권을 보전하기 위하여 행사하는 것은 허용되지 않으므로, 부동산의 제1양수인은 자신의 소유권이전등기청구권 보전을 위하여 양도인과 제3자 사이에서 이루어진 이중양도행위에 대하여 채권자취소권을 행사할 수 없다(대판 1999.4.27, 98다56690).

나) **이행불능에 따른 손해배상채권의 피보전권리성** – 판례는 "사해행위라고 주장하는 이 사건 부동산에 관한 매매 당시 아직 위 손해배상채권이 발생하지 아니하였고 그 채권 성립에 관한 고도의 개연성 또한 없어 원고회사는 피고 매도인에 대한 손해배상채권을 피보전채권으로 하여 채권자취소권을 행사할 수 없다"고 하여 부정설의 입장이다(대판 1999.4.27, 98다56690).

3) 제2매수인의 불법행위에 따른 손해배상책임

일반적인 경우 이중매매는 자유경쟁의 원칙상 허용되는 것이므로, 결국 위법성이 없어 불법행위가 성립하지 않는다. 따라서 제1매수인은 제2매수인을 상대로 채권침해를 이유로 직접 불법행위로 인한 손해배상을 청구할 수 없다.[19]

(3) 제1매수인과 매도인 사이의 법률관계

제2매매가 유효하고 제2매수인이 소유권이전등기를 경료함으로써 매도인의 제1매수인에 대한 소유권이전의무는 이행불능이 된다. 따라서 제1매수인은 매도인을 상대로 이행불능을 원인으로 한 채무불이행책임을 물을 수밖에 없다. 이 경우 계약해제권, 전보배상청구권, 대상청구권을 행사할 수 있다.[20]

3. 이중매매가 무효인 경우의 법률관계

(1) 반사회적 무효론

판례는 제2매수인이 매도인의 제1매수인에 대한 배임행위에 적극 가담하였으면, 제2매매는 제103조의 선량한 풍속 기타 사회질서에 위반하여 무효라고 한다. 이를 반사회적 무효론이라고 한다.

부동산 이중매매에서 제2양수인의 행위가 공서양속에 반한다고 하기 위한 요건 및 판단 기준

어떠한 부동산에 관하여 소유자가 양도의 원인이 되는 매매 기타의 계약을 하여 일단 소유권 양도의 의무를 짐에도 다시 제3자에게 매도하는 등으로 같은 부동산에 관하여 소유권 양도의 의무를 이중으로 부담하고 나아가 그 의무의 이행으로, 그러나 제1의 양도채권자에 대한 양도의무에 반하여, 소유권의 이전에 관한 등기를 그 제3자 앞으로 경료함으로써 이를 처분한 경우에, 소유자의 그러한 제2의 소유권양도의무

18) 이 경우 법원은 어떠한 판결을 할 것인가도 고려해 보아야 한다.

19) 매도인도 제1매수인에게 소유권을 취득하지 못하게 되는 손해를 입혔으나 위법성은 인정할 수 없는바, 불법행위에 기한 손해배상책임을 인정할 수 없다고 봄이 타당하다.

20) 대상청구권을 행사한 경우 매도인이 취득한 대상의 이전의무와 제1매수인의 잔금지급의무 상호 간은 동시이행관계에 있다고 할 것이다. 계약의 연장효에 기인한 것이다.

를 발생시키는 원인이 되는 매매 등의 계약이 소유자의 위와 같은 의무위반행위를 유발시키는 계기가 된다는 것만을 이유로 이를 공서양속에 반하여 무효라고 할 것이 아님은 물론이다. 그것이 공서양속에 반한다고 하려면, 다른 특별한 사정이 없는 한 상대방에게도 그러한 무효의 제재, 보다 실질적으로 말하면 나아가 그가 의도한 권리취득 자체의 좌절을 정당화할 만한 책임귀속사유가 있어야 한다. 제2의 양도채권자에게 그와 같은 사유가 있는지를 판단함에 있어서는, 그가 당해 계약의 성립과 내용에 어떠한 방식으로 관여하였는지(당원의 많은 재판례가 이 문제와 관련하여 제시한 '소유자의 배임행위에 적극 가담하였는지' 여부라는 기준은 대체로 이를 의미한다)를 일차적으로 고려할 것이고, 나아가 계약에 이른 경위, 약정된 대가 등 계약내용의 상당성 또는 특수성, 그와 소유자의 인적 관계 또는 종전의 거래상태, 부동산의 종류 및 용도, 제1양도채권자의 점유 여부 및 그 기간의 장단과 같은 이용현황, 관련 법규정의 취지·내용 등과 같이 법률행위가 공서양속에 반하는지 여부의 판단에서 일반적으로 참작되는 제반 사정을 여기서도 종합적으로 살펴보아야 할 것이다(대판 2013.10.11, 2013다52622; 대판 2009.9.10, 2009다34481).

(2) 반사회적 무효론 적용의 전제요건

1) 매도인의 배임행위

매도인의 이중매매행위가 배임행위가 되기 위해서는, 제1매수인으로부터 적어도 중도금은 지급받았음이 요구된다. 만일 계약금만 받은 경우라면 언제든지 계약을 해제할 수 있기 때문에 매도인의 이중매매행위가 있다고 하여 이를 배임행위의 착수로 볼 수 없기 때문이다.

2) 제2매수인의 적극가담

① 이중매매에 있어서 제2매수인이 적극가담하였다고 보려면 매수인이 다른 사람에게 매매목적물이 매도된 것을 안다는 것만으로는 부족하고, 적어도 그 매매사실을 알고도 매도를 요청하여 매매계약에 이르는 정도가 되어야 한다(대판 1994.3.11, 93다55289).

② 특히 매도인과 제2매수인 사이에 형제간 및 부자간과 같은 특별한 신분관계가 있는 때에는 적극 가담한 사실이 추정된다(대판 1978.1.24, 77다1804; 대판 1982.2.9, 81다1134).

③ 나아가 대리인이 부동산을 이중으로 매수한 경우, 그 매매계약이 반사회적 법률행위로서 무효인지 여부는 대리인을 기준으로 판단한다. 즉 대리인이 본인을 대리하여 매매계약을 체결함에 있어서 매매대상 토지에 관한 저간의 사정을 잘 알고 그 배임행위에 가담하였다면, 대리행위의 하자 유무는 대리인을 표준으로 판단하여야 하므로(제116조), 설사 본인이 미리 그러한 사정을 몰랐거나 반사회성을 야기한 것이 아니라고 할지라도 그로 인하여 매매계약이 가지는 사회질서에 반한다는 장애사유가 부정되는 것은 아니다(대판 1998.2.27, 97다45532).

(3) 제1매수인과 제2매수인 사이의 법률관계 – 제1매수인이 소유권을 취득할 수 있는 방법

1) 직접 소유권에 기한 말소등기청구의 가부

판례는 부동산의 이중매매가 반사회적 법률행위로서 무효인 경우 등기하지 않은 제1매수인은 아직 소유권자는 아니므로 직접 제2매수인에 대하여 그 명의의 소유권이전등기의 말소를 구할 수 없음은 형식주의 아래서의 등기청구권의 성질에 비추어 당연하다고 한다(대판 1983.4.26, 83다카57).

진정명의의 회복을 위한 직접 소유권이전등기청구의 가부

자기 앞으로 소유권의 등기가 되어 있지 않았고 법률에 의하여 소유권을 취득하지도 않은 사람이 소유권자를 대위하여 현재의 등기명의인을 상대로 그 등기의 말소를 청구할 수 있을 뿐인 경우에는 진정한 등기명의의 회복을 위한 소유권이전등기청구를 할 수 없다(대판 2003.5.13, 2002다64148).

2) 채권자대위권 행사의 가부

판례는 제1매수인은 매도인에 대한 소유권이전등기청구권을 보전하기 위하여 매도인을 대위하여 제2매수인에 대해 소유권이전등기말소를 청구할 수 있다는 견해만 밝히고 있을 뿐 구체적인 논거는 제시하고 있지 않다. 이러한 판례의 태도는 일반적으로 제103조 위반의 경우 제746조의 불법원인급여가 되어 이미 이행한 것의 반환은 어떠한 형식으로라도 반환을 구할 수 없으므로, 피대위권리가 인정될 수 없다는 점과 모순된 태도로 보인다. 따라서 이와 같은 모순을 막기 위하여 이중매매의 경우에 제746조의 불법원인급여의 적용범위를 제한하려는 견해들로서 ① 불법성비교론(수익자의 불법성이 현저히 큰 경우 제746조 단서를 적용하여 급여자의 반환청구권을 인정), ② 제746조 적용배제설(제746조는 당사자 간의 관계에만 적용, 이중매매처럼 재산이 원래 귀속되어야 할 제3자가 있는 때는 그 자에게 자동적으로 귀속하고 제746조는 적용되지 않고, 급여자의 반환청구를 인정), ③ 불법개념 축소설(제746조의 불법은 사회질서위반 중 '선량한 풍속 위반'만을 의미하고, 이중매매는 이에 해당하지 않아 불법원인급여는 아님을 전제로, 다만 비채변제로 다루어 제742조가 적용되어 반환청구를 인정) 등이 주장되고 있다.

관련판례

① 매도인의 매수인에 대한 배임행위에 가담하여 증여를 받아 이를 원인으로 소유권이전등기를 경료한 수증자에 대하여 매수인은 매도인을 대위하여 위 등기의 말소를 청구할 수는 있으나, 직접 청구할 수는 없다는 것은 형식주의 아래서의 등기청구권의 성질에 비추어 당연하다(대판 1983.4.26, 83다카57).

② 민법 제746조는 단지 부당이득제도만을 제한하는 것이 아니라 동법 제103조와 함께 사법의 기본이념으로서, 결국 사회적 타당성이 없는 행위를 한 사람은 스스로 불법한 행위를 주장하여 복구를 그 형식 여하에 불구하고 소구할 수 없다는 이상을 표현한 것이므로, 급여를 한 사람은 그 원인행위가 법률상 무효라 하여 상대방에게 부당이득반환청구를 할 수 없음은 물론 급여한 물건의 소유권은 여전히 자기에게 있다고 하여 소유권에 기한 반환청구도 할 수 없고, 따라서 급여한 물건의 소유권은 급여를 받은 상대방에게 귀속된다(대판(전) 1979.11.13, 79다483).

③ 부동산의 소유자에 대하여 소유권이전등기를 청구할 지위에 있기는 하지만 아직 그 소유권이전등기를 경료하지 않은 상태에서, 제3자가 부동산의 소유자를 상대로 그 부동산에 관한 소유권이전등기절차 이행의 확정판결을 받아 소유권이전등기를 경료한 경우, 그 확정판결이 당연무효이거나 재심의 소에 의하여 취소되지 않는 한, 종전의 소유권이전등기청구권을 가지는 자가 매도인에 대한 소유권이전등기청구권을 보전하기 위하여 매도인을 대위하여 제3자 명의의 소유권이전등기가 원인무효임을 내세워 그 등기의 말소를 구하는 것은 확정판결의 기판력에 저촉되므로 허용될 수 없다(대판 1999.2.24, 97다46955).

④ 당초의 매도인이 사망하고 상속이 이루어진 후에 공동상속인 중 1인으로서 다른 공동상속인들의 대리인임을 자칭하는 자와 제2매수인 사이에 부동산 전부에 관하여 제2매매계약이 체결되었는데 그 제2매매계약이 제2매수인이 그 공동상속인의 배임행위에 적극 가담한 결과 반사회적 법률행위에 해당하여 무효인 경우라면, 위 제2매매계약에 직접 관여한 공동상속인의 상속분에 관하여 뿐만 아니라 부동산 전부에 관하여 그 매매계약 및 그에 기한 소유권이전등기가 무효인 것으로 보아야 한다(대판 2002.4.26, 2001다8097·8103).

3) 채권자취소권 행사의 가부 – 피보전권리

가) 소유권이전등기청구권의 피보전권리성 – 채권자취소권을 특정물에 대한 소유권이전등기청구권을 보전하기 위하여 행사하는 것은 허용되지 않으므로, 부동산의 제1양수인은 자신의 소유권이전등기청구권 보전을 위하여 양도인과 제3자 사이에서 이루어진 이중양도행위에 대하여 채권자취소권을 행사할 수 없다(대판 1999.4.27, 98다56690).

나) 불법행위에 기한 손해배상채권의 피보전권리성 – 판례는 이행불능을 원인으로 한 손해배상청구권을 보전하기 위하여 채권자취소권의 행사가 문제되는 사안에서, "사해행위라고 주장하는 이 사건 부동산에 관한 매매 당시 아직 위 손해배상채권이 발생하지 아니하였고 그 채권 성립에 관한 고도의 개연성 또한 없어 원고회사는 피고 매도인에 대한 손해배상채권을 피보전채권으로 하여 채권자취소권을 행사할 수 없다"고 하여 부정설의 입장이다(대판 1999.4.27, 98다56690). 이와 같은 판례의 태도는 마찬가지로 활용될 수 있다.

4) 불법행위로 인한 원상회복청구의 행사 가부

이중매매가 무효인 경우에는 매도인의 배임행위에 적극 가담한 경우이므로 위법성을 인정할 수 있으므로, 채권침해를 이유로 불법행위책임을 물을 수 있다. 다만 제2매수인이 제1매수인에 대하여 불법행위책임을 지는 경우 금전배상 외에 제1매수인이 제2매수인에 대하여 원상회복으로서 그 소유권이전등기의 말소를 청구할 수 있는지가 문제된다. 이에 대해 판례는 제763조에 의하여 불법행위에 준용되는 제394조가 금전배상의 원칙을 규정하고 있으므로, 법률에 다른 규정이 있거나 당사자가 다른 의사표시를 하는 등 특별한 사정이 없는 이상 불법행위자에 대하여 원상회복청구는 할 수 없다고 판시하여 부정설의 입장이다(대판 1994.3.22, 92다52726).

(4) 제1매수인과 매도인 사이의 법률관계

① 제1매수인은 채권자대위권의 행사로써 제2매수인 명의의 소유권이전등기를 말소하고, 이를 다시 자기 앞으로 이전하게 할 수 있기 때문에, 매도인의 제1매수인에 대한 채무는 아직이행불능이 아니다. ② 다만 제2매수인이 기판력 있는 판결에 의해 소유권이전등기를 한 경우 제1매수인이 채권자대위권을 행사하여 제2매수인의 등기를 말소할 수 없다면 매도인의 제1매수인에 대한 이전등기의무는 이행불능이 된다. ③ 반면 매도인의 고의에 의한 위법한 배임행위로 인하여 제1매수인에게 손해가 발생하였으므로 매도인은 불법행위책임을 지게 된다.

4. 반사회적 무효론의 확대 · 적용

(1) 매도 후 증여행위에 적극 가담한 행위

판례는 매도된 부동산을 증여받은 경우에도 매도인의 배임행위에 수증자가 적극가담한 경우에는 사회질서에 반하는 법률행위가 된다고 한다(대판 1982.2.9, 81다1134). 매도인의 매수인에 대한 배임행위에 가담하여 증여를 받아 이를 원인으로 소유권이전등기를 경료한 수증자에 대하여 매수인은 매도인을 대위하여 위 등기의 말소를 청구할 수는 있으나, 직접 청구할 수는 없다는 것은 형식주의 아래서의 등기청구권의 성질에 비추어 당연하다(대판 1983.4.26, 83다카57).

(2) 점유취득시효완성 후 원소유자의 처분행위에 적극 가담한 행위

부동산점유로 인한 취득시효완성에 의한 등기를 하기 전에 먼저 제3자가 소유권이전등기를 경료하였다고 하더라도 그 제3자 명의의 등기가 원인무효라면 취득시효완성으로 소유권이전등기

청구권을 가진 자도 위 제3자에게 대항할 수 있고, 따라서 취득시효완성 당시의 소유자에 대하여 가지는 이전등기청구권으로서 위 소유자를 대위하여 위 제3자 앞으로 경료된 원인무효인 등기의 말소를 구함과 아울러 위 소유자에게 취득시효완성을 원인으로 한 소유권이전등기를 구할 수 있다(대판 1988.4.25, 87다카2003).

(3) 명의수탁자의 처분행위에 적극 가담한 행위

부동산의 소유자 명의가 신탁된 경우, 외부적으로는 수탁자만이 소유자로서 유효하게 권리를 행사할 수 있으므로 수탁자로부터 그 부동산을 취득한 자는 수탁자에게 매도나 담보의 제공 등을 적극적으로 권유함으로써 수탁자의 배임행위에 적극 가담한 것이 아닌 한 명의신탁사실을 알았는지의 여부를 불문하고 부동산의 소유권을 유효하게 취득한다(대판 1991.4.23, 91다6221).

(4) 이중으로 임대차계약을 체결한 경우

이중매매를 사회질서에 반하는 법률행위로서 무효라고 하기 위하여는, 제2매수인이 이중매매 사실을 아는 것만으로는 부족하고, 나아가 매도인의 배임행위(또는 배신행위)를 유인, 교사하거나 이에 협력하는 등 적극적으로 가담하는 것이 필요하며, 그와 같은 사유가 있는지를 판단할 때에는 이중매매계약에 이른 경위, 약정된 대가 등 계약 내용의 상당성 또는 특수성 및 양도인과 제2매수인의 관계 등을 종합적으로 살펴보아야 한다. 그리고 이러한 법리는 이중으로 임대차계약을 체결한 경우에도 그대로 적용될 수 있다(대판 2013.6.27, 2011다5813).

(5) 공동상속인 중 1인의 매도 후 다른 공동상속인의 단독 소유로 상속재산 협의분할한 행위

공동상속인 중 1인이 제3자에게 상속 부동산을 매도한 뒤 그 앞으로 소유권이전등기가 경료되기 전에 그 매도인과 다른 공동상속인들 간에 그 부동산을 매도인 외의 다른 상속인 1인의 소유로 하는 내용의 상속재산 협의분할이 이루어져 그 앞으로 소유권이전등기를 한 경우에, 그 상속재산 협의분할은 상속개시된 때에 소급하여 효력이 발생하고 등기를 경료하지 아니한 제3자는 민법 제1015조 단서 소정의 소급효가 제한되는 제3자에 해당하지 아니하는바, 이 경우 상속재산 협의분할로 부동산을 단독으로 상속한 자가 협의분할 이전에 공동상속인 중 1인이 그 부동산을 제3자에게 매도한 사실을 알면서도 상속재산 협의분할을 하였을 뿐 아니라, 그 매도인의 배임행위(또는 배신행위)를 유인, 교사하거나 이에 협력하는 등 적극적으로 가담한 경우에는 그 상속재산 협의분할 중 그 매도인의 법정상속분에 관한 부분은 민법 제103조 소정의 반사회질서의 법률행위에 해당한다(대판 1996.4.26, 95다54426 · 54433).

2. 불공정한 법률행위

> **제104조【불공정한 법률행위】**
> 당사자의 궁박(곤궁하고 절박한 사정), 경솔 또는 무경험으로 인하여 현저하게 공정을 잃은 법률행위는 무효로 한다.

(1) 의의

자기의 급부에 비해 현저하게 균형을 잃은 반대급부를 상대방에게 하게 하여 부당한 재산상 이익을 얻는 행위를 말한다. 제104조는 제103조의 예시규정이라는 것이 통설 및 판례의 입장이다.

(2) 요건

1) 급부와 반대급부 사이의 현저한 불균형

어느 정도의 양자의 차이가 있어야 불균형한 것인지에 대한 일반적 기준은 없고, 당사자의 주관적 가치가 아닌 객관적 가치를 기준으로 법률행위의 내용・시기 기타 사정을 종합적으로 고려하여 판단할 수밖에 없다.

2) 당사자의 궁박・경솔 또는 무경험

① 궁박은 반드시 경제적인 곤궁일 필요는 없고, 그 이외에 신체적, 심리적, 정신적 곤궁도 포함된다(대판 2002.10.22, 2002다38927). 또한 궁박의 상태가 계속적인 것이든 일시적인 것이든 무방하다(대판 2008.3.14, 2007다11996).

② 대리인에 의하여 법률행위가 행해진 경우 궁박은 본인을 표준으로 하여 결정하고, 경솔・무경험은 대리인을 표준으로 하여 결정한다(대판 2002.10.22, 2002다38927). 마찬가지로 부재자 재산관리인이 부재자의 재산을 매도한 경우에 매도인의 궁박상태 여부는 부재자 본인을 기준으로 판단하여야 한다(대판 1970.1.27, 69다719).

③ 궁박・경솔 또는 무경험은 모두 갖추어져야 하는 것은 아니고, 셋 중 어느 하나만 갖추어도 족하다. 법률행위가 현저하게 공정을 잃었다고 하여 그것이 궁박・경솔 또는 무경험에 의하여 이루어진 것으로 추정되는 것은 아니다(대판 1969.12.30, 69다1873).

3) 상대방의 악의

폭리자는 상대방 당사자가 궁박・경솔 또는 무경험의 상태에 있는 것을 알고서 그것을 이용하려는 의도, 즉 악의를 가지고 있어야 한다(대판 1988.9.13, 86다카563; 대판 2008.3.14, 2007다11996). 다만 궁박・경솔 또는 무경험의 상태에 있는 자가 그 법률행위로 인하여 손해를 입게 된다는 것까지 의도하거나 인식할 필요는 없다.

(3) 판단시기 및 증명책임

① 불공정한 법률행위에 해당하는지 여부의 판단시기는 법률행위 시를 표준으로 약속된 급부와 반대급부 사이의 객관적 가치를 비교・평가하여 판단하여야 할 문제이고(대판 1984.4.10,

81다239), 당초의 약정대로 계약이 이행되지 아니할 경우에 발생할 수 있는 문제는 달리 특별한 사정이 없는 한 채무의 불이행에 따른 효과로서 다루어지는 것이 원칙이다(대판 2013.9.26, 2010다42075).

불공정한 법률행위에 해당하는지 판단하는 기준 시기(=법률행위 시) **및 계약이 체결 당시 기준으로 불공정하지 않은 경우 사후 외부적 환경의 급격한 변화에 따라 계약당사자 일방에게 큰 손실이 발생하고 상대방에게 그에 상응하는 이익이 발생할 수 있는 구조라고 하여 당연히 불공정한 계약에 해당하는지 여부**(소극)

어떠한 법률행위가 불공정한 법률행위에 해당하는지는 법률행위 시를 기준으로 판단하여야 한다. 따라서 계약 체결 당시를 기준으로 전체적인 계약 내용을 종합적으로 고려한 결과 불공정한 것이 아니라면 사후에 외부적 환경의 급격한 변화로 인하여 계약당사자 일방에게 큰 손실이 발생하고 상대방에게는 그에 상응하는 큰 이익이 발생할 수 있는 구조라고 하여 그 계약이 당연히 불공정한 계약에 해당한다고 말할 수 없다(대판(전) 2013.9.26, 2013다26746; 대판 2015.1.15, 2014다216072).

② 법률행위의 무효를 주장하는 자가 궁박·경솔 또는 무경험의 상태에 있었다는 사실, 상대방이 이를 알고 있었다는 사실, 급부와 반대급부 사이에 현저한 불공정이 있다는 사실을 모두 입증하여야 한다(대판 1970.11.24, 70다2065).

③ 법률행위가 현저하게 공정을 잃었다고 하여 그것이 궁박·경솔 또는 무경험에 의하여 이루어진 것으로 추정되는 것은 아니다(대판 1969.12.30, 69다1873).

(4) 효과

불공정한 법률행위는 절대적 무효이므로 선의의 제3자에게도 무효를 주장할 수 있다. 또한 무효행위의 추인에 의하여 유효로 될 수 없고, 법정추인이 적용될 여지도 없다는 것이 판례의 태도이다(대판 1994.6.24, 94다10900).

(5) 적용범위

1) 무상계약에의 적용 여부

판례는 "불공정한 법률행위에 해당하기 위해서는 급부와 반대급부와의 사이에 현저히 균형을 잃을 것이 요구되므로 이 사건 증여와 같이 상대방에 의한 대가적 의미의 재산관계의 출연이 없이 당사자 일방의 급부만 있는 경우에는 급부와 반대급부 사이의 불균형의 문제는 발생하지 않는다"고 하여 무상행위에는 적용되지 않는다는 입장이다(대판 1993.7.16, 92다41528·41535).

2) 단독행위에의 적용 여부

판례는 "사회적 경험이 부족한 가정부인이 경제적, 정신적 궁박상태하에서 구속된 자기남편을 석방·구제하는 데에는 위 수표의 회수가 필요할 것이라는 일념에서 회사에 대한 물품잔대금채권이 얼마인지조차 확실히 모르면서 보관 중이던 남편의 인감을 이용하여 남편을 대리하여 위임장과 포기서를 작성하여 준 채권포기행위는 거래관계에 있어서 현저하게 균형을 잃은 행위로서 사회적 정의에 반하는 불공정한 법률행위로 보는 것이 상당하다"고 판시하여 단독행위인 채권포기행위에 대하여 제104조의 적용을 긍정한 바 있다(대판 1975.5.13, 75다92).

판례 연구 **관련판례 정리**

1. 불공정행위의 성립요건 ★★★

민법 제104조에 규정된 불공정한 법률행위는 객관적으로 급부와 반대급부 사이에 현저한 불균형이 존재하고, 주관적으로 그와 같이 균형을 잃은 거래가 피해 당사자의 궁박, 경솔 또는 무경험을 이용하여 이루어진 경우에 성립하는 것으로서, 약자적 지위에 있는 자의 궁박, 경솔 또는 무경험을 이용한 폭리행위를 규제하려는 데에 그 목적이 있고, 불공정한 법률행위가 성립하기 위한 요건인 궁박, 경솔, 무경험은 모두 구비되어야 하는 요건이 아니라 그 중 일부만 갖추어져도 충분한데, 여기에서 '궁박'이라 함은 '급박한 곤궁'을 의미하는 것으로서 경제적 원인에 기인할 수도 있고 정신적 또는 심리적 원인에 기인할 수도 있으며, '무경험'이라 함은 일반적인 생활체험의 부족을 의미하는 것으로서 어느 특정영역에 있어서의 경험부족이 아니라 거래일반에 대한 경험부족을 뜻하고, 당사자가 궁박 또는 무경험의 상태에 있었는지 여부는 그의 나이와 직업, 교육 및 사회경험의 정도, 재산 상태 및 그가 처한 상황의 절박성의 정도 등 제반 사정을 종합하여 구체적으로 판단하여야 하며, 한편 피해 당사자가 궁박, 경솔 또는 무경험의 상태에 있었다고 하더라도 그 상대방 당사자에게 그와 같은 피해 당사자 측의 사정을 알면서 이를 이용하려는 의사, 즉 폭리행위의 악의가 없었다거나 또는 객관적으로 급부와 반대급부 사이에 현저한 불균형이 존재하지 아니한다면 불공정 법률행위는 성립하지 않는다(대판 2002.10.22, 2002다38927).

2. 불공정행위로 인정한 경우

1) 대물변제의 목적물인 부동산의 가액이 채권액의 3~4배에 달한 경우
2) 매매가격이 시가의 1/8 정도로 현저한 차이가 있고 매수인은 이를 매수한 3개월 후에 매수가격의 4~5배 정도로 전매한 경우
3) 건물을 철거당하여 생업을 중단하게 될 궁박한 상태에서 시가의 1/3에 미달하는 금액으로 이루어진 건물매매(대판 1973.5.22, 73다231)
4) 신체사고로 인한 손해배상금으로 사고 후 일주일밖에 되지 않은 시기에 그 받을 수 있는 금액의 1/8도 안 되는 금액으로 합의한 경우(대판 1979.4.10, 78다2457)
5) 농촌에 거주하는 79세의 노인으로부터 감정가격의 30%에도 미치지 못한 가격으로 토지를 매수하고 계약금으로 매매대금의 1/3 이상을, 계약 다음 날 중도금으로 고액을 지급하는 등 이례적인 매매계약을 맺은 경우(대판 1992.2.25, 91다40351)
6) 구속된 남편을 석방시키기 위하여 회사에 대한 물품잔대금채권이 얼마인지도 확실히 모르면서 남편을 대리하여 위임장과 포기서를 작성해 준 '채권포기행위'(대판 1975.5.13, 75다92)

3. 불공정행위를 부정한 경우 ★★

1) 매매가격이 시가보다 저렴하다는 사실만으로는 폭리행위로 인정될 수 없다.
2) 간통죄로 고소하지 않는 대가로 합의금을 받은 것은 부정한 이익을 목적으로 하는 위법한 강박행위가

아니고, 다소 궁박한 상태에서 한 약속어음작성행위를 불공정한 법률행위로 볼 수 없다(대판 1997.3.25, 96다47951).

3) 기부행위(증여)와 같이 아무 대가관계 없이 일방적인 급부를 하는 행위는 그 성질상 공정성 여부를 논할 수 있는 법률행위라 할 수 없다(대판 1997.3.11, 96다49650).

4) 적법한 절차에 의하여 이루어진 경매에 있어서 경락가격이 경매부동산의 시가에 비하여 저렴하다는 사유는 경락허가결정에 대한 적법한 불복이유가 되지 못하는 것이고 경매에 있어서는 불공정한 법률행위 또는 채무자에게 불리한 약정에 관한 것으로서 효력이 없다는 민법 제104조, 제608조는 적용될 여지가 없다(대결 1980.3.21, 80마77).

5) 쟁의행위 끝에 체결된 단체협약이 사용자측의 경영상태에 비추어 그 내용이 다소 합리성을 결하였다는 사정만으로는 불공정한 법률행위에 해당하지 않는다(대판 2007.12.14, 2007다18584).

4. 무효행위의 전환 가부 ★★★

1) 매매계약과 같은 쌍무계약이 급부와 반대급부와의 불균형으로 말미암아 민법 제104조에서 정하는 '불공정한 법률행위'에 해당하여 무효라고 한다면, 그 계약으로 인하여 불이익을 입는 당사자로 하여금 위와 같은 불공정성을 소송 등 사법적 구제수단을 통하여 주장하지 못하도록 하는 부제소합의 역시 다른 특별한 사정이 없는 한 무효이다.

2) 매매계약이 약정된 매매대금의 과다로 말미암아 민법 제104조에서 정하는 '불공정한 법률행위'에 해당하여 무효인 경우에도 무효행위의 전환에 관한 민법 제138조가 적용될 수 있다. 따라서 당사자 쌍방이 위와 같은 무효를 알았더라면 대금을 다른 액으로 정하여 매매계약에 합의하였을 것이라고 예외적으로 인정되는 경우에는, 그 대금액을 내용으로 하는 매매계약이 유효하게 성립한다.

3) 재건축사업부지에 포함된 토지에 대하여 재건축사업조합과 토지의 소유자가 체결한 매매계약이 매매대금의 과다로 말미암아 불공정한 법률행위에 해당하지만, 그 매매대금을 적정한 금액으로 감액하여 매매계약의 유효성을 인정한 사례이다(대판 2010.7.15, 2009다50308).

제3절 의사표시

제1관 의사표시 일반론

1. 서설

법률행위에 의하여 당사자가 원하는 대로 효과가 발생하는 것은 법률행위가 의사표시를 요소로 하기 때문이다. 이러한 의사표시는 내부적 의사와 표시행위로 구분할 수 있고, 내부적 의사는 다시 행위의사(어떤 행위를 한다는 인식)와 표시의사(일정한 법적 의미를 가지는 표시를 한다는 인식) 및 효과의사로 구별하는 것이 독일의 전통적인 태도이다. 이 중 우리 학설에서는 행위의사를 표시행위에 포함시켜 설명하기도 하고, 표시의사가 의사표시의 구성요소는 아니라고 보는 입장도 있다.

2. 효과의사

효과의사란 일정한 법률효과의 발생을 원하는 의사를 말한다. 이러한 효과의사의 본체가 무엇인지, 즉 표시행위로부터 추단되는 의사인 '표시상의 효과의사'인가, 표의자가 실제로 가지고 있던 실제의사인 '내심적 효과의사'인가에 대하여 견해의 대립이 있다. 판례는 법률행위의 해석과 관련하여 의사표시의 요소가 되는 것은 표시상의 효과의사라고 본다.

법률행위 해석기준 – 표시상의 효과의사
의사표시 해석에 있어서 당사자의 진정한 의사를 알 수 없다면, 의사표시의 요소가 되는 것은 표시행위로부터 추단되는 효과의사 즉, 표시상의 효과의사이고 표의자가 가지고 있던 내심적 효과의사가 아니므로, 당사자의 내심의 의사보다는 외부로 표시된 행위에 의하여 추단된 의사를 가지고 해석함이 상당하다(대판 2002.6.28, 2002다23482).

3. 표시행위

1) 표시행위란 효과의사를 외부에 표현하는 행위를 말하는데, 그 방식에는 명시적 · 묵시적 표시행위가 있다. 여기서 묵시적 의사표시란 일정한 행위에 특정의 효과의사가 포함되어 있는 것으로 추단할 수 있는 것을 말한다. 나아가 이에 근거하여 민법상 의사표시가 의제되는 경우도 있다(예 제145조의 법정추인, 제639조 제1항의 묵시의 갱신 등).
2) 침묵은 원칙적으로 표시행위가 될 수 없고, 침묵을 효과의사의 표현으로 평가할 수 있을 만한 특별한 사정이 있어야 한다. 따라서 청약자가 주문하지도 않은 상품을 보내면서 일정 기간 동안 이의가 없으면 매매에 동의한 것으로 보겠다는 뜻을 밝힌 경우라도 특별한 사정이 없는 한, 청약의 상대방에게 청약에 대하여 회답할 의무가 없으므로, 그러한 침묵을 승낙의 표시로 볼 수는 없다(대판 1999.1.29, 98다48903).

제2관 흠 있는 의사표시

Ⅰ. 총설

당사자가 원하는 대로 법률효과가 발생하기 위해서는 당사자의 의사표시에서 의사와 표시가 일치하여야 하고, 또한 타인의 부당한 간섭 없이 당사자의 자유로운 의사하에 이루어져야 한다. 민법은 전자와 관련해서 의사와 표시가 불일치하는 경우로서 ① 진의 아닌 의사표시, ② 허위표시, ③ 착오를 규정하고 있고, 후자와 관련해서는 사기·강박에 의한 의사표시로서 취소할 수 있도록 규정하고 있다.

Ⅱ. 진의 아닌 의사표시(비진의표시)

> 제107조【진의 아닌 의사표시】
> ① 의사표시는 표의자가 진의 아님을 알고 한 것이라도 그 효력이 있다. 그러나 상대방이 표의자의 진의 아님을 알았거나 이를 알 수 있었을 경우에는 무효로 한다.
> ② 전항의 의사표시의 무효는 선의의 제3자에게 대항하지 못한다.

1. 의의

비진의표시란 표시행위의 의미가 표의자의 진의와 다르다는 것, 즉 의사와 표시의 불일치를 표의자가 스스로 알면서 하는 의사표시를 말한다. 이러한 비진의표시는 상대방과 통정(통모)이 없다는 점에서 허위표시(제108조)와 구별되며, 표의자가 진의와 표시가 일치하지 않음을 스스로 알고 있다는 점에서 착오(제109조)와 구별된다.

2. 요건

(1) 의사표시의 존재

일정한 효과의사를 추단할 만한 가치 있는 행위로서 의사표시가 존재하여야 한다. 따라서 사교상의 명백한 농담, 교수가 강의 중에 행한 표시는 법률효과의 발생을 원하지 않는 것이 명백하여 비진의표시도 문제될 여지가 없다. 다만 상대방이 진의와 다른 표시인 것을 알 것이라고 기대하고서 하는 희언표시(농담)는 비진의표시의 일종으로 취급된다(통설).

(2) 의사와 표시의 불일치

1) 진의의 의미

표의자의 의사, 즉 진의에 관해서 판례는 진의란 특정한 내용의 의사표시를 하고자 하는 표의자의 생각을 말하는 것이지 표의자가 진정으로 마음속에서 바라는 사항을 뜻하는 것은 아니므로, 표의자가 의사표시의 내용을 진정으로 마음속에서 바라지는 아니하였다고 하더라도 당시의 상황에서는 그것을 최선이라고 판단하여 그 의사표시를 하였을 경우에는 이를 내심의 효과의사가 결여된 비진의 의사표시라고 할 수 없다고 하였다(대판 1996.12.20, 95누16059; 대판 2000.4.25, 99다34475). 이에 따르면 비록 재산을 강제로 빼앗긴다는 것이 표의자의 본심으로 잠재되어 있었다 하더라도 표의자가 강제에 의해서나마 증여하기로 하였으므로 진의가 없다고 할 수 없다(대판 1993.7.16, 92다41528·41535).

2) 중간퇴직의 무효주장 문제

① 상대방의 지시, 강요, 방침에 의한 사표제출은 제107조 제1항 단서 또는 제108조 제1항에 의하여 무효이다. 또한 ② 근로자가 회사의 경영방침에 따라 사직원을 제출하고 회사가 이를 받아들여 퇴직처리를 하였다가 즉시 재입사하는 형식을 취함으로써 근로자가 그 퇴직 전후에 걸쳐 실질적인 근로관계의 단절이 없이 계속 근무한 경우 제107조 제1항 단서가 적용된다(대판 1988.5.10, 87다카2578). 단, 해고된 근로자가 아무런 이의의 유보나 조건 없이 퇴직금을 수령한 후 오랜 기간이 지난 후에 해고의 효력을 다투는 소를 제기하는 것은 신의칙에 위배된다(대판 2000.4.25, 99다34475).

중간퇴직과 비진의표시에 따른 해고에 해당하는지 여부 및 실효의 원칙 ★

① 사용자가 근로자로부터 사직서를 제출 받고 이를 수리하는 의원면직의 형식을 취하여 근로계약관계를 종료시킨 경우, 사직의 의사 없는 근로자로 하여금 어쩔 수 없이 사직서를 작성, 제출케 하였다면 실질적으로 사용자의 일방적인 의사에 의하여 근로계약관계를 종료시키는 것이어서 해고에 해당한다고 할 것이나, 그렇지 않은 경우에는 사용자가 사직서 제출에 따른 사직의 의사표시를 수락함으로써 사용자와 근로자의 근로계약관계는 합의해지에 의하여 종료되는 것이므로 사용자의 의원면직처분을 해고라고 볼 수 없다. 따라서 희망퇴직제 실시에 따라 근로자가 회사에 대하여 사직서를 제출하고 회사가 이를 수리하여 면직한 것은 근로기준법상의 해고가 아니다(대판 2003.4.11, 2002다60528).

② 근로자들이 의원면직의 형식을 빌렸을 뿐 실제로는 사용자의 지시에 따라 진의 아닌 사직의 의사표시를 하였고 사용자가 이러한 사정을 알면서 위 사직의 의사표시를 수리하였다면 위 사직의 의사표시는 민법 제107조에 해당하여 무효라 할 것이고 사용자가 사직의 의사 없는 근로자로 하여금 어쩔 수 없이 사직서를 작성 제출케 하여 그중 일부만을 선별수리하여 이들을 의원면직처리한 것은 정당한 이유나 정당한 절차를 거치지 아니한 해고조치로서 근로기준법 제27조 등의 강행법규에 위배되어 당연무효이다. (그러나) 근로자들이 면직된 후 바로 퇴직금을 청구하여 수령하였으며 그로부터 9년이 지난 후 1980년 해직공무원의 보상 등에 관한 특별조치법 소정의 보상금까지 수령하였다면 면직일로부터 10년이 다 되어 사용자로서도 위 면직처분이 유효한 것으로 믿고 이를 전제로 그 사이에 새로운 인사체제를 구축하여 조직을 관리·경영하여 오고 있는 마당에 새삼스럽게 면직처분무효확인의 소를 제기함은 신의성실의 원칙에 반하거나 실효의 원칙에 따라 그 권리의 행사가 허용되지 않는다(대판 1992.5.26, 92다3670).

(3) 표의자가 진의와 표시의 불일치를 알고 있을 것

표의자는 진의와 표시의 불일치를 알고 있어야 한다. 이 점에서 허위표시와 같으며, 착오와 다르다. 표의자가 진의와 다른 표시를 하는 이유나 동기는 묻지 않는다.

3. 효과

(1) 당사자 간의 효과

1) 원칙

원칙적으로 표시된 대로의 효력이 생긴다(제107조 제1항 본문). 따라서 표의자는 원칙적으로 상대방에게 의사표시의 무효를 주장할 수 없다.

2) 예외적 무효

"상대방이 표의자의 진의 아님을 알았거나 알 수 있었을 경우"에는 그 비진의표시는 무효이다(제107조 제1항 단서). 이 경우 비진의라는 사실의 지·부지나 과실의 유무는 행위 시를 표준으로 하여 결정하고, 상대방의 악의 또는 과실의 유무는 무효를 주장하는 자가 입증해야 한다(대판 1992.5.22, 92다2295).

(2) 제3자에 대한 효과

1) 선의의 제3자

① 선의란 진의 아닌 의사표시임을 알지 못한 것을 말한다. 선의이면 족하고, 선의에 대한 과실의 유무는 묻지 않는다.

② 제3자란 당사자와 그 포괄승계인 이외의 자로서 진의 아닌 의사표시를 기초로 새로운 법률상 이해관계를 맺은 자를 말한다.

2) 대항하지 못한다.

비진의표시가 유효한 경우라면 제3자는 선·악을 불문하고 보호받는다. 또한 비진의표시가 예외적으로 무효로 되는 경우에도 "선의의 제3자"에게 대항하지 못하므로 표의자는 무효를 주장할 수 없다(제107조 제2항). 나아가 선의의 제3자로부터 다시 전득한 자가 있는 경우에 그 전득자가 설령 악의라 하더라도 표의자는 무효를 주장할 수 없다(엄폐물의 법칙).

4. 적용범위

① 제107조는 '상대방 있는 의사표시'뿐만 아니라 '상대방 없는 의사표시'에도 적용된다. 다만, 제1항 단서는 상대방 없는 의사표시에는 적용되지 않으므로, 그 진의 여부에 관계없이 항상 유효하게 된다(다수설).

② 그 밖에 가족법상의 행위, 공법상 행위, 소송행위 등에는 적용되지 않는다.

판례 연구 관련판례 정리

1. 중간퇴직 등의 문제 ★

대법원은 ① 물의를 일으킨 사립대학교 조교수가 사직원이 수리되지 않을 것이라고 믿고 사태수습을 위하여 이사장 앞으로 형식상 사직원을 제출한 경우, 이사회에서 그러한 사실을 알았거나 알 수 있었을 경우가 아니라면 그 의사표시에 따라 효력이 발생한다고 하였다(대판 1980.10.14, 79다2168). 반면, ② 본조는 표시행위를 중시하는 공법행위에는 적용되지 않는다. 공무원의 사표제출의 경우 진의가 없고 상대방이 이를 알았다 하더라도 효력이 있다(대판 1997.12.12, 97누13962). 또한 ③ 대법원은 증권회사 직원이 증권투자로 인한 고객의 손해에 대하여 책임을 지겠다는 내용의 각서를 작성해 준 사안에서, 그 각서를 단지 그 동안의 손실에 대하여 사과하고 그 회복을 위해 최선을 다하겠다는 의미로 해석하는 것은 경험칙과 논리칙에 반하지만, 그 각서가 남편을 안심시키려는 고객의 요청에 따라 작성된 경위 등에 비추어 비진의 의사표시로서 무효라고 보았다(대판 1999.2.12, 98다45744).

2. 대리권 남용의 문제 ★★

진의 아닌 의사표시가 대리인에 의하여 이루어지고 그 대리인의 진의가 본인의 이익이나 의사에 반하여 자기 또는 제3자의 이익을 위한 배임적인 것임을 그 상대방이 알았거나 알 수 있었을 경우에는 민법 제107조 제1항 단서의 유추해석상 그 대리인의 행위는 본인의 대리행위로 성립할 수 없다 하겠으므로 본인은 대리인의 행위에 대하여 아무런 책임이 없다. 이때 그 상대방이 대리인의 표시의사가 진의 아님을 알았거나 알 수 있었는가의 여부는 표의자인 대리인과 상대방사이에 있었던 의사표시의 형성과정과 그 내용 및 그로 인하여 나타나는 효과 등을 객관적인 사정에 따라 합리적으로 판단하여야 한다(대판 1987.7.7, 86다카1004).

3. 명의대여의 문제 ★

명의대여에 있어서는 경제적인 효과는 타인에게 귀속시키되, 법률상의 효과는 대여자 자신에게 귀속시키려는 진의가 있는 것이므로 비진의표시가 아니다. 법률상 또는 사실상의 장애로 자기 명의로 대출받을 수 없는 자를 위하여 대출금채무자로서의 명의를 빌려준 자에게 그와 같은 채무부담의 의사가 없는 것이라고는 할 수 없으므로 그 의사표시를 비진의표시에 해당한다고 볼 수 없다. 따라서 명의대여자는 표시행위에 나타난 대로 대출금채무를 부담한다(대판 1996.9.10, 96다18182).

Ⅲ. 통정허위표시

> **제108조【통정한 허위의 의사표시】**
> ① 상대방과 통정한 허위의 의사표시(→ 상대방과 짜고 거짓으로 한 의사표시)는 무효로 한다.
> ② 전항의 의사표시의 무효는 선의의 제3자에게 대항하지 못한다.

1. 의의

(1) 개념

표의자가 진의 아닌 허위의 의사표시를 하면서 그에 관하여 상대방과 사이에 합의(통정)하는 것을 말한다. 이러한 허위표시를 요소로 하는 법률행위를 가리켜 가장행위라고 한다. 예 채무자가 채권자의 강제집행을 면하기 위하여 타인과 통정하여 그 자에게 허위로 부동산을 매도하고 소유권이전등기를 해 준 경우이다.

(2) 구별개념 – 은닉행위

은닉행위란 가장행위 뒤에 숨어 있는 당사자가 진실로 달성하고자 하는 법률행위를 말한다. 예 증여를 하면서 증여세를 면탈하기 위하여 매매를 가장한 경우, 증여행위가 이에 해당한다. 이러한 은닉행위는 허위표시와는 달리 그 법률행위의 요건을 구비하는 한 유효하다(대판 1993.8.28, 93다12930).

2. 요건

(1) 의사표시의 존재

허위표시가 인정되려면 우선 의사표시가 있어야 한다.

(2) 의사와 표시의 불일치

표시행위의 의미에 대응하는 표의자의 의사가 존재하지 않아야 한다. 따라서 표시행위에 대응하는 진정한 의사가 있으면 그에 따른 법률적 효과와 경제적 목적이 서로 상이하더라도 허위표시가 아니다(신탁행위로서 양도담보나 적법한 명의신탁).

甲이 타인의 토지를 매수하면서 乙과의 합의하에 乙 명의로 소유권이전등기를 경료한 다음 甲 앞으로 가등기를 경료한 경우, 그 가등기 약정이 통정허위표시에 해당하는지 여부(소극)

甲이 乙과의 합의하에 제3자로부터 토지를 乙의 이름으로 매수하여 매매대금을 완납하고 乙의 명의로 소유권이전등기를 경료한 다음, 乙에 대한 다른 채권자들이 그 토지에 대하여 압류, 가압류, 가처분을 하거나 乙이 甲의 승낙 없이 토지를 임의로 처분해 버릴 경우의 위험에 대비하기 위하여 甲 명의로 소유권이전등기청구권 보전을 위한 가등기를 경료하였다면, 甲은 乙에게 그 토지를 명의신탁한 것이라고 보여지고, 또한 그 가등기는 장래에 그 명의신탁 관계가 해소되었을 때 가등기에 기한 본등기를 경료함으로써 장차 가등기 경료 이후에 토지에 관하여 발생할지도 모르는 등기상의 부담에서 벗어나 甲이 완전한 소유권을 취득하기 위한 법적 장치로서 甲과 乙 사이의 별도의 약정에 의하여 경료된 것이라고 할 것이므로, 위 가등기를 경료하기로 하는 甲과 乙 사이의 약정이 통정허위표시로서 무효라고 할 수는 없고, 나아가 甲과 乙 사이에 실제로 매매예약의 사실이 없었다고 하여 그 가등기가 무효가 되는 것도 아니다(대판 1995.12.26, 95다29888).

(3) 표의자가 진의와 표시의 불일치를 알고 있을 것

표의자 스스로 그의 진의와 표시행위의 의미가 일치하지 않는다는 것을 알고 있어야 한다. 이 점에서 비진의표시와 같고 착오와 다르다.

(4) 상대방과의 통정이 있을 것

1) 통정의 의미

① 진의와 다른 표시를 하는 데 대하여 상대방과의 통정이 있어야 한다. 이 점에서 비진의표시와 다르다.

② 여기서 통정은 표의자가 진의 아닌 의사표시를 하는 것을 상대방이 단순히 알고 있는 것만으로는 부족하고, 그에 관해 상대방과의 사이에 합의가 있어야 한다.

③ 통정허위표시는 제3자를 속이려는 동기나 목적은 묻지 않는다.

2) 입증책임

통정이 있었다는 요건은 무효를 주장하는 자가 입증하여야 하는데, 실무상 간접사실에 의하여 추정하는 것이 일반적이다.

3. 효과

(1) 당사자 간의 효과

1) 무효

① 허위표시는 당사자 사이에서는 언제나 무효이다(제108조 제1항). 따라서 이행하기 전이면 이행할 필요가 없으나, 이행한 후이면 부당이득 반환청구를 할 수 있다.

② 허위표시는 당사자 사이에서는 물론 제3자에 대한 관계에서도 무효이다. 따라서 당사자뿐만 아니라 제3자도 무효를 주장할 수 있다. 다만 선의의 제3자가 있는 경우 그 제3자에 대해서만 무효를 주장하지 못할 뿐이다(제108조 제2항).

허위의 근저당권에 대하여 배당이 이루어진 경우, 배당채권자는 채권자취소의 소에 의하지 않고 배당이의의 소로써 그 시정을 구할 수 있는지 여부(적극)

허위의 근저당권에 대하여 배당이 이루어진 경우, 통정한 허위의 의사표시는 당사자 사이에서는 물론 제3자에 대하여도 무효이고, 다만 선의의 제3자에 대하여만 이를 대항하지 못한다고 할 것이므로, 배당채권자는 채권자취소의 소로써 통정허위표시를 취소하지 않았다 하더라도 그 무효를 주장하여 그에 기한 채권의 존부, 범위, 순위에 관한 배당이의의 소를 제기할 수 있다(대판 2001.5.8, 2000다9611).[21]

2) 불법원인급여

허위표시 그 자체가 불법은 아니므로 불법원인급여에 해당하지 않는다. 따라서 부당이득반환을 청구할 수 있다(대판 2004.5.28, 2003다70041).

3) 채권자취소권의 행사 가부

허위표시를 한 채무자의 채권자는 채권자취소권을 행사할 수 있다. 즉 허위표시로서 무효인 법률행위도 채권자취소권의 대상이 된다(통설 및 판례). 또한 채권자취소권의 대상으로 된 채무자의 법률행위라도 통정허위표시의 요건을 갖춘 경우에는 무효이다. 이는 이론적 측면에서 '무효와 취소의 이중효 법리'에 근거하고 있다.

---

21) 허위의 근저당권에 기한 경매의 경우 경락인은 선의의 제3자로서 보호받을 수 있으나, 통정허위표시의 당사자 간의 법률행위는 무효이므로 당사자 이외의 자는 그 무효를 주장하며 허위의 근저당권자가 배당을 받는 것에 대해서 이의를 제기할 수 있다.

채무자가 다른 사람의 예금계좌로 송금한 금전에 관하여 통정허위표시에 의한 증여계약이 성립한다고 인정하기 위한 요건 및 이에 관한 증명책임 소재(취소채권자)

채무자가 다른 사람의 예금계좌로 송금한 금전에 관하여 통정허위표시에 의한 증여계약이 성립하였다고 하려면, 무엇보다도 우선 객관적으로 채무자와 다른 사람 사이에서 그와 같이 송금한 금전을 다른 사람에게 종국적으로 귀속되도록 '증여'하여 무상 공여한다는 데에 관한 의사 합치가 있는 것으로 해석되어야 한다. 그리고 그에 관한 증명책임은 위와 같은 송금행위가 채권자취소권의 대상이 되는 사해행위임을 주장하는 채권자에게 있다(대판 2012.7.26, 2012다30861).

4) 불법행위 또는 채무불이행에 기한 손해배상청구의 가부

무효인 법률행위는 그 법률행위가 성립한 당초부터 당연히 효력이 발생하지 않는 것이므로, 무효인 법률행위에 따른 법률효과를 침해하는 것처럼 보이는 위법행위나 채무불이행이 있다고 하여도 법률효과의 침해에 따른 손해는 없는 것이므로 그 손해배상을 청구할 수는 없다(대판 2003.3.28, 2002다72125).

(2) 제3자에 대한 효과

허위표시의 무효는 선의의 제3자에게 대항하지 못한다(제108조 제2항).

1) 제3자의 의의 – 제3자 해당 여부

여기서 제3자란 당사자 및 포괄승계인 이외의 자로서 허위표시에 의하여 외형상 형성된 법률관계를 토대로 실질적으로 새로운 법률상 이해관계를 맺은 자를 말한다.

통정허위표시의 무효를 대항할 수 없는 제3자의 범위 ★★★

[1] 상대방과 통정한 허위의 의사표시는 무효이고 누구든지 그 무효를 주장할 수 있는 것이 원칙이나, 허위표시의 당사자와 포괄승계인 이외의 자로서 허위표시에 의하여 외형상 형성된 법률관계를 토대로 실질적으로 새로운 법률상 이해관계를 맺은 선의의 제3자에 대하여는 허위표시의 당사자뿐만 아니라 그 누구도 허위표시의 무효를 대항하지 못하는 것인데, 허위표시의 무효를 선의의 제3자에게 대항하지 못하게 한 취지는 이를 기초로 하여 별개의 법률원인에 의하여 고유한 법률상의 이익을 갖는 법률관계에 들어간 자를 보호하기 위한 것이므로 제3자의 범위는 권리관계에 기초하여 형식적으로만 파악할 것이 아니라 허위표시행위를 기초로 하여 새로운 법률상 이해관계를 맺었는지 여부에 따라 실질적으로 파악하여야 한다(대판 2020.1.30, 2019다280375).

[2] 통정허위표시의 무효를 대항할 수 없는 제3자란 허위표시의 당사자 및 포괄승계인 이외의 자로서 허위표시에 의하여 외형상 형성된 법률관계를 토대로 새로운 법률원인으로써 이해관계를 갖게 된 자를 말한다. 따라서 소외인 (A)가 부동산의 매수자금을 피고 (C)로부터 차용하고 담보조로 가등기를 경료하기로 약정한 후 채권자들의 강제집행을 우려하여 소외인 (B)에게 가장양도한 후 피고 (C) 앞으로 가등기를 경료케 한 경우에 있어서 피고(C)는 형식상은 가장 양수인으로부터 가등기를 경료받은 것으로 되어 있으나 실질적인 새로운 법률원인에 의한 것이 아니므로 통정허위 표시에서의 제3자로 볼 수 없다(대판 1982.5.25, 80다1403).[22]

---

22) 원심은 소외 A가 소외 甲으로부터 본건 부동산을 매수함에 있어서 피고 C로부터 돈을 빌려 그 담보조로 본건 부동산상에 가등기를 해주기로 약정하였으나, A 명의로 일단 소유권이전등기를 하게 되면 원고 등 채권자들(乙)의 강제집행을 당하여 담보약정을 이행할 수 없게 될 우려가 있으므로 동 A는 아무런 원인관계가 없는 소외 B와 통모하여 위 매도인 甲이 교부한 매도증서의 매수인란에 소외 B의 이름을 기재하여 甲으로부터 직접 동 소외인 B 명의로

[3] 실제로는 전세권설정계약을 체결하지 아니하였으면서도 임대차계약에 기한 임차보증금반환채권을 담보할 목적 또는 금융기관으로부터 자금을 융통할 목적으로 임차인과 임대인 사이의 합의에 따라 임차인 명의로 전세권설정등기를 경료한 경우에, 위 전세권설정계약이 통정허위표시에 해당하여 무효라 하더라도 위 전세권설정계약에 의하여 형성된 법률관계에 기초하여 새로이 법률상 이해관계를 가지게 된 제3자에 대하여는 그 제3자가 그와 같은 사정을 알고 있었던 경우에만 그 무효를 주장할 수 있다(대판 2010.3.25, 2009다35743 등). 그리고 여기에서 선의의 제3자가 보호될 수 있는 법률상 이해관계는 위 전세권설정계약의 당사자를 상대로 하여 직접 법률상 이해관계를 가지는 경우 외에도 그 법률상 이해관계를 바탕으로 하여 다시 위 전세권설정계약에 의하여 형성된 법률관계와 새로이 법률상 이해관계를 가지게 되는 경우도 포함된다(대판 2013.2.15, 2012다49292).[23]

소유권이전등기를 한 것이므로 동 소외 B 명의로 경료된 위 소유권이전등기는 통정한 허위표시에 기한 것이니 원인무효의 등기라고 설시한 후, 피고 C의 이 사건 가등기는 위와 같은 사실을 알면서 취득한 것이니 그 가등기 역시 무효라는 원고 乙의 주장에 대하여 증거를 취사하여 피고 C는 그 가등기를 경료함에 있어 위 소외인 B 명의의 등기가 통모 허위표시에 의한 무효인 사실을 알았다고 볼 증거가 없다 하여, 원고의 청구를 배척하고 있다. 피고 C가 이 사건에 관하여 가등기를 경료하게 된 경위가 위에서 확정한 사실관계와 같다면, 형식상(등기부상)은 가장양수인인 소외 B와의 매매예약을 원인으로 피고 C 명의의 가등기가 경료된 것이라 하더라도 이는 B와 피고 C 사이에 실질적인 새로운 법률상의 원인에 의하여 이루어진 것은 아니어서 피고 C는 위 통정 허위표시에 있어서의 제3자라고 볼 수는 없으며, 부동산의 매수자(실질적 소유자)인 위 A와의 당초의 판시와 같이 매매대금 차용에 따른 담보제공약정에 따라 그 이행으로서 이루어진 것이므로 피고 C가 소외 B 명의의 소유권이전등기가 진실에 합치되지 않음을 알았건 몰랐건 간에 같은 피고 C 명의의 본건 가등기는 실체관계에 부합된다 할 것이니, 동 A로서는 그 채무를 이행하지 않고서는 본건 가등기의 말소를 구할 수는 없다 할 것인즉 A의 채권자로서 그를 대위하는 원고 乙로서도 피고 C 명의의 본건 가등기가 A와 B 간의 통정 허위표시에 터 잡아 이루어진 것이라는 이유만으로는 그 말소를 구할 수는 없다 할 것이다. 원심판결은 그 이유 설시에 있어서 피고가 통모 허위표시에 의하여 목적물을 취득한 자로부터 가등기를 경료받은 제3자라는 전제 아래 피고가 판시 가등기를 취득함에 있어 악의의 입증이 없다고 판단한 점에 소론의 채증법칙을 위배한 위법이 있다 하여도, 위에서 설시한 바와 같이 피고는 위 가등기를 소외 장인석으로부터 취득한 제3자에 해당하지 아니하므로 그 선의, 악의의 여부에 따라 이 판결의 결과에 영향이 있는 것이 아니라 할 것이니, 원고의 이건 등기의 말소청구를 기각한 원심판결은 그 결론에 있어서 정당하고, 거기에 소론과 같은 위법사유는 없다.

23) 임대인 甲이 임차인 乙의 임차보증금반환채권을 담보해 주기 위하여 통정허위표시로 전세권설정등기를 경료해 주었고, 丙은 이러한 사정을 잘 알면서도 자신의 채권을 담보하기 위하여 乙로부터 이 사건 전세권에 대하여 채권최고액 6억원인 근저당권설정계약을 체결한 후 전세권근저당권설정등기를 경료받았다. 이후 丁은 丙의 乙에 대한 위 전세권근저당권부 채권에 대하여 가압류결정을 받아 위 전세권근저당권설정등기에 부기등기의 방법으로 가압류등기가 기입된 다음, 가압류를 본압류로 이전하는 압류명령을 받아, 그 결정이 乙에게 송달되었으며 전세권근저당권설정등기에 부기등기의 방법으로 압류등기가 기입되었다면, 丁은 丙의 위 전세권근저당권부채권을 가압류하고 나아가 압류명령을 얻음으로써 그 채권에 관한 담보권인 전세권근저당권의 목적물에 해당하는 전세권에 대하여 새로이 법률상 이해관계를 가지게 되었다 할 것이므로, 만약 그가 통정허위표시에 관하여 선의라면 비록 丙이 악의라 하더라도 허위표시자는 그에 대하여 전세권이 통정허위표시에 의한 것이라는 이유로 대항할 수 없다.

실제로는 전세권설정계약이 없음에도 담보의 목적 등으로 당사자 사이의 합의에 따라 임차인 명의로 전세권설정등기를 경료한 후 그 전세권에 대하여 근저당권이 설정된 경우, 임대인이 그와 같은 사정을 알지 못한 근저당권자에게 위 전세권설정계약이 통정허위표시로서 무효라고 주장할 수 있는지 여부(소극) (대판 2008.3.13, 2006다58912) ★★★

① 실제로는 전세권설정계약이 없으면서도 임대차계약에 기한 임차보증금반환채권을 담보할 목적 또는 금융기관으로부터 자금을 융통할 목적으로 임차인과 임대인 사이의 합의에 따라 임차인 명의로 전세권설정등기를 경료한 후 그 전세권에 대하여 근저당권이 설정된 경우, 가사 위 전세권설정계약만 놓고 보아 그것이 통정허위표시에 해당하여 무효라 하더라도 이로써 위 전세권설정계약에 의하여 형성된 법률관계를 토대로 별개의 법률원인에 의하여 새로운 법률상 이해관계를 갖게 된 근저당권자에 대하여는 그와 같은 사정을 알고 있었던 경우에만 그 무효를 주장할 수 있다.

② (판결이유 중에서 발췌) 전세권설정계약이 허위표시에 해당하여 무효라고 주장할 수 있더라도, 선의의 전세권저당권자에 대하여는 위 전세권설정계약의 무효를 주장할 수 없고, 따라서 임대인은 물상대위권의 행사로서 임차인의 임대인에 대한 전세금반환채권을 압류 및 전부명령 받은 전세권근저당권자에 대하여 위 전세권설정계약과 양립할 수 없는 위 임대차계약 상의 임대차보증금의 수액이나, 위 임대차계약에 의하여 발생한 연체차임, 관리비 등의 채권을 주장할 수 없다고 봄이 상당하다(㊟ 즉 이에 근거한 공제를 주장할 수 없다는 것이다).

가) 제3자에 해당하는 경우

① 가장매매의 매수인으로부터 그 목적부동산을 다시 매수한 자나 저당권의 설정을 받은 자, ② 압류채권자, ③ 가장 소비대차에 기한 대여금 채권의 양수인, ④ 가장 매매에 기한 매매대금채권의 양수인, ⑤ 채권의 가장양도에 있어 양수인으로부터 그 채권을 양수한 자, ⑥ 파산관재인(★ 그 선의·악의도 파산관재인 개인의 선의·악의를 기준으로 할 수는 없고 총파산채권자를 기준으로 하여 파산채권자 모두가 악의로 되지 않는 한 파산관재인은 선의의 제3자라고 할 수밖에 없다), ⑦ 가장매매의 매수인으로부터 매매계약에 의한 소유권이전청구권보전을 위한 가등기를 취득한 자, ⑧ 허위의 보증채무를 이행하여 구상권을 취득한 보증인, ⑨ 가장전세권설정계약으로부터 생긴 전세권부채권을 가압류한 가압류권자(대판 2010.3.25, 2009다35743), ⑩ 임대차보증금반환채권이 양도된 후 양수인의 채권자가 임대차보증금반환채권에 대하여 채권압류 및 추심명령을 받았는데 임대차보증금반환채권 양도계약이 허위표시로서 무효인 경우의 채권자(대판 2014.4.10, 2013다59753) 등이 이에 해당한다.

나) 제3자에 해당하지 않는 경우

① 가장양수인의 일반채권자, ② 자기 채권을 보전하기 위하여 재산권의 가장양수인의 가장양도인에 대한 권리를 대위행사하는 자, ③ 채권의 가장양도에서 변제를 하기 전의 채무자, ④ 대리인의 허위표시에서의 본인, ⑤ 제3자를 위한 계약에서의 제3자 등이 이에 해당한다.

판례 연구 **관련판례 정리**

☑ **주의를 요하는 판례**

1. 파산관재인 ★★★

파산자가 상대방과 통정한 허위의 의사표시를 통하여 가장채권을 보유하고 있다가 파산이 선고된 경우 그 가장채권도 일단 파산재단에 속하게 되고, 파산선고에 따라 파산자와는 독립한 지위에서 파산채권자 전체의 공동의 이익을 위하여 직무를 행하게 된 파산관재인은 그 허위표시에 따라 외형상 형성된 법률관계를 토대로 실질적으로 새로운 법률상 이해관계를 가지게 된 민법 제108조 제2항의 제3자에 해당하고, 그 선의·악의도 파산관재인 개인의 선의·악의를 기준으로 할 수는 없고, 총파산채권자를 기준으로 하여 파산채권자 모두가 악의로 되지 않는 한 파산관재인은 선의의 제3자라고 할 수밖에 없다(대판 2006.11.10, 2004다10299; 대판 2010.4.29, 2009다96083).

2. 채권의 가장양도에서의 채무자 ★★

채무자가 채권의 가장양수인에게 채무를 변제하지 않은 사안에서 "이 사건 퇴직금채무자인 피고는 원채권자인 소외 甲이 소외 乙에게 퇴직금채권을 양도했다고 하더라도 그 퇴직금을 양수인에게 지급하지 않고 있는 동안에 위 양도계약이 허위표시란 것이 밝혀진 이상 위 허위표시의 선의의 제3자임을 내세워 진정한 퇴직금전부채권자인 원고에게 그 지급을 거절할 수 없다"고 판시하여 변제행위를 하기 전의 채무자는 제3자가 아님을 밝히고 있다(대판 1983.1.18, 82다594).

3. 가장채무의 보증인 ★★★

허위의 주채무를 보증한 보증인이 보증채무를 이행한 경우 제3자에 해당하는지 여부에 관하여, 판례는 "보증인이 주채무자의 기망행위에 의하여 주채무가 있는 것으로 믿고 주채무자와 보증계약을 체결한 다음 그에 따라 보증채무자로서 그 채무까지 이행한 경우, 그 보증인은 주채무자에 대한 구상권 취득에 관하여 법률상의 이해관계를 가지게 되었고 그 구상권 취득에는 보증의 부종성으로 인하여 주채무가 유효하게 존재할 것을 필요로 한다는 이유로 결국 그 보증인은 주채무자의 채권자에 대한 채무부담행위라는 허위표시에 기초하여 구상권 취득에 관한 법률상 이해관계를 가지게 되었다고 봄이 상당하므로 민법 제108조 제2항 소정의 '제3자'에 해당한다"고 하여 이를 긍정하였다(대판 2000.7.6, 99다51258).

4. 가장매매에 기한 가등기 및 본등기에 터 잡아 이해관계를 맺은 자 ★★

통정 허위표시를 원인으로 한 부동산에 관한 가등기 및 그 가등기에 기한 본등기로 인하여 丙의 소유권이 전등기가 말소된 후 다시 그 본등기에 터 잡아 丁이 부동산을 양수하여 소유권이전등기를 마친 경우, 丁이 통정 허위표시자로부터 실질적으로 부동산을 양수하고 또 이를 양수함에 있어 통정허위표시자 명의의 각 가등기 및 이에 기한 본등기의 원인이 된 각 의사표시가 허위표시임을 알지 못하였다면, 丙은 선의의 제3자인 丁에 대하여는 그 각 가등기 및 본등기의 원인이 된 각 허위표시가 무효임을 주장할 수 없고, 따라서 丁에 대한 관계에서는 그 각 허위표시가 유효한 것이 된다(대판 1996.4.26, 94다12074).

2) 보호범위

가) 선의

① 여기서 '선의'라 함은 통정허위표시가 있다는 사실을 모르는 것을 말한다. 선의이면 족하고 무과실은 요건이 아니다(대판 2004.5.28, 2003다70041).

② 선의의 판단시기는 법률상 새로운 이해관계를 맺은 때이다.

③ 제3자는 특별한 사정이 없는 한 선의로 추정할 것이므로, 제3자가 악의라는 사실에 관한 주장・증명책임은 그 허위표시의 무효를 주장하는 자에게 있다(대판 1970.9.29, 70다466).

나) 엄폐물의 법칙

제3자가 선의이면 그 자로부터 전득한 자가 설령 악의였다 하더라도 보호받는다.

3) 효과 – 대항하지 못한다.

① 허위표시의 당사자는 선의의 제3자에 대하여 그 무효를 주장할 수 없다는 의미이다. 즉 당사자 사이에는 무효이지만 선의의 제3자에 대한 관계에서는 유효한 것으로 그가 믿은 외관대로 효력이 있다. 나아가 선의의 제3자에게는 허위표시의 당사자뿐만 아니라 그 누구도 허위표시의 무효를 가지고 대항하지 못한다(대판 1996.4.26, 94다12074). ② 다만 제108조 제2항은 선의의 제3자를 보호하고자 하는 규정이기 때문에 선의의 제3자가 스스로 보호받을 의사가 없을 때에는 그 자는 무효를 주장할 수 있다(다수설).

4. 적용범위

① 허위표시는 상대방과 통정하여 이루어지므로 계약 및 상대방 있는 단독행위에 적용된다. 그러나 상대방 없는 단독행위(예 유증)는 통정의 요건이 충족될 수 없기 때문에 적용될 수 없다(통설).

② 혼인 혹은 입양과 같은 신분행위에서는 당사자의 의사가 절대적으로 존중되어야 하므로 제108조는 적용되지 않음이 원칙이고, 따라서 허위표시는 언제나 무효이다.

③ 소송행위나 공법행위에도 원칙적으로 적용되지 않는다.

④ 발행인과 수취인이 통모하여 진정한 어음채무 부담이나 어음채권 취득에 관한 의사 없이 단지 발행인의 채권자에게서 채권 추심이나 강제집행을 받는 것을 회피하기 위하여 형식적으로만 약속어음의 발행을 가장한 경우 이러한 어음발행행위는 통정허위표시로서 무효이다. 이 경우에도 어음발행행위 등 어떠한 의사표시가 통정허위표시로서 무효라고 주장하는 자에게 그 사유에 해당하는 사실을 증명할 책임이 있다(대판 2017.8.18, 2014다87595).

5. 민법 제108조 제2항의 유추적용론

허위표시가 없는 경우에도 허위의 외관이 형성되고 그러한 외관형성에 진정한 권리자에게 귀책이 인정되는 경우, 그 외관을 믿고 거래한 선의의 제3자를 보호하기 위해 제108조 제2항을 유추적용할 수 있을지 문제된다.

이에 대해 판례는 "乙이 甲으로부터 부동산에 관한 담보권설정의 대리권만 수여받고도 그 부동산에 관하여 자기 앞으로 소유권이전등기를 하고 이어서 丙에게 그 소유권이전등기를 경료한 경우, 丙은 乙을 甲의 대리인으로 믿고서 위 등기의 원인행위를 한 것도 아니고, 甲도 乙 명의의 소유권이전등기가 경료된 데 대하여 이를 통정 · 용인하였거나 이를 알면서 방치하였다고 볼 수 없다면 이에 민법 제126조나 제108조 제2항을 유추할 수는 없다"고 하여 동 판례의 반대해석상 제108조 제2항의 유추적용을 긍정하는 입장으로 평가된다(대판 1991.12.27, 91다3208).

판례 연구 관련판례 정리

1) ① 은행이 동일인 여신한도의 제한을 회피하기 위하여 실질적 주채무자 아닌 제3자와 사이에 제3자를 주채무자로 하는 소비대차계약을 체결한 경우의 효력에 관하여 은행이 양해하지 않은 경우 진의가 있는 경우로서 유효이고 양해한 경우에는 무효이다(대판 2007.11.29, 2007다53013). 즉, 동일인에 대한 대출액 한도를 제한한 구 상호신용금고법 제12조의 적용을 회피하기 위하여 실질적인 주채무자가 실제 대출받고자 하는 채무액에 대하여 제3자를 형식상의 주채무자로 내세우고, 상호신용금고도 이를 양해하여 제3자에 대하여는 채무자로서의 책임을 지우지 않을 의도하에 제3자 명의로 대출관계서류를 작성받은 경우, 제3자는 형식상의 명의만을 빌려준 자에 불과하고 그 대출계약의 실질적인 당사자는 상호신용금고와 실질적 주채무자이므로, 제3자 명의로 되어 있는 대출약정은 상호신용금고의 양해하에 그에 따른 채무부담의 의사 없이 형식적으로 이루어진 것에 불과하여 통정허위표시에 해당하는 무효의 법률행위이다(대판 1999.3.12, 98다48989). ② 또한 대출절차상의 편의를 위하여 명의만을 대여한 것으로 인정되어 채무자로 볼 수 없는 경우(주 - 명의대여자가 채무를 부담하지 않는 것으로 금융기관과 양해가 된 경우), 그 형식상 주채무자(명의대여자)가 실질적인 주채무자(명의차용자)를 위하여 보증인이 될 의사가 있었다는 등의 특별한 사정이 없는 한 그 형식상의 주채무자에게 실질적 주채무자에 대한 보증의 의사가 있는 것으로 볼 수는 없다(대판 2005.5.12, 2004다68366). ★★★ 따라서 조합으로부터 대출받기로 하면서 자신의 부동산에 근저당권을 설정한 자가 조합의 이사장으로부터 대출금의 실제 채무자는 근저당권설정자가 아니라는 등의 각서 및 이사장과 조합이 대출금에 대하여 연대하여 책임지겠다는 확인서를 작성받은 경우, 그 대출약정은 통정허위표시에 해당하여 무효이다(대판 2006.4.28, 2005다76265). 또한 금융기관이 동일인 대출한도를 회피하기 위하여 형식상 제3자 명의로 대출약정을 체결하면서 대물변제 등의 방법에 의해 제3자에게 대출에 따른 책임을 묻지 않기로 합의한 경우, 그 합의는 대출약정이 통정허위표시임을 명백히 뒷받침하는 징표에 불과할 뿐 별개의 법률행위라고 볼 수 없어 이에 터 잡아 제3자의 대출금 채무가 대물변제로 소멸되었다고 주장할 수는 없다(대판 2007.11.29, 2007다53013).

2) 임차인과 임대인 및 제3자 사이의 합의에 따라 제3자명의로 경료된 전세권설정등기는 원칙적으로 효력이 있으나, 허위표시의 요건을 갖추어 무효가 되는 경우도 있다. 이때 허위의 전세권에 저당권을 설정받은 자가 선의이면 보호된다(대판 1998.9.4, 98다20981).

3) 사표제출은 허위표시로서 무효이므로 근로관계는 단절되지 않았다고 본 사례도 있다. 단, 노사합의에 의하여 회사의 퇴직금 지급률제도가 누진제에서 단순제로 변경됨으로써 누진율의 상승에 의한 퇴직금의 상승을 기대할 수 없게 되자 근로자들이 자유로운 의사에 기한 선택에 따라 중간퇴직을 하고 퇴직금을 수령한 경우, 그 근로자들과 회사 사이의 근로계약관계는 그 중간퇴직에 의하여 일단 종료되었다

고 봄이 상당하고, 그 근로자들의 퇴직의사표시를 통정허위표시 또는 비진의표시로서 무효라고 볼 수 없다(대판 1996.4.26, 95다2562·2579).

4) 채권담보의 목적으로 부동산을 매매의 형식으로 채권자에게 소유권이전등기를 하여 주는 양도담보의 법률행위는 허위표시가 아니다(대판 1964.6.16, 64다138).

5) 주택을 주거용으로 사용·수익할 의사 없이 주택임대차계약의 형식을 빌려 기존 채권을 우선변제받을 목적으로 주택임대차보호법상의 대항력을 갖춘 경우, 채권자와 채무자 사이의 주택임대차계약은 무효이다(대판 2002.3.12, 2000다24184·24191). ★★

6) ① 통정한 허위표시에 의하여 외형상 형성된 법률관계로 생긴 채권을 가압류한 경우, 그 가압류권자는 허위표시에 기초하여 새로운 법률상 이해관계를 가지게 되므로 민법 제108조 제2항의 제3자에 해당한다고 봄이 상당하고, 또한 민법 제108조 제2항의 제3자는 선의이면 족하고 무과실은 요건이 아니다(대판 2007.11.29, 2007다53013). 또한 ② 제3자는 특별한 사정이 없는 한 선의로 추정되므로 허위표시를 한 부동산양도인이 소유권 주장 시 제3자의 악의를 입증하여야 한다고 한다(대판 2007.11.29, 2007다53013). ★★★

7) 실제로는 전세권설정계약을 체결하지 아니하였으면서도 담보의 목적 등으로 당사자 사이의 합의에 따라 전세권설정등기를 마친 경우, 전세권부채권의 가압류권자가 선의의 제3자로서 보호받을 수 있는지 여부(적극) : 실제로는 전세권설정계약을 체결하지 아니하였으면서도 임대차계약에 기한 임차보증금반환채권을 담보할 목적 또는 금융기관으로부터 자금을 융통할 목적으로 임차인과 임대인 사이의 합의에 따라 임차인 명의로 전세권설정등기를 경료한 경우, 위 전세권설정계약이 통정허위표시에 해당하여 무효라 하더라도 위 전세권설정계약에 의하여 형성된 법률관계에 기초하여 새로이 법률상 이해관계를 갖게 된 제3자에 대하여는 그 제3자가 그와 같은 사정을 알고 있었던 경우에만 그 무효를 주장할 수 있다. 그리고 통정한 허위표시에 의하여 외형상 형성된 법률관계로 생긴 채권을 가압류한 경우 그 가압류권자는 허위표시에 기초하여 새로이 법률상 이해관계를 가지게 된 제3자에 해당하므로, 그가 선의인 이상 위 통정허위표시의 무효를 그에 대하여 주장할 수 없다(대판 2010.3.25, 2009다35743).

8) 금융기관이 한국자산관리공사에게 부실자산인 대출금 채권을 양도한 경우, 한국자산관리공사는 민법 제108조 제2항의 제3자에 해당한다(대판 2004.1.15, 2002다31537).

9) 민법 제108조 제2항에서 말하는 제3자는 허위표시의 당사자와 그의 포괄승계인 이외의 자 모두를 가리키는 것이 아니고 그 가운데서 허위표시행위를 기초로 하여 새로운 이해관계를 맺은 자를 한정해서 가리키는 것으로 새겨야 할 것이므로 이 사건 퇴직금 채무자인 피고는 원채권자인 소외(갑)이 소외(을)에게 퇴직금채권을 양도했다고 하더라도 그 퇴직금을 양수인에게 지급하지 않고 있는 동안에 위 양도계약이 허위표시란 것이 밝혀진 이상 위 허위표시의 선의의 제3자임을 내세워 진정한 퇴직금전부채권자인 원고에게 그 지급을 거절할 수 없다(대판 1983.1.18, 82다594).

10) 가장행위인 매매가 무효이더라도 은닉행위인 증여는 유효하다(대판 1993.8.27, 93다12930).

11) 제406조(채권자취소권)에서 말하는 법률행위는 유효인 법률행위만을 가리키는 것은 아니므로, 허위표시에 관하여도 채권자취소권을 행사할 수 있다고 한다(대판 1984.7.24, 84다카68). ★★★

12) 허위표시 자체가 불법은 아니기 때문에 불법원인급여를 규정한 제746조는 적용되지 않는다(대판 2004.5.28, 2003다70041).

13) 특별한 사정없이 동거하는 부부간에 있어 남편이 처에게 토지를 매도하고 그 소유권이전등기까지 경료한다 함은 이례에 속하는 일로서 가장매매라고 추정하는 것이 타당하다(대판 1978.4.25, 78다226).

14) 상대방과 통정한 허위의 의사표시는 무효이고 누구든지 그 무효를 주장할 수 있는 것이 원칙이나, 허위표시의 당사자 및 포괄승계인 이외의 자로서 허위표시에 의하여 외형상 형성된 법률관계를 토대로 실질적으로 새로운 법률상 이해관계를 맺은 선의의 제3자에 대하여는 허위표시의 당사자뿐만 아니라 그 누구도 허위표시의 무효를 대항하지 못하고, 따라서 선의의 제3자에 대한 관계에 있어서는 허위표시도 그 표시된 대로 효력이 있다(대판 1996.4.26, 94다12074). ★

Ⅳ. 착오로 인한 의사표시

제109조【착오로 인한 의사표시】
① 의사표시는 법률행위의 내용의 중요부분에 착오가 있는 때에는 취소할 수 있다. 그러나 그 착오가 표의자의 중대한 과실로 인한 때에는 취소하지 못한다.
② 전항의 의사표시의 취소는 선의의 제3자에게 대항하지 못한다.

1. 착오의 의의

(1) 착오의 개념

착오의 개념을 어떻게 정의할 것인지에 관해서는 학설의 대립이 있다. 다만 판례는 일반적으로 착오를 의사표시의 내용과 내심의 의사가 일치하지 않는 것을 표시자가 모르는 것이라고 한다(대판 1985.4.23, 84다카890).

(2) 착오의 한계 – 법률행위 해석과의 관계

① 자연적 해석의 경우에는 당사자의 일치하는 의사대로 효력이 생기므로 애초에 착오의 문제는 발생하지 않는다.
② 규범적 해석의 경우에는 상대방의 시각에서 표시행위의 의미를 탐구하게 되므로 표의자의 내심과 표시 사이에 불일치가 생기면 착오취소의 문제가 생긴다.
③ 보충적 해석의 경우에는 견해의 대립이 있으나 일반적으로는 착오취소를 부정한다.

계약당사자 쌍방이 모두 동일한 물건을 계약 목적물로 삼았으나 계약서에는 착오로 다른 물건을 목적물로 기재한 경우, 쌍방 당사자의 의사합치가 있는 물건에 관하여 계약이 성립한 것으로 보아야 하는지 여부(적극) **및 이러한 법리는 계약 당사자들이 오류를 인지하지 못한 채 당사자들의 합치된 의사와 달리 착오로 계약상 지위가 잘못 기재된 계약서에 그대로 기명날인이나 서명을 한 경우에도 동일하게 적용되는지 여부**(적극) ★★★

① 일반적으로 계약을 해석할 때에는 형식적인 문구에만 얽매여서는 안 되고 쌍방 당사자의 진정한 의사가 무엇인가를 탐구하여야 한다. 계약 내용이 명확하지 않은 경우 계약서의 문언이 계약 해석의 출발점이지만, 당사자들 사이에 계약서의 문언과 다른 내용으로 의사가 합치된 경우에는 의사에 따라 계약이 성립한 것으로 해석하여야 한다. 계약당사자 쌍방이 모두 동일한 물건을 계약 목적물로 삼았으나 계약서에는 착오로 다른 물건을 목적물로 기재한 경우 계약서에 기재된 물건이 아니라 쌍방 당사자의 의사합치가 있는 물건에 관하여 계약이 성립한 것으로 보아야 한다. ② 이러한 법리는 계약서를 작성하면서 계약상 지위에 관하여 당사자들의 합치된 의사와 달리 착오로 잘못 기재하였는데 계약 당사자들이 오류를 인지하지 못한 채 계약상 지위가 잘못 기재된 계약서에 그대로 기명날인이나 서명을 한 경우에도 동일하게 적용될 수 있다(대판 2018.7.26, 2016다242334).

→ [사실관계] : 甲이 乙 주식회사로부터 신주인수권부사채를 인수하기로 하고, 그에 따라 乙 회사가 甲에게 부담하는 채무를 담보하기 위하여 丙 등은 연대보증을 하고 丁 등은 근질권을 설정해 주었는데, 乙 회사가 甲에게 사채원금 지급기한의 유예를 요청하자, 甲과 乙 회사가 기존의 변제기한을 유예하고 이율을 변경하는 내용의 합의서를 작성하면서 丙 등은 근질권설정자로 丁 등은 연대보증인으로 기명날인한 사안에서, 丙과 丁 등을 비롯한 합의서에 기명날인한 당사자들은 모두 인수계약 당시와 마찬가지로 원래의 연대보증인 또는 근질권설정자의 지위를 유지하는 의사로 기명날인한 것이고, 위 합의서에 따른 합의는 작성 당사자 모두 인수계약에서 정한 지위를 그대로 유지하면서 기존의 변제기한과 이율에 관한 사항만 변경하는 내용으로 유효하게 성립하였다고 판단한 사례이다.

(3) 착오의 유형

1) 동기의 착오

표의자가 효과의사를 결정하는 과정에서 동기 내지 단순히 의사형성과정에 착오가 있는 경우이다.

가) 단순 동기의 착오 : ① 원칙상 동기의 착오를 제109조 착오에서 제외시킨다. ② 다만 예외적으로 법률행위의 동기가 '표시'되어 법률행위의 내용으로 편입되면 제109조 착오에 해당할 수 있다(동기표시설). 즉, 동기가 상대방에게 표시되어 법률행위의 해석상 계약내용으로 삼아진 경우에 한하여 착오를 이유로 취소할 수 있다고 본다(대판 2008.2.1, 2006다71724). 단, 당사자 사이에 별도로 그 동기를 의사표시의 내용으로 삼기로 하는 합의까지 이루어질 필요는 없다(대판 1995.11.21, 95다5516).

나) 유발된 동기의 착오 : 나아가 상대방에 의해 유발되거나, 상대방이 제공한 동기의 착오에 관해서는 표시 여부를 불문하고 제109조를 적용할 수 있다(대판 1978.7.11, 78다719 등).

다) 쌍방 공통하는 동기의 착오 : 당사자 쌍방이 일치하여 착오를 일으킨 경우 제109조에 따라 해결할 것인지 문제되는데, 이에 대해 판례는 보충적 해석을 시도해 본 후 그것이 불가능한 경우 착오취소를 인정하는 입장이다. 즉, "계약당사자 쌍방이 계약의 전제나 기초가 되는 사

항에 관하여 같은 내용으로 착오가 있고 이로 인하여 그에 관한 구체적 약정을 하지 아니하였다면, 당사자가 그러한 착오가 없을 때에 약정하였을 것으로 보이는 내용으로 당사자의 의사를 보충하여 계약을 해석할 수 있는바, 여기서 보충되는 당사자의 의사는 당사자의 실제 의사 또는 주관적 의사가 아니라 계약의 목적·거래관행·적용법규·신의칙 등에 비추어 객관적으로 추인되는 정당한 이익조정의사를 말한다"고 판시한 바 있다(대판 2006.11.23, 2005다13288; 대판 2023.8.18, 2019다200126).

판례 연구 **관련판례 정리**

☑ **동기의 착오 관련판례의 정리**

1) 동기의 착오가 법률행위의 내용의 중요부분의 착오에 해당함을 이유로 표의자가 법률행위를 취소하려면 그 동기를 당해 의사표시의 내용으로 삼을 것을 상대방에게 표시하고 의사표시의 해석상 법률행위의 내용으로 되어 있다고 인정되면 충분하고 당사자들 사이에 별도로 그 동기를 의사표시의 내용으로 삼기로 하는 합의까지 이루어질 필요는 없지만, 그 법률행위의 내용의 착오는 보통 일반인이 표의자의 입장에 섰더라면 그와 같은 의사표시를 하지 아니하였으리라고 여겨질 정도로 그 착오가 중요한 부분에 관한 것이어야 한다(대판 2000.5.12, 2000다12259). ★★★
2) 귀속해제된 토지인데도 귀속재산인줄로 잘못 알고 국가에 증여를 한 경우 이러한 착오는 일종의 동기의 착오라 할 것이나, 그 동기를 제공한 것이 관계 공무원이었고 그러한 동기의 제공이 없었더라면 위 토지를 선뜻 국가에게 증여하지는 않았을 것이라면, 그 동기는 증여행위의 중요부분을 이룬다고 할 것이므로 뒤늦게 그 착오를 알아차리고 증여계약을 취소했다면 그 취소는 적법하다(대판 1978.7.11, 78다719).
3) 시로부터 공원휴게소 설치시행허가를 받음에 있어 담당공무원이 법규오해로 인하여 잘못 회시한 공문에 따라 동기의 착오를 일으켜, 법률상 기부채납의무가 없는 휴게소부지의 16배나 되는 토지 전부와 휴게소 건물을 시에 증여한 경우, 휴게소부지와 그 지상시설물에 관한 부분을 제외한 나머지 토지에 관해서는 법률행위의 중요부분에 관한 착오로서 취소할 수 있다(대판 1990.7.10, 90다카7460).

2) 내용의 착오

표시의 법적 의미에 관해 오해가 있는 경우이다(예 달러와 엔의 가치가 같다고 생각하여 100달러를 100엔으로 기재한 경우).

3) 표시상의 착오

① 표의자가 외부적으로 자기가 표시한 것으로 나타난 바를 표시하려 하지 않았던 경우이다 (예 오기 등).

② 표의자가 사자 또는 우체국 등을 매개로 하여 표시행위를 하고 이러한 매개자가 표의자의 의사와 다르게 표시행위를 한 경우를 '표시기관의 착오'라고 한다. 이에 대해서는 (ㄱ) 표시기관이 선의인 경우 표시상의 착오에 준하여 취급하고, (ㄴ) 표시기관이 악의인 경우에는 표현대리의 유추적용문제가 발생한다. (ㄷ) 그러나 전달기관으로서의 사자가 이미 완성된 의사표시를 의사

표시의 상대방이 아닌 다른 사람에게 잘못 전달한 경우에는 의사표시의 부도달의 문제일 뿐 착오의 문제는 발생하지 않는다.

4) 개별적 유형

가) **동일성의 착오** : 표의자가 생각했던 물건 또는 사람과 실제의 물건 또는 사람이 불일치하는 경우를 말한다. 이는 「내용의 착오」로 취급된다(다수설).

나) **성질의 착오** : 물건 또는 사람이 표의자가 생각했던 성질을 가지지 않는 경우를 말한다. 이는 「동기의 착오」로 취급된다(통설 및 판례).

다) **기명날인의 착오** : 표의자가 자기의 의사와 다른 내용을 담고 있는 문서를 읽지 않거나 올바르게 이해하지 못한 채 그 문서에 기명날인 또는 서명하는 경우를 말한다. 이와 관련하여 판례는 표시상의 착오로 취급한다.

2. 착오취소의 요건

(1) 의사표시의 존재와 착오의 존재 및 취소의 의사표시

① 우선 의사표시가 존재하고, 그 의사표시를 함에 있어서 표의자의 착오가 있어야 한다.

② (동기)착오의 대상에는 현재의 사실뿐만 아니라 장래의 불확실한 사실도 포함된다. 즉 부동산의 양도가 있은 경우에 그에 대하여 부과될 양도소득세 등의 세액에 관한 착오가 미필적인 장래의 불확실한 사실에 관한 것이라도 민법 제109조 소정의 착오에서 제외되는 것은 아니다(대판 1994.6.10, 93다24810). 그러나 장래의 미필적 사실의 발생에 대한 기대나 예상이 빗나간 것에 불과하다면 착오라고 할 수 없다.

착오취소의 배제 ★

매매계약 당시 장차 도시계획이 변경되어 공동주택, 호텔 등의 신축에 대한 인・허가를 받을 수 있을 것이라고 생각하였으나 그 후 생각대로 되지 않은 경우, 이는 법률행위 당시를 기준으로 장래의 미필적 사실의 발생에 대한 기대나 예상이 빗나간 것에 불과할 뿐 착오라고 할 수는 없다(대판 2007.8.23, 2006다15755).

장래 미필적 사실의 발생(보상금 지급 여부)**에 대한 착오를 이유로 한 취소가 가능한지 여부**(소극) **및 사정변경을 이유로 한 해제가 가능한지 여부**(소극) ★

① 민법 제109조에 따라 의사표시에 착오가 있다고 하려면 법률행위를 할 당시에 실제로 없는 사실을 있는 사실로 잘못 깨닫거나 아니면 실제로 있는 사실을 없는 것으로 잘못 생각하듯이 의사표시자의 인식과 그러한 사실이 어긋나는 경우라야 한다. 의사표시자가 행위를 할 당시 장래에 있을 어떤 사항의 발생을 예측한 데 지나지 않는 경우는 의사표시자의 심리상태에 인식과 대조사실의 불일치가 있다고 할 수 없어 이를 착오로 다룰 수 없다. 장래에 발생할 막연한 사정을 예측하거나 기대하고 법률행위를 한 경우 그러한 예측이나 기대와 다른 사정이 발생하였다고 하더라도 그로 인한 위험은 원칙적으로 법률행위를 한 사람이 스스로 감수하여야 하고 상대방에게 전가해서는 안 되므로 착오를 이유로 취소를 구할 수 없다.

② 계약 성립의 기초가 된 사정이 현저히 변경되고 당사자가 계약의 성립 당시 이를 예견할 수 없었으며, 그로 인하여 계약을 그대로 유지하는 것이 당사자의 이해에 중대한 불균형을 초래하거나 계약을 체결한 목적을 달성할 수 없는 경우에는 계약준수 원칙의 예외로서 사정변경을 이유로 계약을 해제하거나 해지할 수 있다. 여기에서 말하는 사정이란 당사자에게 계약 성립의 기초가 된 사정을 가리키고, 당사자가 계약의 기초로 삼지 않은 사정이나 어느 일방당사자가 변경에 따른 불이익이나 위험을 떠안기로 한 사정은 포함되지 않는다. 경제상황 등의 변동으로 당사자에게 손해가 생기더라도 합리적인 사람의 입장에서 사정변경을 예견할 수 있었다면 사정변경을 이유로 계약을 해제할 수 없다(대판 2020.5.14, 2016다12175).

→ [사실관계] : 원고가 피고와 사이에 예멘 광구 석유개발 사업에 관한 공동참여계약을 체결하였는데, 운영을 계속할수록 손실이 누적되자 원고가 위 공동참여계약 중 보상금 지급부분을 착오를 이유로 한 취소, 사정변경을 원인으로 한 해제 등을 주장하였으나, 이를 인정할 수 없다고 판단한 사례이다.

③ 대리인의 계약체결에서 착오의 유무는 대리인을 표준으로 판단하여야 한다(제116조).

(2) 법률행위 내용의 중요부분에 관한 착오 존재

1) 법률행위 내용에 관한 착오

법률행위의 내용이란 법률행위의 목적, 즉 당사자가 의도한 법률효과를 의미한다. 이에 대한 착오에는 전술한 바와 같이 내용의 착오와 표시상의 착오가 있다. 다만 동기의 착오는 문제가 있으나 예외적으로 착오에 포함되어 취급된다(전술 참조).

2) 중요부분의 착오

가) 판단기준 – 이중적 기준설

법률행위내용의 중요부분의 착오는 표의자가 착오가 없었다면 그러한 의사표시를 하지 않았으리라고 인정될 정도로 중요한 것이어야 하고(주관적 기준), 보통 일반인도 착오가 없었다면 그러한 의사표시를 하지 않았으리라고 인정될 정도로 중요한 것(객관적 기준)이어야 한다.

보험회사 또는 보험모집종사자가 설명의무를 위반하여 고객이 보험계약의 중요사항을 제대로 이해하지 못한 채 착오에 빠져 보험계약을 체결한 경우, 착오를 이유로 보험계약을 취소할 수 있는지 여부(적극)

보험회사 또는 보험모집종사자가 설명의무를 위반하여 고객이 보험계약의 중요사항에 관하여 제대로 이해하지 못한 채 착오에 빠져 보험계약을 체결한 경우, 그러한 착오가 동기의 착오에 불과하다고 하더라도 그러한 착오를 일으키지 않았더라면 보험계약을 체결하지 않았거나 아니면 적어도 동일한 내용으로 보험계약을 체결하지 않았을 것이 명백하다면, 위와 같은 착오는 보험계약의 내용의 중요부분에 관한 것에 해당하므로 이를 이유로 보험계약을 취소할 수 있다(대판 2018.4.12, 2017다229536).

나) 입증책임

착오를 이유로 의사표시를 취소하는 자는 법률행위의 내용에 착오가 있었다는 사실과 함께 그 착오가 의사표시에 결정적인 영향을 미쳤다는 점, 즉 만약 그 착오가 없었더라면 의사표시를 하지 않았을 것이라는 점을 증명하여야 한다(대판 2008.1.17, 2007다74188; 대판 2018.10.25, 2016다239345).

→ 착오를 이유로 의사표시를 취소하는 자는 법률행위의 내용에 착오가 있었다는 사실과 함께 그 착오가

중요부분에 관한 착오라는 것을 증명하여야 한다. 반면 상대방은 중대한 과실이 있다는 것에 대한 입증책임을 부담한다.

<table>
<tr><td rowspan="2">중요
부분
➡
이중적
기준설</td><td>인
정
례</td><td>① 토지의 현황·경계에 관한 착오 ➡ 매매목적물 1800평을 경작이 가능한 농지로 알고 매수하였으나, 실제로 그중에서 1355평이 하천부지인 경우(대판 1968.3.26, 67다2160). ★
② 기술신용보증기금의 신용보증에 있어서 보증대상 기업의 신용 유무에 관한 착오
③ 채무자의 동일성에 대한 물상보증인의 착오
④ 재건축조합이 재건축아파트 설계용역계약을 체결함에 있어서 상대방의 건축사 자격 유무에 관한 착오 ★
⑤ 기술신용보증기금의 신용보증에 있어서 보증대상 기업의 신용 유무가 그 보증 의사표시의 중요부분을 구성한다(대판 1998.9.22, 98다23706). 신용보증기금의 신용보증에서 보증대상기업의 신용 유무는 신용보증의사표시의 중요부분을 구성하므로, 신용보증기금 A가 금융부실거래자인 기업의 경영주 B가 타인의 명의로 신용보증기금의 신용보증을 받은 경우, A의 보증행위는 법률행위의 중요부분에 착오가 있는 경우에 해당한다(대판 2005.5.12, 2005다6228; 대판 2007.8.23, 2006다52815).
⑥ 매도인의 대리인이, 매도인이 납부하여야 할 양도소득세 등의 세액이 매수인이 부담하기로 한 금액뿐이므로 매도인의 부담은 없을 것이라는 착오를 일으키지 않았더라면 매수인과 매매계약을 체결하지 않았거나 아니면 적어도 동일한 내용으로 계약을 체결하지는 않았을 것임이 명백하고, 나아가 매도인이 그와 같이 착오를 일으키게 된 계기를 제공한 원인이 매수인 측에 있을 뿐만 아니라 매수인도 매도인이 납부하여야 할 세액에 관하여 매도인과 동일한 착오에 빠져 있었다면, 매도인의 위와 같은 착오는 매매계약의 내용의 중요부분에 관한 것에 해당한다(대판 1994.6.10, 93다24810).</td></tr>
<tr><td>부
정
례</td><td>① 토지매매에 있어서 시가에 관한 착오(대판 1992.10.23, 92다29337) ★
② 착오로 인하여 표의자가 어떤 경제적 불이익을 입은 것이 아닌 때 – (ㄱ) 그 착오로 인하여 표의자가 무슨 경제적인 불이익을 입은 것이 아니라고 한다면 이를 법률행위 내용의 중요 부분의 착오라고 할 수 없다. ★★ (따라서) 군유지로 등기된 군립공원 내에 건물 기타 영구 시설물을 지어 이를 군(郡)에 기부채납하고 그 부지 및 기부채납한 시설물을 사용하기로 약정하였으나 후에 그 부지가 군유지가 아니라 리(里) 주민의 총유로 밝혀진 사안에서, 군수가 여전히 공원관리청이고 기부채납자의 관리권이 계속 보장되는 점에 비추어 소유권 귀속에 대한 착오가 기부채납의 중요 부분에 관한 착오라고 볼 수 없다(대판 1999.2.23, 98다47924). (ㄴ) 주채무자의 차용금반환채무를 보증할 의사로 공정증서에 연대보증인으로 서명·날인하였으나 그 공정증서가 주채무자의 기존의 구상금채무 등에 관한 준소비대차계약의 공정증서이었던 경우, 소비대차계약과 준소비대차계약의 법률효과는 동일하므로 위와 같은 착오는 연대보증계약의 중요 부분의 착오가 아니다(대판 2006.12.7, 2006다41457). 즉, 연대보증인이 주채무자가 채권자에게 부담하는 차용금반환채무를 연대보증할 의사가 있었던 이상 착오로 인하여 경제적인 불이익을 입었거나 장차 불이익을 당할 염려도 없으므로 위와 같은 착오는 연대보증계약의 중요 부분의 착오가 아니라는 것이다.
③ 타인소유의 부동산을 임대한 것이 임대차계약을 해지할 사유는 될 수 없고 목적물이 반드시 임대인의 소유일 것을 특히 계약의 내용으로 삼은 경우라야 착오를 이유로 임차인이 임대차계약을 취소할 수 있다(대판 1975.1.28, 74다2069). ★</td></tr>
</table>

④ 온천여관 매매에 있어서 온천공의 단독사용권 여부에 대한 착오
⑤ 매수인이 대출을 받아 잔금을 지급하기로 한 잔금지급계획은 매매계약의 중요부분의 착오라고 할 수 없다. 즉 매수인이 부동산을 매수하면서 잔금지급 전에 그 부동산을 은행 등에 담보로 넣어 대출을 받아 잔금을 마련하기로 계획을 세우고 매도인들에게 그와 같은 자금마련 계획을 알려 잔금지급 전에 매수인이 대출을 받을 수 있도록 협조하여 주기로 약속하였다는 사실만으로, 바로 매수인이 계획하였던 대출이 제대로 이루어질 수 없는 경우에는 그 부동산을 매수하지 아니하였을 것이라는 사정을 매도인들에게 표시하였다거나 매수인들이 이러한 사정을 알고 있었다고 단정할 수는 없다 할 것이어서, 매수인이 대출을 받아 잔금을 지급하려 하였던 잔금지급 방법이나 계획이 매매계약의 내용의 중요한 부분으로 되었다고 할 수는 없다(대판 1996.3.26, 93다55487).

(3) 표의자에게 중대한 과실이 없을 것

① 법률행위 내용의 중요 부분에 착오가 있는 때에는 그 의사표시를 취소할 수 있으나 그 착오가 표의자의 중대한 과실로 인한 때에는 취소하지 못하는 것인바, 여기서 '중대한 과실'이라 함은 표의자의 직업, 행위의 종류, 목적 등에 비추어 보통 요구되는 주의를 현저히 결여한 것을 의미한다(대판 2000.5.12, 2000다12259).

② 중과실이 있다는 점에 대한 입증책임은 표의자로 하여금 그 의사표시를 취소케 하지 않으려는 상대방이 부담한다.

③ 다만 민법 제109조 제1항 단서는 표의자의 상대방의 이익을 보호하기 위한 것이므로, 상대방이 표의자의 착오를 알면서 이를 이용한 경우라면 표의자에게 중대한 과실이 있더라도 표의자는 그 의사표시를 취소할 수 있다(대판 1955.11.10, 4288민상321; 대판 2014.11.27, 2013다49794).

법률행위의 중요부분의 착오의 의미와 착오에 의한 의사표시를 취소할 수 없는 표의자의 '중대한 과실'의 의미 및 토지매매에서 매수인에게 매매목적물과 지적도와의 일치를 미리 확인하여야 할 주의의무가 있는지 여부(원칙적 소극)

① 의사표시는 법률행위 내용의 중요부분에 착오가 있는 때에는 취소할 수 있다. 법률행위 중요부분의 착오란 표의자가 그러한 착오가 없었더라면 그 의사표시를 하지 않았으리라고 생각될 정도로 중요한 것이어야 하고, 보통 일반인도 표의자의 처지에 있었더라면 그러한 의사표시를 하지 않았으리라고 생각될 정도로 중요한 것이어야 한다. 가령 토지의 현황과 경계에 착오가 있어 계약을 체결하기 전에 이를 알았다면 계약의 목적을 달성할 수 없음이 명백하여 계약을 체결하지 않았을 것으로 평가할 수 있을 경우에 계약의 중요부분에 관한 착오가 인정된다. ② 법률행위 내용의 중요부분에 착오가 있는 때에는 그 의사표시를 취소할 수 있으나 그 착오가 표의자의 중대한 과실로 인한 때에는 취소하지 못한다. 여기서 '중대한 과실'이란 표의자의 직업, 행위의 종류, 목적 등에 비추어 보통 요구되는 주의를 현저히 게을리한 것을 의미한다. 토지매매에서 특별한 사정이 없는 한 매수인에게 측량을 하거나 지적도와 대조하는 등의 방법으로 매매목적물이 지적도상의 그것과 정확히 일치하는지 여부를 미리 확인하여야 할 주의의무가 있다고 볼 수 없다(대판 2020.3.26, 2019다288232).

→ [사실관계] : 甲이 乙로부터 토지를 매수하는 계약을 체결하면서 '위 토지에 인접한 매실나무 밭 바로 앞부분 약 80평이 포함되고 인접한 도로 부분 약 40평이 포함되지 않는다'고 잘못 알고 있었는데, 乙도 甲과 같이 토지의 경계를 잘못 인식하고 있어 매매계약 당시 甲에게 토지의 경계에 대하여 정확한 설명을 하지 않은 사안에서, 甲이 잘못 인식한 부분의 면적이 위 토지면적의 상당한 부분을 차지하므로, 甲은 매매계약의 목적

물의 경계에 대하여 착오를 하였고, 그 착오는 중요한 부분에 해당하며, 乙 측의 잘못된 설명으로 甲의 착오가 유발되었으므로 甲의 착오에는 중대한 과실이 있다고 보기 어렵다고 한 사례이다.

민법 제109조 제1항 단서에서 정한 '중대한 과실'의 의미 / 의사표시의 상대방이 표의자의 착오를 알고 이용한 경우, 착오가 중대한 과실로 인한 것이라도 표의자가 의사표시를 취소할 수 있는지 여부(적극) ★★★

민법 제109조 제1항은 법률행위 내용의 중요 부분에 착오가 있는 때에는 그 의사표시를 취소할 수 있다고 규정하면서, 같은 항 단서에서 그 착오가 표의자의 중대한 과실로 인한 때에는 취소하지 못한다고 규정하고 있다. 여기서 '중대한 과실'이란 표의자의 직업, 행위의 종류, 목적 등에 비추어 보통 요구되는 주의를 현저히 결여한 것을 의미한다. 한편 위 단서 규정은 표의자의 상대방의 이익을 보호하기 위한 것이므로, 상대방이 표의자의 착오를 알고 이를 이용한 경우에는 착오가 표의자의 중대한 과실로 인한 것이라고 하더라도 표의자는 의사표시를 취소할 수 있다(대판 2023.4.27, 2017다227264).

판례 연구 관련판례 정리

☑ **중과실의 유무에 관한 관련판례 정리**

1) 대법원은 ① 공장경영자가 공장설립 목적으로 토지를 매수하면서 토지상에 공장건축이 가능한지 여부를 관청에 문의하지 않은 경우 표의자의 중과실이 인정된다고 하고(대판 1993.6.29, 92다38881), ★ ② 신용보증기금의 신용보증서를 담보로 금융채권자금을 대출하여 준 금융기관이 위 대출자금이 모두 상환되지 않았음에도 신용보증기금에게 신용보증서 담보설정해지를 통지한 경우에 그 해지의 의사표시는 중대한 과실에 기한 것이라고 하였다(대판 2000.5.12, 99다64995).

2) 그러나 ① 전문적 감정인에게 문의하지 않고 가짜 골동품을 진품으로 알고 매수한 자에게 '중과실'이 없다고 판시하였으며(대판 1997.8.22, 96다26657), ★ ② 신용보증기관이 보증대상 기업의 실제 경영주가 신용불량자라는 사실을 모르고 신용불량자가 아닌 신청명의인을 경영주로 오인하여 이를 전제로 기업의 신용도 등을 조사한 후 보증계약을 체결한 경우, 법률행위의 중요부분에 착오가 있는 것이고, 소액대출임을 감안하여 간이심사 방식으로 신용조사를 한 점 등에 비추어 볼 때 신용보증기관 직원이 실제 경영주가 신용보증을 신청하면서 제출한 신청명의인의 주민등록증 사진을 통하여 신청명의인과 실제 경영주를 구분하지 못하고, 신청명의인의 학력과 경력이 실제 경영주의 것임을 발견하지 못하였다는 사정만으로 신용보증기관이 보증대상 기업의 경영주와 그 신용상태에 대한 착오를 일으킨 데 중대한 과실이 있다고 단정할 수 없다고 하였다(대판 2007.8.23, 2006다52815).

3) 나아가 재건축조합이 건축사자격이 없이 건축연구소를 개설한 건축학교수에게 건축사자격이 없다는 것을 알았더라면 재건축조합만이 아니라 객관적으로 볼 때 일반인으로서도 이와 같은 설계용역계약을 체결하지 않았을 것으로 보이므로, 재건축조합측의 착오는 중요 부분의 착오에 해당하고, 설계용역계약체결을 전후하여 건축사자격이 없다는 것을 묵비한 채 자신이 미국에서 공부한 건축학교수이고 '건축연구소'로 사업자등록까지 마치고 건축설계업을 하며 상당한 실적까지 올린 사람이라고 소개한 경우, 일반인의 입장에서는 그에게 당연히 건축사 자격이 있는 것으로 믿을 수밖에 없었을 것이므로, 재건축조합측이 그를 무자격자로 의심하여 건축사자격증의 제시를 요구한다거나 건축사단체에 자격 유무를 조회하여 이를 확인하여야 할 주의의무가 있다고 볼 수는 없다고 보아 재건축조합의 착오가 중대한 과실로 인한 것이 아니라고 한다(대판 2003.4.11, 2002다70884).

(4) 상대방의 인식가능성 요부

현행민법이 착오취소로 인해 상대방이 입은 신뢰이익의 배상책임을 규정하고 있지 않으므로 착오취소를 제한하기 위해서 표의자의 착오에 대한 상대방의 예견가능성을 요건으로 하자는 견해가 있으나, 이는 민법의 규정에 반한다는 이유로 불필요하다는 견해가 통설의 입장이다.

(5) 취소배제사유가 부존재할 것

① 합의에 의해 취소권을 포기·배제한 경우, ② 착오취소가 신의칙에 반하는 경우(예 오히려 착오로 인해 표의자에게 사정이 보다 유리하게 된 경우 또는 상대방이 사후에 표의자에 의해 의욕된 바를 알고 표의자의 진의에 따른 법률효과를 양해한 경우 등)에는 취소권이 배제된다.

당사자의 합의로 민법 제109조 제1항의 적용을 배제할 수 있는지 여부(적극) ★
의사표시는 법률행위의 내용의 중요 부분에 착오가 있는 때에는 취소할 수 있고, 의사표시의 동기에 착오가 있는 경우에는 당사자 사이에 그 동기를 의사표시의 내용으로 삼았을 때에 한하여 의사표시의 내용의 착오가 되어 취소할 수 있는 것이다. 그리고 당사자의 합의로 착오로 인한 의사표시 취소에 관한 민법 제109조 제1항의 적용을 배제할 수 있다(대판 2016.4.15, 2013다97694).

3. 착오취소의 효과

(1) 법률행위의 소급 무효

① 착오취소가 적법하게 이루어지면 법률행위가 소급하여 무효가 된다(제141조 본문). 따라서 이행을 하지 않았으면 이행할 필요가 없고, 이행한 경우에는 부당이득반환청구권이 발생한다.

② 하나의 법률행위의 일부에만 취소사유가 있는 경우 그 법률행위가 가분적이거나 그 목적물의 일부가 특정될 수 있다면, 그 나머지 부분이라도 이를 유지하려는 당사자의 가정적 의사가 인정되는 경우 그 일부만의 취소도 가능하다 할 것이고, 그 일부의 취소는 법률행위의 일부에 관하여 효력이 생긴다(대판 1998.2.10, 97다44737).

(2) 선의의 제3자 보호

착오로 인한 법률행위의 취소는 선의의 제3자에게 대항할 수 없다(제109조 제2항). 이에 대한 설명은 모두 허위표시에서와 동일하다.

(3) 착오취소자의 신뢰이익배상책임

착오취소자에게 손해배상책임을 인정해야 하는지 문제되는데, 이에 대해 판례는 "전문건설공제조합이 계약보증서를 발급하면서 조합원이 수급할 공사의 실제 도급금액을 확인하지 아니한 과실이 있다고 하더라도, 민법 제109조에서 중과실이 없는 착오자의 착오를 이유로 한 의사표시의 취소를 허용하고 있는 이상, 과실로 인하여 착오에 빠져 계약보증서를 발급한 것이나 그 착오를 이유로 보증계약을 취소한 것이 위법하다고 할 수는 없다"고 함으로써 과실 있는 착오자의 불법행위로 인한 손해배상책임을 부정한 바 있다(대판 1997.8.22, 97다13023).

4. 적용범위

① 민법 제109조의 법리는 적용을 배제하는 취지의 별도 규정이 있거나 당사자의 합의로 적용을 배제하는 등의 특별한 사정이 없는 한 원칙적으로 모든 사법상 의사표시에 적용된다(대판 2014.11.27, 2013다49794).[24)]

② 재산상의 법률행위에 한하여 적용되고 신분행위에는 적용되지 않는다. 여기서 재산상 법률행위에는 재단법인의 설립행위와 같은 상대방 없는 단독행위도 포함된다. 즉 재단법인의 출연자가 착오를 원인으로 취소를 한 경우에는 출연자는 재단법인의 성립 여부나 출연된 재산의 기본재산인 여부와 관계없이 그 의사표시를 취소할 수 있다(대판 1999.7.9, 98다9045).

③ 소송행위나 공법행위에는 적용되지 않는다. 판례는 소송행위에서 착오에 관한 규정이 적용되지 않는다고 하면서(대판 1964.9.15, 64다92), 착오로 인하여 소를 취하했다 하더라도 소취하가 무효가 되는 것은 아니라고 하였다(대판 2004.7.9, 2003다46758).

④ 판례는 소취하 합의의 의사표시 역시 민법 제109조에 따라 법률행위의 내용의 중요 부분에 착오가 있는 때에는 취소할 수 있다고 하였다(대판 2020.10.15, 2020다227523).

민법 제109조에 따라 법률행위의 내용의 중요 부분에 착오가 있는 경우, 소취하 합의의 의사표시도 취소할 수 있는지 여부(적극) 및 '법률행위의 중요 부분의 착오'의 의미 / 착오를 이유로 의사표시를 취소하는 자가 증명하여야 할 사항

소취하 합의의 의사표시 역시 민법 제109조에 따라 법률행위의 내용의 중요 부분에 착오가 있는 때에는 취소할 수 있을 것이다. 의사표시의 동기에 착오가 있는 경우에는 당사자 사이에 그 동기를 의사표시의 내용으로 삼았을 때에 한하여 의사표시의 내용의 착오가 되어 취소할 수 있는 것이며, 법률행위의 중요 부분의 착오라 함은 표의자가 그러한 착오가 없었더라면 그 의사표시를 하지 않으리라고 생각될 정도로 중요한 것이어야 하고 보통 일반인도 표의자의 처지에 섰더라면 그러한 의사표시를 하지 않았으리라고 생각될 정도로 중요한 것이어야 한다. 이때 착오를 이유로 의사표시를 취소하는 자는 법률행위의 내용에 착오가 있었다는 사실과 함께 착오가 의사표시에 결정적인 영향을 미쳤다는 점, 즉 만일 착오가 없었더라면 의사표시를 하지 않았을 것이라는 점을 증명하여야 한다(대판 2020.10.15, 2020다227523).

5. 다른 제도와의 관계

(1) 사기(제110조)와의 관계

① 타인의 기망행위에 의하여 동기의 착오에 빠져 의사표시를 한 경우, 판례는 양자의 경합을 인정한다(대판 1985.4.9, 85도167).

---

24) 따라서 '자본시장과 금융투자업에 관한 법률'에 따라 거래소가 개설한 금융투자상품시장에서 이루어지는 증권이나 파생상품 거래의 경우 거래의 안전과 상대방의 신뢰를 보호할 필요성이 크다고 하더라도, 거래소의 업무규정에서 민법 제109조의 적용을 배제하거나 제한하고 있는 등의 특별한 사정이 없는 한 거래에 대하여 민법 제109조가 적용되고, 거래의 안전과 상대방의 신뢰에 대한 보호도 민법 제109조의 적용을 통해 도모되어야 한다고 하였다.

② 다만 기망행위에 의하여 표시 · 의미의 착오에 빠진 경우, 판례는 착오에 의한 의사표시에 관한 법리만을 적용하여야 한다는 입장이다.

착오와 사기의 관계(대판 2005.5.27, 2004다43824) ★★

[1] 사기에 의한 의사표시란 타인의 기망행위로 말미암아 착오에 빠지게 된 결과 어떠한 의사표시를 하게 되는 경우이므로 거기에는 의사와 표시의 불일치가 있을 수 없고, 단지 의사의 형성과정 즉 의사표시의 동기에 착오가 있는 것에 불과하며, 이 점에서 고유한 의미의 착오에 의한 의사표시와 구분되는데, 신원보증서류에 서명날인한다는 착각에 빠진 상태로 연대보증의 서면에 서명날인한 경우, 결국 위와 같은 행위는 강학상 기명날인의 착오(또는 서명의 착오), 즉 어떤 사람이 자신의 의사와 다른 법률효과를 발생시키는 내용의 서면에, 그것을 읽지 않거나 올바르게 이해하지 못한 채 기명날인을 하는 이른바 표시상의 착오에 해당하므로, 비록 위와 같은 착오가 제3자의 기망행위에 의하여 일어난 것이라 하더라도 그에 관하여는 사기에 의한 의사표시에 관한 법리, 특히 상대방이 그러한 제3자의 기망행위 사실을 알았거나 알 수 있었을 경우가 아닌 한 의사표시자가 취소권을 행사할 수 없다는 민법 제110조 제2항의 규정을 적용할 것이 아니라, 착오에 의한 의사표시에 관한 법리만을 적용하여 취소권 행사의 가부를 가려야 한다.

[2] 취소의 의사표시란 반드시 명시적이어야 하는 것은 아니고, 취소자가 그 착오를 이유로 자신의 법률행위의 효력을 처음부터 배제하려고 한다는 의사가 드러나면 족한 것이며, 취소원인의 진술 없이도 취소의 의사표시는 유효한 것이므로, 신원보증서류에 서명날인하는 것으로 잘못 알고 이행보증보험약정서를 읽어보지 않은 채 서명날인한 것일 뿐 연대보증약정을 한 사실이 없다는 주장은 위 연대보증약정을 착오를 이유로 취소한다는 취지로 볼 수 있다.

(2) 담보책임과의 관계

매매계약 내용의 중요 부분에 착오가 있는 경우 매수인은 매도인의 하자담보책임이 성립하는지와 상관없이 착오를 이유로 매매계약을 취소할 수 있다.

매매계약 내용의 중요 부분에 착오가 있는 경우, 매수인이 매도인의 하자담보책임이 성립하는지와 상관없이 착오를 이유로 매매계약을 취소할 수 있는지 여부(적극) ★★★

민법 제109조 제1항에 의하면 법률행위 내용의 중요 부분에 착오가 있는 경우 착오에 중대한 과실이 없는 표의자는 법률행위를 취소할 수 있고, 민법 제580조 제1항, 제575조 제1항에 의하면 매매의 목적물에 하자가 있는 경우 하자가 있는 사실을 과실 없이 알지 못한 매수인은 매도인에 대하여 하자담보책임을 물어 계약을 해제하거나 손해배상을 청구할 수 있다. 착오로 인한 취소 제도와 매도인의 하자담보책임 제도는 취지가 서로 다르고, 요건과 효과도 구별된다. 따라서 매매계약 내용의 중요 부분에 착오가 있는 경우 매수인은 매도인의 하자담보책임이 성립하는지와 상관없이 착오를 이유로 매매계약을 취소할 수 있다(대판 2018.9.13, 2015다78703).

→ [사실관계 및 소송과정] : ① 윤씨는 2007년 6월 홍씨로부터 단원 김홍도의 그림과 선조대왕 어필 등 서화 10점을 1억 9,400만원에 매수하는 계약을 체결했다. 계약에는 '감정 결과 위작으로 판명되었을 때에는 수령한 대금을 즉시 반환하고 문화예술품을 인수해 간다.'는 내용이 있었다(하자담보책임의 내용으로 위약금약정). 그런데 이후 감정결과 작품 중 4점이 가품으로 밝혀졌다. 윤씨는 계약에 따라 매매대금을 반환해달라고 요구했으나 홍씨가 이를 거부하자 소송을 냈다. 홍씨는 재판과정에서 "매매목적물의 하자로 매수인이 매도인에 대해 담보책임을 물을 수 있는 경우에는 착오에 관한 규정이 배제돼야 한다."면서 "윤씨가 매매 목적물의 하자에 대해 내게 하자담보책임을 물어 위약약정금을 청구했으므로, 착오를 이유로 매매계약을 취소할 수는 없다."

고 주장했다. ② 이에 대해 대법원은 "민법 제109조 제1항에 따르면 법률행위 내용의 중요 부분에 착오가 있는 경우 그 착오에 중대한 과실이 없는 표의자는 그 법률행위를 취소할 수 있다"며 "또 민법 제580조 제1항, 제575조 제1항에 의하면 매매의 목적물에 하자가 있는 경우 하자가 있는 사실을 과실 없이 알지 못한 매수인은 매도인에 대하여 하자담보책임을 물어 계약을 해제하거나 손해배상을 청구할 수 있다"고 밝혔다. 이어 "(이 같은) 착오로 인한 취소 제도와 매도인의 하자담보책임 제도는 그 취지가 서로 다르고 그 요건과 효과도 구별되므로, 매매계약 내용의 중요 부분에 착오가 있는 경우 매수인은 매도인의 하자담보책임이 성립하는지와 상관없이 착오를 이유로 그 매매계약을 취소할 수 있다"고 설명했다. 그러면서 "윤씨가 위작인 서화를 진품으로 알고 매수한 것은 법률행위 내용의 중요 부분에 대한 착오가 있는 경우에 해당한다"면서 "원심은 매매계약 중 위작 서화 부분이 착오를 이유로 한 윤씨의 의사표시에 따라 적법하게 취소됐다고 판단한 후 윤씨가 이미 하자담보책임을 물었으므로 매매계약 취소까지 할 수는 없다는 홍씨의 주장을 배척했는데, 이러한 원심의 판단은 정당하다"고 판시했다.

(3) 화해계약과의 관계

화해의 목적인 분쟁에 관해서는 착오를 주장하지 못한다(제733조). 그러나 분쟁 이외의 사항이나 당사자의 자격에 착오가 있는 때에는 취소할 수 있다(제733조 단서).

화해계약의 창설적 효력 및 민법상 화해계약에 있어서 착오를 이유로 취소할 수 있는 '화해의 목적인 분쟁 이외의 사항'의 의미

① 화해계약은 당사자가 상호 양보하여 당사자 간의 분쟁을 종지할 것을 약정하는 것으로(민법 제731조), 당사자 일방이 양보한 권리가 소멸되고 상대방이 화해로 인하여 그 권리를 취득하는 효력이 있다(민법 제732조). 즉, 화해계약이 성립되면 특별한 사정이 없는 한 그 창설적 효력에 따라 종전의 법률관계를 바탕으로 한 권리의무관계는 소멸하고, 계약 당사자 사이에 종전의 법률관계가 어떠하였는지를 묻지 않고 화해계약에 따라 새로운 법률관계가 생긴다. ② 민법상의 화해계약을 체결한 경우 당사자는 착오를 이유로 취소하지 못하고 다만 화해 당사자의 자격 또는 화해의 목적인 분쟁 이외의 사항에 착오가 있는 때에 한하여 이를 취소할 수 있다(민법 제733조). '화해의 목적인 분쟁 이외의 사항'이라 함은 분쟁의 대상이 아니라 분쟁의 전제 또는 기초가 된 사항으로서, 쌍방 당사자가 예정한 것이어서 상호 양보의 내용으로 되지 않고 다툼이 없는 사실로 양해된 사항을 말한다(대판 2020.10.15, 2020다227523).

(4) 해제와 착오취소의 관계

매도인이 매수인의 중도금 지급채무 불이행을 이유로 매매계약을 적법하게 해제한 후라도 매수인으로서는 상대방이 한 계약해제의 효과로서 발생하는 손해배상책임을 지거나 매매계약에 따른 계약금의 반환을 받을 수 없는 불이익을 면하기 위하여 착오를 이유로 한 취소권을 행사하여 매매계약 전체를 무효로 돌리게 할 수 있다(대판 1996.12.6, 95다24982 · 24999).

V. 사기 · 강박에 의한 의사표시

> **제110조 【사기, 강박에 의한 의사표시】**
> ① 사기나 강박에 의한 의사표시는 취소할 수 있다.
> ② 상대방 있는 의사표시에 관하여 제3자가 사기나 강박을 행한 경우에는 상대방이 그 사실을 알았거나 알 수 있었을 경우에 한하여 그 의사표시를 취소할 수 있다.
> ③ 전2항의 의사표시의 취소는 선의의 제3자에게 대항하지 못한다.

1. 의의

사기 · 강박에 의한 의사표시는 의사와 표시의 불일치가 존재하지는 않지만(이 점에서 비진의표시, 허위표시, 착오로 인한 의사표시와 다르다), 의사의 형성과정에 하자, 즉 타인으로부터 위법 · 부당한 간섭으로 말미암아 자유롭지 못한 상태에서 행하여진 의사표시를 말한다.

2. 요건

(1) 고의 – 2단계의 고의(통설 · 판례)

① 사기자에게 표의자를 기망하여 착오에 빠지게 하려는 고의와 그 착오에 기해 표의자로 하여금 의사표시를 하게 하려는 고의, 즉 2단계의 고의가 있어야 한다.

② 같은 맥락에서 강박자의 고의도 상대방이 표의자로 하여금 공포심을 생기게 하고(제1단계 고의), 이로 인하여 표의자로 하여금 의사표시를 하게 할 고의(제2단계 고의)가 필요하다. 즉 강박자에게 2단계의 고의가 있어야 한다(대판 1975.3.25, 73다1048).

(2) 사기 · 강박행위

① 기망행위란 표의자에게 그릇된 관념을 가지게 하거나 그러한 관념을 강화 또는 유지하게 하려는 일체의 행위를 말한다. 신의칙상 고지의무가 인정되는 경우에는 부작위 내지 침묵도 기망행위가 된다.

② 강박행위는 해악을 가하겠다고 위협하여 공포심을 일으키게 하는 행위를 말한다.

> **보증계약 체결 시 채권자가 보증인에게 주채무자의 신용상태를 고지할 신의칙상의 의무가 있는지 여부** (소극)
>
> 보증제도는 본질적으로 주채무자의 무자력으로 인한 채권자의 위험을 인수하는 것이므로 보증인이 주채무자의 자력에 대하여 조사한 후 보증계약을 체결할 것인지의 여부를 스스로 결정하여야 하는 것이고, 채권자가 보증인에게 채무자의 신용상태를 고지할 신의칙상의 의무는 존재하지 아니한다(대판 2002.7.12, 99다68652).

재산권의 거래관계에 있어서 고지의무의 대상 ★

재산권의 거래관계에 있어서 계약의 일방 당사자가 상대방에게 그 계약의 효력에 영향을 미치거나 상대방의 권리 확보에 위험을 가져올 수 있는 구체적 사정을 고지하였다면 상대방이 그 계약을 체결하지 아니하거나 적어도 그와 같은 내용 또는 조건으로 계약을 체결하지 아니하였을 것임이 경험칙상 명백한 경우 그 계약 당사자는 신의성실의 원칙상 상대방에게 미리 그와 같은 사정을 고지할 의무가 있다고 하겠으나, 이때에도 상대방이 고지의무의 대상이 되는 사실을 미리 알고 있거나 이를 확인할 의무가 있는 경우 또는 거래 관행상 상대방이 당연히 알고 있을 것으로 예상되는 경우 등에는 상대방에게 위와 같은 사정을 알리지 아니하였다고 하여 고지의무를 위반하였다고 볼 수 없다(대판 2013.11.28, 2011다59247).

매매거래에서 매수인이 목적물의 시가를 고지하지 아니하거나 시가보다 낮은 가액을 시가라고 고지한 경우, 불법행위가 성립하는지 여부(원칙적 소극) ★

일반적으로 매매거래에서 매수인은 목적물을 염가로 구입할 것을 희망하고 매도인은 목적물을 고가로 처분하기를 희망하는 이해상반의 지위에 있으며, 각자가 자신의 지식과 경험을 이용하여 최대한으로 자신의 이익을 도모할 것으로 예상되기 때문에, 당사자 일방이 알고 있는 정보를 상대방에게 사실대로 고지하여야 할 신의칙상 의무가 인정된다고 볼만한 특별한 사정이 없는 한, 매수인이 목적물의 시가를 묵비하여 매도인에게 고지하지 아니하거나 혹은 시가보다 낮은 가액을 시가라고 고지하였다 하더라도, 상대방의 의사결정에 불법적인 간섭을 하였다고 볼 수 없으므로 불법행위가 성립한다고 볼 수 없다. 더구나 매수인이 목적물의 시가를 미리 알고 있었던 것이 아니라 목적물의 시가를 알기 위하여 감정평가법인에 의뢰하여 감정평가법인이 산정한 평가액을 매도인에게 가격자료로 제출하는 경우라면, 특별한 사정이 없는 한 매수인에게 평가액이 시가 내지 적정가격에 상당하는 것인지를 살펴볼 신의칙상 의무가 있다고 할 수 없고, 이러한 법리는 법적 성격이 사법상 매매인 공유재산의 매각에서도 마찬가지이다(대판 2014.4.10, 2012다54997).

영종하늘도시 동시분양 아파트 분양광고 중 영종도와 청라지구를 연결하는 제3연륙교가 2014년까지 완공될 것이라는 부분이 표시광고법상 허위·과장광고에 해당하는지 여부(적극)

구 표시·광고의 공정화에 관한 법률(이하 '표시광고법'이라 한다) 제3조 제1항 제1호에서 말하는 '허위·과장의 광고'는 사실과 다르게 광고하거나 사실을 지나치게 부풀려 광고하여 소비자를 속이거나 소비자로 하여금 잘못 알게 할 우려가 있는 광고행위로서 공정한 거래질서를 저해할 우려가 있는 광고를 말하고, 광고가 소비자를 속이거나 소비자로 하여금 잘못 알게 할 우려가 있는지는 보통의 주의력을 가진 일반 소비자가 당해 광고를 받아들이는 전체적·궁극적 인상을 기준으로 하여 객관적으로 판단하여야 한다. 원심은, 이 사건 아파트 분양광고 중 ① 제3연륙교가 2014년에 개통될 것이라고 광고한 부분에 관하여는, 이 사건 아파트 분양광고 당시 제3연륙교가 인천시의 도시기본계획 등에 포함되어 있기는 하였으나 건설시기·사업비 부담주체 등에 관한 구체적인 계획이 수립되어 있지는 아니하였던 점, 이 사건 아파트 분양광고 당시 제3연륙교를 2014년까지 완공하겠다는 인천시의 발표가 있었지만 국토해양부는 영종대교와 인천대교의 손실보전금 부담 문제 때문에 제3연륙교의 건설을 반대하고 있었고 단기간 내에 이에 관한 해법을 찾기 어려웠으며 국토해양부가 찬성을 하더라도 설계와 시공에는 수년의 시간이 소요되고, 달리 제3연륙교가 2014년까지 완공될 수 있다고 볼 만한 사정이 없었던 점 등에 비추어 보면, 제3연륙교에 관한 피고들의 광고는 2014년까지 제3연륙교 이용이 가능할 것처럼 그 실현가능성과 완공시기를 부풀려 소비자에게 오인가능성을 야기한 표시광고법상의 허위·과장광고에 해당한다고 판단하고, ② 제3연륙교 외 이 사건 개발사업에 관한 광고 부분에 관하여는, 해당 광고의 내용이 소극적이거나 그 실현여부가 개별 개발주체의 역량에 달려 있음을 일반소비자도 충분히 인식할 수 있거나 또는 그 취소·변경·지연가능성을 충분히 고지하여 소비자의 오인가능성이 없다는 이유로, 위 광고들은 표시광고법상 허위·과장광고에 해당하지 않는다고 판단하였다. 앞서 본 법리와 기록에 비추어 살펴보면, 이러한 원심의 판단은 모두 정당한 것으로 수긍할 수 있고, 거기에 원고들과 피고들의 각 상고이유 주장과 같이 논리와 경험의 법칙에 반하여 자유심증주의의 한계를 벗어나거나 표시광고법상 허위·과장광고에 관한 법리오해 또는 판단누락 등으로 판결에 영향을 미친 위법이 없다(대판 2015.5.28, 2014다24327).[25]

(3) 위법성

1) ① 기망행위는 신의성실의 원칙 및 거래관념에 비추어 볼 때 위법한 것으로 평가되어야 한다. ② 강박행위의 위법성은 목적과 수단의 상관관계에 의해 판단한다. 따라서 정당한 권리의 행사는 일반적으로 표의자에게 공포심을 야기하더라도 강박행위가 되지 않는다. 반면에 부정한 이익을 취득할 목적으로 이루어지거나 또는 목적이 정당하더라도 행위나 수단 등이 부당한 때에는 위법성이 인정될 수 있다. 즉 어떤 해악을 고지하는 강박행위가 위법하다고 하기 위하여는 강박행위 당시의 거래관념과 제반 사정에 비추어 해악의 고지로써 추구하는 이익이 정당하지 아니하거나 강박의 수단으로 상대방에게 고지하는 해악의 내용이 법질서에 위배된 경우 또는 어떤 해악의 고지가 거래관념상 그 해악의 고지로써 추구하는 이익의 달성을 위한 수단으로 부적당한 경우 등에 해당하여야 한다(대판 2010.2.11, 2009다72643).

2) 구체적으로 기망행위의 위법성은, ① 과장광고에서 많이 문제되는데 판례는 "상품의 선전, 광고에 있어 다소의 과장이나 허위가 수반되는 것은 그것이 일반 상거래의 관행과 신의칙에 비추어 시인될 수 있는 한 기망성이 결여된다고 하겠으나, 거래에 있어서 중요한 사항에 관하여 구체적 사실을 신의성실의 의무에 비추어 비난받을 정도의 방법으로 허위로 고지한 경우에는 기망행위에 해당한다"고 판시하여 대형 백화점의 이른바 변칙세일 등 과장광고의 위법성 판단에 대한 기준을 제시하였다(대판 1993.8.13, 92다52665; 대판 2023.7.27, 2022다293395). ② 부작위에 의한 기망행위의 위법성에 대해서 판례는 "부동산 거래에 있어 거래 상대방이 일정한 사정에 관한 고지를 받았더라면 그 거래를 하지 않았을 것임이 경험칙상 명백한 경우에는 신의성실의 원칙상 사전에 상대방에게 그와 같은 사정을 고지할 의무가 있으며, 그와 같은 고지의무의 대상이 되는 것은 직접적인 법령의 규정뿐 아니라 널리 계약상, 관습상 또는 조리상의 일반원칙에 의하여도 인정될 수 있다. 고지의무 위반은 부작위에 의한 기망행위에 해당하므로 원고들로서는 기망을 이유로 분양계약을 취소하고 분양대금의 반환을 구할 수도 있고 분양계약의 취소를 원하지 않을 경우 그로 인한 손해배상만을 청구할 수도 있다"는 입장이다(대판 2006.10.12, 2004다48515). ③ 나아가 부정행위를 한 자를 고소 또는 고발하여 형사소추를 하겠다고 하는 경우에 위법성이 있다고 볼 것인가에 대하여 판례는 "일반적으로 부정행위에 대한 고소, 고발은 그것이 부정한 이익을 목적으로 하는 것이 아닌 때에는 정당한 권리행사가 되어 위법하다고 할 수 없으나, 부정한 이익의 취득을 목적으로 하는 경우에는 위법한 강박행위가 되는 경우가 있고 목적이 정당하다 하더라도 행위나 수단 등이 부당한 때에는 위법성이 있는 경우가 있을 수 있다"고 판시하여 그 기준을 제시하고 있다(대판 1992.12.24, 92다25120; 대판 2008.9.11, 2008다27301 · 27318).

25) 영종하늘도시 동시분양 아파트 분양광고 중 영종도와 청라지구를 연결하는 제3연륙교가 2014년까지 완공될 것이라는 부분은 표시광고법상 허위 · 과장광고에 해당한다고 판단하고 분양대금의 5% 상당액을 손해배상액으로 인정한 원심을 수긍한 사례이다.

(4) 인과관계

① 기망행위와 착오, 착오와 의사표시 사이에 인과관계가 존재하여야 하고, ② 강박행위와 공포심 및 그에 기한 의사표시 사이에 인과관계가 존재하여야 한다.

3. 효과

(1) 취소권의 발생

1) 상대방의 사기·강박의 경우

표의자는 그 사기·강박에 의한 의사표시를 취소할 수 있다(제110조 제1항). 다만 강박행위의 경우 그 강박의 정도가 극심하여 표의자의 의사결정의 자유가 완전히 박탈될 정도인 경우에는 효과의사에 대응하는 내심의 의사가 없는 것이므로 무효이다.

흠 있는 의사표시와 이중양도의 제 문제(대판 2002.12.27, 2000다47361) ★★★

[1] 법률행위의 성립 과정에서 강박이라는 불법적 방법이 사용됨에 불과한 경우, 그 법률행위가 민법 제103조 소정의 반사회질서의 법률행위로서 무효인지 여부(소극)

민법 제103조에 의하여 무효로 되는 반사회질서 행위는 법률행위의 목적인 권리·의무의 내용이 선량한 풍속 기타 사회질서에 위반되는 경우뿐 아니라 그 내용 자체는 반사회질서적인 것이 아니라고 하여도 법률적으로 이를 강제하거나 법률행위에 반사회질서적인 조건 또는 금전적 대가가 결부됨으로써 반사회질서적 성질을 띠게 되는 경우 및 표시되거나 상대방에게 알려진 법률행위의 동기가 반사회질서적인 경우를 포함하나, 이상의 각 요건에 해당하지 아니하고 단지 법률행위의 성립과정에 강박이라는 불법적 방법이 사용된 데에 불과한 때에는 강박에 의한 의사표시의 하자나 의사의 흠결을 이유로 효력을 논의할 수는 있을지언정 반사회질서의 법률행위로서 무효라고 할 수는 없다.

[2] 비진의 의사표시에 있어서의 '진의'의 의미 및 표의자가 강박에 의하여 증여의 의사표시를 한 경우 비진의 의사표시에 해당하는지 여부(소극)

비진의 의사표시에 있어서의 진의란 특정한 내용의 의사표시를 하고자 하는 표의자의 생각을 말하는 것이지 표의자가 진정으로 마음속에서 바라는 사항을 뜻하는 것은 아니라고 할 것이므로, 비록 재산을 강제로 뺏긴다는 것이 표의자의 본심으로 잠재되어 있었다 하여도 표의자가 강박에 의하여서나마 증여를 하기로 하고 그에 따른 증여의 의사표시를 한 이상 증여의 내심의 효과의사가 결여된 것이라고 할 수는 없다.

[3] 채무불이행의 성립요건인 '위법성'의 의미

채무불이행에 있어서 확정된 채무의 내용에 좇은 이행이 행하여지지 아니하였다면 그 자체가 바로 위법한 것으로 평가되는 것이고, 다만 그 이행하지 아니한 것이 위법성을 조각할 만한 행위에 해당하게 되는 특별한 사정이 있는 때에는 채무불이행이 성립하지 않는 경우도 있을 수 있다.

→ [사실관계 및 해설] : 강박에 의하여 甲에게 부동산에 관한 증여의 의사표시를 한 乙이 그 취소권을 행사하지 않은 채 그 부동산을 제3자 丙에게 이중양도하고 취소권의 제척기간마저 도과하여 버린 후 그 이중양도계약에 기하여 제3자 丙에게 부동산에 관한 소유권이전등기를 경료하여 줌으로써 甲에 대한 증여계약상의 소유권이전등기의무를 이행불능케 한 경우, 乙의 甲에 대한 증여계약 자체에 대한 채무불이행이 성립하고, 乙의 위와 같은 이중양도행위가 사회상규에 위배되지 않는 정당행위 등에 해당하여 위법성이 조각된다고 볼 수 없다고 한 사례이다. 乙이 甲의 강박에 의하여 행한 이 사건 증여약정의 효력발생을 방지하거나 그 증여의 결과를 회피하기 위하여 이 사건 부동산을 제3자 丙에게 매도하고 소유권이전등기를 경료해

주는 것 외에 달리 방법이 없었던 것으로 인정되지 아니하므로(위 乙은 강박의 상태가 끝난 후 甲에 대하여 증여의 의사표시를 취소하는 것만으로 위 증여약정의 효력을 소멸시킬 수 있었을 뿐만 아니라, 甲을 상대로 증여약정의 무효확인을 구하는 등 각종 쟁송의 방법으로 자신들의 법적 지위를 보전할 수 있었다), 위 乙의 양도행위가 정당방위, 긴급피난, 자구행위, 사회상규에 위배되지 않는 정당행위 등에 해당한다고 할 수 없기 때문이다.

[4] 소유권이전등기의무의 이행불능으로 인한 전보배상청구권의 소멸시효의 기산점 및 매매 목적 부동산에 제3자의 처분금지가처분등기가 기입된 경우, 그 매매계약이 이행불능으로 되는지 여부(소극)

소유권이전등기의무의 이행불능으로 인한 전보배상청구권의 소멸시효는 이전등기의무가 이행불능 상태에 돌아간 때로부터 진행된다고 할 것이고, 매매의 목적이 된 부동산에 관하여 제3자의 처분금지가처분의 등기가 기입되었다 할지라도, 이는 단지 그에 저촉되는 범위 내에서 가처분채권자에게 대항할 수 없는 효과가 있다는 것일 뿐 그것에 의하여 곧바로 부동산 위에 어떤 지배관계가 생겨서 채무자가 그 부동산을 임의로 타에 처분하는 행위 자체를 금지하는 것은 아니라 하겠으므로, 그 가처분등기로 인하여 바로 계약이 이행불능으로 되는 것은 아니고, 제3자 앞으로 소유권이전등기가 경료되는 등 사회거래의 통념에 비추어 계약의 이행이 극히 곤란한 사정이 발생하는 때에 비로소 이행불능으로 된다.

[5] 채무불이행으로 인한 손해배상책임의 범위의 확정에 있어서 과실상계 사유의 유무와 정도의 판단 방법 및 과실상계사유에 대한 사실인정과 비율확정이 사실심의 전권사항인지 여부(적극)

채무불이행으로 인한 손해배상책임의 범위를 정함에 있어서의 과실상계 사유의 유무와 정도는 개별 사례에서 문제된 계약의 체결 및 이행 경위와 당사자 쌍방의 잘못을 비교하여 종합적으로 판단하여야 하며, 이때에 과실상계 사유에 관한 사실인정이나 그 비율을 정하는 것은 그것이 형평의 원칙에 비추어 현저히 불합리한 것이 아닌 한 사실심의 전권사항이라고 할 수 있다.

2) 제3자의 사기·강박의 경우

가) 상대방 없는 의사표시 : 표의자는 언제든지 그 의사표시를 취소할 수 있다(제110조 제1항·제2항).

나) 상대방 있는 의사표시 : 상대방이 제3자의 사기나 강박을 알았거나 알 수 있었을 때에 한하여 표의자는 그 의사표시를 취소할 수 있다(제110조 제2항). 이때 악의나 과실의 유무는 행위 당시를 기준으로 하여 판단한다.

판례 연구 관련판례 정리

☑ 제3자의 사기·강박에서의 제3자 범위 문제

1. 의의 ★★

판례는 의사표시의 상대방이 아닌 자로서 기망행위를 하였으나 민법 제110조 제2항의 제3자에 해당되지 아니한다고 볼 수 있는 자란 그 의사표시에 관한 상대방의 대리인 등 상대방과 동일시 할 수 있는 자만을 의미하고, 단순히 상대방의 피용자이거나 상대방이 사용자책임을 져야 할 관계에 있는 피용자에 지나지 않는 자는 상대방과 동일시 할 수는 없어 이 규정에서 말하는 제3자에 해당한다는 입장이다(대판 1998.1.23, 96다41496).

2. 제3자에 해당하는 예

1) 보증계약에서 주채무자가 보증인을 기망한 경우(대판 2002.11.8, 2000다19281 참조)

2) 제3자를 위한 계약에서 제3자가 낙약자를 기망한 경우

3) 단순히 상대방의 피용자이거나 상대방이 사용자책임을 져야 할 관계에 있는 피용자에 지나지 않는 자

3. 제3자에 해당하지 않는 예

1) 제3자를 위한 계약에서 요약자가 낙약자를 기망한 경우 – 당사자의 사기로 보아 수익자가 알았거나 알 수 있었는가의 여부를 묻지 않는다.

2) 대리인이 상대방을 기망한 경우 – 당사자의 사기에 해당한다.

3) 본인이 상대방을 기망한 경우 – 당사자의 사기에 해당한다.

(2) 취소의 효과

1) 소급 무효

사기・강박에 의한 의사표시가 취소되면 그 법률행위는 소급적으로 무효가 된다(제141조).

2) 제3자에 대한 관계

가) 내용 : ① 사기・강박을 이유로 한 취소는 선의의 제3자에게 대항하지 못한다(제110조 제3항).
② 선의란 의사표시가 하자 있는 것임을 알지 못하는 것을 말하며, 이 경우 과실의 유무는 불문한다. 제3자의 선의는 추정되므로, 그 입증책임은 악의를 이유로 취소를 주장하는 자, 즉 하자 있는 의사표시를 한 자가 부담한다(대판 1970.11.24, 70다2155).

나) 제3자의 확대 : 보호되는 제3자의 범위에 대해서 판례는 '제3자'에는 취소의 의사표시 전에 이해관계를 맺은 자 및 취소의 의사표시 후 말소등기 전에 이해관계를 맺은 제3자도 포함된다는 입장이다(무제한설 – 대판 1975.12.23, 75다533).

파산자가 상대방과 통정한 허위의 의사표시를 통하여 가장채권을 보유하고 있다가 파산이 선고된 경우 그 가장채권도 일단 파산재단에 속하게 되고, 파산선고에 따라 파산자와는 독립한 지위에서 파산채권자 전체의 공동의 이익을 위하여 직무를 행하게 된 파산관재인은 그 허위표시에 따라 외형상 형성된 법률관계를 토대로 실질적으로 새로운 법률상 이해관계를 가지게 된 민법 제108조 제2항의 제3자에 해당하고, 그 선의・악의도 파산관재인 개인의 선의・악의를 기준으로 할 수는 없고, 총파산채권자를 기준으로 하여 파산채권자 모두가 악의로 되지 않는 한 파산관재인은 선의의 제3자라고 할 수밖에 없다. 그리고 이와 같이 파산관재인이 제3자로서의 지위도 가지는 점 등에 비추어, 특별한 사정이 없는 한 파산관재인은 사기에 의한 의사표시에 따라 외형상 형성된 법률관계를 토대로 실질적으로 새로운 법률상 이해관계를 가지게 된 민법 제110조 제3항의 제3자에 해당하고, 파산채권자 모두가 악의로 되지 않는 한 파산관재인은 선의의 제3자라고 할 수밖에 없다(대판 2010.4.29, 2009다96083).

4. 다른 제도와의 관계

(1) 제109조와의 관계

기망행위에 의해 동기의 착오에 따른 법률행위를 한 경우, 법률행위의 중요부분에 착오가 발생한 경우에 표의자는 선택적으로 주장할 수 있다.

(2) 담보책임과의 관계

기망에 의하여 하자 있는 권리나 물건에 관한 매매가 성립한 경우에는 담보책임과 제110조가 경합하는 매수인은 사기에 의한 취소권과 하자담보책임을 선택적으로 주장할 수 있다(대판 1973.10.23, 73다268).

담보책임과 제110조 사기취소의 경합

민법 제569조가 타인의 권리의 매매를 유효로 규정한 것은 선의의 매수인의 신뢰이익을 보호하기 위한 것이므로, 매수인이 매도인의 기망에 의하여 타인의 물건을 매도인의 것으로 잘못 알고 매수한다는 의사표시를 한 것이고, 만일 타인의 물건인 줄 알았더라면 매수하지 아니하였을 사정이 있는 경우에는 매수인은 민법 제110조에 의하여 매수의 의사표시를 취소할 수 있다고 할 것이다(대판 1973.10.23, 73다268).

(3) 불법행위에 기한 손해배상책임과의 관계

① 상대방 및 제3자의 사기·강박에 의한 의사표시의 표의자는 사기·강박에 의한 의사표시의 취소와 동시에 불법행위에 기한 손해배상청구권(제750조)을 행할 수 있다.

② 다만 사기에 의한 취소권을 행사한 경우, 그 법률행위가 동시에 불법행위를 구성하는 때에는 취소의 효과로 생기는 부당이득반환청구권과 불법행위로 인한 손해배상청구권은 경합하여 병존하는 것이므로 채권자는 어느 것이라도 선택하여 행사할 수 있지만 중첩적으로 행사할 수는 없다(대판 1993.4.27, 92다56087).

판례 연구 관련판례 정리

1) 민법 제569조가 타인의 권리의 매매를 유효로 규정한 것은 선의의 매수인의 신뢰이익을 보호하기 위한 것이므로, 매수인이 매도인의 기망에 의하여 타인의 물건을 매도인의 것으로 잘못 알고 매수한다는 의사표시를 한 것이고, 만일 타인의 물건인 줄 알았더라면 매수하지 아니하였을 사정이 있는 경우에는 매수인은 민법 제110조에 의하여 매수의 의사표시를 취소할 수 있다고 할 것이다(대판 1973.10.23, 73다268).
2) 일반적으로 상품의 선전·광고에 있어 다소의 과장·허위가 수반되는 것은 그것이 일반 상거래의 관행과 신의칙에 비추어 시인될 수 있는 한, 기망성이 결여된다(대판 1995.9.29, 95다7031). ➡ 대법원은 과장분양광고는 대체적으로 위법성이 없고(대판 2001.5.29, 99다55601·55618), 대형백화점의 변칙세일은 위법성이 있다고 하였다(대판 1993.8.13, 92다52665).

3) ① 일반적으로 교환계약을 체결하려는 당사자는 서로 자기가 소유하는 교환 목적물은 고가로 평가하고 상대방이 소유하는 목적물은 염가로 평가하여 보다 유리한 조건으로 교환계약을 체결하기를 희망하는 이해상반의 지위에 있고, 각자가 자신의 지식과 경험을 이용하여 최대한으로 자신의 이익을 도모할 것이 예상되기 때문에, 당사자 일방이 알고 있는 정보를 상대방에게 사실대로 고지하여야 할 신의칙상의 주의의무가 인정된다고 볼 만한 특별한 사정이 없는 한, 어느 일방이 교환 목적물의 시가나 그 가액 결정의 기초가 되는 사항에 관하여 상대방에게 설명 내지 고지를 할 주의의무를 부담한다고 할 수 없고, 일방 당사자가 자기가 소유하는 목적물의 시가를 묵비하여 상대방에게 고지하지 아니하거나 혹은 허위로 시가보다 높은 가액을 시가라고 고지하였다 하더라도 이는 상대방의 의사결정에 불법적인 간섭을 한 것이라고 볼 수 없다(대판 2002.9.4, 2000다54406·54413). 또한 ② 환매권 양도계약 체결 시 국가에 의한 환매 수속상신 중인 사실을 고지하지 않아도 환매권 양수인에게는 고지의무가 없으며(대판 1984.4.10, 81다239), 부동산 분양계약에 있어서 분양자가 수분양자의 전매이익에 영향을 미칠 가능성이 있는 사항들에 관하여 분양자가 가지는 정보를 밝혀야 할 신의칙상의 의무는 원칙적으로 존재하지 않고 그러한 정보를 고지하지 아니한 것이 부작위에 의한 기망에 해당하지 않는다(대판 2010.2.25, 2009다86000).

4) 반면, 아파트 분양자는 아파트단지 인근에 공동묘지가 조성되어 있는 사실을 수분양자에게 고지할 신의칙상의 의무를 부담하며(대판 2007.6.1, 2005다5812·5829·5836), 건설공제조합이 조합원이 도급받은 공사와 관련하여 수령하는 선급금의 반환채무를 보증하기 위하여 도급인과 보증계약을 체결함에 있어서 조합원이 선급금의 액수와 그 지급방법 및 선급금이 정하여진 용도로 실제 사용될 것인지를 허위로 고지한 경우, 공제조합이 그 기망행위를 이유로 보증계약을 취소할 수 있다(대판 2002.11.26, 2002다34727). ★

5) 대법원은 강박에 의한 의사표시라고 하려면 상대방이 불법으로 어떤 해악을 고지함으로 말미암아 공포를 느끼고 의사표시를 한 경우이어야 한다고 하면서(대판 2003.5.13, 2002다73708·73715), ① 사무실에서 농성함은 물론 대통령을 비롯한 관계요로에 비행을 진정하겠다는 등의 온갖 공갈과 위협을 통해 변호사가 손해배상금조로 약속어음을 발행한 경우에는 강박을 인정하였으나(대판 1972.1.31, 71다1688), ② 어떤 해악의 고지가 아니라 단지 각서에 서명 날인한 것을 강력히 요구한 행위는 강박행위가 아니라고 하였다(대판 1979.1.16, 78다1968). 또한 ③ 간통으로 고소하지 않기로 하는 등의 대가로 합의금을 받게 된 경우, 상간자의 배우자가 부정한 이익을 목적으로 위법한 강박행위를 한 것으로 볼 수 없다고 하면서(대판 1997.3.25, 96다47951), 불공정한 법률행위에도 해당하지 않는다고 하였다. 또한 ④ 甲이 자신이 최대주주이던 A 금융회사로 하여금 실질상 자신 소유인 B 회사에 부실대출을 하도록 개입하였다고 판단한 A 금융회사의 새로운 경영진이 甲에게 위 대출금채무를 연대보증하지 않으면 甲 소유의 C 회사에 대한 어음대출금을 회수하여 부도를 내겠다고 위협하여 甲이 법적 책임 없는 위 대출금채무를 연대보증한 경우, 강박에 의한 의사표시에 해당하지 않는다고 하였고(대판 2000.3.23, 99다64049), ⑤ 계약을 해제하여 손해배상을 청구할 수 있다는 취지로 말한 것으로는 제반 사정상 '위법한 해악의 고지'에 해당한다고까지 할 수 없다고 하였다(대판 2010.2.11, 2009다72643).

6) 강박에 의한 의사표시라고 하려면 상대방이 불법으로 어떤 해악을 고지함으로 말미암아 공포를 느끼고 의사표시를 한 것이어야 한다. 강박에 의한 법률행위가 하자 있는 의사표시로서 취소되는 것에 그치지 않고 나아가 무효로 되기 위하여는, 강박의 정도가 단순한 불법적 해악의 고지로 상대방으로 하여금 공포를 느끼도록 하는 정도가 아니고, 의사표시자로 하여금 의사결정을 스스로 할 수 있는 여지를 완전히 박탈한 상태에서 의사표시가 이루어져 단지 법률행위의 외형만이 만들어진 것에 불과한 정도이어야 한

다. (따라서) 제반 사정을 고려하여 의무부담의 의사표시가 강박으로 인하여 의사결정을 스스로 할 수 있는 여지를 완전히 박탈당한 상태에서 이루어진 것으로 보기 어렵다면 강박에 의한 의사표시로서 취소할 수 있을 뿐이다(대판 2003.5.13, 2002다73708 · 73715). ★

7) 제3자의 사기행위로 인하여 피해자가 주택건설사와 사이에 주택에 관한 분양계약을 체결하였다고 하더라도 제3자의 사기행위 자체가 불법행위를 구성하는 이상, 제3자로서는 그 불법행위로 인하여 피해자가 입은 손해를 배상할 책임을 부담하는 것이므로, 피해자가 제3자를 상대로 손해배상청구를 하기 위하여 반드시 그 분양계약을 취소할 필요는 없다(대판 1998.3.10, 97다55829). ★

8) 대법원은 ① 상대방의 대리인 등 상대방과 동일시할 수 있는 자의 사기 또는 강박은 상대방의 사기 · 강박에 해당한다고 하면서(대판 1999.2.23, 98다60828 · 60835), 은행의 출장소장의 행위는 은행 또는 은행과 동일시할 수 있는 자의 사기일 뿐 제3자의 사기로 볼 수 없으므로, 은행이 그 사기 사실을 알았거나 알 수 있었을 경우에 한하여 위 약정을 취소할 수 있는 것은 아니라고 본다. 그러나 ② 상대방의 피용자이거나 상대방이 사용자책임을 져야 할 관계에 있는 피용자에 지나지 않는 자는 상대방과 동일시할 수는 없어 이 규정에서 말하는 제3자에 해당한다고 보았다(대판 1998.1.23, 96다41496). 즉, 상호신용금고의 기획감사실 과장으로서 대출 업무를 포함한 회사 업무 전반에 관하여 일일감사를 할 권한을 갖고 있었던 자가 대출금을 편취하려는 기망행위에 가담하여 대출금을 담보 제공자에게 지급할 것을 직접 보증한다고 하면서 근저당권설정계약을 체결하도록 권유하면서 그 기망의 목적을 달성하기 위하여 여신 담당 직원에게 그 대출을 부탁한 후 그 대출금을 편취한 경우, 위와 같은 피용자의 기망행위의 태양, 그의 회사에서의 지위나 영향력, 직원의 총수가 50명에 못 미치는 회사의 규모 등에 비추어 보면, 회사로서는 자신의 영역 내에서 일어난 피용자의 위와 같은 기망행위에 관하여 그 감독에 상당한 주의를 다하지 아니한 사용자로서의 책임을 져야 할 지위에 있을 뿐만 아니라 나아가 그러한 사정을 이용한 피용자의 사기 사실을 알지 못한 데에 과실이 있었다고 봄이 상당하므로, 근저당권설정자는 상호신용금고에 대하여 기망을 이유로 근저당권설정계약을 취소할 수 있다(대판 1998.1.23, 96다41496)고 하였다. ③ 또한 대법원은 원고가 소외인과 부동산교환계약을 체결하고 그 계약에 의하여 소외인에게 이전되어야 할 이 사건 부동산의 소유자 등기명의를 소외인의 요청에 따라 그 처형인 피고로 하기로 한 것이며, 소외인의 기망에 의하여 원고가 직접 피고에게 이 사건 부동산의 소유권이전등기를 경료하여 준 이상, 소외인은 그 등기이전에 의한 물권변동행위에서 피고와 동일시할 수 있어 원고와 피고간의 그 법률행위에서 소외인의 그 사기행위는 제3자의 사기에 해당하지 않는다고 함이 상당하다고 하였다(대판 2004.4.16, 2004다94).

9) 선의의 제3자 보호에서 제3자에는 표의자의 취소의 의사표시 후 그 상대방과 법률행위를 한 제3자도 포함한다(대판 1975.12.23, 75다533). ★

제3관 의사표시의 효력발생

1. 상대방 없는 의사표시의 효력발생시기

상대방 없는 의사표시는 원칙적으로 표시행위가 완료된 때(의사표시가 성립한 때) 의사표시의 효력이 발생한다. 다만 유언의 경우에는 제1065조의 방식을 준수하고, 유언자가 사망한 때에 효력이 발생한다(제1073조).

2. 상대방 있는 의사표시의 효력발생시기

> **제111조【의사표시의 효력발생시기】**
> ① 상대방이 있는 의사표시는 상대방에게 도달한 때에 그 효력이 생긴다.
> ② 의사표시자가 그 통지를 발송한 후 사망하거나 제한능력자가 되어도 의사표시의 효력에 영향을 미치지 아니한다.

(1) 도달주의의 원칙

1) 도달의 의미

① 도달이라 함은 사회관념상 채무자가 통지의 내용을 알 수 있는 객관적 상태에 놓여졌다고 인정되는 상태를 지칭하고, 채무자가 이를 현실적으로 수령하였다거나 그 통지의 내용을 알았을 것까지는 필요로 하지 않는다. (한편) 우편법 소정의 규정에 따라 우편물이 배달되었다고 하여 언제나 상대방 있는 의사표시의 통지가 상대방에게 도달하였다고 볼 수는 없으며, 등기우편물에 기재된 사무소에서 본인의 사무원임을 확인한 후 우편물을 교부하였다는 우편집배원의 진술이나 우편법 등의 규정을 들어 그 등기우편물의 수령인을 본인의 사무원 또는 고용인으로 추정할 수는 없다. (따라서) 채권양도통지서가 채무자의 주소나 사무소가 아닌 동업자의 사무소에서 그 신원이 분명치 않은 자에게 송달된 경우에는 사회관념상 채무자가 통지의 내용을 알 수 있는 객관적 상태에 놓여졌다고 인정할 수 없다(대판 1997.11.25, 97다31281).

② 재건축조합을 탈퇴한다는 의사표시가 기재된 내용증명 우편물이 발송되고 달리 반송되지 아니하였다면 특별한 사정이 없는 한 이는 그 무렵에 송달되었다고 봄이 상당하다(대판 2000.10.27, 2000다20052).

③ 내용증명우편이나 등기우편과는 달리, 보통우편의 방법으로 발송되었다는 사실만으로는 그 우편물이 상당기간 내에 도달하였다고 추정할 수 없고, 송달의 효력을 주장하는 측에서 증거에 의하여 도달사실을 입증하여야 한다(대판 2002.7.26, 2000다25002).

④ 아파트 경비원이 집배원으로부터 우편물을 수령한 후 이를 우편함에 넣어 둔 사실만으로 수취인이 그 우편물을 수취하였다고 추단할 수 없다(대판 2006.3.24, 2005다66411).

⑤ 채권양도의 통지서가 들어 있는 우편물을 채무자의 가정부가 수령한 직후 한집에 거주하고 있는 통지인인 채권자가 그 우편물을 바로 회수해 버렸다면 그 통지는 피고에게 도달되었다고 볼 수 없다(대판 1983.8.23, 82다카439).

2) 도달의 효과

① 의사표시는 상대방에게 도달한 때에 그 효력이 발생하므로 의사표시의 발송 후 도달 전에는 그 의사표시를 철회할 수 있다.

② 의사표시의 불착·연착은 모두 표의자의 불이익으로 귀속된다.

③ 의사표시의 도달은 이미 완성된 의사표시의 효력발생요건이므로 발신 후 표의자가 사망하거나 행위능력·대리권을 상실하여도 그 의사표시의 효력에 영향을 미치지 아니한다(제111조 제2항). 따라서 의사표시는 그대로 유효하다.

(2) 예외적 발신주의

민법상	• 제한능력자 또는 무권대리인의 상대방의 최고에 대한 확답(제15조, 제131조) • 사원총회의 소집통지(제71조) • 채무인수의 승낙 여부 최고에 대한 채권자 확답(제455조 제2항) • 격지자간 계약성립시기에 있어 청약에 대한 승낙(제531조) ★ 〈주의〉 단, 채권양도의 통지나 승낙, 제3자를 위한 계약에 있어 제3자의 승낙 여부 최고에 대한 확답(제540조)은 발신주의가 적용되는 경우가 아니다.

3. 의사표시의 공시송달

제113조 【의사표시의 공시송달】
표의자가 과실 없이 상대방을 알지 못하거나 상대방의 소재를 알지 못하는 경우에는 의사표시는 민사소송법 공시송달의 규정에 의하여 송달할 수 있다.

공시송달의 방법은 법원사무관 등이 송달할 서류를 보관하고 그 사유를 법원게시판에 게시하거나 또한 관보나 신문지상에 공고할 수 있고, 그 밖에 대법원규칙이 정하는 방법에 따라서 하여야 한다(민사소송법 제195조). 게시한 날로부터 2주가 경과하면 그 효력이 생긴다(민사소송법 제196조).

4. 의사표시의 수령능력

제112조 【제한능력자에 대한 의사표시의 효력】
의사표시의 상대방이 의사표시를 받은 때에 제한능력자인 경우에는 의사표시자는 그 의사표시로써 대항할 수 없다. 다만, 그 상대방의 법정대리인이 의사표시가 도달한 사실을 안 후에는 그러하지 아니하다.

1) 타인의 의사표시의 내용을 이해할 수 있는 능력으로서 행위능력보다는 낮은 수준이어도 될 것이나 민법은 제한능력자를 보호하기 위하여 모든 제한능력자를 의사표시의 수령무능력자라고

본다. 판례는 이행권고결정을 수령한 약 8세 3개월인 초등학교 2학년 남자어린이의 수송달능력을 부정하였다(대결 2005.12.5, 2005마1039).

2) 수령자가 제한능력자이면 표의자는 그 제한능력자에 대하여 그 의사표시로써 대항하지 못 할 뿐 송달이 무효가 되는 것은 아니다(제112조 본문). 이 경우 수령무능력자가 도달을 주장하는 것은 무방하다(통설).

3) 제한능력자가 일정한 경우 행위능력을 가지는 때에는 수령능력도 가지게 된다(제5조 제1항 단서, 제6조, 제8조, 제10조 등).

4) 수령무능력자제도는 상대방 없는 의사표시뿐만 아니라 발신주의가 적용되는 의사표시 및 공시송달에 의한 의사표시에는 적용되지 않는다.

제4절 법률행위의 대리

제1관 총설

Ⅰ. 대리의 의의 및 기능

1) 대리란 타인(대리인)이 본인의 이름으로 의사표시를 하거나 또는 의사표시를 수령함으로써 그 법률효과가 직접 본인에게 귀속되도록 하는 제도를 말한다.

2) 의사능력 · 행위능력자라도 스스로 모든 법률관계를 형성함은 한계가 있으므로 타인을 통해 자기의 활동범위를 확장할 수 있다는 점에서 대리제도는 '사적자치의 확장'을 도모한다. 또한 의사무능력 · 제한능력자로서 완전한 법률행위를 할 수 없는 자라면 타인을 통하여 그 자의 능력을 보충할 필요가 있다. 이러한 점에서 대리제도는 '사적자치의 보충적 기능'을 담당한다.

Ⅱ. 대리가 허용되는 범위

1. (준)법률행위

① 대리는 원칙적으로 의사표시를 본질적 요소로 하는 법률행위에 한하여 적용된다. 다만 법률행위라 하더라도 본인의 의사결정을 절대적으로 필요로 하는 신분행위에는 대리가 허용되지 않는다(예 혼인, 이혼, 유언, 인지 등). 다만 민법은 13세 미만자의 입양대락을 허용한다(제869조 → 과거 협의파양대락을 허용(제899조)하였으나, 개정민법은 이를 삭제하였다).

② 준법률행위는 의사표시가 아니므로 대리가 인정되지 않는 것이 원칙이다. 그러나 의사의 통지와 관념의 통지는 대리를 유추적용하여도 무방할 것이라는 것이 일반적이다.

2. 사실행위와 불법행위

사실행위로서 비표현행위나 불법행위에서는 대리가 허용되지 않는다. 따라서 대리인이 동시에 본인의 피용자인 경우 그 자의 불법행위에 대해 본인이 손해배상책임(제756조)을 질 수 있지만, 이는 어디까지나 제756조가 적용된 결과일 뿐이다.

Ⅲ. 구별제도

1. 간접대리

행위자가 타인의 계산(이익)으로 그러나 자기의 이름으로 법률행위를 하고 그 법률효과는 행위자 자신에게 일단 귀속되고, 그 후에 행위자가 취득한 권리를 내부적으로 타인에게 이전하는 관계를 말한다. 법률행위의 효과가 대리에서는 직접 본인에게 귀속되나 간접대리에서는 행위자(간접대리인)에게 귀속된다는 점에서 구별된다.

2. 사자

본인이 결정한 효과의사를 그대로 표시하거나(표시기관으로서의 사자), 본인의 의사표시를 단순히 전달함으로써(전달기관으로서의 사자) 표시행위의 완성에 협력하는 자를 말한다. 일반적으로 사자의 경우에는 효과의사를 본인이 결정하지만, 대리의 경우에는 대리인 자신이 결정한다는 점에서 구별된다.

사자의 유형

1) 전달기관으로서의 사자
효과의사와 표시행위를 모두 본인이 하고, 사자는 단순히 전달만 한다. 이 경우에는 의사표시의 효력발생과 관련하여 부도달의 문제만 발생한다.

2) 표시기관으로서의 사자가 선의인 경우
본인의 의사표시를 완성하는 역할을 담당한다. 이 경우에는 표시기관의 착오문제가 발생한다.

3) 표시기관으로서의 사자가 악의인 경우
본인의 의사표시를 완성하는 역할을 담당한다는 점에서는 동일하나, 상대방 보호의 관점에서 표현대리의 성립 여부가 문제된다. 다만 최근 판례는 사실행위에 대한 권한은 기본대리권이 될 수 없다고 보아 표현대리의 유추적용을 부정한다.

대리의 일반법리(대판 2024.1.4, 2023다225580) ★

[1] '의사 또는 관념의 통지'와 같은 준법률행위에 대하여도 대리에 관한 규정이 유추적용되는지 여부(적극) / 대리인이 본인을 위한 대리행위라는 의사의 표시(현명)를 묵시적으로 할 수 있는지 여부(적극) 및 현명을 하지 않았으나 여러 사정에 비추어 대리행위임을 상대방이 알았거나 알 수 있었을 경우, 적법한 대리행위로서 효력이 인정되는지 여부(적극)

민법상 대리는 행위자 아닌 자에게 법률행위의 효력을 귀속시키는 제도로서 의사표시를 요소로 하는 법률행위에서 인정되는 것이 원칙이지만, '의사 또는 관념의 통지'와 같은 준법률행위에 대하여도 대리에 관한 규정이 유추적용된다. 또한 '대리인'은 본인으로부터 위임받은 권한 내에서 본인을 위한 것임을 표시하면서 본인에게 효력이 발생할 의사표시를 자신의 이름으로 상대방에게 행하는 자로(민법 제114조 제1항), 대리인이 본인을 위한 것임을 표시하지 아니한 때에는 그 의사표시는 자기를 위한 것으로 보지만, 상대방이 대리인으로서 한 것임을 알았거나 알 수 있었을 때에는 본인에게 효력이 발생한다(민법 제115조). 대리인이 본인을 위한 대리행위라는 의사의 표시(현명)는 방식을 불문할 뿐만 아니라 반드시 명시적으로만 할 필요가 없이 묵시적으로도 할 수 있는 것이고, 현명을 하지 아니한 경우라도 그 행위를 둘러싼 여러 사정에 비추어 대리행위로서 이루어진 것임을 상대방이 알았거나 알 수 있었을 때에는 적법한 대리행위로서 효력이 인정된다.

[2] 대리인과 사자를 구별하는 기준

본인에게 효력이 발생할 의사표시의 내용을 스스로 결정하여 상대방과의 관계에서 자신의 이름으로 법률행위를 하는 대리인과 달리 '사자'는 본인이 완성해 둔 의사표시의 단순한 전달자에 불과하지만, 대리인도 본인의 지시에 따라 행위를 하여야 하는 이상(민법 제116조 제2항), 법률행위의 체결 및 성립 여부에 관한 최종적인 결정권한이 본인에게 유보되어 있다는 사정이 대리와 사자를 구별하는 결정적 기준이나 징표가 될 수는 없다. 그 구별은 의사표시 해석과 관련된 문제로서, 상대방의 합리적 시각, 즉 본인을 대신하여 행위하는 자가 상대방과의 외부적 관계에서 어떠한 모습으로 보이는지 여부를 중심으로 살펴보아야 하고, 이러한 사정과 더불어 행위자가 지칭한 자격 · 지위 · 역할에 관한 표시 내용, 행위자의 구체적 역할, 행위자에게 일정한 범위의 권한이나 재량이 부여되었는지 여부, 행위자가 그 역할을 수행함에 필요한 전문적인 지식이나 자격의 필요 여부, 행위자에게 지급할 보수나 비용의 규모 등을 종합적으로 고려하여 합리적으로 판단하여야 한다. 이는 당사자와 그 밖의 관계인의 위임이나 국가 · 지방자치단체와 그 밖의 공공기관의 위촉 등에 의하여 소송에 관한 행위 및 행정처분의 청구에 관한 대리행위와 일반 법률사무를 하는 것을 직무(변호사법 제3조)로 하는 변호사가 각종 권리의무의 발생과 법적 책임 등 복잡한 법률관계가 수반되는 당사자 사이의 계약의 체결을 위한 일련의 교섭 과정에 어느 일방을 위한 자문의 역할로 개입한 경우, 그 행위가 대리에 해당하는지 혹은 단순한 사자에 불과한지 다투어지는 경우에도 마찬가지이다.

3. 대표

대표는 직접 법인이 권리·의무를 취득한다는 점에서 대리와 유사하지만, 대표기관이 법인과 대립하는 지위에 있지 않고, 대표기관의 행위가 그대로 법인의 행위로 간주된다는 점과 대표는 사실행위나 불법행위에 관하여도 성립한다는 점에서 대리와 구별된다.

Ⅳ. 대리의 종류

1. 임의대리와 법정대리

본인의 의사에 의해 대리권이 주어지는 경우가 임의대리이고, 본인의 의사와 상관없이 법률의 규정에 의하여 일정한 자에게 대리권이 주어지는 경우를 법정대리라 한다.

2. 능동대리와 수동대리

본인을 위하여 제3자(상대방)에 대해 의사표시를 하는 대리가 능동대리이고, 제3자(상대방)의 의사표시를 수령하는 대리가 수동대리이다. 특별한 사정이 없는 한 대리인은 두 가지의 대리권을 모두 가지는 것으로 본다.

3. 유권대리와 무권대리

대리인이 정당한 대리권을 가지고 있는 경우가 유권대리이고, 정당한 대리권이 없는 경우가 무권대리이다. 무권대리는 다시 표현대리(제125조, 제126조, 제129조)와 협의의 무권대리로 나누어진다(통설).

제2관 대리권 – 본인 · 대리인 간의 관계

Ⅰ. 의의

대리권이란 타인(대리인)이 본인의 이름으로 의사표시를 하거나 또는 의사표시를 받음으로써 직접 본인에게 법률효과를 귀속시킬 수 있는 법률상의 지위 또는 자격을 말한다.

Ⅱ. 대리권의 발생원인

1. 법정대리권의 발생원인

본인의 의사와 관계없이 ① 법률규정(예 친권자(제911조, 제920조), 일상가사대리권을 갖는 부부(제827조 제1항) 등), ② 지정권자의 지정(예 지정후견인(제931조) 등), ③ 법원의 선임으로 대리권이 발생되는 경우(예 부재자의 재산관리인(제23조, 제24조), (미성년 · 성년 · 한정)후견인(제932조, 제936조, 제956조의3) 등)이다.

2. 임의대리권의 발생원인 – 수권행위

(1) 수권행위의 의의

임의대리권은 대리권을 수여하는 본인의 행위가 있어야 하는데, 이를 수권행위라고 한다.

(2) 수권행위의 법적 성질

수권행위는 대리인에게 일정한 지위 내지 자격을 부여하는 것에 불과하고 어떤 권리나 의무를 부여하는 것이 아니라는 점, 대리인은 행위능력자임을 요하지 않는다는 점(제117조) 등을 논거로 통설과 판례는 수권행위의 성질을 상대방 있는 단독행위로 파악한다. 따라서 대리인 측에 제한능력이나 의사무능력 등의 사정이 있더라도 수권행위의 효력에는 영향이 없고 대리행위의 효력에도 아무런 영향을 미치지 않는다.

(3) 수권행위의 상대방

수권행위의 상대방은 대리인에 한하고, 설령 상대방 당사자에게 대리권수여의 사실을 알리더라도 이는 대리권수여의 표시로서의 의미밖에 없다(이 경우라면 제125조의 표현대리가 성립할 수 있다).

(4) 수권행위의 방식

수권행위의 방식에 관한 명문규정이 없으므로 불요식행위이다. 따라서 위임장이라는 서면뿐만 아니라 구두나 묵시적으로도 수권행위를 할 수 있다.[26]

(5) 수권행위의 독자성과 무인성(기초적 내부관계와의 관계)

1) 수권행위의 독자성

수권행위의 독자성 인정 여부에 대해 견해대립이 있으나, 수권행위는 그 기초적 내부관계와 독립하여 대리권의 발생만을 목적으로 하는 행위라고 보아 수권행위의 독자성을 인정한다(통설·판례).

2) 수권행위의 무인성

본인과 대리인 사이의 기초적 내부관계가 무효이거나 취소 기타의 사유로 실효된 경우에 수권행위도 그 영향을 받아 소급하여 효력을 잃게 되는가의 문제이다. 이에 대해 다수설은 제128조와 당사자의 통상적인 의사에 기초하여 기초적 내부관계의 실효는 당연히 수권행위를 실효시킨다는 입장이다. 다만 대리행위가 이미 행해진 경우에는 거래안전을 고려하여 장래에 향해서만 수권행위의 효력이 소멸하고, 소급하여 무권대리로 되는 것은 아니라고 한다.

(6) 수권행위의 하자

① 대리행위의 하자는 대리인을 기준으로 결정하지만(제116조 제1항), 수권행위의 하자는 본인을 기준으로 결정한다. 따라서 수권행위는 일반원칙에 따라 행위능력을 필요로 하고, 제107조 이하의 규정이 적용된다. 다만 제116조의 적용은 없다.

② 따라서 수권행위가 무효이거나 취소되면 그 대리권에 기한 대리행위는 무권대리로 된다. 다만 이 경우 상대방은 제107조 제2항, 제108조 제2항, 제109조 제2항, 제110조 제3항에 따라 또는 표현대리(특히 제129조)에 의해 보호받을 수 있다.

---

26) 판례는 "대리권을 수여하는 수권행위는 불요식의 행위로서 명시적인 의사표시에 의함이 없이 묵시적인 의사표시에 의하여 할 수도 있으며, 어떤 사람이 대리인의 외양을 가지고 행위하는 것을 본인이 알면서도 이의를 하지 아니하고 방임하는 등 사실상의 용태에 의하여 대리권의 수여가 추단되는 경우도 있다"고 하였다(대판 2016.5.26, 2016다203315).

(7) 수권행위의 철회

기초적 내부관계가 종료되기 전이라도 본인은 언제든지 수권행위를 철회할 수 있으며, 이로써 임의대리권은 소멸한다(제128조).

Ⅲ. 대리권의 범위와 제한

> 제118조【대리권의 범위】
> 권한을 정하지 아니한 대리인은 다음 각 호의 행위만을 할 수 있다.
> 1. 보존행위
> 2. 대리의 목적인 물건이나 권리의 성질을 변하지 아니하는 범위에서 그 이용 또는 개량하는 행위

1. 대리권의 범위

(1) 법정대리권의 범위

법정대리권의 범위는 법률의 규정에 의하여 결정된다(제25조, 제920조, 제948조, 제949조, 제1023조 제2항, 제1044조 제2항, 제1047조 제2항, 제1101조 등).

(2) 임의대리권의 범위

1) 수권행위의 해석

① 임의대리권의 범위는 수권행위의 해석에 의하여 정하여진다. 결국 그 구체적인 범위는 수권행위의 해석의 문제로 귀결된다.

② 일반적으로 판례는 "어떠한 계약의 체결에 관한 대리권을 수여받은 대리인이 수권된 법률행위를 하게 되면 그것으로 대리권의 원인된 법률관계는 원칙적으로 목적을 달성하여 종료하는 것이고, 법률행위에 의하여 수여된 대리권은 그 원인된 법률관계의 종료에 의하여 소멸하는 것이므로(제128조), 그 계약을 대리하여 체결하였던 대리인이 체결된 계약의 해제 등 일체의 처분권과 상대방의 의사를 수령할 권한까지 가지고 있다고 볼 수는 없다."고 하였다(대판 2008.6.12, 2008다11276).

판례 연구 관련판례 정리

1) 대법원은 ① 부동산의 소유자를 대리하여 매매계약을 체결할 권한이 있는 대리인은 특별한 사정이 없는 한 그 잔대금도 수령할 권한이 있다고 하고(대판 1991.1.29, 90다9247), ★★ ② 소비대차계약체결의 대리권은 그 계약 내용을 이루는 기한을 연기하고 이자와 잔여금을 수령할 권한이 있다고 하며(대판 1948.2.17, 4280민상236), 마찬가지로 부동산의 소유자로부터 매매계약을 체결할 대리권을 수여받은 대리인은 특별한 다른 사정이 없는 한 그 매매계약에서 약정한 바에 따라 중도금이나 잔금을 수령할 수도 있다고 보아야

하고, 매매계약의 체결과 이행에 관하여 포괄적으로 대리권을 수여받은 대리인은 특별한 다른 사정이 없는 한 상대방에 대하여 약정된 매매대금지급기일을 연기하여 줄 권한도 가진다고 본다(대판 1992.4.14, 91다43107). ★★ 또한 ③ 부부가 공동으로 남편 명의의 점포를 운영하면서 처가 점포에 보관 중인 남편의 인감을 이용하여 차용증을 작성하여 주고 금원을 차용한 사안에서 남편이 처에게 점포 운영에 필요한 자금을 자신의 명의로 차용할 권한을 포괄적으로 위임하였다고 볼 여지가 있고(대판 2003.1.24, 2002다64377), ④ 수급인이 도급인으로부터 공사대금의 지급에 갈음하여 건물 소유권을 이전받기로 하면서 분양권을 위임받아 건물의 매매대금으로 공사대금에 충당하기로 약정한 경우, 수급인에게 도급인의 대리인으로서 건물을 분양할 수 있는 지위가 인정된다고 하였다(대판 1999.12.24, 99다35393; 대판 2008.5.15, 2007다14759).

2) 그러나, ① 일반적으로 법률행위에 의하여 수여된 대리권은 원인된 법률관계의 종료에 의하여 소멸하는 것이므로 특별한 다른 사정이 없는 한, 본인을 대리하여 금전소비대차 내지 그를 위한 담보권설정계약을 체결할 권한을 수여받은 대리인에게 본래의 계약관계를 해제할 대리권까지 있다고 볼 수 없고(대판 1993.1.15, 92다39365; 대판 2008.1.31, 2007다74713; 대판 2021.10.14, 2021다243430), ★★ ② 사채알선업자에 대하여도 특별수권이 없는 한 해제의 대리권이 없다고 하였다(대판 1997.9.30, 97다23372). 그리고 ③ 대여금의 영수권한만을 위임받은 대리인이 대여금채무의 일부를 면제할 수는 없고(대판 1981.6.23, 80다3221), ★★ ④ 경매입찰대리인의 대리권범위에는 경락허가결정이 있은 후 채권자에 의한 강제경매신청취하에 동의할 권한까지 포함하는 것으로 볼 수 없다고 하였다(대결 1983.12.2, 83마201).

3) 타인의 사망을 보험사고로 하는 보험계약에 있어 피보험자인 타인의 동의는 각 보험계약에 대하여 개별적으로 서면에 의하여 이루어져야 하고 포괄적인 동의 또는 묵시적이거나 추정적 동의만으로는 부족하나, 피보험자인 타인의 서면동의가 그 타인이 보험청약서에 자필 서명하는 것만을 의미하지는 않으므로 피보험자인 타인이 참석한 자리에서 보험계약을 체결하면서 보험계약자나 보험모집인이 타인에게 보험계약의 내용을 설명한 후 타인으로부터 명시적으로 권한을 수여받아 보험청약서에 타인의 서명을 대행하는 경우와 같이, 타인으로부터 특정한 보험계약에 관하여 서면동의를 할 권한을 구체적・개별적으로 수여받았음이 분명한 사람이 권한 범위 내에서 타인을 대리 또는 대행하여 서면동의를 한 경우에도 그 타인의 서면동의는 적법한 대리인에 의하여 유효하게 이루어진 것으로 본다(대판 2006.12.21, 2006다69141).

2) 수권행위의 해석에 의하여도 범위가 불명인 경우 대리권의 범위(제118조)

제118조는 대리권의 범위가 불분명한 경우를 대비한 보충적 규정이다. 따라서 법정대리에는 적용되지 않는다.

가) **보존행위** : 무제한으로 행사할 수 있다. 보존행위는 재산의 가치를 현상 그대로 유지하는 것을 목적으로 하는 행위로서 가옥의 수선, 소멸시효의 중단, 미등기부동산의 등기, 기한이 도래한 채무의 변제, 채권의 추심 등이 이에 속한다.

나) **이용행위** : 재산의 수익을 도모하는 행위로서 물건의 임대, 금전의 이자부대여 등이 이에 속하며, 대리의 목적인 물건이나 권리의 성질을 변하지 아니하는 범위에서 가능하다.

다) **개량행위** : 사용가치 또는 교환가치를 증가시키는 행위로서 가옥의 장식, 설비, 무이자의 금전소비대차를 이자부로 하는 행위 등이 이에 속하며, 대리의 목적인 물건이나 권리의 성질을 변하지 아니하는 범위에서 가능하다.

2. 대리권의 제한

(1) 공동대리

> **제119조【각자대리】**
> 대리인이 수인인 때에는 각자가 본인을 대리한다. 그러나 법률 또는 수권행위에 다른 정한 바가 있는 때에는 그러하지 아니하다.

1) 의의

대리인이 수인인 경우 법률규정이나 수권행위에서 특별히 정하고 있지 않는 한 각자대리가 원칙이지만, 법률 또는 수권행위에서 달리 정하고 있는 경우에는 그에 의한다(제119조).

2) 공동의 의미

통설은 의사결정의 공동을 의미하므로, 공동대리인간에 의사의 합치가 있는 이상 그 표시행위는 일부대리인이 해도 무방하다는 입장이다(의사결정공동설).

3) 위반의 효과

① 공동대리의 제한에 위반하여 1인이 단독으로 대리행위를 한 때에는 무권대리행위가 되며, 경우에 따라서 제126조의 표현대리가 성립할 수 있다.

② 다만 친권자 중 1人이 공동명의로 대리행위를 하였으나 다른 일방의 의사에 반한 경우 상대방이 선의이면 그 효력이 있다(제920조의2).

(2) 자기계약 · 쌍방대리의 금지

> **제124조【자기계약, 쌍방대리】**
> 대리인은 본인의 허락이 없으면 본인을 위하여 자기와 법률행위를 하거나 동일한 법률행위에 관하여 당사자 쌍방을 대리하지 못한다. 그러나 채무의 이행은 할 수 있다.

1) 의의

① 자기계약이란 대리인이 한편으로는 대리인의 자격으로 본인을 대리하고 다른 한편으로는 스스로 당사자의 지위에서 계약을 체결하는 경우를 말한다(예 甲으로부터 부동산 매각의 대리권을 수여받은 乙이 스스로 그 부동산의 매수인이 되는 경우).

② 반면 쌍방대리란 대리인이 법률행위의 당사자 쌍방을 대리하여 행위하는 경우를 말한다(예 乙이 매도인 甲의 대리인이 되고, 다른 한편으로는 매수인 丙의 대리인 자격에서 매매계약을 체결하는 경우).

2) 원칙적 금지와 예외적 허용

가) 금지의 원칙 : 자기계약과 쌍방대리는 원칙적으로 금지된다(제124조). 이는 본인과 대리인 간의 이해충돌이나 본인 간의 이해충돌을 막기 위함이다. 따라서 경개, 대물변제, 다툼이 있는

채무의 이행, 선택채무의 이행, 기한미도래채무의 변제는 금지된다. 부동산 입찰절차에서 동일한 물건에 관하여 1인이 2인 이상의 대리인이 된 경우, 그 대리인이 한 입찰행위는 무효이다(대결 2004.2.13, 2003마44).

나) **예외적 허용** : 예외적으로 ① 본인의 이익을 해할 염려가 없는 경우로서 본인이 허락한 경우, ② 이미 확정되어 있는 법률관계의 단순한 이행에 불과한 경우에는 인정된다. 따라서 주식의 명의개서나 부동산의 이전등기신청, 본인에게 이익을 주는 행위 등은 허용된다. 나아가 사채알선업자가 대주(貸主)와 차주(借主) 쌍방을 대리하여 소비대차계약과 담보권설정 계약을 체결한 경우, 차주가 그 사채알선업자에게 한 변제는 효력이 있다(대판 1997.7.8, 97다12273).

3) 금지위반의 효과

자기계약・쌍방대리의 금지규정(제124조)에 위반하는 행위는 절대적 무효가 아니라, 무권대리가 된다. 따라서 본인이 사후에 추인하여 완전한 대리행위로 할 수 있다.

4) 적용범위

가) **원칙** : 임의대리 및 법정대리 모두에 적용된다(통설).

나) **제124조에 대한 특칙** : ① 친권자는 친권자와 자 사이의 이해상반행위의 경우 법원에 특별대리인의 선임을 청구하여야 한다(제921조). 나아가 이는 후견인과 피후견인 사이에 이해가 상반되는 행위를 하는 경우에도 적용된다(제949조의3). ② 법인과 이사의 이익이 상반되는 사항에 관하여 이사는 대표권이 없고, 법원이 선임한 특별대리인이 법인을 대표한다(제64조).

Ⅳ. 대리권의 소멸

1. 법정대리・임의대리에 공통되는 소멸사유

> **제127조【대리권의 소멸사유】**
> 대리권은 다음 각 호의 어느 하나에 해당하는 사유가 있으면 소멸된다.
> 1. 본인의 사망 → 본인의 대리인이 그대로 상속인의 대리인이 되지는 않는다. 다만 소송대리권(민소법 제95조)은 본인의 사망으로 소멸하지 않는다.
> 2. 대리인의 사망, 성년후견의 개시 또는 파산 → 대리인은 행위능력자임을 요하지 않으므로(제117조), 성년후견의 개시 또는 파산은 대리인으로 선임된 후에 성년후견이 개시 또는 파산선고를 받은 경우에 대리권이 소멸한다는 의미이다. 주의할 것은 한정후견의 개시는 제외된다는 점이다.

2. 임의대리에 특유한 소멸사유

> **제128조【임의대리의 종료】**
> 법률행위에 의하여 수여된 대리권은 전조의 경우 외에 그 원인된 법률관계의 종료에 의하여 소멸한다. 법률관계의 종료 전에 본인이 수권행위를 철회한 경우에도 같다.

3. 법정대리에 특유한 소멸사유

각개의 법정대리에 관하여 규정하고 있다(예 법원의 재산관리인의 개임(제23조, 제1023조), 친권자의 친권상실선고(제924조), 친권자의 대리권상실선고(제925조), 법원의 허가를 얻은 법정대리인의 사퇴(제927조, 제939조, 제1105조), 후견사무의 종료(제957조), 후견인의 결격사유의 발생(제937조) 등).

제3관 대리행위 - 대리인 · 상대방 간의 관계

Ⅰ. 현명주의

> 제114조【대리행위의 효력】
> ① 대리인이 그 권한 내에서 본인을 위한 것임을 표시한 의사표시는 직접 본인에게 대하여 효력이 생긴다.
> ② 전항의 규정은 대리인에게 대한 제3자의 의사표시에 준용한다.

1. 의의

1) 대리인이 대리행위를 함에 있어서 본인을 위한 것임을 표시하여야 한다는 원칙을 말한다(제114조 제1항). 수동대리의 경우에는 상대방이 대리인에 대하여 본인을 위한 것임을 표시하여야 한다(제114조 제2항).
2) "본인을 위한 것"임을 표시해야 함은 대리의사를 표시해야 한다는 것을 의미하며, 본인에게 효과를 귀속시키려는 의사를 뜻하지, "본인의 이익을 위하여"라는 뜻은 아니다.

2. 현명의 방식

현명의 방식에 대해서는 민법상 아무런 제한이 없으므로, 서면이나 구두 등에 의하여 할 수 있다. 일반적으로는 '甲의 대리인 乙'로 표시하지만, 반드시 그러한 형식을 갖추어야 하는 것은 아니고, 해석을 통하여 대리의사를 인정할 수 있으면 족하다. 이와 관련하여 문제되는 경우는 다음과 같다.

(1) 본인의 이름을 보류한 경우

반드시 본인의 이름을 밝혀야 하는 것은 아니므로, 법률행위의 타인성만 표시되었다면 유효한 대리가 성립한다 할 것이다(타인성설).

(2) 서명대리 혹은 대행의 방식에 의한 대리 - 본인의 이름만을 사용한 경우

① 대리인은 본인을 위한 것임을 현명하지 않고 본인명의로도 할 수 있다. 그러나 ② 본인의 이름을 사용하면서 대리인이 본인처럼 행세하고 상대방도 대리인을 본인으로 안 경우에는 대리인 자신이 법률효과의 당사자가 된다(대판 1974.6.11, 74다165).

행위자가 타인의 권리를 자기명의 또는 타인명의로 계약을 체결한 경우 계약당사자 확정방법

[1] 일반적 기준 ★★

① 행위자가 타인 명의로 계약을 체결한 경우 계약당사자의 확정방법(행위자가 자기 이름으로 계약을 체결하는 경우에도 마찬가지이다)으로서 대법원은 계약을 체결하는 행위자가 타인의 이름으로 법률행위를 한 경우에 행위자 또는 명의인 가운데 누구를 계약의 당사자로 볼 것인가에 관하여는, ⅰ) 우선 행위자와 상대방의 의사가 일치한 경우에는 그 일치한 의사대로 행위자 또는 명의인을 계약의 당사자로 확정하여야 할 것이고, ⅱ) 행위자와 상대방의 의사가 일치하지 않는 경우에는 그 계약의 성질・내용・목적・체결 경위 등 그 계약 체결 전후의 구체적인 제반 사정을 토대로 상대방이 합리적인 사람이라면 행위자와 명의자 중 누구를 계약당사자로 이해할 것인가에 의하여 당사자를 결정하여야 한다고 본다(대판 2003.9.5, 2001다32120). 따라서 일방 당사자가 대리인을 통하여 계약을 체결하는 경우에 있어서 계약의 상대방이 대리인을 통하여 본인과 사이에 계약을 체결하려는 데 의사가 일치하였다면 대리인의 대리권 존부 문제와는 무관하게 상대방과 본인이 그 계약의 당사자이다(대판 2003.12.12, 2003다44059, 대판 2022.12.16, 2022다245129).

② 상대방과의 사이에 계약 체결의 행위를 하는 사람이 다른 사람 행세를 하여 그 타인의 이름을 사용하여 계약서 기타 계약에 관련된 서면 등이 작성되었다고 하더라도, 행위자와 상대방이 모두 행위자 자신이 계약의 당사자라고 이해한 경우, 또는 그렇지 아니하다고 하더라도 상대방의 입장에서 합리적으로 평가할 때 행위자 자신이 계약의 당사자가 된다고 보는 경우에는, 행위자가 계약의 당사자가 되고 그 계약의 효과는 행위자에게 귀속된다(대판 2013.10.11, 2013다52622).

[2] 구체적인 판례 사례

① 수급인이 도급인의 대리인으로서 건물을 분양하면서 대리관계의 현명을 하지 아니하였고 상대방도 수급인을 분양권자로 인식한 경우, 분양의 효력이 도급인에게 미치지 않는다(대판 2008.5.15, 2007다14759).

② 본인을 위한 것임을 표시하지 않은 경우 대리 또는 표현대리의 법리가 적용될 수 없다(대판 2001.1.19, 99다67598). 따라서 임대차계약에서 임차인 甲이 마치 乙인 것처럼 행세하여 乙의 이름으로 계약을 체결한 경우는 대리를 적용하지 않는다(대판 1974.6.11, 74다165). ★★

③ 甲이 乙 주식회사와 사망보험금 수익자를 丙으로 하고, 피보험자를 甲으로 한 보험계약을 체결하면서, 신용불량자인 이유로 보험계약자를 丁 명의로 한 사안에서, 판례는 甲이 신용 문제 때문에 자신 명의로 보험계약을 체결할 수 없어 丁의 명의를 이용한 것이므로 丁이 보험계약자가 되는 것을 의도하였고, 丁 역시 보험계약자가 되는 것을 양해하였다고 보이는 점 등을 종합하면, 보험계약의 보험가입자 측이나 보험자 모두 보험계약자를 丁으로 하는 것에 관하여 의사가 일치되었다고 할 것이므로, 보험계약의 보험계약자를 甲이 아닌 丁으로 보았다(대판 2016.12.29, 2015다226519).[27]

---

27) 이에 반하여 원심은, 이 사건 보험계약은 망인(甲)이 신용에 문제가 있어 丁의 권유로 망인이 아닌 丁을 보험계약자로 하여 체결한 점, 실제 보험료 또한 망인이 직접 부담한 점, 이 사건 보험계약의 보험설계사는 丁이 다만 그 명의만 빌린 것일 뿐 실제로는 丁이 피고의 보험설계사의 지위에서 보험계약을 체결한 점 등의 사정을 종합하면, 이 사건 보험계약의 실질적인 보험계약자는 丁이 아닌 망인 甲이라고 봄이 상당하다고 하였다.

3. 현명하지 않은 대리행위의 효과

> **제115조【본인을 위한 것임을 표시하지 아니한 행위】**
> 대리인이 본인을 위한 것임을 표시하지 아니한 때에는 그 의사표시는 자기를 위한 것으로 본다. 그러나 상대방이 대리인으로서 한 것임을 알았거나 알 수 있었을 때에는 전조 제1항의 규정을 준용한다.

(1) 원칙

대리인이 법률관계의 당사자로 간주되어 대리인 자신이 확정적으로 법률효과를 받는다. 이 경우에 대리인은 그의 내심의 의사와 표시가 일치하지 않음을 이유로 착오(제109조)를 주장할 수 없다.

(2) 예외

상대방이 대리인으로서 한 것임을 알았거나 알 수 있었을 때에는 보통의 대리행위로 취급하여 본인에게 대리행위의 효력이 발생된다. 제115조는 능동대리만을 예상한 규정이므로 수동대리에는 적용되지 않는다.

위임장을 제시하였으나 대리관계의 표시 없이 매매계약을 체결한 경우에 타인물의 매매로 되는지 여부 (소극) ★★

매매위임장을 제시하고 매매계약을 체결하는 자는 특단의 사정이 없는 한 소유자를 대리하여 매매행위하는 것이라고 보아야 하고, 매매계약서에 대리관계의 표시 없이 그 자신의 이름을 기재하였다고 해서 그것만으로 그 자신이 매도인으로서 타인물을 매매한 것이라고 볼 수는 없다(대판 1982.5.25, 81다1349 · 81다카1209).

현명하지 않은 대리행위의 효과(대판 2008.5.15, 2007다14759)

[1] 수급인이 도급인으로부터 공사대금의 지급에 갈음하여 건물 소유권을 이전받기로 하면서 분양권을 위임받아 건물을 타에 매도하여 그 매매대금으로 공사대금에 충당하기로 약정하였다면 수급인은 도급인의 대리인으로서 건물을 분양할 수 있는 지위를 가지고 있는 것이다.

[2] 한편, 대리인이 본인을 대리하여 행위를 함에 있어서는 민법 제114조 제1항의 규정에 따라 본인과 대리인을 표시하여야 하는 것이므로, 대리관계의 현명을 하지 아니한 채 행위를 하더라도 본인에게 효력이 없는 것이지만, 대리에 있어 본인을 위한 것임을 표시하는 이른바 현명은 반드시 명시적으로만 할 필요는 없고 묵시적으로도 할 수 있는 것이고, 나아가 현명을 하지 아니한 경우라도 여러 사정에 비추어 대리인으로서 행위한 것임을 상대방이 알았거나 알 수 있었을 때에는 민법 제115조 단서의 규정에 의하여 본인에게 효력이 미치는 것이다. 따라서 수급인이 도급인의 대리인으로서 건물을 분양하면서 대리관계의 표시를 하지 아니한 채 수급인 명의로 된 분양계약서를 작성하였고, 그 밖에 명시적 또는 묵시적으로 도급인을 위한 것임을 전혀 표시하지 아니하였으며, 상대방도 분양권자가 수급인이라고 인식하는 등 건물의 분양을 둘러싼 여러 사정에 비추어 보더라도 수급인이 대리인으로서 분양한 것임을 상대방이 알 수 없었을 경우에는 민법 제115조의 규정에 의하여 분양의 효력이 도급인에게 미치지 아니하는 것이다.

4. 현명주의의 예외

상행위의 대리에는 현명이 요구되지 않는다(상법 제48조).

Ⅱ. 대리행위의 하자

> **제116조【대리행위의 하자】**
> ① 의사표시의 효력이 의사의 흠결, 사기, 강박 또는 어느 사정을 알았거나 과실로 알지 못한 것으로 인하여 영향을 받은 경우에 그 사실의 유무는 대리인을 표준으로 하여 결정한다.
> ② 특정한 법률행위를 위임한 경우에 대리인이 본인의 지시에 좇아 그 행위를 한 때에는 본인은 자기가 안 사정 또는 과실로 인하여 알지 못한 사정에 관하여 대리인의 부지를 주장하지 못한다.

① 대리행위의 하자는 대리인을 기준으로 판단한다(제116조 제1항). 그러나 본인이 특정한 법률행위를 위임한 경우 대리인이 본인의 지시에 좇아 그 행위를 한 때에는 본인은 자기가 안 사정 및 과실로 인하여 알지 못한 사정에 관하여 대리인의 부지를 주장하지 못한다(제116조 제2항).

② 상대방의 사기·강박에 의하여 본인이 사기·강박을 당하였지만, 대리인은 사기·강박을 당하지 않은 경우라면 본인은 대리행위를 취소할 수 없다. 반면 대리인이 사기·강박을 행한 경우, 대리인은 제110조 제2항 소정의 '제3자'가 아니므로 상대방은 본인이 그 사실을 알았는지 여부를 묻지 않고 그 의사표시를 취소할 수 있다(제110조 제1항).

③ 대리인에 의하여 법률행위가 행해진 경우 궁박은 본인을 표준으로 하여 결정하고, 경솔·무경험은 대리인을 표준으로 하여 결정한다(대판 2002.10.22, 2002다38927).

④ 대리인이 부동산을 이중으로 매수한 경우, 그 매매계약이 반사회적 법률행위인지 여부의 판단은 본인이 아니라 대리인을 표준으로 한다.

대리인이 부동산을 이중으로 매수한 경우, 그 매매계약이 반사회적 법률행위인지 여부의 판단기준이 되는 자 ★

대리인이 본인을 대리하여 매매계약을 체결함에 있어서 매매대상 토지에 관한 저간의 사정을 잘 알고 그 배임행위에 가담하였다면, 대리행위의 하자 유무는 대리인을 표준으로 판단하여야 하므로, 설사 본인이 미리 그러한 사정을 몰랐거나 반사회성을 야기한 것이 아니라고 할지라도 그로 인하여 매매계약이 가지는 사회질서에 반한다는 장애사유가 부정되는 것은 아니다(대판 1998.2.27, 97다45532).

대리인이 한 법률행위가 사해행위인지를 판단하는 경우 사해의사의 유무에 대한 판단기준이 되는 자 ★

대리인이 한 법률행위가 사해행위인지를 판단함에 있어 수익자 또는 전득자의 사해행위에 대한 악의의 유무는 대리인을 기준으로 한다(대판 2006.9.8, 2006다22661).

Ⅲ. 대리인의 능력

> **제117조【대리인의 행위능력】**
> 대리인은 행위능력자임을 요하지 아니한다.

① 대리인이 대리행위를 하는 데에는 행위능력자임을 요하지 않는다. 즉 본인은 대리인이 제한능력자임을 이유로 그 대리행위를 취소할 수 없다는 것이다. 이처럼 제117조는 본인과 상대방 사이의 관계를 규율하는 규정이다.

② 제117조는 임의대리뿐만 아니라 법정대리에도 적용된다(통설). 다만, 법정대리의 경우에는 본인의 이익보호를 위하여 제한능력자가 법정대리인이 되는 것을 금지하는 규정을 두는 수가 있다(제937조, 제1098조).

③ 의사능력에 관하여는 아무런 규정이 없지만 대리인은 대리행위의 주체이므로 적어도 의사능력은 가지고 있어야 한다(통설).

제4관 대리행위의 효과 - 본인 · 상대방 간의 관계

Ⅰ. 법률효과의 본인에의 귀속

1) 대리인이 행한 법률행위의 효과는 직접 본인에게 귀속한다(제114조). 본인에게 귀속되는 법률효과의 범위는 당해 의사표시의 직접적 법률효과(예 당해 법률행위에 따른 이행청구권 · 이행의무, 기타 재산권의 귀속 등)뿐만 아니라, 이에 따르는 부수적 효과(예 대리인의 의사의 하자로 인한 취소권)도 전적으로 본인에게 귀속된다.

계약이 적법한 대리인에 의하여 체결되었는데 상대방 당사자가 계약상 채무불이행을 이유로 계약을 해제한 경우, 본인이 해제로 인한 원상회복의무를 부담하는지 여부(적극) **및 대리인이 수령한 계약상 급부를 현실적으로 인도받지 못하였다거나 계약상 채무불이행에 관하여 대리인에게 책임 있는 사유가 있는 경우에도 마찬가지인지 여부**(원칙적 적극) ★★

계약이 적법한 대리인에 의하여 체결된 경우에 대리인은 다른 특별한 사정이 없는 한 본인을 위하여 계약상 급부를 변제로서 수령할 권한도 가진다. 그리고 대리인이 그 권한에 기하여 계약상 급부를 수령한 경우에, 그 법률효과는 계약 자체에서와 마찬가지로 직접 본인에게 귀속되고 대리인에게 돌아가지 아니한다. 따라서 계약상 채무의 불이행을 이유로 계약이 상대방 당사자에 의하여 유효하게 해제되었다면, 해제로 인한 원상회복의무는 대리인이 아니라 계약의 당사자인 본인이 부담한다. 이는 본인이 대리인으로부터 그 수령한 급부를 현실적으로 인도받지 못하였다거나 해제의 원인이 된 계약상 채무의 불이행에 관하여 대리인에게 책임 있는 사유가 있다고 하여도 다른 특별한 사정이 없는 한 마찬가지라고 할 것이다(대판 2011.8.18, 2011다30871).

2) 따라서 대리의 효과가 본인에게 귀속되기 위하여 본인은 권리능력을 가져야 한다(본인은 의사능력 또는 행위능력을 가질 필요는 없다).

Ⅱ. 대리권남용

1. 의의

대리권남용이란 대리인이 형식적으로는 대리권의 범위 내에서 대리행위를 하였으나, 실질적으로는 본인을 위해서가 아니고 자기 또는 제3자의 이익을 위해서 대리행위를 하는 경우를 말한다.

2. 법적 구성 – 요건 및 효과론

1) 판례의 주류는 배임적 대리행위에 대하여 민법 제107조 제1항 단서를 유추적용하여, 원칙적으로 대리인의 배임행위인 경우에도 대리의사는 존재하므로 대리행위로서 유효하지만, 예외적으로 대리인의 배임행위를 상대방이 알았거나 알 수 있었음을 본인이 입증한 때에는 제107조 제1항의 단서취지를 유추적용하여 그 대리행위는 무효가 된다는 입장이다. 다만 대표이사의 대표권남용에 대해서는 신의칙설(권리남용설)에 따라 판단한 것도 있다.
2) 부분적 포괄대리권을 가진 상업사용인의 배임적 대리행위에 대하여 민법 제107조 제1항을 유추적용할 수 있다고 한다(대판 2008.7.10, 2006다43767).
3) 판례는 신용협동조합 이사장이 타인으로부터 예금 명목으로 돈을 교부받았거나 정상적인 입금절차를 거치지 않고 이를 임의로 유용한 사안에서 민법 제107조 제1항 단서를 유추적용하여 예금계약의 성립을 부인하였다. 즉 예금자 乙이 같은 교회 신도인 신용협동조합 이사장 丙에게 신용협동조합인 甲에게 예탁하여 달라면서 여러 번에 걸쳐 돈을 맡겼는데, 그 이사장이 예탁금으로서의 입금절차를 밟지 아니하고 자신이 경영하던 회사들의 운영자금으로 유용하고, 그에 대한 이자는 자신의 돈으로 신용협동조합의 금리보다 높은 이율로 계산하여 지급하면서, 위 예금자에게는 마치 예탁금 입금이 된 양 신용협동조합이 업무전산화를 한 이후에는 사용하지 않는 수기식 정기예탁금 증서를 작성하여 교부한 경우, 위 예금자로서는 통상의 주의를 기울였다면 위 신용협동조합 이사장의 예금계약체결의 의사표시가 진의가 아니라는 것을 알 수 있었으므로, 위 예금자와 신용협동조합 사이의 예금계약이 성립되지 않았다고 보는 것이 정당하다고 하였다(대판 1999.1.15, 98다39602).

3. 적용범위

(1) 법정대리

대리권남용은 임의대리뿐만 아니라 법정대리에도 적용된다. 즉 친권자의 이해상반행위를 형식적 판단설에 따를 경우 외형상으로는 이해상반행위에 해당하지 아니하나 그 실질이 이해상반행위에 해당하는 경우라면 친권자가 법정대리권을 남용한 경우로서 이러한 대리권 남용으로부터 미성년자인 본인을 보호할 필요성이 있는 바, 대리권 남용의 법리를 법정대리권 남용의 경우에도 적용하여 본인을 보호하는 것이 타당하다(대판 1997.1.24, 96다43928).

법정대리인인 친권자의 대리행위가 미성년자 본인에게는 경제적인 손실만을 초래하는 반면 친권자나 제3자에게는 경제적인 이익을 가져오는 행위이고 행위의 상대방이 이러한 사실을 알았거나 알 수 있었을 경우, 행위의 효과가 자에게 미치는지 여부(소극) 및 그와 같은 사정을 들어 선의의 제3자에게 대항할 수 있는지 여부(소극) / 이때 제3자가 악의라는 사실에 관한 주장 · 증명책임의 소재(무효를 주장하는 자) ★★★

① 법정대리인인 친권자의 대리행위가 객관적으로 볼 때 미성년자 본인에게는 경제적인 손실만을 초래하는 반면, 친권자나 제3자에게는 경제적인 이익을 가져오는 행위이고 행위의 상대방이 이러한 사실을 알았거나 알 수 있었을 때에는 민법 제107조 제1항 단서의 규정을 유추적용하여 행위의 효과가 자에게는 미치지 않는다고 해석함이 타당하나, ② 그에 따라 외형상 형성된 법률관계를 기초로 하여 새로운 법률상 이해관계를 맺은 선의의 제3자에 대하여는 같은 조 제2항의 규정을 유추적용하여 누구도 그와 같은 사정을 들어 대항할 수 없으며, 제3자가 악의라는 사실에 관한 주장 · 증명책임은 무효를 주장하는 자에게 있다(대판 2018.4.26, 2016다3201).

→ [사실관계 및 소송과정] : ① A는 친권자로서 미성년자 甲을 대리하여 2011.6.30.경 乙에게 이 사건 각 부동산을 매도하였고(이하 '이 사건 매매계약'이라고 한다), 그 무렵 乙 앞으로 소유권이전등기를 마쳐 주었다. 乙은 2013.8.26. 이 사건 각 부동산에 관하여 丙 앞으로 2013.8.22. 매매계약을 원인으로 한 소유권이전등기를 마쳐주었다. ② 甲은 乙 앞으로 마쳐진 소유권이전등기의 말소를 구하는 소송을 제기하였는데, 2015.1.23. 이 사건 매매계약이 A의 친권 남용에 의해 체결된 것이어서 그 효과가 甲에게 미치지 아니하므로, 乙은 소유권이전등기를 말소할 의무가 있다는 판결이 선고되었고 그 무렵 확정되었다. ③ 이에 甲은 乙 앞으로 마쳐진 소유권이전등기가 원인무효이므로, 이에 터 잡은 丙 명의의 소유권이전등기 역시 원인무효라고 주장하면서 이 사건 소송을 제기하였다. 丙은 2013.10.22.자 답변서에서 '원고의 이 사건 청구원인 주장내용은 피고로서는 전혀 알지 못하는 사실입니다.'라고 답변하였다.

→ [판단] : 위와 같은 사실관계를 앞에서 본 법리에 비추어 보면, 丙은 乙로부터 이 사건 각 부동산을 매수하여 소유권이전등기를 마침으로써 A의 친권 남용에 따라 외형상 형성된 법률관계를 기초로 하여 새로운 법률상 이해관계를 가지게 되었고, 기록상 丙이 乙로부터 이 사건 각 부동산을 매수할 당시 이 사건 매매계약이 A의 친권 남용에 의해 체결된 사실을 알고 있었다고 인정할 만한 사정이 보이지 아니하므로, 丙에 대하여는 특별한 사정이 없는 한 이 사건 매매계약이 A의 친권 남용에 의해 체결된 것이라는 사정을 들어 대항할 수 없다.

(2) 표현대리와 대리권남용

표현대리가 성립한 경우에도 대리권남용이 적용되어 상대방은 본인에게 책임을 물을 수 없다고 해야 한다. 대법원 역시 이른바 명성사건에서 이러한 결과를 수용한 바 있다. 즉 "이 사건 예금계약이 위 지점장 대리인 위 乙과 원고 甲 사이에 이루어졌고 또 위 乙이 당좌예금담당대리여서 예금업무에 관하여는 피고 A은행을 대리할 권한이 없다고 하더라도 상대방인 원고 甲으로서는 위 乙에게 그와 같은 권한이 있는 것으로 믿는 데에 정당한 이유가 있다고 보여지므로 위 예금계약은 일응 피고 A은행에게 그 효력이 있는 것(제126조 표현대리 성립)으로 보여지겠지만, 위 乙이 한 대리행위가 본인인 피고 A은행의 의사나 이익에 반하여 예금의 형식을 빌어 사채를 끌어 모아 위 丙의 사업자금을 마련함으로써 자기와 위 丙의 이익을 도모하려한 것이고 원고 甲이 위 乙의 예금계약의사가 진의 아님을 알았거나 이를 알 수 있었다면 위 乙이 한 이 사건 예금계약은 피고 A은행의 대리행위로 성립할 수 없으므로 피고 A은행은 이에 대하여 아무런 책임이 없게 된다 할 것이다(대리권남용의 항변 인정)"라고 판시하였다.

제5관 복대리

Ⅰ. 서설

1. 의의

복대리인이란 대리인이 그의 권한 내의 행위를 행하게 하기 위하여 대리인 자신의 이름으로 선임한 본인의 대리인을 말한다. 여기서 복대리인을 선임할 수 있는 자격 내지 권한을 복임권이라 하고, 그 선임행위를 복임행위라고 한다.

2. 복대리인의 법적 성질

① 복대리인은 대리인의 대리인이 아니라 본인의 대리인이며, 대리인이 본인의 이름으로 선임한 자가 아니라 대리인 자신의 이름으로 선임한 자이다.

② 복대리인을 선임한 후에도 대리인의 대리권은 소멸하지 않고 복대리인의 복대리권과 병존한다. 이 점에서 복임행위는 대리권의 양도행위가 아니라 대리권의 병존적 설정행위라고 할 수 있다.

Ⅱ. 대리인의 복임권과 책임

대리인이 임의대리인이냐 또는 법정대리인이냐에 따라 그 복임권의 유무와 책임의 범위가 달라진다.

1. 임의대리인의 복임권과 책임

> 제120조【임의대리인의 복임권】
> 대리권이 법률행위에 의하여 부여된 경우에는 대리인은 본인의 승낙이 있거나 부득이한 사유있는 때가 아니면 복대리인을 선임하지 못한다.

(1) 복임권행사의 사유 및 위반의 효과

1) 임의대리인은 원칙적으로 복대리인을 선임할 수 없으나 예외적으로 본인의 승낙이나 부득이한 사유가 있는 경우 복대리인을 선임할 수 있다.

2) 만약 임의대리인이 본인의 승낙이나 부득이한 사유가 없음에도 복대리인을 선임한 경우에는 그 선임은 부적법하므로, 복대리인의 대리행위는 무권대리행위가 되고, 이 경우 표현대리의 문제가 발생한다.

판례 연구 **관련판례 정리**

☑ **본인의 승낙에 대한 관련판례 정리**

1. 본인의 묵시적 승낙

대리의 목적인 법률행위의 성질상 대리인 자신에 의한 처리가 필요하지 아니한 경우에는 본인이 복대리 금지의 의사를 명시하지 아니하는 한 복대리인의 선임에 관하여 묵시적인 승낙이 있는 것으로 보는 것이 타당하다(대판 1996.1.26, 94다30690).

2. 본인의 묵시적 승낙이 부정된 사례 ★

임의대리인은 본인의 승낙이 있거나 부득이한 사유가 있지 아니하면 복대리인을 선임할 수 없는 것인바, 아파트 분양업무는 그 성질상 분양 위임을 받은 수임인의 능력에 따라 그 분양사업의 성공 여부가 결정되는 사무로서, 본인의 명시적인 승낙 없이는 복대리인의 선임이 허용되지 아니하는 경우로 보아야 한다(대판 1999.9.3, 97다56099).

3. 본인의 묵시적 승낙이 인정된 사례

① 甲이 채권자를 특정하지 아니한 채 부동산을 담보로 제공하여 금원을 차용해 줄 것을 乙에게 위임하였고, 乙은 이를 다시 丙에게 위임하였으며, 丙은 丁에게 위 부동산을 담보로 제공하고 금원을 차용하여 乙에게 교부하였다면, 乙에게 위 사무를 위임한 甲의 의사에는 '복대리인 선임에 관한 승낙'이 포함되어 있다고 봄이 타당하다(대판 1993.8.27, 93다21156).

② 아버지가 아들의 채무에 대한 담보제공을 위하여 아들에게 인감도장과 인감증명서를 교부한 사안에서, 아들에게 복임권을 포함하여 일체의 대리권을 부여한 것으로 보아, 그 아들로부터 다시 그 인감도장과 인감증명서를 교부받은 제3자가 이를 이용하여 타인에게 설정해 준 근저당권설정등기는 유효하다(대판 1996.2.9, 95다10549).

(2) 책임

제121조【임의대리인의 복대리인선임의 책임】

① 전조의 규정에 의하여 대리인이 복대리인을 선임한 때에는 본인에게 대하여 그 선임감독에 관한 책임이 있다.

② 대리인이 본인의 지명에 의하여 복대리인을 선임한 경우에는 그 부적임 또는 불성실함을 알고 본인에게 대한 통지나 그 해임을 태만한 때가 아니면 책임이 없다.

임의대리인은 본인에 대하여 그 선임, 감독에 관한 책임을 부담하나, 대리인이 본인의 지명에 의하여 복대리인을 선임한 경우는 책임이 경감된다.

2. 법정대리인의 복임권과 책임

> **제122조 【법정대리인의 복임권과 그 책임】**
> 법정대리인은 그 책임으로 복대리인을 선임할 수 있다. 그러나 부득이한 사유로 인한 때에는 전조 제1항에 정한 책임만이 있다.

1) 법정대리인은 언제든지 복대리인을 선임할 수 있다(제122조 본문).
2) 법정대리인은 선임, 감독에 있어서의 과실의 유무를 묻지 않고서 모든 책임(전적인 책임)을 진다(제122조 본문). 다만 부득이한 사유로 복대리인을 선임한 경우에는 그 책임이 경감된다.

임의대리인과 법정대리인에서의 복임권과 책임의 비교

<table>
<tr><td rowspan="3">임의
대리인</td><td>복임권</td><td colspan="2">원칙상 복임권✗, 본인의 승낙 또는 부득이한 사유 있는 때만 복임권 O(제120조)</td></tr>
<tr><td rowspan="2">복임에
대한
책임</td><td>임의대리인
스스로 선임 시</td><td>본인에 대하여 그 선임, 감독에 대한 책임 O(제121조 제1항)</td></tr>
<tr><td>본인의 지명에
따라 선임 시</td><td>본인이 지명한 자가 부적임 또는 불성실함을 알고 본인에 대한 통지나 그 해임을 해태한 때에만 책임 O(제121조 제2항)</td></tr>
<tr><td rowspan="3">법정
대리인</td><td>복임권</td><td colspan="2">원칙상 복임권 O</td></tr>
<tr><td rowspan="2">복임에
대한
책임</td><td>원칙</td><td>과실유무 불문하고 모든 책임 O(제122조 본문)</td></tr>
<tr><td>부득이한
사유로 선임 시</td><td>임의대리인과 같은 정도로 책임 경감(제122조 단서)</td></tr>
</table>

Ⅲ. 복대리의 내용 - 복대리의 3면관계

1. 복대리인과 본인의 관계

> **제123조 【복대리인의 권한】**
> ① 복대리인은 그 권한 내에서 본인을 대리한다.
> ② 복대리인은 본인이나 제3자에 대하여 대리인과 동일한 권리의무가 있다.

복대리인은 본인에 대하여 대리인과 동일한 권리·의무를 갖는다(제123조 제2항). 즉, 제123조 제2항에 의해 본인과 대리인 사이의 내부적 법률관계가 본인과 복대리인 사이의 내부적 법률관계로 의제된다. 따라서 대리인이 본인에 대해 수임인으로서의 내부관계에 있을 때에는 복대리인도 본인에 대하여 수임인으로서의 권리·의무, 즉 보수청구권(제686조), 비용상환청구권(제688조), 선관주의의무(제681조), 수령한 금전 등의 인도의무(제684조) 등을 갖는다.

2. 복대리인과 대리인의 관계

복대리인은 대리인에 의해 선임된 자이므로 대리인의 지휘・감독을 받게 되며, 복대리인의 대리권은 대리인이 가지는 대리권의 존재 및 범위에 의존한다(부종성). 따라서 복대리권은 대리권을 초과할 수 없고, 대리인의 대리권이 소멸하면 복대리인의 복대리권도 소멸한다. 대리인이 법정대리인인 경우에도 복대리인은 항상 임의대리인의 지위에 있다.

3. 복대리인과 상대방(제3자)의 관계

(1) 일반론

복대리인은 본인의 대리인이므로 직접 본인의 이름으로 대리행위를 하며(제123조 제1항), 제3자에 대해서도 대리인과 동일한 권리・의무를 갖는다(제123조 제2항). 따라서 복대리인의 대리행위에 대하여는 대리의 일반원칙이 적용된다.

(2) 복대리와 무권대리 및 표현대리

복대리행위에 대해서도 무권대리 및 표현대리에 관한 규정이 적용된다.

1) 제126조 관련

대리인이 임의로 선임한 복대리인의 권한도 제126조의 기본대리권의 적격성을 갖는다. 즉 대리인이 임의로 복대리인을 선임하여 그 자가 대리행위를 한 경우에도 상대방이 복대리인을 대리권을 가진 대리인으로 믿었고 또한 그렇게 믿는 데에 정당한 이유가 있을 경우에는 제126조의 표현대리가 성립한다(대판 1998.3.27, 97다48982).

2) 제129조 관련

대리인이 대리권소멸 후 즉, 본인사망 후 복대리인을 선임하여 복대리인으로 하여금 상대방과 사이에 대리행위를 하도록 한 경우에도 상대방이 대리권소멸사실을 알지 못하여 복대리인에게 적법한 대리권이 있는 것으로 믿었고 그와 같이 믿은 데에 과실이 없다면 제129조의 표현대리가 성립한다(대판 1998.5.29, 97다55317).

4. 복대리인의 복임권

복대리인은 다시 복대리인을 선임할 수 있다(통설). 다만 이 경우 복대리인은 임의대리인과 동일한 조건 하에 복임권을 가진다.

Ⅳ. 복대리권의 소멸

복대리권은 ① 대리권 일반의 소멸원인(본인의 사망, 복대리인의 사망, 성년후견의 개시, 파산)에 의하여 소멸하고, ② 대리인, 복대리인 사이의 원인된 법률관계의 소멸, 수권행위의 철회에 의하여 소멸한다. 또한 ③ 대리인의 대리권의 존재 및 그 범위에 의존하므로 대리권이 소멸하면 복대리권도 소멸한다.

제6관 표현대리

Ⅰ. 서설

1. 표현대리의 의의

1) 대리인에게 정당한 대리권이 없음에도 불구하고 대리권이 있는 것과 같은 외관이 존재하고(외관의 존재), 그 외관에 관해 본인이 어느 정도 원인을 제공하고 있다면(외관의 부여), 외관을 신뢰한 자(외관의 신뢰) 및 거래의 안전을 보호하기 위해 본인에게 그 무권대리행위에 대해 책임을 지게 하는 제도를 표현대리라고 한다.
2) 민법상 표현대리제도의 종류로는 대리권수여의 표시에 의한 표현대리(제125조), 권한을 넘은 표현대리(제126조), 대리권소멸 후의 표현대리(제129조)의 3가지가 있다.

2. 표현대리의 근거와 본질

판례는 ① 표현대리의 법리는 거래의 안전을 위하여 어떠한 외관적 사실을 야기한 데 원인을 준 자는 그 외관적 사실을 믿음에 정당한 사유가 있다고 인정되는 자에 대하여는 책임이 있다는 '일반적인 권리외관에 그 기초'를 두고 있다(외관형성에 따른 법정책임설)고 하였고(대판 1998.5.29, 97다55317), ② 표현대리에 있어서는 대리권이 없음에도 불구하고 법률이 특히 거래상대방 보호와 거래안전유지를 위하여 본래 무효인 무권대리행위의 효과를 본인에게 미치게 한 것으로서 표현대리가 성립된다고 하여 무권대리의 성질이 유권대리로 전환되는 것은 아니므로, 양자의 구성요건 해당사실 즉 주요사실은 다르다고 볼 수밖에 없으니 유권대리에 관한 주장 속에 무권대리에 속하는 표현대리의 주장이 포함되어 있다고 볼 수 없다(무권대리설)고 하였다(대판(전) 1983.12.13, 83다카1489).

유권대리의 주장 속에 표현대리의 주장이 포함되는지 여부(소극) ★★
대리권이 있다는 것과 표현대리가 성립한다는 것은 그 요건사실이 다르므로 유권대리의 주장이 있으면 표현대리의 주장이 당연히 포함되는 것은 아니고 이 경우 법원이 표현대리의 성립 여부까지 판단해야 하는 것은 아니다(대판 1990.3.27, 88다카181).

3. 무권대리와 표현대리

(1) 무권대리와 표현대리의 관계

무권대리란 대리권 없이 대리행위가 행하여진 경우를 말한다. 이러한 무권대리를 총칭하여 광의의 무권대리라 하고 이를 다시 거래안전 및 상대방 보호를 위하여 특별한 사정이 있는 경우 본인의 책임을 인정하기 위해 마련된 표현대리와 이와 같은 특별한 사정이 없이 본인의 추인이 없으면 그 법률효과를 본인에게 귀속시킬 수 없고 무권대리인에게 책임을 묻게 되는 협의의 무권대리로 나눌 수 있다(통설). 기본적으로 판례의 입장도 마찬가지이다.

(2) 무권대리규정의 적용

이에 따르면 표현대리에 대하여 무권대리에 관한 규정을 적용할 수 있게 된다. 다만 그 적용범위와 관련해서 특히 제135조의 적용 여부가 문제이다. 이에 대해 다수설은 표현대리의 성립으로 상대방이 유권대리와 같은 보호를 받게 되면, 상대방은 소기의 목적을 달성할 수 있으므로 제135조를 적용할 필요가 없다고 본다. 즉 제135조의 무권대리인의 책임은 표현대리가 성립하지 않는 경우에 비로소 적용될 수 있다(보충적 책임설). 결론적으로 협의의 무권대리는 광의의 무권대리 중에서 표현대리에 속하지 않는 것이라고 할 수 있다.

Ⅱ. 제125조의 표현대리

> 제125조【대리권수여의 표시에 의한 표현대리】
> 제3자에 대하여 타인에게 대리권을 수여함을 표시한 자는 그 대리권의 범위 내에서 행한 그 타인과 그 제3자 간의 법률행위에 대하여 책임이 있다. 그러나 제3자가 대리권 없음을 알았거나 알 수 있었을 때에는 그러하지 아니하다.

1. 성립요건

(1) 대리권수여의 표시

1) 본인은 제3자(상대방)에 대하여 타인에게 대리권을 수여하였음을 표시하였어야 한다. 이 표시의 법적 성질에 관하여 통설은 수권행위가 아니라 수권행위가 있었다는 사실의 통지로서 관념의 통지로 본다. 이와 같은 표시의 방법은 원칙적으로 제한이 없다. 즉 구두로 하든 묵시적으로 하든 무방하며, 본인이 직접 하지 않고 대리인이 될 자를 통해 하더라도 무방하다(보통은 위임장에 의함).

> **수표위조행위가 대리권수여에 의한 표현대리에 해당하는지 여부**
> 甲이 자기 사위인 乙에게 상호를 포함한 영업일체를 양도하여서 동일상호를 사용하여 영업을 계속하게 하는 동안 자기의 당좌거래를 이용하여 대금결제를 하도록 하였고 또 영업을 乙에게 양도한 이후에도 자기명의의 당좌수표 및 약속어음 20여장이 乙로부터 丙에게 물품대금으로 교부되어 그 대부분이 결제되었다면 甲이 丙으로 하여금 乙이 甲 명의의 수표를 사용할 권한이 있다고 믿게 할 만한 외관을 조성하였다 할 것이고, 이와 같은 외관을 가지고서 乙이 甲의 인장을 남용하여 수표를 위조한 행위는 대리권수여표시에 의한 표현대리에 해당한다(대판 1987.3.24, 86다카1348).[28]

28) 원심은 피고가 원고에게 수표발행의 권한을 수여한 일이 없으므로 피고의 행위는 권한을 넘은 표현대리에 해당하지 않는다고 판단하였으나 원고주장의 요지는 소외인에게 그 명의의 수표를 사용하게 한 이상 소외인이 발행한 피고 명의의 수표에 대하여 지급책임을 면할 수 없다는 것이니 이 주장은 반드시 권한을 넘은 표현대리라는 취지만이 아니고 표현대리를 광범위하게 주장한 취지(주 주장포함)라고도 볼 수 있으므로 원심으로서는 대리권수여의 표시에 의한 표현대리에 해당하는지 여부에 대하여서도 심리판단하여야 할 것이다.

2) 판례는 ① 명의의 사용승인은 대리권 수여 표시에 해당한다고 하면서 대리권수여표시는 반드시 대리권 또는 대리인이라는 말을 사용하여야 하는 것이 아니라 사회통념상 대리권을 추단할 수 있는 직함이나 명칭 등의 사용을 승낙 또는 묵인한 경우에도 대리권 수여의 표시가 있은 것으로 본다고 하고(대판 1998.6.12, 97다53762), ② 호텔 등의 시설이용우대회원 모집계약을 체결하면서 자신의 판매점, 총대리점 또는 연락사무소 등의 명칭을 사용하여 모집안내를 하거나 입회계약체결을 승낙 또는 묵인하였다면 제125조의 표현대리가 성립할 수 있다고 하였다.

3) 그러나 파출수납의 방법에 의한 예금 입·출금은 금융기관 직원 자신의 직무를 수행하는 것에 불과하고, 고객이 직원에게 예금 입·출금과 관련한 대리권을 수여하였다거나 그 수여의 의사를 표시한 것으로 볼 수는 없다고 하여 표현대리의 법리를 인정하지 않았다(대판 2001.2.9, 99다48801).

4) 그리고 민법 제125조가 규정하는 대리권 수여의 표시에 의한 표현대리는 본인과 대리행위를 한 자 사이의 기본적인 법률관계의 성질이나 그 효력의 유무와는 관계없이 어떤 자가 본인을 대리하여 제3자와 법률행위를 함에 있어 본인이 그 자에게 대리권을 수여하였다는 표시를 제3자에게 한 경우에 성립하는 것인바, 기록에 의하여 살펴보더라도 피고(본인)가 '소외 1(무권대리인)에게 이 사건 계약 체결에 관한 대리권을 수여하였다.'는 표시를 원고(대리행위의 상대방)에게 하였다고 인정할 증거를 찾을 수 없으므로, 소외 1의 이 사건 계약체결행위가 민법 제125조의 표현대리에 해당한다는 원고의 주장은 받아들일 수 없다고 하였다(대판 2007.8.23, 2007다23425).

(2) 표시된 대리권의 범위 내에서의 대리행위

제125조의 표현대리인은 표시된 대리권의 범위 내에서 대리행위를 하여야 한다. 그 범위를 넘는 행위를 한 때에는 본조의 적용은 없으며, 제126조의 권한을 넘은 표현대리의 적용이 문제된다.

(3) 표시의 통지를 받은 상대방과의 대리행위

대리행위는 통지를 받은 상대방과의 사이에서 행하여져야 한다(상대방과의 일치). 즉 통지를 특정인에게 한 때에는 통지를 받은 상대방인 그 특정인만이 본조에 의해 보호를 받는다.

(4) 상대방의 선의·무과실

상대방이 대리권 없음을 알았거나 알 수 있었을 때에는 제125조가 적용되지 않는다. 이러한 사실에 대한 주장·입증책임은 본인에게 있다(통설).

2. 적용범위

(1) 법정대리에의 적용 여부

제125조는 그 문언상 임의대리에 한하여 적용되고, 법정대리에는 그 적용이 없다(다수설). 판례도 호적상(현재 가족관계등록부)으로만 친권자로 되어 있는 자를 믿고 거래한 때에는 상대방은 보호를 받지 못한다고 판시함으로써 부정하는 입장이다(대판 1955.5.12, 4287민상208).

(2) 복대리에의 적용 여부

복대리에 관해서도 제125조는 적용된다. 판례도 "매도인이 그 소유토지를 타인에게 매도한 후 그 매수인이 乙과 같이 매도인의 대리인인 甲에게 와서 소유권이전등기를 할 수 있는 서류를 해 주면 딴 데서 융통하여 잔대금을 갚겠다고 청함에, 매도인의 대리인 甲이 그들에게 등기권리증, 원고의 인감증명, 주민등록표, 근저당권설정계약서 등의 서류를 해 주어 乙이 위 토지에 대하여 丙명의로 근저당권설정등기를 경료한 경우, 丙이 위 乙을 매도인의 대리인으로 믿은 데는 정당한 사유가 있다"고 판시하여 대리권이 없는 복대리인의 무권대리행위에 제125조를 적용할 수 있다고 하였다(대판 1979.11.27, 79다1193).

(3) 공법상 행위 및 소송행위

① 공법상 행위 또는 소송행위에는 원칙적으로 표현대리규정이 적용될 수 없다(통설). 판례도 이행지체가 있으면 즉시 강제집행을 하여도 이의가 없다는 강제집행 수락의사표시는 소송행위라 할 것이고, 이러한 소송행위에는 민법상의 표현대리규정이 적용 또는 유추적용될 수는 없다고 하였다(대판 1983.2.8, 81다카621).

② 다만 지방자치단체가 사경제의 주체로서 법률행위를 하였을 때에는 공법상 행위는 아니므로 표현대리에 관한 법리가 적용된다(대판 1961.12.28, 4294민상204 참고).

Ⅲ. 제126조의 표현대리

> 제126조 【권한을 넘은 표현대리】
> 대리인이 그 권한 외의 법률행위를 한 경우에 제3자가 그 권한이 있다고 믿을 만한 정당한 이유가 있는 때에는 본인은 그 행위에 대하여 책임이 있다.

1. 성립요건

(1) 기본대리권의 존재

대리인은 최소한 일정한 범위의 대리권은 반드시 가지고 있어야 하며, 처음부터 전혀 대리권이 없는 경우에는 본조는 적용되지 않는다. 다만 대리인이 기본대리권을 가졌는지 여부는 구체적·종합적으로 판단할 사항이다.

법률행위 시에 기본대리권이 존재하지 않는 경우에도 민법 제126조에 의한 표현대리가 성립하는지 여부(소극) 및 민법 제129조에 의한 표현대리가 인정되는 경우, 그 표현대리의 권한을 넘는 대리행위가 있을 때 민법 제126조에 의한 표현대리가 성립할 수 있는지 여부(적극) ★

① 민법 제126조에서 말하는 권한을 넘은 표현대리는 현재에 대리권을 가진 자가 그 권한을 넘은 경우에 성립하는 것이지, 현재에 아무런 대리권도 가지지 아니한 자가 본인을 위하여 한 어떤 대리행위가 과거에 이미 가졌던 대리권을 넘은 경우에까지 성립하는 것은 아니라고 할 것이고, 한편 ② 과거에 가졌던 대리권이 소멸되어 민법

제129조에 의하여 표현대리로 인정되는 경우에 그 표현대리의 권한을 넘는 대리행위가 있을 때에는 민법 제126조에 의한 표현대리가 성립할 수 있다. 또한, 표현대리의 효과를 주장하려면 상대방이 자칭 대리인에게 대리권이 있다고 믿고 그와 같이 믿는 데 정당한 이유가 있을 것을 요건으로 하는 것인바, 여기의 정당한 이유의 존부는 자칭 대리인의 대리행위가 행하여 질 때에 존재하는 제반 사정을 객관적으로 관찰하여 판단하여야 한다(대판 2008. 1.31, 2007다74713).

1) 기본대리권의 종류

기본대리권이 존재하기만 하면 족하고, 그것이 대리행위와 아무런 관련성이 없어도 무방하다. 즉 기본대리권과 권한을 넘은 대리행위가 동종이거나 유사할 필요는 없다. 판례도 ① 기본대리권이 공법상의 권리(등기신청권)이고, 표현대리행위가 사법상의 행위일지라도 제126조의 표현대리는 적용된다고 하고(대판 1978.3.28, 78다282·283), ② 대리인의 권한유월이 범죄를 구성한다 하더라도 표현대리의 법리를 적용하는데 지장이 없다고 한다(대판 1963.8.31, 63다326). 다만 ③ 인감증명서는 인장사용에 부수해서 그 확인방법으로 사용되며 인장사용과 분리해서 그것만으로는 어떤 증명방법으로 사용되는 것이 아니므로 인감증명서만의 교부는 일반적으로 어떤 대리권을 부여하기 위한 행위라고 볼 수 없다(대판 1978.10.10, 78다75).

2) 기본대리권의 적격성 여부

가) 사실행위만을 위임한 경우 : 사실행위에 관한 권한에 관하여 대법원의 태도는 통일되어 있지 않다. 즉, ① 과거 판례 중에는 사실행위를 위한 사자인 경우에도 기본대리권의 존재를 긍정한 것이 있지만(대판 1962.2.8, 4294민상192), ② 최근의 판례는 사실행위에 대한 권한 수여를 기본대리권이 될 수 없다고 하고 있다(대판 1992.5.26, 91다32190).

사실행위의 기본대리권 해당 여부(소극)

민법 제126조의 표현대리가 성립하기 위하여는 무권대리인에게 법률행위에 관한 기본대리권이 있어야 하는바, 증권회사로부터 위임받은 고객의 유치, 투자상담 및 권유, 위탁매매약정실적의 제고 등의 업무는 사실행위에 불과하므로 이를 기본대리권으로 하여서는 권한초과의 표현대리가 성립할 수 없다(대판 1992.5.26, 91다32190). (또한) 금융기관의 직원이 고객관리차원에서 장기간 동안 고객의 예금을 파출수납의 방법으로 입금 및 인출하여 오던 중, 고객으로부터 예금인출 요구를 받지 않았음에도 불구하고 인출을 요구받아 파출업무를 수행하는 것처럼 가장하여 금융기관의 영업부 직원에게 구두로 출금을 요구하여 돈을 받은 후 고객 몰래 인장을 찍어 둔 인출청구서에 고객의 서명을 위조하여 위 영업부 직원에게 교부하는 방법으로 여러 차례에 걸쳐 금원을 인출한 경우, 파출수납의 방법에 의한 예금 입·출금은 금융기관 직원 자신의 직무를 수행하는 것에 불과하고, 고객이 직원에게 예금 입·출금과 관련한 대리권을 수여하였다거나 그 수여의 의사를 표시한 것으로 볼 수는 없다(대판 2001. 2.9, 99다48801).

나) 제125조·제129조의 표현대리권 : 제129조에 의한 표현대리로 인정되는 경우에 그 표현대리의 권한을 넘은 대리행위가 있을 때에도 제126조의 표현대리가 성립할 수 있다(대판 1970.2.10, 69다2149; 대판 1979.3.27, 79다234; 대판 2008.1.31, 2007다74713).

다) **복대리권** : 대리인이 사자 내지 임의로 선임한 복대리인을 통하여 권한 외의 법률행위를 한 경우, 민법 제126조의 적용에 있어 기본대리권의 흠결은 없다(대판 1998.3.27, 97다48982).

라) **법정대리권** : 한정치산자(현행법상 피한정후견인)의 후견인이 친족회(현행법상 후견감독인)의 동의를 얻지 않고 피후견인의 부동산을 처분하는 행위를 한 경우에도 상대방이 친족회(현행법상 후견감독인)의 동의가 있다고 믿은 데에 정당한 사유가 있는 때에는 본인인 한정치산자(현행법상 피한정후견인)에게 그 효력이 미친다(대판 1997.6.27, 97다3828).

마) **일상가사대리권** : 판례는 일상가사대리권은 기본대리권이 될 수 있으나, 문제된 월권행위에 관하여 그 권한을 수여받았다고 믿을 만한 정당한 사유가 있을 때에만 본조의 표현대리가 성립한다는 입장을 견지하여 오고 있다(대판 1968.11.26, 68다1727; 대판 1981.8.25, 80다3204 외 다수).

바) **공법상의 권리** : 기본대리권이 등기신청행위라 할지라도 표현대리인이 그 권한을 유월하여 대물변제라는 사법행위를 한 경우에는 표현대리의 법리가 적용된다고 하여 공법상의 행위를 할 수 있는 권한이 기본대리권이 될 수 있다(대판 1978.3.28, 78다282 · 283).

(2) 대리인이 권한 밖의 대리행위를 하였을 것

1) 표현대리인과 상대방 사이에 대리행위가 있어야 한다. 대리행위는 원칙적으로 현명의 구조를 갖추어 대리적 구조를 성립시킨 행위이며 대리행위로 인정될 만한 것이 없다면 비록 상대방의 신뢰가 있더라도 제126조가 적용될 여지는 없다(대판 2001.1.19, 99다67598). 판례는 ① 사술을 써서 위와 같은 대리행위의 표시를 하지 아니하고 단지 본인의 성명을 모용하여 자기가 마치 본인인 것처럼 기망하여 본인 명의로 직접 법률행위를 한 경우에는 특별한 사정이 없는 한 위 법조 소정의 표현대리는 성립될 수 없다고 한다(대판 2002.6.28, 2001다49814). ② 어떤 사람이 타인을 통하여 부동산을 매수함에 있어 매수인 명의 및 소유권이전등기 명의를 그 타인 명의로 하기로 하였다면 이와 같은 매수인 및 등기 명의의 신탁관계는 그들 사이의 내부적인 관계에 불과한 것이므로 특별한 사정이 없는 한 대외적으로는 그 타인을 매매 당사자로 보아야 한다(계약명의신탁 - 대판 2003.9.5, 2001다32120).

당사자결정과 대리행위 및 표현대리의 성부 ★★★

민법 제126조의 표현대리는 대리인이 본인을 위한다는 의사를 명시 혹은 묵시적으로 표시하거나 대리의사를 가지고 권한 외의 행위를 하는 경우에 성립하고, 사술을 써서 위와 같은 대리행위의 표시를 하지 아니하고 단지 본인의 성명을 모용하여 자기가 마치 본인인 것처럼 기망하여 본인 명의로 직접 법률행위를 한 경우에는 특별한 사정이 없는 한 위 법조 소정의 표현대리는 성립될 수 없다. (따라서) 처가 제3자를 남편으로 가장시켜 관련 서류를 위조하여 남편 소유의 부동산을 담보로 금원을 대출받은 경우, 남편에게 민법 제126조 소정의 표현대리책임은 성립하지 않는다(대판 2002.6.28, 2001다49814).

2) 강행규정위반의 대리행위이어서는 안 된다. 따라서 주택조합의 대표자가 조합원 총회의 결의를 거치지 아니하고 건물을 처분한 행위에 관하여 민법 제126조 표현대리에 관한 규정을 준용

할 수 없다. 대법원도 주택조합이 주체가 되어 신축 완공한 건물로서 일반에게 분양되는 부분은 조합원 전원의 총유에 속하며, 총유물의 관리 및 처분에 관하여 주택조합의 정관이나 규약에 정한 바에 따라야 하고, 그에 관한 정관이나 규약이 없으면 조합원 총회의 결의에 의하여야 할 것이며, 그와 같은 절차를 거치지 않은 행위는 무효라고 본다(대판 2001.5.29, 2000다10246; 대판 2003.7.11, 2001다73626).

(3) 상대방이 월권행위를 할 권한이 있다고 믿는 데 정당한 이유가 있을 것

1) 정당한 이유의 의의 및 판단시기

통설・판례는 대리행위 당시 상대방이 대리인이 대리권을 가지고 있다고 믿는 데 과실이 없는 것(선의・무과실설)을 말한다(대판 2001.3.9, 2000다67884). 이 경우 권한을 넘은 표현대리에 있어서 정당한 이유의 유무는 대리행위 당시를 기준으로 하여 판정하여야 하고 대리행위 성립 후의 사정은 고려할 것이 아니다(대판 2002.6.28, 2001다49814). 여기서 정당한 이유의 존부는 자칭 대리인의 대리행위가 행하여질 때에 존재하는 모든 사정을 객관적으로 관찰하여 판단하여야 한다(대판 2012.7.26, 2012다27001).

표현대리의 상대방이 대리권이 있다고 믿은 데 정당한 이유가 있는지 여부의 판단 기준 ★

민법 제126조에서 말하는 권한을 넘은 표현대리의 효과를 주장하려면 자칭 대리인이 본인을 위한다는 의사를 명시 또는 묵시적으로 표시하거나 대리의사를 가지고 권한 외의 행위를 하는 경우에 상대방이 자칭 대리인에게 대리권이 있다고 믿고 그와 같이 믿는 데 정당한 이유가 있을 것을 요건으로 하는 것인바, 여기서 정당한 이유의 존부는 자칭 대리인의 대리행위가 행하여질 때에 존재하는 모든 사정을 객관적으로 관찰하여 판단하여야 한다(대판 2009.11.12, 2009다46828).

→ [사실관계] : 부동산 매도를 위임받은 대리인이 자신의 채무 지급에 갈음하여 그 부동산에 관하여 대물변제계약을 체결한 사안에서, 그 계약 체결 이후에 비로소 본인으로부터 소유권이전등기에 필요한 서류와 인감도장을 교부받았다면 상대방이 대리인에게 위 부동산을 대물변제로 제공할 대리권이 있다고 믿은 데에 정당한 이유가 있다고 할 수 없다고 한 사례이다.

2) 주장・입증책임

다수설은 본인이 상대방의 정당한 이유 없음을 입증해야 한다고 하나, 판례는 상대방이 정당한 이유 있음을 입증해야 한다고 한다(대판 1968.6.18, 68다694).

판례 연구 관련판례 정리

☑ **정당한 이유의 판단**

1. 일반론

1) 대리권이 있다고 칭하는 자가 본인의 인감증명・등기권리증・인장 등 소유부동산의 처분에 필요한 일체의 서류를 구비하여 소지한 경우에는 특별히 의심할 만한 사정이 있지 않았던 이상 상대방이 그를

유권대리인으로 믿을 만한 정당한 이유가 있다고 본다(처분권한자 이외의 사람이 그러한 문서 일체를 소지한다는 일은 극히 드물기 때문). 반면 위 서류들 중 어느 하나만이라도 소지하고 있지 않으면 다른 사정과 결합하여서만(예컨대 본인의 확인을 거쳤다든지) 정당한 이유를 긍정한다.

2) 그러나 부부간 또는 가족간의 경우에는 위의 일체의 서류를 소지하였다 하더라도 그런 서류들의 입수가 용이하다는 이유로 그 밖의 다른 특별한 사정을 요구(본인에게의 확인 여부 등)함으로써 정당한 이유를 인정하는 데에 엄격한 입장을 취하는 판례가 많다.

2. 구체적인 판례 사례

1) 어음행위가 일반의 거래관념에 비추어 특히 이례적으로 이루어진 경우에는 달리 특별한 사정이 없는 한 그 상대방이 위조자의 권한 유무와 본인의 의사를 조사·확인하지 아니하였을 경우에는 그 상대방이 위조자에게 어음행위를 할 권한이 있다고 믿었다고 하더라도 거기에 정당한 사유가 있다고 할 수 없다(대판 1999.1.29, 98다27470).
2) 일상가사에 관하여 남편인 피고를 대리할 권한이 있는 처가 남편 몰래 남편의 인감도장, 인감증명서 등을 소지하고 그 대리인인 양 행세하여 금원을 차용하고 그 담보로 남편 소유의 부동산에 가등기를 경료하여 준 경우에, 그 상대방이 위 처에게 그 남편을 대리할 권한이 있다고 믿음에 정당한 사유가 있다(대판 1981.6.23, 80다609).
3) 원고가 처에게 저당권 설정에 관한 권한을 수여한 사실이 없다 하더라도 부부사이에는 일상의 가사에 관하여 대리권이 있으므로 본건 부동산에 관한 처의 저당권설정행위는 권한 밖의 법률행위를 한 경우에 해당하며, 원고가 본건 부동산에 관한 권리문서를 처에게 맡겨두고 다녔으며 저당권자가 그 취득 당시에 위 문서가 처의 수중에서 나온 것이라고 믿고 있었다면 처에게 저당권 설정에 관한 권한이 있다고 믿을 만한 사유가 있는 때에 해당한다고 볼 수 있다(대판 1967.8.29, 67다1125).
4) 그러나 부부간에 서로 일상가사대리권이 있다고 하더라도, 일반적으로 처가 남편이 부담하는 사업상의 채무를 남편과 연대하여 부담하기 위하여 남편에게 채권자와의 채무부담약정에 관한 대리권을 수여한다는 것은 극히 이례적인 일이라 할 것이고, 채무자가 남편으로서 처의 도장을 쉽사리 입수할 수 있었으며 채권자도 이러한 사정을 쉽게 알 수 있었던 점에 비추어 보면, 채무자가 채권자를 자신의 집 부근으로 오게 한 후 처로부터 위임을 받았다고 하여 처 명의의 채무부담약정을 한 사실만으로는 채권자가 남편에게 처를 대리하여 채무부담약정을 할 대리권이 있다고 믿은 점을 정당화할 수 있는 객관적인 사정이 있다고 할 수 없다(대판 1997.4.8, 96다54942). ★
5) 부부간의 일상가사대리권은 그 동거생활을 추지하기 위하여 각각 필요한 범위 내의 법률행위에 국한되어야 할 것이고 아내가 남편 소유의 부동산을 매각하는 것과 같은 처분행위는 일상가사의 대리권에는 속하지 아니한다(대판 1966.7.19, 66다863).

3) 제3자의 범위

제3자는 권한을 넘은 대리행위의 직접 상대방만을 의미한다(대판 1994.5.27, 93다21521). 제3자로부터 양수한 전득자가 선의로 양수한 경우에도 표현대리가 성립하지 않는다. 판례는 약속어음의 보증은 발행인을 위하여 그 어음금채무를 담보할 목적으로 하는 보증인의 단독행위이므로 그 행위의 구체적, 실질적인 상대방은 어음의 제3취득자가 아니라 발행인이라 할 것이어서 약속어음의 보증 부분이 위조된 경우, 동 약속어음을 배서, 양도받는 제3취득자는 위 보증행위가 민법 제126

조 소정의 표현대리행위로서 보증인에게 그 효력이 미친다고 주장할 수 있는 제3자에 해당하지 않는다고 한다(대판 2002.12.10, 2001다58443).

2. 적용범위

민법 제126조 소정의 권한을 넘는 표현대리 규정은 거래의 안전을 도모하여 거래상대방의 이익을 보호하려는 데에 그 취지가 있으므로 법정대리라고 하여 임의대리와는 달리 그 적용이 없다고 할 수 없고, 따라서 한정치산자(현행법상 피한정후견인)의 후견인이 친족회(현행법상 후견감독인)의 동의를 얻지 않고 피후견인의 부동산을 처분하는 행위를 한 경우에도 상대방이 친족회(현행법상 후견감독인)의 동의가 있다고 믿은 데에 정당한 사유가 있는 때에는 본인인 한정치산자(현행법상 피한정후견인)에게 그 효력이 미친다(대판 1997.6.27, 97다3828).

Ⅳ. 제129조의 표현대리

> 제129조【대리권소멸 후의 표현대리】
> 대리권의 소멸은 선의의 제3자에게 대항하지 못한다. 그러나 제3자가 과실로 인하여 그 사실을 알지 못한 때에는 그러하지 아니하다.

1. 성립요건

(1) 기존의 대리권의 소멸

1) 대리인이 이전에 대리권을 가지고 있었으나, 대리행위를 할 당시에는 대리권이 소멸하고 없었던 경우에 적용된다. 처음부터 전혀 대리권이 없었던 경우에는 본조의 적용이 없다.
2) 대리인이 대리권 소멸 후 복대리인을 선임하여 복대리인으로 하여금 상대방과 사이에 대리행위를 하도록 한 경우에도, 상대방이 대리권 소멸사실을 알지 못하여 복대리인에게 적법한 대리권이 있는 것으로 믿었고 그와 같이 믿은 데 과실이 없다면 제129조에 의한 표현대리가 성립할 수 있다(대판 1998.5.29, 97다55317).

(2) 대리인이 기존대리권의 범위 내에서 대리행위를 하였을 것

대리권이 소멸된 후 종전의 대리권의 범위를 초과하여 대리행위를 한 경우에는 제126조가 적용될 수 있다.

(3) 상대방의 선의·무과실

1) 상대방의 범위

상대방이란 직접 당사자인 대리행위의 상대방만을 의미하고 그 상대방과 거래한 전득자는 포함되지 않는다.

2) 선의 · 무과실

대리인에게 현재에도 대리권이 존속하고 있다고 믿고, 그렇게 믿은 데 과실이 없어야 한다.

3) 주장 · 증명책임

다수설은 상대방의 악의 또는 과실에 대한 주장 · 증명책임은 본인에게 있다는 입장이다.

2. 적용범위

본조는 임의대리, 법정대리 모두에 적용된다. 대법원도 대리권소멸 후의 표현대리에 관한 민법 제129조는 법정대리인의 대리권소멸에 관하여도 적용이 있다고 한다(대판 1975.1.28, 74다1199). 즉, 미성년자의 친권자가 미성년자 소유의 재산을 처리하여 오면서 미성년자가 성년이 된 후에도 그의 부동산을 처분한 사안에서, 본조를 적용하였다.

Ⅴ. 법률효과

1. 본인의 책임

(1) 유권대리의 효과

표현대리가 성립하면 유권대리와 같은 효과가 발생한다. 즉 표현대리행위의 법률효과는 본인에게 귀속된다. 다만 그렇다고 하여 유권대리로 전환되는 것은 아니다(판례).

(2) 과실상계법리의 유추적용 여부

표현대리행위가 성립하는 경우에 그 본인은 표현대리행위에 의하여 전적인 책임을 져야 하고, 상대방에게 과실이 있다고 하더라도 과실상계의 법리를 유추적용하여 본인의 책임을 경감할 수 없다(대판 1996.7.12, 95다49554).

(3) 표현대리의 주장자

① 표현대리는 상대방이 이를 주장한 경우에 비로소 문제되는 것이고, 상대방이 주장하지 않는데 본인이 먼저 표현대리를 주장할 수 없다(통설). 다만 이 경우 본인은 추인함으로써 동일한 효과를 얻을 수 있다.

② 판례는 표현대리가 본질적으로 무권대리라는 점을 들어 상대방의 유권대리 주장에는 표현대리의 주장이 포함되지 않는다고 본다(대판(전) 1983.12.13, 83다카1489).

③ 한편 상대방의 표현대리의 주장은 세 가지 유형별로 따로 적시하여 하여야 하는지 문제된다. 이에 대해 판례는 이를 엄격하게 요구하고 있지는 않다.

(4) 상대방의 최고권과 철회권의 인정 여부

표현대리가 성립된다고 하여 유권대리로 전환되는 것은 아니고 무권대리로서의 성질을 가지므로 민법 제130조 내지 제134조의 규정이 적용된다(다수설). 따라서 상대방은 표현대리를 철회할 수도 있고(제134조), 본인에 대하여 추인 여부의 확답을 최고할 수도 있다(제131조). 이에 대응하여 본인은 추인함으로써 상대방의 철회권을 소멸시킬 수 있다(제130조).

2. 표현대리인의 책임

(1) 상대방에 대한 책임

상대방이 표현대리인에 대해 제135조의 무권대리인의 책임을 추궁할 수 있는가에 대하여, 표현대리의 성립으로 본인의 책임이 확정되면 상대방의 보호도 충분하므로 제135조는 표현대리에는 적용되지 않는다는 것이 다수설이다(제135조에 대한 보충적 책임설).

(2) 본인에 대한 책임

표현대리로 인하여 본인에게 손해가 발생하면 본인은 표현대리인에 대하여 민법 제750조의 불법행위에 기한 손해배상청구를 할 수 있고, 그밖에 사무관리나 부당이득의 문제가 발생할 수도 있다.

제7관 협의의 무권대리

통설에 따르면 협의의 무권대리란 대리권 없는 무권대리(광의의 무권대리) 중 표현대리에 해당하지 않은 것을 말한다. 민법은 협의의 무권대리로 계약의 무권대리와 단독행위의 무권대리를 나누어 규정하고 있다.

Ⅰ. 협의의 무권대리인에 의해 체결된 계약의 효력

1. 본인과 상대방 사이의 효과

> **제130조 【무권대리】**
> 대리권 없는 자가 타인의 대리인으로 한 계약은 본인이 이를 추인하지 아니하면 본인에 대하여 효력이 없다.
> **제131조 【상대방의 최고권】**
> 대리권 없는 자가 타인의 대리인으로 계약을 한 경우에 상대방은 상당한 기간을 정하여 본인에게 그 추인 여부의 확답을 최고할 수 있다. 본인이 그 기간 내에 확답을 발하지 아니한 때에는 추인을 거절한 것으로 본다.
> **제132조 【추인, 거절의 상대방】**
> 추인 또는 거절의 의사표시는 상대방에 대하여 하지 아니하면 그 상대방에 대항하지 못한다. 그러나 상대방이 그 사실을 안 때에는 그러하지 아니하다.
> **제133조 【추인의 효력】**
> 추인은 다른 의사표시가 없는 때에는 계약 시에 소급하여 그 효력이 생긴다. 그러나 제3자의 권리를 해하지 못한다.

> 제134조【상대방의 철회권】
> 대리권 없는 자가 한 계약은 본인의 추인이 있을 때까지 상대방은 본인이나 그 대리인에 대하여 이를 철회할 수 있다. 그러나 계약 당시에 상대방이 대리권 없음을 안 때에는 그러하지 아니하다.

(1) 원칙

무권대리행위가 이루어진 경우 본인에게 책임이 없으므로 본인에게 계약의 효과가 발생하지 않음이 원칙이다. 다만, 본인이 무권대리행위에 의한 법률관계를 원하여 본인이 무권대리행위를 추인하면 계약의 효력이 본인에게 발생한다(제130조). 즉 무권대리는 확정적 무효가 아닌 유동적 무효의 상태에 있게 된다.

대리인이 수권범위를 넘어서 대리행위를 한 경우 무권대리행위의 유효범위 ★

甲이 乙에게 자기의 부동산을 담보로 금 2,000만원의 차용을 부탁하면서 담보설정용 인감증명서, 등기필증, 인감인장 등을 교부하였다면 甲이 乙에게 제3자로부터 금 2,000만원을 차용하여 줄 것을 위임하면서 乙에게 甲을 대리하여 위 금전을 차용하고 그 담보설정을 하는 법률행위를 할 권한을 수여함과 동시에 그 대리권 수여의 범위도 위 담보부동산에 의하여 담보되는 피담보채무의 범위가 금 2,000만원인 이상 그 담보의 형식이 무엇이든 그 차용의 형식이 어떠하든지 무방하다는 뜻이 포함된 것으로 볼 것인바, 乙이 위 수권의 범위를 넘어 위 담보부동산에 관하여 丙을 채무자로, 甲을 물상보증인으로 하고 그 피담보최고액을 금 1억 3,000만원으로 하여 근저당권설정계약을 체결한 경우에 있어서는 위 근저당권설정행위가 무권대리행위에 해당한다 할지라도 甲이 차용을 부탁한 금 2,000만원의 한도 내에서는 乙이 수여받은 대리권의 범위 내에 속하는 것이므로 위 근저당권설정계약은 위 금 2,000만원을 담보하는 범위 내에서는 乙의 대리행위에 의하여 본인인 甲에게 그 효력을 미치는 유효한 것이라고 보아야 할 것이다(대판 1987.9.8, 86다카754).[29]

(2) 본인의 추인권

1) 추인의 의의 및 성질

추인은 무권대리행위 등이 있음을 알고 그 행위의 효과를 자기에게 귀속시키도록 하는 단독행위이다. 또한 추인은 사후의 대리권의 수여가 아니며 그 성질은 형성권에 속한다(대판 1995.11.14, 95다28090).

2) 추인권의 행사(방법)

가) 추인권자

추인권자는 본인이지만, 본인이 사망한 경우에는 본인의 상속인이 할 수 있고 그 밖에 법정대리인도 할 수 있다.

---

29) 수권범위를 넘어서 한 대리행위가 무권대리에 해당하더라도, 수권범위에서는 대리권의 범위 내에 속하는 것이어서 본인에게 그 효력이 미친다고 본 사례이다.

나) 추인의 상대방

추인의 상대방은 무권대리인뿐만 아니라 무권대리행위의 상대방에 대하여도 할 수 있고(대판 2009.11.12, 2009다46828), 무권대리행위로 인한 권리 또는 법률관계의 승계인도 포함된다(대판 1981.4.14, 80다2314). 그러나 무권대리인에게 한 추인의 의사표시는 상대방이 알 때까지는 상대방에게 대항할 수 없다(제132조). 민법 제132조는 본인이 무권대리인에게 무권대리행위를 추인한 경우에 상대방이 이를 알지 못하는 동안에는 본인은 상대방에게 추인의 효과를 주장하지 못한다는 취지이므로 상대방은 그때까지 민법 제134조에 의한 철회를 할 수 있고, 또 무권대리인에게 추인이 있었음을 주장할 수도 있다(대판 1981.4.14, 80다2314 – 추인은 무권대리인, 무권대리행위의 직접의 상대방 및 그 무권대리행위로 인한 권리 또는 법률관계의 승계인에 대하여도 할 수 있는데, 본 사안은 무권대리인에게 추인한 경우 이를 가지고 상대방에게 대항하려면 상대방이 이를 알았다는 사실을 주장, 입증해야 함을 요구한 사례이다).

> **민법 제134조에서 상대방의 철회권을 규정한 취지 및 상대방이 유효한 철회를 한 경우, 후에 본인이 무권대리행위를 추인할 수 있는지 여부**(소극) **/ 상대방이 대리인에게 대리권이 없음을 알았다는 점에 대한 주장 · 입증책임의 소재**(철회의 효과를 다투는 본인) ★★
>
> 민법 제134조는 "대리권 없는 자가 한 계약은 본인의 추인이 있을 때까지 상대방은 본인이나 그 대리인에 대하여 이를 철회할 수 있다. 그러나 계약 당시에 상대방이 대리권 없음을 안 때에는 그러하지 아니하다."고 규정하고 있다. 민법 제134조에서 정한 상대방의 철회권은, 무권대리행위가 본인의 추인에 따라 효력이 좌우되어 상대방이 불안정한 지위에 놓이게 됨을 고려하여 대리권이 없었음을 알지 못한 상대방을 보호하기 위하여 상대방에게 부여된 권리로서, 상대방이 유효한 철회를 하면 무권대리행위는 확정적으로 무효가 되어 그 후에는 본인이 무권대리행위를 추인할 수 없다. 한편 상대방이 대리인에게 대리권이 없음을 알았다는 점에 대한 주장 · 입증책임은 철회의 효과를 다투는 본인에게 있다(대판 2017.6.29, 2017다213838).

다) 추인의 방법 및 범위

ⅰ) 추인의 방법에 관하여 일정한 방식이 요구되는 것이 아니므로 명시적이든 묵시적이든 묻지 않는다(대판 2009.9.24, 2009다37831). ⅱ) 무권대리행위의 추인은 의사표시의 전부에 대하여 행하여져야 하고, 그 일부에 대하여 추인을 하거나 그 내용을 변경하여 추인을 하였을 경우에는 상대방의 동의를 얻지 못하는 한 무효이다. 무권대리행위의 추인은 대리행위 전부에 대하여 행해져야 한다(대판 1982.1.26, 81다카549).

3) 추인의 효력

추인이 있으면 무권대리행위는 계약 시에 소급하여 그 효력이 생긴다(제133조 본문). 즉 대리행위는 처음부터 유권대리에서와 마찬가지의 효력이 생긴다(제133조 본문). 그러나 제3자의 권리를 해하지 못한다(제133조 단서). 여기서 제3자라 함은 배타적 권리를 취득한 자를 말한다. 즉 제133조 단서는 무권대리행위에 대한 추인의 경우 배타적 권리를 취득한 제3자에 대하여 그 추인의 소급효를 제한하고자 하는 취지이다.

민법 제133조 단서의 '제3자'의 의미 ★★

민법 제133조 단서에서 "무권대리의 추인은 제3자의 권리를 해하지 않는 한 특별한 의사표시가 없으면 계약 시에 소급하여 효력을 가진다"고 하는 제3자라 함은 등기부상 권리를 주장할 수 있는 제3자를 지칭한다(대판 1963. 4.18, 62다223).

→ [사실관계 및 해설] : 甲은 A의 대리인 자격이 없는 B로부터 A 소유의 X부동산을 매수하는 계약을 체결하고, 자신 명의로 소유권이전등기를 받았으나, 그 후 A는 위 무권대리인 B의 행위를 추인하였다. 그러나 甲 명의의 등기 후 A가 추인하기 전 乙은 A를 상대로 소유권이전등기청구의 소를 제기하였고 승소판결을 받아 확정되었으나 아직 乙 명의로 소유권이전등기를 하지 않고 있었다. 이에 甲은 乙을 상대로 무권대리의 추인을 주장하면서 X부동산의 반환을 구하였다. 이 경우 乙에게는 민법 제187조가 적용되지 않으므로 乙은 등기를 하지 않는 한 소유권의 취득효력을 주장할 수 없으므로, 민법 제133조 단서에서 말하는 제3자는 아니라고 보아 추인의 소급효를 배제할 수 없다고 보았다.

판례 연구 **관련판례 정리**

1. 추인의 방법 ★

무권대리행위나 무효행위의 추인은 무권대리행위 등이 있음을 알고 그 행위의 효과를 자기에게 귀속시키도록 하는 단독행위로서 그 의사표시의 방법에 관하여 일정한 방식이 요구되는 것이 아니므로 명시적이든 묵시적이든 묻지 않는다 할 것이지만, 묵시적 추인을 인정하기 위해서는 본인이 그 행위로 처하게 된 법적 지위를 충분히 이해하고 그럼에도 진의에 기하여 그 행위의 결과가 자기에게 귀속된다는 것을 승인한 것으로 볼 만한 사정이 있어야 할 것이므로 이를 판단함에 있어서는 관계되는 여러 사정을 종합적으로 검토하여 신중하게 하여야 한다(대판 2009.9.24, 2009다37831).

2. 무권대리행위의 추인을 인정한 例

1) 매매계약을 체결한 무권대리인으로부터 매매대금의 전부 또는 일부를 본인이 수령한 경우(대판 1963. 4.11, 63다64). ★★
2) 무권대리인이 차용한 금원의 변제기일에 채권자가 본인에게 그 변제를 독촉하자 본인이 그 유예를 요청한 경우(대판 1973.1.30, 72다2309・2310). ★
3) 본인의 장남이 서류를 위조하여 매도한 부동산을 본인이 매수인에게 명도하고 10년간 아무런 이의를 제기하지 아니한 경우(대판 1984.4.14, 81다151).
4) 상대방 명의의 영수증을 받은 본인이 무권대리인이 체결한 임대차계약상 차임의 일부를 무권대리인에게 지급한 경우(대판 1984.12.11, 83다카1531).
5) 처가 타인으로부터 금원을 차용하면서 승낙 없이 남편 소유 부동산에 근저당권을 설정한 것을 알게 된 남편이, 처의 채무 변제에 갈음하여 아파트와 토지를 처가 금전을 차용한 자에게 이전하고 그 토지의 시가에 따라 사후에 정산하기로 합의한 후 그 합의가 결렬되어 이행되지 않았다고 하더라도, 일단 처가 차용한 사채를 책임지기로 한 이상 남편은 처의 근저당권 설정 및 금원 차용의 무권대리행위를 추인한 것이다(대판 1995.12.22, 94다45098).
6) 무권리자인 문중 명의로 그것도 대표자로 사칭한 자에 의하여 부동산 매매계약이 체결된 후 진정한

소유자가 그 권리자임을 주장하여 매수인으로부터 중도금을 직접 수령하였다면 위 매매계약에 따른 처분행위가 소유자에 대하여 그 효력이 미치게 되고 따라서 소유자에게 매매를 원인으로 한 소유권이전등기의무가 발생한다(대판 1992.2.28, 91다15584).

3. 무권대리행위의 추인을 부정한 例

1) 무권대리행위는 그 효력이 불확정 상태에 있다가 본인의 추인 유무에 따라 본인에 대한 효력발생 여부가 결정되는 것으로서, 추인은 무권대리행위가 있음을 알고 그 행위의 효과를 자기에게 귀속시키도록 하는 단독행위이고, 추인은 처분행위이므로 단순히 침묵한 것만으로는 묵시적 추인이 되지 않고 일정한 행위가 있어야 한다. 판례는 ① 단순히 무권대리행위임을 알면서 이의하지 않거나 장기간 방치한 경우, ② 무권대리행위가 범죄가 되는 경우에 그 사실을 알고도 장기간 형사고소를 하지 아니하였다는 사실만으로 무권대리행위에 대한 묵시적 추인을 인정할 수 없다고 하였다(대판 1998.2.10, 97다31113). ★

2) 그 밖에 ① 무권대리인이 사망한 후 본인이 매수인에게 매매대금 상당액을 지급(반환)하기로 약정한 경우, ② 무권대리인의 담보가등기설정에 대하여 본인이 변제를 약속하면서 등기말소를 요청한 경우, 그러한 사실만으로 무권대리행위를 추인하였다고 단정할 수 없다고 하였다.

4. 일부추인 · 변경을 가한 추인 ★★

무권대리행위의 추인은 의사표시의 전부에 대하여 행하여져야 하고, 그 일부에 대하여 추인을 하거나 그 내용을 변경하여 추인을 하였을 경우에는 상대방의 동의를 얻지 못하는 한 무효이다. 무권대리행위의 추인은 대리행위 전부에 대하여 행해져야 한다(대판 1982.1.26, 81다카549).

---

(3) 본인의 추인거절권

1) 내용

① 추인을 하느냐 않느냐는 본인의 자유이나, 추인거절의 상대방과 방법은 추인에 있어서와 같다.

② 본인이 추인을 거절하면 무권대리행위는 확정적으로 무효가 되므로 다시 추인할 수 없고 상대방도 최고권이나 철회권을 행사할 수 없다.

2) 상속과 추인거절권

가) 무권대리인이 본인을 상속한 경우

무권대리인의 지위와 본인의 지위는 분리하여 병존한다. 그러나 신의칙상 추인을 거절할 수 없다(대판 1994.9.27, 94다20617). 즉 판례는 "甲은 乙의 무권대리인으로서 제135조 제1항의 규정에 의하여 매수인인 丙에게 부동산에 대한 소유권이전등기를 이행할 의무가 있으므로 그러한 지위에 있는 甲이 乙로부터 부동산을 상속받아 그 소유자가 되어 소유권이전등기이행의무를 이행하는 것이 가능하게 된 시점에서 자신이 소유자라고 하여 자신으로부터 부동산을 전전매수한 丁에게 원래 자신의 매매행위가 무권대리행위여서 무효였다는 이유로 丁 앞으로 경료된 소유권이전등기가 무효의 등기라고 주장하여 그 등기의 말소를 청구하거나 부동산의 점유로 인한 부당이득금의 반환을 구하는 것은 금반언의 원칙이나 신의성실의 원칙에 반하여 허용될 수 없다"고 판시하여 무권대리인이 본인을 단독상속한 경우에 관하여 병존설입장에서 당연히 유효로 되는 것은 아니고 무권대리인이 본인의 지위에서 추인을 거절하는 것은 금반언의 원칙이나 신의칙상 허용되지 않는다고 본다.

나) 본인이 무권대리인을 상속한 경우

무권대리행위는 당연히 유효하다는 당연유효설과 상속인은 본인의 지위에서 추인을 거절하여도 신의칙에 반하지 않으므로 무권대리행위는 당연히 유효하게 되는 것은 아니라고 보는 비당연유효설(병존설)이 대립한다. 판례는 "甲이 乙 등 명의의 주식에 관하여 처분권한 없이 은행과 담보설정계약을 체결하였다 하더라도 이는 일종의 타인의 권리의 처분행위로서 유효하다 할 것이므로, 甲은 乙 등으로부터 그 주식을 취득하여 이를 은행에게 인도하여야 할 의무를 부담한다 할 것인데, 甲의 사망으로 인하여 乙 등이 甲을 상속한 경우 乙 등은 원래 그 주식의 주주로서 타인의 권리에 대한 담보설정계약을 체결한 은행에 대하여 그 이행에 관한 아무런 의무가 없고 이행을 거절할 수 있는 자유가 있었던 것이므로, 乙 등은 신의칙에 반하는 것으로 인정할 특별한 사정이 없는 한 원칙적으로는 위 계약에 따른 의무의 이행을 거절할 수 있다"고 하여(대판 1994.8.26, 93다20191), 비당연유효설(병존설)의 입장으로 보인다.[30)]

당사자결정에 따른 법률관계(대판 2001.9.25, 99다19698) ★★★

[1] 경락 명의인과 경락대금의 실질적 부담자가 서로 다른 경우, 경락으로 인한 소유권 취득자(=명의인)
부동산의 경매절차에서 경매목적 부동산을 경락받은 경락인이 실질적인 권리자가 아니라 단순히 타인을 위하여 그 명의만을 빌려준 것에 불과하더라도 경매목적 부동산의 소유권은 경락대금을 실질적으로 부담한 자가 누구인가에 상관없이 그 명의인이 적법하게 취득한다고 할 것이다.

[2] 甲이 乙 소유의 부동산을 丙에게 처분한 후 사망하고 乙이 甲의 지위를 상속한 경우, 乙은 丙에게 위 처분계약에 따른 이행의무를 부담하는지 여부(소극)
채권자가 채무자 소유의 부동산에 대하여 강제경매신청을 하여 자녀들 명의로 이를 경락받았다면 그 소유자는 경락인인 자녀들이라 할 것이므로, 채권자가 그 후 채무자와 사이에 채권액의 일부를 지급받고 자녀들 명의의 소유권이전등기를 말소하여 주기로 합의하였다 하더라도 이는 일종의 타인의 권리의 처분행위에 해당하여 비록 양자 사이에서 위 합의는 유효하고 채권자는 자녀들로부터 위 부동산을 취득하여 채무자에게 그 소유권이전등기를 마쳐주어야 할 의무를 부담하지만, 자녀들은 원래 부동산의 소유자로서 타인의 권리에 대한 계약을 체결한 채무자에 대하여 그 이행에 관한 아무런 의무가 없고 이행을 거절할 수 있는 자유가 있었던 것이므로, 채권자의 사망으로 인하여 자녀들이 상속지분에 따라 채권자의 의무를 상속하게 되었다고 하더라도 그들은 신의칙에 반하는 것으로 인정할 만한 특별한 사정이 없는 한 원칙적으로 위 합의에 따른 의무의 이행을 거절할 수 있다.

30) 본인이 무권대리인의 지위를 상속한 경우에도 본인은 그 이행을 거절할 수 있다고 봄이 상당하다고 본다.

(4) 상대방의 최고권과 철회권

1) 최고권

① 법적 지위가 불확정적인 무권대리의 상대방은 상당한 기간을 정하여 본인에게 추인 여부의 확답을 최고할 수 있고, 본인이 확답을 발하지 않으면(발신주의) 추인을 거절한 것으로 본다(제131조).

② 악의의 상대방도 최고권이 있다.

▌제한능력자 상대방의 확답촉구권(제15조)과 무권대리 상대방의 최고권(제131조)의 비교

구분		제15조	제131조
차이점	상대방	능력자 또는 법정대리인	본인
	유예기간	1개월 이상	상당기간
	효과	① 원칙 : 추인간주 ② 예외 : 특별절차 필요시 취소간주	추인거절 간주
공통점		① 발신주의 ② 상대방은 선의·악의를 불문하고 인정	

2) 철회권

① 무권대리행위의 상대방이 무권대리인과 체결한 계약을 확정적으로 무효화시키는 행위로서, 철회가 있으면 본인의 추인권은 소멸한다. ② 선의의 상대에게만 철회권이 인정된다. ③ 철회권의 행사시기는 본인의 추인이 있기 전까지이며, 철회의 상대방은 본인 또는 무권대리인이다.

2. 무권대리인과 상대방 사이의 효과

> 제135조【상대방에 대한 무권대리인의 책임】
> ① 다른 자의 대리인으로서 계약을 맺은 자가 그 대리권을 증명하지 못하고 또 본인의 추인을 받지 못한 경우에는 그는 상대방의 선택에 따라 계약을 이행할 책임 또는 손해를 배상할 책임이 있다.
> ② 대리인으로서 계약을 맺은 자에게 대리권이 없다는 사실을 상대방이 알았거나 알 수 있었을 때 또는 대리인으로서 계약을 맺은 사람이 제한능력자일 때에는 제1항을 적용하지 아니한다.

(1) 의의 및 성질

무권대리인이 대리권을 증명하지 못하고 또 본인의 추인을 얻지 못한 때에는 상대방의 선택에 따라 계약의 이행 또는 손해배상의 책임을 지게 된다(제135조 제1항). 이러한 무권대리인의 책임은 법정의 무과실책임이다(통설·판례). 즉 대리인으로서 대리행위를 한 자가 의사표시 당시에 객관적으로 대리권이 결여되어 있으면 족하고 대리권의 결여에 대한 대리인의 과실이 있어야 하는 것은 아니다(대판 1962.4.12, 4294민상1021).

무권대리인의 상대방에 대한 책임의 성질 및 무권대리행위가 제3자의 위법행위로 야기된 경우 책임이 부정되는지 여부(소극) ★★★

민법 제135조 제1항은 "타인의 대리인으로 계약을 한 자가 그 대리권을 증명하지 못하고 또 본인의 추인을 얻지 못한 때에는 상대방의 선택에 좇아 계약의 이행 또는 손해배상의 책임이 있다."고 규정하고 있다. 위 규정에 따른 무권대리인의 상대방에 대한 책임은 무과실책임으로서 대리권의 흠결에 관하여 대리인에게 과실 등의 귀책사유가 있어야만 인정되는 것이 아니고, 무권대리행위가 제3자의 기망이나 문서위조 등 위법행위로 야기되었다고 하더라도 책임은 부정되지 아니한다(대판 2014.2.27, 2013다213038).31)

(2) 책임의 요건

1) 무권대리인의 상대방에 대한 책임이 인정되기 위해서는 ① 대리인이 대리권을 증명할 수 없을 것(→ 상대방이 무권대리인의 책임을 묻는 경우, 대리권이 없다는 사실에 대해서는 상대방에게 주장책임이 있으나 대리권이 존재한다는 사실에 대한 증명책임은 무권대리인에게 있다. 따라서 주장책임과 증명책임이 일치되지 않는 경우에 해당한다.), ② 대리인이 본인의 추인을 얻지 못하고, 표현대리가 성립하지 않을 것(통설에 의하면 표현대리가 성립한 경우 제135조의 책임은 발생하지 않는다고 하기 때문이다), ③ 무권대리인이 행위능력자일 것, ④ 상대방은 선의·무과실일 것이 요구된다.

2) 이 경우 상대방의 악의 또는 과실에 대한 입증책임은 무권대리인 자신에게 있다(대판 1962.4.12, 4294민상1021).

(3) 책임의 내용

1) 선택채권

상대방은 무권대리인에 대하여 계약의 이행 또는 손해배상청구권 중의 하나를 선택하여 행사할 권리를 갖는다(제135조 제1항). 즉 상대방의 권리는 선택채권이므로 그 선택의 방법은 선택채권의 규정(제380조 내지 제386조)에 의한다.

2) 이행책임

① 이행책임이라 함은 무권대리행위가 유권대리였다면 본인이 이행하였을 것과 같은 내용의 채무를 이행해야 한다는 것이다.

② 동 책임은 상대방과 무권대리인 사이에 계약이 성립한 것은 아니므로 계약에 기한 채무의 이행이 아니고, 급부의 내용은 동일하나 그와는 다른 법정책임에 해당한다.

---

31) X토지는 甲의 소유인데, 甲을 사칭하는 丙으로부터 대리권을 수여받은 A가 그 사실을 모르고 甲의 대리인의 자격에서 乙과 X토지에 대해 근저당권설정계약을 맺고 乙 앞으로 근저당권설정등기를 경료해 주었는데, 이후 甲이 乙을 상대로 근저당권설정등기의 말소청구를 하여 승소하였다. 이 경우 乙이 A를 상대로 민법 제135조에 따른 책임을 물은 사안이다. 이에 대해 법원은 위와 같은 이유로 이를 긍정하였다.

3) 손해배상책임

손해배상범위에 관하여는 계약이 이행되지 않았기 때문에 생긴 손해의 배상, 즉 이행이익의 배상이라는 견해가 통설이다.

무권대리의 제 문제(대판 2018.6.28, 2018다210775) ★★★

[1] 다른 자의 대리인으로서 계약을 맺은 자가 대리권을 증명하지 못하고 또 본인의 추인을 받지 못하였는데, 상대방이 계약의 이행을 선택한 경우, 무권대리인이 이행할 책임의 범위 / 무권대리인이 계약에서 정한 채무를 이행하지 않은 경우, 상대방에게 채무불이행에 따른 손해를 배상할 책임을 지는지 여부(적극) 및 이때 채무불이행에 대비하여 손해배상액의 예정에 관한 조항을 둔 경우, 무권대리인은 조항에서 정한 바에 따라 산정한 손해액을 지급하여야 하는지 여부(원칙적 적극) / 이 경우에도 손해배상액의 예정에 관한 민법 제398조가 적용되는지 여부(적극)

① 다른 자의 대리인으로서 계약을 맺은 자가 그 대리권을 증명하지 못하고 또 본인의 추인을 받지 못한 경우에는 그는 상대방의 선택에 따라 계약을 이행할 책임 또는 손해를 배상할 책임이 있다(민법 제135조 제1항). 이때 상대방이 계약의 이행을 선택한 경우 무권대리인은 계약이 본인에게 효력이 발생하였더라면 본인이 상대방에게 부담하였을 것과 같은 내용의 채무를 이행할 책임이 있다. 무권대리인은 마치 자신이 계약의 당사자가 된 것처럼 계약에서 정한 채무를 이행할 책임을 지는 것이다.

② 무권대리인이 계약에서 정한 채무를 이행하지 않으면 상대방에게 채무불이행에 따른 손해를 배상할 책임을 진다. 위 계약에서 채무불이행에 대비하여 손해배상액의 예정에 관한 조항을 둔 때에는 특별한 사정이 없는 한 무권대리인은 조항에서 정한 바에 따라 산정한 손해액을 지급하여야 한다. 이 경우에도 손해배상액의 예정에 관한 민법 제398조가 적용됨은 물론이다.

[2] 무권대리인의 상대방이 대리권이 없음을 알았다는 사실 또는 알 수 있었는데도 알지 못하였다는 사실에 관한 주장·증명책임의 소재(=무권대리인)

민법 제135조 제2항은 '대리인으로서 계약을 맺은 자에게 대리권이 없다는 사실을 상대방이 알았거나 알 수 있었을 때에는 제1항을 적용하지 아니한다.'고 정하고 있다. 이는 무권대리인의 무과실책임에 관한 원칙 규정인 제1항에 대한 예외 규정이므로 상대방이 대리권이 없음을 알았다는 사실 또는 알 수 있었는데도 알지 못하였다는 사실에 관한 주장·증명책임은 무권대리인에게 있다.

(4) 소멸시효의 기간 및 기산점

유권대리가 되었더라면 본인에 대한 청구권에 적용되었을 소멸시효기간이 적용되며, 그 기산점에 대하여 판례는 상대방이 선택권을 행사할 수 있는 때로부터 진행한다고 하며, 선택권을 행사할 수 있는 시기는 대리권의 증명 또는 본인의 추인을 얻지 못한 때라고 본다(대판 1965.8.24, 64다1156).

3. 본인과 무권대리인 사이의 효과

① 본인이 추인을 거절한 경우 본인에게는 아무런 효력이 생기지 않으므로 본인과 무권대리인 사이에는 아무런 법률관계가 생기지 않는다.

② 반면 본인이 추인을 한 경우에는 일반원칙에 따라 사무관리(제734조)·부당이득(제741조)·불법행위(제750조)가 성립할 수 있다.

II. 협의의 무권대리인에 의한 단독행위의 효력

> 제136조【단독행위와 무권대리】
> 단독행위에는 그 행위 당시에 상대방이 대리인이라 칭하는 자의 대리권 없는 행위에 동의하거나 그 대리권을 다투지 아니한 때에 한하여 전6조의 규정을 준용한다. 대리권 없는 자에 대하여 그 동의를 얻어 단독행위를 한 때에도 같다.

1) 무권대리인이 하는 것이든 무권대리인에 대하여 하는 것이든 원칙적으로 모두 무효이다(제136조).
2) 상대방 없는 단독행위는 절대적 무효이며, 본인은 추인할 수도 없고 추인하여도 무효이다. 따라서 무권대리인의 책임도 생기지 않는다.
3) 상대방 있는 단독행위의 경우 ① 능동대리에서는 상대방이 대리권 없는 행위에 동의하거나 대리권을 다투지 아니한 때에 한하여 계약의 경우와 같은 효력이 생긴다. ② 수동대리에서는 무권대리인의 동의를 얻어서 행하여진 때에만 계약의 무권대리와 같은 효력이 생긴다.

제5절 법률행위의 무효와 취소

제1관 총설

I. 서설

법률행위가 성립하였다 하더라도 유효요건을 갖추지 않는 한 당사자의 의사에 따른 법률효과는 발생하지 않는다. 즉, 이 경우 법률행위의 성립을 전제로 하여 무효 또는 취소의 효과가 생긴다. 민법은 무효와 취소에 관해 개별적인 규정 이외에 제137조 내지 제146조에서 일반적인 통칙을 규정하고 있다.

II. 무효와 취소

1. 개념

법은 법률행위의 효력을 잃게 하는 경우로서, 주장이 있어야 비로소 효력을 상실하게 되는 경우와 누구의 주장을 기다릴 필요 없이 원칙적으로 당연히 처음부터 효력이 없는 경우로 나누고, 전자를 취소, 후자를 무효라고 한다.

2. 무효와 취소의 차이

구분	무효	취소
주장	누구라도 주장 가능하며, 주장유무를 불문하고 처음부터 당연히 효력이 발생하지 않는다.	취소권자에 한하여 주장 가능하며, 취소권자의 주장이 있어야 비로소 효력이 상실된다.
법률행위의 효력	처음부터 효력이 없다.	취소하기 전까지는 처음부터 유효하다. 단, 취소권을 행사한 후에는 소급효로 인해 무효와 동일한 효과가 있다.
추인	• 원칙적으로 추인이 허용되지 않는다. • 단, 당사자가 그 무효임을 알고 추인한 때에는 새로운 법률행위로 본다(제139조). • 제3자의 권리를 해하지 않는 범위 내에서는 소급적 추인을 할 수 있다(통설).	추인에 의해 법률행위는 확정적으로 유효로 되며(제143조), 또한 법정추인에 의하여 일정한 경우 법률상 당연히 추인이 있었던 것으로 보는 경우도 있다(제145조).
시간의 경과에 따른 효력변동	시간이 경과하더라도 효력변동이 생기지 않는다. 따라서 방치하더라도 무효원인이 치유되지는 않는다.	일정 시간(추인할 수 있는 날로부터 3년, 법률행위를 한 날로부터 10년)이 경과하면 취소권이 소멸하여 더 이상 취소할 수 없게 되므로 확정적 유효로 된다.
사유(입법정책의 문제)	• 의사무능력, 원시적 불능, 강행법규위반(효력규정위반), 반사회질서(제103조), 불공정한 법률행위(제104조), 비진의표시(제107조), 통정허위표시(제108조), 불법조건이 붙은 경우(제151조) • 비진의표시와 통정허위표시는 선의의 제3자에게 대항할 수 없는 상대적 무효이다.	• 제한능력(제5조, 제10조, 제13조), 착오(제109조), 사기・강박(제110조) • 제한능력에 의한 취소는 제3자에게(선・악 불문) 대항할 수 있는 절대적 취소이다.

3. 무효와 취소의 이중효

(1) 내용

어느 법률행위가 무효사유와 취소사유를 모두 포함하고 있는 경우 양 사유는 경합한다. 예컨대 제한능력자가 의사무능력의 상태에서 법률행위를 한 경우 그 자는 무효인 법률행위를 취소할 수 있다.

(2) 이중효 법리의 확장

판례 연구 **관련판례 정리**

1. 통정허위표시와 채권자취소권의 경합 ★★

채무자의 법률행위가 통정허위표시인 경우에도 채권자취소권의 대상이 되고, 한편 채권자취소권의 대상으로 된 채무자의 법률행위라도 통정허위표시의 요건을 갖춘 경우에는 무효라고 할 것이다(대판 1998.2.27, 97다50985).

2. 해제된 법률행위의 취소 ★★

매도인이 매수인의 중도금 지급채무불이행을 이유로 매매계약을 적법하게 해제한 후라도, 매수인으로서는 상대방이 한 계약해제의 효과로서 발생하는 손해배상책임을 지거나 매매계약에 따른 계약금의 반환을 받을 수 없는 불이익을 면하기 위하여 착오를 이유로 한 취소권을 행사하여 위 매매계약 전체를 무효로 돌리게 할 수 있다(대판 1991.8.27, 91다11308).

3. 토지거래허가를 받지 않아 무효인 매매계약의 취소

국토이용관리법(현행 부동산 거래신고 등에 관한 법률)상 규제구역 내에 속하는 토지거래에 관하여 관할 도지사로부터 거래허가를 받지 아니한 거래계약은 처음부터 위 허가를 배제하거나 잠탈하는 내용의 계약이 아닌 한 허가를 받기까지는 유동적 무효의 상태에 있고 거래 당사자는 거래허가를 받기 위하여 서로 협력할 의무가 있으나, 그 토지거래가 계약 당사자의 표시와 불일치한 의사(비진의표시, 허위표시 또는 착오) 또는 사기, 강박과 같은 하자 있는 의사에 의하여 이루어진 경우에는, 이들 사유에 의하여 그 거래의 무효 또는 취소를 주장할 수 있는 당사자는 그러한 거래허가를 신청하기 전 단계에서 이러한 사유를 주장하여 거래허가신청 협력에 대한 거절의사를 일방적으로 명백히 함으로써 그 계약을 확정적으로 무효화시키고 자신의 거래허가절차에 협력할 의무를 면할 수 있다(대판 1997.11.14, 97다36118).

제2관 법률행위의 무효

Ⅰ. 의의

법률행위의 무효란 법률행위가 성립 당시부터 법률상 당연히 그 효력이 발생하지 않는 것으로 확정되어 있는 것을 말한다. 법률행위의 무효는 법률행위의 성립을 전제로 하므로, 법률행위의 불성립의 경우에는 무효에 관한 일반규정이 적용되지 않는다.

Ⅱ. 무효의 종류

1. 절대적 무효와 상대적 무효

당사자 사이뿐만 아니라 제3자에 대한 관계에서도, 즉 모든 사람에 대한 관계에서 효력이 없는 경우를 절대적 무효라고 한다. 반면 당사자 사이에서는 무효이지만 특정인(선의의 제3자)에 대해서는 무효로써 대항할 수 없는 경우를 상대적 무효라고 한다.

2. 전부무효와 일부무효

(1) 의의

무효원인이 법률행위의 내용 전부에 관하여 존재할 경우에는 그 법률행위 전체가 무효이다. 다만 무효원인이 법률행위의 일부에만 존재할 경우를 일부무효라고 하는데, 그 취급이 다음과 같이 문제된다.

(2) 일부무효

> 第137조【법률행위의 일부무효】
> 법률행위의 일부분이 무효인 때에는 그 전부를 무효로 한다. 그러나 그 무효부분이 없더라도 법률행위를 하였을 것이라고 인정될 때에는 나머지 부분은 무효가 되지 아니한다.

1) 원칙

법률행위의 일부에 무효사유가 있는 경우에 전부가 무효로 됨이 원칙이다(제137조 본문).

일부무효의 법리를 정한 민법 제137조의 적용 범위 및 효력

① 민법 제137조는 임의규정으로서 의사자치의 원칙이 지배하는 영역에서 적용되므로, 법률행위의 일부가 강행법규인 효력규정에 위반되어 무효가 되는 경우 그 부분의 무효가 나머지 부분의 유효·무효에 영향을 미치는지 판단함에 있어서는 개별 법령이 일부무효의 효력에 관한 규정을 두고 있는 경우에는 그에 따라야 하고, 그러한 규정이 없다면 원칙적으로 민법 제137조가 적용된다. 다만 당해 효력규정 및 그 효력규정을 둔 법의 입법 취지를 고려하여 볼 때 나머지 부분을 무효로 한다면 당해 효력규정 및 그 법의 취지에 명백히 반하는 결과가 초래되는 경우에는 나머지 부분까지 무효가 된다고 할 수는 없다(대판 2022.5.26, 2020다253515).

② 법률행위의 일부가 강행법규인 효력규정에 위반되어 무효가 되는 경우 그 부분의 무효가 나머지 부분의 유효·무효에 영향을 미치는가의 여부를 판단할 때에는, 개별 법령이 일부 무효의 효력에 관한 규정을 두고 있는 경우에는 그에 따르고, 그러한 규정이 없다면 민법 제137조 본문에서 정한 바에 따라서 원칙적으로 법률행위의 전부가 무효가 된다. 그러나 당사자가 위와 같은 무효를 알았더라면 그 무효의 부분이 없더라도 법률행위를 하였을 것이라고 인정되는 경우에는 같은 조 단서에 따라서 그 무효 부분을 제외한 나머지 부분이 여전히 효력을 가진다. 이때 당사자의 의사는 법률행위의 일부가 무효임을 법률행위 당시에 알았다면 의욕하였을 가정적 효과의사를 가리키는 것이다(대판 2024.5.30, 2023다313968).

2) 제137조 단서의 적용요건

① 법률행위의 일체성(대판 1994.5.24, 93다58332), ② 법률행위의 분할가능성, ③ 당사자의 의사가 있어야 한다. 여기서 당사자의 의사는 실재하는 의사가 아니라 법률행위의 일부무효를 법률행위 당시에 알았더라도 법률행위를 하였을 것인가라는 가정적 의사를 말한다(대판 1996.2.27, 95다38875).

복수 당사자 사이의 합의 중 일부 당사자의 의사표시가 무효인 경우, 나머지 당사자 사이의 합의가 유효한지 여부의 판단기준

복수의 당사자 사이에 어떠한 합의(중간생략등기의 합의)를 한 경우 그 합의는 전체로서 일체성을 가지는 것이므로, 그 중 한 당사자의 의사표시가 무효인 것으로 판명된 경우 나머지 당사자 사이의 합의가 유효한지의 여부는 민법 제137조에 정한 바에 따라 당사자가 그 무효부분이 없더라도 법률행위를 하였을 것이라고 인정되는지의 여부에 의하여 판정되어야 하고, 그 당사자의 의사는 실재하는 의사가 아니라 법률행위의 일부분이 무효임을 법률행위 당시에 알았다면 당사자 쌍방이 이에 대비하여 의욕하였을 가정적 의사를 말하는 것이지만(대판 1996.2.27, 95다38875), 한편 그와 같은 경우에 있어서 나머지 당사자들이 처음부터 한 당사자의 의사표시가 무효가 되더라도 자신들은 약정내용대로 이행하기로 하였다면 무효가 되는 부분을 제외한 나머지 부분만을 유효로 하겠다는 것이 당사자의 의사라고 보아야 할 것이므로, 그 당사자들 사이에서는 가정적 의사가 무엇인지 가릴 것 없이 무효부분을 제외한 나머지 부분은 그대로 유효하다고 할 것이다(대판 2010.3.25, 2009다41465).

여러 개의 계약 전부가 경제적, 사실적으로 일체로서 행하여져 하나의 계약인 것과 같은 관계에 있는 경우, 법률행위의 일부무효 법리가 적용되는지 여부(적극) 및 이때 계약 전부가 일체로서 하나의 계약인 것과 같은 관계에 있는지 판단하는 방법

법률행위의 일부분이 무효인 때에는 그 전부를 무효로 하나, 그 무효 부분이 없더라도 법률행위를 하였을 것이라고 인정될 때에는 나머지 부분은 무효가 되지 아니한다(제137조). 이와 같은 법률행위의 일부무효 법리는 여러 개의 계약이 체결된 경우에 그 계약 전부가 경제적, 사실적으로 일체로서 행하여져서 하나의 계약인 것과 같은 관계에 있는 경우에도 적용된다. 이때 그 계약 전부가 일체로서 하나의 계약인 것과 같은 관계에 있는 것인지의 여부는 계약 체결의 경위와 목적 및 당사자의 의사 등을 종합적으로 고려하여 판단해야 한다(대판 2022.3.17, 2020다288375, 대판 2023.2.2, 2019다232277, 대판 2024.4.4, 2023다298670).

→ [사실관계] : 甲 등이 아파트 조성사업을 추진하는 乙 지역주택조합 추진위원회로부터 '약정한 날까지 사업계획이 승인되지 않는 경우 납부한 전액의 환불을 보장한다.'는 취지가 포함된 안심보장증서를 받고 분양목적물에 관한 조합가입계약을 체결하여 계약금을 납입하였다가, 조합가입계약의 무효 등을 주장하며 납입금 반환을 구한 사안에서, 안심보장증서상 환불보장 약정은 조합가입계약에 따른 납입금에 관한 특약 사항을 정하기 위한 목적으로 조합가입계약에 수반하여 경제적, 사실적으로 일체로서 체결된 것이어서 전체적으로 하나의 계약인 것과 같은 관계에 있으므로, 위 환불보장 약정이 총회의 결의 없이 이루어진 총유물의 처분행위에 해당하여 무효라면, 법률행위의 일부무효의 법리에 따라 이와 일체로서 체결된 조합가입계약도 무효가 되는 것이 원칙이고, 다만 환불보장 약정이 없더라도 조합가입계약을 체결하였을 것임이 인정되는 경우에는 조합가입계약이 여전히 효력을 가지게 되므로, 이에 관한 당사자들의 가정적 의사를 심리하여 조합가입계약의 무효 여부를 판단하였어야 하는데도, 당사자들의 가정적 의사를 살펴보지도 아니한 채 조합가입계약이 무효라는 甲 등의 주장을 배척한 원심의 판단에는 법리오해 등 잘못이 있다고 한 사례이다.

3. 확정적 무효와 유동적 무효

① 법률행위의 무효는 원칙적으로 확정적인 것이어서 추인을 하더라도 소급하여 유효로 되지 않는다(확정적 무효). 다만 예외적으로 무권대리, 무권리자의 처분행위의 경우에는 비록 그 효력이 무효이기는 하나(무권대리행위는 채권행위도 무효이지만, 무권리자의 처분행위의 경우 채권행위는 유효함을 전제로 하되, 물권행위만 무효라는 점에 주의를 요한다), 본인 또는 권리자의 사후추인에 의하여 원칙적으로 행위 시에 소급하여 유효한 것으로 할 수 있다. 이를 유동적 무효라고 한다.

② 이와 관련해서 특히 토지거래허가를 받지 않은 토지거래계약의 효력이 문제된다. 판례는 "허가를 받기 전에는 물권적 효력은 물론 채권적 효력도 발생하지 아니하여 무효라고 보아야 할 것이므로, 권리의 이전 또는 설정에 관한 어떠한 내용의 이행청구도 할 수 없고, 그러한 거래계약의 당사자로서는 허가받기 전의 상태에서 상대방의 거래계약상 채무불이행을 이유로 거래계약을 해제하거나 그로 인한 손해배상을 청구할 수 없다. 토지거래허가를 받지 않아 거래계약이 유동적 무효의 상태에 있는 경우, 유동적 무효 상태의 계약은 관할 관청의 불허가처분이 있을 때뿐만 아니라 당사자 쌍방이 허가신청협력의무의 이행거절 의사를 명백히 표시한 경우에는 허가 전 거래계약관계, 즉 계약의 유동적 무효 상태가 더 이상 지속된다고 볼 수 없으므로, 계약관계는 확정적으로 무효가 된다고 할 것이고, 그와 같은 법리는 거래계약상 일방의 채무가 이행불능임이 명백하고 나아가 상대방이 거래계약의 존속을 더 이상 바라지 않고

있는 경우에도 마찬가지라고 보아야 하며, 거래계약이 확정적으로 무효가 된 경우에는 거래계약이 확정적으로 무효로 됨에 있어서 귀책사유가 있는 자라고 하더라도 그 계약의 무효를 주장할 수 있다."고 하였다(대판 1997.7.25, 97다4357·4364).

③ 또한 국토의 계획 및 이용에 관한 법률상 토지거래계약 허가구역 내의 토지에 관하여 허가를 배제하거나 잠탈하는 내용으로 매매계약이 체결된 경우에는 같은 법 제118조 제6항에 따라 그 계약은 체결된 때부터 확정적으로 무효이다. 그리고 이러한 허가의 배제·잠탈행위에는 토지거래허가가 필요한 계약을 허가가 필요하지 않은 것에 해당하도록 계약서를 허위로 작성하는 행위뿐만 아니라, 정상적으로는 토지거래허가를 받을 수 없는 계약을 허가를 받을 수 있도록 계약서를 허위로 작성하는 행위도 포함된다(대판 2010.6.10, 2009다96328).

판례 연구 관련판례 정리

☑ **토지거래허가와 유동적 무효**

1. 허가 전의 법률상태

(1) 원칙 - 유동적 무효

1) 계약상 책임 ★★

① 유동적 무효의 상태도 어디까지나 무효이기 때문에, 당사자는 계약상 이행청구를 할 수 없다(대판 1992.9.8, 92다19989). 따라서 매매대금의 선이행약정이 있는 경우에도 매매대금지급의무는 없다(대판 1992.9.8, 92다19989 참고). 또한 채무불이행을 이유로 한 해제 내지 손해배상청구와 손해배상액의 예정액 청구도 인정되지 않는다(대판 1995.1.24, 93다25875; 대판 1994.1.11, 93다22043; 대판 1991.6.14, 91다7620 참고). 그러나 ② 매수인의 대금지급의무 불이행을 이유로 매매계약을 해제할 수 없다고 하더라도, 당사자 사이에 별개의 약정으로 매매 잔금이 그 지급기일에 지급되지 아니하는 경우 매매계약을 자동적으로 해제하기로 약정하는 것은 가능하다(대판 2010.7.22, 2010다1456).

2) 계약금의 부당이득반환청구 불가 ★★

계약이 확정적 무효가 되기 전에는 계약금과 매매대금 모두를 반환청구할 수 없다(대판 1993.7.27, 91다33766). → 국토이용관리법상(현행 부동산 거래신고 등에 관한 법률) 규제구역 내에 속하는 토지거래에 관하여 관할 도지사로부터 거래허가를 받지 아니한 거래계약은, 처음부터 위 허가를 배제하거나 잠탈하는 내용의 계약이 아닌 한 허가를 받기까지는 유동적 무효의 상태에 있고 거래당사자는 거래허가를 받기 위하여 서로 협력할 의무가 있으므로, 그 유동적 무효 상태의 계약에 기하여 임의로 지급한 계약금 등은 유동적 무효 상태가 확정적으로 무효가 되었을 때 비로소 부당이득으로 그 반환을 구할 수 있고(대판 2008.3.13, 2007다76603), 유동적 무효 상태의 계약이 확정적으로 무효로 되는 경우로서는 관할 도지사에 의한 불허가 처분이 있을 때나 당사자 쌍방이 허가신청 협력의무의 이행거절 의사를 명백히 표시한 경우 등을 들 수 있을 것이나, 계약당사자의 표시와 불일치한 의사(비진의표시, 허위표시 또는 착오) 또는 사기, 강박과 같은 하자 있는 의사에 의하여 토지거래 등이 이루어진 경우에 있어서, 이들 사유에 기하여 그 거래의 무효 또는 취소를 주장할 수 있는 당사자는 그러한 거래허가를 신청하기 전 단계에서 이러한 사유를 주장하여 거래허가 신청협력에 거절의사를 일방적으로 명백히 함으로써 그 계약을 확정적으로 무효화시키고 자신의 거래허가절차에 협력할 의무를 면함은 물론 기왕에 지급된 계약금 등의 반환도 구할 수 있다(대판 1996.11.8, 96다35309).

3) 허가조건부 소유권이전등기청구 ★

유동적 무효의 상태라도 허가 전의 법률상태는 무효이므로 허가조건부 소유권이전등기청구 역시 부정된다(대판(전) 1991.12.24, 90다12243 참고).

4) 해약금 해제 ★★

민법 제565조 제1항에 따라 매매 당사자 일방이 계약 당시 상대방에게 계약금을 교부한 경우 당사자 사이에 다른 약정이 없는 한 당사자 일방이 계약 이행에 착수할 때까지 계약금 교부자는 이를 포기하고 계약을 해제할 수 있고, 그 상대방은 계약금의 배액을 상환하고 계약을 해제할 수 있음이 계약 일반의 법리인 이상, 특별한 사정이 없는 한 국토이용관리법(현행 부동산 거래신고 등에 관한 법률)상의 토지거래허가를 받지 않아 유동적 무효 상태인 매매계약에 있어서도 당사자 사이의 매매계약은 매도인이 계약금의 배액을 상환하고 계약을 해제함으로써 적법하게 해제된다(대판 1997.6.27, 97다9369).

(2) 허가신청절차협력관계의 문제

1) 허가절차 협력청구권 관련 주요쟁점 ★★

① 허가협력청구는 이를 소구할 수 있고(대판(전) 1991.12.24, 90다12243), 협력의무의 불이행과 인과관계에 있는 손해를 배상하여야 한다(대판 1995.4.28, 93다26397. 그 배상범위는 이행이익). 다만, 협력의무의 불이행을 이유로 일방적으로 유동적 무효의 상태에 있는 거래계약 자체를 해제할 수는 없다(대판(전) 1999.6.17, 98다40459).

② 국토이용관리법(현행 부동산 거래신고 등에 관한 법률)상의 토지거래규제구역 내의 토지에 관하여 관할 관청의 토지거래허가 없이 매매계약이 체결됨에 따라 그 매수인이 그 계약을 효력이 있는 것으로 완성시키기 위하여 매도인에 대하여 그 매매계약에 관한 토지거래허가 신청절차에 협력할 의무의 이행을 청구하는 경우, 매도인의 토지거래계약허가 신청절차에 협력할 의무와 토지거래허가를 받으면 매매계약 내용에 따라 매수인이 이행하여야 할 매매대금 지급의무나 이에 부수하여 매수인이 부담하기로 특약한 양도소득세 상당 금원의 지급의무 사이에는 상호 이행상의 견련성이 있다고 할 수 없으므로, 매도인으로서는 그러한 의무이행의 제공이 있을 때까지 그 협력의무의 이행을 거절할 수 있는 것은 아니다(대판 1996.10.25, 96다23825). → 대금지급채무의 불이행을 이유로 협력의무의 이행을 거절할 수 없다. 즉, 동시이행관계가 아니므로(유동적 무효인 상태에서는 매매대금지급채무가 없기 때문이다) 매수인은 대금지급의무를 이행하지 않은 상태에서도 협력의무의 이행을 청구할 수 있다.

2) 허가신청절차협력청구권과 채권자대위권의 행사 여부 ★

① 토지거래규제구역 내의 토지에 대하여 甲과 乙 사이에 권리이전 약정을 포함한 토지매수 위임계약이 이루어지고 그 수임인인 乙과 토지소유자 丙 사이에 매수인을 乙로 한 토지 매매계약이 체결된 경우, 甲은 乙에 대하여 그 위임계약이 효력이 있는 것으로 완성될 수 있도록 토지거래허가 신청절차에 협력할 것을 청구할 권리(피보전권리)가 있고, 그와 같은 토지거래허가신청절차의 협력의무 이행청구권을 보전하기 위하여 乙을 대위하여 그에게 토지를 매도한 丙을 상대로 乙과 丙 사이의 토지매매에 대한 토지거래허가신청절차에 협력할 것(피대위권리)을 청구할 수 있다(대판 1996.10.25, 96다23825).

② 매수인과 매도인 사이의 토지거래규제구역 내에 있는 토지에 대한 매매계약이 관할관청의 허가 없이 체결된 것이라고 하더라도, 매수인은 매도인에 대한 토지거래허가신청절차의 협력의무의 이행청구권을 보전하기 위하여 매도인을 대위하여 제3자 명의의 소유권이전등기의 말소등기절차이행을 구할 수 있는 것이다(대판 1994.12.27, 94다4806).

③ 국토이용관리법(현행 부동산 거래신고 등에 관한 법률) 소정의 토지거래허가를 받아야 하는 토지에 관하여 관할 관청의 허가 없이 매매계약이 체결된 경우, 그 매매계약이 처음부터 허가를 배제하거나 잠탈하는 내용의 계약이 아니라 허가를 받을 것을 전제로 하는 계약인 때에는 유동적 무효상태에 있고, 이러한 유동적 무효상태에 있는 매매계약상의 매수인의 지위에 관하여 매도인과 매수인 및 제3자 사이에 제3자가 그와 같은 매수인의 지위를 매수인으로부터 이전받는다는 취지의 합의를 한 경우, 국토이용관리법(현행 부동산 거래신고 등에 관한 법률)상 토지거래허가 제도가 토지의 투기적 거래를 방지하여 정상적 거래를 조장하려는 데에 그 입법취지가 있음에 비추어 볼 때, 그와 같은 합의는 매도인과 매수인 사이의 매매계약에 대한 관할 관청의 허가가 있어야 비로소 효력이 발생한다고 보아야 하고, 그 허가가 없는 이상 그 3 당사자 사이의 합의만으로 유동적 무효상태의 매매계약의 매수인 지위가 매수인으로부터 제3자에게 이전하고 제3자가 매도인에 대하여 직접 토지거래허가 신청절차 협력의무의 이행을 구할 수 있다고 할 수는 없다(대판 1996.7.26, 96다7762). → 채권적 효력도 없는 매매계약상의 매수인의 지위를 양도하고 매도인이 이를 승낙하는 것과 같이 계약인수가 이루어졌다고 하더라도, 매수인의 지위에 대한 양도계약의 효력은 발생할 여지가 없다는 것이다.

★ 비교 – 토지거래허가제도는 투기적 거래를 방지하여 정상적 거래질서를 형성하려는 데에 입법 취지가 있는 점에 비추어 보면, 제3자가 토지거래허가를 받기 전의 토지 매매계약상 매수인 지위를 인수하는 경우와 달리 매도인 지위를 인수하는 경우에는 최초매도인과 매수인 사이의 매매계약에 대하여 관할 관청의 허가가 있어야만 매도인 지위의 인수에 관한 합의의 효력이 발생한다고 볼 것은 아니다(대판 2013.12.26, 2012다1863).

3) 협력의무의 불이행을 이유로 한 손해배상액의 예정

국토이용관리법(현행 부동산 거래신고 등에 관한 법률)상 토지거래허가 구역 내의 토지에 대하여 관할 관청의 허가를 받기 전 유동적 무효 상태에 있는 계약을 체결한 당사자는 쌍방이 그 계약이 효력이 있는 것으로 완성될 수 있도록 서로 협력할 의무가 있는 것이므로, 이러한 매매계약을 체결할 당시 당사자 사이에 당사자 일방이 토지거래허가를 받기 위한 협력 자체를 이행하지 아니하거나 허가신청에 이르기 전에 매매계약을 철회하는 경우 상대방에게 일정한 손해액을 배상하기로 하는 약정을 유효하게 할 수 있다(대판 1997.2.28, 96다49933).

2. 확정적 무효로의 전환

(1) 확정적 무효 사유 ★

① 처음부터 허가를 배제하거나 잠탈하는 내용의 계약인 경우(예 중간생략등기의 합의 아래 전매차익을 얻을 목적으로 전전매매한 경우)

② 허가를 신청하지 않기로 합의한 경우, 불허가처분이 있는 경우와 쌍방이 허가신청 협력의무의 이행거절 의사를 명백히 표시한 경우(대판 1997.11.11, 97다36965 · 36972)

③ 다른 사유(비진의표시, 허위표시, 착오, 사기 · 강박 등)로 계약이 무효가 된 경우(대판 1997.11.14, 97다36118)

④ 제3자에게 낙찰되어 소유권이전등기의무가 이행불능이 된 것임이 분명하고, 그 상대방이 계약의 해제를 주장함으로써 계약이 유효하게 존속되는 것을 바라지 않고 있음이 명백한 경우(대판 2008.3.13, 2007다76603)

⑤ 매매의 목적물이 수용됨에 따라 객관적으로 허가가 날수 없음이 분명해진 경우(대판 2008.10.23, 2008다54877)

⑥ 토지거래허가구역 내 토지에 관한 매매계약체결 당시 일정한 기간 안에 토지거래허가를 받기로 약정한 경우, 그 약정기간이 경과하였다는 사정만으로 곧바로 매매계약이 확정적으로 무효가 되는지 여부(원칙적 소극) – 유동적 무효상태에 있는, 토지거래허가구역 내 토지에 관한 매매계약에서 계약의 쌍방 당사자는 공동허가신청절차에 협력할 의무가 있고, 이러한 의무에 위배하여 허가신청절차에 협력하지 않는 당사자에 대하여 상대방은 협력의무의 이행을 소구할 수도 있다. 그러므로 매매계약 체결 당시 일정한 기간 안에 토지거래허가를 받기로 약정하였다고 하더라도, 그 약정된 기간 내에 토지거래허가를 받지 못할 경우 계약해제 등의 절차 없이 곧바로 매매계약을 무효로 하기로 약정한 취지라는 등의 특별한 사정이 없는 한, 이를 쌍무계약에서 이행기를 정한 것과 달리 볼 것이 아니므로 위 약정기간이 경과하였다는 사정만으로 곧바로 매매계약이 확정적으로 무효가 된다고 할 수 없다(대판 2009.4.23, 2008다50615).

(2) 확정적 무효의 효과

1) 일반적 효과

① 확정적 무효가 되었으므로 계약금의 부당이득의 반환청구가 가능하다.

② 당사자들이 이미 지급한 매매대금의 반환에 관하여 민법상의 부당이득반환과는 다른 내용의 계약을 하는 경우, 그것은 무효가 된 계약과는 별개의 계약으로 유효한 것이므로 무효가 된 계약에 기하여 이미 지급된 매매대금 중 반환할 금액의 범위 등은 당사자 사이의 새로운 계약내용에 따라야 한다(대판 1996.11.22, 96다31703).

③ 토지거래계약이 확정적으로 무효로 됨에 있어서 귀책사유가 있는 자라고 하더라도 그 계약의 무효를 주장하는 것이 신의칙에 반한다고 할 수는 없다(대판 1995.2.28, 94다51789).

2) 토지거래허가구역 내에서 토지와 건물이 일괄매매된 경우

① 일반적으로 토지와 그 지상의 건물은 법률적인 운명을 같이 하게 하는 것이 거래의 관행이고 당사자의 의사나 경제의 관념에도 합치되므로 토지거래규제구역 내의 토지와 지상건물을 일괄하여 매매한 경우 매수인이 토지에 관한 당국의 거래허가가 없으면 건물만이라도 매수하였을 것이라고 볼 수 있는 특별한 사정이 인정되는 경우를 제외하고는 토지에 대한 매매거래허가를 받기 전의 상태에서는 지상건물에 대하여도 그 거래계약 내용에 따른 이행청구 내지 채무불이행으로 인한 손해배상청구를 할 수 없다(대판 1994.1.11, 93다22043). → 일부무효의 법리 적용

② 국토이용관리법(현행 부동산 거래신고 등에 관한 법률)상의 규제구역 내의 토지와 건물을 일괄하여 매매한 경우 일반적으로 토지와 그 지상의 건물은 법률적인 운명을 같이하는 것이 거래의 관행이고, 당사자의 의사나 경제의 관념에도 합치되는 것이므로, 토지에 관한 당국의 거래허가가 없으면 건물만이라도 매매하였을 것이라고 볼 수 있는 특별한 사정이 인정되는 경우에 한하여 토지에 대한 매매거래허가가 있기 전에 건물만의 소유권이전등기를 명할 수 있다고 보아야 할 것이고, 그렇지 않은 경우에는 토지에 대한 거래허가가 있어 그 매매계약의 전부가 유효한 것으로 확정된 후에 토지와 함께 이전등기를 명하는 것이 옳을 것이다(대판 1992.10.13, 92다16836).

3. 확정적 유효로의 전환

① 허가를 받은 경우(그 성격은 인가로 본다. 대판(전) 1991.12.24, 90다12243), 허가구역의 지정이 해제된 경우, 허가구역지정기간이 만료되고 허가구역의 재지정이 없는 경우(대판(전) 1999.6.17, 98다40459)에는 확정적 유효로 전환된다.

② 허가구역 지정이 해제되면 확정적 유효로 되므로, 그 후 재지정되었다고 하더라도 다시 허가를 받아야 하는 것은 아니다(대판 2002.5.14, 2002다12635).

4. 기타 쟁점사항

(1) 중간생략등기에서의 문제

1) 중간생략등기의 합의와 허가협력청구권의 대위행사 여부

국토이용관리법(현행 부동산 거래신고 등에 관한 법률)에 의하여 허가를 받아야 하는 토지거래계약이 처음부터 허가를 배제하거나 잠탈하는 내용의 계약인 경우에는 허가 여부를 기다릴 것도 없이 확정적으로 무효로서 유효화될 여지가 없는바, 토지거래허가구역 내의 토지가 거래허가를 받거나 소유권이전등기를 경료할 의사 없이 중간생략등기의 합의 아래 전매차익을 얻을 목적으로 소유자 甲으로부터 부동산중개업자인 乙, 丙을 거쳐 丁에게 전전매매한 경우, 그 각각의 매매계약은 모두 확정적으로 무효로서 유효화될 여지가 없고, 각 매수인이 각 매도인에 대하여 토지거래허가 신청절차 협력의무의 이행청구권을 가지고 있다고 할 수 없으며, 따라서 丁이 이들을 순차 대위하여 甲에 대한 토지거래허가신청절차 협력의무의 이행청구권을 대위행사 할 수도 없다(대판 1996.6.28, 96다3982).

2) 이미 경료된 중간생략등기의 효력 ★★

중간생략등기의 합의가 있는 경우에도 최종매수인이 최초매도인에게 허가신청절차협력청구권을 가질 수 없으며(주 매매계약이 존재하지 않기 때문), 최초매도인으로부터 최종매수인으로의 직접 이전등기가 경료된 경우에도 그들 사이에는 적법한 토지거래허가가 없으므로 역시 무효이다(대판 1997.11.11, 97다33218).

(2) 불허가처분으로 거래계약이 확정적 무효로 되기 위한 요건

토지거래허가신청에 대한 관할 시장, 군수 또는 구청장의 불허가처분으로 인하여 매매계약이 확정적으로 무효 상태에 이르게 되려면, 매도인과 매수인이 공동으로 허가를 받고자 국토이용관리법(현행 부동산 거래신고 등에 관한 법률) 제21조의3 제3항에 따라 허가신청서에 계약 내용과 토지의 이용 계획 등을 진실과 부합되게 기재하여 이를 관할 시장, 군수, 또는 구청장에게 제출하였지만 그 진실된 허가신청서의 기재에도 불구하고 관할 시장, 군수 또는 구청장에 의하여 그 허가신청이 국토이용관리법(현행 부동산 거래신고 등에 관한 법률) 제21조의4 소정의 허가기준에 적합하지 아니하다고 판단되는 경우를 전제로 하는 것이므로, 단지 매매계약의 일방 당사자만이 임의로 토지거래허가신청에 대한 불허가처분을 유도할 의도로 허가신청서에 기재하도록 되어 있는 계약 내용과 토지의 이용 계획 등에 관하여 사실과 다르게 또는 불성실하게 기재한 경우라면 실제로 토지거래허가신청에 대한 불허가처분이 있었다는 사유만으로 곧바로 매매계약이 확정적인 무효 상태에 이르렀다고 할 수 없다(대판 1998.12.22, 98다44376).

(3) 가처분 ★

① 허가를 받을 것을 전제로 하여 체결된 매매계약의 매수인은 비록 그 매매계약이 허가를 받을 때까지는 법률상 미완성의 법률행위로서 소유권의 이전에 관한 계약의 효력이 전혀 발생하지 아니한다고 할지라도 위와 같은 토지거래허가신청절차청구권을 피보전권리로 하여 매매목적물의 처분을 금

하는 가처분을 구할 수 있고, 매도인이 그 매매계약을 다투는 경우 그 보전의 필요성도 있다고 보아야 할 것이며, 이러한 가처분이 집행된 후에 진행된 강제경매절차에서 당해 토지를 낙찰받은 제3자는 특별한 사정이 없는 한 이로써 가처분채권자인 매수인의 권리보전에 대항할 수 없다(대판 1998.12.22, 98다44376).

② 그러나 부동산 거래신고 등에 관한 법률상의 토지거래계약 허가구역 내의 토지에 관하여 관할관청의 허가를 받을 것을 전제로 한 매매계약은 법률상 미완성의 법률행위로서 허가받기 전의 상태에서는 아무런 효력이 없어, 그 매수인이 매도인을 상대로 하여 권리의 이전 또는 설정에 관한 어떠한 이행청구도 할 수 없고, 이행청구를 허용하지 않는 취지에 비추어 볼 때 그 매매계약에 기한 소유권이전등기청구권 또는 토지거래계약에 관한 허가를 받을 것을 조건으로 한 소유권이전등기청구권을 피보전권리로 한 부동산처분금지가처분신청 또한 허용되지 않는다(대결 2010.8.26, 2010마818).

Ⅲ. 무효의 효과

1. 일반적 효과

법률행위가 무효이면 그 내용에 따른 법률효과가 발생하지 않는다. 따라서 계약의 당사자는 아직 이행하기 전이라면 계약에 따른 채무를 이행할 필요가 없다.

2. 이행된 급부의 청산 – 부당이득

무효인 법률행위에 기하여 이미 급부가 이행된 경우에는 부당이득반환의무(제741조)가 발생한다. 이와 관련하여 특히 매매계약에 따른 구체적인 반환의무관계는 다음과 같은 문제가 있다.

(1) 주된 급부의 청산 – 법률행위의 무효와 물권변동

계약의 이행으로 물권이 변동된 후 계약의 무효・취소 등으로 실효된 경우에 주된 급부의 반환의무의 성질이 무엇인지 문제되는데, 물권행위의 유・무인성의 문제로 논의되고 있다. 이에 대해 통설과 판례는 계약이 무효 등의 원인으로 실효되면 물권변동도 당연히 실효되어 물권은 종전의 물권자에게 당연히 복귀된다는 유인성설을 취하고 있다. 나아가 계약이 실효되면 소유권이 당연히 복귀되므로 종전의 소유권자는 소유권에 기한 물권적 청구권을 행사할 수 있고, 부당이득반환청구도 할 수 있다고 보아 양 청구권의 경합을 인정하고 있다.

(2) 부수적 급부의 청산 – 부수적 이해관계의 조정

1) 매수인의 반환의무관계

통설과 판례는 ① 목적물이 현재 반환의무자의 점유 하에 있어 원물반환을 해야 하는 때에는 기본적으로 제201조 내지 제203조를 부당이득반환범위에 관한 제748조의 특칙으로 보아, 제201조 이하의 적용을 인정한다. 따라서 선의의 점유자는 과실취득권이 인정되고, 과실에는 사용이익도 포함되므로 선의의 매수인은 사용이익을 반환할 필요가 없게 된다. 다만 악의의 점유자는 과실취득권이 인정되지 않고 그 반환범위에 관해서는 제748조 제2항이 적용되어 자신이 취득한 과실

(사용이익)에 이자까지 붙여 반환해야 한다(대판 2003.11.14, 2001다61869). ② 반면 목적물이 이미 소멸되어 가액반환을 해야 하는 경우에는 제748조에 의하여 해결해야 한다고 본다(이를 점유부당이득론이라고 한다).

2) 매도인의 반환의무관계

판례는 "쌍무계약이 취소된 경우 선의의 매수인에게 제201조가 적용되어 과실취득권이 인정되는 이상 선의의 매도인에게도 민법 제587조의 유추적용에 의하여 대금의 운용이익 내지 법정이자의 반환을 부정함이 형평에 맞다"고 판시하여 선의의 매도인은 운용이익 내지 법정이자를 반환할 의무가 없다고 한다(대판 1993.5.14, 92다45025).

(3) 쌍무계약에서의 반환의무 상호간의 관계

쌍무계약이 무효로 되어 각 당사자가 서로 취득한 것을 반환하여야 할 경우, 어느 일방의 당사자에게만 먼저 그 반환의무의 이행이 강제된다면 공평과 신의칙에 위배되는 결과가 되므로 각 당사자의 반환의무는 동시이행관계에 있다(대판 2007.12.28, 2005다38843).

Ⅳ. 무효행위의 추인

> 第139조【무효행위의 추인】
> 무효인 법률행위는 추인하여도 그 효력이 생기지 아니한다. 그러나 당사자가 그 무효임을 알고 추인한 때에는 새로운 법률행위로 본다.

1. 의의

무효인 행위의 추인이라 함은 법률행위로서의 효과가 확정적으로 발생하지 아니하는 무효행위를 뒤에 유효하게 하는 의사표시를 말한다.

당사자가 법률행위의 존재를 알고 그 유효함을 전제로 하여 이에 근거한 후속행위를 한 것만으로 법률행위를 묵시적으로 추인하였다고 볼 수 있는지 여부(소극) 및 무효인 법률행위에 대한 묵시적 추인을 인정하기 위한 요건 ★

무효인 법률행위를 추인에 의하여 새로운 법률행위로 보기 위하여서는 당사자가 이전의 법률행위가 무효임을 알고 그 행위에 대하여 추인하여야 한다. 한편 추인은 묵시적으로도 가능하나, 묵시적 추인을 인정하기 위해서는 본인이 그 행위로 처하게 된 법적 지위를 충분히 이해하고 그럼에도 진의에 기하여 그 행위의 결과가 자기에게 귀속된다는 것을 승인한 것으로 볼 만한 사정이 있어야 할 것이므로 이를 판단함에 있어서는 관계되는 여러 사정을 종합적으로 검토하여 신중하게 하여야 한다. 위와 같은 법리를 고려하면, 당사자가 이전의 법률행위가 존재함을 알고 그 유효함을 전제로 하여 이에 터 잡은 후속행위를 하였다고 해서 그것만으로 이전의 법률행위를 묵시적으로 추인하였다고 단정할 수는 없고, 묵시적 추인을 인정하기 위해서는 이전의 법률행위가 무효임을 알거나 적어도 무효임을 의심하면서도 그 행위의 효과를 자기에게 귀속시키도록 하는 의사로 후속행위를 하였음이 인정되어야 할 것이다(대판 2014.3.27, 2012다106607).

2. 비소급적 추인의 원칙

1) 무효인 법률행위는 추인하더라도 유효하게 되지 않음이 원칙이다(제139조 본문). 다만 당사자가 무효임을 알고 추인한 때에는 그때부터 새로운 법률행위를 한 것으로 본다(제139조 단서). 따라서 이 경우의 추인은 무효행위를 사후에 소급하여 유효로 하는 것이 아니라 '새로운 의사표시'에 의하여 새로운 행위가 있는 것으로 하고 그때부터 유효하게 되는 것으로서, 추인은 '법률행위'이며 또 무효행위의 추인에는 "소급효가 인정되지 않는다"(대판 1983.9.27, 83므22).
2) 따라서 무효인 가등기를 유효한 등기로 전용키로 한 약정은 그때부터 유효하고 이로써 위 가등기가 소급하여 유효한 등기로 전환될 수 없다(대판 1992.5.12, 91다26546).

3. 소급적 추인의 예외

다만 당사자 간의 합의 또는 제3자의 권리를 해하지 않는 범위에서는 소급효를 인정해도 좋다는 것이 학설·판례의 태도이다.

4. 한계

강행법규 위반이나 반사회질서(제103조) 또는 불공정한 법률행위(제104조)처럼 여전히 무효의 원인이 남아 있는 경우에는 추인하더라도 유효하게 되지 않는다(대판 1994.6.24, 94다10900 참조).

5. 취소할 수 있는 행위를 취소한 경우

취소한 법률행위는 처음부터 무효인 것으로 간주되므로 취소할 수 있는 법률행위가 일단 취소된 이상 그 후에는 취소할 수 있는 법률행위의 추인에 의하여 이미 취소되어 무효인 것으로 간주된 당초의 의사표시를 다시 확정적으로 유효하게 할 수는 없고, 다만 무효인 법률행위의 추인의 요건과 효력으로서 추인할 수는 있다(대판 1997.12.12, 95다38240).

판례 연구 **관련판례 정리**

☑ **신분행위의 추인**

1) 신분행위의 추인에는 소급효가 인정되고 생활사실의 존재가 요구되므로 제139조가 적용되지 않는다.
2) 판례는 ① 태어난 지 약 3개월 된 상태에서 부모를 알 수 없는 기아로 발견되어 경찰서에서 보호하고 있던 피청구인을 甲(망인)이 입양의 의사로 경찰서장으로부터 인도받아 자신의 친생자로 출생신고하고 양육하여 왔는데, 피청구인이 15세(현행 13세)가 된 후 위 망인과 자신 사이에 친생자 관계가 없는 등의 사유로 입양이 무효임을 알면서도 위 망인이 사망할 때까지 아무런 이의도 하지 않았다면 적어도 묵시적으로라도 입양을 추인한 것으로 보는 것이 상당하다고 하였고(대판 1990.3.9, 89므389), ② 친생자 출생신고 당시에 입양의 실질적 요건을 갖추지 못하여 입양신고로서의 효력이 생기지 아니하였더라도 그 후에 입양의 실질적 요건을 갖추게 된 경우에는, 무효인 친생자 출생신고는 소급적으로 입양신고로서의 효력을 갖게 된다고 하였다(대판 2004.11.11, 2004므1484). 또한 ③ 혼인신고가 한쪽 당사자의 모르는 사이에 이루어져 무효인

경우에도 그 후 당사자가 그 혼인에 만족하고 그대로 부부생활을 계속한 경우에는 그 혼인이 효력이 있다고 하였으나(대판 1965.12.28, 65므61), 일방적인 혼인신고 후 혼인의 실체 없이 몇 차례의 육체관계로 자를 출산하였다 하더라도 무효인 혼인을 추인하였다고 보기 어렵다고 하였다(대판 1993.9.14, 93므430).

논점정리 무권리자의 처분행위

1. 의의

무권리자의 처분행위란 타인 재산을 처분할 권한 없는 자가 자기의 이름으로 이를 처분하는 행위를 말한다.

2. 무권대리와의 구별 – 당사자 결정론

무권리자의 처분행위는 무권리자 스스로 계약의 당사자로 결정된다는 점에서, 본인이 계약의 당사자로 되는 무권대리인의 행위와 구별된다.

3. 무권리자 처분행위의 효력

① 무권리자의 채권행위는 타인의 권리매매에 해당하고 민법은 제569조 이하에서 타인의 권리매매가 유효함을 전제로 매도인의 담보책임을 규정하고 있으므로, 무권리자의 매매계약 자체 즉 채권행위는 효력이 있다. 그러나 ② 물권행위는 효력이 없다. 왜냐하면 처분행위는 처분 권한이 있는 자가 해야만 그 효력이 있기 때문이다.

4. 거래상대방의 보호

(1) 문제의 소재

무권리자의 처분행위는 물권행위의 효력이 없으므로, 무권리자로부터 거래한 상대방은 무권리자를 상대로 제570조의 담보책임을 물을 수 있음은 별론, 진정한 소유자를 상대로 대항할 수 없다. 이에 거래상대방의 보호를 위해 제126조 표현대리의 유추적용과 제108조 제2항의 유추적용의 허용 여부가 문제된다.

(2) 판례의 태도

판례는 “乙이 甲으로부터 부동산에 관한 담보권설정의 대리권만 수여받고도 그 부동산에 관하여 자기 앞으로 소유권이전등기를 하고 이어서 丙에게 그 소유권이전등기를 경료한 경우, 丙은 乙을 甲의 대리인으로 믿고서 위 등기의 원인행위를 한 것도 아니고, 甲도 乙 명의의 소유권이전등기가 경료된 데 대하여 이를 통정・용인하였거나 이를 알면서 방치하였다고 볼 수 없다면 이에 민법 제126조나 제108조 제2항을 유추할 수는 없다”고 하였다. 동 판례의 반대해석상 제126조나 제108조 제2항의 유추적용을 긍정하는 입장으로 평가된다(대판 1991.12.27, 91다3208).

5. 무권리자 처분행위의 추인

(1) 의의

무권리자의 처분행위에 대한 추인이란 진정한 권리자가 무권리자의 처분행위를 알고도 그 법률효과를 자신에게 귀속시키려는 의사표시(사후동의)를 말한다. 독일 민법과 달리 우리 민법은 아무런 규정을 두고 있지 않아 그 근거에 대하여 문제가 있다.

(2) 근거

1) 무권대리의 유추적용

타인의 권리를 자기의 이름으로 또는 자기의 권리로 처분한 후에 본인이 그 처분을 인정하였다면 특별한 사정이 없는 한 무권대리에 있어서 본인의 추인의 경우와 같이 그 처분은 본인에 대하여 효력을 발생한다(대판 1981.1.13, 79다2151).

2) 사적자치의 원칙적용 ★

무권리자가 타인의 권리를 자기의 이름으로 또는 자기의 권리로 처분한 경우에, 권리자는 후일 이를 추인함으로써 그 처분행위를 인정할 수 있고, 특별한 사정이 없는 한 이로써 권리자 본인에게 위 처분행위의 효력이 발생함은 사적 자치의 원칙에 비추어 당연하고, 이 경우 추인은 명시적으로뿐만 아니라 묵시적인 방법으로도 가능하며 그 의사표시는 무권리자나 그 상대방 어느 쪽에 하여도 무방하다(대판 2001.11.9, 2001다44291).

무권리자가 타인의 권리를 처분한 경우, 권리자가 무권리자의 처분을 추인할 수 있는지 여부(적극) 및 이 경우 추인의 요건과 방법

법률행위에 따라 권리가 이전되려면 권리자 또는 처분권한이 있는 자의 처분행위가 있어야 한다. 무권리자가 타인의 권리를 처분한 경우에는 특별한 사정이 없는 한 권리가 이전되지 않는다. 그러나 이러한 경우에 권리자가 무권리자의 처분을 추인하는 것도 자신의 법률관계를 스스로의 의사에 따라 형성할 수 있다는 사적 자치의 원칙에 따라 허용된다. 이러한 추인은 무권리자의 처분이 있음을 알고 해야 하고, 명시적으로 또는 묵시적으로 할 수 있으며, 그 의사표시는 무권리자나 그 상대방 어느 쪽에 해도 무방하다(대판 2017.6.8, 2017다3499).

(3) 방식

① 명시적 추인, 묵시적 추인 가능

② 공동상속인 중 1인이 권한 없이 다른 상속인들의 상속지분을 처분하여 제3자 명의로 소유권이전등기가 되었는데도 정당한 상속지분권자인 상속인이 제3자를 상대로 말소등기청구소송을 제기하지 않았다거나 소제기 후 취하하였다 하여 권한이 없이 한 처분행위를 묵시적 또는 명시적으로 추인하였다고 볼 수 없다(대판 1992.11.10, 92다21425 참조).

(4) 대상

무효행위인 물권행위만 추인의 대상이 되며, 기왕에 유효한 무권리자의 채권행위인 의무부담행위는 그 대상이 아니다.

(5) 상대방 – 무권리자 또는 그 상대방

(6) 효과

1) 소급효 ★

무권리자의 처분행위는 무효이지만 진정한 권리자의 추인에 의하여 유효로 되는데, 이와 관련하여 판례는 무권리자의 처분행위에 대한 추인은 소급효를 가진다고 본다. 즉 권리자가 무권리자의 처분을 추인하면 무권대리에 대해 본인이 추인을 한 경우와 당사자들 사이의 이익상황이 유사하므로, 무권대리의 추인에 관한 제130조, 제133조 등을 무권리자의 추인에 유추 적용할 수 있다. 따라서 무권리자의 처분이 계약으로 이루어진 경우에 권리자가 이를 추인하면 원칙적으로 그 계약의 효과가 계약을 체결했을 때에 소급하여 권리자에게 귀속된다고 하였다(대판 2017.6.8, 2017다3499).

2) 부당이득반환청구

진정한 권리자의 추인이 있다고 하여도, 무권리자가 얻은 이익은 권리자에 대한 관계에서는 여전히 법률상 원인이 없다. 따라서 무권리자는 법률상 원인 없이 권리자의 재산으로 인하여 이익을 얻고 이로 인하여 권리자에게 손해를 가하였으므로, 진정한 권리자는 부당이득을 근거로 그 반환을 청구할 수 있다. 판례도 "무권리자에 의한 처분행위를 권리자가 추인한 경우에 권리자는 무권리자에 대하여 무권리자가 그 처분행위로 인하여 얻은 이득의 반환을 구할 수 있다고 봄이 상당하므로, 피고는 원고에게 위 협의취득으로 수령한 손실보상금 중 원고 지분 상당액을 부당이득으로서 반환할 의무가 있다고 할 것"이라고 판시하여 이를 인정하고 있다(대판 2001.11.9, 2001다44291). 다만 권리자는 자기의 손해를 한도로 하여 무권리자가 받은 이득의 반환을 청구할 수 있다고 할 것이다.

무권리자 처분행위를 추인한 경우 권리자의 무권리자에 대한 부당이득반환청구의 가부(적극) ★

무권리자에 의한 처분행위를 권리자가 추인한 경우에 권리자는 무권리자에 대하여 무권리자가 처분행위로 인하여 얻은 이득의 반환을 청구할 수 있다(대판 2022.6.30, 2020다210686 · 210693).

V. 무효행위의 전환

> 제138조【무효행위의 전환】
> 무효인 법률행위가 다른 법률행위의 요건을 구비하고 당사자가 그 무효를 알았더라면 다른 법률행위를 하는 것을 의욕하였으리라고 인정될 때에는 다른 법률행위로서 효력을 가진다.

1. 의의

무효행위의 전환이란 무효인 법률행위가 유효한 행위로 전환된다는 의미가 아니라, 다른 법률행위의 요건을 갖춘 경우에 그 다른 법률행위로서의 효력을 발생하게 하는 것을 말한다(질적 일부무효의 성질).

2. 요건

1) 무효행위의 전환이 인정되기 위해서는 ① 원래 성립한 법률행위는 무효이고, ② 원래의 법률행위는 다른 법률행위보다 그 효력에 있어서 큰 것이어서 다른 법률행위가 원래의 법률행위에 내포될 수 있는 것이어야 한다. 또한 ③ 다른 법률행위의 요건을 구비하여야 하고, ④ 당사자가 원래의 법률행위의 무효를 알았더라면 다른 법률행위를 할 것을 의욕하였으리라는 가정적 의사가 존재하여야 한다.

> **민법 제138조에 따른 무효행위의 전환에서 다른 법률행위를 하였을 것인지에 관한 당사자 의사의 의미와 그 판단 기준**
> 법률행위가 강행법규에 위반되어 무효가 되는 경우에 그 법률행위가 다른 법률행위의 요건을 구비하고 당사자 쌍방이 위와 같은 무효를 알았더라면 다른 법률행위를 하는 것을 의욕하였으리라고 인정될 때에는 민법 제138조에 따라 다른 법률행위로서 효력을 가질 수도 있다. 다만 이때 다른 법률행위를 하였을 것인지에 관한 당사자의 의사는 그 법률행위가 강행법규 위반으로 무효인 점을 고려하더라도 당시에 무효임을 알았다면 의욕하였을 것으로 평가할 수 있는 가정적 효과의사로서, 당사자가 법률행위 당시와 같은 구체적 사정 아래 있다고 상정하는 경우에 거래관행을 고려하여 신의성실의 원칙에 비추어 결단하였을 바를 의미한다. 이는 그 법률행위의 경위, 목적과 내용, 무효의 사유 및 강행법규의 입법 취지와 위반의 경위 등을 두루 고려하여 판단할 것이나, 그 결과가 한쪽 당사자에게 일방적인 불이익을 주거나 거래관념과 형평에 반하는 것이어서는 안 됨은 물론, 이러한 전환을 허용하는 것이 강행법규의 입법 취지 및 그 위반행위에 대한 제재의 의미를 전적으로 부정하거나 무력화시키는 것이어서는 안 된다(대판 2022.5.26, 2020다253515).

2) 다른 법률행위의 내포성이 요구되므로, 무효인 채권의 압류명령은 채권양도로 전환할 수 없다. 또한 원칙적으로 요식행위를 불요식행위로 전환하는 것은 가능하지만, 불요식행위를 요식행위로 전환하는 것은 불가능하다.

3) 민법에 의해 단독행위의 전환이 인정된 경우가 있다(제530조, 제534조, 제1071조). 즉 ① 비밀증서에 의한 유언이 그 방식을 결여할 경우에는 자필증서의 방식을 갖춘 경우에 한하여 '자필증서에 의한 유언'으로서 인정되고(제1071조), 또한 ② '연착된 승낙'(제530조), '변경을 가한 승낙'(제534조)은 새로운 청약으로 본다.

판례 연구 관련판례 정리

1. 입양

타인의 자를 입양하기 위하여 데려다 기르면서 자기의 子로 출생신고를 한 경우 입양신고의 효력을 인정한다(대판(전) 1977.7.26, 77다492). 다만 이 경우 입양의 요건을 구비해야 하고, 감호·양육 등 양친자로서의 신분적 생활사실이 수반되지 않으면 입양의 의사로 친생자신고를 하였다 하더라도 입양신고로서의 효력이 생기지 아니한다(대판 2004.11.11, 2004므1484).

2. 인지

혼인 외의 출생자를 혼인 중의 친생자로 신고한 경우 인지로서의 효력을 인정한다(대판 1976.10.26, 76다2189).

3. 상속포기기간경과 후의 상속포기

상속재산 전부를 상속인 중 1인(乙)에게 상속시킬 방편으로 그 나머지 상속인들이 상속포기신고를 하였으나 그 상속포기가 민법 제1019조 제1항 소정의 기간을 초과한 후에 신고된 것이어서 상속포기로서의 효력이 없더라도, 乙과 나머지 상속인들 사이에는 乙이 고유의 상속분을 초과하여 상속재산 전부를 취득하고 나머지 상속인들은 그 상속재산을 전혀 취득하지 않기로 하는 의사의 합치가 있었다고 할 것이므로, 그들 사이에 위와 같은 내용의 상속재산의 협의분할이 이루어진 것이라고 보아야 하고 공동상속인 상호간에 상속재산에 관하여 협의분할이 이루어짐으로써 공동상속인 중 1인이 고유의 상속분을 초과하여 상속재산을 취득하는 것은 상속개시 당시에 피상속인으로부터 상속에 의하여 직접 취득한 것으로 보아야 한다(대판 1989.9.12, 88누9305).

제3관 법률행위의 취소

Ⅰ. 서설

1. 의의

취소란 일단 유효하게 성립한 법률행위의 효력을 제한능력 또는 의사표시의 흠(예 착오·사기·강박)을 이유로 행위 시에 소급하여 무효로 하는 단독적 의사표시를 말한다. 따라서 취소권행사는 유동적 유효의 상태를 확정적 무효로 만든다.

2. 구별개념

(1) 철회

철회란 법률행위의 효력이 발생하기 전에 장래를 향하여 그 행위가 없었던 것으로 하는 의사표시인 데 반해, 취소는 그 효력이 발생된 후에 소급적으로 그 효력을 소멸시킨다는 점에서 다르다.

(2) 해제

해제는 일단 유효하게 성립한 계약의 효력을 소급적으로 소멸시키는 단독행위로서 계약에 한해서만 적용되는 특유한 것이며, 채무불이행을 원인으로 한다. 이에 반해 취소는 모든 법률행위 일반에 적용된다.

3. 민법 제140조 이하 규정의 적용범위

민법 제140조 이하의 규정은 제한능력 또는 의사표시의 흠을 이유로 취소한 경우에 한하여 적용되는 통칙규정이다. 따라서 그 외에 법상 취소로 표현하고 있지만 철회의 의미로 해석되는 경우이거나 재판상 취소 또는 공법상의 행위로 그 효력을 소멸시키는 것, 예컨대 미성년자에 대한 영업허가의 취소(제8조 제2항), 실종선고의 취소(제29조), 부재자재산관리에 관한 명령의 취소(제22조), 법인설립허가의 취소(제38조), 사해행위의 취소(제406조), 혼인의 취소(제816조), 이혼의 취소(제838조), 친생자 승인의 취소(제854조), 입양의 취소(제884조), 인지취소(제861조), 부담부 유언의 취소(제1111조) 등에는 제140조 이하가 적용되지 않는다.

Ⅱ. 취소권자

> **제140조【법률행위의 취소권자】**
> 취소할 수 있는 법률행위는 제한능력자, 착오로 인하거나 사기·강박에 의하여 의사표시를 한 자, 그의 대리인 또는 승계인만이 취소할 수 있다.

1) 취소권자는 제한능력자, 착오로 인하거나 사기·강박에 의하여 의사표시를 한 자, 그의 대리인 및 승계인이다. 제한능력자 자신이 취소의 의사표시를 할 수 있다는 점에서 법률행위능력 일반원칙의 예외를 이룬다.
2) 대리인은 임의대리인과 법정대리인 모두를 포함한다. 다만, 임의대리인은 대리행위에 취소 원인이 있는 경우 취소권이 본인에게 귀속되므로, 본인으로부터 취소권에 대해 별도의 특별수권이 있어야 한다.
3) 승계인은 특정승계인과 포괄승계인이 모두 포함된다. 다만, 특정승계인에 있어서는 취소권만의 승계가 인정되지 않으므로 취소할 수 있는 행위에 의해 취득한 권리의 승계가 있는 경우에 한하여 그에 포함하여 취소권도 승계할 수 있다.
4) 주채무에 취소원인이 있는 경우 보증인이 이를 직접 취소하는 것은 불가능하고, 주채무자에 의하여 취소될 때까지 그 이행을 거절할 수 있을 뿐이다(제435조).

Ⅲ. 취소의 방법

> **제142조【취소의 상대방】**
> 취소할 수 있는 법률행위의 상대방이 확정된 경우에는 그 취소는 그 상대방에 대한 의사표시로 하여야 한다.

1. 단독적 의사표시

1) 취소권은 형성권이므로 취소권자의 일방적 의사표시로서 하면 족하고, 재판상 행사하여야만 하는 것은 아니며, 또 특별한 방식을 요하지 않는다. 따라서 명시적이든 묵시적 의사표시이든 무방하다.
2) 매매계약을 원인으로 하여 이전등기가 된 후에, 매도인이 사기를 이유로 매수인에 대해 그 등기의 말소를 청구하는 경우처럼, 취소를 전제로 하는 등기말소청구에는 매매계약 취소의 의사표시가 포함된 것으로 볼 수 있다(대판 1993.9.14, 93다13162).

> **법률행위를 취소하는 의사표시의 방법 ★**
> 법률행위의 취소는 상대방에 대한 의사표시로 하여야 하나 그 취소의 의사표시는 특별히 재판상 행하여짐이 요구되는 경우 이외에는 특정한 방식이 요구되는 것이 아니고, 취소의 의사가 상대방에 의하여 인식될 수 있다면 어떠한 방법에 의하더라도 무방하다고 할 것이고, 법률행위의 취소를 당연한 전제로 한 소송상의 이행청구나 이를 전제로 한 이행거절 가운데는 취소의 의사표시가 포함되어 있다고 볼 수 있다(대판 1993.9.14, 93다13162).

2. 취소의 상대방

취소권은 법률행위의 직접 상대방에게 취소함이 원칙이므로 전득자는 취소의 상대방이 아니다. 전득자와 같은 제3자는 취소의 효과를 받는 자에 불과하다. 따라서 예컨대, 甲이 乙의 강박에 의해 乙에게 부동산을 매도하고 乙이 丙에게 전매했다면, 甲은 乙에게 의사표시를 취소할 수 있다.

3. 일부취소의 문제

1) 하나의 법률행위의 일부분에만 취소사유가 있다고 하더라도, ① 그 법률행위가 가분적이거나 ② 그 목적물의 일부가 특정될 수 있다면, ③ 그 나머지 부분이라도 이를 유지하려는 당사자의 가정적 의사가 인정되는 경우 그 일부만의 취소도 가능하다 할 것이고, 그 일부의 취소는 법률행위의 일부에 관하여 효력이 생긴다(대판 1998.2.10, 97다44737).
2) 매매계약 체결 시 토지의 일정 부분을 매매 대상에서 제외시키는 특약을 한 경우, 이는 매매계약의 대상 토지를 특정하여 그 일정 부분에 대하여는 매매계약이 체결되지 않았음을 분명히 한 것으로써 그 부분에 대한 어떠한 법률행위가 이루어진 것으로는 볼 수 없으므로, 그 특약만을 기망에 의한 법률행위로서 취소할 수는 없다(대판 1999.3.26, 98다56607).

3) 채권자와 연대보증인 사이의 연대보증계약이 주채무자의 기망에 의하여 체결되어 적법하게 취소되었으나, 그 보증책임이 금전채무로서 채무의 성격상 가분적이고 연대보증인에게 보증한도를 일정 금액으로 하는 보증의사가 있었으므로, 연대보증인의 연대보증계약의 취소는 그 일정 금액을 초과하는 범위 내에서만 효력이 생긴다(대판 2002.9.10, 2002다21509).

4) 법률행위의 일체성과 가분성이 요구되므로 불가분인 경우 일부취소는 전부취소의 효과가 생긴다. 즉, 나머지 부분이 독립성을 갖지 않는 경우 전체의 취소만이 가능하다. 예컨대 甲이 지능이 박약한 乙을 꾀어 돈을 빌려주어 유흥비로 쓰게 하고 실제 준 돈의 두 배 가량을 채권최고액으로 하여 자기 처인 丙 앞으로 근저당권을 설정한 사안에서, 근저당권설정계약은 독자적으로 존재하는 것이 아니라 금전소비대차계약과 결합하여 그 전체가 경제적·사실적으로 일체로서 행하여진 것이고 더욱이 근저당권설정계약의 체결원인이 되었던 甲의 기망행위는 금전소비대차계약에도 미쳤으므로 甲의 기망을 이유로 한 乙의 근저당권설정계약취소의 의사표시는 법률행위의 일부무효이론과 궤를 같이 하는 법률행위의 일부취소의 법리에 따라 소비대차계약을 포함한 전체에 대하여 취소의 효력이 있다(대판 1994.9.9, 93다31191 → 취소의 결과 발생한 丙의 근저당권설정등기말소의무와 乙의 부당이득반환의무는 동시이행관계에 있다).

임대차에서의 일부취소 문제(대판 2013.5.9, 2012다115120) ★

[1] 영업용 건물의 임대차에 수반하여 지급되는 권리금의 법적 성질 및 권리금계약이 임대차계약 등과는 별개의 계약인지 여부(적극)

영업용 건물의 임대차에 수반되어 행하여지는 권리금의 지급은 임대차계약의 내용을 이루는 것은 아니고 권리금 자체는 거기의 영업시설·비품 등 유형물이나 거래처, 신용, 영업상의 노하우(know-how) 혹은 점포 위치에 따른 영업상 이점 등 무형의 재산적 가치의 양도 또는 일정 기간 동안의 이용대가라고 볼 것인바, 권리금계약은 임대차계약이나 임차권양도계약 등에 수반되어 체결되지만 임대차계약 등과는 별개의 계약이다.

[2] 여러 개의 계약이 체결된 경우, 그 계약 전부가 불가분의 관계에 있는지 판단하는 기준 및 하나의 계약에 대한 기망 취소의 의사표시가 전체 계약에 대한 취소의 효력이 있는 경우

여러 개의 계약이 체결된 경우에 그 계약 전부가 하나의 계약인 것과 같은 불가분의 관계에 있는 것인지는 계약 체결의 경위와 목적 및 당사자의 의사 등을 종합적으로 고려하여 판단하여야 하고, 각 계약이 전체적으로 경제적, 사실적으로 일체로서 행하여진 것으로 그 하나가 다른 하나의 조건이 되어 어느 하나의 존재 없이는 당사자가 다른 하나를 의욕하지 않았을 것으로 보이는 경우 등에는, 하나의 계약에 대한 기망 취소의 의사표시는 법률행위의 일부무효이론과 궤를 같이하는 법률행위 일부취소의 법리에 따라 전체 계약에 대한 취소의 효력이 있다.

[3] 임차권의 양수인 甲이 양도인 乙의 기망행위를 이유로 乙과 체결한 임차권양도계약 및 권리금계약을 각 취소 또는 해제한다고 주장한 사안에서, 임차권양도계약과 분리하여 권리금계약만이 취소되었다고 본 원심판결에 법리오해 등 위법이 있다고 한 사례

임차권의 양수인 甲이 양도인 乙의 기망행위를 이유로 乙과 체결한 임차권양도계약 및 권리금계약을 각 취소 또는 해제한다고 주장한 사안에서, 임차권양도계약과 권리금계약의 체결 경위와 계약 내용 등에 비추어 볼 때, 위 권리금계약은 임차권양도계약과 결합하여 전체가 경제적·사실적으로 일체로 행하여진 것으로서, 어느 하나의 존재 없이는 당사자가 다른 하나를 의욕하지 않았을 것으로 보이므로 권리금계약 부분만을 따로 떼어 취소할 수 없는데도, 임차권양도계약과 분리하여 권리금계약만이 취소되었다고 본 원심판결에 임차권양도계약에 관한 판단누락 또는 계약의 취소 범위에 관한 법리오해 등 위법이 있다.

IV. 취소의 효과

> 제141조【취소의 효과】
> 취소된 법률행위는 처음부터 무효인 것으로 본다. 다만, 제한능력자는 그 행위로 인하여 받은 이익이 현존하는 한도에서 상환할 책임이 있다.

1. 소급적 무효

1) 취소한 법률행위는 처음부터 무효인 것으로 본다(제141조 본문). 따라서 무효의 효과에서 설명한 내용은 취소의 경우에도 거의 그대로 나타난다. 즉 일단 발생한 채무는 이행할 필요가 없고, 이행된 경우에는 부당이득반환의무가 발생한다.
2) 다만, 계속적 채권관계인 근로계약의 경우에는 소급 무효에 제한을 인정한다. 즉 판례는 근로계약은 그 법적 성질이 사법상 계약이므로 계약 체결에 관한 당사자들의 의사표시에 무효 또는 취소의 사유가 있으면 그 상대방은 이를 이유로 근로계약의 무효 또는 취소를 주장하여 그에 따른 법률효과의 발생을 부정하거나 소멸시킬 수 있으나, 근로계약에 따라 그 동안 행하여진 근로자의 노무 제공의 효과를 소급하여 부정하는 것은 타당하지 않으므로 이미 제공된 근로자의 노무를 기초로 형성된 취소 이전의 법률관계까지 효력을 잃는다고 보아서는 아니 되고, 취소의 의사표시 이후 장래에 관하여만 근로계약의 효력이 소멸된다고 하였다(대판 2017.12.22, 2013다25194·25200).
3) 제한능력에 의한 취소의 경우 제3자는 선악을 불문하고 취소의 효과를 받는다(절대적 취소).

2. 제한능력자 반환범위에 관한 특칙

1) 제한능력자는 '받은 이익이 현존하는 한도'에서 상환의 책임이 있다(제141조 단서). 따라서 제한능력자가 낭비한 경우에는 반환할 필요가 없지만, 생활비 등 필요비에 충당한 때에는 그 한도에서 이익이 현존한 것이 되므로 반환하여야 한다.
2) 제141조는 제한능력자가 설령 악의이더라도 현존이익만을 반환하면 된다는 점에서 제748조 제2항에 대한 특칙을 이룬다.
3) 이익의 현존 여부는 취소한 시점을 기준으로 판단하며, 현존이익의 입증책임에 대해 판례는 ① 청구권자, 즉 제한능력자의 상대방이 입증해야 한다고 하나, ② 금전이득은 현존하는 것으로 추정된다고 하였다(대판 2005.4.15, 2003다60297).

> **미성년자가 신용카드거래 후 신용카드 이용계약을 취소한 경우의 법률관계 ★★**
> 미성년자가 신용카드발행인과 사이에 신용카드 이용계약을 체결하여 신용카드거래를 하다가 신용카드 이용계약을 취소하는 경우 미성년자는 그 행위로 인하여 받은 이익이 현존하는 한도에서 상환할 책임이 있는바, 신용카드 이용계약이 취소됨에도 불구하고 신용카드회원과 해당 가맹점 사이에 체결된 개별적인 매매계약은 특별한 사정이 없는

한 신용카드 이용계약취소와 무관하게 유효하게 존속한다 할 것이고, 신용카드발행인이 가맹점들에 대하여 그 신용카드사용대금을 지급한 것은 신용카드 이용계약과는 별개로 신용카드발행인과 가맹점 사이에 체결된 가맹점계약에 따른 것으로서 유효하므로, 신용카드발행인의 가맹점에 대한 신용카드이용대금의 지급으로써 신용카드회원은 자신의 가맹점에 대한 매매대금 지급채무를 법률상 원인 없이 면제받는 이익을 얻었으며, 이러한 이익은 금전상의 이득으로서 특별한 사정이 없는 한 현존하는 것으로 추정된다(대판 2005.4.15, 2003다60297).

3. 의사무능력자의 법률행위에 대한 제141조 단서의 유추적용 여부

판례는 제한능력자의 책임을 제한하는 민법 제141조 단서는 의사능력의 흠결을 이유로 법률행위가 무효가 되는 경우에도 유추적용되어야 할 것이나, 법률상 원인 없이 타인의 재산 또는 노무로 인하여 이익을 얻고 그로 인하여 타인에게 손해를 가한 경우에 그 취득한 것이 금전상의 이득인 때에는 그 금전은 이를 취득한 자가 소비하였는가의 여부를 불문하고 현존하는 것으로 추정되므로, 위 이익이 현존하지 아니함은 이를 주장하는 자, 즉 의사무능력자 측에 입증책임이 있다고 하면서(대판 2009.1.15, 2008다58367), 의사무능력자가 자신이 소유하는 부동산에 근저당권을 설정해 주고 금융기관으로부터 금원을 대출받아 이를 제3자에게 대여한 사안에서, 대출로써 받은 이익이 위 제3자에 대한 대여금채권 또는 부당이득반환채권의 형태로 현존하므로, 금융기관은 대출거래약정 등의 무효에 따른 원상회복으로서 위 대출금 자체의 반환을 구할 수는 없더라도 현존이익인 위 채권의 양도를 구할 수 있다고 하였다(대판 2009.1.15, 2008다58367).

Ⅴ. 취소권의 소멸

1. 취소할 수 있는 법률행위의 추인

> 제143조【추인의 방법, 효과】
> ① 취소할 수 있는 법률행위는 제140조에 규정한 자가 추인할 수 있고 추인 후에는 취소하지 못한다.
> ② 전조의 규정은 전항의 경우에 준용한다.
> 제144조【추인의 요건】
> ① 추인은 취소의 원인이 소멸된 후에 하여야만 효력이 있다.
> ② 제1항은 법정대리인 또는 후견인이 추인하는 경우에는 적용하지 아니한다.

1) 추인이 있으면 취소할 수 있는 행위는 더 이상 취소할 수 없고 확정적으로 유효하게 된다(제143조).
2) 취소할 수 있는 행위의 추인은 ① 취소의 원인이 소멸한 후이어야 하고, ② 취소할 수 있는 행위임을 알아야 한다.
3) 따라서 제한능력자는 능력자로 된 후에, 착오・사기・강박의 상태에 있던 자는 그 상태를 벗어난 후에 추인할 수 있다(제144조 제1항). 즉 취소원인이 소멸되기 전에 한 추인은 효력이 없다. 다만 미성년자는 능력자가 되기 전이라도 법정대리인의 동의를 얻으면 추인할 수 있다(제5조).

4) 법정대리인 또는 후견인은 취소원인의 소멸 전이라도 추인할 수 있다(제144조 제2항). 그런데 후견인은 법정대리인이 되는 미성년후견인과 성년후견인이 있고(제938조), 이에 반해 가정법원의 처분에 의해 대리인으로 선임되거나 본인과의 계약에 의해 대리인이 되는 한정후견인・특정후견인・임의후견인이 있는데(제959조의4, 제959조의11・14), 본조 제2항 소정의 후견인은 이들을 의미한다.

2. 법정추인

> **제145조 【법정추인】**
> 취소할 수 있는 법률행위에 관하여 전조의 규정에 의하여 추인할 수 있는 후에 다음 각 호의 사유가 있으면 추인한 것으로 본다. 그러나 이의를 보류한 때에는 그러하지 아니하다.
> 1. 전부나 일부의 이행 → 상대방의 이행을 수령하는 것을 포함한다.
> 2. 이행의 청구 → 취소권자가 상대방으로부터 청구받은 경우는 포함하지 않는다.
> 3. 경개
> 4. 담보의 제공 → 물적 담보나 인적 담보를 불문한다.
> 5. 취소할 수 있는 행위로 취득한 권리의 전부나 일부의 양도
> 6. 강제집행

법정추인은 취소원인이 소멸한 후에 추인할 수 있다는 점은 일반적인 추인과 공통점이다. 그러나 일반적인 추인은 취소할 수 있는 행위임을 알고 추인을 해야 하지만, 법정추인의 경우에는 취소할 수 있는 행위임(취소권의 존재)을 알 필요가 없이 일정한 사유가 있으면 당연히 추인으로 된다. 따라서 추인의 의사가 있을 필요도 없다. 그러나 이의를 유보하지는 않아야 한다.

3. 취소권의 행사기간의 경과

> **제146조 【취소권의 소멸】**
> 취소권은 추인할 수 있는 날로부터 3년 내에, 법률행위를 한 날로부터 10년 내에 행사하여야 한다.
> → 3년 또는 10년의 두 기간 중 어느 것이든 먼저 경과하면 취소권은 소멸한다.

(1) 행사기간

1) 판례는 미성년자 또는 친족회(현행 후견감독인)가 민법 제950조 제2항에 따라 제1항의 규정에 위반한 법률행위를 취소할 수 있는 권리는 형성권으로서 민법 제146조에 규정된 취소권의 존속기간은 제척기간이라고 보아야 할 것이지만, 그 제척기간 내에 소를 제기하는 방법으로 권리를 재판상 행사하여야만 되는 것은 아니고, 재판 외에서 의사표시를 하는 방법으로도 권리를 행사할 수 있다고 본다(대판 1993.7.27, 92다52795). 이 경우 제척기간의 도과 여부는 당사자의 주장과 관계없이 법원이 직권으로 조사하여 고려하여야 한다(대판 1996.9.20, 96다25371).
2) 여기서 추인할 수 있는 날이란 취소의 원인이 종료(소멸)한 때를 말한다(대판 1997.6.27, 97다3828).

추인할 수 있는 날의 의미와 사례 ★

민법 제146조 전단은 "취소권은 추인할 수 있는 날로부터 3년 내에 행사하여야 한다"고 규정하는 한편, 민법 제144조 제1항에서는 "추인은 취소의 원인이 종료한 후에 하지 아니하면 효력이 없다"고 규정하고 있는바, 위 각 규정의 취지와 추인은 취소권의 포기를 내용으로 하는 의사표시인 점에 비추어 보면, 민법 제146조 전단에서 취소권의 제척기간의 기산점으로 삼고 있는 '추인할 수 있는 날'이란 취소의 원인이 종료되어 취소권행사에 관한 장애가 없어져서 취소권자가 취소의 대상인 법률행위를 추인할 수도 있고 취소할 수도 있는 상태가 된 때를 가리킨다고 보아야 한다. (따라서) 계엄사령부 합동조사본부 수사관들의 강박에 의하여 부동산에 관한 증여계약이 이루어진 후 증여를 원인으로 한 소유권이전등기를 하기로 제소전화해를 하여 그 화해조서에 기하여 소유권이전등기가 경료된 경우, 비상계엄령의 해제로 강박 상태에서 벗어난 후 위 증여계약을 취소한다 하더라도, 위 제소전화해조서의 기판력이 존속하는 동안에는, 재산권을 원상회복하는 실효를 거둘 수 없어 강박에 의하여 이루어진 부동산에 관한 증여계약을 취소하는 데 법률상 장애가 존속되고 있다고 보아야 하고, 따라서 제소전화해조서를 취소하는 준재심사건 판결이 확정되어 위 제소전화해조서의 기판력이 소멸된 때부터 민법 제146조 전단에 규정한 3년의 취소기간이 진행된다고 봄이 상당하다(대판 1998.11.27, 98다7421).

(2) 취소의 효과로 발생된 채권적 청구권의 행사기간

취소의 효과로 발생하는 부당이득반환청구권 행사도 제146조의 취소권의 제척기간 내에 행사되어야 한다는 것이 통설이다. 그러나 판례는 형성권의 행사로 발생하는 청구권은 형성권을 행사한 때로부터 따로 소멸시효가 진행한다고 한다(대판 1991.2.22, 90다13420).

형성권 행사의 효과로 발생된 채권적 청구권의 행사기간

징발재산정리에 관한 특별조치법 제20조 소정의 환매권은 일종의 형성권으로서 그 존속기간은 제척기간으로 보아야 할 것이며, 위 환매권은 재판상이든 재판 외이든 위 기간 내에 이를 행사하면 이로써 매매의 효력이 생기는 것이고 반드시 위 기간 내에 재판상 행사하여야 하는 것은 아니다. (한편) 환매권의 행사로 발생한 소유권이전등기청구권은 위 기간 제한과는 별도로 환매권을 행사한 때로부터 일반채권과 같이 민법 제162조 소정의 10년의 소멸시효 기간이 진행되는 것이지, 위 제척기간 내에 이를 행사하여야 하는 것은 아니다(대판 1991.2.22, 90다13420).

제6절 법률행위의 부관 - 조건 · 기한

제1관 총설

Ⅰ. 개념 및 종류

1) 법률행위의 부관이란 법률행위의 효력의 발생 또는 소멸에 관하여 이를 제한하기 위해 법률행위의 일부로서 부가되는 것을 말한다(법률행위의 성립에 관한 것이 아니라는 점에 주의를 요한다).
2) 이러한 부관에는 조건 · 기한 · 부담의 세 가지가 있다. 다만 민법은 이 중 조건과 기한에 관한 일반적 규정을 두고, 부담에 관해서는 개별규정을 두고 있다.
3) 법률행위의 효력의 발생 또는 소멸을 장래의 일정한 사실에 의존케 하는 경우(부관부 법률행위), 그 장래의 일정한 사실이 불확실한 사실인 경우가 조건이고, 확실한 사실인 경우가 기한이다. 즉 조건은 장래의 불확실한 사실에 의존하게 한다는 점에서, 장래에 발생할 것이 확실한 사실에 의존하게 하는 기한과는 구별된다.

조건 · 기한의 허용 여부

구분	원칙 - 조건의 불가	예외 - 조건 · 기한의 허용
단독행위	취소, 해제, 해지, 추인, 상계 등	다만 조건과 관련하여 ① 채무면제, 유증과 같이 상대방에게 이익만을 주거나 상대방의 지위를 불안케 할 염려가 없는 행위이거나, ② 상대방의 동의가 있는 경우에는 허용된다. 또한 소급효 있는 법률행위에 시기를 붙이는 것은 무의미하다.
가족법상 행위	혼인, 인지, 입양, 상속 승인 · 포기 등	유언, 약혼 ★ 약혼예물의 수수는 약혼의 성립을 증명하고 혼인이 성립한 경우 당사자 내지 양가의 정리를 두텁게 할 목적으로 수수되는 것으로 혼인의 불성립을 해제조건으로 하는 증여와 유사한 성질(대판 1996.5.14, 96다5506)
어음 · 수표행위	어음 · 수표의 발행, 배서 등	어음보증(대판 1986.9.9, 84다카2310) ★ 어음, 수표는 조건에 친하지 않으나 시기(이행기)를 붙이는 것은 무방하다.

Ⅱ. 동기와의 구별

동기는 법률행위의 형성과정에 존재하는 단순한 내심적 이유에 불과하므로 부관과는 달리 법률행위의 내용이 되지 않음이 원칙이다.

조건과 동기의 구별 ★

조건은 법률행위의 효력의 발생 또는 소멸을 장래의 불확실한 사실의 성부에 의존케 하는 법률행위의 부관으로서 당해 법률행위를 구성하는 의사표시의 일체적인 내용을 이루는 것이므로, 의사표시의 일반원칙에 따라 조건을 붙이고자 하는 의사, 즉 조건의사와 그 표시가 필요하며, 조건의사가 있더라도 그것이 외부에 표시되지 않으면 법률행위의 동기에 불과할 뿐이고 그것만으로는 법률행위의 부관으로서의 조건이 되는 것은 아니다(대판 2003.5. 13, 2003다10797).

제2관 법률행위의 조건

제147조【조건성취의 효과】
① 정지조건 있는 법률행위는 조건이 성취한 때로부터 그 효력이 생긴다.
② 해제조건 있는 법률행위는 조건이 성취한 때부터 그 효력을 잃는다.
③ 당사자가 조건성취의 효력을 그 성취 전에 소급하게 할 의사를 표시한 때에는 그 의사에 의한다.
제148조【조건부권리의 침해금지】
조건 있는 법률행위의 당사자는 조건의 성부가 미정한 동안에 조건의 성취로 인하여 생길 상대방의 이익을 해하지 못한다.
제149조【조건부권리의 처분 등】
조건의 성취가 미정한 권리의무는 일반규정에 의하여 처분, 상속, 보존 또는 담보로 할 수 있다.
제150조【조건성취, 불성취에 대한 반신의행위】
① 조건의 성취로 인하여 불이익을 받을 당사자가 신의성실에 반하여 조건의 성취를 방해한 때에는 상대방은 그 조건이 성취한 것으로 주장할 수 있다.
② 조건의 성취로 인하여 이익을 받을 당사자가 신의성실에 반하여 조건을 성취시킨 때에는 상대방은 그 조건이 성취하지 아니한 것으로 주장할 수 있다.
제151조【불법조건, 기성조건】
① 조건이 선량한 풍속 기타 사회질서에 위반한 것인 때에는 그 법률행위는 무효로 한다.
② 조건이 법률행위의 당시 이미 성취한 것인 경우에는 그 조건이 정지조건이면 조건 없는 법률행위로 하고 해제조건이면 그 법률행위는 무효로 한다.
③ 조건이 법률행위의 당시에 이미 성취할 수 없는 것인 경우에는 그 조건이 해제조건이면 조건 없는 법률행위로 하고 정지조건이면 그 법률행위는 무효로 한다.

1) 조건성취의 효력은 소급하지 않고 그 성취된 때로부터 법률효과가 발생하고 소멸하는 것이 원칙이다. 그러나 제3자의 권리를 해하지 않는 한 당사자의 의사표시로 소급효를 허용할 수 있다(제147조 제3항).
2) ① 부관이 붙은 법률행위에 있어서 부관에 표시된 사실이 발생하지 아니하면 채무를 이행하지 아니하여도 된다고 보는 것이 상당한 경우에는 조건으로 보아야 하고, 표시된 사실이 발생한

때에는 물론이고 반대로 발생하지 아니하는 것이 확정된 때에도 그 채무를 이행하여야 한다고 보는 것이 상당한 경우에는 표시된 사실의 발생 여부가 확정되는 것을 불확정기한으로 정한 것으로 보아야 한다(대판 2003.8.19, 2003다24215). 또한 ② 이미 부담하고 있는 채무의 변제에 관하여 일정한 사실이 부관으로 붙여진 경우에는, 특별한 사정이 없는 한 그것은 변제기를 유예한 것으로서 그 사실이 발생한 때 또는 발생하지 아니하는 것으로 확정된 때에 기한이 도래한다(대판 2020.12.24, 2019다293098).

조건과 기한 ★

[1] 조건의 의의와 법적 성격 및 조건을 붙이고자 하는 의사가 있는지 판단하는 방법 / 조건을 붙이고자 하는 의사의 표시를 묵시적 의사표시나 약정으로 할 수 있는지 여부(적극) 및 이를 인정하기 위한 요건

조건은 법률행위 효력의 발생 또는 소멸을 장래 불확실한 사실의 발생 여부에 따라 좌우되게 하는 법률행위의 부관이고, 법률행위에서 효과의사와 일체적인 내용을 이루는 의사표시 그 자체이다. 조건을 붙이고자 하는 의사는 법률행위의 내용으로 외부에 표시되어야 하고, 조건을 붙이고자 하는 의사가 있는지는 의사표시에 관한 법리에 따라 판단하여야 한다. 조건을 붙이고자 하는 의사의 표시는 그 방법에 관하여 일정한 방식이 요구되지 않으므로 묵시적 의사표시나 묵시적 약정으로도 할 수 있다. 이를 인정하려면, 법률행위가 이루어진 동기와 경위, 법률행위에 의하여 달성하려는 목적, 거래의 관행 등을 종합적으로 고려하여 법률행위 효력의 발생 또는 소멸을 장래의 불확실한 사실의 발생 여부에 따라 좌우되게 하려는 의사가 인정되어야 한다(대판 2018.6.28, 2016다221368; 대판 2020.7.9, 2020다202821).

[2] 조건과 기한의 구별

조건은 법률행위 효력의 발생 또는 소멸을 장래의 불확실한 사실의 성부에 의존하게 하는 법률행위의 부관이다. 반면 장래의 사실이더라도 그것이 장래 반드시 실현되는 사실이면 실현되는 시기가 비록 확정되지 않더라도 이는 기한으로 보아야 한다(대판 2018.6.28, 2018다201702).

[3] 법률행위에 붙은 부관이 정지조건인지 불확정기한인지 판단하는 기준 및 이러한 부관이 화해계약의 일부를 이루고 있는 경우에도 마찬가지인지 여부(적극)

법률행위에 붙은 부관이 조건인지 기한인지가 명확하지 않은 경우 법률행위의 해석을 통해서 이를 결정해야 한다. ① 부관에 표시된 사실이 발생하지 않으면 채무를 이행하지 않아도 된다고 보는 것이 합리적인 경우에는 조건으로 보아야 한다. 그러나 ② 부관에 표시된 사실이 발생한 때에는 물론이고 반대로 발생하지 않는 것이 확정된 때에도 채무를 이행하여야 한다고 보는 것이 합리적인 경우에는 표시된 사실의 발생 여부가 확정되는 것을 불확정기한으로 정한 것으로 보아야 한다. 이러한 부관이 화해계약의 일부를 이루고 있는 경우에도 마찬가지이다(대판 2018.6.28, 2018다201702).

[4] 채무의 변제에 관하여 일정한 사실이 부관으로 붙여진 경우, 사실의 발생이 불가능하게 된 때에도 이행기한이 도래한 것으로 보아야 하는지 여부(원칙적 적극)

채무의 변제에 관하여 일정한 사실이 부관으로 붙여진 경우에는 특별한 사정이 없는 한 사실이 발생한 때뿐만 아니라 사실의 발생이 불가능하게 된 때에도 이행기한은 도래한 것으로 보아야 한다. 나아가 부관으로 정한 사실의 실현이 주로 채무를 변제하는 사람의 성의나 노력에 따라 좌우되고, 채권자가 사실의 실현에 영향을 줄 수 없는 경우에는 사실이 발생하는 때는 물론이고 사실의 발생이 불가능한 것으로 확정되지는 않았더라도 합리적인 기간 내에 사실이 발생하지 않는 때에도 채무의 이행기한은 도래한다고 보아야 한다(대판 2018.4.24, 2017다205127).

3) 판례는 ① 조건부권리도 재산권이므로 가처분에 있어 피보전권리가 될 수 있고(대판 2002.8.23, 2002다1567), ② 대항요건을 갖추지 못한 채권양수인의 소제기는 조건부권리의 보전에 해당하며 소멸시효 중단사유인 재판상의 청구에 해당하며(대판 2005.11.10, 2005다41818), ③ 조건이 성취되었을 때에 임의의 이행을 기대할 수 없는 경우 미리 청구할 필요가 있어 장래이행의 소를 청구할 수 있다고 한다(대판 2004.9.3, 2002다37405).

4) 조건부권리가 침해된 경우 조건부권리자는 제148조에 기하여 조건의 성취를 전제로 손해배상청구를 하거나, 제150조의 요건을 갖춘 경우 조건성취의제를 주장하는 등 선택권을 행사할 수 있다.

조건성취의 의제와 그 시점

[1] 상대방이 하도급받은 부분에 대한 공사를 완공하여 준공필증을 제출하는 것을 정지조건으로 하여 공사대금채무를 부담하거나 위 채무를 보증한 사람은 위 조건의 성취로 인하여 불이익을 받을 당사자의 지위에 있다고 할 것이므로, 이들이 위 공사에 필요한 시설을 해주지 않았을 뿐만 아니라 공사장에의 출입을 통제함으로써 위 상대방으로 하여금 나머지 공사를 수행할 수 없게 하였다면, 그것이 고의에 의한 경우만이 아니라 과실에 의한 경우에도 신의성실에 반하여 조건의 성취를 방해한 때에 해당한다고 할 것이므로, 그 상대방은 민법 제150조 제1항의 규정에 의하여 위 공사대금채무자 및 보증인에 대하여 그 조건이 성취된 것으로 주장할 수 있다.

[2] 조건의 성취로 인하여 불이익을 받을 당사자가 신의성실에 반하여 조건의 성취를 방해한 경우, 조건이 성취된 것으로 의제되는 시점은 이러한 신의성실에 반하는 행위가 없었더라면 조건이 성취되었으리라고 추산되는 시점이다(대판 1998.12.22, 98다42356). ★

법률행위의 해석 · 성립 · 효력(부관)의 제 문제(대판 2021.1.14, 2018다223054) ★★

[1] 당사자가 표시한 문언으로 그 의미가 명확하게 드러나지 않는 경우, 법률행위를 해석하는 방법
법률행위의 해석은 당사자가 그 표시행위에 부여한 의미를 명확하게 확정하는 것이다. 당사자가 서면에 사용한 문구를 그대로 따라야 하는 것은 아니지만, 처분문서의 진정 성립이 인정되는 경우 법원은 그 기재 내용을 부인할 만한 분명하고도 수긍할 수 있는 반증이 없으면 처분문서에 기재된 문언대로 의사표시의 존재와 내용을 인정하여야 한다. 다만 당사자가 표시한 문언으로 그 의미가 명확하게 드러나지 않아 처분문서에 나타난 법률행위의 해석이 문제 되는 경우 그 문언의 형식과 내용, 법률행위가 이루어진 동기와 경위, 당사자가 법률행위를 통하여 달성하려는 목적과 진정한 의사, 거래와 관행 등을 종합적으로 고려하여 논리와 경험의 법칙, 그리고 사회일반의 상식과 거래의 통념에 따라 합리적으로 해석하여야 한다. 특히 문언의 객관적인 의미와 다르게 해석함으로써 당사자 사이의 법률관계에 중대한 영향을 초래하는 경우에는 문언의 내용을 더욱 엄격하게 해석해야 한다(대판 2022.1.27, 2021다291323; 대판 2022.2.10, 2020다279951; 대판 2022.3.31, 2019다226395; 대판 2022.3.31, 2020다245408).

[2] 어떠한 사실이 특정 법률행위에 관한 조건인지와 해당 조건의 성취 또는 불성취로 법률행위의 효력이 발생하거나 소멸하는지가 법률행위 해석의 문제인지 여부(적극)
조건은 법률행위 효력의 발생이나 소멸을 장래의 불확실한 사실의 성립 여부에 의존하게 하는 법률행위의 부관으로서 법률행위 내용의 일부를 구성한다. 특정 법률행위에 관하여 어떠한 사실이 그 효과의사의 내용을 이루는 조건이 되는지와 해당 조건의 성취 또는 불성취로 말미암아 법률행위의 효력이 발생하거나 소멸하는지는 모두 법률행위 해석의 문제이다.

[3] 민법 제150조 제1항의 규정 취지 및 신의성실에 반하여 조건의 성취를 방해한 것으로 볼 수 있는 경우

민법 제150조 제1항은 조건의 성취로 인하여 불이익을 받을 당사자가 신의성실에 반하여 조건의 성취를 방해한 때에는 상대방은 그 조건이 성취한 것으로 주장할 수 있다고 정함으로써, 조건이 성취되었더라면 원래 존재했어야 하는 상태를 일방 당사자의 부당한 개입으로부터 보호하기 위한 규정을 두고 있다. 이 조항은 권리의 행사와 의무의 이행은 신의에 좇아 성실히 하여야 한다는 법질서의 기본원리가 발현된 것으로서, 누구도 신의성실에 반하는 행태를 통해 이익을 얻어서는 안 된다는 사상을 포함하고 있다. 당사자들이 조건을 약정할 당시에 미처 예견하지 못했던 우발적인 상황에서 상대방의 이익에 대해 적절히 배려하지 않거나 상대방이 합리적으로 신뢰한 선행 행위와 모순된 태도를 취함으로써 형평에 어긋나거나 정의관념에 비추어 용인될 수 없는 결과를 초래하는 경우 신의성실에 반한다고 볼 수 있다.

[4] 민법 제150조 제1항은 계약 당사자 사이에서 정당하게 기대되는 협력을 신의성실에 반하여 거부함으로써 계약에서 정한 사항을 이행할 수 없게 된 경우에 유추적용할 수 있는지 여부(적극) 및 위와 같이 유추적용하는 경우, 조건 성취 의제와 직접적인 관련이 없는 사실관계를 의제하거나 계약에서 정하지 않은 법률효과를 인정할 수 있는지 여부(소극)

민법 제150조 제1항은 계약 당사자 사이에서 정당하게 기대되는 협력을 신의성실에 반하여 거부함으로써 계약에서 정한 사항을 이행할 수 없게 된 경우에 유추적용될 수 있다. 그러나 민법 제150조 제1항이 방해행위로 조건이 성취되지 않을 것을 요구하는 것과 마찬가지로, 위와 같이 유추적용되는 경우에도 단순한 협력 거부만으로는 부족하고 이 조항에서 정한 방해행위에 준할 정도로 신의성실에 반하여 협력을 거부함으로써 계약에서 정한 사항을 이행할 수 없는 상태가 되어야 한다. 또한 민법 제150조는 사실관계의 진행이 달라졌더라면 발생하리라고 희망했던 결과를 의제하는 것은 아니므로, 이 조항을 유추적용할 때에도 조건 성취 의제와 직접적인 관련이 없는 사실관계를 의제하거나 계약에서 정하지 않은 법률효과를 인정해서는 안 된다.

민법 제150조 제2항의 규정 취지 및 신의성실에 반하여 조건을 성취시킨 것으로 볼 수 있는 경우

민법 제150조 제2항은 "조건의 성취로 인하여 이익을 받을 당사자가 신의성실에 반하여 조건을 성취시킨 때에는 상대방은 그 조건이 성취하지 아니한 것으로 주장할 수 있다."라고 정한다. 이 조항은 권리의 행사와 의무의 이행은 신의에 좇아 성실히 하여야 한다는 법질서의 기본원리가 발현된 것으로서, 누구도 신의성실에 반하는 행태를 통해 이익을 얻어서는 안 된다는 사상을 포함하고 있다. 당사자들이 조건을 약정할 당시에 미처 예견하지 못했던 우발적인 상황에서 상대방의 이익에 대해 적절히 배려하지 않거나 상대방이 합리적으로 신뢰한 선행 행위와 모순된 태도를 취함으로써 형평에 어긋나거나 정의관념에 비추어 용인될 수 없는 결과를 초래하는 경우 신의성실에 반한다고 볼 수 있다(대판 2021.3.11, 2020다253430).

민법 제150조 제1항에서 정한 '조건의 성취를 방해한 때'의 의미 및 방해행위가 없었더라도 조건의 성취 가능성이 현저히 낮은 경우가 이에 포함되는지 여부(소극) / 일방 당사자가 신의성실에 반하여 조건의 성취를 방해하였는지 판단하는 기준 ★

민법 제150조 제1항은 조건의 성취로 인하여 불이익을 받을 당사자가 신의성실에 반하여 조건의 성취를 방해한 때에는 상대방은 그 조건이 성취한 것으로 주장할 수 있다고 정함으로써, 조건이 성취되었더라면 원래 존재했어야 하는 상태를 일방 당사자의 부당한 개입으로부터 보호하기 위한 규정을 두고 있다. 이 조항은 권리의 행사와 의무의 이행은 신의에 좇아 성실히 하여야 한다는 법질서의 기본원리가 발현된 것으로서, 누구도 신의성실에 반하는 행태를 통해 이익을 얻어서는 안 된다는 사상을 포함하고 있다. 다만 일방 당사자의 신의성실에 반하는 방해행위 등이 있었다는 사정만으로 곧바로 민법 제150조 제1항에 의해 그 상대방이 발생할 것으로 희망했던 결과까지 의제된다고 볼 수는 없으므로, 여기서 말하는 '조건의 성취를 방해한 때'란 사회통념상 일방 당사자의 방해행위가 없었더라면 조건이 성취되었을 것으로 볼 수 있음에도 방해행위로 인하여 조건이 성취되지 못한 정도에 이르러야 하고,

방해행위가 없었더라도 조건의 성취가능성이 현저히 낮은 경우까지 포함되는 것은 아니다. 만일 위와 같은 경우까지 조건의 성취를 의제한다면 단지 일방 당사자의 부당한 개입이 있었다는 사정만으로 곧바로 조건 성취로 인한 법적 효과를 인정하는 것이 되고 이는 상대방으로 하여금 공평 · 타당한 결과를 초과하여 부당한 이득을 얻게 하는 결과를 초래할 수 있기 때문이다. 한편 일방 당사자가 신의성실에 반하여 조건의 성취를 방해하였는지는 당사자들이 조건부 법률행위 등을 하게 된 경위나 의사, 조건부 법률행위의 목적과 내용, 방해행위의 태양, 해당 조건의 성취가능성 및 방해행위가 조건의 성취에 미친 영향, 조건의 성취에 영향을 미치는 다른 요인의 존재 여부 등 여러 사정을 고려하여 개별적 · 구체적으로 판단하여야 한다(대판 2022.12.29, 2022다266645).

→ [사실관계] : 乙이 甲 회사의 전자제품 개발 · 판매 사업이 성공할 것으로 신뢰하였거나 이를 기대하여 투자를 하였더라도, 甲 회사가 개발하려는 전자제품 판매로 인한 매출 발생 가능성 자체가 현저히 낮았다면, 甲 회사가 사업 진행을 위해 진지한 노력을 기울이지 않았다거나 처음부터 그러한 의사가 없었다는 사정 등만으로 甲 회사가 매출 발생이라는 조건 성취를 방해한 경우라고 평가하기 부족하다고 한 사례이다.

5) 부부관계의 종료를 해제조건으로 하는 증여계약은 그 조건만이 무효인 것이 아니라, 증여계약 자체가 무효이다(대판 1966.6.21, 66다530). → 조건부 법률행위에 있어 조건의 내용 자체가 불법적인 것이어서 무효일 경우 또는 조건을 붙이는 것이 허용되지 아니하는 법률행위에 조건을 붙인 경우 그 조건만을 분리하여 무효로 할 수는 없고 그 법률행위 전부가 무효로 된다(대결 2005.11.8, 2005마541).

6) 정지조건부 화해계약 당시 이미 그 조건이 성취되었다면 이는 무조건 화해계약으로 볼 것이다(대판 1959.12.24, 4292민상670).

7) 기한을 정하지 않은 채무에 정지조건이 있는 경우, 정지조건이 객관적으로 성취되고 그 후에 채권자가 이행을 청구하면 바로 지체책임이 발생한다. 조건과 기한은 하나의 법률행위에 독립적으로 작용하는 부관이므로, 조건의 성취는 기한이 없는 채무에서 이행기의 도래와는 별개의 문제이기 때문이다. 그리고 청구금액이 확정되지 아니하였다는 이유만으로 채무자가 지체책임을 면할 수는 없다. 청구권은 이미 발생하였고 가액이 아직 확정되지 아니한 것일 뿐이므로, 지연손해금 발생의 전제가 되는 원본 채권이 부존재한다고 말할 수는 없기 때문이다. 불법행위로 인한 손해배상채무의 경우 불법행위가 발생한 시점에는 손해배상액을 확정할 수 없는 경우가 대부분이지만, 그 발생 시점부터 지체책임이 성립하는 점에 비추어도 그러하다(대판 2018.7.20, 2015다207044).

8) 법률행위의 효력이 정지조건의 성취에 달려있는 경우 ① 그 정지조건의 존재는 당해 법률행위 효력의 권리장애사유로서 항변사실로, ② 정지조건의 성취는 재항변사실로 기능한다. 따라서 매매대금청구권의 발생이 장래의 불확실한 사실의 발생에 달려 있다면(정지조건), 매수인인 피고는 정지조건의 약정사실을 항변으로 주장할 수 있고, 매도인인 원고는 정지조건의 성취사실을 재항변으로 주장하면 된다. 이에 대하여 피고는 다시 원고가 신의성실에 반하여 조건을 성취시켰으므로 조건불성취로 보아야 한다고 주장하며 재재항변을 할 수 있다(제150조 제2항).

정지조건부 법률행위에서의 입증책임

① 어떠한 법률행위가 조건의 성취시 법률행위의 효력이 발생하는 소위 정지조건부 법률행위에 해당한다는 사실은 그 법률행위로 인한 법률효과의 발생을 저지하는 사유로서 그 법률효과의 발생을 다투려는 자에게 주장·입증책임이 있다(대판 1993.9.28, 93다20832).

② 정지조건부 법률행위에서 조건이 성취되었다는 사실은 이에 의하여 권리를 취득하고자 하는 측에게 그 증명책임이 있다(대판 2023.6.29, 2023다221830).

③ 정지조건부 법률행위에 있어서 조건이 성취되었다는 사실은 이에 의하여 권리를 취득하고자 하는 측에서 그 입증책임이 있다 할 것이므로, 정지조건부 채권양도에 있어서 정지조건이 성취되었다는 사실은 채권양도의 효력을 주장하는 자에게 그 입증책임이 있다(대판 1983.4.12, 81다카692).

9) 반면, 법률행위의 효력을 소멸시키는 해제조건이 있는 경우 그 해제조건의 존재와 그 성취는 당해 법률행위 효력의 권리멸각사유로 기능한다. 따라서 매매대금청구권이 해제조건부로 발생하는 것이라면, 매수인인 피고로서는 해제조건의 약정사실 외에 해제조건의 성취사실까지 항변으로 주장·입증하여야 한다. ③ 매매계약상 의무에 관하여 이행기의 약정이 있는 경우에는 그 약정사실은 의무자의 항변사유로, 이행기의 도래사실은 권리자의 재항변사유로 된다.

제3관 법률행위의 기한

제152조【기한도래의 효과】
① 시기 있는 법률행위는 기한이 도래한 때로부터 그 효력이 생긴다.
② 종기 있는 법률행위는 기한이 도래한 때로부터 그 효력을 잃는다.
제153조【기한의 이익과 그 포기】
① 기한은 채무자의 이익을 위한 것으로 추정한다.
② 기한의 이익은 이를 포기할 수 있다. 그러나 상대방의 이익을 해하지 못한다.
제388조【기한의 이익의 상실】
채무자는 다음 각 호의 경우에는 기한의 이익을 주장하지 못한다. → 이때 기한의 이익상실로 기한이 도래하는 것은 아니라 즉시변제청구권이 발생한다.
1. 채무자가 담보를 손상, 감소 또는 멸실하게 한 때
2. 채무자가 담보제공의 의무를 이행하지 아니한 때
제154조【기한부권리와 준용규정】
제148조와 제149조의 규정은 기한 있는 법률행위에 준용한다.

1) 기한의 이익이란 기한이 도래하지 않음으로써 그동안 당사자가 받는 이익을 말한다. 시기부인 때 이행기가 미도래함으로써 받는 이익, 종기부인 때는 법률행위의 효력이 소멸하지 않는 데서 받는 이익이 기한의 이익이다.

2) 각각의 경우에 따라 채권자만이 가지는 경우(무상임치에서의 임치인), 채무자만이 가지는 경우(무

이자 소비대차에서의 차주, 사용대차의 차주), 채권자와 채무자 쌍방 모두가 가지는 경우(이자부 소비대차에서의 반환기도래시까지 대주는 이자를 취득할 수 있는 권리를 가지며, 차주는 반환청구를 당하지 않을 이익을 서로 가짐)가 있다.

3) 기한의 이익의 포기는 ① 기한의 이익이 당사자 일방만을 위하여 존재하는 경우에는 상대방에 대한 의사표시로써 임의로 포기할 수 있다. ② 그러나 기한의 이익이 상대방을 위하여서도 존재하는 경우에는 상대방의 손해를 배상하고 포기할 수 있다.

4) 기한이익상실의 특약에는 ① 그 내용에 의해 일정한 사유가 발생하면 채권자가 별도의 청구를 하지 않더라도 당연히 기한의 이익이 상실되어 이행기가 도래하는 '정지조건부 기한이익상실의 특약'과 ② 일정한 사유가 발생한 후 채권자의 통지나 청구 등 채권자의 의사행위를 기다려 비로소 이행기가 도래하는 '형성권적 기한이익상실의 특약'이 존재할 수 있다. 판례는 형성권적 기한이익 상실의 특약으로 추정하는 것이 타당하다고 본다(대판 2002.9.4, 2002다28340).

5) 정지조건부 기한이익 상실특약에서 기한이익 상실사유가 발생한 경우 채권자의 의사표시가 없더라도 이행기도래의 효과가 발생한다고 한다(대판 1989.9.29, 88다카14663).

6) 형성권적 기한이익 상실의 특약이 있는 경우에는 그 특약은 채권자의 이익을 위한 것으로서 기한이익의 상실 사유가 발생하였다고 하더라도 채권자가 나머지 전액을 일시에 청구할 것인가 또는 종래대로 할부변제를 청구할 것인가를 자유로이 선택할 수 있으므로, 이와 같은 기한이익 상실의 특약이 있는 할부채무에 있어서는, 1회의 불이행이 있더라도 각 할부금에 대해 그 각 변제기의 도래시마다 그 때부터 순차로 소멸시효가 진행하고 채권자가 특히 잔존 채무 전액의 변제를 구하는 취지의 의사를 표시한 경우에 한하여 전액에 대하여 그 때부터 소멸시효가 진행한다(대판 2002.9.4, 2002다28340 등).

chapter

06 기간

제155조【본장의 적용범위】
기간의 계산은 법령, 재판상의 처분 또는 법률행위에 다른 정한 바가 없으면 본장의 규정에 의한다.

제156조【기간의 기산점】
기간을 시, 분, 초로 정한 때에는 즉시로부터 기산한다.

제157조【기간의 기산점】
기간을 일, 주, 월 또는 연으로 정한 때에는 기간의 초일은 산입하지 아니한다. 그러나 그 기간이 오전 0시로부터 시작하는 때에는 그러하지 아니하다.

제158조【연령의 기산점】
나이는 출생일을 산입하여 만(滿) 나이로 계산하고, 연수(年數)로 표시한다. 다만, 1세에 이르지 아니한 경우에는 월수(月數)로 표시할 수 있다. → 1980년 3월 15일에 출생한 자가 성년이 되는 때를 계산할 때에는 그 기산일이 1980년 3월 15일이 되므로, 1999년 3월 14일 24시로 미성년이 만료되고 1999년 3월 15일 0시부터 성년이 된다.

제159조【기간의 만료점】
기간을 일, 주, 월, 또는 연으로 정한 때에는 기간말일의 종료로 기간이 만료한다.

제160조【역에 의한 계산】
① 기간을 주, 월 또는 연으로 정한 때에는 역에 의하여 계산한다.
② 주, 월 또는 연의 처음으로부터 기간을 기산하지 아니하는 때에는 최후의 주, 월 또는 연에서 그 기산일에 해당한 날의 전일로 기간이 만료한다.
③ 월 또는 연으로 정한 경우에 최종의 월에 해당 일이 없는 때에는 그 월의 말일로 기간이 만료한다.
→ 1월 30일 오후 3시부터 1개월 후의 말일은 2월 31일이 되지만 2월에는 31일이 없으므로 2월 말이 된다.

제161조【공휴일과 기간의 만료점】
기간의 말일이 토요일 또는 공휴일에 해당한 때에는 기간은 그 익일로 만료한다. → 기간의 초일이 공휴일이라고 해도 기간은 초일부터 기산한다(대판 1982.2.23, 81누204). 반면에 기간의 말일이 공휴일인 경우에는 그 익일로 종료한다.

1) 기간이란 어느 시점에서 어느 시점까지의 계속된 시간을 말한다. 기간은 '시간의 연속'을 의미한다는 점에서 '어느 특정의 시점'을 의미하는 기일과는 구별된다.
2) 사법관계뿐만 아니라 공법관계에도 적용된다(대판 1989.4.11, 87다카2901).
3) 기간의 역산이란 일정한 기산일로부터 과거로 소급하여 거꾸로 계산하는 것을 말한다. 이러한 기간의 역산에는 민법의 기간(순방향)계산방법이 유추적용된다. 예컨대 민법 제71조에 사원총회는 1주일 전에 통지를 발송하도록 규정되어 있는데, 만약에 총회일이 3월 15일이라면 3월 14일을 기산점으로 하여(제157조 본문, 초일불산입의 원칙), 3월 8일 오전 0시가 만료점이 되므로(제159조) 늦어도 3월 7일 오후 24시 전까지는 총회소집통지를 발송하여야 한다.

chapter 07

소멸시효

제1절 총설

1. 의의

소멸시효란 권리자가 권리행사를 할 수 있음에도 불구하고 일정한 기간 동안 권리불행사가 계속된 경우에 그 권리를 소멸케 하는 제도를 말한다.

2. 시효제도의 존재이유

시효제도의 근거에 대해서는 보통 사회질서의 안정, 입증곤란의 구제, 권리 위에 잠자는 자에 대한 법적보호에서의 제외 등을 들고 있다. 이러한 점에서 시효에 관한 규정은 일반적으로 강행규정에 해당한다. 따라서 당사자가 어떤 권리에 대해 시효에 걸리지 않는 것으로 특약을 하거나 또는 시효완성의 요건에 관하여 법정요건보다 연장·가중하는 것은 허용되지 않는다.

소멸시효와 제척기간의 비교

구분	소멸시효	제척기간
구별기준	조문상 "시효로 인하여 소멸한다"라는 표현이 있으면 소멸시효이고, 법문에 이 문구가 없으면 제척기간이다. 다만, 제1024조의 상속승인·포기의 취소기간은 예외로 '시효로 인하여'로 규정되어 있으나 제척기간이다(다수설).	
인정범위	원칙적으로 채권에 인정	대부분 형성권에 적용
중단제도	중단제도가 있다.	권리관계의 조속한 확정 때문에 제척기간에 관하여는 중단제도가 적용되지 않는다(대판 2003.1.10, 2000다26425).
정지제도	소멸시효의 완성에 대하여 장애사유가 있으면 일시적으로 시효기간의 진행이 정지	적용되지 않는다. 그러나 천재 기타 사변에 의한 시효정지(제182조) 규정만은 준용긍정(유추적용긍정설)
기간의 단축	특약으로 단축·감경 가능, 단 연장·가중·배제는 불가	단축, 감경 및 연장도 불가능하다. ★ 약정에 따라 권리를 행사할 수 있는 날로부터 10년이 되는 날까지로 연장된다고 볼 수는 없다(대판 1995.11.10, 94다22682·22699).
포기제도	미리 포기할 수 없음, 시효완성 후 포기 가능	기간의 만료로 당연히 소멸, 포기제도 없음

원용의 요구	• 절대적 소멸설: 소멸시효의 완성으로 당연히 권리가 소멸한다. • 상대적 소멸설: 소멸시효의 완성은 원용권이 발생할 뿐이고 권리가 당연히 소멸하지 않는다.	원용할 필요 없이, 권리가 당연소멸
소송상 주장	• 절대적 소멸설: 변론주의의 원칙상 소멸시효를 주장하여야 한다. • 상대적 소멸설: 소송상 원용하여야 참작한다.	법원이 직권으로 고려(대판 1996.9.20, 95다25371) ★ 권리행사의 방법 - 판례는 ① 원칙적으로 재판상이든 재판외이든 권리의 행사가 있으면 된다는 입장이다(대판 1990.3.9, 88다카31866). ② 다만 점유보호청구권(제204조 제3항, 제205조 제2항)에 대해서는 출소기간으로 본다. 즉 이 경우 재판외에서 권리행사하는 것으로 족한 기간이 아니라 반드시 그 기간 내에 소를 제기하여야 하는 이른바 출소기간으로 해석함이 상당하다고 한다(대판 2002.4.26, 2001다8097·8103). 채권자취소권과 상속회복청구의 경우에도 마찬가지이다.
효과	권리소멸의 효과가 소급 ➡ 소멸시효로 채무를 면하게 되는 자는 기산일 이후의 이자를 지급할 필요가 없게 된다.	불소급

해지권을 재판상 행사하는 경우, 소장 부본이 제척기간 내에 피고에게 송달되어야만 해지권 행사의 효력이 발생하는지 여부(적극) ★

보험계약의 해지권은 형성권이고, 해지권 행사기간은 제척기간이며, 해지권은 재판상이든 재판 외이든 그 기간 내에 행사하면 되는 것이나 해지의 의사표시는 민법의 일반원칙에 따라 보험계약자 또는 그의 대리인에 대한 일방적 의사표시에 의하며, 그 의사표시의 효력은 상대방에게 도달한 때에 발생하므로 해지권자가 해지의 의사표시를 담은 소장 부본을 피고에게 송달함으로써 해지권을 재판상 행사하는 경우에는 그 소장 부본이 피고에게 도달할 때에 비로소 해지권 행사의 효력이 발생한다 할 것이어서, 해지의 의사표시가 담긴 소장 부본이 제척기간 내에 피고에게 송달되어야만 해지권자가 제척기간 내에 적법하게 해지권을 행사하였다고 할 것이고, 그 소장이 제척기간 내에 법원에 접수되었다고 하여 달리 볼 것은 아니다(대판 2000.1.28, 99다50712, 대판 2017.3.22, 2016다47614).

판례 연구 관련판례 정리

☑ 소멸시효와 제척기간의 관계 - 경합관계

1. 하자담보에 기한 매수인의 손해배상청구권이 소멸시효의 대상이 되는지 여부(적극) 및 소멸시효의 기산점 (= 매수인이 매매 목적물을 인도받은 때) ★★★

[1] 매도인에 대한 하자담보에 기한 손해배상청구권에 대하여는 민법 제582조의 제척기간이 적용되고, 이는 법률관계의 조속한 안정을 도모하고자 하는 데에 취지가 있다. 그런데 하자담보에 기한 매수인의 손해배상청구권은 권리의 내용·성질 및 취지에 비추어 민법 제162조 제1항의 채권 소멸시효의 규정이 적용되고, 민법 제582조의 제척기간 규정으로 인하여 소멸시효 규정의 적용이 배제된다고 볼 수 없으며, 이때 다른 특별한 사정이 없는 한 무엇보다도 매수인이 매매 목적물을 인도받은 때부터 소멸시효가 진행한다고 해석함이 타당하다.

[2] 甲이 乙 등에게서 부동산을 매수하여 소유권이전등기를 마쳤는데 위 부동산을 순차 매수한 丙이 부동산 지하에 매립되어 있는 폐기물을 처리한 후 甲을 상대로 처리비용 상당의 손해배상청구소송을 제기하였고, 甲이 丙에게 위 판결에 따라 손해배상금을 지급한 후 乙 등을 상대로 하자담보책임에 기한 손해배상으로서 丙에게 기지급한 돈의 배상을 구한 사안에서, 甲의 하자담보에 기한 손해배상청구권은 甲이 乙 등에게서 부동산을 인도받았을 것으로 보이는 소유권이전등기일로부터 소멸시효가 진행하는데, 甲이 그로부터 10년이 경과한 후 소를 제기하였으므로, 甲의 하자담보책임에 기한 손해배상청구권은 이미 소멸시효 완성으로 소멸되었다(대판 2011.10.13, 2011다10266).

2. 수급인의 담보책임에 기한 하자보수에 갈음하는 손해배상청구권에 대하여 소멸시효 규정이 적용되는지 여부(적극)

수급인의 담보책임에 기한 하자보수에 갈음하는 손해배상청구권에 대하여는 민법 제670조 또는 제671조의 제척기간이 적용되고, 이는 법률관계의 조속한 안정을 도모하고자 하는 데에 취지가 있다. 그런데 이러한 도급인의 손해배상청구권에 대하여는 권리의 내용·성질 및 취지에 비추어 민법 제162조 제1항의 채권 소멸시효의 규정 또는 도급계약이 상행위에 해당하는 경우에는 상법 제64조의 상사시효의 규정이 적용되고, 민법 제670조 또는 제671조의 제척기간 규정으로 인하여 위 각 소멸시효 규정의 적용이 배제된다고 볼 수 없다(대판 2012.11.15, 2011다56491).

→ [사실관계] : 원심이 이와 달리, 민법상 수급인의 하자담보책임인 이 사건 아파트의 하자보수에 갈음한 손해배상청구권에 대하여는 소멸시효가 적용되지 아니하고 제척기간만이 적용된다는 이유로, 위 손해배상청구권이 시효로 소멸하였는지 여부에 관하여는 아무런 판단을 하지 아니한 채, 피고가 제척기간이 도과하기 이전에 원고에게 하자보수를 청구하였으므로 위 손해배상청구권은 소멸하지 아니하였다고만 판단한 데에는 수급인의 담보책임의 소멸시효에 관한 법리를 오해한 나머지 판결에 영향을 미친 위법이 있다고 한 사례이다.

제2절 소멸시효의 요건

소멸시효의 요건은 ① 권리가 소멸시효에 걸리는 권리이고(대상적격), ② 권리를 행사할 수 있음에도 불구하고 행사하지 않아야 하며(기산점), ③ 권리불행사의 상태가 일정기간 계속되어야 한다(시효기간의 경과).

제1관 소멸시효의 대상인 권리 - 대상적격

1. 소멸시효의 대상인 권리

소멸시효에 걸리는 권리	채권	채권적 청구권(부당이득반환청구권, 손해배상청구권 등) 포함 단, '등기청구권'은 예외가 존재한다(판례).
	소유권 외의 재산권	[1] 용익물권(지상권, 지역권) - 시효대상 O [2] 공법상 권리(국세징수권 등) - 시효대상 O
소멸시효에 걸리지 않는 권리	[1] 소유권은 항구성이 있고, 점유권은 점유상태만으로 인정되는 권리이므로 소멸시효대상이 아니다. [2] 물권적 청구권 - ① 명의신탁 해지로 인한 소유권이전등기 청구권이나 말소등기 청구권은 소유권에 기한 물권적 청구권이므로 소멸시효대상이 아니다(대판 1991.11.26, 91다34387 등). ② 매매계약이 합의해제된 경우에도 매수인에게 이전되었던 소유권은 당연히 매도인에게 복귀하는 것이므로 합의해제에 따른 매도인의 원상회복 청구권은 소유권에 기한 물권적 청구권이라 할 것이고, 따라서 이는 소멸시효의 대상이 아니라고 할 것이다(대판 1982.7.27, 80다2968). ★★ [3] 담보물권 - 부종성에 의해 피담보채권과 분리되어 소멸시효에 걸리지 않는다. [4] 상린권, 공유물분할청구권 - 기초가 된 권리관계가 존속하는 한 독립하여 시효에 걸리지 않는다(대판 1981.3.24, 80다1888·1889). [5] 형성권은 소멸시효대상이 아니고, 언제나 제척기간의 대상이다. 또한 명문에 기간이 정해져 있지 않으면 10년이다. [6] 항변권 - 항변권은 상대방이 청구권을 행사하지 않으면 구체적으로 발생하지 않는 권리이므로 소멸시효에 걸리지 않는다. [7] 물권에 준한 재산권(광업권, 어업권, 무체재산권 등) - 소유권과 같은 성질의 것으로 소멸시효대상이 아니고, 비재산권(신분권, 인격권 등)도 마찬가지로 소멸시효의 대상이 아니다.	

2. 법률행위로 인한 등기청구권의 소멸시효

<table>
<tr><td>원칙</td><td colspan="2">채권적 청구권으로서 10년의 소멸시효에 해당한다.</td></tr>
<tr><td>예외</td><td colspan="2">매수인이 토지를 인도받아 사용, 수익(점유)하고 있는 경우에는 소멸시효제도의 취지에 비추어 볼 때 권리 위에 잠자는 자로 볼 수 없어 소멸시효로 권리가 소멸하지 않는다(대판(전) 1976.11.6, 76다148). ★★</td></tr>
<tr><td rowspan="2">점유와의 관계</td><td>종전 판례</td><td>매수인이 목적물을 매도하고 그 점유를 상실하여 더 이상 사용, 수익하고 있는 상태가 아니라면 그 점유상실 시점부터 이전등기청구권의 소멸시효가 진행한다(대판 1992.7.24, 91다40924).</td></tr>
<tr><td>변경 판례</td><td>매수인이 부동산을 인도받아 이를 사용, 수익하다가 '보다 적극적인 권리행사의 일환으로' 타인에게 그 부동산을 처분하고 점유를 승계해 준 경우에도 스스로 사용, 수익하고 있는 경우와 특별히 다를 바 없으므로 이전등기청구권의 소멸시효는 진행하지 않는다(대판(전) 1999.3.18, 98다32175). ★★
★ 〈주의〉 취득시효완성으로 인한 소유권이전등기청구권의 소멸시효
토지에 대한 취득시효 완성으로 인한 소유권이전등기청구권은 그 토지에 대한 점유가 계속되는 한 시효로 소멸하지 아니하고, 그 후 점유를 상실하였다고 하더라도 이를 시효이익의 포기로 볼 수 있는 경우가 아닌 한 이미 취득한 소유권이전등기청구권은 바로 소멸되는 것은 아니나, 취득시효가 완성된 점유자가 점유를 상실한 경우 취득시효 완성으로 인한 소유권이전등기청구권의 소멸시효는 이와 별개의 문제로서, 그 점유자가 점유를 상실한 때로부터 10년간 등기청구권을 행사하지 아니하면 소멸시효가 완성한다(대판 1996.3.8, 95다34866 · 34873; 대판 2023.8.31, 2023다240428).</td></tr>
</table>

3. 명의신탁자의 등기청구권

(1) 3자간 등기명의신탁에서 명의신탁자의 매도인에 대한 소유권이전등기청구권

3자간 등기명의신탁에 의한 등기가 유효기간 경과로 무효로 된 경우, 목적 부동산을 인도받아 점유하고 있는 명의신탁자의 매도인에 대한 소유권이전등기청구권의 소멸시효가 진행되는지 여부(소극) ★★

부동산의 매수인이 목적물을 인도받아 계속 점유하는 경우에는 매도인에 대한 소유권이전등기청구권은 소멸시효가 진행되지 않고, 이러한 법리는 3자간 등기명의신탁에 의한 등기가 유효기간의 경과로 무효로 된 경우에도 마찬가지로 적용된다. 따라서 그 경우 목적 부동산을 인도받아 점유하고 있는 명의신탁자의 매도인에 대한 소유권이전등기청구권 역시 소멸시효가 진행되지 않는다(대판 2013.12.12, 2013다26647).

(2) 계약명의신탁의 경우 명의신탁자의 명의수탁자에 대한 부당이득반환청구권에 기한 등기청구권

명의신탁자가 명의신탁 부동산을 계속 점유 · 사용하여 온 경우에는 명의수탁자에 대한 부당이득반환청구권에 기한 등기청구권의 소멸시효가 진행하지 않는지 여부(소극)(대판 2009.7.9, 2009다23313) ★★

[1] 부동산 실권리자명의 등기에 관한 법률 시행 전에 명의수탁자가 명의신탁 약정에 따라 부동산에 관한 소유명의를 취득한 경우 위 법률의 시행 후 같은 법 제11조의 유예기간이 경과하기 전까지 명의신탁자는 언제라도 명의신탁 약정을 해지하고 당해 부동산에 관한 소유권을 취득할 수 있었던 것으로, 실명화 등의 조치 없이 위 유예기간이 경과함으로써 같은 법 제12조 제1항, 제4조에 의해 명의신탁 약정은 무효로 되는 한편, 명의수탁자가 당해 부동산에 관한 완전한 소유권을 취득하게 된다 할 것인데, 같은 법 제3조 및 제4조가 명의신탁자에게 소유권이 귀속되는 것을 막는 취지의 규정은 아니므로 명의수탁자는 명의신탁자에게 자신이 취득한 당해 부동산을 부당이득으로 반환할 의무가 있다 할 것인바, 이와 같은 경위로 명의신탁자가 당해 부동산의 회복을 위해 명의수탁자에 대해 가지는 소유권이전등기청구권은 그 성질상 법률의 규정에 의한 부당이득반환청구권으로서 민법 제162조 제1항에 따라 10년의 기간이 경과함으로써 시효로 소멸한다.

→ [보충] : 한편, 그 전에 명의수탁자가 명의신탁부동산에 관한 세금의 납부를 명의신탁자에게 적극적으로 요구한 사안에서, 판례는 이것은 명의신탁자의 대내적 소유권을 인정하는 행태를 보인 것으로서 부당이득으로서의 소유권이전등기의무를 승인한 것에 해당하여, 그 소멸시효는 중단된다고 보았다(대판 2012.10.25, 2012다45566).

[2] 명의신탁계약 및 그에 기한 등기를 무효로 하고 그 위반행위에 대하여 형사처벌까지 규정한 부동산 실권리자명의 등기에 관한 법률의 시행에 따라 그 권리를 상실하게 된 위 법률 시행 이전의 명의신탁자가 그 대신에 부당이득의 법리에 따라 법률상 취득하게 된 명의신탁 부동산에 대한 부당이득반환청구권의 경우, 무효로 된 명의신탁 약정에 기하여 처음부터 명의신탁자가 그 부동산의 점유 및 사용 등 권리를 행사하고 있다 하여 위 부당이득반환청구권 자체의 실질적 행사가 있다고 볼 수 없을 뿐만 아니라, 명의신탁자가 그 부동산을 점유·사용하여 온 경우에는 명의신탁자의 명의수탁자에 대한 부당이득반환청구권에 기한 등기청구권의 소멸시효가 진행되지 않는다고 보아야 한다면, 이는 명의신탁자가 부동산 실권리자명의 등기에 관한 법률의 유예기간 및 시효기간 경과 후 여전히 실명전환을 하지 않아 위 법률을 위반한 경우임에도 그 권리를 보호하여 주는 결과로 되어 부동산 거래의 실정 및 부동산 실권리자명의 등기에 관한 법률 등 관련 법률의 취지에도 맞지 않는다.

제2관 소멸시효의 기산점 - 권리의 불행사

제166조【소멸시효의 기산점】
① 소멸시효는 권리를 행사할 수 있는 때로부터 진행한다.
② 부작위를 목적으로 하는 채권의 소멸시효는 위반행위를 한 때로부터 진행한다.

1. '권리를 행사할 수 있는 때'의 의미

1) '권리를 행사할 수 있는 때'라 함은 그 권리행사에 법률상의 장애사유, 예를 들면 기한의 미도래나 조건불성취 등이 없는 경우를 말한다. 사실상 장애는 여기에 포함되지 않으므로 법률상 장애사유가 없는 한, 사실상 그 권리의 존재나 권리행사의 가능성을 알지 못하였거나 알지 못함에 있어서의 과실유무 등은 시효진행에 영향을 미치지 아니한다(대판(전) 1984.12.26, 84누572).

→ 법률지식의 부족, 권리존재의 부지 또는 채무자의 부재등 사실상 장애로 권리를 행사하지 못하였다 하여도 시효가 진행한다(대판 1982.1.19, 80다2626).

소멸시효의 기산점인 권리를 행사할 수 있는 때의 의미와 정지조건부권리의 경우 조건 미성취 동안 소멸시효의 진행 여부(소극) ★

소멸시효는 권리를 행사할 수 있는 때로부터 진행하며, 여기서 권리를 행사할 수 있는 때라 함은 권리행사에 법률상의 장애가 없는 때를 말하므로 정지조건부 권리의 경우에는 조건 미성취의 동안은 권리를 행사할 수 없는 것이어서 소멸시효가 진행되지 않는다(대판 1992.12.22, 92다28822).

소멸시효의 기산일(대판 2023.2.3. 2022다276307)

[1] 소멸시효가 진행하지 않는 '권리를 행사할 수 없는' 경우의 의미
민법 제166조 제1항에 의하면 소멸시효는 객관적으로 권리가 발생하고 그 권리를 행사할 수 있는 때로부터 진행하며, 그 권리를 행사할 수 없는 동안에는 진행하지 아니한다. 여기서 '권리를 행사할 수 없다.'라고 함은 그 권리행사에 법률상의 장애사유, 예컨대 기간의 미도래나 조건불성취 등이 있는 경우를 말하는 것이고, 사실상 그 권리의 존부나 권리행사의 가능성을 알지 못하였거나 알지 못함에 과실이 없다고 하여도 이러한 사유는 법률상 장애사유에 해당한다고 할 수 없다.

[2] 소송위임계약으로 성공보수를 약정하였을 경우, 보수청구권의 소멸시효 기산점(=해당 심급의 판결을 송달받은 때) 및 이때 당사자 사이에 보수금의 지급시기에 관한 특약이 있는 경우, 소멸시효 기산점(=특약에 따라 보수채권을 행사할 수 있는 때)
민법 제686조 제2항에 의하면 수임인은 위임사무를 완료하여야 보수를 청구할 수 있다. 따라서 소송위임계약으로 성공보수를 약정하였을 경우 심급대리의 원칙에 따라 수임한 소송사무가 종료하는 시기인 해당 심급의 판결을 송달받은 때로부터 그 소멸시효기간이 진행되나, 당사자 사이에 보수금의 지급시기에 관한 특약이 있다면 그에 따라 보수채권을 행사할 수 있는 때로부터 소멸시효가 진행한다고 보아야 한다.

수임인이 위임인을 위하여 자기 명의로 취득한 권리를 위임인에게 이전하여야 하는 시기 및 위 권리에 관한 위임인의 이전청구권의 소멸시효 기산점(=위임계약이 종료된 때) ★★

민법 제684조 제2항은 "수임인이 위임인을 위하여 자기의 명의로 취득한 권리는 위임인에게 이전하여야 한다." 라고 규정하고 있는데, 이때 그 이전 시기는 당사자 간에 특약이 있거나 위임의 본뜻에 반하는 경우 등과 같은 특별한 사정이 없는 한 위임계약이 종료된 때이다. 따라서 위임사무로 수임인 명의로 취득한 권리에 관한 위임인의 이전청구권의 소멸시효는 위임계약이 종료된 때부터 진행하게 된다(대판 2022.9.7, 2022다217117).

임치계약 해지에 따른 임치물 반환청구권의 소멸시효 기산점(=임치계약이 성립하여 임치물이 수치인에게 인도된 때) ★★

임치계약 해지에 따른 임치물 반환청구는 임치계약 성립 시부터 당연히 예정된 것이고, 임치계약에서 임치인은 언제든지 계약을 해지하고 임치물의 반환을 구할 수 있는 것이므로, 특별한 사정이 없는 한 임치물 반환청구권의 소멸시효는 임치계약이 성립하여 임치물이 수치인에게 인도된 때부터 진행하는 것이지, 임치인이 임치계약을 해지한 때부터 진행한다고 볼 수 없다(대판 2022.8.19, 2020다220140).

부동산경매절차에서 채무자에게 교부할 잉여금을 공탁한 경우, 공탁금지급청구권의 소멸시효기간(=10년)**과 기산점**(=공탁일) **/ 부동산경매절차에서 채무자에 대한 송달이 공시송달의 방법으로 이루어져 채무자가 경매진행 사실과 잉여금의 존재에 관하여 사실상 알지 못한 경우에도 소멸시효기간이 진행하는지 여부**(적극)

① 공탁물이 금전인 경우 그 원금 또는 이자의 수령, 회수에 대한 권리는 그 권리를 행사할 수 있는 때부터 10년간 행사하지 아니하면 시효로 소멸하는데(공탁법 제9조 제3항), 경매절차에서 채무자에게 교부할 잉여금을 공탁한 경우에는 권리를 행사할 수 있는 공탁일부터 소멸시효기간이 진행한다[대법원 행정예규(제948호)인 '공

탁금지급청구권의 소멸시효와 국고귀속절차' 2.의 다. (2)항]. ② 한편 소멸시효는 객관적으로 권리가 발생하고 그 권리를 행사할 수 있는 때부터 진행하고, 그 권리를 행사할 수 없는 동안에는 진행하지 아니한다. 여기서 '권리를 행사할 수 없다.'란 그 권리행사에 법률상의 장애사유, 예컨대 기간의 미도래나 조건불성취 등이 있는 경우를 말하는 것이고, 사실상 그 권리의 존부나 권리행사의 가능성을 알지 못하였거나 알지 못함에 과실이 없다고 하여도 이러한 사유는 법률상 장애사유에 해당한다고 할 수 없다. 따라서 부동산경매절차에서 채무자에 대한 송달이 공시송달의 방법으로 이루어짐으로써 채무자가 경매진행 사실 및 잉여금의 존재에 관하여 사실상 알지 못하였다고 하더라도 소멸시효기간이 진행한다(대결 2024.4.30. 2023그887).

2) 건물에 관한 소유권이전등기청구권에서 그 건물이 완공되지 않아서 이를 행사할 수 없었다는 사유는 법률상의 장애사유에 해당하므로(건물이 완공되지 않았다면 소멸시효의 진행을 방해하게 되므로), 그에 관한 소멸시효는 건물 완공 시부터 진행한다고 보아야 한다(대판 2007.8.23. 2007다28024·28031).[32]

2. 변론주의의 적용

소멸시효의 기산일은 변론주의의 적용대상이므로, 본래의 소멸시효기산일과 당사자가 주장하는 기산일이 다른 경우에는 법원은 당사자가 주장하는 기산일을 기준으로 하고, 당사자가 주장하지 않은 때를 기산점으로 하여 소멸시효의 완성을 인정하게 되면 변론주의의 원칙에 위배된다(대판 1995.8.25. 94다35886). → 본래의 소멸시효 기산일과 당사자가 주장하는 기산일이 서로 다른 경우에는 변론주의의 원칙상 법원은 당사자가 주장하는 기산일을 기준으로 소멸시효를 계산하여야 하는데, 이는 당사자가 본래의 기산일보다 뒤의 날짜를 기산일로 하여 주장하는 경우는 물론이고 특별한 사정이 없는 한 그 반대의 경우에 있어서도 마찬가지이다.

판례 연구 관련판례 정리

1) **확정기한부 채권의 소멸시효 기산점** ★
민법 제166조는 "소멸시효는 권리를 행사할 수 있는 때로부터 진행한다."라고 규정하고 있으므로, ① 기한이 있는 채권의 소멸시효는 이행기가 도래한 때부터 진행하지만, ② 이행기가 도래한 후 채권자와 채무자가 기한을 유예하기로 합의한 경우에는 유예된 때로 이행기가 변경되어 소멸시효는 변경된 이행기가 도래한 때부터 다시 진행한다(대판 2017.4.13. 2016다274904).

2) **이행불능으로 인한 손해배상청구권의 소멸시효 기산점** ★
매매로 인한 부동산소유권이전채무가 이행불능됨으로써 매수인이 매도인에 대하여 갖게 되는 손해배상채권은 그 부동산소유권의 이전채무가 이행불능된 때에 발생하는 것이고 그 계약체결일에 생기는 것은 아니므로 위 손해배상채권의 소멸시효는 계약체결일 아닌 소유권이전채무가 이행불능된 때부터 진행한다(대판 1990.11.9. 90다카22513). → 소유권이전등기 말소등기의무의 이행불능으로 인한 전보배상청구권의 소멸시효는 말소등기의무가 이행불능 상태에 돌아간 때로부터 진행된다(대판 2005.9.15. 2005다29474).

32) 원심은 이 사건 부동산에 관한 원고들의 소유권이전등기청구권의 소멸시효 기산점이 「매매계약일」이라고 오해하여 그 소유권이전등기청구권이 시효로 소멸하였다고 판단하였으니, 원심판결에는 신축 중인 건물에 관한 소유권이전등기청구권의 소멸시효 기산점에 관한 법리를 오해하여 판결에 영향을 미친 위법이 있다고 본 사례이다.

3) 불법행위로 인한 손해배상청구권의 소멸시효 기산점 ★★

가) **손해 및 가해자를 안 날** : 불법행위로 인한 손해배상 청구권의 단기소멸시효의 기산점이 되는 민법 제766조 제1항 소정의 '손해 및 가해자를 안 날'이라 함은 손해가 가해자의 불법행위로 인한 것임을 안 때라고 할 것이므로, 손해 및 가해자를 알았다고 하기 위하여는 가해행위와 손해의 발생 사이에 인과관계가 있다는 것까지도 알 것을 요한다(대판 1995.11.10, 95다32228).

나) **불법행위를 한 날** : ① 민법 제766조 제2항이 규정하고 있는 '불법행위를 한 날로부터 10년'의 기간은 소멸시효기간에 해당한다(대판(전) 1996.12.19, 94다22927). ② 불법행위에 기한 손해배상채권에 있어서 민법 제766조 제2항에 의한 소멸시효의 기산점이 되는 '불법행위를 한 날'이란 가해행위로 인한 손해의 결과발생이 현실적인 것으로 되었다고 할 수 있을 때를 의미하고 그 소멸시효는 피해자가 손해의 결과발생을 알았거나 예상할 수 있는가 여부에 관계없이 가해행위로 인한 손해가 현실적인 것으로 되었다고 볼 수 있는 때로부터 진행한다(대판 1993.7.27, 93다357).

다) **법인의 대표자가 가해자에 가담하여 법인에 대한 공동불법행위가 성립하는 경우, 그로 인한 손해배상청구권의 단기소멸시효의 기산점** : ① 법인의 경우 불법행위로 인한 손해배상청구권의 단기소멸시효의 기산점인 '손해 및 가해자를 안 날'이라 함은 통상 대표자가 이를 안 날을 뜻하지만, 법인의 대표자가 가해자에 가담하여 법인에 대하여 공동불법행위가 성립하는 경우에는, 법인과 그 대표자는 이익이 상반하게 되므로 현실로 그로 인한 손해배상청구권을 행사하리라고 기대하기 어려울 뿐만 아니라 일반적으로 그 대표권도 부인된다고 할 것이므로, 단지 그 대표자가 그 손해 및 가해자를 아는 것만으로는 부족하고, 적어도 법인의 이익을 정당하게 보전할 권한을 가진 다른 임원 또는 사원이나 직원 등이 손해배상청구권을 행사할 수 있을 정도로 이를 안 때에 위 단기시효가 진행한다고 해석함이 상당하다(대판 1998.11.10, 98다34126). ② 만약 다른 대표자나 임원 등이 법인의 대표자와 공동불법행위를 한 경우에는 그 다른 대표자나 임원 등을 배제하고 단기소멸시효 기산점을 판단하여야 한다(대판 2015.1.15, 2013다50435). ③ 그리고 이는 법인의 대표자의 불법행위로 인한 법인의 대표자에 대한 손해배상청구권을 피보전권리로 하여 법인이 채권자취소권을 행사하는 경우의 제척기간의 기산점인 '취소원인을 안 날'을 판단할 때에도 마찬가지이다(대판 2015.1.15, 2013다50435).

4) 의사의 치료비채권 등 계속적 계약관계 ★

① 민법 제163조 제2호 소정의 '의사의 치료에 관한 채권'에 있어서는, 특약이 없는 한 그 개개의 진료가 종료될 때마다 각각의 당해 진료에 필요한 비용의 이행기가 도래하여 그에 대한 소멸시효가 진행된다고 해석함이 상당하고, 장기간 입원 치료를 받는 경우라 하더라도 다른 특약이 없는 한 입원 치료 중에 환자에 대하여 치료비를 청구함에 아무런 장애가 없으므로 퇴원시부터 소멸시효가 진행된다고 볼 수는 없다(대판 2001.11.9, 2001다52568). ② 계속적 물품공급계약에 기하여 발생한 외상대금채권은 특별한 사정이 없는 한 개별 거래로 인한 각 외상대금채권이 발생한 때로부터 개별적으로 소멸시효가 진행하는 것이지 거래종료일부터 외상대금채권 총액에 대하여 한꺼번에 소멸시효가 기산한다고 할 수 없는 것이다(대판 2007.1.25, 2006다68940 판결이유 중).

5) 공동불법행위자간의 구상금 채권

교통사고의 피해자들에게 손해배상을 한 공동불법행위자의 1인의 다른 공동불법행위자에 대한 구상금 채권은 일반채권과 같이 구상권자가 현실로 피해자에게 손해금을 지급한 때로부터 10년간 이를 행사하지 아니하면 시효로 소멸한다(대판 1979.5.15, 78다528).

6) 대상청구권

대상청구권은 ① 특별한 사정이 없는 한 매매 목적물의 수용 또는 국유화로 인하여 매도인의 소유권이전등기의무가 이행불능되었을 때 매수인이 그 권리를 행사할 수 있다고 보아야 할 것이고 따라서 그 때부터 소멸시효가 진행하는 것이 원칙이라 할 것이나, ② 국유화가 된 사유의 특수성과 법규의 미비 등으로 그 보상금의 지급을 구할 수 있는 방법이나 절차가 없다가 상당한 기간이 지난 뒤에야 보상금청구의 방법과 절차가 마련된 경우라면, 대상청구권자로서는 그 보상금청구의 방법이 마련되기 전에는 대상청구권을 행사하는 것이 불가능하였던 것이고, 따라서 이러한 경우에는 보상금을 청구할 수 있는 방법이 마련된 시점부터 대상청구권에 대한 소멸시효가 진행하는 것으로 봄이 상당할 것인바, 이는 대상청구권자가 보상금을 청구할 길이 없는 상태에서 추상적인 대상청구권이 발생하였다는 사유만으로 소멸시효가 진행한다고 해석하는 것은 대상청구권자에게 너무 가혹하여 사회정의와 형평의 이념에 반할 뿐만 아니라 소멸시효제도의 존재이유에 부합된다고 볼 수 없기 때문이다(대판 2002.2.8, 99다23901).

7) 보험금청구권

보험금청구권자가 권리의 발생 여부를 객관적으로 알기 어려운 상황에 있고 과실 없이 이를 알지 못한 경우에는 보험금청구권자가 보험사고의 발생을 알았거나 알 수 있었던 때로부터 보험금액청구권의 소멸시효가 진행한다(대판 2005.12.23, 2005다59383·59390).

8) 기한이익 상실특약이 있는 채권

정지조건부 기한이익 상실의 특약과 형성권적 기한이익 상실의 특약 중, ① 특별한 사정이 없으면 형성권적 기한이익 상실의 특약으로 추정한다. 이 경우 채권자가 잔액 전부에 대해 청구한 때에 한해 그때부터 잔액 전부에 대해 소멸시효가 진행하고, 잔액 전부에 대해 청구가 없는 경우에는 본래의 변제기별로 각각 소멸시효가 진행한다. 한편, ② 정지조건부 기한이익 상실의 특약이 있는 경우에는 기한이익상실의 사유가 발생한 때부터 소멸시효가 진행하고 지체책임도 발생한다(대판 1997.8.29, 97다12990).

9) 동시이행항변권이 붙은 채권 ★

부동산에 대한 매매대금 채권이 소유권이전등기 청구권과 동시이행의 관계에 있다고 할지라도 매도인은 매매대금의 지급기일 이후 언제라도 그 대금의 지급을 청구할 수 있는 것이며, 다만 매수인은 매도인으로부터 그 이전등기에 관한 이행의 제공을 받기까지 그 지급을 거절할 수 있는 데 지나지 아니하므로 매매대금 청구권은 그 지급기일 이후 시효의 진행에 걸린다(대판 1991.3.22, 90다9797).

소멸시효의 기산점 - 이행지체책임의 발생시기와의 비교

구분	소멸시효의 기산점	이행지체의 개시시점
확정기한부 권리(채무)	기한 도래	기한 도래 익일(제387조 제1항 전단)
불확정기한부 권리(채무)	객관적으로 기한이 도래한 때	채무자가 기한 도래를 안 때(제387조 제1항 후단)
기한 없는 권리(채무)	채권 성립 시(권리 발생 시)	채권자의 이행청구 시(또는 채무자가 이를 안 때 - 제387조 제2항)
채무불이행에 의한 손해배상청구권	① 이행지체의 경우 본래의 채권을 행사할 수 있는 때 ② 이행불능의 경우 불능 시로부터 진행(판례)	
불법행위에 의한 손해배상청구권	① 3년 - 손해 및 가해자를 안 날 ② 10년 - 불법행위를 한 날	불법행위 시
부당이득	기한의 정함이 없는 채권으로 그 성립 시	(타인의 토지를 점유함으로 인한) 부당이득반환의무는 이행의 기한이 없는 채무로서 이행청구를 받은 때로부터 지체책임이 있다(대판 2010.1.28, 2009다24187·24194).
정지조건부, 시기부 권리	조건, 기한 도래 시	조건, 기한 도래 시
동시이행항변권 붙은 채권	이행기 도래 시 (대판 1991.3.22, 90다9797)	이행제공 또는 이행제공의 계속 시
부작위채권	위반행위 시(제166조 제2항)	위반행위 시
청구나 해지통고 후 상당기간 경과시 효력이 발생하는 권리	상당기간 경과 시	상당기간 경과 시
선택채권	선택가능 시	

제3관 소멸시효기간(경과)

제162조【채권, 재산권의 소멸시효】
① 채권은 10년간 행사하지 아니하면 소멸시효가 완성한다.
② 채권 및 소유권 이외의 재산권은 20년간 행사하지 아니하면 소멸시효가 완성한다.
제163조【3년의 단기소멸시효】
다음 각 호의 채권은 3년간 행사하지 아니하면 소멸시효가 완성한다.
1. 이자, 부양료, 급료, 사용료 기타 1년 이내의 기간으로 정한 금전 또는 물건의 지급을 목적으로 한 채권
2. 의사, 조산원, 간호원 및 약사의 치료, 근로 및 조제에 관한 채권
3. 도급받은 자, 기사 기타 공사의 설계 또는 감독에 종사하는 자의 공사에 관한 채권
4. 변호사, 변리사, 공증인, 공인회계사 및 법무사에 대한 직무상 보관한 서류의 반환을 청구하는 채권
5. 변호사, 변리사, 공증인, 공인회계사 및 법무사의 직무에 관한 채권
6. 생산자 및 상인이 판매한 생산물 및 상품의 대가
7. 수공업자 및 제조자의 업무에 관한 채권

제164조【1년의 단기소멸시효】
다음 각 호의 채권은 1년간 행사하지 아니하면 소멸시효가 완성한다.
1. 여관, 음식점, 대석, 오락장의 숙박료, 음식료, 대석료, 입장료, 소비물의 대가 및 체당금의 채권
2. 의복, 침구, 장구 기타 동산의 사용료의 채권
3. 노역인, 연예인의 임금 및 그에 공급한 물건의 대금채권
4. 학생 및 수업자의 교육, 의식 및 유숙에 관한 교주, 숙주, 교사의 채권

제165조【판결 등에 의하여 확정된 채권의 소멸시효】
① 판결에 의하여 확정된 채권은 단기의 소멸시효에 해당한 것이라도 그 소멸시효는 10년으로 한다.
② 파산절차에 의하여 확정된 채권 및 재판상의 화해, 조정 기타 판결과 동일한 효력이 있는 것에 의하여 확정된 채권도 전항과 같다.
③ 전2항의 규정은 판결확정 당시에 변제기가 도래하지 아니한 채권에 적용하지 아니한다.

1. 변론주의의 적용 여부

소멸시효 항변은 당사자의 주장이 있어야만 법원의 판단대상이 되는지 여부(적극) 및 이때 어떤 시효기간이 적용되는지에 관한 주장에 변론주의가 적용되는지 여부(소극) / 당사자가 민법에 따른 소멸시효기간을 주장한 경우, 법원이 직권으로 상법에 따른 소멸시효기간을 적용할 수 있는지 여부(적극) ★

민사소송절차에서 변론주의 원칙은 권리의 발생·변경·소멸이라는 법률효과 판단의 요건이 되는 주요사실에 관한 주장·증명에 적용된다. 따라서 권리를 소멸시키는 소멸시효 항변은 변론주의의 원칙에 따라 당사자의 주장이 있어야만 법원의 판단대상이 된다. 그러나 이 경우 어떤 시효기간이 적용되는지에 관한 주장은 권리의 소멸이라는 법률효과를 발생시키는 요건을 구성하는 사실에 관한 주장이 아니라 단순히 법률의 해석이나 적용에 관한 의견을 표명한 것이다. 이러한 주장에는 변론주의가 적용되지 않으므로 법원이 당사자의 주장에 구속되지 않고 직권으로 판단할 수 있다. 당사자가 민법에 따른 소멸시효기간을 주장한 경우에도 법원은 직권으로 상법에 따른 소멸시효기간을 적용할 수 있다(대판 2017.3.22, 2016다258124).

소멸시효기간에 관한 주장에 변론주의가 적용되는지 여부(소극)
어떤 권리의 소멸시효기간이 얼마나 되는지에 관한 주장은 단순한 법률상의 주장에 불과하여 변론주의의 적용 대상이 되지 않으므로 법원이 직권으로 판단할 수 있다(대판 2023.12.14, 2023다248903).

→ [보충] : ① 국가배상법 제2조 제1항 본문 전단 규정에 따른 배상청구권은 금전의 급부를 목적으로 하는 국가에 대한 권리로서 국가재정법 제96조 제2항, 제1항이 적용되므로 이를 5년간 행사하지 아니할 때에는 시효로 인하여 소멸한다. 소멸시효는 객관적으로 권리가 발생하여 그 권리를 행사할 수 있는 때로부터 진행하고 그 권리를 행사할 수 없는 동안은 진행하지 않으나, '권리를 행사할 수 없는' 경우란 권리행사에 법률상의 장애사유가 있는 경우를 의미하고 사실상 권리의 존재나 권리행사 가능성을 알지 못하였고 알지 못함에 과실이 없다고 하여도 이에 해당하지 않는다. ② 甲의 모친인 乙이 협의이혼 후 甲의 부친이 친권을 행사하였고, 甲은 세월호사고로 사망하였는데, 그 후 甲의 사망사실을 뒤늦게 알게 된 乙이 국가를 상대로 손해배상을 구한 사안에서, ⅰ) 乙 고유의 위자료채권은 금전의 급부를 목적으로 하는 국가에 대한 권리이므로 국가재정법에 따른 5년의 소멸시효기간이 적용되고, 권리의 행사에 법률상의 장애사유가 없는 한 그 권리를 행사할 수 있는 때로부터 진행하므로, 세월호사고 당시 해양경찰서 소속 공무원에 대한 업무상과실치사죄의 유죄판결이 확정된 날로부터 기산하더라도 소멸시효기간이 경과하였다고 볼 여지가 크며, ⅱ) 한편 甲의 일실수입 및 위자료채권은 상속재산에 속한 권리로서 상속인이 확정된 때로부터 6월간 소멸시효가 정지되는데, 乙에 대하여 상속의 효과가 확정된 때는 乙이 甲의 사망사실을 알게 된 날 이후이고, 그로부터 6월의 소멸시효 정지기간이 지나기 전에 乙이 소를 제기하였으므로, 甲의 일실수입 및 위자료채권에 대한 乙의 상속분은 소멸시효가 완성되지 않았다고 한 사례이다.

2. 시효기간

(1) 일반채권

보통의 채권이란 제163조 내지 제165조에서 규정하고 있는 채권 및 기타 민법이나 다른 법률에서 특별히 규정하고 있는 채권을 제외한 모든 채권으로서 소멸시효기간은 10년이고, 채권 및 소유권 이외의 재산권은 20년간 행사하지 아니하면 소멸시효가 완성한다.

(2) 3년의 단기소멸시효기간에 걸리는 채권

① **이자 기타 1년 이내의 기간으로 정한 금전 또는 물건의 지급을 목적으로 한 채권** : 1년 이내의 기간으로 정한 채권이란 1년 이내의 정기에 지급되는 채권을 의미하지 변제기가 1년 이내의 채권이라는 의미는 아니다(대판 1996.9.20, 96다25302). 나아가 판례는 (ㄱ) 이자채권이라도 1년 이내의 정기지급이 아닌 이상 3년의 단기소멸시효에 걸리지 않는다고 하고, (ㄴ) 지연손해금은 민법 제163조 제1호 소정의 1년 이내의 기간으로 정한 이자에 해당되지 않으며 본래의 원본채권과 동일성을 유지한다고 한다(대판 1991.5.14, 91다7156). 즉 손해배상청구권의 소멸시효기간은 계약이 체결되었을 때 취득하게 될 이행청구권에 적용되는 소멸시효기간에 따르고, 또한 채무불이행으로 인한 손해배상청구권의 소멸시효는 채무불이행시로부터 진행한다고 하였다(대판 2005.1.14, 2002다57119).

지연손해금의 법적 성질(손해배상금) **및 그 소멸시효기간** ★
금전채무의 이행지체로 인하여 발생하는 지연손해금은 그 성질이 손해배상금이지 이자가 아니며, 민법 제163조 제1호가 규정한 '1년 이내의 기간으로 정한 채권'도 아니므로 3년간의 단기소멸시효의 대상이 되지 아니한다(대판 1998.11.10, 98다42141).
→ [보충] : 지연손해금은 원본채권과 동일성이 유지되므로, 소멸시효기간도 원본채권과 동일하다.

② 도급받은 자, 기사 기타 공사의 설계 또는 감독에 종사하는 자의 공사에 관한 채권 : 판례는 도급을 받은 자의 공사에 관한 채권에서 '채권'은 도급받은 공사의 공사대금채권뿐만 아니라 그 공사에 부수되는 채권도 포함하는 것이라고 한다(대판 2002.11.8, 2002다28685).

건물신축공사의 하수급인이 수급인에 대하여 민법 제666조 저당권설정청구권을 가지는지 여부 및 민법 제666조 저당권설정청구권의 소멸시효기간 및 소멸시효 기산점(대판 2016.10.27, 2014다211978) ★★★
[1] 부동산에 관한 공사도급의 경우에 수급인의 노력과 출재로 완성된 목적물의 소유권은 원칙적으로 수급인에게 귀속되지만 도급인과 수급인 사이의 특약에 의하여 달리 정하거나 기타 특별한 사정이 있으면 도급인이 원시취득하게 되므로, 민법 제666조는 그러한 경우에 수급인에게 목적물에 대한 저당권설정청구권을 부여함으로써 수급인이 목적물로부터 공사대금을 사실상 우선적으로 변제받을 수 있도록 하고 있다. 이에 비추어, 건물신축공사에 관한 도급계약에서 수급인이 자기의 노력과 출재로 건물을 완성하여 그 소유권이 수급인에게 귀속된 경우에는 수급인으로부터 건물신축공사 중 일부를 도급받은 하수급인도 수급인에 대하여 민법 제666조에 따른 저당권설정청구권(이하 '저당권설정청구권'이라고 한다)을 가진다고 할 것이다. 한편 도급받은 공사의 공사대금채권은 민법 제163조 제3호에 따라 3년의 단기소멸시효가 적용되고, 그 공사에 부수되는 채권도 마찬가지라고 할 것인데, 저당권설정청구권은 공사대금채권을 담보하기 위하여 저당권설정등기 절차의 이행을 구하는 채권적 청구권으로서 공사에 부수되는 채권에 해당하므로 그 소멸시효기간 역시 3년이라고 보아야 한다.
[2] 건물신축공사에서 하수급인의 수급인에 대한 저당권설정청구권은 수급인이 건물의 소유권을 취득하면 성립하고 특별한 사정이 없는 한 그때부터 그 권리를 행사할 수 있다고 할 것이지만, 건물 소유권의 귀속주체는 하수급인의 관여 없이 도급인과 수급인 사이에 체결된 도급계약의 내용에 따라 결정되는 것이고, 더구나 건물이 완성된 이후 그 소유권 귀속에 관한 법적 분쟁이 계속되는 등으로 하수급인이 수급인을 상대로 저당권설정청구권을 행사할 수 있는지 여부를 객관적으로 알기 어려운 상황에 있어 과실 없이 이를 알지 못한 경우에도 그 청구권이 성립한 때부터 소멸시효가 진행한다고 보는 것은 정의와 형평에 맞지 않을 뿐만 아니라 소멸시효 제도의 존재이유에도 부합한다고 볼 수 없다. 그러므로 이러한 경우에는 객관적으로 하수급인이 저당권설정청구권을 행사할 수 있음을 알 수 있게 된 때부터 소멸시효가 진행한다고 보는 것이 타당하다(대판 1993.7.13, 92다39822, 대판 2003.2.11, 99다66427 · 73371 등 참조).

건설공사에 관한 도급계약이 상행위에 해당하는 경우, 수급인의 하자담보책임의 소멸시효기간(=5년) **및 그 기산점**
① 건설공사에 관한 도급계약이 상행위에 해당하는 경우 그 도급계약에 근거한 수급인의 하자담보책임은 상법 제64조 본문에 의하여 원칙적으로 5년의 소멸시효에 걸리고, ② 그 소멸시효기간은 민법 제166조 제1항에 따라 그 권리를 행사할 수 있는 때인 하자가 발생한 시점부터 진행하는 것이 원칙이나, 그 하자가 건물의 인도 당시부터 이미 존재하고 있는 경우에는 이와 관련한 하자보수를 갈음하는 손해배상채권의 소멸시효기간은 건물을 인도한 날부터 진행한다(대판 2021.8.12, 2021다210195).

③ 생산자 및 상인이 판매한 생산물 및 상품의 대가 : ⅰ) 상인이 판매한 상품의 대가로서 3년의 단기소멸시효에 걸린다. 상사채권이라고 하여 5년의 소멸시효에 걸리는 것이 아님을 유의한다. 또한 3년의 단기소멸시효가 적용되는 상인이 판매한 상품의 대가란 상품의 매매로 인한 대금 그 자체의 채권만을 말하는 것으로서 상품의 공급 자체와 등가성 있는 청구권에 한하므로, 위탁매매에 있어 위탁자의 위탁상품 공급으로 인한 위탁매매인에 대한 이득반환청구권이나 이행담보책임이행청구권은 여기에 해당하지 않고, 다른 특별한 사정이 없는 한 통상의 상행위로 인하여 발생한 채권이어서 상법 제64조 소정의 5년의 상사시효의 대상이 된다(대판 1996.1.23, 95다39854). 반면 ⅱ) 상행위로 생긴 채권은 상법 제64조 본문에 의해 5년의 시효에 걸리는바, 당사자 쌍방에 대하여 모두 상행위가 되는 행위로 인한 채권뿐만 아니라 당사자 일방에 대하여만 상행위에 해당하는 행위로 인한 채권도 상법 제64조 소정의 5년의 소멸시효기간이 적용되고, 그 상행위에는 기본적 상행위뿐만 아니라 상인이 영업을 위하여 하는 보조적 상행위도 포함된다(대판 2006.4.27, 2006다1381).

보호의무 인정 여부 및 그 위반에 따른 손해배상청구권의 소멸시효기간(대판 2021.8.19, 2018다270876)

[1] 사용자가 근로계약에 수반되는 신의칙상의 부수적 의무로서 근로자의 안전에 대한 보호의무를 부담하는지 여부(적극) 및 이를 위반하여 근로자가 손해를 입은 경우 손해배상책임을 지는지 여부(적극)
사용자는 근로계약에 수반되는 신의칙상의 부수적 의무로서 근로자가 노무를 제공하는 과정에서 생명, 신체, 건강을 해치는 일이 없도록 인적·물적 환경을 정비하는 등 필요한 조치를 강구하여야 하는 보호의무를 부담하고, 이러한 보호의무를 위반하여 근로자가 손해를 입었다면 이를 배상할 책임을 진다.

[2] 근로계약상 보호의무 위반에 따른 근로자의 손해배상청구권에 대하여 10년의 민사 소멸시효기간이 적용되는지 여부(원칙적 적극)
상법 제64조에서 5년의 상사시효를 정하는 것은 대량, 정형, 신속이라는 상거래 관계 특성상 법률관계를 신속하게 해결할 필요성이 있기 때문이다. 사용자가 상인으로서 영업을 위하여 근로자와 체결하는 근로계약이 보조적 상행위에 해당하더라도 사용자가 근로계약에 수반되는 신의칙상의 부수적 의무인 보호의무를 위반하여 근로자에게 손해를 입힘으로써 발생한 근로자의 손해배상청구와 관련된 법률관계는 근로자의 생명, 신체, 건강 침해 등으로 인한 손해의 전보에 관한 것으로서 그 성질상 정형적이고 신속하게 해결할 필요가 있다고 보기 어렵다. 따라서 근로계약상 보호의무 위반에 따른 근로자의 손해배상청구권은 특별한 사정이 없는 한 10년의 민사 소멸시효기간이 적용된다고 봄이 타당하다.

부당이득반환청구권의 소멸시효기간의 문제(대판 2021.6.24, 2020다208621 ; 대판 2021.8.19, 2018다258074) ★

[1] 부당이득반환청구권에 5년의 소멸시효를 정한 상법 제64조가 적용되는 경우
① 상행위인 계약의 무효로 인한 부당이득반환청구권은 민법 제741조의 부당이득 규정에 따라 발생한 것으로서 특별한 사정이 없는 한 민법 제162조 제1항이 정하는 10년의 민사 소멸시효기간이 적용되나, ② 부당이득반환청구권이라도 그것이 상행위인 계약에 기초하여 이루어진 급부 자체의 반환을 구하는 것으로서, 그 채권의 발생 경위나 원인, 당사자의 지위와 관계 등에 비추어 그 법률관계를 상거래 관계와 같은 정도로 신속하게 해결할 필요성이 있는 경우 등에는 5년의 소멸시효를 정한 상법 제64조가 (유추)적용된다. 이러한 법리는 실제로 발생하지 않은 보험사고의 발생을 가장하여 청구·수령된 보험금 상당의 부당이득반환청구권의 경우에도 마찬가지로 적용할 수 있다. ③ 그러나 이와 달리 부당이득반환청구권의 내용이 급부 자체의 반환을 구하는 것이 아니거나, 위와 같은 신속한 해결 필요성이 인정되지 않는 경우라면 특별한 사정이 없는 한 상법 제64조는 적용되지 않고 10년의 민사소멸시효기간이 적용된다.

[2] 위법배당에 따른 부당이득반환청구권의 소멸시효기간(=10년)

회사는 대차대조표의 순자산액으로부터 자본의 액, 그 결산기까지 적립된 자본준비금과 이익준비금의 합계액, 그 결산기에 적립하여야 할 이익준비금의 액을 공제한 액을 한도로 하여 이익의 배당을 할 수 있고(상법 제462조 제1항), 일정한 요건을 갖추면 중간배당을 할 수 있지만 이때에도 배당 가능한 이익이 있어야 한다(상법 제462조의3 제1항, 제2항). 만약 회사가 배당 가능한 이익이 없음에도 이익의 배당이나 중간배당을 하였다면 위 조항에 반하는 것으로 무효라 할 것이므로 회사는 배당을 받은 주주에게 부당이득반환청구권을 행사할 수 있다. 이익의 배당이나 중간배당은 회사가 획득한 이익을 내부적으로 주주에게 분배하는 행위로서 회사가 영업으로 또는 영업을 위하여 하는 상행위가 아니므로 배당금지급청구권은 상법 제64조가 적용되는 상행위로 인한 채권이라고 볼 수 없다. 이에 따라 위법배당에 따른 부당이득반환청구권 역시 근본적으로 상행위에 기초하여 발생한 것이라고 볼 수 없다. 특히 배당가능이익이 없는데도 이익의 배당이나 중간배당이 실시된 경우 회사나 채권자가 주주로부터 배당금을 회수하는 것은 회사의 자본충실을 도모하고 회사 채권자를 보호하는 데 필수적이므로, 회수를 위한 부당이득반환청구권 행사를 신속하게 확정할 필요성이 크다고 볼 수 없다. 따라서 위법배당에 따른 부당이득반환청구권은 민법 제162조 제1항이 적용되어 10년의 민사소멸시효에 걸린다고 보아야 한다.

보험계약자가 다수의 계약을 통하여 보험금을 부정 취득할 목적으로 체결한 보험계약이 민법 제103조에 따라 무효인 경우, 보험금에 대한 부당이득반환청구권에 상법 제64조를 유추적용하여 5년의 상사 소멸시효기간이 적용되는지 여부(적극)

보험계약자가 다수의 계약을 통하여 보험금을 부정 취득할 목적으로 보험계약을 체결하여 그것이 민법 제103조에 따라 선량한 풍속 기타 사회질서에 반하여 무효인 경우 보험자의 보험금에 대한 부당이득반환청구권은 상법 제64조를 유추적용하여 5년의 상사 소멸시효기간이 적용된다고 봄이 타당하다(대판(전) 2021.7.22, 2019다277812). 상세한 이유는 다음과 같다.

① 보험계약이 선량한 풍속 기타 사회질서에 반하여 무효인 경우 보험자가 반환을 구하는 것은 기본적 상행위인 보험계약(상법 제46조 제17호)에 기초하여 그에 따른 의무 이행으로 지급된 보험금이다. 이러한 반환청구권은 보험계약의 이행과 밀접하게 관련되어 있어 그 이행청구권에 대응하는 것이다.

② 보험계약자가 다수의 계약을 통하여 보험금을 부정 취득할 목적으로 보험계약을 체결한 경우는 보험자가 상행위로 보험계약을 체결하는 과정에서 드물지 않게 발생하는 전형적인 무효사유의 하나이다. 이때에는 사안의 특성상 복수의 보험계약이 관련되므로 여러 보험자가 각자 부당이득반환청구권을 갖게 되거나 하나의 보험자가 여러 개의 부당이득반환청구권을 갖게 되는데, 이러한 법률관계는 실질적으로 동일한 원인에서 발생한 것이므로 정형적으로 신속하게 처리할 필요가 있다.

③ 보험계약자가 보험료의 반환을 청구하려면 상법 제648조에 따라 보험계약자와 피보험자나 보험수익자가 모두 선의이고 중과실이 없어야 하고, 보험계약자의 보험금 청구권이나 보험료 반환채권에는 상법 제662조에 따라 3년의 단기 소멸시효기간이 적용된다. 그러나 상법 제648조나 제662조는 그 문언상 보험자의 보험금 반환청구권에는 적용되지 않음이 명백하고, 위 규정들이 보험계약 무효의 특수성 등을 감안한 입법정책적 결단인 이상 이를 보험자가 보험금 반환을 청구하는 경우에까지 확장하거나 유추하여 적용하는 것은 적절하지 않다.

기부채납의 법적 성질(=증여계약) **및 지방자치단체와 상인인 기부자 사이에 체결된 기부채납 약정에 근거한 채권에 5년의 상사 소멸시효기간이 적용되는지 여부**(적극)

기부채납이란 지방자치단체 외의 자가 부동산 등의 소유권을 무상으로 지방자치단체에 이전하여 지방자치단체가 이를 취득하는 것으로서, 기부자가 재산을 지방자치단체의 공유재산으로 증여하는 의사표시를 하고 지방자치단체가 이를 승낙하는 채납의 의사표시를 함으로써 성립하는 증여계약에 해당한다. 당사자 쌍방에 대하여 모두 상행위가 되는 행위로 인한 채권뿐만 아니라 당사자 일방에 대하여만 상행위에 해당하는 행위로 인한 채권도 상법 제64조에 정해진 5년의 소멸시효기간이 적용되는 상사채권에 해당한다. 이 경우 상행위에는 상법 제46조 각호에 해당하는 기본적 상행위뿐만 아니라 상인이 영업을 위하여 하는 보조적 상행위(상법 제47조)도 포함되고, 상인이 영업을 위하여 하는 행위는 상행위로 보되 상인의 행위는 영업을 위하여 하는 것으로 추정된다. 따라서 기부자가 상인인 경우 지방자치단체와 그 기부자 사이에 체결된 기부채납 약정은 다른 사정이 없는 한 상인이 영업을 위하여 한 보조적 상행위에 해당하므로, 그러한 기부채납 약정에 근거한 채권에는 5년의 상사 소멸시효기간이 적용된다. 따라서 지방자치단체의 소유권이전등기청구권에는 5년의 상사 소멸시효기간이 적용된다(대판 2022.4.28, 2019다272053).

공익사업을 위한 토지 등의 취득 및 보상에 관한 법률에 따른 협의취득으로 체결된 부동산 매매계약에서 당사자 일방이 상인인 경우, 매도인의 채무불이행책임이나 하자담보책임에 따른 매수인의 손해배상채권에 대하여 상사소멸시효가 적용되는지 여부(적극) ★

① 당사자 일방에 대하여만 상행위에 해당하는 행위로 인한 채권도 상법 제64조에서 정한 5년의 소멸시효기간이 적용되는 상사채권에 해당하는데, 여기서 말하는 상행위에는 기본적 상행위(상법 제46조 각 호)뿐만 아니라 상인이 영업을 위하여 하는 보조적 상행위(상법 제47조)도 포함되고, 상인의 행위는 영업을 위하여 하는 것으로 추정된다. ② 이때 매매계약이 상행위에 해당하는 경우 매매계약에 의해 직접 생긴 채권뿐만 아니라 매도인의 채무불이행책임이나 하자담보책임에 기한 매수인의 손해배상채권에 대해서도 상사소멸시효가 적용된다. ③ 한편 공익사업을 위한 토지 등의 취득 및 보상에 관한 법률(이하 '토지보상법'이라 한다)에 의한 협의취득은 사법상의 매매계약에 해당한다. 따라서 상인이 그 소유 부동산을 매도하기 위해 체결한 매매계약은 영업을 위하여 한 것으로 추정되고, 그와 같은 추정은 매매계약이 토지보상법에 의한 협의취득이라는 사정만으로 번복되지 않는다. 결국 당사자 일방이 상인인 경우에는 토지보상법에 의한 협의취득으로 체결된 부동산 매매계약이라고 하더라도 다른 사정이 없는 한 보조적 상행위에 해당하므로, 매도인의 채무불이행책임이나 하자담보책임에 기한 매수인의 손해배상채권에 대해서는 상사소멸시효가 적용된다(대판 2022.7.14, 2017다242232).

세무사의 직무에 관한 채권의 소멸시효기간(대판 2022.8.25, 2021다311111) ★

[1] 변호사, 변리사, 공증인, 공인회계사 및 법무사의 직무에 관한 채권의 소멸시효기간을 3년으로 정한 민법 제163조 제5호가 세무사 등 유사한 직무를 수행하는 다른 자격사의 직무에 관한 채권에 대하여 유추적용되는지 여부(소극)

민법은 1958.2.22. 법률 제471호로 제정되면서 제163조를 두어 3년의 단기 소멸시효가 적용되는 채권을 규정하였고, 그중 제5호에서는 '변호사, 변리사, 공증인, 계리사 및 사법서사의 직무에 관한 채권'을 규정하였다. 그 후 민법이 1997.12.13. 법률 제5431호로 개정되면서 계리사를 공인회계사로, 사법서사를 법무사로 법령에 맞게 용어를 바꾸었을 뿐 그 내용의 변경은 없었다. 한편 세무사 제도는 민법 제정 이후인 1961.9.9. 법률 제712호로 세무사법이 제정되면서 마련되었다. 이러한 법령의 제 · 개정 경과 및 단기 소멸시효를 규정하고 있는 취지에다가 '직무에 관한 채권'은 직무의 내용이 아닌 직무를 수행하는 주체의 관점에서 보아야 하는 점, 민법 제163조 제5호에서 정하고 있는 자격사 외의 다른 자격사의 직무에 관한 채권에도 단기 소멸시효 규정이 유추적용된다고 해석한다면 어떤 채권이 그 적용 대상이 되는지 불명확하게 되어 법적 안정성을 해하게 되는 점 등을 종합적으로 고려하면, 민법 제163조 제5호에서 정하고 있는 '변호사, 변리사, 공증인, 공인회계사 및 법무사의 직무에 관한 채권'에만 3년의 단기 소멸시효가 적용되고, 세무사와 같이 그들의 직무와 유사한 직무를 수행하는 다른 자격사의 직무에 관한 채권에 대하여는 민법 제163조 제5호가 유추적용된다고 볼 수 없다.

[2] 세무사를 상법 제4조 또는 제5조 제1항이 규정하는 상인이라고 볼 수 있는지 여부(소극) 및 세무사의 직무에 관한 채권의 소멸시효기간(=10년)

세무사의 직무에 관하여 고도의 공공성과 윤리성을 강조하고 있는 세무사법의 여러 규정에 비추어 보면,

개별 사안에 따라 전문적인 세무지식을 활용하여 직무를 수행하는 세무사의 활동은 간이 · 신속하고 외관을 중시하는 정형적인 영업활동, 자유로운 광고 · 선전을 통한 영업의 활성화 도모, 인적 · 물적 영업기반의 자유로운 확충을 통한 최대한의 효율적인 영리 추구 허용 등을 특징으로 하는 상인의 영업활동과는 본질적으로 차이가 있다. 그리고 세무사의 직무와 관련하여 형성된 법률관계에 대하여는 상인의 영업활동 및 그로 인해 형성된 법률관계와 동일하게 상법을 적용하여야 할 특별한 사회경제적 필요 내지 요청이 있다고 볼 수도 없다. 따라서 세무사를 상법 제4조 또는 제5조 제1항이 규정하는 상인이라고 볼 수 없고, 세무사의 직무에 관한 채권이 상사채권에 해당한다고 볼 수 없으므로, 세무사의 직무에 관한 채권에 대하여는 민법 제162조 제1항에 따라 10년의 소멸시효가 적용된다.

(3) 1년의 단기소멸시효기간에 걸리는 채권

① 숙박료, 음식료 채권 : 숙박료와 음식료로 구성되어 있는 위 리조트 사용료 채권은 민법 제164조 제1호에 정한 '숙박료 및 음식료 채권'으로서 소멸시효기간은 1년이고, 이와 달리 민법 제163조 제1호의 '사용료 기타 1년 이내의 기간으로 정한 금전의 지급을 목적으로 한 채권'으로서 소멸시효기간이 3년이라고 볼 수 없다(대판 2020.2.13, 2019다271012).

② 노역인의 임금채권 : 일정한 채권의 소멸시효기간에 관하여 이를 특별히 1년의 단기로 정하는 민법 제164조는 그 각 호에서 개별적으로 정하여진 채권의 채권자가 그 채권의 발생원인이 된 계약에 기하여 상대방에 대하여 부담하는 반대채무에 대하여는 적용되지 아니한다. 따라서 그 채권의 상대방이 그 계약에 기하여 가지는 반대채권은 원칙으로 돌아가, 다른 특별한 사정이 없는 한 민법 제162조 제1항에서 정하는 10년의 일반소멸시효기간의 적용을 받는다(대판 2013.11.14, 2013다65178).

3. 재판의 확정과 시효기간의 연장

(1) 제165조의 의의

① 민법 제165조의 규정은 10년보다 장기의 소멸시효기간을 10년으로 단축한다는 의미도 아니며 본래 소멸시효의 대상이 아닌 권리가 확정판결을 받음으로써 10년의 소멸시효에 걸린다는 뜻도 아니다(대판 1981.3.24, 80다1888 · 1889). 따라서 20년의 소멸시효에 걸리는 지상권, 지역권에 관한 판결이 확정되었다 하더라도 소멸시효 기간이 10년으로 단축되지 않고, 소멸시효에 걸리지 않는 저당권에 관한 판결이 확정되었다 하더라도 소멸시효 기간이 10년이 되는 것이 아니다.

② 파산절차, 재판상 화해, 조정, 인낙조서, 확정된 지급명령은 판결과 동일하다.

③ 지급명령에서 확정된 채권은 단기의 소멸시효에 해당하는 것이라도 그 소멸시효기간이 10년으로 연장된다(대판 2009.9.24, 2009다39530).[33]

33) 민소법 제474조 지급명령은 확정판결과 같은 효력이 있다고 규정한 것은 지급명령으로 확정된 채권의 소멸시효기간을 10년으로 하기 위한 목적이므로, 기판력이 없지만, 이에 포함하는 것으로 해석한다.

법원이 판결로 소송비용의 부담을 정하는 재판을 하면서 그 액수를 정하지 않은 경우, 소송비용상환청구권의 소멸시효의 기산점(=소송비용부담의 재판에 해당하는 판결 확정 시) **및 이때 민법 제165조 제1항에서 정한 10년의 소멸시효가 적용되는지 여부**(소극) **/ 국가의 소송비용상환청구권의 소멸시효기간**(=5년)

민법 제165조는 제1항에서 "판결에 의하여 확정된 채권은 단기의 소멸시효에 해당한 것이라도 그 소멸시효는 10년으로 한다."라고 정하면서 제3항에서 '판결 확정 당시에 변제기가 도래하지 않은 채권에 대해서는 민법 제165조 제1항이 적용되지 않는다.'고 정하고 있다. 소송에서 법원이 판결로 소송비용의 부담을 정하는 재판을 하면서 그 액수를 정하지 않은 경우 소송비용부담의 재판이 확정됨으로써 소송비용상환의무의 존재가 확정되지만, 당사자의 신청에 따라 별도로 민사소송법 제110조에서 정한 소송비용액확정결정으로 구체적인 소송비용 액수가 정해지기 전까지는 그 의무의 이행기가 도래한다고 볼 수 없고 이행기의 정함이 없는 상태로 유지된다. 위와 같이 발생한 소송비용상환청구권은 소송비용부담의 재판에 해당하는 판결 확정 시 발생하여 그때부터 소멸시효가 진행하지만, 민법 제165조 제3항에 따라 민법 제165조 제1항에서 정한 10년의 소멸시효는 적용되지 않는다. 따라서 국가의 소송비용상환청구권은 금전의 급부를 목적으로 하는 국가의 권리로서 국가재정법 제96조 제1항에 따라 5년 동안 행사하지 않으면 소멸시효가 완성된다고 보아야 한다(대결 2021.7.29, 2019마6152).

(2) 제165조의 인적 적용범위

① 민법 제165조는 당해 판결 등의 당사자 사이에 한하여 발생하는 효력에 관한 것이고, 채권자와 주채무자 사이의 판결 등에 의해 채권이 확정되어 그 소멸시효가 10년으로 되었다 할지라도 위 당사자 이외의 채권자와 연대보증인 사이에 있어서는 위 확정판결 등은 그 시효기간에 대하여는 아무런 영향이 없고, 연대보증인의 연대보증채무의 소멸시효기간은 여전히 종전의 소멸시효기간에 따른다고 보아야 한다(대판 1986.11.25, 86다카1569).

② 다만, 시효중단의 효력은 당연히 보증인에게도 미친다(제440조).

확정판결로 주채무의 소멸시효기간이 10년으로 연장된 경우, 보증채무의 소멸시효기간도 10년으로 연장되는지 여부(소극) ★★★

채권자와 주채무자 사이의 확정판결에 의하여 주채무가 확정되어 그 소멸시효기간이 10년으로 연장되었다 할지라도 그 보증채무까지 당연히 단기소멸시효의 적용이 배제되어 10년의 소멸시효기간이 적용되는 것은 아니고, 채권자와 연대보증인 사이에 있어서 연대보증채무의 소멸시효기간은 여전히 종전의 소멸시효기간에 따른다(대판 2006.8.24, 2004다26287 · 26294).

유치권의 피담보채권의 소멸시효기간이 확정판결 등에 의하여 10년으로 연장된 경우, 유치권이 성립된 부동산의 매수인이 종전의 단기소멸시효를 원용할 수 있는지 여부(소극) ★★★

유치권이 성립된 부동산의 매수인은 피담보채권의 소멸시효가 완성되면 시효로 인하여 채무가 소멸되는 결과 직접적인 이익을 받는 자에 해당하므로 소멸시효의 완성을 원용할 수 있는 지위에 있다고 할 것이나, 매수인은 유치권자에게 채무자의 채무와는 별개의 독립된 채무를 부담하는 것이 아니라 단지 채무자의 채무를 변제할 책임을 부담하는 점 등에 비추어 보면, 유치권의 피담보채권의 소멸시효기간이 확정판결 등에 의하여 10년으로 연장된 경우 매수인은 그 채권의 소멸시효기간이 연장된 효과를 부정하고 종전의 단기소멸시효기간을 원용할 수는 없다(대판 2009.9.24, 2009다39530).

제3절 소멸시효의 중단과 정지

제1관 소멸시효의 중단

제168조【소멸시효의 중단사유】
소멸시효는 다음 각 호의 사유로 인하여 중단된다.
1. 청구
2. 압류 또는 가압류, 가처분
3. 승인 → 승인의 법적 성질은 관념의 통지이며, 소멸시효의 진행이 개시되기 전에는 승인을 할 수 없고, 시효중단의 효력 있는 승인에는 상대방의 권리에 관한 처분의 능력이나 권한 있음을 요하지 아니한다(제177조). 다만, 반대해석상 상대방의 권리에 관한 관리능력이나 관리권한은 있어야 한다.

제169조【시효중단의 효력】
시효의 중단은 당사자 및 그 승계인 간에만 효력이 있다.

제170조【재판상의 청구와 시효중단】
① 재판상의 청구는 소송의 각하, 기각 또는 취하의 경우에는 시효중단의 효력이 없다.
② 전항의 경우에 6월 내에 재판상의 청구, 파산절차참가, 압류 또는 가압류, 가처분을 한 때에는 시효는 최초의 재판상 청구로 인하여 중단된 것으로 본다.

제171조【파산절차참가와 시효중단】
파산절차참가는 채권자가 이를 취소하거나 그 청구가 각하된 때에는 시효중단의 효력이 없다.

제172조【지급명령과 시효중단】
지급명령은 채권자가 법정기간 내에 가집행신청을 하지 아니함으로 인하여 그 효력을 잃은 때에는 시효중단의 효력이 없다.

제173조【화해를 위한 소환, 임의출석과 시효중단】
화해를 위한 소환은 상대방이 출석하지 아니하거나 화해가 성립되지 아니한 때에는 1월 내에 소를 제기하지 아니하면 시효중단의 효력이 없다. 임의출석의 경우에 화해가 성립되지 아니한 때에도 그러하다.

제174조【최고와 시효중단】
최고는 6월 내에 재판상의 청구, 파산절차참가, 화해를 위한 소환, 임의출석, 압류 또는 가압류, 가처분을 하지 아니하면 시효중단의 효력이 없다. → 재판상 청구가 각하, 기각 또는 취하된 경우와 달리 최고의 경우에는 화해를 위한 소환, 임의출석도 포함된다는 점에서 다르다는 점에 주의를 요한다.

제175조【압류, 가압류, 가처분과 시효중단】
압류, 가압류 및 가처분은 권리자의 청구에 의하여 또는 법률의 규정에 따르지 아니함으로 인하여 취소된 때에는 시효중단의 효력이 없다.

제176조【압류, 가압류, 가처분과 시효중단】
압류, 가압류 및 가처분은 시효의 이익을 받을 자에 대하여 하지 아니한 때에는 이를 그에게 통지한 후가 아니면 시효중단의 효력이 없다.

제177조【승인과 시효중단】
시효중단의 효력 있는 승인에는 상대방의 권리에 관한 처분의 능력이나 권한 있음을 요하지 아니한다.

> **제178조【중단 후의 시효진행】**
> ① 시효가 중단된 때에는 중단까지에 경과한 시효기간은 이를 산입하지 아니하고 중단사유가 종료한 때로부터 새로이 진행한다.
> ② 재판상의 청구로 인하여 중단된 시효는 전항의 규정에 의하여 재판이 확정된 때로부터 새로이 진행한다.

Ⅰ. 의의

① 시효중단이란 법이 정하는 일정한 사유가 발생하면 그때까지 진행된 시효기간을 무(無)로 돌리고 시효기간이 전혀 진행하지 않았던 것으로 만드는 것을 말한다.

② 따라서 시효의 중단에 있어서는 일정한 사유(중단사유)가 생기면 그때까지 경과한 시효기간은 법적으로 무의미하여 산입하지 아니하고, 그 사유가 종료한 때로부터 다시 새로운 시효기간이 진행을 개시한다. 다만 이미 완성된 소멸시효의 중단은 허용되지 않는다(대판 2010.3.11, 2009다100098).

③ 이 점에서 일단 진행된 시효기간을 그대로 유효하게 인정하는 소멸시효의 정지와 구별된다.

④ 시효중단사유의 주장・입증책임은 시효완성을 다투는 당사자가 지며, 그 주장책임의 정도는 취득시효가 중단되었다는 명시적인 주장을 필요로 하는 것이 아니라 중단사유에 속하는 사실만 주장하면 주장책임을 다한 것으로 보아야 한다(대판 1997.4.25, 96다46484).

Ⅱ. 시효중단의 사유

1. 청구

청구란 권리자가 그의 권리를 주장하여 행사하는 것을 말한다. 이에는 재판상 청구, 파산절차참가, 지급명령, 화해를 위한 소환, 임의출석, 최고 등이 있다. 이 중 특히 문제되는 것은 다음과 같다.

> **임차인이 임대차 종료 후 동시이행항변권을 근거로 임차목적물을 계속 점유하고 있는 경우, 보증금반환채권에 대한 소멸시효가 진행하는지 여부**(소극) ★★★
> ① 소멸시효는 권리자가 권리를 행사할 수 있는데도 일정한 기간 권리를 행사하지 않은 경우에 권리의 소멸이라는 법률효과가 발생하는 제도이다. 이것은 시간의 흐름에 따라 법률관계가 점점 불명확해지는 것에 대처하기 위한 제도로서, 일정 기간 계속된 사회질서를 유지하고 시간이 지남에 따라 곤란해지는 증거보전으로부터 채무자를 보호하며 자신의 권리를 행사하지 않는 사람을 법적 보호에서 제외함으로써 법적 안정성을 유지하는 데 중점을 두고 있다. 소멸시효가 완성되기 위해서는 권리의 불행사라는 사실상태가 일정한 기간 동안 계속되어야 한다. ② 채권을 일정한 기간 행사하지 않으면 소멸시효가 완성하지만(민법 제162조, 제163조, 제164조), 채권을 계속 행사하고 있다고 볼 수 있다면 소멸시효가 진행하지 않는다. 나아가 채권을 행사하는 방법에는 채무자에 대한 직접적인 이행청구 외에도 변제의 수령이나 상계, 소송상 청구 및 항변으로 채권을 주장하는 경우 등 채권이 가지는 다른 여러 가지 권능을 행사하는 것도 포함된다. 따라서 채권을 행사하여 실현하려는 행위를 하거나 이에 준하는 것으로 평가할 수 있는 객관적 행위 모습이 있으면 권리를 행사한다고 보는 것이 소멸시효 제도의 취지에 부합한다.

③ 임대차가 종료함에 따라 발생한 임차인의 목적물반환의무와 임대인의 보증금반환의무는 동시이행관계에 있다. 임차인이 임대차 종료 후 동시이행항변권을 근거로 임차목적물을 계속 점유하는 것은 임대인에 대한 보증금반환채권에 기초한 권능을 행사한 것으로서 보증금을 반환받으려는 계속적인 권리행사의 모습이 분명하게 표시되었다고 볼 수 있다. 따라서 임대차 종료 후 임차인이 보증금을 반환받기 위해 목적물을 점유하는 경우 보증금반환채권에 대한 권리를 행사하는 것으로 보아야 하고, 임차인이 임대인에 대하여 직접적인 이행청구를 하지 않았다고 해서 권리의 불행사라는 상태가 계속되고 있다고 볼 수 없다. 임차인의 보증금반환채권과 동시이행관계에 있는 임대인의 목적물인도청구권은 소유권 등 물권에 기초하는 경우가 많으므로, 임대인이 적극적으로 권리를 행사하는지와 관계없이 권리가 시효로 소멸하는 경우는 거의 발생하지 않는다. 만일 임차인이 임대차 종료 후 보증금을 반환받기 위해 목적물을 점유하여 적극적인 권리행사의 모습이 계속되고 있는데도 보증금반환채권이 시효로 소멸한다고 보면, 임차인은 목적물반환의무를 그대로 부담하면서 임대인에 대한 보증금반환채권만 상실하게 된다. 이는 보증금반환채무를 이행하지 않은 임대인이 목적물에 대한 자신의 권리는 그대로 유지하면서 보증금반환채무만을 면할 수 있게 하는 결과가 되어 부당하다. 나아가 이러한 소멸시효 진행의 예외는 어디까지나 임차인이 임대차 종료 후 목적물을 적법하게 점유하는 기간으로 한정되고, 임차인이 목적물을 점유하지 않거나 동시이행항변권을 상실하여 정당한 점유권원을 갖지 않는 경우에 대해서까지 인정되는 것은 아니다. 따라서 임대차 종료 후 보증금을 반환받기 위해 목적물을 점유하는 임차인의 보증금반환채권에 대하여 소멸시효가 진행하지 않는다고 보더라도 그 채권에 관계되는 당사자 사이의 이익 균형에 반하지 않는다. ④ 주택임대차보호법 제4조 제2항은 "임대차기간이 끝난 경우에도 임차인이 보증금을 반환받을 때까지는 임대차관계가 존속되는 것으로 본다."라고 정하고 있다. 2001.12.29. 법률 제6542호로 제정된 상가건물 임대차보호법도 같은 내용의 규정을 두고 있다(제9조 제2항). 이는 임대차기간이 끝난 후에도 임차인이 보증금을 반환받을 때까지는 임차인의 목적물에 대한 점유를 임대차기간이 끝나기 전과 마찬가지 정도로 강하게 보호함으로써 임차인의 보증금반환채권을 실질적으로 보장하기 위한 것이다. 따라서 임대차기간이 끝난 후 보증금을 반환받지 못한 임차인이 목적물을 점유하는 동안 위 규정에 따라 법정임대차관계가 유지되고 있는데도 임차인의 보증금반환채권은 그대로 시효가 진행하여 소멸할 수 있다고 한다면, 이는 위 규정의 입법 취지를 훼손하는 결과를 가져오게 되어 부당하다. ⑤ 위와 같은 소멸시효 제도의 존재 이유와 취지, 임대차기간이 끝난 후 보증금반환채권에 관계되는 당사자 사이의 이익형량, 주택임대차보호법 제4조 제2항의 입법 취지 등을 종합하면, 주택임대차보호법에 따른 임대차에서 그 기간이 끝난 후 임차인이 보증금을 반환받기 위해 목적물을 점유하고 있는 경우 보증금반환채권에 대한 소멸시효는 진행하지 않는다고 보아야 한다(대판 2020.7.9, 2016다244224 · 244231).

(1) 재판상 청구

1) 종류

① 재판상 청구의 의미에 대해서 통설은 '권리행사설'에 따르고 있다. 판례도 시효제도의 존재 이유는 영속된 사실상태를 존중하고 권리 위에 잠자는 자를 보호하지 않는다는 데 있고 특히 소멸시효는 후자의 의미가 강하므로, 권리자가 재판상 그 권리를 주장하여 권리 위에 잠자는 것이 아님을 표명한 때에는 시효중단사유인 재판상 청구에 해당한다고 하여 마찬가지이다(대판 2014.4.24, 2012다105314).[34] 이러한 재판상 청구는 민사소송이기만 하면 족하고, 소의 종류는

34) 甲이 자신의 차량을 운전하던 중 乙 주식회사 소유의 차량을 충돌하여 상해를 입었는데, 甲 차량의 보험자인 丙 주식회사가 甲에게 보험금을 지급한 후 乙 회사를 상대로 구상금청구의 소(구상금청구의 소는 실질적으로 甲이 乙에 대해 가지는 손해배상청구권을 이전받아 대위행사하는 성격을 띠고 있다)를 제기하였고 甲이 丙 회사 측 보조참가인

묻지 아니하며 이행의 소, 확인의 소, 형성의 소이든 본소·반소(민소법 제269조)이든 소송계속 중에 청구의 변경 또는 확장의 소이든 모두 시효중단의 효력이 있다.

② 형사소송이나 행정소송의 제기는 원칙적으로 시효중단사유가 되지 아니한다. 다만 소송촉진 등에 관한 특례법의 배상명령신청은 시효중단사유가 된다. 행정소송의 경우에 과세처분의 취소 또는 무효확인을 구하는 소는 부당이득반환청구의 전제가 되므로 재판상 청구에 해당한다(대판(전) 1992.3.31, 91다32053).

③ 재판상 청구는 소의 제기에 한정되지 않고, 권리자가 이행의 소를 대신하여 재판기관의 공권적인 법률판단을 구하는 지급명령 신청도 포함된다.

④ 나아가 부적법한 제소의 경우에 대해, 판례는 종중이 적법한 대표자 아닌 자가 제기하여 수행한 소송을 추인하였다면 그 소송은 소급하여 유효한 것이고, 가사 종중의 소제기 당시에 그 대표자의 자격에 하자가 있다고 하더라도 이 소가 각하되지 아니하고 소급하여 유효한 것으로 인정되는 한, 이에 의한 시효중단의 효력도 유효하다고 볼 것이지 소송행위가 추인될 때에 시효가 중단된다고 볼 것이 아니라고 하였다(대판 1992.9.8, 92다18184).

⑤ 재판상의 청구가 있더라도 소의 각하·기각·취하된 경우에는 그로부터 6월 내에 다시 재판상의 청구 등을 하여야 시효중단의 효력이 있다(제170조).

소멸시효 대상인 권리가 발생한 기본적 법률관계 또는 후속 법률관계에 관한 청구가 권리 실행의 의사를 표명한 것으로 볼 수 있는 경우, 시효중단 사유로서 재판상 청구에 포함되는지 여부(적극) ★

시효중단 사유로서 재판상의 청구에는 소멸시효 대상인 권리 자체의 이행청구나 확인청구를 하는 경우만이 아니라, 그 권리가 발생한 기본적 법률관계를 기초로 하여 재판의 형식으로 주장하는 경우 또는 그 권리를 기초로 하거나 그것을 포함하여 형성된 후속 법률관계에 관한 청구를 하는 경우에도 그로써 권리 실행의 의사를 표명한 것으로 볼 수 있을 때에는 이에 포함된다(대결 2023.11.9, 2023마6582).

→ [보충] : 채무자에게 파산원인이 있는 경우 채권자는 채무자 회생 및 파산에 관한 법률(이하 '채무자회생법'이라 한다) 제294조에 따라 채무자에 대한 파산신청을 할 수 있다. 이는 파산채무자의 재산을 보전하여 공평하게 채권의 변제를 받는 재판절차를 실시하여 달라는 것으로서 채무자회생법 제32조에서 규정하고 있는 파산채권신고 등에 의한 파산절차참가와 유사한 재판상 권리 실행방법에 해당한다. 따라서 채무자회생법 제294조에 따른 채권자의 파산신청은 민법 제168조 제1호에서 정한 시효중단 사유인 재판상의 '청구'에 해당한다고 보아야 한다.

채권양도의 대항요건을 갖추기 전에 양도인이 채무자를 상대로 제기한 재판상 청구가 소송 중에 채무자가 채권양도의 효력을 인정하는 등의 사정으로 기각되고, 그 후 6월 내에 양수인이 재판상 청구 등을 한 경우, 양도인의 최초의 재판상 청구로 인하여 시효가 중단되는지 여부(적극) ★★

채권양도 후 대항요건이 구비되기 전의 양도인은 채무자에 대한 관계에서는 여전히 채권자의 지위에 있으므로 채무자를 상대로 시효중단의 효력이 있는 재판상의 청구를 할 수 있고, 이 경우 양도인이 제기한 소송 중에 채무자가

으로 참가하여 乙 회사의 과실 존부 등에 관하여 적극적으로 다툰 사안에서, 甲의 손해배상청구권의 소멸시효는 위 보조참가로 중단되었다고 본 사례이다.

채권양도의 효력을 인정하는 등의 사정으로 인하여 양도인의 청구가 기각됨으로써 민법 제170조 제1항에 의하여 시효중단의 효과가 소멸된다고 하더라도, 양도인의 청구가 당초부터 무권리자에 의한 청구로 되는 것은 아니므로, 양수인이 그로부터 6월 내에 채무자를 상대로 재판상의 청구 등을 하였다면, 민법 제169조 및 제170조 제2항에 의하여 양도인의 최초의 재판상 청구로 인하여 시효가 중단된다(대판 2009.2.12, 2008두20109).

백지어음의 소지인이 백지 부분을 보충하지 않은 상태에서 어음금을 청구한 경우 어음상 청구권에 관한 소멸시효가 중단되는지 여부(적극)

만기는 기재되어 있으나 지급지, 지급을 받을 자 등과 같은 어음요건이 백지인 약속어음의 소지인이 그 백지 부분을 보충하지 않은 상태에서 어음금을 청구하는 것은 어음상의 청구권에 관하여 잠자는 자가 아님을 객관적으로 표명한 것이고 그 청구로써 어음상의 청구권에 관한 소멸시효는 중단된다. 이 경우 백지에 대한 보충권은 그 행사에 의하여 어음상의 청구권을 완성시키는 것에 불과하여 그 보충권이 어음상의 청구권과 별개로 독립하여 시효에 의하여 소멸한다고 볼 것은 아니므로 어음상의 청구권이 시효중단에 의하여 소멸하지 않고 존속하고 있는 한 이를 행사할 수 있다(대판(전) 2010.5.20, 2009다48312).

민법 제170조 제1항에서 정한 '재판상의 청구'에 지급명령 신청도 포함되는지 여부(적극) **및 지급명령 신청이 각하된 후 6개월 내 다시 소를 제기한 경우 지급명령 신청이 있었던 때 시효가 중단된 것으로 보아야 하는지 여부**(적극) ★★

지급명령이란 금전 그 밖에 대체물이나 유가증권의 일정한 수량의 지급을 목적으로 하는 청구에 대하여 법원이 보통의 소송절차에 의함이 없이 채권자의 신청에 의하여 간이, 신속하게 발하는 이행에 관한 명령으로 지급명령에 관한 절차는 종국판결을 받기 위한 소의 제기는 아니지만, 채권자로 하여금 간이, 신속하게 집행권원을 취득하도록 하기 위하여 이행의 소를 대신하여 법이 마련한 특별소송절차로 볼 수 있다. 그런데 재판상 청구에 시효중단의 효력을 인정하는 근거는 권리자가 재판상 그 권리를 주장하여 권리 위에 잠자는 것이 아님을 표명하고 이로써 시효제도의 기초인 영속되는 사실상태와 상용할 수 없는 다른 사정이 발생하였다는 점에 기인하는 것인데, 그와 같은 점에서 보면 지급명령 신청은 권리자가 권리의 존재를 주장하면서 재판상 그 실현을 요구하는 것이므로 본질적으로 소의 제기와 다르지 않다. 따라서 민법 제170조 제1항에 규정하고 있는 '재판상의 청구'란 종국판결을 받기 위한 '소의 제기'에 한정되지 않고, 권리자가 이행의 소를 대신하여 재판기관의 공권적인 법률판단을 구하는 지급명령 신청도 포함된다고 보는 것이 타당하다. 그리고 민법 제170조의 재판상 청구에 지급명령 신청이 포함되는 것으로 보는 이상 특별한 사정이 없는 한, 지급명령 신청이 각하된 경우라도 6개월 이내 다시 소를 제기한 경우라면 민법 제170조 제2항에 의하여 시효는 당초 지급명령 신청이 있었던 때에 중단되었다고 보아야 한다(대판 2011.11.10, 2011다54686).

지급명령 사건이 채무자의 이의신청으로 소송으로 이행되는 경우, 지급명령에 의한 시효중단 효과의 발생시기(=지급명령을 신청한 때) ★★

민사소송법 제472조 제2항은 "채무자가 지급명령에 대하여 적법한 이의신청을 한 경우에는 지급명령을 신청한 때에 이의신청된 청구목적의 값에 관하여 소가 제기된 것으로 본다."라고 규정하고 있는바, 지급명령 사건이 채무자의 이의신청으로 소송으로 이행되는 경우에 지급명령에 의한 시효중단의 효과는 소송으로 이행된 때가 아니라 지급명령을 신청한 때에 발생한다(대판 2015.2.12, 2014다228440).

채권자가 동일한 목적을 달성하기 위하여 복수의 채권을 갖고 있는 경우 어느 하나의 청구권을 행사하는 것이 다른 채권에 대한 소멸시효 중단의 효력이 있는지 여부(소극) ★

채권자가 동일한 목적을 달성하기 위하여 복수의 채권을 갖고 있는 경우, 채권자로서는 그 선택에 따라 권리를 행사할 수 있되, 그 중 어느 하나의 청구를 한 것만으로는 다른 채권 그 자체를 행사한 것으로 볼 수는 없으므로, 특별한 사정이 없는 한 그 다른 채권에 대한 소멸시효 중단의 효력은 없다(대판 2011.2.10, 2010다81285; 대판 2020.3.26, 2018다221867).

→ [사실관계] : 甲이 乙을 상대로 부당이득반환청구의 소를 제기함으로써 甲의 乙에 대한 채무불이행으로 인한 손해배상청구권의 소멸시효가 중단되는지 여부가 문제된 사안에서, 부당이득반환청구의 소제기로 채무불이행으로 인한 손해배상청구권의 소멸시효가 중단되었다고 본 원심판결을 파기한 사례이다.

이미 사망한 자를 피고로 하여 제기된 소의 경우, 민법 제170조 제2항이 적용되는지 여부(원칙적 소극) **및 법원이 이를 간과하여 본안 판결을 내린 경우에도 마찬가지인지 여부**(적극)

민법 제170조 제1항은 재판상 청구가 민법 제168조에 의하여 시효중단사유가 됨을 전제로 "재판상의 청구는 소송의 각하, 기각 또는 취하의 경우에는 시효중단의 효력이 없다."고 규정하고, 같은 조 제2항은 "전항의 경우에 6월 내에 재판상의 청구, 파산절차참가, 압류 또는 가압류, 가처분을 한 때에는 시효는 최초의 재판상 청구로 인하여 중단된 것으로 본다."고 규정함으로써 최초의 재판상 청구에 소송요건의 결여 등의 흠이 있는 경우 일정 기간 내에 새로운 재판상 청구 등이 이루어지면 최초의 제소 시로 시효중단의 소급을 인정하고 있다. 그런데 이미 사망한 자를 피고로 하여 제기된 소는 부적법하여 이를 간과한 채 본안 판단에 나아간 판결은 당연무효로서 그 효력이 상속인에게 미치지 않고, 채권자의 이러한 제소는 권리자의 의무자에 대한 권리행사에 해당하지 않으므로, 「상속인을 피고로 하는 당사자표시정정이 이루어진 경우와 같은 특별한 사정이 없는 한」, 거기에는 애초부터 시효중단 효력이 없어 민법 제170조 제2항이 적용되지 않는다고 봄이 타당하고, 법원이 이를 간과하여 본안에 나아가 판결을 내린 경우에도 마찬가지라고 보아야 한다(대판 2014.2.27, 2013다94312).

인수참가와 시효중단(대판 2017.7.18, 2016다35789)

[1] 법원이 인수참가인의 청구의 당부에 관하여 심리한 결과 인수참가인의 청구를 기각하거나 소를 각하하는 판결을 선고하여 그 판결이 확정된 경우에 탈퇴원고가 제기한 최초의 재판상 청구로 인한 시효중단의 효력이 소멸하는지 여부(긍정)

소송목적인 권리를 양도한 원고는 법원이 소송인수 결정을 한 후 피고의 승낙을 받아 소송에서 탈퇴할 수 있는데(민사소송법 제82조 제3항, 제80조), 그 후 법원이 인수참가인의 청구의 당부에 관하여 심리한 결과 인수참가인의 청구를 기각하거나 소를 각하하는 판결을 선고하여 그 판결이 확정된 경우에는 원고가 제기한 최초의 재판상 청구로 인한 시효중단의 효력은 소멸한다.

[2] 인수참가인의 소송목적 양수 효력이 부정되어 인수참가인에 대한 청구기각 또는 소각하 판결이 확정된 날부터 6개월 내에 탈퇴원고가 다시 탈퇴 전과 같은 재판상의 청구 등을 한 때, 탈퇴 전에 원고가 제기한 재판상의 청구로 인하여 발생한 시효중단의 효력이 그대로 유지되는지 여부(긍정)

다만 소송탈퇴는 소취하와는 그 성질이 다르며, 탈퇴 후 잔존하는 소송에서 내린 판결은 탈퇴자에 대하여도 그 효력이 미친다(민사소송법 제82조 제3항, 제80조 단서). 이에 비추어 보면 인수참가인의 소송목적 양수 효력이 부정되어 인수참가인에 대한 청구기각 또는 소각하 판결이 확정된 날부터 6개월 내에 탈퇴한 원고가 다시 탈퇴 전과 같은 재판상의 청구 등을 한 때에는, 탈퇴 전에 원고가 제기한 재판상의 청구로 인하여 발생한 시효중단의 효력은 그대로 유지된다고 봄이 타당하다.

→ [사실관계] : 원고가 피고를 상대로 약정금의 지급을 구하며 제기한 전소에서 원고의 소송인수 신청에 따라 1심 법원이 2011.9.30. 甲을 원고 인수참가인으로 하여 소송인수 결정을 하였고, 이에 따라 원고가 같은 날 피고의 승낙을 얻어 전소에서 탈퇴한 후 甲이 소송을 계속 수행하다가 전소의 1심 법원이 2012.6.8. 인수참가인의 소를 각하하는 판결을 선고하였으며, 2013.5.23. 항소가 기각된 후 대법원이 2014.10.27. '무효의 채권양도를 원인으로 하는 甲의 청구는 기각되었어야 함에도 항소심이 甲의 소가 부적법하다고 판단한 것은 잘못이나 불이익변경금지의 원칙상 청구기각판결을 선고할 수는 없다'고 판단하여 상고기각판결을 함으로써 전소 판결이 확정되었으나, 그 확정된 날부터 6개월 이내인 2015.1.19. 원고가 피고를 상대로 다시 동일한 약정금의 지급을 구하는 후소를 제기한 사안에서, 원고가 전소를 제기함으로써 발생한 시효중단의 효력은 위와 같은 확정판결에도 불구하고 그대로 유지된다고 판단한 사안이다.

일부청구와 시효중단 범위(대판 2020.2.6, 2019다223723; 대판 2023.10.12, 2020다210860) ★★★

[1] 하나의 채권 중 일부만을 청구하는 소송을 제기한 경우, 소멸시효중단의 효력발생범위

하나의 채권 중 일부에 관하여만 판결을 구한다는 취지를 명백히 하여 소송을 제기한 경우에는 소제기에 의한 소멸시효중단의 효력이 그 일부에 관하여만 발생하고, 나머지 부분에는 발생하지 아니하나, 소장에서 청구의 대상으로 삼은 채권 중 일부만을 청구하면서 소송의 진행경과에 따라 장차 청구금액을 확장할 뜻을 표시하고 당해 소송이 종료될 때까지 실제로 청구금액을 확장한 경우에는 소제기 당시부터 채권 전부에 관하여 판결을 구한 것으로 해석되므로, 이러한 경우에는 소제기 당시부터 채권 전부에 관하여 재판상 청구로 인한 시효중단의 효력이 발생한다.

[2] 소장에서 청구의 대상으로 삼은 채권 중 일부만을 청구하면서 소송의 진행경과에 따라 장차 청구금액을 확장할 뜻을 표시하였으나 당해 소송이 종료될 때까지 실제로 청구금액을 확장하지 않은 경우, 나머지 부분에 대하여 재판상 청구로 인한 시효중단의 효력이 발생하는지 여부(소극) 및 이와 같은 경우 채권자가 당해 소송이 종료된 때부터 6월 내에 민법 제174조에서 정한 조치를 취함으로써 나머지 부분에 대한 소멸시효를 중단시킬 수 있는지 여부(적극)

① 소장에서 청구의 대상으로 삼은 채권 중 일부만을 청구하면서 소송의 진행경과에 따라 장차 청구금액을 확장할 뜻을 표시하였으나 당해 소송이 종료될 때까지 실제로 청구금액을 확장하지 않은 경우에는 소송의 경과에 비추어 볼 때 채권 전부에 관하여 판결을 구한 것으로 볼 수 없으므로, 나머지 부분에 대하여는 재판상 청구로 인한 시효중단의 효력이 발생하지 아니한다. 그러나 ② 이와 같은 경우에도 소를 제기하면서 장차 청구금액을 확장할 뜻을 표시한 채권자로서는 장래에 나머지 부분을 청구할 의사를 가지고 있는 것이 일반적이라고 할 것이므로(㊟ 명시적 일부청구의 경우에도 나머지 부분에 대한 최고로서의 효력은 인정하겠다는 취지), 다른 특별한 사정이 없는 한 당해 소송이 계속 중인 동안에는 나머지 부분에 대하여 권리를 행사하겠다는 의사가 표명되어 최고에 의해 권리를 행사하고 있는 상태가 지속되고 있는 것으로 보아야 하고, 채권자는 당해 소송이 종료된 때부터 6월 내에 민법 제174조에서 정한 조치를 취함으로써 나머지 부분에 대한 소멸시효를 중단시킬 수 있다.

→ [사실관계] : ① 甲은 乙이 시행한 공익사업으로 인해 주거용 건축물을 제공함에 따라 이주대책의 일환으로 아파트를 분양받게 되었고, 2008.10.31.까지 분양대금을 완납하였다. ② 甲은 아파트 분양대금에 생활기본시설 설치비용이 포함되어 있어 사업시행자인 乙이 부당이득금을 반환할 의무가 있다고 주장하면서 2013.7.30. 乙을 상대로 이 사건 선행소송을 제기하였다. ③ 이 사건 선행소송의 소장에는 '일부청구'라는 제목하에 "원고 甲은 부당이득금반환청구권이 있다고 할 것이나 정확한 금액은 추후 피고 乙로부터 생활기본시설 관련 자료를 받아 계산하도록 하고 우선 이 중 일부인 2,000,000원 및 이에 대한 지연손해금에 대하여만 청구하게 되었습니다."라고 기재되어 있었다(㊟ 명시적 일부청구). ④ 원고 甲은 이 사건 선행소송이 종료될 때까지 청구금액을 확장하지 아니하였고, 법원은 2016.10.12. '피고 乙은 원고 甲에게 2,000,000원 및 이에 대한 지연손해금을 지급하라'는 판결을 선고하였으며, 위 판결은 2016.11.8. 확정되었다. ⑤ 그 후 甲은 2017.5.18. 이 사건 소송을 제기하였는데, 이 사건 선행소송에서 인정된 금액을 제외한 나머지 금액 18,000,000원 및 이에 대한 지연손해금을 청구하고 있다.

→ [해설] : ① 원고 甲의 피고 乙에 대한 부당이득반환청구권은 금전의 지급을 목적으로 하는 지방자치단체에 대한 권리로서 소멸시효기간이 5년이다. ② 위와 같은 사실관계를 앞서 본 법리에 비추어 살펴보면, 원고 甲이 소장 등에서 장차 청구금액을 확장할 뜻을 표시하였지만 이 사건 선행소송이 종료될 때까지 청구금액을 확장하지 아니한 이상, 원고 甲은 이 사건 선행소송에서 2,000,000원 및 이에 대한 지연손해금에 관하여만 판결을 구하였다고 봄이 상당하므로, 이 사건 선행소송의 제기에 의한 소멸시효중단의 효력은 위 2,000,000원 및 이에 대한 지연손해금에 관하여만 발생하고, 나머지 부분에 대하여는 이 사건

선행소송이 계속 중인 동안에는 최고에 의해 권리를 행사하고 있는 상태가 지속되고 있었다고 할 것이나, 원고 甲이 이 사건 선행소송이 종료된 때부터 6월 내에 이 사건 소송을 제기하는 등 민법 제174조에서 정한 조치를 취하지 아니한 이상 시효중단의 효력이 없어 소멸시효가 완성되었다. ③ 따라서 이 사건 선행소송에서 청구하지 아니한 나머지 부분에 관하여 소멸시효가 완성되었다고 보아 원고 甲의 청구를 기각한 원심의 판단은 정당하고, 거기에 상고이유 주장과 같이 소멸시효중단에 관한 법리를 오해하는 등으로 인해 판결에 영향을 미친 잘못이 없다.

채권 중 일부만을 청구하면서 소송의 진행경과에 따라 장차 청구금액을 확장할 뜻을 표시하였으나 그 후 채권의 특정 부분을 청구범위에서 명시적으로 제외한 경우, 그 부분에 대하여 재판상 청구로 인한 시효중단의 효력이 발생하는지 여부(소극) ★

① 하나의 채권 중 일부에 관하여만 판결을 구한다는 취지를 명백히 하여 소송을 제기한 경우에는 소 제기에 의한 소멸시효중단의 효력이 그 일부에 관하여만 발생하고, 나머지 부분에는 발생하지 않는다. ② 다만 소장에서 청구의 대상으로 삼은 채권 중 일부만을 청구하면서 소송의 진행경과에 따라 장차 청구금액을 확장할 뜻을 표시하고 해당 소송이 종료될 때까지 실제로 청구금액을 확장한 경우에는 소 제기 당시부터 채권 전부에 관하여 재판상 청구로 인한 시효중단의 효력이 발생하나, ③ 소장에서 청구의 대상으로 삼은 채권 중 일부만을 청구하면서 소송의 진행경과에 따라 장차 청구금액을 확장할 뜻을 표시하였더라도 그 후 채권의 특정 부분을 청구범위에서 명시적으로 제외하였다면, 그 부분에 대하여는 애초부터 소의 제기가 없었던 것과 마찬가지이므로 재판상 청구로 인한 시효중단의 효력이 발생하지 않는다(대판 2021.6.10, 2018다44114). 한편 이와 같은 경우에도 소를 제기하면서 장차 청구금액을 확장할 뜻을 표시한 채권자는 장래에 나머지 부분을 청구할 의사를 가지고 있는 것이 일반적이라고 할 것이므로, 다른 특별한 사정이 없는 한 당해 소송이 계속 중인 동안에는 나머지 부분에 대하여 권리를 행사하겠다는 의사가 표명되어 최고에 의해 권리를 행사하고 있는 상태가 지속되고 있는 것으로 보아야 하고, 채권자는 당해 소송이 종료된 때부터 6월 내에 민법 제174조에서 정한 조치를 취함으로써 나머지 부분에 대한 소멸시효를 중단시킬 수 있다(대판 2022.5.26, 2020다206625).

채무자와 제3채무자 사이의 시효중단의 효력과 추심채권자의 지위(대판 2019.7.25, 2019다212945) ★★★

[1] 채무자가 제3채무자를 상대로 금전채권의 이행을 구하는 소를 제기한 후 채권자가 위 금전채권에 대하여 압류 및 추심명령을 받아 제3채무자를 상대로 추심의 소를 제기한 경우, 채무자가 권리주체의 지위에서 한 시효중단의 효력이 추심채권자에게 미치는지 여부(적극)

채무자의 제3채무자에 대한 금전채권에 대하여 압류 및 추심명령이 있더라도, 이는 추심채권자에게 피압류채권을 추심할 권능만을 부여하는 것이고, 이로 인하여 채무자가 제3채무자에게 가지는 채권이 추심채권자에게 이전되거나 귀속되는 것은 아니다. 따라서 채무자가 제3채무자를 상대로 금전채권의 이행을 구하는 소를 제기한 후 채권자가 위 금전채권에 대하여 압류 및 추심명령을 받아 제3채무자를 상대로 추심의 소를 제기한 경우, 채무자가 권리주체의 지위에서 한 시효중단의 효력은 집행법원의 수권에 따라 피압류채권에 대한 추심권능을 부여받아 일종의 추심기관으로서 그 채권을 추심하는 추심채권자에게도 미친다.

[2] 채무자가 제3채무자를 상대로 제기한 금전채권의 이행소송이 압류 및 추심명령에 따른 당사자적격의 상실로 각하되었으나 이행소송 계속 중 피압류채권에 대하여 당사자적격을 취득한 추심채권자가 각하판결이 확정된 날로부터 6개월 내에 제3채무자를 상대로 추심의 소를 제기한 경우, 채무자의 재판상 청구에 따른 시효중단의 효력이 추심채권자의 추심소송에서 그대로 유지되는지 여부(적극)

재판상의 청구는 소송의 각하, 기각 또는 취하의 경우에는 시효중단의 효력이 없지만, 그 경우 6개월 내에 재판상의 청구, 파산절차참가, 압류 또는 가압류, 가처분을 한 때에는 시효는 최초의 재판상 청구로 인하여 중단된 것으로 본다(민법 제170조). 그러므로 채무자가 제3채무자를 상대로 제기한 금전채권의 이행소송이 압류 및 추심명령으로 인한 당사자적격의 상실로 각하되더라도, 위 이행소송의 계속 중에 피압류채권에 대하여 채무자에 갈음하여 당사자적격을 취득한 추심채권자가 위 각하판결이 확정된 날로부터 6개월 내에 제3채무자를 상대로 추심의 소를 제기하였다면, 채무자가 제기한 재판상 청구로 인하여 발생한 시효중단의 효력은 추심채권자의 추심소송에서도 그대로 유지된다고 보는 것이 타당하다.

→ [사실관계 및 소송과정] :

① 甲은 2014.2.26. 乙을 상대로 2억원의 임대료 지급을 구하는 소를 제기하였고, 2016.1.14. 제1심에서 乙은 甲에게 1억원을 지급하라는 일부승소 판결을 선고받았다. 이에 대하여 乙이 항소하였는데, 항소심 법원은 2017.4.28. 甲의 채권자 A가 甲의 乙에 대한 임대료 채권 중 5천만원에 해당하는 일부 금액(이하 '이 사건 임대료 채권')에 대하여 채권압류 및 추심명령(이하 '이 사건 추심명령')을 받았기 때문에 이처럼 추심명령을 받은 금액 부분에 관하여는 甲의 당사자적격이 없다는 것을 확인하는 내용과 함께, 나머지 청구 부분 중 일부에 대한 지급을 명하는 취지의 화해권고결정(이하 '이 사건 화해권고결정')을 하였으며, 이 사건 화해권고결정은 2017.5.16. 확정되었다.

② 한편 A의 이 사건 임대료 채권에 대한 이 사건 추심명령은 2015.5.7. 피고에게 송달되었다. 이후 A는 이 사건 추심명령을 근거로 2017.8.11. 乙을 상대로 이 사건 추심의 소를 제기하였는데, 乙은 이 사건 추심의 소는 이 사건 임대료 채권이 변제기 2014.1.31.부터 민법 제163조의 소멸시효 기간인 3년이 지나 시효로 소멸한 후 제기되었다며 소멸시효 항변을 하였다.

③ 이에 대하여 제1심 법원은 乙의 소멸시효 항변을 받아들여 A의 청구를 기각하였으나, 원심은 이 사건 화해권고결정이 확정된 후 6개월 이내에 A가 이 사건 추심의 소를 제기하였으므로, "재판상의 청구는 소송의 각하의 경우 6개월 내에 재판상의 청구, 파산절차참가, 압류 또는 가압류, 가처분을 한 때에는 시효는 최초의 재판상 청구로 인하여 중단된 것으로 본다."라고 규정한 민법 제170조에 따라 이 사건 임대료 채권의 소멸시효는 甲이 乙을 상대로 최초의 재판상 청구를 한 2014.2.26. 중단된 것이라고 보아 소멸시효 항변을 배척하고 A의 청구를 인용하였다.

④ 그러나 대상판결은 甲의 재판상 청구(전소)로 인한 시효중단의 효력은 그 추심권능을 부여받은 A에게도 미치고, A가 위 화해권고결정이 확정된 때로부터 6월 내에 이 사건 추심의 소를 제기한 이상 이 사건 임대료 채권의 소멸시효는 甲이 乙에게 전소를 제기한 2014.2.26. 중단된 것이므로, 乙의 소멸시효 항변을 배척한 것은 정당하다고 판단하였다.

→ [해설] :

① 시효중단의 효력이 미치는 인적 범위에 관하여 민법 제169조는 "시효의 중단은 당사자 및 그 승계인 간에만 효력이 있다."라고 규정하고 있고, 이때 '승계인'이라 함은 시효중단에 관여한 당사자로부터 중단의 효과를 받는 권리를 그 중단효과 발생 이후에 승계한 자를 의미한다(대판 1994.6.24, 94다7737 등). 여기서 채무자가 제3채무자에게 가지는 채권은 추심채권자에게 이전되거나 귀속되는 것은 아니라는 점에서 추심채권자가 민법 제169조 소정의 '승계인'에 해당하는지가 문제된다. 이와 관련하여 대상판결은 추심채권자가 피압류채권에 대한 추심권능을 부여받아 일종의 추심기관으로서 그 채권을 추심하는 것이어서 채무자가 권리주체의 지위에서 한 시효중단의 효력이 추심채권자에게도 미친다고 판단하였다(판결 이유에서는 "A는 甲의 소 제기로 인하여 시효중단의 효력이 발생한 이후에 이 사건 임대료 채권에 대하여 이 사건 추심명령을 받은 추심채권자로서 甲으로부터 그 권리를 승계하였다."고 밝히고 있다).

② 나아가 이 사건 임대료 채권은 甲의 소 제기로 시효가 중단되었다가 항소심에서 당사자적격이 없음을 확인한다는 취지의 이 사건 화해권고결정이 확정됨으로써 사실상 소가 각하된 것과 동일한 효력이 발생하였다. 또한 채무자가 제3채무자를 상대로 이행의 소를 제기하였다가 압류 및 추심명령으로 인한 당사자적격의 상실로 각하되는 경우에는 채무자에 갈음하여 당사자적격을 취득한 추심채권자가 위 각하 판결이 확정된 날로부터 6개월 내에 제3채무자를 상대로 추심의 소를 제기하면 민법 제170조에 따라 시효중단의 효력이 그대로 유지되는 것이라고 보았다.

③ 이러한 대상판결의 판시는, 피추심채권에 대해 추심채권자만이 당사자적격이 인정되어 적법한 소를 제기할 수 있다는 점을 고려해 보건대, 채무자에 의하여 발생한 시효중단의 효력이 추심채권자에게 미치지 않는다면, 결국 권리자인 채무자의 권리행사가 있음에도 불구하고 추심채권자 스스로 시효중단의 조치를 취하지 않는 한 피추심채권은 시효로 소멸하게 되는 불합리한 상황이 발생하게 된다는 점에서 채무자가 한 시효중단의 효력과 추심채권자의 관계를 적절히 밝혔다는 데에 그 의의가 있다고 본다.

승소 확정판결 후 시효중단을 위한 재소의 이익 유무와 그 방식 및 법원의 조치 ★★★

[1] 확정판결에 의한 채권의 소멸시효기간인 10년의 경과가 임박한 경우, 시효중단을 위한 재소에 소의 이익이 있는지 여부(적극) 및 이때 후소 법원이 그 확정된 권리를 주장할 수 있는 모든 요건이 구비되어 있는지에 관하여 다시 심리할 수 있는지 여부(소극)

[다수의견] ① 확정된 승소판결에는 기판력이 있으므로, 승소 확정판결을 받은 당사자가 그 상대방을 상대로 다시 승소 확정판결의 전소와 동일한 청구의 소를 제기하는 경우 그 후소는 권리보호의 이익이 없어 부적법하다. 하지만 예외적으로 확정판결에 의한 채권의 소멸시효기간인 10년의 경과가 임박한 경우에는 그 시효중단을 위한 소는 소의 이익이 있다. 나아가 ② 이러한 경우에 후소의 판결이 전소의 승소 확정판결의 내용에 저촉되어서는 아니 되므로, 후소 법원으로서는 그 확정된 권리를 주장할 수 있는 모든 요건이 구비되어 있는지 여부에 관하여 다시 심리할 수 없다. 대법원은 종래 확정판결에 의한 채권의 소멸시효기간인 10년의 경과가 임박한 경우에는 그 시효중단을 위한 재소는 소의 이익이 있다는 법리를 유지하여 왔다. 이러한 법리는 현재에도 여전히 타당하다. 다른 시효중단사유인 압류・가압류나 승인 등의 경우 이를 1회로 제한하고 있지 않음에도 유독 재판상 청구의 경우만 1회로 제한되어야 한다고 보아야 할 합리적인 근거가 없다. 또한 확정판결에 의한 채무라 하더라도 채무자가 파산이나 회생제도를 통해 이로부터 전부 또는 일부 벗어날 수 있는 이상, 채권자에게는 시효중단을 위한 재소를 허용하는 것이 균형에 맞다(대판(전) 2018.7.19, 2018다22008).

[2] 시효중단을 위한 후소로서 이행소송 외에 전소 판결로 확정된 채권의 시효를 중단시키기 위한 재판상의 청구가 있다는 점에 대하여만 확인을 구하는 형태의 '새로운 방식의 확인소송'이 허용되는지 여부(적극)

[다수의견] ① 종래 대법원은 시효중단사유로서 재판상의 청구에 관하여 반드시 권리 자체의 이행청구나 확인청구로 제한하지 않을 뿐만 아니라, 권리자가 재판상 그 권리를 주장하여 권리 위에 잠자는 것이 아님을 표명한 것으로 볼 수 있는 때에는 널리 시효중단사유로서 재판상의 청구에 해당하는 것으로 해석하여 왔다. 이와 같은 법리는 이미 승소 확정판결을 받은 채권자가 그 판결상 채권의 시효중단을 위해 후소를 제기하는 경우에도 동일하게 적용되므로, 채권자가 전소로 이행청구를 하여 승소 확정판결을 받은 후 그 채권의 시효중단을 위한 후소를 제기하는 경우, 후소의 형태로서 항상 전소와 동일한 이행청구만이 시효중단사유인 '재판상의 청구'에 해당한다고 볼 수는 없다. ② 시효중단을 위한 이행소송은 다양한 문제를 야기한다. 그와 같은 문제들의 근본적인 원인은 시효중단을 위한 후소의 형태로 전소와 소송물이 동일한 이행소송이 제기되면서 채권자가 실제로 의도하지도 않은 청구권의 존부에 관한 실체 심리를 진행하는 데에 있다. 채무자는 그와 같은 후소에서 전소 판결에 대한 청구이의사유를 조기에 제출하도록 강요되고 법원은 불필요한 심리를 해야 한다. 채무자는 이중집행의 위험에 노출되고, 실질적인 채권의 관리・보전비용을 추가로 부담하게 되며 그 금액도 매우 많은 편이다. 채권자 또한 자신이 제기한 후소의 적법성이 10년의 경과가 임박하였는지 여부라는 불명확한 기준에 의해 좌우되는 불안정한 지위에 놓이게 된다. 위와 같은 종래 실무의 문제점을 해결하기 위해서, 시효중단을 위한 후소로서 이행소송 외에 전소 판결로 확정된 채권의 시효를 중단시키기 위한 조치, 즉 '재판상의 청구가 있다'는 점에 대하여만 확인을 구하는 형태의 '새로운 방식의 확인소송'이 허용되고, 채권자는 두 가지 형태의 소송 중 자신의 상황과 필요에 보다 적합한 것을 선택하여 제기할 수 있다고 보아야 한다(대판(전) 2018.10.18, 2015다232316).

[3] 시효중단을 위한 후소 절차에서 법원의 조치

① 한편 시효중단을 위한 후소의 판결은 전소의 승소 확정판결의 내용에 저촉되어서는 아니 되므로, 후소 법원으로서는 그 확정된 권리를 주장할 수 있는 모든 요건이 구비되어 있는지에 관하여 다시 심리할 수 없으나, 위 후소 판결의 기판력은 후소의 변론종결 시를 기준으로 발생하므로, 전소의 변론종결 후에 발생한 변제, 상계, 면제 등과 같은 채권소멸사유는 후소의 심리대상이 된다. 따라서 채무자인 피고는 후소 절차에서 위와 같은 사유를 들어 항변할 수 있고 심리 결과 그 주장이 인정되면 법원은 원고의 청구를 기각하여야 한다. 이는 채권의 소멸사유 중 하나인 소멸시효 완성의 경우에도 마찬가지이다.

② 이처럼 판결이 확정된 채권의 소멸시효기간의 경과가 임박하였는지 여부에 따라 시효중단을 위한 후소의 권리보호이익을 달리 보는 취지와 채권의 소멸시효 완성이 갖는 효과 등을 고려해 보면, 시효중단을 위한 후소를 심리하는 법원으로서는 전소 판결이 확정된 후 소멸시효가 중단된 적이 있어 그 중단사유가 종료한 때로부터 새로이 진행된 소멸시효기간의 경과가 임박하지 않아 시효중단을 위한 재소의 이익을 인정할 수 없다는 등의 특별한 사정이 없는 한, 후소가 전소 판결이 확정된 후 10년이 지나 제기되었다 하더라도 곧바로 소의 이익(시효중단을 구할 이익)이 없다고 하여 소를 각하해서는 아니 되고, 채무자인 피고의 항변에 따라 원고의 채권이 소멸시효 완성으로 소멸하였는지에 관한 본안판단을 하여야 한다(대판 2019.1.17, 2018다24349).

2) 시효중단의 물적 범위

재판상 청구에 의한 시효중단의 물적 범위에 관하여 판례는 소송물 그 자체에 국한하지 않고 재판상 청구를 통해 권리를 행사한 것으로 볼 수 있는 경우에까지 확대하는 입장이다. 즉 기본적 법률관계의 확인청구소송의 제기는 그 법률관계로부터 파생되는 개개의 권리에 대한 시효중단사유가 된다. 예컨대 파면된 사립학교 교원이 제기한 파면처분 무효확인청구의 소는 급여채권에 대한 재판상 청구에 해당하여 시효중단의 효력이 있다(대판 1978.4.11, 77다2509).

3) 효과

재판상의 청구가 시효중단의 효력을 발생하는 시기는 '소를 제기한 때'이다. 피고에게 소장부본이 송달되었는지는 무관하다. 마찬가지로 소의 변경이나 중간확인의 소에 있어서도 '그 서면을 법원에 제출한 때'이다(민소법 제265조).

(2) 최고

① 최고는 채무자에 대하여 채무이행을 청구하는 의사의 통지이다. 이러한 최고는 다른 중단사유와는 달리 잠정적인 시효중단사유로서 그 자체로는 완전한 시효중단의 효력이 없으며, 최고 후 6개월 내에 재판상 청구 등 적극적인 방법을 취하지 않았다면 시효중단의 효력이 없다.

② 재판상의 청구가 있더라도 소의 각하・기각・취하된 경우에는 그로부터 6월 내에 다시 재판상의 청구 등을 하여야 시효중단의 효력이 있으므로(제170조), 재판 외의 최고로서의 효력만 인정된다(대판 1987.12.22, 87다카2337). 유의할 것은 6월 내에 "재판상 청구, 파산절차참가, 압류 또는 가압류, 가처분"을 하여야 하고, 「화해를 위한 소환이나 임의출석」은 이에 포함되지 않는다. 이 점에서 제174조의 최고의 경우와 차이가 있다.

2. 압류 · 가압류 · 가처분

① 채권자가 채무자의 제3채무자에 대한 채권을 압류 또는 가압류한 경우에 채권자의 채무자에 대한 채권에 관하여는 시효중단의 효력이 생기나, 압류 또는 가압류된 채무자의 제3채무자에 대한 채권에 대하여는 이러한 확정적인 시효중단의 효력이 생기지 않는다(대판 2003.5.13, 2003다16238).

② 다만, 채권압류 및 추심명령의 제3채무자에 대한 송달은 채무자의 제3채무자에 대한 채권에 대하여 최고로서의 효력이 인정되므로, 이때로부터 6월 내에 재판상 청구 등을 한 사실을 입증하면 채권압류 및 추심명령 송달시에 시효중단의 효력이 있었음을 주장할 수 있다.

③ 채권자가 물상보증인에 대하여 그 피담보채권의 실행으로서 임의경매를 신청한 경우 바로 채무자에 대해서 시효중단되지 않는다. 이 경우 경매법원이 경매개시결정을 하고 경매절차의 이해관계인으로서의 채무자에게 그 결정이 송달되거나 또는 경매기일이 통지된 경우에는 시효의 이익을 받는 채무자는 민법 제176조에 의하여 당해 피담보채권의 소멸시효 중단의 효과를 받는다(대판 1997.8.29, 97다12990). 이때 민법 제176조의 규정에 따라 압류사실이 통지된 것으로 볼 수 있기 위하여는 압류사실을 주채무자가 알 수 있도록 경매개시결정이나 경매기일통지서가 공시송달의 방법이 아닌 교부송달의 방법으로 주채무자에게 송달되어야만 한다(대판 1994.11.25, 94다26097).

④ 또한 판례는 가압류가 취소되지 않을 때 본안판결이 확정되어 10년이 경과하였다 하더라도 가압류에 의한 집행보전의 효과가 계속된다고 한다(대판 2000.4.25, 2000다11102).

가압류와 시효중단의 효력 ★★

[1] 민법 제168조에서 가압류를 시효중단사유로 정하고 있는 것은 가압류에 의하여 채권자가 권리를 행사하였다고 할 수 있기 때문인데 가압류에 의한 집행보전의 효력이 존속하는 동안은 가압류채권자에 의한 권리행사가 계속되고 있다고 보아야 할 것이므로 가압류에 의한 시효중단의 효력은 가압류의 집행보전의 효력이 존속하는 동안은 계속된다고 하여야 할 것이다. 또한 민법 제168조에서 가압류와 재판상의 청구를 별도의 시효중단사유로 규정하고 있는 데 비추어 보면, 가압류의 피보전채권에 관하여 본안의 승소판결이 확정되었다고 하더라도 가압류에 의한 시효중단의 효력이 이에 흡수되어 소멸된다고 할 수도 없다(대판 2000.4.25, 2000다11102).

[2] 가압류는 강제집행을 보전하기 위한 것으로서 경매절차에서 부동산이 매각되면 그 부동산에 대한 집행보전의 목적을 다하여 효력을 잃고 말소되며, 가압류채권자에게는 집행법원이 그 지위에 상응하는 배당을 하고 배당액을 공탁함으로써 가압류채권자가 장차 채무자에 대하여 권리행사를 하여 집행권원을 얻었을 때 배당액을 지급받을 수 있도록 하면 족한 것이다. 따라서 이러한 경우 가압류에 의한 시효중단은 경매절차에서 부동산이 매각되어 가압류등기가 말소되기 전에 배당절차가 진행되어 가압류채권자에 대한 배당표가 확정되는 등의 특별한 사정이 없는 한, 채권자가 가압류집행에 의하여 권리행사를 계속하고 있다고 볼 수 있는 가압류등기가 말소된 때 그 중단사유가 종료되어, 그때부터 새로 소멸시효가 진행한다고 봄이 타당하다. 따라서 매각대금 납부 후의 배당절차에서 가압류채권자의 채권에 대하여 배당이 이루어지고 배당액이 공탁되었다고 하여 가압류채권자가 그 공탁금에 대하여 채권자로서 권리행사를 계속하고 있다고 볼 수는 없으므로 그로 인하여 가압류에 의한 시효중단의 효력이 계속된다고 할 수 없다(대판 2013.11.14, 2013다18622 · 18639).

[3] 사망한 사람을 피신청인으로 한 가압류신청은 부적법하고 그 신청에 따른 가압류결정이 내려졌다고 하여도 그 결정은 당연 무효로서 그 효력이 상속인에게 미치지 않으며, 이러한 당연 무효의 가압류는 민법 제168조 제1호에 정한 소멸시효의 중단사유에 해당하지 않는다(대판 2006.8.24, 2004다26287 · 26294).

채권 중 일부에 대하여 선행 채권가압류 · 압류가 이루어진 후, 그 가압류 · 압류 부분을 제외한 나머지 채권 부분에 대하여 후행 전부명령이 이루어졌는데, 시효중단 조치가 채권 일부에 대하여만 취해진 경우, 시효중단의 효력이 선행 채권가압류 · 압류 부분에 우선하여 미치는지, 아니면 선행 채권가압류 · 압류 부분과 후행 전부명령 부분에 안분하여 미치는지 여부

채권자가 1개의 채권 중 일부에 대하여 가압류 · 압류를 하는 취지는 1개의 채권 중 어느 특정 부분을 지정하여 가압류 · 압류하는 등의 특별한 사정이 없는 한 가압류 · 압류 대상 채권 중 유효한 부분을 가압류 · 압류함으로써 향후 청구금액만큼 만족을 얻겠다는 것이므로, 1개의 채권의 일부에 대한 가압류 · 압류는 유효한 채권 부분을 대상으로 한 것이고, 유효한 채권 부분이 남아 있는 한 거기에 가압류 · 압류의 효력이 계속 미친다고 봄이 타당하다. 따라서 1개의 채권 중 일부에 대하여 가압류 · 압류를 하였는데, 위 채권의 일부에 대하여만 소멸시효가 중단되고 나머지 부분은 이미 시효로 소멸한 경우, 가압류 · 압류의 효력은 시효로 소멸되지 않고 잔존하는 채권 부분에 계속 미친다고 보아야 한다(대판 2016.3.24, 2014다13280 · 13297).

→ [사실관계] : 원고(탈퇴)가 세경진흥 주식회사(이하 '세경'이라 한다)의 피고들에 대한 매매대금반환채권에 관하여 전부명령을 신청하기 전에 세경의 채권자들이 합계 21,985,651,635원 상당의 압류 · 가압류조치 등을 먼저 취하였는데, 당시 세경이 피고들에 대하여 부동산가압류 및 소 제기로써 시효중단 조치를 취한 원금 618억원의 매매대금반환채권이 유효하게 존재하고 있었으므로, 세경의 채권자들이 한 위 압류 · 가압류조치는 시효로 소멸되지 않고 잔존하는 채권에 대한 것으로 볼 수 있고, 원고(탈퇴)는 압류 및 전부명령을 신청하면서 스스로 위 21,985,651,635원 상당의 매매대금반환채권을 압류 및 전부명령의 대상에서 제외시켰으므로, 이에 따라 발령된 이 사건 전부명령은 위 21,985,651,635원을 제외한 나머지 시효중단 조치된 부분에 대하여만 효력이 있는 것이라고 본 원심판결이 정당하다고 본 사안이다.

가압류로 인한 시효중단의 효력이 발생하는 시기 ★★

공사도급계약에서 소멸시효의 기산점이 되는 보수청구권의 지급시기는, 당사자 사이에 특약이 있으면 그에 따르고, 특약이 없으면 관습에 의하며(민법 제665조 제2항, 제656조 제2항), 특약이나 관습이 없으면 공사를 마친 때로 보아야 한다. 한편 민법 제168조 제2호에서 가압류를 시효중단사유로 정하고 있지만, 가압류로 인한 시효중단의 효력이 언제 발생하는지에 관해서는 명시적으로 규정되어 있지 않다. 민사소송법 제265조에 의하면, 시효중단사유 중 하나인 '재판상의 청구'(민법 제168조 제1호, 제170조)는 소를 제기한 때 시효중단의 효력이 발생한다. 이는 소장 송달 등으로 채무자가 소 제기 사실을 알기 전에 시효중단의 효력을 인정한 것이다. 가압류에 관해서도 위 민사소송법 규정을 유추적용하여 '재판상의 청구'와 유사하게 가압류를 신청한 때 시효중단의 효력이 생긴다고 보아야 한다. '가압류'는 법원의 가압류명령을 얻기 위한 재판절차와 가압류명령의 집행절차를 포함하는데, 가압류도 재판상의 청구와 마찬가지로 법원에 신청을 통해서 이루어지고(민사집행법 제279조), 가압류명령에 따른 집행이나 가압류명령의 송달을 통해서 채무자에게 고지가 이루어지기 때문이다. 또한 가압류를 시효중단사유로 규정한 이유는 가압류에 의하여 채권자가 권리를 행사하였다고 할 수 있기 때문이다. 나아가 가압류채권자의 권리행사는 가압류를 신청한 때에 시작되므로, 이 점에서도 가압류에 의한 시효중단의 효력은 가압류신청을 한 때에 소급한다고 볼 수 있다(대판 2017.4.7, 2016다35451).

→ [사실관계] : 원고가 채무자에 대한 공사대금채권을 보전하기 위하여 채무자가 제3채무자인 건설공제조합에 대하여 갖는 출자증권의 인도청구권을 가압류한 사안에서, 이 사건 가압류명령이 제3채무자에 송달됨으로써 가압류의 효력이 생기고, 가압류로 인한 소멸시효 중단의 효력은 가압류 신청 시에 소급하므로, 민법 제163조 제3호에서 정한 3년의 단기 소멸시효 기간이 지나기 전 원고의 공사대금채권은 소멸시효가 중단되었다고 본 사례이다.

'압류'에 의한 시효중단

[1] 집행권원을 가진 채권자의 배당요구

① 부동산경매절차에서 집행력 있는 집행권원의 정본을 가진 채권자가 하는 배당요구는 민법 제168조 제2호의 압류에 준하는 것으로서 배당요구에 관련된 채권에 관하여 소멸시효를 중단하는 효력이 있다(대판 2010.9.9, 2010다28031).

② 채권자가 배당요구의 방법으로 권리를 행사하여 경매절차에 참가하였다면 그 배당요구는 민법 제168조 제2호의 압류에 준하는 것으로서 배당요구에 관련된 채권에 관하여 소멸시효를 중단하는 효력이 생긴다. 배당을 받아야 할 채권자 중 가압류채권자가 있어 그에 대한 배당액이 공탁된 경우 공탁된 배당금이 가압류채권자에게 지급될 때까지 배당절차가 종료되었다고 단정할 수 없다. 따라서 가압류채권자에 대한 배당액을 공탁한 뒤 그 공탁금을 가압류채권자에게 전액 지급할 수 없어서 추가배당이 실시됨에 따라 배당표가 변경되는 경우에는 추가배당표가 확정되는 시점까지 배당요구에 의한 권리행사가 계속된다고 볼 수 있으므로, 그 권리행사로 인한 소멸시효 중단의 효력은 추가배당표가 확정될 때까지 계속된다(대판 2022.5.12, 2021다280026).

[2] 시효중단의 종료 시점(압류가 해제되거나 집행절차가 종료될 때)

시효가 중단된 때에는 중단까지에 경과한 시효기간은 이를 산입하지 아니하고 중단사유가 종료한 때로부터 새로이 진행하는데(국세기본법 제28조 제2항, 민법 제178조 제1항), 소멸시효의 중단사유 중 '압류'에 의한 시효중단의 효력은 압류가 해제되거나 집행절차가 종료될 때 중단사유가 종료한 것으로 볼 수 있다(대판 2017.4.28, 2016다239840).

주택임대차보호법 제3조의3에서 정한 임차권등기에 민법 제168조 제2호에서 정하는 소멸시효 중단사유인 압류 또는 가압류, 가처분에 준하는 효력이 있는지 여부(소극) ★★★

주택임대차보호법 제3조의3에서 정한 임차권등기명령에 따른 임차권등기는 특정 목적물에 대한 구체적 집행행위나 보전처분의 실행을 내용으로 하는 압류 또는 가압류, 가처분과 달리 어디까지나 주택임차인이 주택임대차보호법에 따른 대항력이나 우선변제권을 취득하거나 이미 취득한 대항력이나 우선변제권을 유지하도록 해 주는 담보적 기능을 주목적으로 한다. 비록 주택임대차보호법이 임차권등기명령의 신청에 대한 재판절차와 임차권등기명령의 집행 등에 관하여 민사집행법상 가압류에 관한 절차규정을 일부 준용하고 있지만 이는 일방 당사자의 신청에 따라 법원이 심리·결정한 다음 그 등기를 촉탁하는 일련의 절차가 서로 비슷한 데서 비롯된 것일 뿐 이를 이유로 임차권등기명령에 따른 임차권등기가 본래의 담보적 기능을 넘어서 채무자의 일반재산에 대한 강제집행을 보전하기 위한 처분의 성질을 가진다고 볼 수는 없다. 그렇다면 임차권등기명령에 따른 임차권등기에는 민법 제168조 제2호에서 정하는 소멸시효 중단사유인 압류 또는 가압류, 가처분에 준하는 효력이 있다고 볼 수 없다(대판 2019.5.16, 2017다226629).

→ [사실관계] : 사안을 다소 변경하여, 임대인 甲은 X주택에 대하여 임차인 乙과 보증금 1억원, 기간은 2002.8.18.부터 임대차계약의 종료일 2004.8.17.로 정하여 임대차계약을 체결하였다. 그런데 임대차계약 종료 후에도 甲이 보증금을 반환해 주지 않아 임차인 乙은 임차권등기명령을 신청하였고, 2008.8.17. 임차권등기를 마쳤다. 그 후 甲이 사망하여 X주택은 그의 자녀인 A, B가 상속하였고, 이에 乙은 2016.3.18. A, B를 상대로 보증금반환을 구하는 소를 제기하였는데, 소송계속 중 A, B로부터 X주택을 매수한 C가 피고 측 보조참가 신청을 하여 "이 사건 임대차계약은 2004.8.17. 종료하였고, 乙은 이후 이사를 가면서 점유를 상실하였으며, 그 후 10년간 이 사건 임대차보증금반환채권을 행사하지 않았으므로, 이 사건 임대차보증금반환채권은 시효로 소멸하였다."고 주장하였다.

→ [해설 및 판단] :

① 청구원인 → 임대차계약의 체결 + 보증금의 지급 + 임대차계약의 종료

② 소멸시효 완성의 항변 → ⅰ) 보증금반환채권은 소멸시효의 대상에 해당하고, ⅱ) 기산일은 임대차계약 종료일인 2004.8.17.이며, ⅲ) 기간은 일반 민사채권으로서 특별한 사정이 없는 한 10년에 해당한다. 따라서 乙은 이미 소멸시효가 완성된 후에 소를 제기하였으므로 소멸시효 중단의 사유가 없는 한 乙의 청구는 기각되어야 한다.

③ 재항변 : 소멸시효 중단 여부 → 임차권등기명령에 따른 임차권등기가 시효중단 사유에 해당하는지 여부가 문제인데, 이에 대해 대법원은 위와 같은 이유로 임차권등기명령에 의한 임차권등기에는 민법 제168조 제2호에 정한 압류 등에 준하는 효력을 인정할 수 없고, 따라서 임차권등기로 인하여 보증금반환채권의 시효가 중단된 것으로 볼 수는 없다고 하였다. 결국 임대차보증금반환채권은 시효가 완성되어 소멸하였으므로, 임차인 乙의 보증금반환청구는 기각되어야 한다.

예금채권에 대한 가압류에 의한 시효중단 문제(대판 2023.12.14, 2022다210093) ★★★

[1] 가압류명령 송달 이후에 채무자의 계좌에 입금될 예금채권이 가압류의 대상이 될 수 있는지 여부(한정 적극) / 장래의 예금채권에 대한 가압류결정 정본이 제3채무자에게 송달되었을 때 채무자의 제3채무자에 대한 예금계좌가 개설되어 있지 않는 등 피압류채권 발생의 기초가 되는 법률관계가 없는 경우, 가압류로서 집행보전의 효력이 있는지 여부(소극)

① 가압류명령의 송달 이후에 채무자의 계좌에 입금될 예금채권도 그 발생의 기초가 되는 법률관계가 존재하여 현재 그 권리의 특정이 가능하고 가까운 장래에 예금채권이 발생할 것이 상당한 정도로 기대된다고 볼 만한 예금계좌가 개설되어 있는 경우 등에는 가압류의 대상이 될 수 있다. ② 그러나 장래의 예금채권에 대한 가압류결정 정본이 제3채무자에게 송달되었을 때에 채무자의 제3채무자에 대한 '예금계좌가 개설되어 있지 않는 등 피압류채권 발생의 기초가 되는 법률관계가 없는 경우'에는, 그러한 채권가압류는 피압류채권이 존재하지 않으므로 가압류로서 집행보전의 효력이 없다.

[2] 채권자가 채무자의 제3채무자에 대한 채권을 가압류할 당시 피압류채권이 부존재하는 경우, 가압류집행으로써 집행채권의 소멸시효가 중단되는지 여부(원칙적 적극) / 가압류결정 정본이 제3채무자에게 송달될 당시 피압류채권 발생의 기초가 되는 법률관계가 없어 가압류의 대상이 되는 피압류채권이 존재하지 않는 경우, 집행채권의 시효중단 효력이 종료되는 시점(=가압류결정 송달 시)

① 채권자가 채무자의 제3채무자에 대한 채권을 가압류할 당시 그 피압류채권이 부존재하는 경우에도 집행채권에 대한 권리 행사로 볼 수 있어 특별한 사정이 없는 한 가압류집행으로써 그 집행채권의 소멸시효는 중단된다. ② 다만 가압류결정 정본이 제3채무자에게 송달될 당시 피압류채권 발생의 기초가 되는 법률관계가 없어 가압류의 대상이 되는 피압류채권이 존재하지 않는 경우에는 가압류의 집행보전 효력이 없으므로, 특별한 사정이 없는 한 가압류결정의 송달로써 개시된 집행절차는 곧바로 종료되고, 이로써 시효중단사유도 종료되어 집행채권의 소멸시효는 그때부터 새로이 진행한다고 보아야 한다.

→ [사실관계 및 해설] : 원고 甲은 대여금 채권 보전을 위하여 채무자 乙을 피고, 제3채무자를 15곳의 금융기관으로 하여 채무자가 제3채무자에 대하여 가지는 예금채권 중 현재 예치된 예금 및 장래 입금될 예금 중 청구채권액에 이를 때까지의 금원(각 금융기관별로 1,000만원씩)에 대하여 채권가압류('이 사건 채권가압류') 결정을 받았는데, 피고 乙은 가압류결정 송달 당시 모든 금융기관들에 대하여 예금채권이 없었음은 물론 예금계좌도 가지고 있지 않았던 사안이었다. ① 이에 대해 원심은 이 사건 채권가압류로 인하여 대여금채권의 소멸시효가 중단되었고, 그 가압류결정이 취소된 바 없이 효력을 유지하고 있는 이상 소멸시효가 중단된 상태가 계속된다고 판단하였으나(주 계속설의 입장을 견지), ② 대법원은 가압류결정이 송달될 당시 피고는 제3채무자들에 대하여 예금계좌를 가지고 있지 않았으므로 이 사건 가압류결정

은 그 피압류채권이 부존재하여 가압류로서 집행보전의 효력이 없고, 따라서 이 사건 가압류집행으로써 그 집행채권인 대여금 채권의 소멸시효가 중단되더라도 그 가압류결정에 따른 집행절차는 곧바로 종료되므로, 시효중단사유도 종료되어 그 소멸시효는 그때부터 새로이 진행한다. 따라서 그로부터 새로이 소멸시효 기간이 경과하여 채권의 소멸시효는 완성되었다고 본 사안이다.

3. 승인

① 소멸시효의 중단사유로서의 승인은 시효이익을 받을 당사자인 채무자나 대리인이 소멸시효의 완성으로 권리를 상실하게 될 자 또는 그 대리인에 대하여 그 권리의 존재를 인식하고 있다는 뜻을 표시함으로써 성립한다.

소멸시효 중단사유인 채무승인의 당사자와 성질(관념의 통지)
소멸시효 중단사유로서의 채무승인은 시효이익을 받는 당사자인 채무자가 소멸시효의 완성으로 채권을 상실하게 될 자에 대하여 상대방의 권리 또는 자신의 채무가 있음을 알고 있다는 뜻을 표시함으로써 성립하는 이른바 관념의 통지이다(대판 2023.8.18, 2022다301906).

이행인수인이 채권자에 대한 관계에서 직접 이행의무를 부담하는지 여부(소극) / **이행인수인이 채권자에 대하여 채무자의 채무를 승인한 경우, 시효중단 사유가 되는 채무승인의 효력 발생 여부**(원칙적 소극) ★
이행인수는 채무자와 인수인 사이의 계약에 따라 인수인이 채권자에 대한 채무를 변제하기로 약정하는 것을 말한다. 이 경우 인수인은 채무자의 채무를 변제하는 등으로 면책시킬 의무를 부담하지만 채권자에 대한 관계에서 직접 이행의무를 부담하게 되는 것은 아니다. 한편 소멸시효 중단사유인 채무의 승인은 시효이익을 받을 당사자나 대리인만 할 수 있으므로 이행인수인이 채권자에 대하여 채무자의 채무를 승인하더라도 다른 특별한 사정이 없는 한 시효중단 사유가 되는 채무승인의 효력은 발생하지 않는다(대판 2016.10.27, 2015다239744).

② 검사 작성의 피의자신문조서는 검사가 피의자를 신문하여 그 진술을 기재한 조서로서 그 작성 형식은 원칙적으로 검사의 신문에 대하여 피의자가 응답하는 형태를 취하여 피의자의 진술은 어디까지나 검사를 상대로 이루어지는 것이어서 그 진술기재 가운데 채무의 일부를 승인하는 의사가 표시되어 있다고 하더라도, 그 기재 부분만으로 곧바로 소멸시효 중단사유로서 승인의 의사표시가 있은 것으로는 볼 수 없다(대판 1999.3.12, 98다18124).

③ 소멸시효의 진행이 개시된 이후에만 가능하고 그 이전에 승인을 하더라도 시효가 중단되지는 않는다고 할 것이고, 또한 현존하지 아니하는 장래의 채권을 미리 승인하는 것은 채무자가 그 권리의 존재를 인식하고서 한 것이라고 볼 수 없어 허용되지 않는다고 할 것이다(대판 2001.11.9, 2001다52568).

④ 시효완성 전에 채무의 일부를 변제한 경우에는, 그 수액에 관하여 다툼이 없는 한 채무승인으로서의 효력이 있어 시효중단의 효과가 발생한다(대판 1996.1.23, 95다39854).

동일한 채권자에게 다수의 채무를 부담하는 채무자가 변제에 충당할 채무를 지정하지 아니한 채 모든 채무를 변제하기에 부족한 금액을 변제한 경우, 모든 채무에 대한 승인으로서 소멸시효 중단의 효력이 있는지 여부(원칙적 적극) ★

동일한 채권자와 채무자 사이에 다수의 채권이 존재하는 경우 채무자가 변제를 충당하여야 할 채무를 지정하지 않고 모든 채무를 변제하기에 부족한 금액을 변제한 때에는 특별한 사정이 없는 한 그 변제는 모든 채무에 대한 승인으로서 소멸시효를 중단하는 효력을 가진다. 채무자는 자신이 계약당사자로 있는 다수의 계약에 기초를 둔 채무들이 존재한다는 사실을 인식하고 있는 것이 통상적이므로, 변제 시에 충당할 채무를 지정하지 않고 변제를 하였으면 특별한 사정이 없는 한 다수의 채무 전부에 대하여 그 존재를 알고 있다는 것을 표시했다고 볼 수 있기 때문이다(대판 2021.9.30, 2021다239745).

⑤ 비법인사단의 대표자가 총유물의 매수인에게 소유권이전등기를 해주기 위하여 매수인과 함께 법무사 사무실을 방문한 행위는 소유권이전등기청구권의 소멸시효 중단의 효력이 있는 승인에 해당하는데, 비법인사단이 총유물에 관한 매매계약을 체결하는 행위는 총유물 그 자체의 처분이 따르는 채무부담행위로서 총유물의 처분행위에 해당하나, 그 매매계약에 의하여 부담하고 있는 채무의 존재를 인식하고 있다는 뜻을 표시하는 데 불과한 소멸시효 중단사유로서의 승인은 총유물 그 자체의 관리 · 처분이 따르는 행위가 아니어서 총유물의 관리 · 처분행위라고 볼 수 없다(대판 2009.11.26, 2009다64383).

→ 피고의 대표자가 매매계약에 따른 소유권이전등기의무에 대하여 소멸시효 중단의 효력이 있는 승인을 하는 경우에 있어 주민총회의 결의를 거치지 않았다고 하더라도 그것만으로 그 승인이 무효라고 할 수 없다.

소멸시효중단사유로서의 채무승인을 인정하기 위하여 채무자가 권리 등의 법적 성질까지 알고 있거나 권리 등의 발생원인을 특정하여야 하는지 여부(소극) **및 그와 같은 승인이 있는지를 판단하는 기준** ★

소멸시효중단사유로서의 채무승인은 시효이익을 받는 당사자인 채무자가 소멸시효의 완성으로 채권을 상실하게 될 이 또는 그 대리인에 대하여 상대방의 권리 또는 자신의 채무가 있음을 알고 있다는 뜻을 표시함으로써 성립하며, 그 표시의 방법은 아무런 형식을 요구하지 아니하고 묵시적이건 명시적이건 묻지 아니한다. 또한 승인은 시효의 이익을 받는 이가 상대방의 권리 등의 존재를 인정하는 일방적 행위로서, 그 권리의 원인 · 내용이나 범위 등에 관한 구체적 사항을 확인하여야 하는 것은 아니고, 그에 있어서 채무자가 권리 등의 법적 성질까지 알고 있거나 권리 등의 발생원인을 특정하여야 할 필요는 없다고 할 것이다. 그리고 그와 같은 승인이 있는지 여부는 문제가 되는 표현행위의 내용 · 동기 및 경위, 당사자가 그 행위 등에 의하여 달성하려고 하는 목적과 진정한 의도 등을 종합적으로 고찰하여 사회정의와 형평의 이념에 맞도록 논리와 경험의 법칙, 그리고 사회일반의 상식에 따라 객관적이고 합리적으로 이루어져야 한다(대판 2012.10.25, 2012다45566; 대판 2019.4.25, 2015두39897).

→ [사실관계] : 甲이 乙과의 명의신탁약정에 기하여 乙의 명의로 부동산을 매수하고 등기명의를 신탁하였으나 부동산 실권리자명의 등기에 관한 법률 제11조에서 정한 유예기간이 경과할 때까지 실명등기를 하지 않았는데, 그로부터 10년이 경과한 후에 위 부동산의 회복을 위하여 乙에 대하여 가지는 부당이득반환청구권을 근거로 위 부동산에 관한 소유권이전등기절차 이행을 구하는 소를 제기한 사안에서, 乙이 위 부동산이 甲과의 관계에서 자신의 소유가 아니라 甲의 소유임을 스스로 인정하는 것을 전제로 하여서만 취하였을 행태로서 관련 세금의 부담과 같은 재산적 지출을 甲에게 적극적으로 요청하는 등 甲의 대내적 소유권을 인정한 데에

는 甲에 대하여 소유권등기를 이전·회복하여 줄 의무를 부담함을 알고 있다는 뜻이 묵시적으로 포함되어 표현되었다고 봄이 타당하므로, 그 후 乙이 甲의 반환요구를 거부하기 시작한 때까지는 위 부동산에 관한 소유권이전등기의무를 승인하였다고 할 것이어서 그 무렵까지 甲의 위 부동산에 관한 소유권이전등기청구권의 소멸시효는 중단되었음에도, 이와 달리 본 원심판결에 법리오해의 위법이 있다고 한 사례이다.

시효중단사유로서의 채무승인의 방법

[1] 소멸시효 중단사유로서의 승인은 시효이익을 받을 당사자인 채무자가 소멸시효의 완성으로 권리를 상실하게 될 자 또는 그 대리인에 대하여 그 권리가 존재함을 인식하고 있다는 뜻을 표시함으로써 성립한다고 할 것이며, 그 표시의 방법은 아무런 형식을 요구하지 아니하고, 또한 명시적이건 묵시적이건 불문한다. 묵시적인 승인의 표시는 채무자가 채무의 존재와 액수를 인식하고 있음을 전제로 상대방으로 하여금 채무자가 채무를 인식하고 있음을 표시를 통해 추단하게 할 수 있는 방법으로 하면 충분하다(대판 2018.4.24, 2017다205127).

[2] 채권양수인이라고 주장하는 자가 채무자를 상대로 제기한 양수금 청구소송에서 채무자가 채권자로부터 채권을 양도한 사실이 없다는 취지의 진술서를 작성·교부받아 이를 증거로 제출하여 승소판결을 받은 경우, 채무자는 채권자로부터 위 진술서를 교부받음으로써 채무를 승인하였으므로 그 무렵 소멸시효가 중단되었다(대판 2000.4.25, 98다63193).

판례 연구 관련판례 정리

1. 응소에 관한 판례

(1) 응소와 시효중단 ★★

민법 제168조 제1호, 제170조 제1항에서 시효중단사유의 하나로 규정하고 있는 재판상의 청구라 함은, 통상적으로는 권리자가 원고로서 시효를 주장하는 자를 피고로 하여 소송물인 권리를 소의 형식으로 주장하는 경우를 가리키지만, 이와 반대로 ① 시효를 주장하는 자(채무자)가 원고가 되어 소를 제기한 데 대하여, ② 피고로서 응소하여 그 소송에서 적극적으로 권리를 주장하고, ③ 그것이 법원에 의해 받아들여진 경우도 마찬가지로 이에 포함되는 것으로 해석함이 타당하다(대판(전) 1993.12.21, 92다47861).

(2) 물상보증인이 제기한 저당권말소등기청구에서 채권자 겸 저당권자의 응소 ★★

타인의 채무를 담보하기 위하여 자기의 물건에 담보권을 설정한 물상보증인은 채권자에 대하여 물적 유한책임을 지고 있어 그 피담보채권의 소멸에 의하여 직접 이익을 받는 관계에 있으므로 소멸시효의 완성을 주장할 수 있는 것이지만, 채권자에 대하여는 아무런 채무도 부담하고 있지 아니하므로, 물상보증인이 그 피담보채무의 부존재 또는 소멸을 이유로 제기한 저당권설정등기 말소등기절차이행청구소송에서 채권자 겸 저당권자가 청구기각의 판결을 구하고 피담보채권의 존재를 주장하였다고 하더라도 이로써 직접 채무자에 대하여 재판상 청구를 한 것으로 볼 수는 없는 것이므로 피담보채권의 소멸시효에 관하여 규정한 민법 제168조 제1호 소정의 '청구'에 해당하지 아니한다(대판 2004.1.16, 2003다30890).

(3) 응소와 시효중단의 시기 및 주장

① 민법 제168조 제1호, 제170조 제1항에서 시효중단사유의 하나로 규정하고 있는 재판상의 청구라 함은, 통상적으로는 권리자가 원고로서 시효를 주장하는 자를 피고로 하여 소송물인 권리를 소의 형식으

로 주장하는 경우를 가리키지만, 이와 반대로 시효를 주장하는 자가 원고가 되어 소를 제기한 데 대하여 피고로서 응소하여 그 소송에서 적극적으로 권리를 주장하고 그것이 받아들여진 경우도 이에 포함되고, 위와 같은 응소행위로 인한 시효중단의 효력은 피고가 현실적으로 권리를 행사하여 응소한 때에 발생한다. 한편, 권리자인 피고가 응소하여 권리를 주장하였으나 그 소가 각하되거나 취하되는 등의 사유로 본안에서 그 권리주장에 관한 판단 없이 소송이 종료된 경우에도 민법 제170조 제2항을 유추적용하여 그때부터 6월 이내에 재판상의 청구 등 다른 시효중단조치를 취하면 응소 시에 소급하여 시효중단의 효력이 있는 것으로 봄이 상당하다(대판 2012.1.12, 2011다78606). ★

② 응소행위에 대하여 소멸시효중단의 효력을 인정하는 것은 그것이 권리 위에 잠자는 것이 아님을 표명한 것에 다름 아닐 뿐만 아니라 계속된 사실상태와 상용할 수 없는 다른 사정이 발생한 때로 보아야 한다는 것에 기인한 것이므로, 채무자가 반드시 소멸시효완성을 원인으로 한 소송을 제기한 경우이거나 당해 소송이 아닌 전 소송 또는 다른 소송에서 그와 같은 권리주장을 한 경우이어야 할 필요는 없고, 나아가 변론주의 원칙상 피고가 응소행위를 하였다고 하여 바로 시효중단의 효과가 발생하는 것은 아니고 시효중단의 주장을 하여야 그 효력이 생기는 것이지만, 시효중단의 주장은 반드시 응소 시에 할 필요는 없고 소멸시효기간이 만료된 후라도 사실심 변론종결 전에는 언제든지 할 수 있다(대판 2010.8.26, 2008다42416・42423).

2. 원인채권의 지급을 확보하기 위하여 어음이 수수된 경우의 문제

[1] 원인채권의 지급을 확보하기 위한 방법으로 어음이 수수된 경우에 원인채권과 어음채권은 별개로서 채권자는 그 선택에 따라 권리를 행사할 수 있고, 원인채권에 기하여 청구를 한 것만으로는 어음채권 그 자체를 행사한 것으로 볼 수 없어 어음채권의 소멸시효를 중단시키지 못한다.

[2] 원인채권의 지급을 확보하기 위한 방법으로 어음이 수수된 경우, 이러한 어음은 경제적으로 동일한 급부를 위하여 원인채권의 지급수단으로 수수된 것으로서 그 어음채권의 행사는 원인채권을 실현하기 위한 것일 뿐만 아니라, 원인채권의 소멸시효는 어음금 청구소송에 있어서 채무자의 인적항변 사유에 해당하는 관계로 채권자가 어음채권의 소멸시효를 중단하여 두어도 채무자의 인적항변에 따라 그 권리를 실현할 수 없게 되는 불합리한 결과가 발생하게 되므로, 채권자가 원인채권에 기하여 청구를 한 것이 아니라 어음채권에 기하여 청구를 하는 반대의 경우에는 원인채권의 소멸시효를 중단시키는 효력이 있다고 봄이 상당하고, 이러한 법리는 채권자가 어음채권을 피보전권리로 하여 채무자의 재산을 가압류함으로써 그 권리를 행사한 경우에도 마찬가지로 적용된다(대판 1999.6.11, 99다16378).

3. 일부청구와 시효중단 ★★

1) 청구부분이 특정될 수 있는 경우에 있어서의 일부청구는 나머지 부분에 대한 시효중단의 효력이 없고 나머지 부분에 관하여는 소를 제기하거나 그 청구를 확장(청구의 변경)하는 서면을 법원에 제출한 때에 비로소 시효중단의 효력이 생긴다(대판 1975.2.25, 74다1557).

2) 청구의 대상으로 삼은 채권 중 일부만을 청구한 경우에도 그 취지로 보아 채권 전부에 관하여 판결을 구하는 것으로 해석되는 경우에는 그 동일성의 범위 내에서 그 전부에 관하여 시효중단의 효력이 발생한다(대판 2001.9.28, 99다72521).

4. 최고에 관한 판례

1) ① 소멸시효제도 특히 시효중단제도는 그 제도의 취지에 비추어 볼 때 이에 관한 기산점이나 만료점은 원권리자를 위하여 너그럽게 해석하는 것이 상당하다 할 것이므로, 민법 제174조 소정의 시효중단사유로서의 최고에 있어서 채무이행을 최고받은 채무자가 그 이행의무의 존부 등에 대하여 조사를 해 볼 필요가 있다는 이유로 채권자에 대하여 그 이행의 유예를 구한 경우에는 채권자가 그 회답을 받을 때까지는 최고의 효력이 계속된다고 보아야 하고, 따라서 같은 조에 규정된 6월의 기간은 채권자가 채무자로부터 회답을 받은 때로부터 기산되는 것이라고 해석하여야 할 것이다(대판 2006.6.16, 2005다25632). 그러나 ② 채무이행을 최고받은 채무자가 채권자에 대하여 그 이행의 유예를 구한 경우가 아니라면 특별한 사정이 없는 한 민법 제174조에 규정된 6월의 기간은 최고가 있은 때로부터 기산되는 것이라고 보아야 하고, 이때 채무자가 채권자에 대하여 그 이행의 유예를 구하였는지에 관한 증명책임은 시효중단의 효력을 주장하는 채권자에게 있다고 할 것이다(대판 2014.12.24, 2012다35620).

2) 채권자가 채무자의 제3채무자에 대한 채권을 압류 또는 가압류한 경우에 채무자에 대한 채권자의 채권에 관하여 시효중단의 효력이 생긴다(㈜ 채무자에 대한 통지를 전제로 함 ; 제176조)고 할 것이나, 압류 또는 가압류된 채무자의 제3채무자에 대한 채권에 대하여는 민법 제168조 제2호 소정의 소멸시효 중단사유에 준하는 확정적인 시효중단의 효력이 생긴다고 할 수 없다. 소멸시효 중단사유의 하나로서 민법 제174조가 규정하고 있는 최고는 채무자에 대하여 채무이행을 구한다는 채권자의 의사통지(준법률행위)로서, 이에는 특별한 형식이 요구되지 아니할 뿐 아니라 행위 당시 당사자가 시효중단의 효과를 발생시킨다는 점을 알거나 의욕하지 않았다 하더라도 이로써 권리 행사의 주장을 하는 취지임이 명백하다면 최고에 해당하는 것으로 보아야 할 것이므로, 채권자가 확정판결에 기한 채권의 실현을 위하여 채무자의 제3채무자에 대한 채권에 관하여 압류 및 추심명령을 받아 그 결정이 제3채무자에게 송달이 되었다면 거기에 소멸시효 중단사유인 최고로서의 효력을 인정하여야 한다(대판 2003.5.13, 2003다16238).

3) 재산관계명시절차는 특정 목적물에 대한 구체적 집행행위 또는 보전처분의 실행을 내용으로 하는 압류 또는 가압류, 가처분과 달리 어디까지나 집행 목적물을 탐지하여 강제집행을 용이하게 하기 위한 강제집행의 보조절차 내지 부수절차 또는 강제집행의 준비행위와 강제집행 사이의 중간적 단계의 절차에 불과하다고 볼 수밖에 없으므로, 민법 제168조 제2호 소정의 소멸시효 중단사유인 압류 또는 가압류, 가처분에 준하는 효력까지 인정될 수는 없고, 따라서 재산관계명시결정에 의한 소멸시효 중단의 효력은 그로부터 6월 내에 다시 소를 제기하거나 압류 또는 가압류, 가처분을 하는 등 민법 제174조에 규정된 절차를 속행하지 아니하는 한 상실되는 것으로 보는 것이 옳다(대판 2001.5.29, 2000다32161).
→ 채권자가 확정판결에 기한 채권의 실현을 위하여 채무자에 대하여 민사집행법상 재산명시신청을 하고 그 결정이 채무자에게 송달되었다면 거기에 소멸시효 중단사유인 '최고'로서의 효력만이 인정되므로, 재산명시결정에 의한 소멸시효 중단의 효력은, 그로부터 6월 내에 다시 소를 제기하거나 압류 또는 가압류, 가처분을 하는 등 민법 제174조에 규정된 절차를 속행하지 아니하는 한 상실된다(대판 2012.1.12, 2011다78606).

4) 최고를 여러 번 거듭하다가 재판상청구 등을 한 경우에 시효중단의 효력은 항상 최초의 최고 시에 발생하는 것이 아니라 재판상청구 등을 한 시점을 기준으로 하여 이로부터 소급하여 6월 이내에 한 최고 시에 발생한다(대판 1983.7.12, 83다카437). ★

5) 소송고지의 요건이 갖추어진 경우에 그 소송고지서에 고지자가 피고지자에 대하여 채무의 이행을 청구하는 의사가 표명되어 있으면 민법 제174조에 정한 시효중단사유로서의 최고의 효력이 인정된다. 시효중단제도는 그 제도의 취지에 비추어 볼 때 이에 관한 기산점이나 만료점은 원권리자를 위하여 너그럽게 해석하는 것이 상당한데, 소송고지로 인한 최고의 경우 보통의 최고와는 달리 법원의 행위를 통하여 이루어지는 것으로서, 그 소송에 참가할 수 있는 제3자를 상대로 소송고지를 한 경우에 그 피고지자는 그가 실제로 그 소송에 참가하였는지 여부와 관계없이 후일 고지자와의 소송에서 전소 확정판결에서의 결론의 기초가 된 사실상·법률상의 판단에 반하는 것을 주장할 수 없어 그 소송의 결과에 따라서는 피고지자에 대한 참가적 효력이라는 일정한 소송법상의 효력까지 발생함에 비추어 볼 때, 고지자로서는 소송고지를 통하여 당해 소송의 결과에 따라 피고지자에게 권리를 행사하겠다는 취지의 의사를 표명한 것으로 볼 것이므로, 당해 소송이 계속 중인 동안은 최고에 의하여 권리를 행사하고 있는 상태가 지속되는 것으로 보아 민법 제174조에 규정된 6월의 기간은 당해 소송이 종료된 때로부터 기산되는 것으로 해석하여야 한다(대판 2009.7.9, 2009다14340).

6) 소송고지에 의한 최고는 보통의 최고와는 달리 법원의 행위를 통하여 이루어지는 것이므로 만일 법원이 소송고지서의 송달사무를 우연한 사정으로 지체하는 바람에 소송고지서의 송달 전에 시효가 완성된다면 고지자가 예상치 못한 불이익을 입게 된다는 점 등을 고려하면, 소송고지에 의한 최고의 경우에는 민사소송법 제265조를 유추적용하여 당사자가 소송고지서를 법원에 제출한 때(고지서가 상대방에게 도달한 때가 아님)에 시효 중단의 효력이 발생한다고 봄이 상당하다(대판 2015.5.14, 2014다16494). ★

5. 채권양도통지를 제척기간의 준수에 필요한 재판 외의 권리행사로 볼 수 있는지 여부(소극)(대판(전) 2012.3.22, 2010다28840)

[1] 채권양도의 통지는 그 양도인이 채권이 양도되었다는 사실을 채무자에게 알리는 것에 그치는 행위이므로, 그것만으로 제척기간의 준수에 필요한 권리의 재판 외 행사에 해당한다고 할 수 없다.

[2] 따라서 집합건물인 아파트의 입주자대표회의가 스스로 하자담보추급에 의한 손해배상청구권을 가짐을 전제로 하여 직접 아파트의 분양자를 상대로 손해배상청구 소송을 제기하였다가, 그 소송계속 중에 정당한 권리자인 구분소유자들로부터 그 손해배상채권을 양도받고 분양자에게 그 통지가 마쳐진 후 그에 따라 소를 변경한 경우에는, 그 채권양도통지에 채권양도의 사실을 알리는 것 외에 그 이행을 청구하는 뜻이 별도로 덧붙여지거나 그 밖에 구분소유자들이 재판 외에서 그 권리를 행사하였다는 등의 특별한 사정이 없는 한, 위 손해배상청구권은 입주자대표회의가 위와 같이 소를 변경한 시점에 비로소 행사된 것으로 보아야 할 것이다(대판 2008.12.11, 2008다12439 등 참조). → 다수의견은 채권양도의 통지는 이행청구와는 법적 성질을 달리하는 것이므로 그 채권양도통지에 이행청구를 하는 뜻이 덧붙여져 있다는 등의 특별한 사정이 있을 경우에 한하여 제척기간이 준수된 것으로 볼 수 있다는 취지이다.

6. 기타 판례 사례

1) 저당권의 행사는 피담보채권의 시효중단사유가 아니지만, 저당권설정청구권의 행사는 피담보채권의 시효중단사유가 된다(대판 2004.2.13, 2002다7213). ★ → 원고의 근저당권설정등기청구권의 행사는 그 피담보채권이 될 금전채권의 실현을 목적으로 하는 것으로서, 근저당권설정등기청구의 소에는 그 피담보채권이 될 채권의 존재에 관한 주장이 당연히 포함되어 있는 것이고, 피고로서도 원고가 원심에 이르러 금전지급을 구하는 청구를 추가하기 전부터 피담보채권이 될 금전채권의 소멸을 항변으로 주장하여 그 채권의 존부에 관한 실질적 심리가 이루어져 그 존부가 확인된 이상, 그 피담보채권이 될 채권으로

주장되고 심리된 채권에 관하여는 근저당권설정등기청구의 소의 제기에 의하여 피담보채권이 될 채권에 관한 권리의 행사가 있은 것으로 볼 수 있으므로, 근저당권설정등기청구의 소의 제기는 그 피담보채권의 재판상의 청구에 준하는 것으로서 피담보채권에 대한 소멸시효 중단의 효력을 생기게 한다고 봄이 상당하다.

2) 채권자대위권 행사의 효과는 채무자에게 귀속되는 것이므로 채권자대위권의 행사 시 채무자의 제3채무자에 대한 채권이 시효중단된다(대판 2011.10.13, 2010다80930). ★ 한편 채권자대위권 행사의 사실을 채권자가 채무자에게 통지한 때에는 채권자의 채무자에 대한 권리에도 시효중단의 효과가 생긴다(통설・판례).

3) 채권양도는 구 채권자인 양도인과 신 채권자인 양수인 사이에 채권을 그 동일성을 유지하면서 전자로부터 후자에게로 이전시킬 것을 목적으로 하는 계약을 말한다 할 것이고, ① 채권양도에 의하여 채권은 그 동일성을 잃지 않고 양도인으로부터 양수인에게 이전되며 이러한 법리는 채권양도의 대항요건을 갖추지 못하였다고 하더라도 마찬가지인 점, ② 민법 제149조의 "조건의 성취가 미정한 권리의무는 일반규정에 의하여 처분, 상속, 보존 또는 담보로 할 수 있다."는 규정은 대항요건을 갖추지 못하여 채무자에게 대항하지 못한다고 하더라도 채권양도에 의하여 채권을 이전받은 양수인의 경우에도 그대로 준용될 수 있는 점, ③ 채무자를 상대로 재판상의 청구를 한 채권의 양수인을 '권리 위에 잠자는 자'라고 할 수 없는 점 등에 비추어 보면, 비록 대항요건을 갖추지 못하여 채무자에게 대항하지 못한다고 하더라도 채권의 양수인이 채무자를 상대로 재판상의 청구를 하였다면 이는 소멸시효 중단사유인 재판상의 청구에 해당한다(대판 2005.11.10, 2005다41818). ★★

4) 소멸시효의 중단사유로서의 승인은 시효이익을 받을 당사자인 채무자가 그 권리의 존재를 인식하고 있다는 뜻을 표시함으로써 성립하는 것이므로 이는 소멸시효의 진행이 개시된 이후에만 가능하고 그 이전에 승인을 하더라도 시효가 중단되지는 않는다고 할 것이고, 또한 현존하지 아니하는 장래의 채권을 미리 승인하는 것은 채무자가 그 권리의 존재를 인식하고서 한 것이라고 볼 수 없어 허용되지 않는다고 할 것이다. 따라서 진료계약을 체결하면서 "입원료 기타 제 요금이 체납될 시는 병원의 법적 조치에 대하여 아무런 이의를 하지 않겠다."고 약정하였다 하더라도, 이로써 그 당시 아직 발생하지도 않은 치료비 채무의 존재를 미리 승인하였다고 볼 수는 없다(대판 2001.11.9, 2001다52568). ★

5) 시효완성 전에 채무의 일부를 변제한 경우에는, 그 수액에 관하여 다툼이 없는 한 채무승인으로서의 효력이 있어 시효중단의 효과가 발생한다(대판 1996.1.23, 95다39854).

Ⅲ. 시효중단의 효력

1. 기본적 효과

1) 시효가 중단되면 그때까지 경과한 시효기간은 그 효력을 잃고 산입하지 않는다(제178조).

2) 시효가 중단된 후에는 중단사유가 종료된 때부터 다시 새로운 시효기간이 진행하는데, 그 구체적인 진행시기는 ① 재판상 청구로 중단된 때에는 재판이 확정된 때로부터(제178조 제2항), ② 압류, 가압류, 가처분으로 중단된 때에는 그 절차가 종료한 때부터, ③ 승인으로 중단된 때에는 승인이 상대방에게 도달한 때로부터 진행한다고 봄이 일반적이다.

2. 시효중단의 인적 범위

(1) 원칙

시효중단의 효력은 당사자 및 그 승계인 사이에서만 발생한다(제169조). 승계인에는 포괄승계인과 특정승계인을 포함하지만 시효중단사유 발생 전의 승계인은 포함하지 않는다.

시효중단의 효력이 미치는 당사자 및 승계인의 의미 ★★

[1] 민법 제169조는 시효중단의 효력이 당사자 및 그 승계인 간에 미친다고 규정하고 있다. 여기서 당사자라 함은 중단행위에 관여한 당사자를 가리키고 시효의 대상인 권리 또는 청구권의 당사자는 아니며, 승계인이라 함은 시효중단에 관여한 당사자로부터 중단의 효과를 받는 권리 또는 의무를 그 중단 효과 발생 이후에 승계한 자를 뜻하고 포괄승계인은 물론 특정승계인도 이에 포함된다(대판 1997.4.25, 96다46484 등 참조).[35]

[2] 손해배상청구권의 공동상속인 중 1인이 자기의 상속분을 행사하여 승소판결을 얻었더라도 다른 공동상속인의 상속분에까지 시효중단의 효력이 미치는 것은 아니며, 공유자의 1인이 보존행위로서 한 재판상 청구로 인한 취득시효의 중단의 효력은 다른 공유자에게는 미치지 않는다(대판 1979.6.26, 79다639).

(2) 예외

다음의 경우 시효중단의 효력이 미치는 인적 범위가 확대된다. ① 물상보증인 재산에 대한 압류는 이를 채무자에게 통지하여야 채무자에 대해서도 시효가 중단된다(제176조). ② 연대채무자 중 1인에 대한 이행청구는 다른 연대채무자에게도 효력이 있다(제416조). ③ 주채무자에 대한 시효중단은 보증인에게도 미친다(제440조). ④ 요역지 공유자의 1인에 의한 지역권의 소멸시효의 중단 또는 정지는 다른 공유자에 대해서도 효력이 있다(제296조).

3. 청구의 교환적 변경과 시효중단

채권자대위소송을 제기한 채권자가 채무자로부터 당해 피대위채권 자체를 양도받아 채권자대위권에 기한 청구에서 양수금청구로 소를 교환적으로 변경한 경우, 종전 채권자대위소송에 의한 소멸시효 중단의 효과는 양수금청구에도 미친다. 변경 후의 청구는 실질적으로 변경 전의 청구와 동일한 청구를 주장하는 것이 되기 때문이다. 판례도 마찬가지이다.

---

35) 대법원은 집합건물의 관리회사인 원고가 전 구분소유자를 상대로 관리비의 지급을 구하는 소를 제기하여 승소판결을 받은 이후에 피고가 그 전유부분에 관한 구분소유권을 취득함으로써 전 구분소유자의 공용부분 체납관리비채무를 인수한 사안에서, 피고는 전 구분소유자로부터 시효중단의 효과를 받는 체납관리비납부의무를 그 중단 효과 발생 이후에 승계한 자에 해당하여 피고에게도 시효중단의 효력이 미친다고 보아, 이와 달리 민법 제169조에서 정한 시효중단의 효력을 받는 승계인에 중첩적 채무인수인은 포함되지 아니한다는 이유로 원고의 소멸시효 중단 주장을 배척한 원심판결을 파기하였다(대판 2015.5.28, 2014다81474).

원고가 채권자대위권에 기해 청구를 하다가 당해 피대위채권 자체를 양수하여 양수금청구로 소를 변경한 사안에서, 당초의 채권자대위소송으로 인한 시효중단의 효력이 소멸하는지 여부(소극) ★★

원고가 채권자대위권에 기해 청구를 하다가 당해 피대위채권 자체를 양수하여 양수금청구로 소를 변경한 경우, 이는 청구원인의 교환적 변경으로서 채권자대위권에 기한 구 청구는 취하된 것으로 보아야 하나, 그 채권자대위소송의 소송물은 채무자의 제3채무자에 대한 계약금반환청구권인데 위 양수금청구는 원고가 위 계약금반환청구권 자체를 양수하였다는 것이어서 양 청구는 동일한 소송물에 관한 권리의무의 특정승계가 있을 뿐 그 소송물은 동일한 점, 시효중단의 효력은 특정승계인에게도 미치는 점(민법 제169조), 계속 중인 소송에 소송목적인 권리 또는 의무의 전부나 일부를 승계한 특정승계인이 소송참가하거나 소송인수한 경우에는 소송이 법원에 처음 계속된 때에 소급하여 시효중단의 효력이 생기는 점(민사소송법 제80조, 제82조 제3항), 원고는 위 계약금반환채권을 채권자대위권에 기해 행사하다 다시 이를 양수받아 직접 행사한 것이어서 위 계약금반환채권과 관련하여 원고를 '권리 위에 잠자는 자'로 볼 수 없는 점 등에 비추어 볼 때, 당초의 채권자대위소송으로 인한 시효중단의 효력이 소멸하지 않는다(대판 2010.6.24, 2010다17284).

→ [사실관계] : 원고가 채권자대위소송 중 채무자로부터 당해 피대위채권 자체를 양도받아 채권자대위권에 기한 청구에서 양수금청구로 소를 교환적으로 변경한 경우 종전 채권자대위소송에 의한 소멸시효 중단의 효과는 양수금청구에도 미친다고 본 사례이다.

◈ **비교 판례** ◈

[대판 2009.2.12, 2008다84229]

[1] '집합건물의 소유 및 관리에 관한 법률' 제9조에 의한 하자담보추급권은 특별한 사정이 없는 한 집합건물 구분소유자에게 귀속하는 것이고, 비록 '주택법' 제46조 및 '주택법 시행령' 제59조 제2항이 구 '주택건설촉진법'(2003.5.29. 법률 제6916호로 전문 개정되기 전의 것)에서 정한 입주자대표회의에게 공동주택의 사업주체에 대한 하자보수청구권을 부여하고 있으나, 이는 행정적인 차원에서 공동주택 하자보수의 절차・방법 및 기간 등을 정하고 하자보수보증금으로 신속하게 하자를 보수할 수 있도록 하는 기준을 정하는 데 그 취지가 있을 뿐, 입주자대표회의에게 하자보수청구권 외에 하자담보추급권까지 부여하는 것이라고 볼 수는 없으므로, 공동주택에 하자가 있는 경우 입주자대표회의로서는 사업주체에 대하여 하자보수를 청구할 수 있을 뿐, 그에 갈음한 손해배상청구권을 가지지 못한다(대판 2006.8.24, 2004다20807 등 참조).

[2] 원고는 당초 자신이 이 사건 각 하자보수에 갈음하는 손해배상청구권을 가진다는 전제 아래 2004.7.6. 이 사건 소를 제기하여 수행하던 중 2005년 7월 ~ 2007년 6월 사이에 일부 구분소유자들로부터 위 손해배상청구권을 양도받아 2005.7.26.에 이르러 위 채권양도에 의한 손해배상청구를 예비적 청구원인으로 추가하였음을 알 수 있는바, 앞서 본 법리에 의하면 원고가 당초에 한 소제기는 아무 권리 없는 자가 한 것이어서 그에 의해 시효중단의 효력이 생길 수 없고, 특별한 사정이 없는 한 채권양도를 받아 정당한 권리자로서 예비적 청구원인의 준비서면을 제출한 날에 비로소 시효중단의 효과가 발생한다고 보아야 할 것인데, 원심이 들고 있는 사유만으로는 위 소멸시효 중단일을 달리 보아야 하는 특별한 사정이 존재한다고 할 수 없다(대판 2008.12.11, 2008다12439; 대판 2008.12.24, 2008다48490 등 참조). → 대법원 2009.2.12, 2008다84229 판결이나 대법원 1982.12.14, 82다카148・82다카149 등 판결은 채권자가 자신의 권원에 기하여 직접 청구하다 채무자의 권리를 대위하거나 이를 양수하여 청구한 사안에 관한 것으로서, 원고가 대위청구를 하다가 그 피대위채권 자체를 양수받아 양수금청구를 하는 위 대법원 2010.6.24, 2010다17284 사건과는 사안을 달리한다.

[대판(전) 2012.3.22, 2010다28840]

[1] 채권양도의 통지는 그 양도인이 채권이 양도되었다는 사실을 채무자에게 알리는 것에 그치는 행위이므로, 그것만으로 제척기간의 준수에 필요한 권리의 재판 외 행사에 해당한다고 할 수 없다.

[2] 따라서 집합건물인 아파트의 입주자대표회의가 스스로 하자담보추급에 의한 손해배상청구권을 가짐을 전제로 하여 직접 아파트의 분양자를 상대로 손해배상청구 소송을 제기하였다가, 그 소송계속 중에 정당한 권리자인 구분소유자들로부터 그 손해배상채권을 양도받고 분양자에게 그 통지가 마쳐진 후 그에 따라 소를 변경한 경우에는, 그 채권양도통지에 채권양도의 사실을 알리는 것 외에 그 이행을 청구하는 뜻이 별도로 덧붙여지거나 그 밖에 구분소유자들이 재판 외에서 그 권리를 행사하였다는 등의 특별한 사정이 없는 한, 위 손해배상청구권은 입주자대표회의가 위와 같이 소를 변경한 시점에 비로소 행사된 것으로 보아야 할 것이다(대판 2008.12.11, 2008다12439 등 참조). → 다수의견은 채권양도의 통지는 이행청구와는 법적 성질을 달리하는 것이므로 그 채권양도통지에 이행청구를 하는 뜻이 덧붙여져 있다는 등의 특별한 사정이 있을 경우에 한하여 제척기간이 준수된 것으로 볼 수 있다는 취지이다.

제2관 소멸시효의 정지

제179조【제한능력자의 시효정지】
소멸시효의 기간만료 전 6개월 내에 제한능력자에게 법정대리인이 없는 경우에는 그가 능력자가 되거나 법정대리인이 취임한 때부터 6개월 내에는 시효가 완성되지 아니한다.

제180조【재산관리자에 대한 제한능력자의 권리, 부부 사이의 권리와 시효정지】
① 재산을 관리하는 아버지, 어머니 또는 후견인에 대한 제한능력자의 권리는 그가 능력자가 되거나 후임 법정대리인이 취임한 때부터 6개월 내에는 소멸시효가 완성되지 아니한다.
② 부부 중 한쪽이 다른 쪽에 대하여 가지는 권리는 혼인관계가 종료된 때부터 6개월 내에는 소멸시효가 완성되지 아니한다.

제181조【상속재산에 관한 권리와 시효정지】
상속재산에 속한 권리나 상속재산에 대한 권리는 상속인의 확정, 관리인의 선임 또는 파산선고가 있는 때로부터 6월 내에는 소멸시효가 완성하지 아니한다.

제182조【천재 기타 사변과 시효정지】
천재 기타 사변으로 인하여 소멸시효를 중단할 수 없을 때에는 그 사유가 종료한 때로부터 1월 내에는 시효가 완성하지 아니한다.

시효의 정지에 있어서는 일정한 사유(정지사유)가 존재하는 동안 시효는 일시 진행을 정지하고 그 사유가 없어지면 다시 '나머지 시효기간'이 진행한다. 이 점에서 이미 경과한 시효기간이 없었던 것으로 보아 새로이 시효가 진행하는 시효중단과 다르다.

제4절 소멸시효 완성의 효력

Ⅰ. 시효완성의 효과

제167조【소멸시효의 소급효】
소멸시효는 그 기산일에 소급하여 효력이 생긴다.
제183조【종속된 권리에 대한 소멸시효의 효력】
주된 권리의 소멸시효가 완성한 때에는 종속된 권리에 그 효력이 미친다.

1. 시효완성의 원용이 필요한지 여부

민법 제162조에서는 소멸시효의 효과에 관하여 "… 소멸시효가 완성한다."고만 규정하고 있을 뿐이고 그 구체적인 효과에 관해서는 침묵하고 있다. 이에 그 의미에 대해서 견해가 대립하고 있는데, 판례는 대체로 절대적 소멸설의 입장에 서 있다. 즉 시효기간이 경과하면 소멸시효 완성의 원용이 없어도 그 권리는 당연히 소멸하지만, 현행 민사소송법이 변론주의를 취하고 있으므로 소멸시효의 이익을 받을 자가 소송상의 공격방어방법으로 주장하지 않는 한 법원은 이를 고려할 수 없다는 입장이다.

소멸시효완성의 효과와 원용 ★

신민법상 당사자의 원용이 없어도 시효완성의 사실로서 채무는 당연히 소멸하고, 다만 소멸시효의 이익을 받는 자가 소멸시효 이익을 받겠다는 뜻을 항변하지 않는 이상 그 의사에 반하여 재판할 수 없을 뿐이다(대판 1979.2.13, 78다2157).

채권자가 동일한 목적을 달성하기 위하여 복수의 채권을 가지고 있더라도 그 선택에 따라 어느 하나의 채권만을 행사하는 것이 명백한 경우, 채무자의 소멸시효 완성의 항변의 취지(대판 2013.2.15, 2012다68217). ★

채권자가 동일한 목적을 달성하기 위하여 복수의 채권을 가지고 이를 행사하는 경우 각 채권이 발생시기와 발생원인 등을 달리하는 별개의 채권인 이상 별개의 소송물에 해당하므로, 이에 대하여 채무자가 소멸시효 완성의 항변을 하는 경우에 그 항변에 의하여 어떠한 채권을 다투는 것인지 특정하여야 하고 그와 같이 특정된 항변에는 특별한 사정이 없는 한 청구원인을 달리하는 채권에 대한 소멸시효 완성의 항변까지 포함된 것으로 볼 수는 없다(대판 1998.5.29, 96다51110 참조). 그러나 채권자가 동일한 목적을 달성하기 위하여 복수의 채권을 가지고 있더라도 그 선택에 따라 어느 하나의 채권만을 행사하는 것이 명백한 경우라면 채무자의 소멸시효 완성의 항변은 채권자가 행사하는 당해 채권에 대한 항변으로 봄이 상당하다. 그리고 어떤 권리의 소멸시효기간이 얼마나 되는지에 관한 주장은 단순한 법률상의 주장에 불과하므로 변론주의의 적용대상이 되지 않고 법원이 직권으로 판단할 수 있다(대판 2008.3.27, 2006다70929·70936 등 참조).

→ [해설] : 원고의 채무불이행으로 인한 손해배상청구권에 대한 소멸시효 항변은 불법행위로 인한 손해배상청구권에 대한 소멸시효 항변을 포함한 것으로 볼 수는 없다(대판 1998.5.29, 96다51110 등). 그러나 원고의 원인채권(상사채권)과 어음채권의 선택적 행사가 가능한 경우, 그 선택에 따라 어느 하나의 채권만을 행사하는 것이 명백한 경우라면 채무자의 소멸시효 완성의 항변은 채권자가 행사하는 당해 채권에 대한 항변으로 봄이 상당하다는 것이다. 따라서 원고의 대여금청구에 대해 피고가 어음법상 3년의 소멸시효기간을 주장한 경우 대여금채권에 대한 소멸시효 완성 여부를 가려 보지도 아니한 채 어음금 청구임을 전제로 한 어음시효 항변은 이유 없다는 이유로 피고의 항변을 배척한다면 위법한 판결에 해당한다.

2. 시효원용권자

① 소멸시효를 원용할 수 있는 자는 권리의 시효소멸로 인하여 직접 이익을 받는 자, 즉 직접수익자로 한정된다. 채무자는 당연히 여기에 해당한다.

> **소멸시효의 완성을 주장할 수 있는 사람의 범위**(=시효로 인한 채무 소멸로 직접적인 이익을 받는 사람) **및 후순위 담보권자가 선순위 담보권의 피담보채권 소멸로 직접 이익을 받는 사람에 해당하는지 여부**(소극) ★
>
> 소멸시효가 완성된 경우 이를 주장할 수 있는 사람은 시효로 채무가 소멸되는 결과 직접적인 이익을 받는 사람에 한정된다. 후순위 담보권자는 선순위 담보권의 피담보채권이 소멸하면 담보권의 순위가 상승하고 이에 따라 피담보채권에 대한 배당액이 증가할 수 있지만, 이러한 배당액 증가에 대한 기대는 담보권의 순위 상승에 따른 반사적 이익에 지나지 않는다. 후순위 담보권자는 선순위 담보권의 피담보채권 소멸로 직접 이익을 받는 자에 해당하지 않아 선순위 담보권의 피담보채권에 관한 소멸시효가 완성되었다고 주장할 수 없다고 보아야 한다(대판 2021.2.5, 2016다232597).

② 직접수익자가 수인이면 그 전원이 독자적인 시효원용권을 가지므로, 그들 중 일부가 시효이익을 포기하더라도 이는 채권자와 그 시효원용권자 사이에서만 효력이 있을 뿐이어서(상대적 효력), 다른 시효원용권자는 독자적으로 시효완성을 원용할 수 있다(대판 1995.7.11, 95다12446).

판례 연구 관련판례 정리

☑ **시효원용권자에 관한 판례 정리**

1. 채권담보목적 가등기가 설정(저당권설정 포함)된 부동산을 양수한 제3자 ★

채권담보의 목적으로 매매예약의 형식을 빌어 소유권이전청구권 보전을 위한 가등기가 경료된 부동산을 양수하여 소유권이전등기를 마친 제3자는 당해 가등기담보권의 피담보채권의 소멸에 의하여 직접 이익을 받는 자라 할 것이므로, 그 피담보채권에 관하여 소멸시효가 완성된 경우 이를 원용할 수 있고, 이와 같은 직접수익자의 소멸시효 원용권은 채무자의 소멸시효 원용권은 채무자의 소멸시효 원용권에 기초한 것이 아닌 독자적인 것으로서 채무자를 대위하여서만 시효이익을 원용할 수 있는 것은 아니다(대판 1995.7.11, 95다12446).

2. 채무자의 일반채권자

채무자에 대한 일반채권자는 자기의 채권을 보전하기 위하여 필요한 한도 내에서 채무자를 대위하여 채무자에 대한 다른 채권자의 채권의 소멸시효를 주장할 수 있을 뿐, 채권자의 지위에서 독자적으로 다른 채권자의 채권의 소멸시효를 주장할 수 없다(대판 1997.12.26, 97다22676; 대판 2012.5.10, 2011다109500).

3. 채권자대위권행사의 제3채무자 ★★

채권자대위권의 행사에서 제3채무자는 채무자가 채권자에 가지는 항변으로 대항할 수 없고, 채권의 소멸시효가 완성된 경우 이를 원용할 수 있는 자는 원칙적으로는 시효이익을 직접 받는 자뿐이므로 제3채무자는 이를 행사할 수 없다(대판 1998.12.8, 97다31472).

4. 채권자취소소송에서의 수익자 ★★

사해행위취소소송의 상대방이 된 사해행위의 수익자도 사해행위가 취소되면 사해행위에 의하여 얻은 이익을 상실하고 사해행위취소권을 행사하는 채권자의 채권이 소멸하면 그와 같은 이익의 상실을 면하는 지위에 있으므로, 그 채권의 소멸에 의하여 직접 이익을 받는 자에 해당한다(대판 2007.11.29, 2007다54849).

3. 시효완성효과의 범위

(1) 시적 범위 – 소급효

① 소멸시효가 완성되면 그로 인한 권리소멸의 효과는 그 기산일에 소급하여 효력이 생긴다(제167조). 따라서 채권이 시효소멸하면 기산일 이후의 이자나 지연손해금 등도 지급할 필요가 없다(통설).

② 다만 시효소멸하는 채권이 그 소멸시효가 완성하기 전에 상계할 수 있었던 것이면 채권자는 상계를 할 수 있다(제495조).

(2) 물적 범위

주된 권리의 소멸시효가 완성한 때에는 종속된 권리에 그 효력이 미친다(제183조). 가령 원본채권이 시효로 소멸하면 이자채권도 역시 시효로 소멸한다. 판례는 이자 또는 지연손해금은 채권인 원본의 존재를 전제로 그에 대응하여 일정한 비율로 발생하는 종된 권리인데, 하나의 금전채권의 원금 중 일부가 변제된 후 나머지 원금에 대하여 소멸시효가 완성된 경우, 가분채권인 금전채권의 성질상 변제로 소멸한 원금 부분과 소멸시효 완성으로 소멸한 원금 부분을 구분하는 것이 가능하고, 이 경우 원금에 종속된 권리인 이자 또는 지연손해금 역시 변제로 소멸한 원금 부분에서 발생한 것과 시효완성으로 소멸한 원금 부분에서 발생한 것으로 구분하는 것이 가능하므로, 소멸시효 완성의 효력은 소멸시효가 완성된 원금 부분으로부터 그 완성 전에 발생한 이자 또는 지연손해금에는 미치나, 변제로 소멸한 원금 부분으로부터 그 변제 전에 발생한 이자 또는 지연손해금에는 미치지 않는다고 한다(대판 2008.3.14, 2006다2940). ★★

소멸시효 완성의 효력 ★★

① 채무불이행으로 인한 손해배상채권은 본래의 채권이 확장된 것이거나 본래의 채권의 내용이 변경된 것이므로 본래의 채권과 동일성을 가진다. 따라서 본래의 채권이 시효로 소멸한 때에는 손해배상채권도 함께 소멸한다. 한편 ② 어떠한 계약상의 채무를 채무자가 이행하지 않았다고 하더라도 채권자는 여전히 해당 계약에서 정한 채권을 보유하고 있으므로, 특별한 사정이 없는 한 채무자가 채무를 이행하지 않고 있다고 하여 채무자가 법률상 원인 없이 이득을 얻었다고 할 수는 없고, 설령 채권이 시효로 소멸하게 되었다 하더라도 달리 볼 수 없다(대판 2018.2.28, 2016다45779).

Ⅱ. 시효이익의 포기

> 제184조 【시효의 이익의 포기 기타】
> ① 소멸시효의 이익은 미리 포기하지 못한다.
> ② 소멸시효는 법률행위에 의하여 이를 배제, 연장 또는 가중할 수 없으나 이를 단축 또는 경감할 수 있다.

1. 의의

시효이익의 포기란 시효완성으로 인한 법적 이익을 받지 않겠다고 하는 효과의사를 필요로 하는 의사표시로서 상대방의 동의를 요하지 않는 상대방 있는 단독행위이고, 처분행위에 해당한다. 시효이익 포기의 의사표시가 존재하는지의 판단은 표시된 행위 내지 의사표시의 내용과 동기 및 경위, 당사자가 의사표시 등에 의하여 달성하려고 하는 목적과 진정한 의도 등을 종합적으로 고찰하여 사회정의와 형평의 이념에 맞도록 논리와 경험의 법칙, 그리고 사회일반의 상식에 따라 객관적이고 합리적으로 이루어져야 한다(대판 2013.2.28, 2011다21556).

2. 시효완성 전 포기의 금지

소멸시효의 이익은 시효완성 전에는 미리 포기하지 못한다(제184조 제1항). 따라서 사전의 시효이익의 포기는 효력이 없으나, 경우에 따라서는 시효중단사유로서의 승인의 효력은 인정될 수 있다.

3. 시효완성 후의 포기

(1) 의의

제184조 제1항의 반대해석상, 소멸시효 완성 후에 시효이익을 포기하는 것은 허용된다.

(2) 요건 및 방법

1) 포기는 처분행위이므로 처분능력과 처분권은 있어야 하고, 시효완성사실을 알면서 하여야 한다. 판례는 채무자가 시효완성 후 채무의 승인을 한 때에는 시효완성의 사실을 알고 그 이익을 포기한 것으로 추정할 수 있다고 하였다(대판 1965.11.30, 65다1996).
2) 시효완성의 이익 포기의 의사표시를 할 수 있는 자는 시효완성의 이익을 받을 당사자 또는 그 대리인에 한정되고, 그 밖의 제3자가 시효완성의 이익 포기의 의사표시를 하였다 하더라도 이는 시효완성의 이익을 받을 자에 대한 관계에서 아무 효력이 없다(대판 2014.1.23, 2013다64793).
3) 시효이익의 포기는 보통의 의사표시와 같이 명시적 또는 묵시적으로 할 수 있고, 재판 외에서도 가능하다. 시효완성 후에 변제기한의 유예요청이나 채무의 승인을 한 경우에 시효이익을 포기한 것으로 해석한다. 그러나 제소기간 연장에 동의한 것은 시효이익의 포기가 아니다(대판 1987.6.23, 86다카2107).
4) 소멸시효가 완성된 채무를 피담보채무로 하는 근저당권이 실행되어 채무자 소유의 부동산이 경락되고 대금이 배당되어 채무의 일부 변제에 충당될 때까지 채무자가 아무런 이의를 제기

하지 아니하였다면, 경매절차의 진행을 채무자가 알지 못하였다는 등 다른 특별한 사정이 없는 한, 채무자는 시효완성의 사실을 알고 채무를 묵시적으로 승인하여 시효의 이익을 포기한 것으로 볼 수 있기는 하다. 그러나 소멸시효가 완성된 경우 채무자에 대한 일반채권자는 채권자의 지위에서 독자적으로 소멸시효의 주장을 할 수는 없지만 자기의 채권을 보전하기 위하여 필요한 한도 내에서 채무자를 대위하여 소멸시효 주장을 할 수 있으므로 채무자가 배당절차에서 이의를 제기하지 아니하였다고 하더라도 채무자의 다른 채권자가 이의를 제기하고 채무자를 대위하여 소멸시효 완성의 주장을 원용하였다면, 시효의 이익을 묵시적으로 포기한 것으로 볼 수 없다(대판 2017.7.11, 2014다32458).

판례 연구 **관련판례 정리**

1. 묵시적 시효이익의 포기

(1) 채무의 일부변제 ★★

채무자가 소멸시효 완성 후 채무를 일부 변제한 때에는 그 액수에 관하여 다툼이 없는 한 그 채무 전체를 묵시적으로 승인한 것으로 보아야 하고, 이 경우 시효완성의 사실을 알고 그 이익을 포기한 것으로 추정되므로, 소멸시효가 완성된 채무를 피담보채무로 하는 근저당권이 실행되어 채무자 소유의 부동산이 경락되고 그 대금이 배당되어 채무의 일부 변제에 충당될 때까지 채무자가 아무런 이의를 제기하지 아니하였다면, 경매절차의 진행을 채무자가 알지 못하였다는 등 다른 특별한 사정이 없는 한, 채무자는 시효완성의 사실을 알고 그 채무를 묵시적으로 승인하여 시효의 이익을 포기한 것으로 보아야 한다(대판 2001.6.12, 2001다3580).

→ [보충] : 그리고 이 경우 소멸시효 이익의 포기는 가분채무 일부에 대하여도 가능하다. 즉 경매절차에서 채무자인 甲 주식회사가 소멸시효가 완성된 근저당권부 채권을 가진 乙이 배당받는 데 대하여 이의를 제기하지 않은 경우, 甲 회사의 다른 채권자인 丙이 甲 회사를 대위하여 이의를 제기한 부분을 제외한 나머지 채권에 대하여는 甲 회사가 시효이익을 포기한 것으로 보아야 하므로, 그 부분 배당액과 관련하여 乙이 부당이득을 취득한 것은 아니다(대판 2012.5.10, 2011다109500).

(2) 기한유예의 요청

채권의 소멸시효가 완성된 후에 채무자가 그 기한의 유예를 요청하였다면 그때에 소멸시효의 이익을 포기한 것으로 보아야 한다(대판 1965.12.28, 65다2133).

(3) 채무승인

① 시효완성 후에 채무를 승인을 한 때에는 시효완성의 사실을 알고 그 이익을 포기한 것이라고 추정할 수 있다(대판 1967.2.7, 66다2173).

② 소멸시효 중단사유로서의 채무승인은 시효이익을 받는 당사자인 채무자가 소멸시효의 완성으로 채권을 상실하게 될 자에 대하여 상대방의 권리 또는 자신의 채무가 있음을 알고 있다는 뜻을 표시함으로써 성립하는 이른바 관념의 통지로 여기에 어떠한 효과의사가 필요하지 않다. 이에 반하여 시효완성 후 시효이익의 포기가 인정되려면 시효이익을 받는 채무자가 시효의 완성으로 인한 법적인

이익을 받지 않겠다는 효과의사가 필요하기 때문에 시효완성 후 소멸시효 중단사유에 해당하는 채무의 승인이 있었다 하더라도 그것만으로는 곧바로 소멸시효 이익의 포기라는 의사표시가 있었다고 단정할 수 없다(대판 2013.2.28, 2011다21556). ★

③ 소송에서의 상계항변은 일반적으로 소송상의 공격방어방법으로 피고의 금전지급의무가 인정되는 경우 자동채권으로 상계를 한다는 예비적 항변의 성격을 갖는다. 따라서 상계항변이 먼저 이루어지고 그 후 대여금채권의 소멸을 주장하는 소멸시효항변이 있었던 경우에, 상계항변 당시 채무자인 피고에게 수동채권인 대여금채권의 시효이익을 포기하려는 효과의사가 있었다고 단정할 수 없다. 그리고 항소심 재판이 속심적 구조인 점을 고려하면 제1심에서 공격방어방법으로 상계항변이 먼저 이루어지고 그 후 항소심에서 소멸시효항변이 이루어진 경우를 달리 볼 것은 아니다(대판 2013.2.28, 2011다21556). ★★

2. 일부변제

[1] 일부변제는 액수에 다툼이 없는 한 시효완성 전에는 전부에 대한 시효중단이 되고, 시효완성 후에는 전부에 대한 시효이익의 포기로 해석된다(대판 2001.6.12, 2001다3580).

[2] 동일 당사자 간에 계속적인 거래로 ① 「같은 종류를 목적으로 하는 수개의 채권관계가 성립되어 있는 경우」에 채무자가 특정채무를 지정하지 아니하고 그 일부의 변제를 한 때에도 다른 특별한 사정이 없다면 잔존 채무에 대하여도 승인을 한 것으로 보아 시효중단이나 포기의 효력을 인정할 수 있을 것이나, ② 「그 채무가 별개로 성립되어 독립성을 갖고 있는 경우」에는 일률적으로 그렇게만 해석할 수는 없을 것이고, 특히 채무자가 근저당권설정등기를 말소하기 위하여 피담보채무를 변제하는 경우에는 특별한 사정이 없는 한 피담보채무가 아닌 별개의 채무에 대하여서까지 채무를 승인하거나 소멸시효의 이익을 포기한 것이라고 볼 수는 없다(대판 2014.1.23, 2013다64793).

[3] 원금채무에 관하여는 소멸시효가 완성되지 아니하였으나 이자채무에 관하여는 소멸시효가 완성된 상태에서 채무자가 채무를 일부 변제한 때에는 액수에 관하여 다툼이 없는 한 원금채무에 관하여 묵시적으로 승인하는 한편 이자채무에 관하여 시효완성의 사실을 알고 그 이익을 포기한 것으로 추정되며, 채무자의 변제가 채무 전체를 소멸시키지 못하고 당사자가 변제에 충당할 채무를 지정하지 아니한 때에는 민법 제479조, 제477조에 따른 법정변제충당의 순서에 따라 충당되어야 한다(대판 2013.5.23, 2013다12464). ★★

[4] 채무자가 소멸시효 완성 후에 채권자에 대하여 채무 일부를 변제함으로써 시효의 이익을 포기한 경우에는 그때부터 새로이 소멸시효가 진행한다(대판 2013.5.23, 2013다12464). ★

(3) 효과

① 시효이익의 포기는 다른 사람에게는 영향을 미치지 않는다(상대적 효력). 따라서 시효이익을 받을 자가 여러 사람이 있는 경우에 그 중 1인이 포기하더라도 그 효과는 다른 사람에게 미치지 않는다. 예컨대 주채무자가 시효이익을 포기하더라도 보증인이나 물상보증인에게는 그 효과가 미치지 않는다.

물상보증인이 피담보채권의 소멸시효 완성을 주장할 수 있는지 여부(적극) 및 채무자가 시효이익을 포기한 경우, 물상보증인에게 효력이 있는지 여부(소극) ★

타인의 채무를 담보하기 위하여 자기의 물건에 담보권을 설정한 물상보증인은 채권자에 대하여 물적 유한책임을 지고 있어 그 피담보채권의 소멸에 의하여 직접 이익을 받는 관계에 있으므로 소멸시효의 완성을 주장할 수 있고, 소멸시효 이익의 포기는 상대적 효과가 있을 뿐이어서 채무자가 시효이익을 포기하더라도 물상보증인에게는 효력이 없다(대판 2018.11.9, 2018다38782).

담보가등기가 경료된 부동산을 양수한 제3취득자와의 관계

채무자가 이미 그 담보가등기에 기한 본등기를 경료하여 시효이익을 포기한 것으로 볼 수 있다고 하더라도 그 시효이익의 포기는 상대적 효과가 있음에 지나지 아니하므로 채무자 이외의 이해관계자에 해당하는 담보 부동산의 양수인으로서는 여전히 독자적으로 소멸시효를 원용할 수 있다(대판 1995.7.11, 95다12446).

시효이익을 포기한 자와의 법률관계를 통하여 비로소 시효이익을 원용할 이해관계를 형성한 자가 이미 이루어진 시효이익 포기의 효력을 부정할 수 있는지 여부(소극) ★★★

소멸시효 이익의 포기는 상대적 효과가 있을 뿐이어서 다른 사람에게는 영향을 미치지 아니함이 원칙이나, 소멸시효 이익의 포기 당시에는 권리의 소멸에 의하여 직접 이익을 받을 수 있는 이해관계를 맺은 적이 없다가 나중에 시효이익을 이미 포기한 자와의 법률관계를 통하여 비로소 시효이익을 원용할 이해관계를 형성한 자는 이미 이루어진 시효이익 포기의 효력을 부정할 수 없다. 왜냐하면, 시효이익의 포기에 대하여 상대적인 효과만을 부여하는 이유는 포기 당시에 시효이익을 원용할 다수의 이해관계인이 존재하는 경우 그들의 의사와는 무관하게 채무자 등 어느 일방의 포기 의사만으로 시효이익을 원용할 권리를 박탈당하게 되는 부당한 결과의 발생을 막으려는 데 있는 것이지, 시효이익을 이미 포기한 자와의 법률관계를 통하여 비로소 시효이익을 원용할 이해관계를 형성한 자에게 이미 이루어진 시효이익 포기의 효력을 부정할 수 있게 하여 시효완성을 둘러싼 법률관계를 사후에 불안정하게 만들자는 데 있는 것은 아니기 때문이다(대판 2015.6.11, 2015다200227).

→ [사실관계 및 해설] :

(1) A는 1992.8.25. 피고(乙)로부터 50,000,000원을 차용하였고(이 사건 차용금채무이다), 그 담보로 같은 날 피고 앞으로 이 사건 부동산에 관하여 이 사건 제1근저당권을 설정해 주었다.

(2) A는 2004.4.16. 피고와 사이에 이 사건 차용금채무와는 별도로 그때까지의 미지급이자 등을 30,000,000원으로 확정하고 이를 담보하기 위하여 2004.4.20. 피고 앞으로 이 사건 부동산에 관하여 이 사건 제2근저당권을 설정해 주었다. 이로써 A는 이 사건 차용금채무의 소멸시효 완성의 이익을 포기하였다(이자를 확정하는 과정은 이 사건 차용금채무에 대한 소멸시효 완성의 이익을 포기하는 것이 됨).

(3) 원고(甲)는 2013.12.6. A로부터 이 사건 부동산과 그 지상 4층 공동주택을 매수하여 같은 날 소유권을 취득하였다.

(4) 위 인정 사실을 앞서 본 법리에 비추어 살펴보면, A가 소멸시효 완성의 이익을 포기한 후에 그로부터 이 사건 부동산을 매수한 원고(甲)는 A가 한 시효이익 포기의 효력을 전제로 하여 근저당권의 제한을 받는 소유권을 취득한 것이어서 A가 한 시효이익 포기의 효력을 부정할 수 없다.

② 채무자가 소멸시효 완성 후에 채권자에 대하여 채무를 승인함으로써 그 시효의 이익을 포기한 경우에는 그때부터 새로이 소멸시효가 진행한다(대판 2009.7.9, 2009다14340).

Ⅲ. 소멸시효의 항변과 신의칙 위반

채무자의 행동 등 여러 사정에 비추어 채권자가 객관적으로 권리를 행사할 수 없다고 볼 특별한 사정이 있는 경우, 채무자가 소멸시효의 완성을 주장하는 것은 신의칙에 반하는 권리남용이므로 허용될 수 없다. 대법원도 채무자가 시효완성 전에 채권자의 권리행사나 시효중단을 불가능 또는 현저히 곤란하게 하거나 그러한 조치가 불필요하다고 믿게 하는 행동을 하였거나, 객관적으로 채권자가 권리를 행사할 수 없는 장애사유가 있었거나, 또는 일단 시효완성 후에 채무자가 시효를 원용하지 아니할 것 같은 태도를 보여 권리자로 하여금 그와 같이 신뢰하게 하였거나, 채권자 보호의 필요성이 크고 같은 조건의 다른 채권자가 채무의 변제를 수령하는 등의 사정이 있어 채무이행의 거절을 인정함이 현저히 부당하거나 불공평하게 되는 등의 특별한 사정이 있는 경우에 한하여 채무자가 소멸시효의 완성을 주장하는 것이 신의성실의 원칙에 반하여 권리남용으로서 허용될 수 없다고 하였다(대판 1999.12.7, 98다42929).

객관적으로 채권자가 권리를 행사할 수 없는 장애사유가 있었던 경우, 채무자가 소멸시효 완성을 주장하는 것이 신의성실의 원칙에 반하는 권리남용에 해당하는지 여부(적극)

채무자의 소멸시효를 이유로 한 항변권의 행사도 민법의 대원칙인 신의성실의 원칙과 권리남용금지의 원칙의 지배를 받는 것이어서 객관적으로 채권자가 권리를 행사할 수 없는 장애사유가 있었다면 채무자가 소멸시효 완성을 주장하는 것은 신의성실의 원칙에 반하는 권리남용으로서 허용될 수 없다(대판 2023.12.21, 2018다303653).

소멸시효완성의 항변과 권리남용

① 소멸시효를 이유로 한 항변권의 행사도 민법의 대원칙인 신의성실의 원칙과 권리남용금지의 원칙의 지배를 받는 것이어서 채무자가 소멸시효 완성 후 시효를 원용하지 아니할 것 같은 태도를 보여 권리자로 하여금 이를 신뢰하게 하였고, 채권자가 그로부터 권리행사를 기대할 수 있는 상당한 기간 내에 자신의 권리를 행사하였다면, 채무자가 소멸시효 완성을 주장하는 것은 신의성실 원칙에 반하는 권리남용으로 허용될 수 없다. ★

② 채무자가 소멸시효의 이익을 원용하지 않을 것 같은 신뢰를 부여한 경우에도 채권자는 그러한 사정이 있은 때로부터 상당한 기간 내에 권리를 행사하여야만 채무자의 소멸시효의 항변을 저지할 수 있는데, 여기에서 '상당한 기간' 내에 권리행사가 있었는지는 채권자와 채무자 사이의 관계, 신뢰를 부여하게 된 채무자의 행위 등의 내용과 동기 및 경위, 채무자가 그 행위 등에 의하여 달성하려고 한 목적과 진정한 의도, 채권자의 권리행사가 지연될 수밖에 없었던 특별한 사정이 있었는지 여부 등을 종합적으로 고려하여 판단할 것이다. 다만 신의성실의 원칙을 들어 시효 완성의 효력을 부정하는 것은 법적 안정성의 달성, 입증곤란의 구제, 권리행사의 태만에 대한 제재를 이념으로 삼고 있는 소멸시효 제도에 대한 대단히 예외적인 제한에 그쳐야 할 것이므로, 위 권리행사의 '상당한 기간'은 특별한 사정이 없는 한 민법상 시효정지의 경우에 준하여 단기간으로 제한되어야 한다. 그러므로 개별 사건에서 매우 특수한 사정이 있어 그 기간을 연장하여 인정하는 것이 부득이한 경우에도 불법행위로 인한 손해배상청구의 경우 그 기간은 아무리 길어도 민법 제766조 제1항이 규정한 단기소멸시효기간인 3년을 넘을 수는 없다고 보아야 한다(대판(전) 2013.5.16, 2012다202819).

신의성실의 원칙의 성질과 국가의 소멸시효 완성 항변이 신의성실의 원칙에 반하여 권리남용으로 허용될 수 없는 경우(대판 2019.1.31, 2016다258148)

① 신의성실의 원칙은 법률관계의 당사자가 상대방의 이익을 배려하여 형평에 어긋나거나 신뢰를 저버리는 내용 또는 방법으로 권리를 행사하거나 의무를 이행해서는 안 된다는 추상적 규범을 말한다. 신의성실의 원칙

에 위배된다는 이유로 권리행사를 부정하기 위해서는 상대방에게 신의를 제공하였거나 객관적으로 보아 상대방이 신의를 가지는 것이 정당한 상태에 이르러야 하고, 이와 같은 상대방의 신의에 반하여 권리를 행사하는 것이 정의관념에 비추어 용인될 수 없는 정도에 이르러야 한다.

② 국가기관이 수사과정에서 한 위법행위 등으로 수집한 증거 등에 기초하여 공소가 제기되고 유죄 확정판결까지 받았으나 재심사유의 존재 사실이 뒤늦게 밝혀짐에 따라 재심절차에서 무죄판결이 확정된 다음 국가기관의 위법행위를 원인으로 국가를 상대로 손해배상을 청구하는 경우, 재심절차에서 무죄판결이 확정될 때까지는 채권자가 손해배상청구를 할 것을 기대할 수 없는 사실상 장애사유가 있었다고 볼 것이다. 따라서 이러한 경우 채무자인 국가의 소멸시효 완성 항변은 신의성실의 원칙에 반하여 권리남용으로 허용될 수 없다. 수사과정에서 불법구금이나 고문을 당한 사람이 그에 이은 공판절차에서 유죄 확정판결을 받고 수사관들을 직권남용, 감금 등 혐의로 고소하였으나 검찰에서 '혐의 없음' 결정까지 받았다가 나중에 재심절차에서 범죄의 증명이 없는 때에 해당한다는 이유로 형사소송법 제325조 후단에 따라 무죄판결을 선고받은 경우, 이러한 무죄판결이 확정될 때까지는 국가를 상대로 불법구금이나 고문을 원인으로 한 손해배상청구를 할 것을 기대할 수 없는 장애사유가 있었다고 보아야 한다. 이처럼 불법구금이나 고문을 당하고 공판절차에서 유죄 확정판결을 받았으며 수사관들을 직권남용, 감금 등 혐의로 고소하였으나 '혐의 없음' 결정까지 받은 경우에는 재심절차에서 무죄판결이 확정될 때까지 국가배상책임을 청구할 것을 기대하기 어렵고, 채무자인 국가가 그 원인을 제공하였다고 볼 수 있기 때문이다.

소멸시효(대판 2024.3.28, 2023다265700) ★

[1] 권리자가 재판상 그 권리를 주장하여 권리 위에 잠자는 것이 아님을 표명한 경우, 시효중단 사유가 되는지 여부(적극)

시효제도의 존재 이유는 영속된 사실 상태를 존중하고 권리 위에 잠자는 자를 보호하지 않는다는 데에 있고 특히 소멸시효에 있어서는 후자의 의미가 강하므로, 권리자가 재판상 그 권리를 주장하여 권리 위에 잠자는 것이 아님을 표명한 때에는 시효중단 사유가 된다.

[2] 기존회사가 채무를 면탈하기 위하여 기업의 형태·내용이 실질적으로 동일한 신설회사를 설립한 경우, 기존회사의 채권자가 두 회사 모두에 대하여 채무의 이행을 청구할 수 있는지 여부(적극) 및 기존회사에 대한 소멸시효가 완성되지 않은 상태에서 신설회사가 기존회사와 별도로 자신에 대하여 소멸시효가 완성되었다고 주장하는 것이 허용되는지 여부(소극)

기존회사가 채무를 면탈하기 위하여 기업의 형태·내용이 실질적으로 동일한 신설회사를 설립하였다면, 신설회사의 설립은 기존회사의 채무면탈이라는 위법한 목적 달성을 위하여 회사제도를 남용한 것에 해당한다. 이러한 경우에 기존회사의 채권자에 대하여 위 두 회사가 별개의 법인격을 갖고 있음을 주장하는 것은 신의성실의 원칙상 허용될 수 없으므로, 기존회사의 채권자는 두 회사 어느 쪽에 대하여도 채무의 이행을 청구할 수 있다. 나아가 기존회사에 대한 소멸시효가 완성되지 않은 상태에서 신설회사가 기존회사와 별도로 자신에 대하여 소멸시효가 완성되었다고 주장하는 것 역시 별개의 법인격을 갖고 있음을 전제로 하는 것이어서 신의성실의 원칙상 허용될 수 없다.

PART

02

물권법

chapter

01 총칙

제1절 물권법 서론

1. 물권법의 의의

물권법이란 사람이 재화를 직접 지배·이용하는 재산관계를 규율하는 사법을 말한다.

2. 물권법의 법원

이에는 성문법으로서 민법과 각종 특별법(부동산등기법, 부동산등기 특별조치법, 부동산 실권리자명의 등기에 관한 법률, 집합건물의 소유 및 관리에 관한 법률 등)이 있다. 또한 관습법도 법원으로서 인정된다.

3. 물권법의 특질

채권법은 계약자유의 원칙이 지배하므로 대체로 임의규정이 많지만, 물권법은 배타성을 가지는 물권을 규율하므로 대체로 강행규정에 해당한다.

제2절 물권법 본질

1. 물권의 의의

물권이란 특정한 물건을 직접 지배하여 그로부터 배타적으로 이익을 얻는 것을 내용으로 하는 권리를 말한다.

2. 물권의 특질

물권은 ① 직접적 지배성, ② 배타성(공시의 원칙과 일물일권주의), ③ 절대성을 특질로 한다. 또한 ④ 물권은 양도성을 당연히 가지며 당사자 간의 약정으로 그 양도를 제한할 수 없는 것이 원칙이다. 따라서 예컨대 지상권의 양도를 금지하는 특약을 하였더라도 그것은 무효이며 지상권자는 지상권을 제3자에게 양도할 수 있다. 반면 채권은 원칙적으로 양도성을 가지나, 당사자 간의 약정 등으로 양도를 제한할 수 있다(제449조).

3. 물권의 객체

(1) 현존성 · 특정성 · 독립성을 갖는 물건

물권의 객체는 현존성 · 특정성 · 독립성(하나의 물건 위에는 하나의 권리만 인정된다는 일물일권주의)을 갖는 물건이어야 한다. 이 경우 특정성(내지 독립성)과 관련하여 집합물 양도담보(예 뱀장어사례, 제강회사 원자재 사안, 새끼돼지 사안)의 경우 증감변동하는 집합물의 양도담보 설정계약에서 목적동산의 종류와 수량, 범위 및 소재장소가 특정되면 담보권의 설정이 가능하고, 양식장 내의 뱀장어 전부에 대하여 양도담보를 설정한 경우 위 물권은 양식장 내에 있는 현재의 뱀장어 전부에 미친다(대판 2003.3.14, 2002다72385).

(2) 일물일권주의

1) 의의

일물일권주의란 하나의 물권의 목적물은 독립한 하나의 물건이어야 한다는 원칙이다. 이는 물권의 절대성 · 배타성으로부터 당연히 도출되는 원칙이다. 구체적으로는 ① 물건의 일부나 구성부분에는 물권이 존재할 수 없고, ② 수 개의 물건 전체 위에는 하나의 물권이 성립할 수 없으며, ③ 하나의 물건 위에 서로 양립될 수 없는 물권은 2개 이상 성립할 수 없다는 것이다.

2) 일물일권주의의 예외

일물일권주의의 예외로 ① 1필의 토지 일부 위에 용익물권의 설정은 가능하고, ② 민법 제215조와 집합건물법에 의해 1동의 건물의 일부에 대해서도 구분소유가 인정되며, 건물의 일부 위에 용익물권의 설정이 가능하다. ③ 입목법에 의해 등기된 수목의 집단과 관습법상 명인방법을 갖춘 수목 또는 수목의 집단은 토지와는 독립한 부동산으로 취급된다. ④ 권원 없이 경작된 농작물일지라도 토지와 별개인 독립된 부동산으로 취급된다(대판 1979.8.28, 79다784). 이 경우 명인방법을 갖추지 않아도 언제나 경작자의 소유에 속한다. 다만, 처분하려면 명인방법을 갖추어야 한다.

판례 연구 **관련판례 정리**

대법원은 ① 지적법상의 분필절차를 거치지 아니한 분필등기는 효력이 없고(대판 1990.12.7, 90다카25208), ② 일물일권주의의 원칙상 지적법상의 분할절차를 거치지 않은 채 하나의 부동산 중 일부분만에 관하여 따로 소유권보존등기를 경료하거나, 하나의 부동산에 관하여 경료된 소유권보존등기 중 일부분에 관한 등기만을 따로 말소하는 것은 허용되지 않으며(대판 2000.10.27, 2000다39582), ③ 경매대상건물인 1동의 주택 및 창고와 부속건물 4동이 한 개의 건물로 등기되어 있고 미등기인 창고 2동이 있는데 부속건물 중 3동만을 따로 떼어 경락허가한 것은 일물일권주의에 위반되고(대결 1990.10.11, 90마679), ④ 1필지 토지의 특정된 일부에 관하여 소유권이전등기절차의 이행을 명한 것은 집행불능의 판결은 아니라고 한다(대판 1994.9.27, 94다25032).

제3절 물권의 종류 - 물권법정주의

1. 물권법정주의

> 제185조【물권의 종류】
> 물권은 법률 또는 관습법에 의하는 외에는 임의로 창설하지 못한다.
> → 법률이란 국회가 제정하는 형식적 의미의 법률만을 의미하고, 명령이나 규칙은 포함되지 않는다. 따라서 제1조의 법률과 다른 의미이다.

1) 제185조는 물권법의 법원과 물권법정주의를 규정하고 있다. 물권법정주의는 물권법의 기본원칙 중 하나이며, 그 밖에 다른 기본원칙으로는 공시의 원칙, 공신의 원칙이 있다.
2) 본조에서의 법률이란 국회가 제정하는 형식적 의미의 법률만을 의미하고, 명령이나 규칙은 포함되지 않는다. 따라서 제1조의 법률과 다른 의미이다.
3) 본조는 강행규정이므로 본조에 위배되는 약정은 무효이다. 다만 ① 종류강제에 위배되는 경우 전부무효이고 경우에 따라 무효행위 전환에 따른 채권행위가 유효일 수 있고(다수설), ② 내용강제에 위배되는 경우에는 일부무효에 따라 유효한 경우가 생긴다.

2. 물권의 종류와 분류

(1) 민법상 물권

민법이 인정하는 물권에는 점유권과 본권으로서 소유권 및 제한물권이 있다. 제한물권은 다시 용익물권(지상권, 지역권, 전세권)과 담보물권(유치권, 질권, 저당권)으로 나뉜다.

그 밖에 물권의 객체가 동산인 경우의 동산물권과 부동산인 경우의 부동산물권으로 나누어진다.

(2) 민법 이외의 법률상 물권

상법상 물권으로 상사유치권(상법 제58조), 상사질권(상법 제59조) 등이 있으며, 특별법상의 물권으로 입목저당권(입목법), 공장저당권(공장저당법), 가등기담보권(가담법) 등이 있다.

(3) 관습법상 물권

판례에 의해 관습법상의 물권으로 인정된 것으로는 분묘기지권, 관습법상의 법정지상권, 동산의 양도담보(판례 : 신탁적 소유권이전설의 입장 - 대내적으로는 신탁자 소유이지만, 대외적으로는 수탁자 소유)가 있다.

판례 연구 관련판례 정리

대법원은 ① 관습상 사도통행권은 인정되지 않으며(대판 2002.2.26, 2001다64165), ② 양도담보권은 원래 관습법으로 인정되는 것이었으나 가담법의 시행으로 부동산의 양도담보에 관해서는 그에 의하여 규율되므로 그 근거는 관습법으로 볼 수 없으나, 동산양도담보에 관해서는 가등기담보법의 적용이 없으므로 관습법상의 물권으로 볼 수 있다고 하였다(대판 1994.8.26, 93다44739). 또한 ③ 온천권은 이를 관습법상의 물권이라고 볼 수 없고 온천수는 민법 제235조, 제236조 소정의 공용수 또는 생활상 필요한 용수에 해당하지 아니한다고 본다(대판 1970.5.26, 69다1239). 나아가 ④ 미등기 무허가건물의 양수인이라 할지라도 그 소유권이전등기를 경료받지 않는 한 건물에 대한 소유권을 취득할 수 없고, 그러한 건물의 취득자에게 소유권에 준하는 관습상의 물권이 있다고 볼 수 없다고 하였다(대판 1999.3.23, 98다59118).

제4절 물권의 일반적 효력

물권은 직접성·배타성 및 절대성을 가지며 이로부터 물권에 공통되는 일반적 효력으로서 우선적 효력과 물권적 청구권이 나온다.

Ⅰ. 우선적 효력

물권은 그 직접성·배타성으로부터 일반채권이나 뒤에 성립한 물권에 우선하여 취급되는 효력을 가진다.

1. 물권과 물권 사이

1) 일물일권주의 원칙상 1개의 물건에는 1개의 물권만이 성립한다. 그러나 1개의 물건 위에도 양립할 수 있는 동종의 물권은 수 개 성립할 수 있으며, 이들 상호 간에는 시간적으로 먼저 성립한 물권이 후에 성립한 물권에 우선한다.
2) 소유권과 제한물권 간에는 성질상 제한물권이 우선한다.

2. 물권과 채권 사이

1) 원칙

성립시기를 불문하고 항상 물권이 채권보다 우선한다.

2) 예외

① 다만 주택임대차보호법상 보증금 중 일정액의 최우선변제권(동법 제8조, 제12조)은 성립시기를 불문하고 물권에 우선하고, ② 등기된 부동산임차권(제621조, 제622조), 대항력(주민등록과 주택의 인도)을 갖춘 주택임차권과 임대차보증금반환청구권(주임법 제3조, 제3조의2), 청구권의 순위가 가등기에 의해 보전된 경우(부등법 제3조. 단, 후에 본등기를 해야 함)는 그 성립시기가 물권보다 앞서는 경우이어야 우선한다.

3. 기타

1) 점유권

현재의 사실상 지배에 의해 성립하는 물권이라는 점에서 권리의 취득과 상실은 점유라는 외관과 운명을 같이 하며, 권리의 우열문제는 발생하지 않는다. 따라서 본권과 병존할 수 있다.

2) 유치권

법정담보물권으로서 우선변제적 효력은 없지만 변제를 받을 때까지 목적물을 유치할 수 있으므로 사실상 우선변제를 받는 결과가 된다.

Ⅱ. 물권적 청구권

1. 서설

(1) 의의 및 종류

1) 물권자가 그 방해자에 대하여 그 방해의 제거 또는 예방에 필요한 일정한 행위를 청구할 수 있는 권리를 말한다.

2) 그 종류로는 ① 침해의 모습에 따라 물권적 반환청구권과 물권적 방해제거청구권 및 물권적 방해예방청구권으로 나눌 수 있다. 또한 ② 기초되는 물권에 따라 점유권에 기한 물권적 청구권과 본권에 기한 물권적 청구권으로 나눌 수 있다.

(2) 민법의 규정

1) 민법은 점유권(제204조 내지 제206조)과 소유권(제213조, 제214조)에 관해 명문규정을 두고, 소유권에 기한 물권적 청구권은 다른 물권에 준용한다(제290조, 제301조, 제319조, 제370조).

2) 구체적으로 보면, ① 점유를 수반하지 않는 지역권과 저당권에는 물권적 반환청구권은 인정될 여지가 없고, 방해제거 또는 예방청구권만이 인정될 뿐이다. ② 질권 자체에 기한 물권적 청구권을 인정한다(통설). ③ 유치권은 점유의 상실로 인하여 소멸하기 때문에(제328조), 유치권에 기한 물권적 청구권이 인정되지 않고 점유권에 기한 물권적 청구권만이 인정된다(통설).

2. 성질

물권적 청구권은 그 기초되는 물권에 의존한다는 점에서 물권적 성질을, 특정인에 대한 권리로서 이행의 문제를 남기는 청구권이라는 점에서 채권적 성질을 가진다. 따라서 ① 그 기초되는 물권(모권)과 운명을 같이 하고(의존관계 - 물권이 절대적으로 소멸하면 물권적 청구권은 당연히 소멸하고, 또한 물권적 청구권만을 독립하여 양도할 수는 없다), 나아가 ② 채권적 성질도 가지므로 그 성질에 반하지 않는 한 채권법의 규정들이 유추적용될 수 있다(통설).

소유권에 기해 물권적 청구권을 행사한 후 소유자가 소유권을 상실한 경우, 물권적 청구권의 인정 여부 및 그 청구권의 이행불능을 이유로 손해배상을 청구할 수 있는지 여부 ★★★

소유자가 자신의 소유권에 기하여 실체관계에 부합하지 아니하는 등기의 명의인을 상대로 그 등기말소나 진정명의회복 등을 청구하는 경우에, 그 권리는 물권적 청구권으로서의 방해배제청구권(민법 제214조)의 성질을 가진다. 그러므로 소유자가 그 후에 소유권을 상실함으로써 이제 등기말소 등을 청구할 수 없게 되었다면, 이를 위와 같은 청구권의 실현이 객관적으로 불능이 되었다고 파악하여 등기말소 등 의무자에 대하여 그 권리의 이행불능을 이유로 민법 제390조상의 손해배상청구권을 가진다고 말할 수 없다. 위 법규정에서 정하는 채무불이행을 이유로 하는 손해배상청구권은 계약 또는 법률에 기하여 이미 성립하여 있는 채권관계에서 본래의 채권이 동일성을 유지하면서 그 내용이 확장되거나 변경된 것으로서 발생한다. 그러나 위와 같은 등기말소청구권 등의 물권적 청구권은 그 권리자인 소유자가 소유권을 상실하면 이제 그 발생의 기반이 아예 없게 되어 더 이상 그 존재 자체가 인정되지 아니하는 것이다(대판(전) 2012.5.17, 2010다28604).

3. 성립요건

1) 청구권자

침해당하고 있거나 침해당할 염려가 있는 물권을 현재 정당하게 가지는 자이다.

2) 상대방

현재 물권의 내용의 실현을 방해 내지 침해하고 있는 자이다. 따라서 불법점유자라 하여도 그 건물을 다른 사람에게 인도하여 현실적으로 점유하고 있지 않은 경우에는 물권적 청구의 상대방이 될 수 없다.

3) 귀책사유의 요부

상대방의 귀책사유, 즉 고의·과실은 필요하지 않다. 다만 침해를 정당화하는 사유가 있는 경우(제213조 단서)에는 물권적 청구가 허용되지 않는다.

4. 비용부담의 문제

방해제거 등의 행위에 요구되는 비용을 상대방이 부담할 것(행위청구권설)인가 아니면 본인이 부담할 것(인용청구권설)인가에 대해서 견해가 대립하고 있다. 이에 대해 판례(실무)는 기본적으로 행위청구권설의 입장이라고 할 수 있다. 법원의 판결에 기한 강제집행의 비용은 민사집행법 제53조 제1항에 따라 채무자인 피고가 부담해야 한다는 점에서도 그러하다.

5. 다른 청구권과의 관계

(1) 계약상 청구권과의 관계

계약에 기한 반환청구권과 물권적 청구권은 경합한다. 즉 물권적 청구권은 다른 청구권에 대한 보충적인 것이 아니다.

저당부동산 양도 후 종전 소유자인 저당권설정자의 등기말소청구권행사 가부 ★★
근저당권이 설정된 후에 그 부동산의 소유권이 제3자에게 이전된 경우에는 현재의 소유자가 자신의 소유권에 기하여 피담보채권의 소멸을 원인으로 그 근저당권설정등기의 말소를 청구할 수 있음은 물론이지만, 소유권양도 전의 소유자도 근저당권설정계약의 당사자로서 근저당권소멸에 따른 원상회복으로 근저당권자에게 근저당권설정등기의 말소를 구할 수 있는 계약상 권리가 있으므로 이러한 계약상 권리에 터 잡아 근저당권자에게 피담보채무의 소멸을 이유로 하여 그 근저당권설정등기의 말소를 청구할 수 있다고 봄이 상당하고, 목적물의 소유권을 상실하였다는 이유만으로 그러한 권리를 행사할 수 없다고 볼 것은 아니다(대판(전) 1994.1.25, 93다16338).

(2) 불법행위로 인한 손해배상청구권과의 관계

물권적 청구권과 불법행위에 기한 손해배상청구권은 요건과 효과가 다르므로 경합할 수 있다.

(3) 부당이득반환청구권과의 관계

계약이 무효・취소・해제로 실효된 경우 소유권은 종전 소유권자에게 당연히 복귀되므로(유인성설), 종전 소유자는 소유권에 기한 물권적 청구권을 행사할 수 있고, 또한 불법점유 자체가 이득이므로 부당이득반환청구권을 행사할 수 있다. 따라서 양자는 경합한다. 다만 불법원인급여인 경우에는 부당이득반환청구도 소유권에 기한 물권적 청구권도 모두 행사할 수 없다(판례).

6. 물권적 청구권이 소멸시효에 걸리는지 여부

판례는 "이 사건 매매계약이 합의해제 됨으로써 매수인에게 이전되었던 소유권은 당연히 매도인에게 복귀하는 것이므로 합의해제에 따른 매도인의 원상회복 청구권은 소유권에 기한 물권적 청구권이라 할 것이고, 따라서 이는 소멸시효의 대상이 아니라고 할 것"이라고 하여 부정하는 입장이다(대판 1991.11.26, 91다34387 등).

판례 연구 관련판례 정리

☑ **물권적 청구권 관련판례의 정리**

1) 소유권을 양도함에 있어 소유권에 의하여 발생되는 물권적 청구권을 소유권과 분리하거나, 소유권 없는 전소유자에게 유보하여 제3자에게 대하여 이를 행사케 하는 것은 허용될 수 없다(대판(전) 1969.5.27, 68다725).[36] ★

2) 신탁자와의 명의신탁약정에 의하여 경료된 수탁자 명의의 소유권이전등기는 부동산 실권리자명의 등기에 관한 법률의 유예기간이 경과한 후에는 원인무효로서 말소되어야 하므로, 수탁자의 상속인으로서는 수탁된 토지에 대한 소유권자임을 주장할 수 없고, 소유권에 기한 물권적 청구권으로서 신탁자의

36) 물권적 청구권은 그 기초되는 물권에 의존하므로 그 기초되는 물권과 운명을 같이 한다. 따라서 물권적 청구권만을 독립하여 양도할 수는 없다.

상속인 명의의 가등기에 대한 말소등기청구권을 행사할 수도 없다(대판 1998.12.11, 98다43250).

→ 물권적 청구권자는 침해당한 물건에 대해 정당한 권리를 가지고 있는 자, 즉 물권자만 행사할 수 있기 때문이다.

3) 불법점유를 이유로 하여 그 명도 또는 인도를 청구하려면 현실적으로 그 목적물을 점유하고 있는 자를 상대로 하여야 하고 불법점유자라 하여도 그 물건을 다른 사람에게 인도하여 현실적으로 점유를 하고 있지 않은 이상, 그 자를 상대로 한 인도 또는 명도청구는 부당하다(대판 1999.7.9, 98다9045). ★★

4) 건물철거는 그 소유권의 종국적 처분에 해당되는 사실행위이므로 원칙으로는 그 소유자에게만 그 철거처분권이 있다 할 것이고, 예외적으로 건물을 전소유자로부터 매수하여 점유하고 있는 등 그 권리의 범위 내에서 그 점유 중인 건물에 대하여 법률상 또는 사실상 처분을 할 수 있는 지위에 있는 자에게도 그 철거처분권이 있다. 그러나 미등기건물에 대한 양도담보계약상의 채권자의 지위를 승계하여 건물을 관리하고 있는 자는 (양도담보계약상의 지위를 승계하여 이 사건 건물을 관리하고 있을 뿐) 건물의 소유자가 아님은 물론 건물에 대하여 법률상 또는 사실상 처분권을 가지고 있는 자라고 할 수도 없다 할 것이어서 건물에 대한 철거처분권을 가지고 있는 자라고 할 수 없다(대판 2003.1.24, 2002다61521). ★

chapter

02 물권의 변동

제1절 총설

Ⅰ. 물권변동의 의의 및 모습

1. 의의

물권의 변동이라 함은 물권의 발생·변경·소멸을 총칭하는 것인데, 이를 물권의 주체의 관점에서 보면 물권의 취득·변경·상실이 된다.

2. 모습

① 목적물을 중심으로 부동산물권변동과 동산물권변동으로, ② 변동되는 물권에 따라 소유권 변동과 제한물권의 변동으로, ③ 그 변동의 원인에 따라 법률행위에 의한 물권변동과 법률규정에 의한 물권변동으로 나눌 수 있다.

Ⅱ. 물권변동과 공시제도

1. 공시의 의의 및 필요성

물권의 존재와 변동 및 내용을 외부에서 인식할 수 있도록 하는 일정한 표상 내지 표지를 가리켜 공시(公示)라고 말하는데, 이는 물권의 배타성을 실현하는 수단으로서의 기능하며, 물권거래의 안전에 기여한다.

2. 물권의 공시방법

부동산물권의 변동에는 공시방법으로 등기를 요한다. 반면 동산물권의 변동에는 공시방법으로 인도(예 현실의 인도, 간이인도, 점유개정, 목적물반환청구권의 양도)를 요한다. 그 밖에 판례는 수목의 집단이나 미분리 과실 등에 관하여 명인방법을 인정하고 있다.

3. 물권변동의 입법주의(성립요건주의·형식주의)

현행 민법은 당사자의 의사표시(물권적 합의)만으로 물권변동의 효력은 발생하지 않고, 그 외에 일정한 공시방법도 갖추어야 비로소 물권변동의 효력이 발생한다고 정하고 있다(제186조, 제188조 제1항). 이를 성립요건주의 또는 형식주의라고 한다.

4. 공시원칙의 적용범위

위와 같은 공시의 원칙은 법률행위에 의한 물권변동에 적용되고(제186조, 제188조), 법률규정에 의한 물권변동(제187조)의 경우에는 적용되지 않으므로 공시방법을 갖추지 않더라도 물권변동의 효력이 발생한다.

Ⅲ. 공신의 원칙

1. 개념

물권의 현상을 외부에 나타내는 공시방법이 있는 경우에 설령 공시방법에 상응하는 물권이 실제 존재하지 않더라도 그러한 것을 신뢰한 거래 상대방을 보호하기 위하여 공시된 대로의 권리가 존재하는 것처럼 다루어야 한다는 원칙을 말한다. 상대방의 신뢰를 보호하고 거래안전을 보장하기 위한 것이다.

2. 현행법의 태도

1) 현행민법은 ① 동산에 관해서는 점유에 공신의 원칙을 인정하여 진정한 권리자보다 거래안전을 보호하고 있다(제249조 참조). ② 반면에 부동산에 관해서는 등기에 공신력을 인정하고 있지 않다. 예 甲 소유의 토지에 관하여 乙이 서류를 위조하여 자신의 이름으로 소유권이전등기를 마치고 이를 丙에게 매도한 경우 丙이 乙의 소유권등기를 진실한 것으로 믿었고 믿은 데에 과실이 없었다 하더라도 丙은 소유권을 취득할 수 없다. 다만 제3자 보호규정(제107조 내지 제110조, 제548조 제1항 단서) 등을 통해 보호됨은 별개의 문제이다.
2) 다만 부동산등기에 공신력을 인정하지 않으면서도, 민법은 의사표시에 있어서 선의의 제3자 보호규정(제107조 내지 제110조), 계약해제시 원상회복에 관한 규정(제548조 제1항 단서) 등을 통하여 거래의 안전을 도모하고 있다.

3. 유사제도 – 외관존중제도

공신의 원칙과 유사한 제도로 표현대리(제125조, 제126조, 제129조), 채권의 준점유자에 대한 변제(제470조), 영수증소지자에 대한 변제(제471조), 지시채권의 소지인에 대한 변제(제518조), 금전・어음・수표 그 밖의 유가증권의 선의취득(제250조 단서 ; 어음법 제16조 ; 수표법 제21조) 등을 들 수 있다.

제2절 법률행위에 의한 물권변동

제1관 물권행위

Ⅰ. 물권행위의 의의 및 종류

1. 의의

물권행위란 직접 물권의 변동을 목적으로 하는 의사표시를 요소로 하는 법률행위(처분행위)를 말한다. 이러한 점에서 의무부담행위인 채권행위와 본질적으로 구별된다.

채권행위와의 비교

구분	의의 및 효과	성질	이행의 문제	처분권의 요부
물권행위	물권변동을 목적으로 하는 법률행위	처분행위	이행의 문제가 발생하지 않는다.	물권행위가 유효하기 위해서는 처분권한이 있어야 한다.
채권행위	채권·채무의 발생을 목적으로 하는 법률행위	의무부담행위	이행의 문제가 남는다.	처분권한을 요하지 않으므로, 처분권한이 없는 자의 채권행위도 유효하다.

2. 종류

물권행위의 종류도 그 요소인 의사표시의 모습에 따라 단독행위와 계약행위로 구분할 수 있다. 특히 물권에 관한 계약행위를 채권계약과 구별하기 위하여 물권적 합의라는 용어를 주로 사용한다.

Ⅱ. 물권행위의 구성요소 - 물권행위와 공시방법과의 관계

물권행위는 물권변동을 일으킬 것을 내용으로 하는 물권적 의사표시를 요소로 한다. 그러나 형식주의의 원칙상 이러한 의사표시의 합치만으로는 물권변동의 효력이 생기지 않고, 등기 혹은 인도(점유)를 하여야 비로소 물권변동의 효력이 생긴다. 여기서 물권행위와 공시방법과의 관계, 즉 공시방법이 물권행위의 요소인지가 문제된다.

이에 대해 다수설은 공시방법을 물권행위의 요소에서 제외시키면서, 물권행위로부터 독립한 것이며 물권행위 이외에 법률에 의해 요구되는 물권변동의 또 하나의 요건이라고 본다.

Ⅲ. 물권행위의 독자성과 무인성

1. 물권행위의 독자성

물권행위가 그 원인행위인 채권행위와 독립된 것인가의 문제로서, 결국 물권행위를 뒷날에 따로 한다는 특약이 존재하지 않은 경우에, 물권변동은 채권행위와 따로 독립한 물권행위를 하고 공시방법을 갖추는 때에 일어나느냐 아니면 채권행위 속에 물권행위는 포함되어 있는 것으로 보아 공시방법만을 갖추면 일어나느냐의 문제이다. 이에 대해 판례는 물권행위의 독자성을 부인한다.

2. 물권행위의 무인성 · 유인성

채권행위의 불성립 · 무효 · 취소 · 해제 등에 의해 물권행위도 영향을 받는지에 관한 논의가 물권행위의 무인성 · 유인성의 문제이다(특히 물권행위의 독자성을 긍정할 때 그 논의의 실익이 있다). 이에 대해 판례는 유인성설을 견지하고 있다.

계약해제에 의한 물권의 복귀시기 – 물권행위의 독자성과 무인성의 부정

[1] 우리의 법제가 물권행위의 독자성과 무인성을 인정하고 있지 않는 점과 민법 제548조 제1항 단서가 거래안전을 위한 특별규정이란 점을 생각할 때, 계약이 해제되면 그 계약의 이행으로 변동이 생겼던 물권은 당연히 그 계약이 없었던 원상태로 복귀한다고 봄이 타당하다 할 것이다(대판 1977.5.24, 75다1394).

[2] 증여를 원인으로 한 소유권이전등기가 경료되었더라도 그 등기원인이 된 증여행위가 부존재하거나 무효인 경우라면 그로 인한 소유권이전의 효력이 처음부터 발생하지 아니한다(대판 2013.1.24, 2010두27189).

제2관 법률행위로 인한 부동산물권의 변동

제186조【부동산물권변동의 효력】
부동산에 관한 법률행위로 인한 물권의 득실변경은 등기하여야 그 효력이 생긴다.

부동산물권변동의 효력이 생기기 위해서는 물권적 합의와 등기가 있어야 한다(성립요건주의). 구체적으로는 ① 처분하는 자가 처분권한이 있어야 하고, ② 채권행위와 물권행위가 모두 유효하고, ③ 공시방법으로 등기를 갖추어야 하는 요건을 갖추어야 한다.

제186조의 적용 한계

1) 재단법인의 설립에 있어서의 출연재산의 귀속
법인이 성립된 때로부터 법인에 귀속된다는 민법 제48조의 규정은 출연자와 법인 사이에는 법인의 성립 외에 등기를 필요로 하는 것은 아니나, 제3자에 대한 관계에서는 출연행위는 법률행위이므로 출연재산의 법인에의 귀속에는 등기가 필요하다(대판(전) 1979.12.11, 78다481・482).
2) 원인행위의 무효・취소에 의한 물권의 복귀시기
물권행위 유인론에 의하면 물권이 당연히 복귀하므로 말소등기 없이도 물권은 당연히 복귀한다(판례).
3) 지상권・전세권의 소멸청구
지상권・전세권 소멸청구는 형성권의 행사이므로 말소등기 없이도 소멸청구만으로 소멸의 효과가 발생한다(다수설).
4) 전세권의 소멸통고
소멸통고 후 6개월이 경과하면 전세권은 법률상 당연히 소멸한다고 보므로 말소등기를 할 필요가 없다(다수설).
5) 부동산물권의 포기
물권적 단독행위이므로 말소등기를 하여야 소멸된다(다수설).
6) 점유취득시효완성으로 인한 소유권의 취득
시효로 인한 부동산물권의 취득은 법률행위에 의한 것이 아니지만, 제187조의 예외로서 등기하여야 물권을 취득하는 것으로 하고 있다(제245조 제1항).

제2-1관 부동산등기

Ⅰ. 부동산등기제도 일반론

1. 등기의 의의

부동산의 등기라 함은 부동산의 표시와 부동산에 관한 일정한 권리관계(예 권리의 설정・이전・변경・소멸 등)를 등기공무원이 법정절차에 따라 등기부라는 공적 장부에 '기재하는 행위' 또는 '그 기재 자체'를 말한다. 따라서 부동산등기에 있어서는 등기신청이 있더라도 등기부(토지등기부와 건물등기부의 두 가지가 있다)에 기재되지 않으면 등기가 있다고 할 수 없다.

부동산 물권변동의 요건으로서 등기
등기는 물권의 효력 발생요건이고 효력 존속요건이 아니므로 물권에 관한 등기가 원인 없이 말소된 경우에 그 물권의 효력에는 아무런 영향을 미치지 않는다고 봄이 타당한 바, 등기공무원이 관할지방법원의 명령에 의하여 소유권이전등기를 직권으로 말소하였으나 그 후 동 명령이 취소 확정 된 경우에는 말소등기는 결국 원인 없이 경료된 등기와 같이 되어 말소된 소유권이전등기는 회복되어야 하고 회복등기를 마치기 전이라도 말소된 소유권이전등기의 최종명의인은 적법한 권리자로 추정된다(대판 1982.9.14, 81다카923).

2. 등기부

(1) 등기부의 편성

1) 1부동산 1등기기록주의의 원칙(물적 편성주의)

등기부를 편성할 때에는 1필의 토지 또는 1개의 건물에 대하여 1개의 등기기록을 둔다(부등법 제15조). 즉, 등기부는 1개의 권리의 객체인 각 부동산을 단위로 하여 편성된다.

2) 1부동산 1등기기록주의의 원칙에 대한 예외

건물이 구분소유되는 경우에는 건물 전부에 대해 1개의 등기기록을 사용하도록 하고 있다(부등법 제15조 제1항 단서).

(2) 등기부의 양식

① 1등기기록은 크게 표제부·소유권에 관한 사항을 기록하는 甲구·소유권 외의 권리에 관한 사항을 기록하는 乙구로 나뉘며(부등법 제15조 제2항), (ㄱ) 표제부에는 부동산의 표시번호, 접수연월일, 소재와 지번, 지목과 면적 및 등기원인을 기재하고(특히, 건물일 경우 건물의 종류, 구조와 면적 등을 기록한다. 부등법 제40조), (ㄴ) 甲구 또는 乙구에는 순위번호, 등기목적(예 소유권이전), 접수연월일 및 접수번호, 등기원인(예 매매) 및 그 연월일, 권리자를 기재한다(부등법 제48조).

② 또한 구분건물의 등기기록은 (ㄱ) 1동의 건물전체에 관한 표제부와 (ㄴ) 구분한 건물(전유부분)의 표제부·甲구·乙구로 구성되어 있다(부동산등기규칙 제4조).

3. 등기의 종류 - 등기의 효력에 따른 분류 중심

(1) 종국등기와 예비등기

등기 본래의 효력, 즉 물권변동의 효력을 발생하게 하는 등기로서 종국등기(본등기)와 등기 본래의 효력과는 직접 관계가 없고 장차 행하여질 등기에 대비하여 행하여지는 등기로서 예비등기(가등기와 예고등기)가 있다. 이하에서는 이 중 예비등기를 중심으로 살펴본다.

(2) 가등기

1) 의의

장차 본등기의 실체법적·절차법적 요건이 완전히 갖추어지게 되면 행하여질 본등기를 위하여 미리 그 본등기의 순위를 보전하기 위하여 행하는 청구권보전의 가등기를 말한다.

판례 연구 **관련판례 정리**

1. 청구권보전의 가등기와 담보가등기의 구별

당해 가등기가 담보가등기인지 여부는 당해 가등기가 실제상 채권담보를 목적으로 한 것인지 여부에 의하여 결정되는 것이지 당해 가등기의 등기부상 원인이 매매예약으로 기재되어 있는지 아니면 대물변제예약으로 기재되어 있는가 하는 형식적 기재에 의하여 결정되는 것이 아니다(대결 1998.10.7, 98마1333).

2. 본등기 절차 ★

1) 가등기 후에 제3자에게 소유권이전의 본등기가 된 경우에 가등기권리자는 본등기를 경료하지 아니하고는 가등기 이후의 본등기의 말소를 청구할 수 없다. 이 경우에 가등기권리자는 가등기의무자인 전소유자를 상대로 본등기청구권을 행사할 것이고, 제3자를 상대로 할 것이 아니다. 가등기권리자가 소유권이전의 본등기를 한 경우에는 등기공무원은 부등법 제175조 제1항, 제55조 제2호에 의하여 가등기 이후에 한 제3자의 본등기를 직권말소할 수 있다(대결(전) 1962.12.24, 4294민재항675).[37]

2) 말소된 등기의 회복등기절차의 이행을 구하는 소에서는 회복등기의무자에게만 피고적격이 있는바, 가등기가 이루어진 부동산에 관하여 제3취득자 앞으로 소유권이전등기가 마쳐진 후 그 가등기가 말소된 경우 그와 같이 말소된 가등기의 회복등기절차에서 회복등기의무자는 가등기가 말소될 당시의 소유자인 제3취득자이므로, 그 가등기의 회복등기청구는 회복등기의무자인 제3취득자를 상대로 하여야 한다(대판 2009.10.15, 2006다43903).

3. 가등기권자가 본등기절차에 의하지 않고 가등기설정자로부터 별도의 소유권이전등기를 받은 경우의 법리 ★★

1) ① 채권은 채권과 채무가 동일한 주체에 귀속한 때에 한하여 혼동으로 소멸하는 것이 원칙이고, 어느 특정의 물건에 관한 채권을 가지는 자가 그 물건의 소유자가 되었다는 사정만으로는 채권과 채무가 동일한 주체에 귀속한 경우에 해당한다고 할 수 없어 그 물건에 관한 채권이 혼동으로 소멸하는 것은 아닌바, 매매계약에 따른 소유권이전등기청구권 보전을 위하여 가등기가 경료된 경우 그 가등기권자가 가등기설정자에게 가지는 가등기에 기한 본등기청구권은 채권으로서 가등기권자가 가등기설정자를 상속하거나 그의 가등기에 기한 본등기절차 이행의 의무를 인수하지 아니하는 이상, 가등기권자가 가등기에 기한 본등기절차에 의하지 아니하고 가등기설정자로부터 별도의 소유권이전등기를 경료받았다고 하여 혼동의 법리에 의하여 가등기권자의 가등기에 기한 본등기청구권이 소멸하지는 않는다 할 것이다. 한편 ② 그와 같이 가등기권자가 별도의 소유권이전등기를 경료받았다 하더라도, 가등기 경료 이후에 가등기된 목적물에 관하여 제3자 앞으로 처분제한의 등기가 되어 있거나 중간처분의 등기가 되어 있지 않고 가등기와 소유권이전등기의 등기원인도 실질상 동일하다면, 가등기의 원인이 된 가등기의무자의 소유권이전등기의무는 그 내용에 좇은 의무이행이 완료되었다 할 것이어서 가등기에 의하여 보전될 소유권이전등기청구권은 소멸되었다고 보아야 하므로, 가등기권자는 가등기의무자에 대하여 더 이상 그 가등기에 기한 본등기절차의 이행을 구할 수 없는 것이다(대판 2007.2.22, 2004다59546).

2) 그러나 가등기권자가 가등기된 목적물에 관하여 소유권이전등기를 받고 있다 하더라도 가등기 후 그 소유권이전등기 전에 중간처분의 등기(예컨대, 제3자의 가압류등기)가 있는 경우에는, 가등기권자는 그 순위보전을 위하여 가등기에 기한 본등기절차의 이행을 구할 수 있다(대판 1995.12.26, 95다29888).

---

2) 가등기의 요건

부동산물권과 이에 준하는 권리에 관한 권리의 설정·이전·변경·소멸의 청구권을 보전할 때, 보전할 청구권이 시기부 또는 정지조건부인 때, 청구권이 장래에 있어서 확정될 것인 때(예 예약완결권)에 할 수 있다(부등법 제88조 참조).

---

37) 현행 부동산등기법·규칙에서는 이와 같은 판례를 반영하여 규정을 신설하였다.

물권적 청구권의 보전을 위한 가등기의 적부(소극) ★

부동산등기법 제3조에서 말하는 청구권이란 동법 제2조에 규정된 물권 또는 부동산임차권의 변동을 목적으로 하는 청구권을 말하는 것이라 할 것이므로, 부동산등기법상의 가등기는 위와 같은 청구권을 보전하기 위해서만 가능하고 이와 같은 청구권이 아닌 물권적 청구권을 보존하기 위해서는 할 수 없다(대판 1982.11.23, 81다카1110).

→ [해설] : ① 매매계약이 해제되면 그 계약의 이행으로 변동이 생겼던 물권은 당연히 그 계약이 없었던 원상태로 복귀하나, 매매계약 해제 이전에 매매목적물에 관하여 제3자에게 소유권이전등기가 경료된 뒤에 계약이 해제된 경우에는 계약해제의 효과로서 당연히 그 소유권이 매도인에게 복귀하지 않으므로(제548조 제1항 단서를 고려), 매도인은 소유권에 기하여 매수인 명의의 소유권이전등기의 말소를 청구할 수 없다. 그러나 ② 매매계약 당시 계약당사자 사이에 계약이 해제되면 매수인은 매도인에게 소유권이전등기를 하여 주기로 하는 약정이 있는 경우에는 매도인은 그 약정에 기하여 매수인에 대하여 소유권이전등기절차의 이행을 청구할 수 있다 할 것이고, 이 경우의 매도인의 소유권이전등기청구권은 물권변동을 목적으로 하는 청구권, 즉 채권적 청구권이라 할 것이므로 이러한 청구권은 가등기에 의하여 보전될 수 있는 것이다. 이로써 중간처분의 실효효과를 누리게 되고 위 ①과 같은 불이익으로부터 벗어날 수 있게 된다.

3) 가등기의 효력

가) 본등기 전의 효력

가등기 자체에는 아무런 실체법상의 효력이 없다. 판례에 의하면, 본등기가 없는 한 가등기설정자의 처분행위를 저지할 수 없고, 가등기를 가지고 제3취득자에게 대항할 수도 없다. 또한 소유권이전등기청구권의 보전을 위한 가등기가 있다고 하여 소유권이전등기를 청구할 어떤 법률관계가 있다고 추정되지 아니한다(대판 1975.5.22, 79다239). 다만, 해당 가등기가 위법하게 말소된 경우에는 가등기권리자는 그 회복등기를 청구할 수 있다.

가등기권자가 무효인 등기의 말소를 구할 수 있는지 여부(소극) ★

가등기는 부동산등기법 제6조 제2항의 규정에 의하여 그 본등기 시에 본등기의 순위를 가등기의 순위에 의하도록 하는 순위보전적 효력만이 있을 뿐이고, 가등기만으로는 아무런 실체법상 효력을 갖지 아니하고 그 본등기를 명하는 판결이 확정된 경우라도 본등기를 경료하기까지는 마찬가지이므로, 중복된 소유권보존등기가 무효이더라도 가등기권리자는 그 말소를 청구할 권리가 없다(대판 2001.3.23, 2000다51285).

소유권이전등기청구권 보전의 가등기보다 후순위로 마쳐진 근저당권의 실행을 위한 경매절차에서 매각대금이 완납된 경우, 선순위인 가등기가 존속하는지 여부(원칙적 적극) **및 위 가등기보다 선순위로 기입된 가압류등기가 경매절차에서 매각으로 소멸하는 경우, 그보다 후순위인 위 가등기 역시 말소촉탁의 대상이 되는지 여부**(적극)

소유권이전등기청구권 보전의 가등기보다 후순위로 마쳐진 근저당권의 실행을 위한 경매절차에서 매각허가결정에 따라 매각대금이 완납된 경우에도, 선순위인 가등기는 소멸하지 않고 존속하는 것이 원칙이다. 다만 그 가등기보다 선순위로 기입된 가압류등기는 근저당권의 실행을 위한 경매절차에서 매각으로 인하여 소멸하고, 이러한 경우에는 가압류등기보다 후순위인 가등기 역시 민사집행법 제144조 제1항 제2호에 따라 매수인이 인수하지 아니한 부동산의 부담에 관한 기입에 해당하여 말소촉탁의 대상이 된다(대판 2022.5.12, 2019다265376).

나) 본등기 후의 효력(순위보전의 효력)

가등기에 기해 본등기를 하면 본등기의 순위는 가등기의 순위에 의한다(부등법 제91조). 그러나 가등기는 본등기의 순위를 보전하는 효력을 지닐 뿐이고 후일 본등기가 경료된 때에는 본등기의 순위가 가등기한 때로 소급함으로써 가등기 후 본등기 전에 이루어진 중간처분이 본등기보다 후순위로 되어 실효될 뿐이며 물권변동의 효력발생은 본등기 시에 발생하고 가등기한 때로 소급하지 않는다(대판 1982.6.22, 81다1298・1299).

4) 가등기의 가등기

가등기는 원래 순위를 확보하는 데에 그 목적이 있으나, 순위보전의 대상이 되는 물권변동의 청구권은 그 성질상 양도될 수 있는 재산권일 뿐만 아니라 가등기로 인하여 그 권리가 공시되어 결과적으로 공시방법까지 마련된 셈이므로, 이를 양도한 경우에는 양도인과 양수인의 공동신청으로 그 가등기상의 권리의 이전등기를 가등기에 대한 부기등기의 형식으로 경료할 수 있다고 보아야 한다(대판(전) 1998.11.19, 98다24105).

(3) 예고등기

① 예고등기는 등기원인의 무효 또는 취소로 인한 등기의 말소 또는 회복의 소가 제기된 경우에, 그 등기에 의하여 소의 제기가 있었음을 제3자에게 경고하여 계쟁 부동산에 관하여 법률행위를 하고자 하는 선의의 제3자로 하여금 소송의 결과로 발생할 수도 있는 불측의 손해를 방지하려는 목적에서 하는 것이다(대판 1998.9.22, 98다2631).

② 그러나 이러한 예고등기는 그 입법취지와는 다르게 선의의 제3자 보호보다 등기명의인의 재산권행사나 강제집행 절차를 방해하는 수단으로 악용되는 경우가 많았고, 이에 개정 부동산등기법에서는 예고등기제도를 폐지하기에 이르렀다.

(4) 기타의 등기

그 밖의 등기의 종류에는 ① 등기된 권리나 객체가 원시적으로 존재하지 않거나 또는 후발적으로 존재하지 않게 된 경우 기존 등기의 전부를 말소하는 등기로서 말소등기, ② 기존 등기가 부당하게 말소된 경우 또는 등기부가 멸실된 경우에 이를 원상으로 회복하는 등기로서 말소회복등기와 멸실회복등기, ③ 독립된 번호 없이 기존의 주등기의 순위를 유지할 필요가 있는 경우 주등기의 번호를 그대로 사용하여 그 번호의 아래 부기 몇 호라는 번호를 붙여서 행해지는 부기등기, ④ 건물의 신축 등 미등기부동산에 관하여 소유자의 신청에 의하여 최초로 새로운 등기기록을 편성하여 행하여지는 소유권의 보존등기 등이 있다.

판례 연구 **관련판례 정리**

1) 말소된 등기의 회복을 신청하는 경우에는 등기상 이해관계 있는 제3자의 승낙이 필요하다(대판 2001.1.16, 2000다49473).

2) 근저당권 이전의 부기등기는 기존의 주등기인 근저당권설정등기에 종속되어 주등기와 일체를 이루는 것이어서 피담보채무가 소멸된 경우 또는 근저당권설정등기가 당초 원인무효인 경우 주등기인 근저당권설정등기의 말소만 구하면 되고 그 부기등기는 별도로 말소를 구하지 않더라도 주등기의 말소에 따라 직권으로 말소된다(대판 1995.5.26, 95다7550).

3) 채무자의 변경을 내용으로 하는 근저당권변경의 부기등기는 기존의 주등기인 근저당권설정등기에 종속되어 주등기와 일체를 이루는 것이고 주등기와 별개의 새로운 등기는 아니라 할 것이므로, 그 피담보채무가 변제로 인하여 소멸된 경우 위 주등기의 말소만을 구하면 되고 그에 기한 부기등기는 별도로 말소를 구하지 않더라도 주등기가 말소되는 경우에는 직권으로 말소되어야 할 성질의 것이므로, 위 부기등기의 말소청구는 권리보호의 이익이 없는 부적법한 청구라고 할 것이다(대판 2000.10.10, 2000다19526). ★

4) 그러나 근저당권의 이전원인만이 무효로 되거나 취소 또는 해제된 경우, 즉 근저당권의 주등기 자체는 유효한 것을 전제로 이와는 별도로 근저당권이전의 부기등기에 한하여 무효사유가 있다는 이유로 부기등기만의 효력을 다투는 경우에는 그 부기등기의 말소를 소구할 필요가 있으므로 예외적으로 소의 이익이 있다(대판 2005.6.10, 2002다15412 · 15429).

4. 등기의 절차

(1) 등기의 신청

1) 공동신청주의의 원칙

등기신청은 등기권리자와 등기의무자가 공동으로 하는 것이 원칙이다(부등법 제23조 제1항).

2) 예외 – 단독신청

그러나 판결에 의한 등기(부등법 제23조 제4항), 상속에 의한 등기(부등법 제23조 제3항, 제27조), 가등기(부등법 제89조, 제90조), 미등기부동산의 소유권보존등기(부등법 제65조), 부동산표시의 변경등기(부등법 제23조 제5항), 멸실회복등기(부동산등기예규) 등의 경우에는 등기권리자 또는 등기명의인에 의한 단독신청이 인정된다.

3) 대리인에 의한 신청 · 채권자에 의한 대위신청

① 등기의 신청은 대리인에 의해서도 할 수 있는데(부등법 제24조), 이 경우 자기계약 · 쌍방대리의 금지 규정(제124조)은 적용되지 않는다(통설). 또한 ② 채권자는 채권자대위권에 기해 채무자를 대위하여 등기를 신청할 수 있고, 이 때에는 대위원인을 증명하는 서면을 첨부하여야 한다(부등법 제28조).

등기권리자와 등기의무자

등기권리자와 등기의무자의 개념은 공동신청주의와 관련하여 성립되는 "절차법적인 개념"으로서, 실체법상의 개념인 등기청구권자(등기신청의 협력을 구할 수 있는 사법상의 등기청구권을 가지고 있는 자)와 등기청구권자의 상대방(등기신청에 협력할 의무가 있는 자)과는 다르다. 따라서 양자는 대체로 일치하지만 반드시 그런 것은 아니다. ① 등기권리자는 신청된 등기가 행해짐으로써 실체적 권리관계에 있어서 권리의 취득 기타의 이익을 받는 자라는 것이 등기부상 형식적으로 표시되는 자이고, ② 등기의무자는 신청된 등기가 행해짐으로써 실체적 권리관계에 있어서 권리의 상실 기타의 불이익을 받는 자라는 것이 등기부상 형식적으로 표시된 자를 말한다.

(2) 등기신청에 필요한 서류

법정의 서면을 제출하여야 하는데, 계약서 · 판결등본 · 화해조서 등과 같이 등기원인을 증명하는 서면, 등기의무자의 권리에 관한 등기필정보, 등기원인에 대하여 제3자의 허가 · 동의 또는 승낙을 요할 때에는 제3자의 허가 · 동의 또는 승낙을 증명하는 서면, 대리권한을 증명하는 서면(대리인에 의해 등기신청을 하는 경우), 신청인의 주소를 증명하는 서면(소유권 보존 · 이전 등기를 신청하는 경우 주민등록등본 등), 인감증명서(소유권의 등기명의인이 등기의무자로서 등기를 신청하는 경우) 등을 제출하여야 한다.

(3) 등기신청에 대한 심사(형식적 심사주의)

등기관은 등기신청에 대하여 실체법상의 권리관계와 일치 여부를 심사할 권한은 없고, 오직 신청서류와 등기부에 의해 등기요건에 합당한지 여부를 심사할 권한 밖에 없다(판례).

Ⅱ. 물권변동의 요건으로서 등기와 그 유효요건

등기에 따른 물권변동의 효력이 발생되기 위해서는 그것이 유효하게 성립하고 있어야 한다. 이러한 유효요건은 ① 형식적(절차적) 유효요건 + ② 실질적 유효요건으로 나눌 수 있다.

1. 형식적 유효요건

① 등기의 존재, ② 1부동산 1등기기록주의의 원칙, ③ 등기법이 정한 신청절차에 따라 관할등기소에서 행해질 것이 요구된다.

(1) 등기의 존재

1) 목적물의 동일성

등기가 유효하기 위해서는 목적물의 동일성을 요구한다. 따라서 부동산의 실질관계와 등기부의 표시에 동일성 혹은 유사성조차 인정되지 않으면, 그 등기는 무효로서 공시의 효과도 인정되지 않고, 경정등기도 허용되지 않는다. 다만, 같은 부동산에 대하여 따로 보존등기가 존재하지 아니하거나 등기의 형식상으로 보아 예측할 수 없는 손에는 예외적으로 경정등기가 허용된다(대판(전) 1975.4.22, 74다2188).

동일성 유무에 대한 판단 및 흠결 시 등기의 효력

① 경정등기가 허용되기 위해서는 경정 전후의 등기에 동일성 내지 유사성이 있어야 하는데, 경정 전의 명의인과 경정 후의 명의인이 달라지는 권리자 경정등기는 등기명의인의 동일성이 인정되지 않으므로 허용되지 않는다. 따라서 단독소유를 공유로 또는 공유를 단독소유로 하는 경정등기 역시 소유자가 변경되는 결과로 되어 등기명의인의 동일성을 잃게 되므로 허용될 수 없다(대판 2017.8.18, 2016다6309).

② 표제부의 표시 등과 실제의 부동산이 일치하지 않는 경우에는 등기로서의 효력이 없고(대판 1995.9.29, 95다22849 · 22856), 그 부동산에 관한 권리변동의 등기도 효력이 없다(대판 2001.3.23, 2000다51285). 동일성의 여부는, 토지는 지번과 지목 · 지적을 기준으로(대판 2001.3.23, 2000다51285), 건물은 지번 · 건평 · 구조를 중심으로 건축시기나 건물의 종류, 등기부상 표시가 상이하게 된 연유 등을 종합하여 판단한다(대판 1996.6.14, 94다53006).

2) 등기의 불법말소

판례는 등기를 물권변동의 효력발생요건이지 효력존속요건으로 보지 않는다. 이에 따르면 등기가 말소된 경우에도 물권의 효력에는 영향을 미치지 않는다고 한다. 그리고 원인 없이 말소된 소유권이전등기가 회복되기 전이라도 말소되기 전의 등기는 추정력을 갖는다(대판 1982.9.14, 81다카923). 따라서 말소 당시의 명의인(현재의 명의인이 아님)을 상대로 회복등기를 마치면, 말소된 종전의 등기와 동일한 효력을 갖는다(대판 1968.8.30, 68다1187). 다만 말소된 등기의 회복을 신청하는 경우에 등기상 이해관계인이 있으면, 그의 승낙서 또는 재판등본을 첨부하여야 한다(대판 2001.8.24, 2000다12785 · 12792).

등기의 불법말소와 그 효력

[1] 근저당권설정등기의 불법말소 – ① 부동산에 관하여 근저당권설정등기가 경료되었다가 그 등기가 위조된 등기서류에 의하여 아무런 원인 없이 말소되었다는 사정만으로는 곧바로 근저당권이 소멸하는 것은 아니라고 할 것이다. ② 그러나 부동산이 경매절차에서 경락되면 그 부동산에 존재하였던 근저당권은 당연히 소멸하는 것이므로, 근저당권설정등기가 원인 없이 말소된 이후에 그 근저당 목적물인 부동산에 관하여 다른 근저당권자 등 권리자의 경매신청에 따라 경매절차가 진행되어 경락허가결정이 확정되고 경락인이 경락대금을 완납하였다면, 원인 없이 말소된 근저당권은 이에 의하여 소멸한다. 따라서 근저당권설정등기가 위법하게 말소되어 아직 회복등기를 경료하지 못한 연유로 그 부동산에 대한 경매절차에서 피담보채권액에 해당하는 금액을 전혀 배당받지 못한 근저당권자로서는 위 경매절차에서 실제로 배당받은 자에 대하여 부당이득반환 청구로서 그 배당금의 한도 내에서 그 근저당권설정등기가 말소되지 아니하였더라면 배당받았을 금액의 지급을 구할 수 있을 뿐이고, 이미 소멸한 근저당권에 관한 말소등기의 회복등기를 위하여 현소유자를 상대로 그 승낙의 의사표시를 구할 수는 없다(대판 1998.10.2, 98다27197).

[2] 가압류등기의 불법말소 – 부동산에 관하여 가압류등기가 마쳐졌다가 등기가 아무런 원인 없이 말소되었다는 사정만으로는 곧바로 가압류의 효력이 소멸하는 것은 아니지만, 가압류등기가 원인 없이 말소된 이후에 부동산의 소유권이 제3자에게 이전되고 그 후 제3취득자의 채권자 등 다른 권리자의 신청에 따라 경매절차가 진행되어 매각허가결정이 확정되고 매수인이 매각대금을 다 낸 때에는, 경매절차에서 집행법원이 가압류의 부담을 매수인이 인수할 것을 특별매각조건으로 삼지 않은 이상 원인 없이 말소된 가압류의 효력은 소멸한다. 그리고 말소회복등기절차에서 등기상 이해관계 있는 제3자가 있어 그의 승낙이 필요한 경우라 하더라도 제3자가 등기권리자에 대한 관계에서 승낙을 하여야 할 실체법상의 의무가 있는 경우가 아니면 승낙요구에 응하여야 할 이유가 없다(대판 2017.1.25, 2016다28897).

(2) 1부동산 1등기부주의의 원칙 – 중복보존등기의 문제

부동산등기법은 1부동산 1등기기록주의의 원칙을 취하고 있다. 그런데 만일 동일한 부동산에 관하여 중복등기가 행해진 경우 그 효력은 어떻게 되는지가 문제이다.

판례 연구 **관련판례 정리**

☑ **중복등기에 관한 판례의 정리**

1. 표제부 표시란의 이중등기 ➡ 실체관계에 부합하는 등기만이 유효

(1) 부동산의 동일성이 없는 경우

먼저 한 甲명의의 건물소유권보존등기가 그 소유지번이 잘못되고 또 건물구조에서도 2층인 것이 1층으로 잘못되어 있는 반면, 후에 동 건물을 양도받은 乙이 한 보존등기가 소재지번 및 구성에 있어 실제와 합치된다면, 먼저 한 보존등기는 동 건물에 대한 보존등기로서 효력이 없고, 후자가 유효하다(대판 1977.1.25, 76다1872).

(2) 부동산의 동일성이 있는 경우

동일 부동산에 관하여 경료된 각 소유권보존등기가 그 부동산을 표상함에 부족함이 없는 것으로 인정되는 경우, 그 각 등기는 모두 공시의 효력을 가지게 되고, 따라서 뒤에 이루어진 소유권보존등기는 중복등기에 해당하여 선등기에 원인무효의 사유가 없는 한 원인무효로 귀착될 수밖에 없다(대판 2002.7.12, 2001다16913).

2. 중복등기 ★★

(1) 등기명의인이 동일한 경우(절차법설)

1) 동일 부동산에 관하여 등기명의인을 달리하여 중복하여 보존등기가 이루어진 경우와는 달리, 동일인 명의로 소유권보존등기가 중복되어 있는 경우에는, 먼저 경료된 등기가 유효하고 뒤에 경료된 중복등기는 그것이 실체관계에 부합하는 여부를 가릴 것 없이 무효이다(대판 1981.11.18, 81다1340).

2) 동일부동산에 관하여 동일인 명의로 중복보존등기가 경료된 경우 부동산등기법이 1부동산 1등기기록주의를 채택하고 있는 이상 뒤에 경료된 등기는 무효이고 이 무효인 등기에 터 잡아 타인명의로 소유권이전등기가 경료되었다고 하더라도 실체관계에 부합하는 여부를 가릴 것 없이 이 등기 역시 무효이므로, 그 후 등기카드화 작업으로 후등기부가 폐쇄되고 타인명의의 소유권이전등기 부분만이 새로운 등기부에 이기되었더라도 이러한 사실만으로 무효인 등기가 유효인 등기로 전환될 수 없다(대판 1983.12.13, 83다카743).

(2) 등기명의인이 상이한 경우(절차법적 절충설)

1) 매수인이 소유권이전등기 대신에 소유권보존등기를 경료함으로써 동일 부동산에 관하여 등기명의인을 달리하여 중복된 소유권보존등기가 이루어졌으나 선등기가 원인무효가 되지 아니하는 경우의 후등기는, 비록 그 부동산의 매수인에 의하여 이루어진 경우에도 1부동산 1용지주의를 채택하고 있는 부동산등기법 아래에서는 실체관계와 부합하는지 여부와 관계없이 무효이고, 이를 토대로 한 이전등기도 모두 무효이다(대판(전) 1990.11.27, 87다카2961·87다453; 대판 1991.10.8, 91다25116; 대판 1998.9.22, 98다23393).

2) 민법 제245조 제2항은 부동산의 소유자로 등기한 자가 10년간 소유의 의사로 평온·공연하게 선의이며 과실 없이 그 부동산을 점유한 때에는 소유권을 취득한다고 규정하고 있는바, 위 법 조항의 '등기'는 부동산등기법 제15조가 규정한 1부동산 1용지주의(현행 1부동산 1등기기록주의)에 위배되지 아니한 등기를 말하므로, 어느 부동산에 관하여 등기명의인을 달리하여 소유권보존등기가 2중으로 경료된 경우 먼저 이루어진 소유권보존등기가 원인무효가 아니어서 뒤에 된 소유권보존등기가 무효로 되는 때에는, 뒤에 된 소유권보존등기나 이에 터잡은 소유권이전등기를 근거로 하여서는 등기부취득시효의 완성을 주장할 수 없다(대판(전) 1996.10.17, 96다12511).

3) 중복등기 말소를 구하는 소송에서 취득시효완성으로 실체관계에 부합한다는 항변을 하였으나 뒤에 경료된 등기라는 이유로 그 말소를 명하는 판결이 선고된 후, 같은 부동산에 관하여 시효취득을 원인으로 한 소유권이전등기를 구하는 소송을 제기한 경우, 전소의 소송물은 중복소유권보존등기 및 이에 바탕을 둔 소유권이전등기의 말소청구권의 존부이고, 후소에서 쟁점이 된 소송물은 같은 부동산에 관한 청구이기는 하지만 취득시효완성을 원인으로 한 소유권이전등기청구권의 존부로서, 전소와 후소는 청구취지와 청구원인을 전혀 달리하는 소송으로서 그 소송물이 다르고 특별히 서로 모순관계에 있거나 전소의 소송물이 후소의 선결문제에 해당하는 것도 아니므로 전소판결의 기판력이 후소에 미친다고 볼 수 없다(대판 1994.11.11, 94다30430).

3. 멸실회복등기의 중복과 그 유효성 판단기준

1) 동일부동산에 관하여 등기명의인을 달리하여 중복된 소유권보존등기가 경료된 경우에는 먼저 된 소유권보존등기가 원인무효가 되지 아니하는 한 나중에 경료된 소유권보존등기는 1부동산 1용지주의(현행 1부동산 1등기기록주의)를 채택하고 있는 현행 부동산등기법 아래에서는 무효라고 해석함이 상당하고, ① 동일부동산에 관하여 중복된 소유권보존등기에 터잡아 등기명의인을 달리하는 각 소유권이전등기가 경료된 경우에 등기의 효력은 소유권이전등기의 선후에 의하여 판단할 것이 아니고 각 소유권이전등기의 바탕이 된 소유권보존등기의 선후를 기준으로 판단하여야 하며, 그 이전등기가 멸실회복으로 인한 이전등기라 하여 달리 볼 것은 아니고, 한편 ② 동일부동산에 관하여 '하나의 소유권보존등기'가 경료된 후 이를 바탕으로 순차로 소유권이전등기가 경료되었다가 그 등기부가 멸실된 후 등기명의인을 달리하는 소유권이전등기의 각 회복등기가 중복하여 이루어진 경우에는 중복등기의 문제는 생겨나지 않고 멸실 전 먼저 된 소유권이전등기가 잘못 회복등재된 것이므로 그 회복등기 때문에 나중 된 소유권이전등기의 회복등기가 무효로 되지 아니하는 것이지만,

2) 동일부동산에 관하여 등기명의인을 달리하여 멸실회복에 의한 각 소유권이전등기가 중복등재되고, 각 그 바탕이 된 소유권보존등기가 동일등기인지 중복등기인지, 중복등기라면 각 소유권보존등기가 언제 이루어졌는지가 불명인 경우에는 위 법리로는 중복등기의 해소가 불가능하므로 이러한 경우에는 적법하게 경료된 것으로 추정되는 각 회복등기 상호간에는 각 회복등기일자의 선후를 기준으로 우열을 가려야 한다(대판(전) 2001.2.15, 99다66915).

(3) 등기법이 정한 신청절차에 따라 관할등기소에서 행해질 것

① 관할위반의 등기는 무효이다. 또한 등기할 수 없는 것이 명백한 사항에 대한 등기도 무효이다.

② 그러나 형식적 요건을 흠결해도 실체관계에 부합한다면 유효하다. 즉, 위조문서에 의한 등기(대판 1965.5.25, 65다365), 등기의무자인 사자명의의 신청으로 행해진 등기(대판 1964.11.24, 64다685), 대리권이 없는 상태에서의 등기(대판 1971.8.31, 71다1163) 등의 경우라도 실체관계에 부합한다면 유효하다.

미등기건물의 승계취득자 명의의 소유권보존등기의 효력 유무
미등기건물을 등기할 때에는 소유권을 원시취득한 자 앞으로 소유권보존등기를 한 다음 이를 양수한 자 앞으로 이전등기를 함이 원칙이라 할 것이나, 원시취득자와 승계취득자 사이의 합치된 의사에 따라 그 주차장에 관하여 승계취득자 앞으로 직접 소유권보존등기를 경료하게 되었다면, 그 소유권보존등기는 실체적 권리관계에 부합되어 적법한 등기로서의 효력을 가진다(대판 1995.12.26, 94다44675).

2. 실질적 유효요건

등기는 물권행위의 내용을 공시하는 것이므로 물권행위와 부합하는 것이어야 한다. 따라서 물권행위와 등기 중 그 어느 하나가 존재하지 않거나 또는 유효하지 못하면 물권변동은 생기지 않는다.

(1) 물권행위와 등기와의 내용적 불합치

1) 질적 불합치

등기가 물권행위의 내용과 합치하지 않는 경우 그 등기는 무효이다. 예컨대 ① 당사자가 지상권설정에 합의하였으나 전세권등기를 한 경우 그 등기는 무효이다. 또한 ② X토지를 매도하였음에도 불구하고 Y토지의 소유권이전등기를 한 경우와 같이 그 객체의 불합치가 있는 경우에도 그 등기는 무효이므로 물권변동은 일어나지 않는다.

2) 양적 불합치

등기된 권리내용의 양이 물권행위의 양보다 큰 경우(예 저당권의 피담보채권액을 1,000만원으로 합의했는데 2,000만원으로 등기된 경우 등)에는 물권행위의 한도 내에서 그 효력이 생긴다. 그 반대인 경우에는 제137조의 일부무효의 법리에 의하여 판단한다(통설, 이 경우에도 등기의 범위 내에서 물권행위가 유효하다는 견해도 존재).

3) 물권변동의 과정 또는 원인의 불합치

판례는 물권변동의 과정이나 원인에 반하는 등기라도 진실한 권리관계에 부합하면 그 효력을 인정하는 경우가 있다(실체관계에 부합하는 등기이론). 특히 이와 관련하여 중간생략등기와 무효등기의 유용이 문제이다. 이에 대해서는 별항으로 살펴본다.

판례 연구 **관련판례 정리**

☑ **'실체적 권리관계에 부합하는 등기이론'에 관한 판례의 정리**

1. 실체적 권리관계에 부합한다는 의미

등기가 실체적 권리관계에 부합한다는 의미는 등기명의인이 등기 이전에 이미 법률상 유효하게 물권을 취득하고 있음을 뜻하는 것이 아니며, 그 등기절차에 어떤 하자가 있더라도 진실한 권리관계와 합치되는 것이면 유효한 등기로 인정하여 당사자 사이의 관계에 있어서 사실상 물권변동이 생긴 것과 같은 상태에 있는 것을 말한다. 즉 양수인이 "목적부동산에 대한 전면적 지배를 취득하여 사실상 소유권의 실질적 내용을 이루는 사용 · 수익 · 처분 등의 모든 권능을 취득한 상태에 이르는 경우"를 뜻하는 것으로 보고 있다(대판 1978.8.22, 76다343).

2. 판례가 인정하는 사례

1) 중간생략등기(① 미등기부동산의 양수인이 한 보존등기, ② 상속인으로부터 권리를 양수한 후, 피상속인으로부터 직접 양수인 앞으로 경료한 이전등기),

2) 실제와 다른 등기원인에 의한 등기(증여에 의해 부동산을 취득하였지만 등기원인을 매매로 기재하여 경료된 이전등기), 무효등기의 유용, 사자 명의의 등기신청에 의한 등기(추정력이 일단 번복되지만 실체관계에 부합하면 유효)

3) 위조된 등기신청서류에 의한 등기 : 등기의무자의 신청에 의하지 아니한 하자가 있는 등기라도 실체관계에 부합하면 효력이 있다(대판 1978.8.22, 76다343). 즉 소유자의 대리인으로부터 토지를 적법하게 매수한 이상 설사 매수인의 소유권이전등기가 위조된 서류에 의하여 경료되었다 하더라도 그 등기는 유효하다(대판 1982.12.14, 80다459). 단, 부동산의 매수인이 대금완급전에 소유권이전등기를 한다는 특약이 없음에도 불구하고 문서를 위조하여 자기가 지정한 제3자로 직접 넘겨간 이전등기는 소유자인 매도인의 의사에 반하는 것으로서 무효이다(대판 1971.3.23, 71다178). 즉 판례는 매매계약이 체결되었다고 하더라도 그 잔대금 지급 전에 위조서류에 의하여 경료한 소유권이전등기는 실체관계에 부합한다고 할 수 없다고 본다(대판 1985.4.9, 84다카130 · 131). → 따라서 매매의 경우 당해 부동산에 관하여 매매계약이 체결되었다는 사실만으로는 부족하고, 매매대금 전액이 지급되었거나 그렇지 않은 경우에는 대금지급 전에 소유권이전등기를 하기로 하는 약정이 있었다는 등의 사정을 함께 주장하여야 한다(대판 1994.6.28, 93다55777).

4) 다만 무효등기의 유용에 관해서는 어느 등기가 실체관계에 부합한다고 하더라도 그 등기는 이해관계 있는 제3자가 없는 경우에만 유효한 것으로 하고 있다(대판 1974.9.10, 74다482).

---

(2) 물권행위와 등기와의 시간적 불합치

1) 물권행위와 등기 사이에 당사자가 행위능력을 상실하거나 사망한 경우

① 의사표시를 한 후에 표의자가 능력을 상실하여도 물권적 의사표시의 효력에는 영향이 없으므로(제111조 제2항), 유효하게 성립한 물권행위는 계속 유효하고, 그 부합하는 등기가 이루어지면 물권변동은 일어난다.

② 또한 사망한 경우라도 부동산등기법에 의해 상속인에 의한 등기가 인정된다.

2) 물권행위와 등기 사이에 권리귀속의 변동이 생긴 경우

물권행위 당시에는 권리자였으나 등기를 하는 때에는 무권리자가 되었다면 그 등기는 무효가 된다. 따라서 새로운 권리자와 다시 물권행위를 하고 등기를 하여야 한다.

3) 등기가 먼저 행하여지고 뒤에 물권행위가 행하여진 경우

그 등기가 유효하다는 전제하에 물권행위의 효력발생 시에 물권변동이 일어난다.

(3) 미등기매수인의 법적 지위

1) 소유권 취득 여부

성립요건주의 하에서 물권적 합의가 있더라도 등기를 갖추지 않는 이상 소유권을 취득하지 못한다. 따라서 소유권은 여전히 매도인에게 남아 있다. 다만 경우(예 ① 타인권리매매, ② 건물철거소송에서의 상대방)에 따라서 판례는 「사실상 처분권자 개념」을 인정하고 있다.

> **물권적 기대권의 인정 여부**(사실상 소유권 개념 – 소극) ★
> 미등기 무허가건물의 양수인이라 할지라도 그 소유권이전등기를 경료받지 않는 한 건물에 대한 소유권을 취득할 수 없고, 그러한 건물의 취득자에게 소유권에 준하는 관습상의 물권이 있다고 볼 수도 없다(대판 1999.3.23, 98다59118).

2) 점유자로서의 보호

매수인이 목적부동산을 인도받아 점유하고 있는 경우에는 점유보호청구권을 행사할 수 있다(제204조 내지 제206조).

3) 매도인의 목적물반환청구권에 대한 매수인의 항변

매도인이 등기부상 소유명의가 자기에게 있음을 기화로 목적물반환청구권을 행사한 경우 매수인은 제213조 단서의 「점유할 정당한 권원」이 있다는 것으로 그 반환을 거부할 수 있다.

4) 등기청구권과 소멸시효

가) 미등기부동산매수인이 목적물을 직접 사용・수익하고 있는 경우

이 경우 매수인은 권리 위에 잠자는 자가 아니며, 매도인보다 매수인의 사용・수익상태를 보호해야 할 현실적 필요성이 크므로 목적물을 인도받은 매수인의 등기청구권은 다른 채권과 달리 소멸시효에 걸리지 않는다(대판(전) 1976.11.6, 76다148).

나) 미등기부동산매수인이 제3자에게 전매하고 목적물을 인도한 경우

매수인이 다른 사람에게 그 부동산을 처분하고 점유승계를 시킨 경우에도 소유권이전등기청구권의 소멸시효와 관련하여 스스로 계속 사용・수익하고 있는 경우와 달리 취급할 이유가 없으므로 이때에도 매수인의 이전등기청구권은 소멸시효에 걸리지 않는다(대판(전) 1999.3.18, 98다32175).

3. 중간생략등기

(1) 의의

부동산물권이 최초의 양도인으로부터 중간취득자에게, 다시 중간취득자로부터 최종 양수인에게 전전 이전되어야 할 경우에, 중간취득자의 명의를 생략한 채 최초의 양도인으로부터 최후의 양수인에게 직접 행하여진 등기를 말한다.

(2) 이미 경료된 중간생략등기의 유효성

1) 부동산등기특별조치법의 성격

부동산등기특별조치법이 미등기전매를 형사처벌하도록 하고 있으나, 그것이 중간생략등기의 합의에 관한 사법상 효력까지 무효로 한다는 취지는 아니다(대판 1993.1.26, 92다39112).

2) 중간생략등기의 유효성 여부

① 3자간의 합의가 있으면 유효하다(조건부 유효설, 다수설·판례). 3자간의 합의는 묵시적·순차적으로도 가능하며, 중간생략등기절차에 있어서 이미 중간생략등기가 이루어져 버린 경우에 있어서는, 그 관계 당사자 사이에 적법한 원인행위가 성립되어 이행된 이상, 중간생략등기에 관한 합의가 없었다는 사유만으로서는 그 등기를 무효라고 할 수는 없다(대판 1979.7.10, 79다847).
→ 예컨대, 각각의 계약이 유효한 경우라면 중간생략등기는 실체관계에 부합하여 유효하다는 것이다.

② 소유권이전등기 소요서류 등에 매수인란을 백지로 하여 교부한 경우에는 소유권이전등기에 있어 묵시적 그리고 순차적으로 중간등기 생략의 합의가 있었다고 봄이 상당하다(대판 1982.7.13, 81다254). 그러나 최초매도인이 중간등기생략을 거부하고 있어 매수인란이 공란으로 된 백지의 매도증서와 위임장 및 인감증명서를 교부한 것만으로는 합의가 있었다고 볼 수 없다(대판 1991.4.23, 91다5761).

3) 토지거래허가구역 내의 중간생략등기

중간생략등기의 합의란 부동산이 전전 매도된 경우 각각의 매매계약이 유효하게 성립함을 전제로 그 이행의 편의상 최초의 매도인으로부터 최종의 매수인 앞으로 소유권이전등기를 경료하기로 한다는 당사자 사이의 합의에 불과할 뿐, 최초의 매도인과 최종의 매수인 사이에 매매계약이 체결되었다는 것을 의미하는 것은 아니므로, 최초매도인과 최종매수인 사이에 매매계약이 체결되었다고 볼 수 없고, 설사 최종매수인이 자신과 최초매도인을 매매당사자로 하는 토지거래허가를 받아 자신 앞으로 소유권이전등기를 경료하였더라도 그러한 최종매수인 명의의 소유권이전등기는 적법한 토지거래허가가 없이 경료된 등기로서 무효이다(대판 1997.11.11, 97다33218).

(3) 최종 매수인의 최초 매도인에 대한 등기청구의 문제

3자간의 합의가 있으면 최종 매수인은 직접 소유권 이전등기를 청구할 수 있으나, 합의가 없으면 직접청구는 할 수 없고, 단지 중간 매도인을 대위하여 청구할 수 있을 뿐이다.

1) 직접청구

① 부동산의 양도계약이 순차 이루어져 최종 양수인이 중간생략등기의 합의를 이유로 최초 양도인에게 직접 그 소유권이전등기청구권을 행사하기 위하여는 관계당사자 전원의 의사합치, 즉 중간생략등기에 대한 최초 양도인과 중간자의 동의가 있는 외에 최초의 양도인과 최종의 양수인 사이에도 그 중간등기생략의 합의가 있었음이 요구된다(대판 1994.5.24, 93다47738).

② 다만 합의가 있었다 하더라도 이러한 합의는 중간등기를 생략하여도 당사자 사이에 이의가 없겠고 또 그 등기의 효력에 영향을 미치지 않겠다는 의미가 있을 뿐이지, 그러한 합의가 있었다 하여 중간매수인의 소유권이전등기청구권이 소멸된다거나 최초매도인의 그 매수인에 대한 소유권이전등기의무가 소멸되는 것은 아니다(대판 1991.12.13, 91다18316).

2) 채권양도에 기한 청구

등기청구권의 양도통지만으로는 직접 청구가 허용되지 않고 최초 양도인의 동의가 요구된다(대판 1997.5.16, 97다485). 즉 최종 양수인이 중간자로부터 소유권이전등기청구권을 양도받았다 하더라도 최초 양도인이 그 양도에 대하여 동의하지 않고 있다면 최종 양수인은 최초 양도인에 대하여 채권양도를 원인으로 하여 소유권이전등기절차 이행을 청구할 수 없다.

3) 대위청구

중간생략등기의 합의가 없다면 부동산의 전전매수인은 매도인을 대위하여 그 전매도인인 등기명의자에게 매도인 앞으로의 소유권이전등기를 구할 수는 있을지언정 직접 자기 앞으로의 소유권이전등기를 구할 수는 없다 할 것이다(대판 1969.10.28, 69다1351).

(4) 중간생략등기 합의와 매도인의 항변권

① 중간생략등기의 합의란 부동산이 전전 매도된 경우 각 매매계약이 유효하게 성립함을 전제로 그 이행의 편의상 최초의 매도인으로부터 최종의 매수인 앞으로 소유권이전등기를 경료하기로 한다는 당사자 사이의 합의에 불과할 뿐이므로, 이러한 합의가 있다고 하여 최초의 매도인이 자신이 당사자가 된 매매계약상의 매수인인 중간자에 대하여 갖고 있는 매매대금청구권의 행사가 제한되는 것은 아니다.

② 최초 매도인과 중간 매수인, 중간 매수인과 최종 매수인 사이에 순차로 매매계약이 체결되고 이들 간에 중간생략등기의 합의가 있은 후에 최초 매도인과 중간 매수인 간에 매매대금을 인상하는 약정이 체결된 경우, 최초 매도인은 인상된 매매대금이 지급되지 않았음을 이유로 최종 매수인 명의로의 소유권이전등기의무의 이행을 거절할 수 있다(대판 2005.4.29, 2003다66431).

4. 무효등기의 유용

(1) 의의

어떤 등기가 행하여졌으나 그것이 실체관계에 부합하지 않은 것이어서 무효로 된 후에 다시 그 등기에 부합하는 실체적 권리관계가 있게 된 경우에, 기존의 무효등기를 새로운 실체적 권리관계를 공시하는 등기로 그대로 이용하는 것을 무효등기의 유용이라고 한다.

(2) 유형

1) 처음부터 실체관계를 결하여 무효인 등기의 유용

가장매매를 원인으로 한 소유권이전등기는 그 매매가 무효이므로 역시 무효로 되지만, 후에 적법한 매매가 다시 이루어진 경우 새로이 이전등기하는 대신에 처음의 무효등기로써 유용하는 경우가 이에 해당한다.

2) 처음에는 유효하였으나 후에 실체관계를 결하여 무효로 된 등기의 유용

통설·판례는 무효로 된 등기를 유용하기로 하는 합의가 이루어지기 전에 등기상 이해관계가 있는 제3자가 생기지 않은 경우에 한하여 무효등기의 유용이 허용된다는 입장이다(대판 2009.5.28, 2009다4787).

(3) 무효등기 유용의 요건 및 효과

1) 요건

① 실체관계에 부합하지 않은 등기가 말소되지 않고 있던 중에 그 등기에 부합하는 실체적 권리관계가 있게 되고, ② 등기유용의 합의가 있어야 한다. 나아가 ③ 유용의 합의 이전에 이해관계 있는 제3자가 존재하지 않아야 한다. 여기서 이해관계 있는 제3자란 등기부상 이해관계 있는 제3자를 의미한다.

무효인 등기를 유용키로 합의한 경우, 그 등기의 효력 ★

당사자가 실체적 권리의 소멸로 인하여 무효로 된 가등기를 이용하여 거래를 하기로 하였다면 그 구등기에 부합하는 가등기설정계약의 합의가 있어 구등기를 유용하기로 하고 거래를 계속하기로 한 취의라고 해석함이 타당하여 위 등기유용의 합의 이전에 등기상 이해관계 있는 제3자가 나타나지 않는 한 위 가등기는 원래의 담보채무 소멸 후에도 유효하게 존속한다(대판 1986.12.9, 86다카716).

→ [해설] : 무효등기의 유용은 본등기에 대하여만 인정되는 것이 아니고 가등기의 경우에도 인정된다. 따라서 乙은 甲에게 가등기담보를 가지고 있었는데, 甲이 채무를 변제하자 乙의 담보권은 소멸하였고, 후에 다시 甲이 乙로부터 융자를 받으면서 기존의 무효인 가등기를 이용하여 담보를 설정한 경우라면 무효인 가등기에 대한 유용이 인정되는 결과, 乙의 담보가등기는 유효하게 존속한다.

무효등기 유용의 유효요건 – 제3자의 범위

[1] 실질관계의 소멸로 무효로 된 등기의 유용은, 그 등기를 유용하기로 하는 합의가 이루어지기 전에 등기상 이해관계가 있는 제3자가 생기지 않은 경우에 한하여 허용된다(대판 1989.10.27, 87다카425).

[2] 甲과 乙 사이에 乙의 甲에 대한 채무담보조로 乙 소유의 부동산에 이미 경료되어 있던 丙 명의의 원인무효인 근저당권설정등기에 터잡아 이전등기를 경료하는 방법을 취하기로 합의하여 甲 앞으로 근저당권이전의 부기등기를 한 경우, 甲과 乙 사이의 위와 같은 합의는 원인무효인 丙 명의의 근저당권설정등기에 터잡아 역시 원인무효의 등기가 될 수밖에 없는 甲 명의로 경료될 근저당권이전등기를 유용하기로 하는 합의에 불과한 것으로서, 이러한 등기유용에 관한 합의는 그 유용하기로 한 甲 명의의 근저당권이전등기가 경료되기 이전에 이미 위 부동산에 대하여 처분금지가처분을 하여 둠으로써 등기상의 이해관계를 가지게 된 丁에 대한 관계에 있어서는 그 효력이 없다(대판 1994.1.28, 93다31702).

제3자 명의의 근저당권설정등기가 무효인 경우, 무효등기의 유용과 그 효력(대판 2007.1.11, 2006다50055) ★★

[1] 무효등기의 유용에 관한 묵시적 합의 내지 추인이 인정되는 경우 – 무효등기의 유용에 관한 합의 내지 추인은 묵시적으로도 이루어질 수 있으나, 위와 같은 묵시적 합의 내지 추인을 인정하려면 무효등기 사실을 알면서 장기간 이의를 제기하지 아니하고 방치한 것만으로는 부족하고, 그 등기가 무효임을 알면서도 유효함을 전제로 기대되는 행위를 하거나 용태를 보이는 등 무효등기를 유용할 의사에서 비롯되어 장기간 방치된 것이라고 볼 수 있는 특별한 사정이 있어야 한다.

[2] 근저당권설정등기가 채권자 아닌 제3자 명의로 경료된 후 채권자가 근저당권이전의 부기등기를 경료받은 경우, 위 근저당권설정등기가 실체관계에 부합하는지 여부(한정 적극) – 등기가 실체적 권리관계에 부합한다고 하는 것은 그 등기절차에 어떤 하자가 있더라도 진실한 권리관계와 합치되는 것을 의미하는바, ① 채권자가 채무자와 사이에 근저당권설정계약을 체결하였으나 그 계약에 기한 근저당권설정등기가 채권자가 아닌 제3자의 명의로 경료되고 그 후 다시 채권자가 위 근저당권설정등기에 대한 부기등기의 방법으로 위 근저당권을 이전받았다면, 특별한 사정이 없는 한 그때부터 위 근저당권설정등기는 실체관계에 부합하는 유효한 등기로 볼 수 있다. ② (그러나) 채권자 아닌 제3자 명의의 근저당권설정등기(주 예외적으로 유효요건을 갖춘 경우가 아니어서 원칙적으로 무효인 등기에 해당)가 경료된 부동산에 소유권이전청구권 가등기가 경료되고 그 후 다시 채권자 명의의 위 근저당권이전의 부기등기가 경료된 경우, 채권자는 위 부기등기가 경료된 시점에 비로소 근저당권을 취득하는데, 부기등기의 순위가 주등기의 순위에 의하도록 되어 있는 부동산등기법 제6조 제1항에 따라 등기부상으로는 채권자가 위 제3자 명의의 근저당권설정등기가 경료된 시점에 근저당권을 취득한 것이 되어 위 가등기보다 그 순위가 앞서게 되므로, 결국 위 근저당권설정등기는 실체관계에 부합하는 유효한 등기라고 볼 수 없다.

가등기 유용의 합의와 채권자대위권(대판 2009.5.28, 2009다4787) ★★★

[1] 무효인 소유권이전등기청구권 가등기의 유용 합의에 따라 그 가등기 이전의 부기등기가 마쳐진 경우의 법률관계

부동산의 매매예약에 기하여 소유권이전등기청구권의 보전을 위한 가등기가 마쳐진 경우에 그 매매예약완결권이 소멸하였다면 그 가등기 또한 효력을 상실하여 말소되어야 할 것이나, 그 부동산의 소유자가 제3자와 사이에 새로운 매매예약을 체결하고 그에 기한 소유권이전등기청구권의 보전을 위하여 이미 효력이 상실된 가등기를 유용하기로 합의하고 실제로 그 가등기 이전의 부기등기를 마쳤다면, 그 가등기 이전의 부기등기를 마친 제3자로서는 ① 언제든지 부동산의 소유자에 대하여 위 가등기 유용의 합의를 주장하여 가등기의 말소청구에 대항할 수 있고, 다만 ② 그 가등기 이전의 부기등기 전에 등기부상 이해관계를 가지게 된 자에 대하여는 위 가등기 유용의 합의 사실을 들어 그 가등기의 유효를 주장할 수는 없다.

[2] 채권자대위권을 행사하는 채권자가 제3채무자에게 자기와 제3채무자 사이의 독자적인 사정에 기한 사유를 주장할 수 있는지 여부(소극)

채권자대위권은 채무자의 제3채무자에 대한 권리를 행사하는 것이므로, 제3채무자는 채무자에 대해 가지는 모든 항변사유로 채권자에게 대항할 수 있으나, 채권자는 채무자 자신이 주장할 수 있는 사유의 범위 내에서 주장할 수 있을 뿐 자기와 제3채무자 사이의 독자적인 사정에 기한 사유를 주장할 수는 없다.

→ [사실관계 및 해설] : 채권자가 무효인 소유권이전등기청구권의 보전을 위한 가등기의 유용 합의에 따라 부동산 소유자인 채무자로부터 그 가등기 이전의 부기등기를 마친 제3채무자를 상대로 채무자를 대위하여 가등기의 말소를 구한 사안에서, 채권자가 그 부기등기 전에 부동산을 가압류한 사실을 주장하는 것은 채무자가 아닌 채권자 자신이 제3채무자에 대하여 가지는 사유에 관한 것이어서 허용되지 않는다고 한 사례이다.

2) 효과

등기유용이 허용될 수 있는 요건을 갖춘 경우, 무효인 등기는 유효인 등기로서 물권을 공시하며 그에 상응하는 물권이 발생한다. 물권의 발생시점에 대해서 등기유용이 소급효를 갖는지가 문제되나, 그 요건을 갖춘 때에 비로소 물권발생의 효과가 발생하고 그 무효등기가 처음 기재된 때로 물권발생의 효과가 소급하는 것은 아니다.

(4) 표제부등기의 유용

1) 멸실된 건물과 신축된 건물이 위치나 기타 여러가지 면에서 서로 같다고 하더라도 그 두 건물이 동일한 건물이라고는 할 수 없으므로 신축건물의 물권변동에 관한 등기를 멸실건물의 등기부에 등재하여도 그 등기는 무효이고 가사 신축건물의 소유자가 멸실건물의 등기를 신축건물의 등기로 전용할 의사로써 멸실건물의 등기부상 표시를 신축건물의 내용으로 표시 변경 등기를 하였다고 하더라도 그 등기가 무효임에는 변함이 없다(대판 1980.11.11, 80다441).

2) 기존건물이 멸실된 후 그곳에 새로이 건축한 건물의 물권변동에 관한 등기를 멸실된 건물의 등기부에 하여도 이는 진실에 부합하지 아니하는 것이고, 비록 당사자가 멸실건물의 등기로서 신축된 건물의 등기에 갈음할 의사를 가졌다 하여도 그 등기는 무효이니, 이미 멸실된 건물에 대한 근저당권설정등기로 신축된 건물에 대한 근저당권이 설정되었다고는 할 수 없으므로, 그 등기에 기하여 진행된 경매에서 신축된 건물을 경락받았다 하더라도 그로써 소유권취득을 내세울 수는 없다(대판 1976.10.26, 75다2211).

기존 건물이 멸실되고 새로이 건물이 세워진 경우, 기존 건물에 대한 등기가 신축건물에 대한 등기로서 유효한지 여부(소극)

기존 건물이 멸실되고 새로이 건물이 세워진 경우 신축된 건물과 멸실된 건물이 그 재료, 위치, 구조 기타 면에 있어서 상호 유사한 면이 있다고 하더라도 그로써 신축된 건물이 멸실된 건물과 동일한 건물이라고는 할 수 없으므로, 그 등기는 신축건물에 대한 등기로서 유효하다고 할 수 없다(대결 2012.10.29, 2012마1235).

Ⅲ. 등기의 효력

1. 권리변동적 효력

물권적 합의와 이에 부합하는 등기가 있으면 부동산물권변동의 효력이 생긴다(제186조). 물권변동의 효력은 등기를 신청한 때가 아니라 실제로 등기부에 기재된 때에 발생한다.

2. 대항적 효력

지상권 · 전세권 · 저당권 · 부동산임차권 등에 관하여 존속기간 · 지료 · 이자 등을 등기한 경우에는 제3자에게 대항할 수 있다.

3. 순위확정적 효력

동일 부동산 위에 설정된 수 개의 권리의 순위는 법률에 다른 규정이 없으면 원칙적으로 등기의 선후에 의한다.

4. 추정적 효력(등기의 추정력)

(1) 의의 및 법적 성질

① 어떤 등기가 존재하면 등기된 바와 같은 실체적 권리관계가 존재하는 것으로 추정되는 효력을 말한다.

② 법적 성질에 대해서 통설은 등기는 국가기관이 엄격한 절차에 따라 행해지기 때문에 실체관계에 부합할 개연성이 크다는 점을 이유로 법률상 추정이라고 본다(법률상 추정설). 판례도 "소유권이전등기가 경료되어 있는 경우 등기명의자는 제3자에 대하여서뿐만 아니라 전소유자에 대하여서도 적법한 등기원인에 의하여 소유권을 취득한 것으로 추정되므로, 원고가 이를 부인하고 등기원인의 무효를 주장하여 소유권이전등기의 말소를 구하려면 무효원인이 되는 사실을 주장하고 증명할 책임이 있다."고 하여 법률상 추정으로 보아 증명책임을 전환시킨다(대판 2014.3.13, 2009다105215 등).

(2) 추정력의 범위

1) 추정력의 인적 범위

추정의 효과는 물권변동의 당사자뿐만 아니라 제3자도 원용할 수 있고, 등기명의인의 이익을 위해서뿐만 아니라 불이익을 위해서도 인정된다. 판례도 등기의 추정력은 권리변동의 당사자 사이에도 미친다고 보아, 소유권이전등기의 경우에 현등기명의인은 전소유자(전등기명의인)에 대하여서도 적법한 등기원인에 의하여 소유권을 취득한 것으로 추정된다고 한다(대판 1977.6.7, 76다3010; 대판 1992.4.24, 91다26379·26386).

2) 추정력의 물적 범위

① 등기의 추정력은 등기된 권리의 존재 및 귀속(현재의 권리상태)의 추정, 등기절차의 적법추정, 등기원인의 존재 및 적법추정, 대리권의 존재, 저당권설정등기가 존재하는 경우 그 기재사항인 피담보채권의 존재(대판 1969.2.18, 68다2329 참조) 등 등기절차의 전제요건구비에 미친다(통설·판례). 나아가 판례는 돈을 빌려주고 그 담보로 부동산소유권이전등기에 소요되는 인감증명과 매수인란이 백지로 된 매도증서, 위임장을 작성해 받은 자는 담보의 목적으로 자기 또는 제3자에게 이전등기할 수 있고, 제3자에게 이전등기한 경우에는 중간생략의 묵시적 합의가 있는 것으로 추정한다(대판 1971.2.23, 70다2996).

② 그러나 등기의 추정력은 권리등기에 관한 것에 한하므로, 부동산의 표시에 관한 사항에 관하여는 추정력이 미치지 아니한다.

판례 연구 관련판례 정리

1. 절차의 적법추정

1) 전 등기명의인이 미성년자이고 당해 부동산을 친권자에게 증여하는 행위가 이해상반행위라 하더라도 일단 친권자에게 이전등기가 경료된 이상, 특별한 사정이 없는 한, 그 이전등기에 관하여 필요한 절차를 적법하게 거친 것으로 추정된다(대판 2002.2.5, 2001다72029). ★★

2) 멸실회복등기에 있어 전등기의 접수년월일, 접수번호 및 원인일자가 각 불명이라고 기재되었다 하여도 별다른 사정이 없는 한 이는 등기공무원에 의하여 적법하게 수리되고 처리된 것이라고 추정함이 타당하다(대판(전) 1981.11.24, 80다3286).

2. 등기원인 등의 적법추정 ★★

1) 부동산등기는 그것이 형식적으로 존재하는 것 자체로부터 적법한 등기원인에 의하여 마쳐진 것으로 추정되고, 등기명의자가 등기부에 기재된 것과 다른 원인으로 등기 명의를 취득하였다고 주장하고 있지만 그 주장 사실이 인정되지 않는다 하더라도 그 자체로 등기의 추정력이 깨어진다고 할 수 없으므로, 그와 같은 경우에도 등기가 원인 없이 마쳐진 것이라고 주장하는 쪽에서 그 무효 사유를 주장・입증할 책임을 지게 된다(대판 1997.9.30, 95다39526).

2) 부동산 등기는 현재의 진실한 권리상태를 공시하면 그에 이른 과정이나 태양을 그대로 반영하지 아니하였어도 유효한 것으로서, 등기명의자가 전 소유자로부터 부동산을 취득함에 있어 등기부상 기재된 등기원인에 의하지 아니하고 다른 원인으로 적법하게 취득하였다고 하면서 등기원인행위의 태양이나 과정을 다소 다르게 주장한다고 하여 이러한 주장만 가지고 그 등기의 추정력이 깨어진다고 할 수는 없을 것이므로, 이러한 경우에도 이를 다투는 측에서 등기명의자의 소유권이전등기가 전 등기명의인의 의사에 반하여 이루어진 것으로서 무효라는 주장・입증을 하여야 한다(대판 2001.8.21, 2001다23195).

3) 환매기간을 제한하는 환매특약이 등기부에 기재되어 있는 때에는 반증이 없는 한 환매특약이 진정하게 성립된 것으로 추정된다(대판 1991.10.11, 91다13700). ★

4) 근저당권에서는 등기원인이 근저당권설정계약이라는 뜻과 채권최고액 및 채무자만이 등기가 된다. 즉 근저당권의 피담보채권을 성립시키는 기본계약은 있어야 하지만 이것은 등기사항이 아니다. 따라서 기본계약은 추정되지 않고, 근저당권의 성립 당시 그러한 기본계약이 있었는지에 대한 입증책임은 그 존재를 주장하는 측에 있다(대판 2009.12.24, 2009다72070).

3. 대리권존재의 추정 ★★★

전등기명의인의 직접적인 처분행위에 의한 것이 아니라 제3자가 그 처분행위에 개입된 경우 현등기명의인이 그 제3자가 전등기명의인의 대리인이라고 주장하더라도 현등기명의인의 등기가 적법히 이루어진 것으로 추정되므로 그 등기가 원인무효임을 이유로 말소를 청구하는 전등기명의인으로서는 그 반대사실 즉, 그 제3자에게 전등기명의인을 대리할 권한이 없었다든지, 또는 그 제3자가 전등기명의인의 등기서류를 위조하였다는 등의 무효사실에 대한 입증책임을 진다(대판 1993.10.12, 93다18914).

(3) 추정력의 효과

1) 기본적 효과

등기명의인은 적법한 권리자로 추정되므로 증명책임은 이를 다투는 자가 부담한다. 즉 등기의 추정력의 본질은 법률상 추정이므로 증명책임이 전환되는 효과가 있다(판례). 이에 따르면 추정을 깨뜨리려면 반증으로서는 부족하고 본증으로 그 추정권리의 부존재나 소멸을 입증하지 않으면 안 된다.

소유권이전등기의 추정력이 전소유자에 대하여도 미치는지 여부(적극) **및 등기명의자 또는 제3자가 그에 앞선 등기명의인의 등기 관련 서류를 위조하여 소유권이전등기를 경료하였다는 점이 증명된 경우, 무효원인의 사실이 증명되었다고 보아야 하는지 여부**(원칙적 적극) ★★

소유권이전등기가 경료되어 있는 경우 등기명의자는 제3자에 대하여서뿐만 아니라 전소유자에 대하여서도 적법한 등기원인에 의하여 소유권을 취득한 것으로 추정되므로, 원고가 이를 부인하고 등기원인의 무효를 주장하여 소유권이전등기의 말소를 구하려면 무효원인이 되는 사실을 주장하고 증명할 책임이 있다. 그런데 등기명의자 또는 제3자가 그에 앞선 등기명의인의 등기 관련 서류를 위조하여 소유권이전등기를 경료하였다는 점이 증명되었으면 특별한 사정이 없는 한 무효원인의 사실이 증명되었다고 보아야 하고, 등기가 실체적 권리관계에 부합한다는 사실의 증명책임은 이를 주장하는 등기명의인에게 있다(대판 2014.3.13, 2009다105215).

등기 추정력과 복멸(대판 2023.7.13, 2023다223591) ★★

[1] 토지에 관하여 점유취득시효 완성에 따라 소유권이전등기가 마쳐진 경우, 제3자가 등기명의자의 취득시효 기간 중 일부 기간 동안 해당 토지 일부에 관하여 직접적 · 현실적인 점유를 한 사실이 있다는 사정만으로 등기의 추정력이 깨어진다거나 소유권이전등기가 원인무효의 등기가 되는지 여부(소극)
부동산에 관하여 소유권이전등기가 마쳐진 경우에 등기명의자는 그 전 소유자는 물론 제3자에 대하여도 적법한 등기원인에 따라 소유권을 취득한 것으로 추정되므로 이를 다투는 측에서 무효사유를 주장 · 증명하여야 한다. 즉, 부동산등기는 그것이 형식적으로 존재하는 것 자체로부터 적법한 등기원인에 의하여 마쳐진 것으로 추정되고, 등기명의자가 등기부에 기재된 것과 다른 원인으로 등기 명의를 취득하였다고 주장하고 있지만 그 주장 사실이 인정되지 않는다 하더라도 그 자체로 등기의 추정력이 깨어진다고 할 수 없으므로, 그와 같은 경우에도 등기가 원인 없이 마쳐진 것이라고 주장하는 쪽에서 무효사유를 주장 · 증명할 책임을 지게 된다. 토지에 관하여 점유취득시효 완성에 따라 소유권이전등기가 마쳐진 경우에도 적법한 등기원인에 따라 소유권을 취득한 것으로 추정되는 것은 마찬가지이므로, 제3자가 등기명의자의 취득시효 기간 중 일부 기간 동안 해당 토지 일부에 관하여 직접적 · 현실적인 점유를 한 사실이 있다는 사정만으로 등기의 추정력이 깨어진다거나 위 소유권이전등기가 원인무효의 등기가 된다고 볼 수는 없다.

[2] 등기원인의 존부에 관하여 분쟁이 발생하여 당사자 사이에 소송이 벌어짐에 따라 법원이 위 등기원인의 존재를 인정하면서 이에 기한 등기절차의 이행을 명하는 판결을 선고하고 그 판결이 확정됨에 따라 소유권이전등기가 마쳐진 경우, 위 기판력이 미치지 아니하는 타인이 위 등기원인의 부존재를 이유로 확정판결에 기한 등기의 추정력을 번복하기 위한 증명의 정도
등기원인의 존부에 관하여 분쟁이 발생하여 당사자 사이에 소송이 벌어짐에 따라 법원이 위 등기원인의 존재를 인정하면서 이에 기한 등기절차의 이행을 명하는 판결을 선고하고 그 판결이 확정됨에 따라 이에 기한 소유권이전등기가 마쳐진 경우, 그 등기원인에 기한 등기청구권은 법원의 판단에 의하여 당사자 사이에서 확정된 것임이 분명하고, 법원이나 제3자도 위 당사자 사이에 그러한 기판력이 발생하였다는 사실 자체는 부정할 수

없는 것이므로, 위 기판력이 미치지 아니하는 타인이 위 등기원인의 부존재를 이유로 확정판결에 기한 등기의 추정력을 번복하기 위해서는 일반적으로 등기의 추정력을 번복함에 있어서 요구되는 증명의 정도를 넘는 명백한 증거나 자료를 제출하여야 하고, 법원도 그러한 정도의 증명이 없는 한 확정판결에 기한 등기가 원인무효라고 단정하여서는 아니 된다.

2) 부수적 효과

① 등기에 추정력이 인정되는 결과 그 등기의 내용을 신뢰하고 거래한 자의 선의·무과실이 추정된다(대판 1982.5.11, 80다2881).

② 또한 등기의 추정력은 예컨대 등기명의자가 소유자로서 조세납부의무를 부담하는 경우이거나 또는 공작물(부동산)의 하자로 인한 소유자로서의 책임 등과 같이 등기명의자에게 불이익한 경우에도 인정된다.

(4) 추정력이 깨지는 경우

① 전 소유명의자가 허무인인 경우, ② 사자(死者)명의의 등기신청의 경우, ③ 등기의 기재 자체로 보아 부실등기임이 명백한 경우에는 그 추정력은 인정되지 않는다. 또한 ④ 부동산소유권보존등기가 경료되어 있는 이상 그 보존등기 명의자에게 소유권이 있음이 추정된다 하더라도 그 보존등기 명의자가 보존등기 하기 이전의 소유자로부터 부동산을 양수한 것이라고 주장하고 전 소유자는 양도사실을 부인하는 경우에는 그 보존등기의 추정력은 깨어지고 보존등기의 명의자 측에서 그 양수사실을 입증할 책임이 있다(대판 1982.9.14, 82다카707). 그리고 ⑤ 부동산소유권 이전등기 등에 관한 특별조치법(이하 '특별조치법'이라고 한다)에 의한 소유권이전등기는 실체적 권리관계에 부합하는 등기로 추정되지만, 그 소유권이전등기도 전 등기명의인으로부터 소유권을 승계취득하였음을 원인으로 하는 것이고 보증서 및 확인서 역시 그 승계취득사실을 보증 내지 확인하는 것이므로 그 전 등기명의인이 무권리자이기 때문에 그로부터의 소유권이전등기가 원인무효로서 말소되어야 할 경우라면, 등기의 추정력은 번복된다(대판 2018.6.15, 2016다246145). 같은 취지에서 소유권보존등기의 추정력은 그 등기가 특별조치법에 의하여 마쳐진 것이 아닌 한 등기명의인 이외의 자가 해당 토지를 사정받은 것으로 밝혀지면 깨어지는 것이어서, 등기명의인이 구체적으로 실체관계에 부합한다거나 승계취득사실을 주장·증명하지 못하는 한 등기는 원인무효이므로, 이와 같이 원인무효인 소유권보존등기를 기초로 마친 소유권이전등기는 그것이 특별조치법에 의하여 이루어진 등기라고 하더라도 원인무효이다(대판 2018.1.25, 2017다260117).

판례 연구 관련판례 정리

1. 사자로부터 이전받은 소유권이전등기의 추정력 ★

1) 사망자 명의의 등기신청에 의하여 경료된 등기는 원인무효의 등기로서 등기의 추정력을 인정할 여지가 없다고 하겠으나, 등기원인이 이미 존재하고 있으나 아직 등기신청을 하지 않고 있는 동안에 등기권리자 또는 등기의무자에 관하여 상속이 개시된 경우 피상속인이 살아 있다면 그가 신청하였을 등기를 상속인이 부동산등기법 제47조의 규정에 따라 신청하는 때에는 그 등기를 무효라고 할 수 없으므로, 사망한 등기의무자로부터 경료된 등기라고 하더라도 등기의무자의 사망 전에 그 등기원인이 이미 존재하는 등의 사정이 있는 경우에는, 그 등기는 위와 같은 절차에 따라 적법하게 경료된 것으로 추정되어 그 등기의 추정력을 부정할 수 없다(대판 1997.11.28, 95다51991).

2) 전 소유자가 사망한 이후에 그 명의로 신청되어 경료된 소유권이전등기는, 그 등기원인이 이미 존재하고 있으나 아직 등기신청을 하지 않고 있는 동안에 등기의무자에 대하여 상속이 개시된 경우에 피상속인이 살아 있다면 그가 신청하였을 등기를 상속인이 신청한 경우 또는 등기신청을 등기공무원이 접수한 후 등기를 완료하기 전에 본인이나 그 대리인이 사망한 경우와 같은 특별한 사정이 인정되는 경우를 제외하고는, 원인무효의 등기라고 볼 것이어서 그 등기의 추정력을 인정할 여지가 없다(대판 2004.9.3, 2003다3157).

3) 사망자 명의의 신청으로 이루어진 이전등기는 원인무효의 등기로서 등기의 추정력을 인정할 여지가 없으므로, 등기의 유효를 주장하는 자가 현재의 실체관계와 부합함을 증명할 책임이 있다(대판 2017.12.22, 2017다360·377).

2. 허무인으로부터 경료된 소유권이전등기의 추정력

허무인으로부터 등기를 이어받은 소유권이전등기는 원인무효라 할 것이어서 그 등기명의자에 대한 소유권추정은 깨진다(대판 1985.11.12, 84다카2494).

3. 중복보존등기에 기초한 소유권이전등기의 추정력

부동산에 관하여 등기기록을 달리하여 동일인 명의로 소유권보존등기가 중복되어 있는 경우에는 시간적으로 뒤에 경료된 중복등기는 그것이 실체권리관계에 부합하는 여부를 가릴 것 없이 무효이므로 뒤에 된 등기에 터 잡아 소유권이전등기를 한 자가 먼저 된 소유권보존등기의 말소를 구할 수 없다(대판 1981.8.25, 80다3259).

4. 특별조치법에 의한 보존등기의 추정력

1) (구)부동산소유권 이전등기 등에 관한 특별조치법에 의하여 소유권보존등기도 실체적 권리관계에 부합하는 등기로 추정되므로 그 추정의 번복을 구하는 당사자가 그 등기의 기초가 된 특별조치법 소정의 보증서나 확인서가 허위로 작성되거나 위조되었다든지 그 밖의 사유로 적법하게 등기된 것이 아니라는 것을 주장·입증하여야 하고, 그 등기의 추정력을 번복하기 위한 입증의 정도는 등기의 기초가 된 보증서나 확인서의 실체적 기재 내용이 진실이 아님을 의심할 만큼 증명되어야 하며, 그와 같은 입증이 없는 한 그 등기의 추정력은 번복되지 아니한다(대판 2004.3.26, 2003다60549). ★

2) (구)임야소유권 이전등기 등에 관한 특별조치법에 의한 소유권보존 등기가 경료된 임야에 관하여서는 그 임야를 사정받은 사람이 따로 있는 것으로 밝혀진 경우라도 그 등기는 동법 소정의 적법한 절차에 따라 마쳐진 것으로서 실체적 권리관계에 부합하는 등기로 추정된다 할 것이므로, 위 특별조치법에 의하여

경료된 소유권보존등기의 말소를 소구하려는 자는 그 소유권보존등기 명의자가 임야대장의 명의변경을 함에 있어 첨부한 원인증서인 위 특별조치법 제5조 소정의 보증서와 확인서가 허위 내지 위조된 것이라거나 그 밖의 다른 사유로 인하여 그 소유권보존등기가 위 특별조치법에 따라 적법하게 이루어진 것이 아니라는 주장과 입증을 하여야 한다(대판(전) 1987.10.13, 86다카2928). (따라서) 특별조치법에서 정한 보증서나 확인서가 허위 또는 위조된 것이라거나 그 밖의 사유로 적법하게 등기된 것이 아니라는 증명이 없는 한 그 소유권보존등기나 이전등기의 추정력은 깨어지지 않는다(대판 2019.1.31, 2018다287751). → 여기서 허위의 보증서나 확인서라 함은 권리변동의 원인이 되는 실체적 기재내용이 진실이 아닌 것을 의미하므로 보증서나 확인서상의 매매일자나 매매경위 등이 실제의 권리변동과정과 다소 차이가 있거나 권리취득의 원인인 매수일자가 전등기명의인의 사망일자보다 뒤로 되어 있다 하더라도 그러한 사유만으로서는 위 법에 의한 이전등기의 추정력은 깨어지지 아니한다(대판 1990.11.13, 90다카26034).

3) (구)임야소유권 이전등기 등에 관한 특별조치법에 의하여 할 수 있는 소유권이전등기는 같은 법 제3조의 취지에 비추어 보면 그 원인행위인 매매, 증여, 교환 등 기타 법률행위가 같은 법 시행일인 1969.6.21. 전에 이루어진 것에 한한다고 해석되므로, 그 등기의 원인행위일자가 그 시행일 이후로 인정되는 경우에는 그 등기에 그 기재 내용대로의 추정력이 있는 것이라고 할 수 없고, 이는 같은 법 제10조의 규정에 의하여 임야대장상의 소유자 명의를 변경하고 그 임야대장에 기하여 소유권보존등기를 하는 경우에도 마찬가지라고 할 것이다(대판 2004.4.9, 2003다27733).

5. 소유권이전등기의 추정력을 번복하기 위한 입증의 정도

부동산에 관한 등기부상 소유권이전등기가 경료되어 있는 이상 일응 그 절차 및 원인이 정당한 것이라는 추정을 받게 되고 그 절차 및 원인의 부당을 주장하는 당사자에게 이를 입증할 책임이 있는 것이나, 등기절차가 적법하게 진행되지 아니한 것으로 볼만한 의심스러운 사정이 있음이 입증되는 경우에는 그 추정력은 깨어진다(대판 2003.2.28, 2002다46256). 즉 등기 절차나 원인이 부당한 것으로 볼 만한 의심스러운 사정이 있음이 증명되면 그 추정력은 깨어진다(대판 2017.10.31, 2016다27825).

6. 소유권보존등기의 추정력 및 번복

1) ① 토지에 관한 소유권보존등기의 추정력은 그 토지를 사정받은 사람이 따로 있음이 밝혀진 경우에는 깨어지고 등기명의인이 구체적으로 그 승계취득 사실을 주장·입증하지 못하는 한 그 등기는 원인무효이다(대판 2005.5.26, 2002다43417). ② 소유권보존등기는 소유권이 진실하게 보존되어 있다는 사실에 관하여서만 추정력이 있고 소유권보존 이외의 권리변동이 진실하다는 점에 관하여서는 추정력이 없다. 이와 같은 보존등기의 본질에 비추어 보존등기 명의인이 원시취득자가 아니라는 점이 증명되면 그 보존등기의 추정력은 깨진다고 보고서 보존등기 명의인의 주장과 입증에 따라 그 등기에 대하여 실체적 권리관계에 부합하는지 여부를 가려야 한다(대판 1996.6.28, 96다16247). ★ ③ 소유권보존등기의 추정력이 깨어진 경우에도, 그 부동산을 자신이 명의신탁한 것이라고 주장하면서 등기명의인을 상대로 명의신탁 해지를 원인으로 한 소유권의 회복을 구하거나 당해 부동산의 수용으로 인한 보상금에 관한 권리 귀속의 확인을 구하려면, 그 전제로서 자신에게 그러한 청구를 할 수 있는 권원이 있음을 주장·증명하여야 한다. 권원이 인정되지 않는다면 설령 타인 명의의 등기가 원인무효라고 하더라도 그 청구를 인용할 수는 없다(대판 2016.12.29, 2014다67782). ④ 부동산등기법 제130조의 규정과 등기예규 제1026호에 의하면 소유권보존등기 명의인을 상대로 한 소유권보존등기 말소청구 소송을 제기하여 승소판결을 받은 원고가 그 판결에 기하여 기존의 소유권보존등기를 말소한 후 자신의 명의로 마친 소유권보존

등기는 일단 적법한 절차에 따라 마쳐진 소유권보존등기라고 추정하여야 하고, 위 판결이 공시송달 절차에 의하여 선고되었다고 하여 달리 볼 것이 아니다(대판 2006.9.8, 2006다17485).

2) 신축된 건물의 소유권은 이를 건축한 사람이 원시취득하는 것이므로, 건물 소유권보존등기의 명의자가 이를 신축한 것이 아니라면 그 등기의 권리 추정력은 깨어지고, 등기 명의자가 스스로 적법하게 그 소유권을 취득한 사실을 입증하여야 한다(대판 1996.7.30, 95다30734).

7. 멸실회복등기의 추정력

소유권이전등기가 등기부 멸실 후 회복등기절차에 따라 이루어진 경우에 그 회복등기는 등기공무원에 의하여 적법하게 수리되어 처리된 것으로 추정되므로 소유권이전등기의 멸실회복등기에 있어서 전등기의 접수연월일, 접수번호 및 원인일자가 각 공란으로 되어 있다고 하더라도 특별한 사정이 없는 한 멸실회복등기의 실시요강에 따라 등기공무원이 토지대장등본 등 전등기의 권리를 증명할 공문서가 첨부된 등기신청서에 의하여 적법하게 처리한 것이라고 추정된다(대판 2003.12.12, 2003다44615 · 44622).

8. 원인 없이 말소된 소유권이전등기의 회복 전 추정력 유무 ★★

1) 등기는 물권의 효력발생요건이고 그 존속요건은 아니므로 물권에 관한 등기가 원인 없이 말소된 경우에는 그 물권의 효력에는 아무런 변동이 없는 것이므로, 등기공무원이 관할지방법원의 명령에 의하여 소유권이전등기를 직권으로 말소하였으나 그 후 동 명령이 취소 확정된 경우에는 위 말소등기는 결국 원인 없이 경료된 등기와 같이 되어 말소된 소유권이전등기는 회복되어야 하고, 회복등기를 마치기 전이라도 등기명의인으로서의 권리를 그대로 보유하고 있다고 할 것이므로 그는 말소된 소유권이전등기의 최종명의인으로서 적법한 권리자로 추정된다(대판 1982.12.28, 81다카870).

2) 등기는 물권의 효력발생 요건이고 그 존속요건은 아니므로 물권에 관한 등기가 원인 없이 말소된 경우에는 그 물권의 효력에는 아무런 변동이 없는 것이므로, 소유권이전등기가 형식적으로 확정된 판결에 의하여 말소되었으나 그 후 그 판결이 취소되었다면 결국 위 소유권이전등기는 부적법하게 말소된 것이므로 말소된 등기의 등기명의자는 여전히 적법한 소유자로 추정되고, 따라서 그 등기의 효력을 다투는 쪽에서 그 무효사유를 주장 · 입증하여야 한다(대판 1999.9.17, 98다63018).

(5) 등기의 추정력과 점유의 추정력의 관계

점유추정력에 관한 민법 제200조가 부동산에도 적용되는지가 문제되는데, 판례는 민법 제200조는 동산에 대해서만 적용되고 부동산에 대해서는 등기된 부동산이든 미등기 부동산이든 점유의 추정력 규정은 적용되지 않는다고 본다(대판 1982.4.13, 81다780).

Ⅳ. 등기청구권

1. 의의

등기신청에 관한 공동신청주의 하에서 등기의무자가 등기신청에 협력하지 않으면 등기권리자는 등기를 신청할 수 없게 된다. 이때 등기권리자가 등기의무자에 대해 등기신청에 협력할 것을 청구할 수 있는 실체법상의 권리를 갖게 되는데, 이를 등기청구권이라 한다. 공법상 권리인 등기신청권과는 구별된다.

2. 등기청구권의 발생원인과 법적 성질 및 소멸시효의 대상적격

(1) 법률행위에 의한 물권 변동의 경우

1) 부동산 매매계약에 기해 매수인이 매도인에 대하여 등기청구권을 갖는 경우로서, 이 경우 그 등기청구권은 채권행위로부터 발생하는 채권적 청구권이라는 견해가 통설 · 판례(대판 1962.5.10, 4294민상1232)이다. 따라서 10년의 소멸시효에 걸리는 것이 원칙이다.

2) 다만 매수인이 목적물을 인도받아 사용 · 수익하고 있으면 그 등기청구권은 소멸시효에 걸리지 않는다(대판(전) 1976.11.6, 76다148 다수의견). 나아가 매수인이 다른 사람에게 그 부동산을 처분하고 점유승계를 시킨 경우에도 소유권이전등기청구권의 소멸시효와 관련하여 스스로 계속 사용 · 수익하고 있는 경우와 달리 취급할 이유가 없으므로 이때도 매수인의 이전등기청구권은 소멸시효에 걸리지 않는다(대판(전) 1999.3.18, 98다32175 다수의견).

(2) 실체관계와 등기가 일치하지 않는 경우

예컨대 무권리자가 위조를 통해 이전등기를 경료한 경우, 진정한 소유권자의 말소등기청구권은 소유권에 기한 방해제거청구권(제214조)으로서 물권적 청구권에 해당한다. 따라서 소멸시효에 걸리지 않는다.

(3) 점유취득시효의 경우

시효취득의 경우에 등기청구권은 제245조 제1항이라는 법률의 규정에 의해 발생하는 채권적 청구권이다.

> **취득시효완성으로 인한 소유권이전등기청구권의 소멸시효 ★**
>
> 토지에 대한 취득시효 완성으로 인한 소유권이전등기청구권은 그 토지에 대한 점유가 계속되는 한 시효로 소멸하지 아니하고, 그 후 점유를 상실하였다고 하더라도 이를 시효이익의 포기로 볼 수 있는 경우가 아닌 한 이미 취득한 소유권이전등기청구권은 바로 소멸되는 것은 아니나, 취득시효가 완성된 점유자가 점유를 상실한 경우 취득시효 완성으로 인한 소유권이전등기청구권의 소멸시효는 이와 별개의 문제로서, 그 점유자가 점유를 상실한 때로부터 10년간 등기청구권을 행사하지 아니하면 소멸시효가 완성한다(대판 1996.3.8, 95다34866 · 34873).

3. 등기청구권의 특수문제

(1) 진정등기명의의 회복을 위한 소유권이전등기청구권

1) 문제점

실체관계에 부합하지 않는 무효의 등기가 경료된 경우 말소등기를 청구함이 본래적 모습이다. 그런데, 이러한 말소등기 이외에 진정등기명의의 회복을 위한 소유권이전등기청구를 하는 것도 허용되는지, 허용된다면 그 요건 및 인정범위는 어떠한지가 문제이다.

2) 인정 여부

판례는 처음에는 부정적인 입장이었으나, 이미 자기 앞으로 소유권을 표상하는 등기가 되어 있었거나, 법률의 규정에 의하여 소유권을 취득한 자가 진정한 등기명의를 회복하는 방법으로는 현재의 등기명의인을 상대로 그 등기의 말소를 구하는 외에 진정한 등기명의의 회복을 원인으로 한 소유권이전등기절차의 이행을 직접 구하는 것도 허용되어야 한다고 함으로써 긍정하는 입장으로 바뀌었다(대판(전) 1990.11.27, 89다카12398; 대판 2009.7.9, 2008다56019·56026).

3) 법적 성질(소송물)

판례는 "말소등기에 갈음하여 허용되는 진정등기명의회복을 원인으로 한 소유권이전등기청구권과 무효등기의 말소청구권은 어느 것이나 진정한 소유자의 등기명의를 회복하기 위한 것으로서, 실질적으로 그 목적이 동일하고, 두 청구권 모두 소유권에 기한 방해배제청구권으로서 그 법적 근거와 성질이 동일하므로, 비록 전자는 이전등기, 후자는 말소등기의 형식을 취하고 있다고 하더라도 그 소송물은 실질상 동일한 것으로 보아야 한다"고 하였다(대판(전) 2001.9.20, 99다37894). 즉 그 성질은 제214조에 기한 소유권에 의한 방해배제청구권이다.

4) 요건

① 청구권자는 현재의 소유권자이어야 하고, ② 상대방이 등기를 경료하였고, ③ 그러한 등기가 원인무효의 등기여야 한다.

가) **청구권자** : 진정등기명의회복을 원인으로 한 소유권이전등기청구권은 어디까지나 소유물방해배제청구권의 성질을 가지는 것이므로, 현재의 소유권자에게만 인정된다. 판례 역시 "이미 자기 앞으로 소유권을 표상하는 등기가 되어 있었거나, 법률의 규정에 의하여 소유권을 취득한 자"만이 동 청구권을 갖는다고 한다(대판 2003.5.13, 2002다64148).

판례 연구 **관련판례 정리**

1) 자기 앞으로 소유권의 등기가 되어 있지 않았고 법률에 의하여 소유권을 취득하지도 않은 사람이 소유권자를 대위하여 현재의 등기명의인을 상대로 그 등기의 말소를 청구할 수 있을 뿐인 경우에는 진정한 등기명의의 회복을 위한 소유권이전등기청구를 할 수 없다(대판 2003.5.13, 2002다64148).
2) 부동산 실권리자 명의등기에 관한 법률 소정의 유예기간 내에 실명등기를 하지 아니하여 명의신탁약정이 무효로 된 경우 명의신탁자가 종전에 명의신탁 대상 부동산에 관하여 소유권이전등기를 경료한 적이 있었다면 자기명의로 소유권을 표상하는 등기가 되어 있었던 자에 해당하므로 명의수탁자를 상대로 진정명의회복을 원인으로 한 소유권이전등기를 구할 수 있다고 한다(대판 2002.9.6, 2002다35157).
3) 또한 (유효한) 명의신탁에 있어서 대외적으로는 수탁자가 소유자라고 할 것이고, 명의신탁재산에 대한 침해배제를 구하는 것은 대외적 소유권자인 수탁자만이 가능한 것이며, 신탁자는 수탁자를 대위하여 그 침해에 대한 배제를 구할 수 있을 뿐이므로, 명의신탁사실이 인정된다고 할지라도 신탁자는 제3자에 대하여 진정한 등기명의의 회복을 원인으로 한 소유권이전등기청구를 할 수 있는 진정한 소유자의 지위에 있다고 볼 수 없다고 한다(대판 2001.8.21, 2000다36484). ★★

4) 가등기담보 등에 관한 법률이 시행되기 전에 경료된 채권자 명의의 가등기에 기하여 소유권이전의 본등기가 경료된 경우 위 소유권이전등기가 비록 채권담보의 목적으로 경료된 것이라고 하더라도, 대외적인 관계에서는 그 소유권이 완전히 이전되는 것으로 볼 수밖에 없고, 따라서 위 가등기에 기한 소유권이전의 본등기가 경료됨으로써 그 가등기가 경료된 다음에 경료된 제3취득자 명의의 소유권이전등기가 말소됨으로 말미암아 제3취득자는 그 소유권을 상실하게 되었다고 보아야 할 것이므로, 그 후 채권자 명의의 위 가등기와 본등기의 원인이 그 피담보채무의 변제로 인하여 소멸하게 된다고 하더라도, 제3취득자로서는 채권자에게 진정한 등기명의의 회복을 원인으로 한 소유권이전등기청구를 할 수 있는 진정한 소유자의 지위에 있다고 볼 수 없다(대판 1992.1.21, 91다35175).

5) 나아가 판례는 진정한 명의의 회복을 위한 소유권이전등기청구는 시효로 인하여 소멸하는 권리가 아니라고 하였다(대판 1993.8.24, 92다43975). ★

나) **피고의 소유권이전등기 경료 사실 및 등기의 원인무효 사실** : 소유권이전등기말소청구에서와 마찬가지로 청구권자는 상대방 명의의 소유권이전등기가 원인무효임을 주장・입증하여야 한다. 여기서 진정명의회복을 원인으로 한 소유권이전등기의 등기의무자는 원칙적으로 현재의 등기명의인이므로, 상대방이 현재의 등기명의자 또는 그의 포괄승계인인 사실이 나타나야 한다.

> **현재의 등기명의인이 아닌 자를 상대로 진정한 등기명의의 회복을 위한 소유권이전등기청구를 할 수 있는지 여부**(소극) ★
> 진정한 등기명의의 회복을 위한 소유권이전등기청구는 이미 자기 앞으로 소유권을 표상하는 등기가 되어 있었거나 법률에 따라 소유권을 취득한 자가 진정한 등기명의를 회복하기 위한 방법으로서, 현재의 등기명의인을 상대로 하여야 하고 현재의 등기명의인이 아닌 자는 피고적격이 없다(대판 2017.12.5, 2015다240645).

5) 인정범위

가) **무효등기에 기하여 순차로 이전등기가 마쳐진 경우** : 甲 소유의 부동산에 관하여 원인무효의 등기가 이루어지고 이에 터 잡아 乙・丙・丁 앞으로 소유권이전등기가 순차로 마쳐진 경우, 甲은 최종명의인 丁을 상대로 직접 진정한 등기명의의 회복을 원인으로 한 소유권이전등기를 청구할 수 있다(대판(전) 1990.11.27, 89다카12398).

나) **등기의 무효를 제3자에게 대항할 수 없는 경우** : 甲・乙 사이의 소유권이전등기가 통정허위표시에 의해 이루어진 후 乙이 선의의 제3자인 丙에 대하여 저당권설정등기를 마친 경우, 甲은 乙에 대하여 소유권이전등기의 말소청구를 하여 승소한다 하더라도 등기상 이해관계를 갖는 丙의 승낙(부동산등기법 제57조 제1항)을 얻을 수 없어 결국 乙명의의 소유권이전등기를 말소할 수 없게 되어 甲명의의 등기회복이 불가능하게 된다. 이 경우 乙로부터 甲 앞으로의 소유권이전등기를 허용하면 甲은 丙의 저당권의 부담을 안으면서 자신의 소유명의를 회복할 수 있어 합리적 해결이 가능하다.

다) **공유물에 관한 원인무효의 등기** : 부동산의 공유자 중 한 사람이 공유물에 경료된 원인무효의 등기에 관하여 각 공유자에게 해당 지분별로 진정명의회복을 원인으로 한 소유권이전등기를 이행할 것을 단독으로 청구할 수 있다(대판 2005.9.29, 2003다40651).

라) **사해행위취소에 따른 원상회복의 방법으로서 청구하는 경우** : 채권자는 사해행위의 취소로 인한 원상회복 방법으로 수익자 명의의 등기의 말소를 구하는 대신 수익자를 상대로 채무자 앞으로 직접 (진정한 등기명의의 회복을 원인으로 한) 소유권이전등기절차를 이행할 것을 구할 수도 있다(대판 2000.2.25, 99다53704).

마) **진정한 소유자가 기판력에 의하여 말소등기를 청구할 수 없는 경우** : 판례는 진정한 소유자의 말소등기청구가 패소확정되어 다시는 말소등기청구를 할 수 없는 경우 진정명의회복을 원인으로 한 이전등기청구를 할 수 없다고 하였다(대판(전) 2001.9.20, 99다37894). 즉 말소등기에 갈음하여 허용되는 진정등기명의회복을 원인으로 한 소유권이전등기청구권과 무효등기의 말소청구권은 ① 어느 것이나 진정한 소유자의 등기명의를 회복하기 위한 것으로서 실질적으로 그 목적이 동일하고, ② 두 청구권 모두 소유권에 기한 방해배제청구권으로서 그 법적 근거와 성질이 동일하므로, 비록 전자는 이전등기, 후자는 말소등기의 형식을 취하고 있다고 하더라도 그 소송물은 실질상 동일한 것으로 보아야 하고, 따라서 소유권이전등기말소청구소송에서 패소확정판결을 받았다면 그 기판력은 그 후 제기된 진정등기명의회복을 원인으로 한 소유권이전등기청구소송에도 미친다고 보아야 할 것이라는 입장이다.

(2) 등기인수청구권의 인정 여부

부동산등기법은 등기는 등기권리자와 등기의무자가 공동으로 신청하여야 함을 원칙으로 하면서도 (제23조 제1항), 제29조(현행 부등법 제23조 제4항)에서 '판결에 의한 등기는 승소한 등기권리자 또는 등기의무자만으로' 신청할 수 있도록 규정하고 있는바, 위 법조에서 승소한 등기권리자 외에 등기의무자도 단독으로 등기를 신청할 수 있게 한 것은, 통상의 채권채무 관계에서는 채권자가 수령을 지체하는 경우 채무자는 공탁 등에 의한 방법으로 채무부담에서 벗어날 수 있으나 등기에 관한 채권채무 관계에 있어서는 이러한 방법을 사용할 수 없으므로, 등기의무자가 자기 명의로 있어서는 안 될 등기가 자기 명의로 있음으로 인하여 사회생활상 또는 법상 불이익을 입을 우려가 있는 경우에는 소의 방법으로 등기권리자를 상대로 등기를 인수받아 갈 것을 구하고 그 판결을 받아 등기를 강제로 실현할 수 있도록 한 것이다(대판 2001.2.9, 2000다60708).

제2-2관 명인방법에 의한 부동산물권의 변동

1. 명인방법의 의의

원칙적으로 토지에 부착된 수목이나 미분리과실은 토지의 구성부분을 이루고, 토지소유권은 당연히 지상물(예 미분리과실, 수목 등)에도 미치는 것이다. 그러나 오랜 관행으로 수목 및 미분리과실을 토지와 독립하여 별개의 거래대상으로 삼아 왔는데, 이에 이용되는 관습법상의 공시방법을 명인방법이라 한다. 이에 의하여 부동산의 일부인 지상물은 독립한 부동산으로 된다.

2. 명인방법의 내용

① 명인방법에 의해 공시할 수 있는 물건에는 수목의 집단, 미분리과실을 들 수 있다.

② 또한 명인방법의 구체적 방식으로는 소유권귀속의 대외적 표시가 있어야 하고 지상물의 범위를 특정하여야 하며, 그와 같은 명인방법이 계속되어야 한다. 푯말, 새끼줄 등이 명인방법의 대표적인 예이다.

3. 명인방법에 의해 공시될 수 있는 물권의 종류

명인방법은 완전한 등기방법이 되지 못하고 매우 단순한 공시방법에 불과하므로 명인방법에 의해 공시될 수 있는 물권은 소유권 및 소유권이전 형식에 의한 양도담보에 한한다. 즉, 저당권이나 기타 제한물권은 허용되지 않는다.

4. 명인방법과 기타의 공시방법과의 우선관계

① 명인방법이나 기타의 공시방법이나 어느 공시방법에 대하여도 같은 효력을 인정한다.

② 따라서 물권변동에 관한 형식주의 및 물권일반의 순위법리에 따라 명인방법과 다른 공시방법이 충돌하는 경우 먼저 공시방법을 갖춘 양수인이 우선하게 된다(대판 1972.10.25, 72다1389).

제3관 법률행위로 인한 동산물권의 변동

Ⅰ. 적법한 권리자로부터의 취득

> 제188조 제1항【동산물권양도의 효력, 간이인도】
> 동산에 관한 물권의 양도는 그 동산을 인도하여야 효력이 생긴다.

1. 서설

1) 민법상 동산에 인정되는 물권에는 점유권, 소유권, 유치권, 질권의 4가지가 있는데, 여기서 말하는 동산물권은 소유권에 한정된다. 나머지 3가지에 대해서는 각각 특별규정의 적용을 받기 때문이다.

2) 소유권과 관련하여 민법은 성립요건주의의 원칙상 의사표시 이외에 공시방법인 인도(점유)까지 있어야 효력이 생기는 것으로 한다(제188조 제1항 – 성립요건주의 · 형식주의). 나아가 동산물권의 공시방법에 대해서는 부동산물권에서와 달리 공신력을 인정하고 있다. 이와 관련해서는 무권리자로부터의 취득인 경우의 선의취득이 논의된다.

2. 인도의 종류

> 제188조【동산물권양도의 효력, 간이인도】
> ① 동산에 관한 물권의 양도는 그 동산을 인도하여야 효력이 생긴다.
> ② 양수인이 이미 그 동산을 점유한 때에는 당사자의 의사표시만으로 그 효력이 생긴다.
> 제189조【점유개정】
> 동산에 관한 물권을 양도하는 경우에 당사자의 계약으로 양도인이 그 동산의 점유를 계속하는 때에는 양수인이 인도받은 것으로 본다.
> 제190조【목적물반환청구권의 양도】
> 제3자가 점유하고 있는 동산에 관한 물권을 양도하는 경우에는 양도인이 그 제3자에 대한 반환청구권을 양수인에게 양도함으로써 동산을 인도한 것으로 본다.

인도는 점유의 이전, 즉 사실적 지배를 이전함을 뜻한다. 이 경우 현실인도를 원칙으로 하지만 민법은 그 밖에 간이인도, 점유개정, 반환청구권의 양도에 의한 인도를 인정하고 있다.

(1) 현실인도

인도의 원칙적 모습으로 물건의 사실상 지배를 현실로 양도인으로부터 양수인에게 이전하는 것을 말한다.

(2) 간이인도

양수인이 이미 물건을 점유하고 있는 경우, 양도인과 양수인 사이에 소유권이전에 관한 합의가 있으면 소유권이 양수인에게 이전되는 인도를 말한다. 즉 간이인도의 법적 성질은 계약이다.

(3) 점유개정

1) 동산물권을 양도하면서 양도인이 양수인과의 사이에 점유매개관계(예 임대차, 임치)를 설정하여 양수인에게 간접점유를 취득시키고 양도인은 점유매개자로서 점유를 계속하는 것을 말한다.
2) 점유개정이 있는 경우에 양도인은 타주점유로서 직접점유를, 양수인은 점유매개관계를 통해 자주점유로서 간접점유를 하게 된다.

PART 02

판례 연구 **관련판례 정리**

1. 점유개정에 의한 동산의 이중양도 ★

동산의 소유자가 이를 이중으로 양도하고 각 점유개정의 방법으로 양도인이 점유를 계속하는 경우 양수인들 사이에 있어서는 먼저 현실의 인도를 받아 점유를 해온 자가 소유권을 취득한다(대판 1989.10.24, 88다카26802).

2. 점유개정에 의한 동산의 이중양도담보 ★★

금전채무를 담보하기 위하여 채무자가 그 소유의 동산을 채권자에게 양도하되 점유개정에 의하여 채무자가 이를 계속 점유하기로 한 경우 특별한 사정이 없는 한 동산의 소유권은 신탁적으로 이전됨에 불과하여 채권자와 채무자 사이의 대내적 관계에서 채무자는 의연히 소유권을 보유하나 대외적인 관계에 있어서 채무자는 동산의 소유권을 이미 채권자에게 양도한 무권리자가 되는 것이어서 다시 다른 채권자와의 사이에 양도담보 설정계약을 체결하고 점유개정의 방법으로 인도를 하더라도 선의취득이 인정되지 않는 한 나중에 설정계약을 체결한 채권자는 양도담보권을 취득할 수 없는데, 현실의 인도가 아닌 점유개정으로는 선의취득이 인정되지 아니하므로, 결국 뒤의 채권자는 양도담보권을 취득할 수 없다(대판 2004.10.28, 2003다30463).

3. 동산양도담보 목적물의 양도

돈사에서 대량으로 사육되는 돼지를 양도담보계약의 목적물로 삼은 이른바 '유동집합물에 대한 양도담보계약'이 체결된 경우, 양도담보권의 효력은 항상 현재의 집합물 위에 미치고, 양도담보설정자로부터 위 목적물을 양수한 자가 이를 선의취득하지 못하였다면 (양수인은) 위 양도담보권의 부담을 그대로 인수하게 된다(대판 2004.11.12, 2004다22858).

(4) 반환청구권의 양도

1) 양도인이 제3자의 점유를 매개하여 목적물을 간접점유하고 있는 경우에, 양도인이 그 제3자에 대한 반환청구권을 양수인에게 양도함으로써 그 동산의 소유권을 양수인에게 이전하는 것을 말한다.
2) 양도되는 반환청구권은 채권적 청구권에 한하며 채권양도에 관한 규정이 준용된다(통설 · 판례). 따라서 반환청구권을 양도하는 계약을 함으로써 곧 효력이 생기지만, 제3자에게 양도사실을 통지하거나 제3자의 승낙을 얻어야 대항할 수 있다(제450조).

Ⅱ. 무권리자로부터의 취득 - 선의취득

> 제249조【선의취득】
> 평온, 공연하게 동산을 양수한 자가 선의이며 과실 없이 그 동산을 점유한 경우에는 양도인이 정당한 소유자가 아닌 때에도 즉시 그 동산의 소유권을 취득한다.

1. 서설

(1) 의의

양도인의 점유라는 공시방법을 신뢰하여 양수인이 상대방의 점유를 신뢰하여 점유자가 권리자인 줄 알고 동산을 양수한 때에는, 비록 상대방이 무권리자이더라도 그 동산의 소유권을 취득할 수 있는데(제249조), 이를 선의취득이라 한다.

(2) 제도적 취지

민법 제249조의 동산 선의취득제도는 동산을 점유하는 자의 권리외관을 중시하여 이를 신뢰한 자의 소유권 취득을 인정하고 진정한 소유자의 추급을 방지함으로써 거래의 안전을 확보하기 위하여 법이 마련한 제도이므로, 위 법조 소정의 요건이 구비되어 동산을 선의취득한 자는 권리를 취득하는 반면 종전 소유자는 소유권을 상실하게 되는 법률효과가 법률의 규정에 의하여 발생되므로, 선의취득자가 임의로 이와 같은 선의취득 효과를 거부하고 종전 소유자에게 동산을 반환받아 갈 것을 요구할 수 없다(대판 1998.6.12, 98다6800).

2. 선의취득의 요건

(1) 선의취득의 객체 – 동산일 것

선의취득의 객체는 동산이다. 따라서 지상권・저당권과 같은 부동산에 대한 권리는 선의취득의 대상이 될 수 없다(대판 1985.12.24, 84다카2428).

1) 등기・등록으로 공시되는 동산

점유가 아닌 등기나 등록으로 공시되는 동산(예 20톤 이상의 선박, 자동차, 항공기, 건설기계 등)은 선의취득의 대상이 될 수 없다. 그러나 공장저당권의 효력이 미치는 공장설비동산은 선의취득의 대상이 되고, 부동산의 종물로서 주물인 부동산의 등기에 의해 공시되는 동산도 (분리된 경우에는) 선의취득의 대상이 된다.

> **자동차관리법의 적용대상인 자동차의 공시방법(등록)과 선의취득의 대상 여부**(소극)(대판 2016.12.15, 2016다205373) ★
> 자동차관리법 제6조는 "자동차 소유권의 득실변경은 등록을 하여야 그 효력이 생긴다."라고 규정하고 있다. 이는 현대사회에서 자동차의 경제적 효용과 재산적 가치가 크므로 민법상 불완전한 공시방법인 '인도'가 아니라 공적

장부에 의한 체계적인 공시방법인 '등록'에 의하여 소유권 변동을 공시함으로써 자동차 소유권과 이에 관한 거래의 안전을 한층 더 보호하려는 데 취지가 있다. 따라서 자동차관리법이 적용되는 자동차의 소유권을 취득함에는 민법상 공시방법인 '인도'에 의할 수 없고, 나아가 이를 전제로 하는 민법 제249조의 선의취득 규정은 적용되지 아니함이 원칙이다.

2) 명인방법에 의해 공시되는 정착물

점유가 아니라 명인방법이라는 별도의 공시방법이 있는 수목의 집단, 미분리의 과실 등은 선의취득의 대상이 될 수 없다. 그러나 수목이 토지로부터 분리되면 동산으로 취급되고 따라서 선의취득의 대상이 된다.

수목의 선의취득 대상 여부

토지로부터 벌채 · 분리된 수목은 완전한 동산이므로 민법 제249조의 선의취득의 대상이 될 수 있으나, 토지에 부착되어 있는 수목은 그 소유권이 명인방법에 의하여 공시되므로 민법 제249조의 선의취득의 대상이 될 수 없다(대판 2015.2.12, 2014다227881).

3) 금전 내지 화폐

기념주화 등 단순한 물건으로서 거래되는 경우에는 선의취득이 가능하지만, 가치의 표상으로서 유통되는 보통의 금전은 선의취득의 대상이 되지 않는다(부당이득반환의 문제로 해결된다).

4) 증권(화물상환증 · 창고증권 · 선하증권 등)에 의하여 표상되는 동산

창고업자나 운송업자가 증권 없이 인도하여 그 수취인이 운송물을 처분한 경우에는 선의의 상대방은 선의취득을 할 수 있으며, 이와 병행하여 증권 자체의 선의취득도 인정된다. 운송물의 선의취득과 증권의 선의취득이 경합할 때에는 운송물의 선의취득이 우선한다.

5) 증권적 채권

지시채권이나 무기명채권은 민법에 특별규정(제514조, 제524조)을 두고 있으므로 제249조 이하의 선의취득규정의 적용을 받지 않는다.

6) 양도가 금지되어 있는 물건

국유문화재처럼 양도 · 설정이 금지된 경우나 아편 · 위조통화처럼 소유가 금지되는 것은 선의취득의 대상이 될 수 없다.

(2) 전주(前主)인 양도인에 관한 요건

1) 양도인의 점유

선의취득은 양도인의 점유에 공신력을 주는 제도이므로 양도인은 점유를 하고 있어야 한다. 양도인의 점유는 타주점유, 간접점유, 점유보조자라도 무방하다.

2) 양도인은 무권리자일 것

대리인이 본인 소유가 아닌 동산을 처분하는 경우에도 이에 해당한다. 그러나 무권대리인이 타인의 물건을 처분하는 무권대리의 경우에는 거래행위 자체가 무효이므로 선의취득은 적용되지 않고 표현대리에 의해 보호될 수 있을 뿐이다.

(3) 양수인인 선의취득자에 관한 요건

1) 평온·공연의 유효한 거래행위가 있을 것

① 선의취득은 거래안전을 보호하기 위한 제도이므로 소유권이전을 목적으로 하는 법률행위가 존재해야 한다. 매매뿐만 아니라 강제경매(대판 1998.3.27, 97다32680), 증여, 질권설정, 변제, 대물변제 등이 이에 포함된다. 그러나 상속·합병과 같은 포괄승계에는 선의취득이 적용되지 않는다. 또한 자기 소유의 논에 인접한 타인 소유의 논을 자신의 것으로 오인하고 그 지상의 벼를 수확한 경우와 같은 사실행위에는 선의취득이 성립하지 않는다.

② 양도인이 무권리자라는 점을 제외하고는 거래행위는 아무런 흠이 없이 유효하게 성립한 것이어야 한다(대판 1995.6.29, 94다22071). 따라서 거래행위가 제한능력, 의사의 흠결 등으로 무효·취소된 때에는 선의취득은 성립하지 않는다. 이 경우에는 제한능력자의 상대방보호, 무권대리의 상대방보호 등을 통해 보호될 수 있을 뿐이다.

③ 거래행위는 평온·공연하게 이루어져야 한다. 양수인은 평온·공연하게 점유한 것으로 추정된다(제197조 제1항).

2) 선의·무과실의 점유

① 양수인이 점유를 취득하는 방법에는 현실의 인도뿐만 아니라 간이인도와 목적물반환청구권의 양도가 포함된다. 그러나 점유개정의 방법에 의한 선의취득은 인정되지 않는다(대판 1978.1.17, 77다1872).

② 양수인은 선의이며 과실 없이 그 동산을 점유하여야 하는데 선의로 점유한 것은 추정되지만(제197조 제1항, 단 질권의 선의취득과 관련해서는 예외적인 판례가 존재한다), 무과실은 추정되지 않는다(대판 1968.9.3, 68다169).

③ 양수인의 선의·무과실은 물권행위가 완성된 때를 판단시기로 삼는다. 따라서 물권행위(물권적 합의)가 동산의 인도보다 먼저 행하여진 때에는 인도 시를, 인도가 먼저 행하여진 때에는 물권행위 시(물권적 합의)를 기준으로 판단한다(대판 1991.3.22, 91다70).

> **간이인도를 통한 선의취득**
> 동산의 선의취득에 필요한 점유의 취득은 이미 현실적인 점유를 하고 있는 양수인에게는 간이인도에 의한 점유취득으로 그 요건은 충족된다(대판 1981.8.20, 80다2530).

목적물반환청구권의 양도를 통한 선의취득 ★
양도인이 소유자로부터 보관을 위탁받은 동산을 제3자에게 보관시킨 경우에 양도인이 그 제3자에 대한 반환청구권을 양수인에게 양도하고, 지명채권 양도의 대항요건을 갖추었을 때에는 동산의 선의취득에 필요한 점유의 취득 요건을 충족한다(대판 1999.1.26, 97다48906).

점유개정을 통한 선의취득의 가부 ★★
동산의 선의취득에 필요한 점유의 취득은 현실적 인도가 있어야 하고, 점유개정에 의한 점유취득만으로서는 그 요건을 충족할 수 없다(대판 1978.1.17, 77다1872).

3. 선의취득의 효과 – 원시취득(통설)

① 선의취득에 의해 취득할 수 있는 동산물권은 실질적으로 소유권(제249조)과 질권(제343조)에 한한다.

② 선의취득은 원시취득이므로 양도인의 권리 위에 존재했던 모든 제한은 소멸한다.

③ 선의취득자로부터 양수 받은 제3자는 악의이더라도 소유권을 유효하게 승계취득한다.

4. 도품 · 유실물에 관한 특례

제250조【도품, 유실물에 대한 특례】
전조의 경우에 그 동산이 도품이나 유실물인 때에는 피해자 또는 유실자는 도난 또는 유실한 날로부터 2년 내에 그 물건의 반환을 청구할 수 있다. 그러나 도품이나 유실물이 금전인 때에는 그러하지 아니하다.
제251조【도품, 유실물에 대한 특례】
양수인이 도품 또는 유실물을 경매나 공개시장에서 또는 동종류의 물건을 판매하는 상인에게서 선의로 매수한 때에는 피해자 또는 유실자는 양수인이 지급한 대가를 변상하고 그 물건의 반환을 청구할 수 있다.

(1) 의의

선의취득의 요건을 갖추었다 할지라도, 그 동산이 도품이나 유실물이면 피해자 또는 유실자는 도난 또는 유실한 날로부터 2년 내에 그 물건의 반환을 청구할 수 있다.

(2) 적용범위

1) 가치의 표상이 아닌 물건으로 거래되는 금전(제250조 단서) 또는 유가증권(제514조, 제524조)을 제외한다. 따라서 이 경우에는 도품반환청구권이 인정되지 않는다.

2) 도품(예 절도나 강도에 의하여 적극적으로 점유자의 의사에 반하여 그의 점유를 박탈당한 물건)이나 유실물(예 소극적으로 점유자의 의사에 기하지 않고 그 점유를 상실한 물건으로서 도품이 아닌 것)에 한하여 적용된다. 따라서 권리자의 의사에 기초해 점유가 이전되는 사기 · 공갈 · 횡령의 경우에는 위 특례가 적용되지 않는다. 한편 이러한 점유이탈의 판단은 직접점유자의 의사를 표준으로 결정하여야 한다.

민법 제250조 · 제251조의 '도품 · 유실물'에 횡령물이 포함되는지 여부 ★
민법 제250조, 제251조 소정의 '도품 · 유실물'이란 원권리자로부터 점유를 수탁한 사람이 적극적으로 제3자에게 부정처분한 경우와 같은 위탁물횡령의 경우는 포함되지 아니하고, 또한 점유보조자 내지 소지기관의 횡령처럼 형사법상 절도죄가 되는 경우도 형사법과 민사법의 경우를 동일시해야 하는 것은 아닐 뿐만 아니라, 진정한 권리자와 선의의 거래상대방 간의 이익형량의 필요성에 있어서 위탁물횡령의 경우와 다를 바 없으므로, 이 역시 민법 제250조의 도품 · 유실물에 해당하지 않는다(대판 1991.3.22, 91다70). → 따라서 이 경우에는 제249조에 의한 선의취득이 문제되고, 선의취득자는 반환의무를 부담하지 않으므로 더욱더 보호받게 된다.

(3) 내용

1) 반환청구권자 및 반환청구의 상대방

가) 반환청구권자 : 반환청구권자는 피해자 또는 유실자이다. 통상 원래의 소유자이겠지만, 소유자가 간접점유자인 때에는 임차인 · 수치인 등과 같은 직접점유자도 반환청구권자에 포함된다.

나) 상대방

① 도품 · 유실물에 관한 특례를 규정하고 있는 제250조 · 제251조는 그 규정체계로 보아 제249조의 요건이 충족되는 것을 전제로 한다. 따라서 양수인에게 제249조의 선의취득의 요건이 갖추어지지 않은 경우에는 소유자는 2년의 제한 없이 소유권에 기해 그 물건의 반환을 청구할 수 있다.

② 제251조는 제249조의 경우와는 달리 양수인의 선의만을 규정하고 무과실을 명문으로 규정하고 있지는 않지만, 동조는 제249조와 제250조를 전제로 하는 규정이므로 무과실도 당연한 요건이라고 해석하여야 한다(대판 1991.3.22, 91다70).

③ 상대방은 도품 · 유실물을 현재 점유하고 있는 자로서, 직접 선의취득한 자에 한하지 않고 그 특정승계인인 전득자도 포함된다.

2) 반환청구의 기간

도난 또는 유실당한 날로부터 2년 이내이다.

3) 소유권의 귀속 및 반환청구권의 성격

피해자 또는 유실자가 반환을 청구할 수 있는 2년 동안 그 소유권은 선의취득자에게 있다(통설). 이에 따르면 반환청구권의 법적 성질은 소유권에 기한 반환청구권이 아니라 법률규정에 의한 특별한 원상회복 청구권이다.

4) 대가의 변상

원칙적으로 진정한 소유자는 선의취득자나 그 특별승계인(전득자)에게 대가의 변상 없이 무상으로 반환청구를 할 수 있지만, 다음의 경우에는 예외적으로 대가(실제로 지급한 대가)를 변상하고 반환청구를 하여야 한다.

가) 선의취득자가 경매나 공개시장 또는 동종의 물건을 판매하는 상인으로부터 선의로 매수한 때(제251조) : 경매 · 공개시장 · 상인의 판매 등에 있어서는 거래의 안전을 특히 보호할 필요가 있으므로 진정한 소유자는 선의취득자가 지급한 대가를 변상하여야 한다.

나) 대가변상의 법적 성질 : 제251조는 선의취득자에게 대가변상이 없으면 반환을 거부할 수 있는 단순한 항변권을 인정한 것이 아니라 적극적으로 대가변상의 청구권을 인정한 것으로 본다(대판 1972.5.23, 72다115). 그러므로 선의취득자가 일단 목적물을 반환한 후에도 대가를 청구할 수 있다.

제3절 법률규정에 의한 물권변동

Ⅰ. 총설

> 제187조【등기를 요하지 아니하는 부동산물권 취득】
> 상속, 공용징수, 판결, 경매, 기타 법률의 규정에 의한 부동산에 관한 물권의 취득은 등기를 요하지 아니한다. 그러나 등기를 하지 아니하면 이를 처분하지 못한다. → 제245조 제1항은 부동산을 점유한 자는 '등기함으로써' 그 소유권을 취득한다고 규정하고 있다.

1. 일반론

(1) 민법 제187조 본문

여기서의 법률에는 형식적 의미의 법률뿐만 아니라 관습법도 포함되며, 물권의 취득에 한하지 않고 널리 물권변동 전부에 본조가 적용된다.

(2) 민법 제187조 단서

부동산물권을 등기 없이 취득하였더라도, 이를 다시 처분하려면 이미 취득한 물권을 등기하여야 하고, 이를 위반한 처분은 무효이다. 다만 그 처분의 상대방은 부동산물권을 취득하지 못한다는 것일 뿐, 그 처분행위의 채권적 효력까지 부인할 수는 없다(대판 1994.10.21, 93다12176).

2. 동산물권변동의 경우

민법은 법률의 규정에 의한 동산물권의 변동에 관하여 명문의 규정을 두고 있지 않으나, 제187조의 규정을 적용하여 동산의 경우에도 인도가 없이 그 효력이 생긴다고 보아야 한다(통설).

Ⅱ. 적용범위

1. 상속

피상속인이 사망하면 등기 없이도 상속으로 인한 부동산물권의 변동이 일어난다. 상속 이외에 포괄유증(대판 2003.5.27, 2000다73445 – 단 특정유증은 제외), 회사의 합병도 이에 속한다.

특정유증을 받은 자의 법적 지위 및 유증받은 부동산에 대해 직접 소유권에 기한 물권적 청구권을 행사할 수 있는지 여부(소극) ★

포괄적 유증을 받은 자는 민법 제187조에 의하여 법률상 당연히 유증받은 부동산의 소유권을 취득하게 되나, 특정유증을 받은 자는 유증의무자에게 유증을 이행할 것을 청구할 수 있는 채권을 취득할 뿐이므로, 특정유증을 받은 자는 유증 받은 부동산의 소유권자가 아니어서 직접 진정한 등기명의의 회복을 원인으로 한 소유권이전등기를 구할 수 없다(대판 2003.5.27, 2000다73445).

→ [해설] : 포괄적 유증이란 유언자가 상속재산의 전부 또는 그 일정 비율을 유증하는 것을 말한다. 반면에 특정유증은 상속재산 중 구체적인 특정재산을 유증하는 것을 말한다. 포괄적 수증자는 상속인과 동일한 권리·의무가 있으므로(제1078조), 상속인과 동일하게 특별한 사정이 없는 한 일체의 권리·의무를 포괄승계(당연승계)한다. 그러나 특정유증을 받은 자는 목적물에 대한 채권적 청구권만을 취득할 뿐 의무를 부담하지 않는다. 즉 포괄적 유증과 달리 목적 재산권이 일단 상속인에게 귀속하고, 수증자는 유증의무자에 대하여 유증을 이행할 것을 청구할 수 있는 채권만을 취득하게 된다.

2. 공용징수

공익사업을 위한 토지 등의 취득 및 보상에 관한 법률에 의하여 협의수용 시는 협의 시에 정해진 시점에, 재결수용 시는 재결에서 정해진 시점에 소유권을 취득하며 등기를 한 때 취득하는 것은 아니다.

3. 판결

1) 여기서의 판결이란 형성판결(예 사해행위취소의 판결, 공유물분할판결, 상속재산분할판결 등)을 의미하고, 이행·확인판결은 그에 기한 등기이전 시 물권변동의 효력이 발생한다.
2) 또한 확정판결과 동일한 효력이 있는 재판상의 화해, 청구의 포기·인낙을 조서에 기재하고 그 내용이 법률관계의 형성에 관한 것이면 민법 제187조의 판결에 포함된다(대판 1970.6.30, 70다568).
3) 따라서 매매 등 법률행위를 원인으로 한 소유권이전등기절차 이행의 소에서의 원고승소판결은 부동산물권취득이라는 형성적 효력이 없어 민법 제187조 소정의 판결에 해당하지 않으므로 승소판결에 따른 소유권이전등기 경료 시까지는 부동산의 소유권을 취득한다고 볼 수 없다.
4) 형성판결에 의해 물권변동이 일어나는 시기는 그 판결이 확정된 때이다.

공유물분할의 소에서 공유부동산의 특정한 일부씩을 각각의 공유자에게 귀속시키는 것으로 현물분할하는 내용의 조정이 성립한 경우, 그 조정조서가 공유물분할판결과 동일한 효력을 가지는 것으로서 민법 제187조 소정의 '판결'에 해당하는지 여부(소극) ★★★

[다수의견] 공유물분할의 소송절차 또는 조정절차에서 공유자 사이에 공유토지에 관한 현물분할의 협의가 성립하여 그 합의사항을 조서에 기재함으로써 조정이 성립하였다고 하더라도, 그와 같은 사정만으로 재판에 의한 공유물분할의 경우와 마찬가지로 그 즉시 공유관계가 소멸하고 각 공유자에게 그 협의에 따른 새로운 법률관계가 창설되는 것은 아니라고 할 것이고, 공유자들이 협의한 바에 따라 토지의 분필절차를 마친 후 각 단독소유로 하기로 한 부분에 관하여 다른 공유자의 공유지분을 이전받아 등기를 마침으로써 비로소 그 부분에 대한 대세적 권리로서의 소유권을 취득하게 된다(대판(전) 2013.11.21, 2011두1917).[38]

4. 경매

여기서의 경매란 국가기관이 하는 공경매를 말한다. 이에는 민사집행법에 의한 강제경매와 담보권의 실행 등을 위한 경매 및 국세징수법에 의한 경매(체납처분)가 있다. 이 경우 경락대금을 완납한 때 그 소유권을 취득한다.[39]

5. 기타의 경우

1) 신축건물의 소유권취득, 법정지상권의 취득(제305조, 제366조), 관습법상 법정지상권의 취득, 법정저당권의 취득(제649조), 분묘기지권의 취득, 법정대위에 의한 저당권 이전(제481조), 용익물권의 존속기간만료에 의한 소멸, 목적물의 멸실에 의한 물권의 소멸(포락, 사건에 의한 물권소멸), 피담보채권의 소멸에 의한 저당권의 소멸(제369조), 혼동에 의한 물권의 소멸 등이 이에 해당한다.
2) 점유권이나 유치권과 같이 권리의 성질상 등기를 할 수 없는 경우도 있다.

---

38) 다수의견에 대하여, 공유물분할의 소에서 공유부동산의 특정한 일부씩을 각각의 공유자에게 귀속시키는 것으로 현물분할하는 내용의 조정이 성립하였다면, 그 조정조서는 공유물분할판결과 동일한 효력을 가지는 것으로서 민법 제187조 소정의 '판결'에 해당하는 것으로 조정이 성립한 때 물권변동의 효력이 발생한다고 보아야 한다는 대법관 민일영의 반대의견이 있다.

39) 판례는 다세대주택 지하층 및 1, 2층의 입구 오른쪽 세대 전유부분 면적은 50.44㎡이고, 왼쪽 세대 전유부분 면적은 52.03㎡이며, 소유권보존등기 당시 제출된 도면상에는 입구 오른쪽 세대가 각 층 01호로, 왼쪽 세대가 각 층 02호로 기재되었는데, 실제 현관문에는 각 층 입구 오른쪽 세대가 02호로, 왼쪽 세대가 01호로 각 표시되어 있고, 甲이 임의경매절차에서 등기부상 '지층 02호, 면적 52.03㎡'인 부동산을 매각받은 사안에서, 등기부상 지층에서 2층까지의 각 층 02호는 입구 왼편에 위치한 세대를, 각 층 01호는 오른편에 위치한 세대를 표상하는 것이고, 각 현관문에 등기부상 표시와 다르게 표시되어 있다는 사정만으로 각 층 02호에 대한 등기가 입구 오른편에 위치한 면적 50.44㎡의 세대를 표상하는 것으로 볼 수는 없으므로, 甲은 임의경매절차에서 등기부가 나타내는 대로 입구 왼편에 있는 지층 02호를 매각받은 것으로 보아야 한다. 나아가 건물에 관한 등기가 당해 건물의 객관적, 물리적 현황을 공시하는 등기로서의 효력이 있는 것인지의 여부는, 등기부에 표시된 소재, 지번, 종류, 구조와 면적 등이 실제건물과 사회통념상 동일성이 인정될 정도로 합치하는지의 여부에 따라 결정하여야 한다고 하였다(대판 2015.3.26, 2014다13082).

판례 연구 **관련판례 정리**

☑ **신축건물의 소유권 귀속에 관한 판례정리**

1. 신축건물의 소유권 취득 ★

자기 비용과 노력으로 건물을 신축한 자는 그 건축허가가 타인의 명의로 된 여부에 관계없이 그 소유권을 원시취득한다(대판 2002.4.26, 2000다16350).

2. 독립한 부동산으로 인정되기 위한 요건 ★

1) 최소한의 기둥과 지붕 그리고 주벽이 이루어지면 독립한 부동산으로서의 건물의 요건을 갖춘 것이라고 보아야 한다.

2) 건축주의 사정으로 건축공사가 중단되었던 미완성의 건물을 인도받아 나머지 공사를 마치고 완공한 경우, 그 건물이 공사가 중단된 시점에서 이미 사회통념상 독립한 건물이라고 볼 수 있는 형태와 구조를 갖추고 있었다면 원래의 건축주가 그 건물의 소유권을 원시취득한다(대판 2002.4.26, 2000다16350).

3. 미완성 건물을 인도받아 나머지 공사를 한 경우 그 건물의 원시취득자

1) 자기의 비용과 노력으로 건물을 신축한 자는 그 건축허가가 타인의 명의로 된 여부에 관계없이 그 소유권을 원시취득하게 되는바, 따라서 건축주의 사정으로 건축공사가 중단된 미완성의 건물을 인도받아 나머지 공사를 하게 된 경우에는 그 공사의 중단 시점에 이미 사회통념상 독립한 건물이라고 볼 수 있는 정도의 형태와 구조를 갖춘 경우가 아닌 한 이를 인도받아 자기의 비용과 노력으로 완공한 자가 그 건물의 원시취득자가 된다(대판 2006.5.12, 2005다68783).

2) 건물 신축의 공사가 진행되다가 독립한 부동산인 건물로서의 요건을 아직 갖추지 못한 단계에서 중지된 것을 제3자가 이어받아 계속 진행함으로써 별개의 부동산인 건물로 성립되어 그 소유권을 원시취득한 경우에 그로써 애초의 신축 중 건물에 대한 소유권을 상실한 사람은 민법 제261조, 제257조, 제259조를 준용하여 건물의 원시취득자에 대하여 부당이득 관련 규정에 기하여 그 소유권의 상실에 관한 보상을 청구할 수 있다(대판 2010.2.25, 2009다83933).

Ⅲ. 제186조와 제187조의 적용문제

1. 원인행위가 무효·취소·해제로 실효된 경우의 물권의 복귀

물권행위와 채권행위의 관계에 대해 유인성설의 입장에 따르면 제187조가 적용된다(판례).

2. 재단법인의 설립에 있어서 출연재산의 귀속시기

판례는 대내관계에서는 제187조와 제48조에 따라 생전처분의 경우 법인이 성립된 때 법인의 소유로 되지만, 대외관계에서는 제186조에 따라 등기를 하여야 한다고 본다.

3. 점유취득시효의 완성에 따른 소유권 취득

점유취득시효는 법률규정에 의한 물권변동이지만, 민법 제245조 제1항에서 등기를 요하고 있으므로 제187조에 대한 예외가 된다.

4. 공유자 1인의 지분 포기 시 다른 공유자에의 귀속시기

민법 제267조는 '공유자가 그 지분을 포기하거나 상속인 없이 사망한 때에는 그 지분은 다른 공유자에게 각 지분의 비율로 귀속한다.'고 규정하고 있다. 여기서 공유지분의 포기는 법률행위로서 상대방 있는 단독행위에 해당하므로, 부동산 공유자의 공유지분 포기의 의사표시가 다른 공유자에게 도달하더라도 이로써 곧바로 공유지분 포기에 따른 물권변동의 효력이 발생하는 것은 아니고, 다른 공유자는 자신에게 귀속될 공유지분에 관하여 소유권이전등기청구권을 취득하며, 이후 민법 제186조에 의하여 등기를 하여야 공유지분 포기에 따른 물권변동의 효력이 발생한다. 그리고 부동산 공유자의 공유지분 포기에 따른 등기는 해당 지분에 관하여 다른 공유자 앞으로 소유권이전등기를 하는 형태가 되어야 한다(대판 2016.10.27, 2015다52978).[40]

5. 합유자 1인의 지분 포기 시 다른 합유자에의 귀속시기

합유지분 포기가 적법하다면 그 포기된 합유지분은 나머지 잔존 합유지분권자들에게 균분으로 귀속하게 되지만, 그와 같은 물권변동은 합유지분권의 포기라고 하는 법률행위에 의한 것이므로 등기하여야 효력이 있고 지분을 포기한 합유지분권자로부터 잔존 합유지분권자들에게 합유지분권 이전등기가 이루어지지 아니하는 한 지분을 포기한 지분권자는 제3자에 대하여 여전히 합유지분권자로서의 지위를 가지고 있다고 보아야 한다(대판 1997.9.9, 96다16896).

---

40) 망인이 공유지분을 포기할 당시 공유자였던 원고가 이창유가 포기한 '이 사건 지분'에 관하여 이전등기를 마치기 전에, 강제경매절차에서 원고의 지분을 취득한 피고가 이 사건 지분에 관하여는 아무런 권원이 없음에도 망인의 상속인들과의 화해권고결정을 통하여 이전등기를 마치고 처분하자, 원고가 주위적으로는 공유지분 포기는 민법 제187조에 의하여 등기 없이도 포기로서의 효력이 발생하므로 자신이 이 사건 지분의 소유자임을 전제로, 예비적으로는 이창유의 공유지분 포기로 자신이 이 사건 지분에 관한 이전등기청구권을 가지게 되었음을 전제로, 피고에게 부당이득의 반환 등을 구한 사안에서, 이 사건 부동산의 공유자인 망인이 원고 등 다른 공유자에 대하여 자신의 공유지분을 포기한다는 의사표시를 하였다고 하더라도 그에 따른 등기가 마쳐지지 않은 이상 곧바로 원고가 이 사건 지분에 관한 소유권을 취득하였다고 할 수는 없으나, 망인의 지분 포기 의사표시로써 원고는 망인이나 그 상속인인 배승순 등에 대하여 이 사건 지분에 관한 소유권이전등기청구권을 가지게 된 반면 피고는 강제경매절차를 통하여 원고 종전 지분만을 취득하였을 뿐 이 사건 지분에 관해서는 소유권은 물론 그에 관한 이전등기청구권 등 어떠한 권원도 취득하였다고 할 수 없다고 판단하여 상고기각한 사안이다.

제4절 물권의 소멸

Ⅰ. 서설

물권의 소멸원인에는 모든 물권에 공통된 소멸원인과 각종의 물권에 특유한 소멸원인이 있다. 후자에 관해서는 개개의 물권과 관련해서 설명하기로 하고, 여기서는 모든 물권에 공통된 소멸원인으로서 목적물의 멸실, 물권의 포기, 소멸시효, 혼동 등에 관해 살펴보기로 한다.

Ⅱ. 목적물의 멸실

목적물이 멸실하면 그에 관한 물권도 당연히 소멸하게 된다. 물건의 멸실 여부는 사회통념에 의해 결정되는데, 목적물이 물리적으로 완전히 멸실되는 경우에는 물권은 절대적으로 소멸하지만, 목적물의 물질적 또는 가치적 변형물이 남는 경우에는 그 변형물에 물권이 미친다.

포락으로 인하여 토지 소유권이 소멸되기 위한 사정과 이와 같은 사정에 대한 입증책임의 소재(=사권 소멸의 주장자)

하천에 인접한 토지가 홍수로 인한 하천류수의 범람으로 침수되어 토지가 황폐화되거나 물밑에 잠기거나 항시 물이 흐르고 있는 상태가 계속되고 원상복구가 사회통념상 불가능하게 되면 소위 포락으로 인하여 소유권은 영구히 소멸되는 것이고, 이와 같은 사정은 사권의 소멸을 주장하는 자가 입증하여야한다(대판 1992.11.24, 92다11176).[41]

Ⅲ. 물권의 포기

포기는 물권을 소멸시킬 것을 목적으로 하는 물권적 단독행위를 말한다. 원칙적으로 물권의 포기는 자유롭게 할 수 있지만, 예외적으로 그 물권이 제3자의 권리의 목적이라면 그 제3자의 동의가 있어야 한다(제371조 제2항 참조). 즉 지상권 또는 전세권이 저당권의 목적인 경우에는 저당권자의 동의 없이 그 지상권 또는 전세권을 포기하지 못한다(제371조 제2항).

Ⅳ. 소멸시효의 완성

1) 소유권은 소멸시효의 대상이 되지 않고, 소유권을 제외한 물권은 20년의 시효로 소멸한다(제162조 제2항).
2) 점유권과 유치권은 점유를 그 성립 및 존속요건으로 하는 점에서 소멸시효가 적용될 여지가 없으며, 담보물권(질권·저당권)은 피담보채권이 존속하는 한 담보물권만이 독립하여 소멸시효에 걸리지 않는다. 다만 지상권과 지역권은 소멸시효의 완성에 의해 소멸한다.

41) 토지소유권의 상실원인이 되는 포락이라 함은 토지가 바닷물이나 적용 하천의 물에 개먹어 무너져 바다나 적용하천에 떨어져 그 원상복구가 불가능한 상태에 이르렀을 때를 말하고, 그 원상회복의 불가능 여부는 포락 당시를 기준으로 하여 물리적으로 회복이 가능한지 여부를 밝혀야 한다. 또한 원상복구가 가능한지 여부는 포락 당시를 기준으로 판단하여야 하므로 그 이후의 사정은 특별한 사정이 없는 한 이를 참작할 여지가 없는 것이다(대판 2000.12.8, 99다11687).

Ⅴ. 혼동

제191조 【혼동으로 인한 물권의 소멸】
① 동일한 물건에 대한 소유권과 다른 물권이 동일한 사람에게 귀속한 때에는 다른 물권은 소멸한다. 그러나 그 물권이 제3자의 권리의 목적이 된 때에는 소멸하지 아니한다.
② 전항의 규정은 소유권 이외의 물권과 그를 목적으로 하는 다른 권리가 동일한 사람에게 귀속한 경우에 준용한다.
③ 점유권에 관하여는 전2항의 규정을 적용하지 아니한다.

1. 의의

1) 혼동이란 서로 대립하는 두 개의 법률상 지위나 자격이 동일인에게 귀속하는 것을 말한다. 민법은 물권간의 혼동으로 제191조에서 규정하고 있으며, 채권·채무간의 혼동에 관하여는 제507조에서 규정하고 있다.

2) 혼동으로 물권이 소멸하기 위해서는 ① 양립될 수 없는 물권이, ② 동일인에게 귀속되는 경우이어야 한다. 따라서 점유권에 대해서는 혼동의 법리가 적용되지 않는다. 점유권은 다른 물권과 양립할 수 있기 때문이다.

2. 소유권과 제한물권의 혼동

(1) 원칙(제191조 제1항 본문)

동일한 물건에 대한 소유권과 제한물권이 동일인에게 귀속한 때에는 제한물권이 소멸하는 것이 원칙이다. 가령 지상권자가 토지소유권을 취득하면 지상권은 소멸한다.

지상권자가 양도담보권자가 된 경우와 혼동 ★
원고 A가 피고 甲, 乙로부터 금원을 차용함에 있어 그 담보조로 원고 소유 부동산에 관하여 지상권설정등기를 경료한 후 다시 위 피고들을 포함한 6인으로부터 금원을 차용하면서 양도담보를 내용으로 하는 제소 전 화해조서의 집행에 의하여 같은 부동산에 관하여 피고 甲, 乙을 포함한 6인 공동명의의 소유권이전등기가 경료되었다고 하더라도, 원고와 위 피고들 사이에 있어서는 그 소유권은 의연히 원고에게 남아있는 것이므로 동 피고들 명의의 지상권지분이 혼동으로 소멸되는 것은 아니다(대판 1980.12.23, 80다2176).

(2) 예외(제191조 제1항 단서)

1) 소멸할 권리가 제3자의 권리의 목적인 때

지상권이 저당권의 목적인 때 지상권자가 토지소유권을 양수하더라도 지상권은 소멸하지 않는다.

2) 본인의 이익을 위하여 필요한 경우

① 통설과 판례는 명문의 규정은 없지만 제191조 제1항 단서를 유추하여 본인의 이익을 위해 필요한 경우에도 혼동으로 물권은 소멸하지 않는다고 본다.

② 어떠한 물건에 대한 소유권과 다른 물권이 동일한 사람에게 귀속한 경우 그 제한물권은 혼동에 의하여 소멸하는 것이 원칙이지만, '본인' 또는 제3자의 이익을 위하여 그 제한물권을 존속시킬 필요가 있다고 인정되는 경우에는 민법 제191조 제1항 단서의 해석에 의하여 혼동으로 소멸하지 않는다(대판 1998.7.10, 98다18643).

③ 판례는 부동산에 대한 소유권과 임차권이 동일인에게 귀속하게 되는 경우 임차권은 혼동에 의하여 소멸하는 것이 원칙이지만, 그 임차권이 대항요건을 갖추고 있고 또한 그 대항요건을 갖춘 후에 저당권이 설정된 때에는 혼동으로 인한 물권소멸 원칙의 예외 규정인 민법 제191조 제1항 단서를 준용하여 임차권은 소멸하지 않는다고 하였다(대판 2001.5.15, 2000다12693).

3) 1번, 2번 저당권이 존재하는 경우

① 채권의 혼동이 있는 경우에는 후순위자의 순위 승진을 저지시키지 못한다. 즉, 채무자 소유의 부동산에 1번, 2번 저당권자가 존재하고 1번 저당권자가 채무자 소유의 부동산을 상속한 경우 채권, 채무의 혼동으로 1번 저당권이 말소등기 없이 소멸하고 2번 저당권은 순위 승진된다(제369조, 제507조 참조).

② 그러나, 물상보증인 소유의 1, 2번 저당권자가 존재하고 1번 저당권자가 물상보증인 소유의 부동산을 상속한 경우 물상보증인은 채무 없이 책임만을 지는 자이므로 채권·채무의 혼동은 없으며, 저당권자가 부동산소유권을 취득하였으므로 저당권은 소멸해야 하나, 후순위자의 순위승진을 저지해야 하므로 저당권은 혼동으로 소멸하지 않는다.

3. 제한물권과 그 제한물권을 목적으로 하는 다른 권리(제한물권)와의 혼동

그 제한물권을 목적으로 하는 다른 권리가 소멸함이 원칙이다. 지상권 위에 저당권을 가지는 자가 지상권을 취득한 경우 그 저당권은 혼동으로 소멸한다. 다만 제3자의 이익을 위하여 필요한 경우, 즉 그 물권이 제3자의 권리목적인 경우에는 그러하지 아니하다. 가령 甲이 乙 소유의 토지 위에 지상권을 가지고 있고 그 지상권이 丙의 저당권의 목적인 때에는 甲이 토지소유권을 취득하더라도 甲의 지상권은 소멸하지 않는다.

4. 효과

혼동에 의해 물권은 절대적으로 소멸하므로 그 후 어떤 이유로 혼동 전의 상태로 복귀하더라도 일단 소멸한 물권은 부활하지 않는다. 그러나 혼동의 원인행위가 부존재하거나 무효 또는 취소 등으로 효력이 없으면 혼동으로 소멸한 권리는 당연히 부활한다.

혼동으로 인해 소멸한 권리의 부활 ★

저당권자가 담보부동산의 소유권을 취득하게 되면 근저당권은 혼동에 의해 소멸하지만, 그 소유권취득이 원인무효로 인하여 무효가 되면 소멸한 근저당권은 당연히 부활한다(대판 1971.8.31, 71다1386).

chapter

03 점유권

제1절 총설

1. 점유제도

점유제도는 사실적 지배상태를 법적으로 보호하기 위하여 물건을 사실상 지배하고 있는 경우에, 본권이 있는지 여부 및 그 원인이 무엇인지를 불문하고 사실상의 지배상태에 대해 일정한 법적효과를 부여하는 제도이다. 가령 甲이 乙의 집에서 훔친 노트북 컴퓨터를 쓰고 있던 중 수개월이 지난 후 丙이 그 노트북 컴퓨터를 다시 훔쳐갔다면, 甲은 소유자는 아니지만 점유 자체에 기하여 그 반환을 청구할 수 있다(제204조). 즉 사실상 지배인 점유로부터 발생되는 점유권과 본권은 구별되고 분리되어 존재한다.

2. 점유규정의 개관

민법은 점유로부터 발생되는 효과로, ① 점유보호청구권(제204조 내지 제206조), ② 선의점유자의 과실수취권(제201조), ③ 비용상환청구권(제203조), ④ 권리의 적법추정(제200조), ⑤ 선의취득(제249조), ⑥ 물권의 공시(제188조) 등을 규정하고 있다.

제2절 점유

Ⅰ. 점유의 개념

점유란 물건이 사회관념상 그 사람의 사실적 지배범위 내에 속한다고 여겨지는 객관적인 상태에 있는 것을 말한다. 이러한 점유가 인정되기 위한 기준으로는 다음과 같은 것이 문제된다.

1. 사실적 지배

1) 사실적 지배란 사회관념상 물건이 어떤 사람의 지배 아래에 있다고 인정되는 객관적 관계를 말한다. 사실상 지배가 성립하기 위해서는 공간적 지배관계(물리적 지배가능성, 외부로부터의 인식가능성, 타인지배의 배제가능성)와 시간적 지배관계(사실적 지배관계의 계속성)가 필요하다.

물건에 대한 점유의 의미와 판단 기준

물건에 대한 점유란 사회관념상 어떤 사람의 사실적 지배에 있다고 보이는 객관적 상태를 말하는 것으로서 사실적 지배가 있다고 하기 위해서는 반드시 물건을 물리적·현실적으로 지배해야만 하는 것은 아니고 물건과 사람과의 시간적·공간적 관계와 본권 관계, 타인지배의 가능성 등을 고려하여 사회관념에 따라 합목적적으로 판단하여야 한다(대판 2012.9.27, 2011다76747, 대판 2022.2.10, 2018다298799).

물건에 대한 점유의 판단 기준과 대지의 소유자로 등기한 사실이 인정되는 경우 점유사실의 인정 여부(원칙적 적극) **및 소유권보존등기의 경우에도 마찬가지인지 여부**(소극) ★

물건에 대한 점유란 사회관념상 어떤 사람의 사실적 지배 아래에 있는 객관적 상태를 말하는 것으로서, 사실적 지배가 있다고 하기 위해서는 반드시 물건을 물리적, 현실적으로 지배하는 것만을 의미하는 것이 아니고, 물건과 사람과의 시간적, 공간적 관계와 본권 관계, 타인지배의 배제 가능성 등을 고려하여 사회관념에 따라 합목적적으로 판단하여야 한다. 특히 임야에 대한 점유의 이전이나 점유의 계속은 반드시 물리적이고 현실적인 지배를 요한다고 볼 것은 아니고, 관리나 이용의 이전이 있으면 인도가 있었다고 보아야 하고, 임야에 대한 소유권을 양도하는 경우라면 그에 대한 지배권도 넘겨지는 것이 거래에서 통상적인 형태라고 할 것이다. 또한 대지의 소유자로 등기한 자는 보통의 경우 등기할 때에 대지를 인도받아 점유를 얻은 것으로 보아야 하므로 등기사실을 인정하면서 특별한 사정의 설시 없이 점유사실을 인정할 수 없다고 판단해서는 아니 된다. 그러나 이는 임야나 대지 등이 매매 등을 원인으로 양도되고 이에 따라 소유권이전등기가 마쳐진 경우에 그렇다는 것이지, 소유권보존등기의 경우에도 마찬가지라고 볼 수는 없다. 소유권보존등기는 이전등기와 달리 해당 토지의 양도를 전제로 하는 것이 아니어서, 보존등기를 마쳤다고 하여 일반적으로 등기명의자가 그 무렵 다른 사람으로부터 점유를 이전받는다고 볼 수는 없기 때문이다(대판 2013.7.11, 2012다201410).

2) 판례는 "① 사회통념상 건물은 그 부지를 떠나서는 존재할 수 없는 것이므로 건물의 부지가 된 토지는 그 건물의 소유자가 점유하는 것으로 볼 것이고, 이 경우 건물의 소유자가 현실적으로 건물이나 그 부지를 점거하고 있지 아니하고 있더라도 그 건물의 소유를 위하여 그 부지를 점유한다고 보아야 한다. ② 미등기건물을 양수하여 건물에 관한 사실상의 처분권을 보유하게 된 양수인은 건물부지 역시 아울러 점유하고 있다고 볼 수 있다. ③ 그러나 건물의 소유명의자가 아닌 자(예 건물임차인)로서는 실제로 그 건물을 점유하고 있다고 하더라도 그 건물의 부지를 점유하는 자로는 볼 수 없다"고 하였다(대판 2003.11.13, 2002다57935, 대판 2010.1.28, 2009다61193).

미등기건물을 양수하여 점유하는 등 건물에 관한 사실상의 처분권을 보유하는 자가 있는 경우, 건물에 관한 사실상 처분권을 보유하는 자도 토지소유자에 대하여 부당이득반환의무를 부담하는지 여부(적극), **사실상 건물의 처분권을 보유하는 자와 법률상 건물소유자의 부당이득반환의무의 관계**(=부진정연대채무) ★★★

① 사회통념상 건물은 그 부지를 떠나서는 존재할 수 없으므로 건물의 부지가 된 토지는 그 건물의 소유자가 점유하는 것으로 볼 것이고, 이 경우 건물의 소유자가 현실적으로 건물이나 그 부지를 점거하고 있지 아니하고 있더라도 건물의 소유를 위하여 그 부지를 점유한다고 보아야 한다(대판 2003.11.13, 2002다57935, 대판 2008.7.10, 2006다39157 등 참조). ② 타인 소유의 토지 위에 권원 없이 건물을 소유하는 자는 그 자체로써 건물 부지가 된 토지를 점유하고 있는 것이므로 특별한 사정이 없는 한 법률상 원인 없이 타인의 재산으로 인하여 토지의 차임에 상당하는 이익을 얻고 이로 인하여 타인에게 동액 상당의 손해를 주고 있다고 할 것이고(대판 1962.5.31, 62다80, 대판 2007.8.23, 2007다21856 · 21863 등 참조), 이는 건물 소유자가 미등기건물의 원시취득자이고 그 건물에 관하여 사실상의 처분권을 보유하게 된 양수인이 따로 존재하는 경우에도 다르지 아니하므로, 미등기건물의 원시취득자는 토지 소유자에 대하여 부당이득반환의무를 진다(대판 2011.7.14, 2009다76522 · 76539 참조). ③ 한편 미등기건물을 양수하여 건물에 관한 사실상의 처분권을 보유하게 됨으로써 그 양수인이 건물 부지 역시 아울러 점유하고 있다고 볼 수 있는 경우에는 미등기건물에 관한 사실상의 처분권자도 건물 부지의 점유 · 사용에 따른 부당이득반환의무를 부담한다. 이러한 경우 미등기건물의 원시취득자와 사실상의 처분권자가 토지 소유자에 대하여 부담하는 부당이득반환의무는 동일한 경제적 목적을 가진 채무로서 부진정연대채무 관계에 있다고 볼 것이다(대판 2022.9.29, 2018다243133 · 243140).

→ [사실관계 및 해설] : 원고가 자기 소유의 토지 위에 건축된 미등기건물을 전전매수하여 점유하고 있는 피고를 상대로 부당이득반환 등을 청구한 사안에서, 미등기건물을 양수하여 건물에 관한 사실상의 처분권을 보유하게 됨으로써 그 양수인이 건물 부지 역시 아울러 점유하고 있다고 볼 수 있는 경우에는 미등기건물에 관한 사실상의 처분권자도 건물 부지의 점유 · 사용에 따른 부당이득반환의무를 부담한다고 보아야 함에도, 피고가 단지 법률상의 소유자가 아니라는 이유로 원고에 대하여 이 사건 토지 일부의 점유 · 사용에 따른 부당이득반환의무가 없다고 판단한 원심판결을 파기환송한 사례이다.

2. 점유설정의사

점유가 성립하기 위하여 점유의사는 필요 없지만, 적어도 물건의 사실적 지배관계를 가지려는 의사, 즉 점유설정의사는 필요하다는 것이 통설이다.

3. 본권과의 관계

점유권은 사실상의 지배에 의하여 성립하는 권리로서, 점유를 법적으로 정당화할 수 있는 본권이 있는지 여부는 불문하고 성립한다.

Ⅱ. 점유의 관념화

점유는 원칙적으로 물건에 대한 사실상의 지배에 의해 성립하지만, 예외적으로 사실상의 지배를 함에도 불구하고 점유가 성립하지 않는 경우(예 점유보조자)가 있는가 하면, 반대로 사실상의 지배를 하지 않음에도 점유가 성립하는 경우(예 간접점유, 상속인의 점유)가 있다. 이를 점유의 관념화(규범화)라고 한다.

1. 점유보조자

> 제195조【점유보조자】
> 가사상, 영업상, 기타 유사한 관계에 의하여 타인의 지시를 받아 물건에 대한 사실상의 지배를 하는 때에는 그 타인만을 점유자로 한다.

(1) 의의

점유보조자란 타인의 지시를 받아 물건에 대한 사실상 지배는 하고 있지만 점유권을 취득하지 못하는 자를 말한다. 이 경우 점유주만이 점유권자로 된다. 점유보조자에게 점유를 인정하지 않는 이유는 그를 점유자로서 보호하여야 할 필요성이 없을 뿐만 아니라 그를 보호할 경우에는 그가 점유주에 대해 점유권을 행사하는 등의 문제가 생길 수 있기 때문이다.

(2) 요건

① 어떤 자(점유보조자)가 타인(점유자)을 위해 물건을 사실상 지배하고 있을 것, ② 점유자의 지시에 따라야 하는 명령・복종의 관계(점유보조관계)가 있을 것을 요한다. 예 가사상・영업상 기타 유사한 관계를 들 수 있다.[42)]

(3) 효과

1) 점유보조자의 지위

① 점유보조자는 점유자가 아니므로, 점유권의 주체가 될 수 없다. 따라서 점유보호청구권을 행사할 수 없으며, 물권적 청구권 행사의 상대방이 될 수도 없다.

② 그러나 점유보조자는 점유주를 위해 자력구제권만은 행사할 수 있다(통설).

2) 점유행위의 하자

점유보조자가 선의이고 점유주가 악의인 때는 점유주는 점유보조자의 선의를 원용할 수 없고, 점유보조자가 악의이면 점유보조자의 악의는 점유주의 불이익으로 돌아간다.

---

42) ① 자기 물건에 대한 점유보조자 – 점유보조관계는 물건에 대한 권리관계가 어떠한가를 묻지 않으므로, 자기물건에 대해서도 점유보조자가 될 수 있다. → 부모가 3세 된 어린 아들에게 장난감을 사준 경우 그 어린아이는 소유자인 동시에 부모의 지시를 받는 한도에서 점유보조자가 될 수 있다.

② 법률상 처(妻)가 점유보조자인지 여부 – 혼인의 남녀평등원칙상 부부 사이에는 종속관계가 있을 수 없으므로 처는 부(夫)의 점유보조자가 아니다. 처가 아무런 권원 없이 토지와 건물을 주택 및 축사 등으로 계속 점유・사용하여 오고 있으면서 소유자의 명도요구를 거부하고 있다면, 비록 그 시부모 및 부(夫)와 함께 이를 점유하고 있다고 하더라도 처는 소유자에 대한 관계에서 단순한 점유보조자에 불과한 것이 아니라 공동점유자로서 이를 불법점유하고 있다고 봄이 상당하다(대판 1998.6.26, 98다16456・16463).

③ 법인의 대표기관의 점유는 바로 법인의 점유가 되기 때문에 대표기관은 점유보조자가 아니다(통설).

3) 점유보조관계의 종료

점유보조자와 점유주 사이의 종속관계가 종료하면 점유보조관계도 종료한다. 이 경우 점유보조자의 의사만으로는 부족하고 외부에서 명백히 인식될 수 있을 정도로 표시가 필요하다.

2. 간접점유

제194조【간접점유】
지상권, 전세권, 질권, 사용대차, 임대차, 임치 기타의 관계로 타인으로 하여금 물건을 점유하게 한 자는 간접으로 점유권이 있다.
제207조【간접점유의 보호】
① 전3조의 청구권(=점유보호청구권)은 제194조의 규정에 의한 간접점유자도 이를 행사할 수 있다.
② 점유자가 점유의 침탈을 당한 경우에 간접점유자는 그 물건을 점유자에게 반환할 것을 청구할 수 있고 점유자가 그 물건의 반환을 받을 수 없거나 이를 원하지 아니하는 때에는 자기에게 반환할 것을 청구할 수 있다.

(1) 의의

어떤 자가 지상권, 전세권, 임대차 기타의 일정한 법률관계(점유매개관계)에 기하여 타인(점유매개자)에게 점유를 이전한 경우에 그 어떤 자에게 인정되는 점유를 말한다. 점유보조자는 사실상의 지배는 있지만 점유자로서 인정되지 않는다는 점에서, 사실상의 지배는 없지만 점유자로서 인정받는 간접점유자와 구별된다.

(2) 성립요건

① 점유매개자가 물건을 직접 점유하고 있어야 한다. 이 직접점유는 타주점유이다.
② 점유매개자와 간접점유자 사이에는 지상권 · 전세권 · 질권 · 사용대차 · 임대차 · 임치 등의 점유매개관계가 있어야 한다. 이러한 점유매개관계는 반드시 유효한 것일 필요는 없다.
③ 또한 점유매개관계는 중첩적이어도 상관없다.

간접점유에서 점유매개관계를 이루는 임대차계약 등이 종료된 이후에도 직접점유자가 목적물을 점유한 채 이를 반환하지 않고 있는 경우, 간접점유의 점유매개관계가 단절되는지 여부(소극) ★
민법상 간접점유를 인정하기 위해서는 간접점유자와 직접점유를 하는 자 사이에 일정한 법률관계, 즉 점유매개관계가 필요한데 간접점유에서 점유매개관계를 이루는 임대차계약 등이 해지 등의 사유로 종료되더라도 직접점유자가 목적물을 반환하기 전까지는 간접점유자의 직접점유자에 대한 반환청구권이 소멸하지 않는다. 따라서 점유매개관계를 이루는 임대차계약 등이 종료된 이후에도 직접점유자가 목적물을 점유한 채 이를 반환하지 않고 있는 경우에는, 간접점유자의 반환청구권이 소멸한 것이 아니므로 간접점유의 점유매개관계가 단절된다고 할 수 없다 (대판 2023.8.18, 2021다249810).

(3) 간접점유자의 지위

1) 대외관계

① 간접점유자도 점유권을 가지므로 점유에 관한 규정이 적용되며(제194조), 점유보호청구권이 인정된다. 이 경우 간접점유자는 그 물건을 점유자에게 반환할 것을 청구할 수 있고 점유자가 그 물건의 반환을 받을 수 없거나 이를 원하지 아니하는 때에는 자기에게 반환할 것을 청구할 수 있다(제207조). 다만, 자력구제권은 부정된다(통설).

② 간접점유자가 직접점유자에 의해 침해된 경우, 예 직접점유자가 임의로 점유를 제3자에게 처분한 경우(횡령)에는 간접점유자는 점유보호청구권을 행사할 수 없다(대판 1993.3.9, 92다5300).

2) 대내관계

① 간접점유자는 직접점유자에 대해 점유보호청구권이나 자력구제권을 행사할 수 없다. 다만 간접점유의 기초가 되는 법률관계, 즉 점유매개관계에 기한 청구권이나 본권에 기한 청구권은 행사할 수 있다.

② 이에 반해 직접점유자는 간접점유자에 대하여 점유보호청구권과 자력구제권을 행사할 수 있다.

3. 상속으로 인한 점유권의 이전

> **제193조【상속으로 인한 점유권의 이전】**
> 점유권은 상속인에 이전한다.

(1) 의의

피상속인의 사망으로 상속이 개시되면 상속인이 사실상 지배를 하지 않더라도 피상속인의 점유는 당연히 상속인의 점유로 이전되며, 이 경우 상속인이 상속의 사실을 몰라도 상관없다.

(2) 효과

1) 점유의 성질

상속인의 점유는 피상속인의 점유와 내용상 동일한 점유로서, 피상속인의 점유의 성질과 하자를 그대로 승계한다.

2) 점유의 분리·병합의 인정 여부

판례는 상속에 의해 점유권을 취득한 경우 상속인이 새로운 권원에 의하여 자기 고유의 점유를 시작하지 않는 한 피상속인의 점유를 떠나 자기만의 점유를 주장할 수 없다고 한다(대판 2004.9.24, 2004다27273).

3) 상속 자체가 새로운 권원이 될 수 있는지 여부

상속인은 새로운 권원(예 증여 · 매매 · 교환 등)에 의하여 자기 고유의 점유를 개시하지 않는 한, 피상속인의 점유를 떠나 자기만의 점유를 주장할 수 없다. 따라서 선대의 점유가 타주점유인 경우 선대로부터 상속에 의하여 점유를 승계한 자의 점유도 상속전과 그 성질 내지 태양을 달리하는 것이 아니어서, 특단의 사정이 없는 한 그 점유가 자주점유로는 될 수 없고 그 점유가 자주점유로 되기 위하여서는 점유자가 점유를 시킨 자에게 소유의 의사가 있는 것을 표시하거나 또는 새로운 권원에 의하여 다시 소유의 의사로써 점유를 시작하여야 한다(대판 1987.2.10, 86다카550).

Ⅲ. 점유의 태양

> 제197조 【점유의 태양】
> ① 점유자는 소유의 의사로 선의, 평온 및 공연하게 점유한 것으로 추정한다.
> ② 선의의 점유자라도 본권에 관한 소에 패소한 때에는 그 소가 제기된 때로부터 악의의 점유자로 본다.

1. 자주점유와 타주점유

(1) 의의와 기준시기

1) 의의

자주점유는 소유자와 동일한 배타적 지배를 하려는 의사(소유의 의사)를 가지고 하는 점유를 의미하는 것이지, 법률상 그러한 지배를 할 수 있는 권한, 즉 소유권을 가지고 있거나 또는 소유권이 있다고 믿고서 하는 점유를 의미하는 것은 아니다(대판 1987.4.14, 85다카2230). 이에 반하여 타주점유란 자주점유 이외의 점유를 말한다.

2) 기준시기

소유의 의사는 점유개시 당시 존재하여야 하고, 나중에 매도인에게 처분권이 없음을 알았더라도 자주점유의 성질이 변하지 않는다(대판 1996.5.28, 95다40328).

> **부동산 매수인의 점유 개시 후 그 매매가 무효임이 밝혀진 경우, 그 점유의 성질이 타주점유로 변하는지 여부**(소극)
> 부동산을 매수하여 이를 점유하게 된 자는 그 매매가 무효가 된다는 사정이 있음을 알았다는 등의 특단의 사정이 없는 한 그 점유의 시초에 소유의 의사로 점유한 것이며, 나중에 매도자에게 처분권이 없었다는 등의 사유로 그 매매가 무효인 것이 밝혀졌다 하더라도 그와 같은 점유의 성질이 변하는 것은 아니다(대판 1996.5.28, 95다40328).

(2) 구별기준

소유의 의사의 유무는 점유취득의 원인이 된 사실, 즉 권원의 성질에 의하여 객관적으로 정해진다. 따라서 매수인 · 도인(盜人) 등은 자주점유자이고, 지상권자, 전세권자, 임차인, 수치인, 질권자 등은 타주점유자이다. 판례는 점유의 권원에 의하여 소유의 의사 없음이 명백한 점유까지 자주점유로 추정되는 것은 아니라고 하여 객관설을 따른다(대판 1980.10.27, 80다1969).

자주점유와 타주점유의 구별기준 및 추정의 번복사유 ★★★
점유자의 점유가 소유의 의사 있는 자주점유인지 아니면 소유의 의사 없는 타주점유인지의 여부는 점유자의 내심의 의사에 의하여 결정되는 것이 아니라 점유 취득의 원인이 된 권원의 성질이나 점유와 관계가 있는 모든 사정에 의하여 외형적 · 객관적으로 결정되어야 하는 것이기 때문에 점유자가 성질상 소유의 의사가 없는 것으로 보이는 권원에 바탕을 두고 점유를 취득한 사실이 증명되었거나, 점유자가 타인의 소유권을 배제하여 자기의 소유물처럼 배타적 지배를 행사하는 의사를 가지고 점유하는 것으로 볼 수 없는 객관적 사정, 즉 점유자가 진정한 소유자라면 통상 취하지 아니할 태도를 나타내거나 소유자라면 당연히 취했을 것으로 보이는 행동을 취하지 아니한 경우 등 외형적 · 객관적으로 보아 점유자가 타인의 소유권을 배척하고 점유할 의사를 갖고 있지 아니하였던 것이라고 볼 만한 사정이 증명된 경우에도 그 추정은 깨어진다(대판(전) 1997.8.21, 95다28625).

(3) 권원이 불명일 때 자주점유로 추정(제197조 제1항)

점유권원의 성질이 분명하지 아니한 경우에 점유자는 소유자의 의사로 점유한 것으로 추정된다(제197조 제1항). 따라서 점유자가 취득시효를 주장하는 경우에 있어서 스스로 소유의 의사를 입증할 책임은 없고, 오히려 그 점유자의 점유가 소유의 의사가 없는 점유임을 주장하여 점유자의 취득시효의 성립을 부정하는 자에게 그 입증책임이 있다(대판(전) 1983.7.12, 82다708 · 709).

(4) 추정의 번복 ★★★

자주점유의 추정과 그 번복(복멸)

[1] 판례는 ① 점유자가 스스로 매매 등과 같은 자주점유의 권원을 주장한 경우 이것이 인정되지 않는다는 이유만으로 자주점유의 추정이 번복된다거나 또는 점유권원의 성질상 타주점유로 볼 수는 없고(대판(전) 1983.7.12, 82다708 · 709; 대판 2003.8.22, 2001다23225 · 23232), ② 외형적 · 객관적으로 보아 점유자가 타인의 소유권을 배척하고 점유할 의사를 갖고 있지 아니하였던 것이라고 볼 만한 사정이 증명된 경우에 그 추정은 깨어진다고 하였다(대판 1998.2.13, 97다35603).

[2] 또한 점유자가 점유개시 당시에 소유권취득의 원인이 될 수 있는 법률행위 기타 법률요건이 없이 그와 같은 법률요건이 없다는 사실을 잘 알면서 타인 소유의 부동산을 무단점유(≒ 악의의 무단점유)한 것임이 입증된 경우 소유의 의사가 있는 점유라는 추정은 깨어진다(대판(전) 1997.8.21, 95다28625; 대판 2003.8.22, 2001다23225 · 23232; 대판 2022.5.12, 2019다249428).

[3] 계약명의신탁에서 명의신탁자는 부동산의 소유자가 명의신탁약정을 알았는지 여부와 관계없이 부동산의 소유권을 갖지 못할 뿐만 아니라 매매계약의 당사자도 아니어서 소유자를 상대로 소유권이전등기청구를 할 수 없고, 이는 명의신탁자도 잘 알고 있다고 보아야 한다. 명의신탁자가 명의신탁약정에 따라 부동산을 점유한다면

명의신탁자에게 점유할 다른 권원이 인정되는 등의 특별한 사정이 없는 한 명의신탁자는 소유권 취득의 원인이 되는 법률요건이 없이 그와 같은 사실을 잘 알면서 타인의 부동산을 점유한 것이다. 이러한 명의신탁자는 타인의 소유권을 배척하고 점유할 의사를 가지지 않았다고 할 것이므로 소유의 의사로 점유한다는 추정은 깨어진다(대판 2022.5.12, 2019다249428).

[4] 외형적・객관적으로 보아 소유의사가 부정되는 경우로서, 판례는 "점유자가 담당공무원의 조사에 응하여 국유토지를 점유 중임을 인정하고 매수의사를 명백히 표시하였으며(주 시효완성 전 명백한 매수의 의사표시가 있는 경우), 그 이후 국유재산매수신청서를 제출하고 구청장의 변상금부과처분에 대하여 감액 등만을 주장할 뿐 그 처분 자체를 다투지 아니하고 점유토지의 매수의사를 적극 표시하고 있는 점 등의 객관적인 사정에 비추어, 특별한 사정이 없는 한 그 점유자의 자주점유의 추정은 깨어진 것이다"라고 하였다(대판 1996.1.26, 95다28502).

[5] 국가나 지방자치단체가 취득시효의 완성을 주장하는 토지의 취득절차에 관한 서류를 제출하지 못하고 있다는 사정만으로 자주점유의 추정이 번복되는 것은 아니다(대판 2007.2.8, 2006다28065; 대판 2008.5.15, 2008다13432). 즉, 부동산의 점유권원의 성질이 분명하지 않을 때에는 민법 제197조 제1항에 의하여 점유자는 소유의 의사로 선의, 평온 및 공연하게 점유한 것으로 추정되고, 이러한 추정은 지적공부 등의 관리주체인 국가나 지방자치단체가 점유하는 경우에도 마찬가지이다. 그리고 점유자가 점유 개시 당시에 소유권 취득의 원인이 될 수 있는 법률행위 기타 법률요건이 없이 그와 같은 법률요건이 없다는 사실을 잘 알면서 타인 소유의 부동산을 무단점유한 것임이 증명된 경우에는, 특별한 사정이 없는 한 점유자는 타인의 소유권을 배척하고 점유할 의사를 갖고 있지 않다고 보아야 할 것이므로 이로써 소유의 의사가 있는 점유라는 추정은 깨어진다고 할 것이다. 다만 국가나 지방자치단체 또는 공공 기관이 점유하는 토지에 관하여 취득시효의 완성이 주장되는 경우에 국가 등이 그 토지의 취득절차에 관한 서류를 제출하지 못하고 있다 하더라도, 그 점유의 경위와 용도 등을 감안할 때 국가 등이 점유개시 당시 공공용 재산의 취득절차를 거쳐서 소유권을 적법하게 취득하였을 가능성도 배제할 수 없다고 보이는 경우에는 국가 등이 소유권취득의 법률요건이 없이 그러한 사정을 잘 알면서 무단점유한 것이 증명되었다고 보기는 어렵다 할 것이므로(무단점유로 인정할 것이 아님), 그러한 경우에는 자주점유의 추정이 깨어진다고 할 수 없다(대판 2016.4.15, 2015다230372; 대판 2021.2.4, 2019다297663, 대판 2021.8.12, 2021다230991).[43]

[6] 점유의 승계가 있는 경우 전 점유자의 점유가 타주점유라 하여도 점유자의 승계인이 자기의 점유만을 주장하는 경우에는 현 점유자의 점유는 자주점유로 추정된다(대판 2002.2.26, 99다72743).

[7] ① 공유부동산의 경우에 공유자 중의 1인이 공유지분권에 기초하여 부동산 전부를 점유하고 있다고 하여도 다른 특별한 사정이 없는 한 권원의 성질상 다른 공유자의 지분비율의 범위 내에서는 타주점유라고 할 것이다. ② 그렇지만 이와 달리 구분소유적 공유관계에서 어느 특정된 부분만을 소유・점유하고 있는 공유자가 매매 등과 같이 종전의 공유지분권과는 별도의 자주점유가 가능한 권원에 의하여 다른 공유자가 소유・점유하는 특정된 부분을 취득하여 점유를 개시하였다고 주장하는 경우에는 타인 소유의 부동산을 매수・점유하였다고 주장하는 경우와 달리 볼 필요가 없으므로, 취득 권원이 인정되지 않는다고 하더라도 그 사유만으로 자주점유의 추정이 번복된다거나 점유권원의 성질상 타주점유라고 할 수 없고, 상대방에게 타주점유에 대하여 증명할 책임이 있다(대판 2013.3.28, 2012다68750).

43) 점유자가 점유 개시 당시에 소유권 취득의 원인이 될 수 있는 법률행위 기타 법률요건이 없이 그와 같은 법률요건이 없다는 사실을 잘 알면서 다른 사람 소유의 부동산을 무단으로 점유한 것이라면 특별한 사정이 없는 한 점유자는 타인의 소유권을 배척하고 점유할 의사를 갖고 있지 않다고 보아야 하고, 이로써 소유의 의사가 있는 점유라는 추정은 깨어진 것이다. 이러한 법리는 국가나 지방자치단체가 점유하는 경우에도 적용된다(대판 2017.9.7, 2017다228342).

(5) 자주점유 또는 타주점유로의 전환

1) 타주점유의 자주점유로의 전환

① 타주점유가 자주점유로 전환하기 위하여는 새로운 권원에 의하여 다시 소유의 의사로 점유하거나 자기에게 점유시킨 자에게 소유의 의사가 있음을 표시해야만 하는데(대판 1982.5.25, 81다195), 타주점유자가 점유지상에 자의로 건축하여 건축물관리대장에 등재한 사실, 자기명의로 또는 아들 명의로 점유부동산에 대해 소유권보존등기 또는 소유권이전등기를 마친 경우라도 그러한 사실만으로는 자주점유로 전환되지 않는다(대판 1994.4.29, 94다1449; 대판 1994.2.8, 92다47526 등). 실제 소송상 자주점유로의 전환이 인정된 예는 드물다.

> **구 귀속재산처리에 관한 특별조치법에 따라 1965.1.1.부터 국유재산이 된 경우, 이에 대한 점유가 그때부터 당연히 타주점유에서 자주점유로 전환되는지 여부**(소극)
>
> 구 귀속재산처리에 관한 특별조치법 제2조 제1호 및 부칙 제5조에 의하면 1964.12. 말일까지 매매계약이 체결되지 아니한 귀속재산은 무상으로 국유로 한다고 규정되어 있으므로 그날까지 매각되지 아니한 귀속재산은 1965.1.1.부터 국유재산이 되어 그 이후에는 소유의 의사로 이를 점유하는 것이 가능하나(대판 1997.3.28, 96다51875 참조), 그렇다고 이에 대한 점유가 그때부터 당연히 타주점유에서 자주점유로 전환되는 것은 아니고, 이 경우에도 소유의사의 유무는 점유취득의 원인이 된 권원의 성질이나 점유와 관계가 있는 모든 사정에 의하여 외형적・객관적으로 결정하여야 한다(대판 2015.1.15, 2012다36081).

② 피상속인이 타주점유인 경우 상속인이 새로운 권원에 의하거나 소유의 의사가 있음을 표시해야 자주점유로 전환된다(대판 1996.9.20, 96다25319).

2) 자주점유의 타주점유로의 전환

① 매매계약이 해제된 후 매수인의 점유는 해제일부터 타주점유로 된다(대판 1972.2.22, 71다2306).

② 토지의 점유자가 원고로서 그 토지에 대하여 매매를 원인으로 한 소유권이전등기청구소송을 제기하였다가 패소 확정된 경우라도 점유자의 점유가 타주점유로 전환되는 것은 아니다(대판 1997.12.12, 97다30288).

③ 토지의 점유자가 원고로서 소유자를 상대로 소유권이전등기말소청구의 소를 제기하였다가 패소하고 그 판결이 확정된 경우, 자주점유의 추정이 번복되어 타주점유로 전환되지 않는다(대판 1999.9.17, 98다63018).

④ 점유자가 피고로서 지상건물철거 및 토지인도청구 소송에서 패소했다 하더라도 타주점유로 전환되지 않는다. 즉 지상건물철거 및 토지인도청구권을 소송물로 하는 소송은 소유권 자체의 확정이 아니라 건물철거청구권 및 토지인도청구권의 존부만을 목적으로 할 따름이므로 그 소송에서 부동산 권리귀속에 관한 판단이 있더라도 그 기판력은 판결주문에 표시된 건물철거청구권 및 토지인도청구권에 국한되고 판결이유 중 부동산 권리귀속에 관한 판단부분에까지 미치지는 아니하며, 점유자는 선의로 점유한 것으로 추정되고 본권에 관한 소에서 패소한 때에 그 소가 제기된 때로부터 악의의 점유자로 볼 뿐이므로 지상건물철거 및 토지인도 청구 소송

에서 패소하더라도 그 점유가 개시된 때로 소급하여 타주점유로 전환되는 것은 아니다(대판 1989.4.25, 88다카3618).

⑤ 그러나 자주점유로 추정되던 자가 피고로서 소유권이전등기말소소송에서 패소확정되면 패소확정시부터 타주점유자가 되고(대판 2000.12.8, 2000다14934·14941), 그 소의 제기 시부터 악의의 점유자가 된다(대판 1996.10.11, 96다19857).

진정 소유자가 자신의 소유권을 주장하여 점유자를 상대로 소유권이전등기의 말소등기청구소송을 제기하여 점유자의 패소로 확정된 경우, 패소판결 확정 후부터는 점유자의 점유가 타주점유로 전환되는지 여부(적극) ★

진정 소유자가 자신의 소유권을 주장하며 점유자 명의의 소유권이전등기는 원인무효의 등기라 하여 점유자를 상대로 토지에 관한 점유자 명의의 소유권이전등기의 말소등기청구소송을 제기하여 그 소송사건이 점유자의 패소로 확정되었다면, ① 그 점유자는 민법 제197조 제2항의 규정에 의하여 그 소송의 제기 시부터는 토지에 대한 악의의 점유자로 간주되고, 또 ② 이러한 경우 토지점유자가 소유권이전등기 말소등기청구소송의 직접 당사자가 되어 소송을 수행하였고 결국 그 소송을 통해 대지의 정당한 소유자를 알게 되었으며, 나아가 패소판결의 확정으로 점유자로서는 토지에 관한 점유자 명의의 소유권이전등기에 관하여 정당한 소유자에 대하여 말소등기의무를 부담하게 되었음이 확정되었으므로, 단순한 악의점유의 상태와는 달리 객관적으로 그와 같은 의무를 부담하고 있는 점유자로 변한 것이어서 점유자의 토지에 대한 점유는 패소판결 확정 후부터는 타주점유로 전환되었다고 보아야 할 것이다(대판 2000.12.8, 2000다14934·14941).

⑥ 점유자가 취득시효기간 경과 후 매수의사를 표시한 것으로는 특별한 사정이 없는 한 타주점유로 되는 것은 아니다(대판(전) 1983.7.12, 82다708·709).

취득시효요건인 '자주점유' 인정 여부(판례)

판단 기준	[1] **원칙** – 객관적으로 점유의 원인이 된 점유권원의 성질에 의해 결정 [2] **점유권원의 성질이 분명하지 않은 때** – 제197조에 의해 자주점유로 추정된다(상대방이 타주점유임을 입증).
자주 점유 인정 예	[1] **매매를 원인으로 한 소유권이전등기청구소송에서 패소한 경우** ★★ – 점유자가 점유권원으로 매매 등을 주장하였으나 이것이 인정되지 않은 경우에도 타주점유라고 볼 수는 없다(대판(전) 1983.7.12, 82다708·709). [2] **소유권이전등기말소소송에서 패소한 경우** ★ – 토지의 점유자가 이전에 소유자를 상대로 그 토지에 관하여 소유권이전등기말소절차의 이행을 구하는 소를 제기하였다가 패소하고 그 판결이 확정되었다 하더라도, 그 소송은 점유자가 소유자를 상대로 소유권이전등기의 말소를 구하는 것이므로, 그 패소판결의 확정으로 점유자의 소유자에 대한 말소등기청구권이 부정될 뿐 그로써 점유자가 소유자에 대하여 어떠한 의무를 부담하게 되었다든가 그러한 의무가 확인되었다고 볼 수는 없고, 따라서 점유자가 그 소송에서 패소하고 그 판결이 확정되었다는 사정만으로는 토지 점유자의 자주점유의 추정이 번복되어 타주점유로 전환된다고 할 수 없다(대판 1999.9.17, 98다63018). [3] **오상권원** ★★ – 판례는 인접토지와 경계를 확인하지 않고 착오로 인접토지의 일부를 매수한

	토지의 일부로 알고 점유하여 온 경우 자주점유에 해당하며(대판 2007.6.14, 2006다84423), 단 매매대상 토지의 실제 면적이 공부상 면적을 상당히 초과하는 경우 그 초과부분에 대한 매수인의 점유는 타주점유라고 한다(대판 2000.4.25, 2000다348; 대판 2009.10.15, 2007다83632). [4] **기타** ★★★ – ① 매도인에게 처분권한이 없다는 것을 매수인이 알고서 매수하였다는 사정이 입증되지 않는 한 그 점유는 자주점유라고 본다(대판(전) 2000.3.16, 97다37661). ② 취득시효기간 완성 후에 점유자가 매수를 제의한 사실이 있다는 것만으로는 타주점유로 볼 수 없고 시효이익의 포기로도 볼 수 없다(대판(전) 1983.7.12, 82다708 · 709 등). ③ 민법 제197조 제1항이 규정하고 있는 점유자에게 추정되는 소유의 의사는 사실상 소유할 의사가 있는 것으로 충분한 것이지 반드시 등기를 수반하여야 하는 것은 아니므로 등기를 수반하지 아니한 점유임이 밝혀졌다고 하여 이 사실만 가지고 바로 점유권원의 성질상 소유의 의사가 결여된 타주점유라고 할 수 없다(대판(전) 2000.3.16, 97다37661). ④ 국가나 지방자치단체가 점유하는 경우에도 자주점유의 추정은 인정되는데, 임야에 대하여 소유권보존등기를 경료하고 점유를 개시한 지방자치단체가 점유권원을 주장 · 증명하지 못한다는 사정만으로 자주점유의 추정이 깨어지지 않는다(대판 2005.4.15, 2003다49627).
자주 점유 부정 예	[1] **악의의 무단점유** ★★★ – 현재의 판례는 자주점유로 추정되지 않는다고 본다(따라서 점유자 스스로 자주점유임을 입증하지 못하는 한 시효취득이 인정될 수 없다)(대판(전) 1997.8.21, 95다28625). ① 매매계약의 무효원인을 안 매수인, ② 학교법인의 기본재산을 처분함에 있어 주무장관의 허가 없음을 알고 있었던 경우가 이에 해당한다. [2] **상속에 의한 점유** ★★★ – 상속에 의하여 점유권을 취득한 경우에는 상속인이 새로운 권원에 의하여 자기 고유의 점유를 시작하지 않는 한 피상속인의 점유를 떠나 자기만의 점유를 주장할 수 없고, 선대의 점유가 타주점유인 경우 선대로부터 상속에 의하여 점유를 승계한 자의 점유도 그 성질 내지 태양을 달리하는 것이 아니어서 특단의 사정이 없는 한 그 점유가 자주점유로 될 수 없고, 그 점유가 자주점유가 되기 위하여는 점유자가 소유자에 대하여 소유의 의사가 있는 것을 표시하거나 새로운 권원에 의하여 다시 소유의 의사로써 점유를 시작하여야 한다(대판 2004.9.24, 2004다27273). [3] **무허가건물** – 국 · 공유토지상의 무허가건물이 전전매도되고 매수인이 그 토지가 국 · 공유임을 알고 있는 경우에는 특별한 사정이 없는 한 매수인은 그 건물의 부지에 대하여 점용권만을 매수하는 것으로 보아야 할 것이므로 이러한 경우 그 토지 점유는 소유자를 배제하여 자기의 소유물처럼 배타적 지배를 행사하려는 것이 아니고 권원의 성질상 타인 소유임을 용인한 타주점유로 봄이 상당하다(대판 1998.11.27, 97누2337). [4] **공유부동산** ★★ – 공유부동산은 공유자 한 사람이 전부를 점유하고 있다고 하여도, 다른 특별한 사정이 없는 한 권원의 성질상 다른 공유자의 지분비율의 범위 내에서는 타주점유이다(대판 1996.7.26, 95다51861; 대판 1995.1.12, 92다19884). [5] **기타** – ① 명의신탁의 수탁자는 점유권원의 성질상 타주점유이고(대판 1987.11.10, 85다카1644), ★★ ② 부동산할부매매의 경우 매수인이 나머지 매매대금을 납부하지 아니한 경우 매수인의 점유는 타주점유이며(대판 1995.12.22, 95다30062), ③ 부동산을 매도하여 인도의무를 지는 매도인의 점유는 타주점유이다(대판 2004.9.24, 2004다27273). ★★ ④ 타인의 토지 위에 분묘를 설치 · 소유하는 자는 다른 특별한 사정이 없는 한 그 분묘의 보존 · 관리에 필요한 범위 내에서만 타인의 토지를 점유하는 것이므로 점유의 성질상 소유의 의사가 추정되지 않는다(대판 1997.3.28, 97다3651 · 3668).

2. 선의점유와 악의점유

1) 선의점유는 점유할 수 있는 권리 즉 본권이 없음에도 불구하고 본권이 있다고 오신해서 하는 점유를 말한다. 반면 악의점유는 본권이 없음을 알면서 또는 본권의 유무에 관하여 의심을 품으면서 하는 점유이다.
2) 점유자가 선의인지 악의인지 분명하지 않은 때에는 점유자는 선의로 점유하는 것으로 추정된다(제197조 제1항).

점유가 권원 없는 것임이 밝혀진 경우, 바로 그동안의 점유에 대한 선의의 추정이 깨어지는지 여부(소극) 등 (대판 2019.1.31, 2017다216028·216035) ★

선의의 점유자는 점유물의 과실을 취득하고(민법 제201조 제1항), 악의의 점유자는 수취한 과실을 반환하여야 한다(민법 제201조 제2항). 점유자는 선의로 점유한 것으로 추정되고(민법 제197조 제1항), 권원 없는 점유였음이 밝혀졌다고 하여 바로 그동안의 점유에 대한 선의의 추정이 깨어졌다고 볼 것은 아니지만, 선의의 점유자라도 본권에 관한 소에서 패소한 때에는 그 소가 제기된 때부터 악의의 점유자로 본다(민법 제197조 제2항).

3) 본권에 관한 소에서 패소한 때에 그 소가 제기된 때로부터 악의의 점유자로 보지만, 점유개시 시에 소급하여 타주점유로 전환되는 것은 아니다(대판 1989.4.25, 88다카3618).
4) 선의의 점유자라도 본권에 관한 소에서 패소한 때에는 그 소가 제기된 때에 악의였던 것으로 간주된다(제197조 제2항). 따라서 소가 제기된 이후의 점유물의 사용이익은 부당이득이 된다(제201조 제1항, 제197조 제2항). 본권에 관한 소의 범위에 소유권에 기하여 점유물의 인도나 명도를 구하는 소송은 물론 부당점유자를 상대로 점유로 인한 부당이득의 반환을 구하는 소송도 포함된다는 것이 판례이다(대판 2002.11.22, 2001다6213).

본권에 관한 소와 선의·악의 점유

[1] 민법 제201조 제1항에 의하면, 선의의 점유자는 점유물의 과실을 취득한다고 규정되어 있고, 민법 제197조 제1항에 의하면, 점유는 선의인 것으로 추정되도록 규정되어 있으나, 같은 조 제2항에는 선의의 점유자라도 본권에 관한 소에 패소한 때에는 그 소가 제기된 때로부터 악의의 점유자로 본다고 규정되어 있는바, 위 민법 제197조 제2항의 취지와 부당이득반환에 관한 민법 제749조 제2항의 취지 등에 비추어 볼 때, 여기서의 본권에 관한 소에는 소유권에 기하여 점유물의 인도나 명도를 구하는 소송은 물론 부당점유자를 상대로 점유로 인한 부당이득의 반환을 구하는 소송도 포함된다.

[2] 원고가 소유권에 기하여 피고를 상대로 부동산의 불법점유를 이유로 한 부동산반환청구 및 점유기간 동안의 부당이득반환청구를 한 경우, 부당이득반환청구에 민법 제201조 제1항, 제197조 제1항을 적용함에 있어서는 소유권에 기한 부동산반환청구가 변론종결 전에 소유권이 상실되었음을 이유로 배척된다고 하더라도, 법원으로서는 소유권 상실 이전 기간의 부당이득반환청구와 관련하여 원고의 소유권의 존부와 피고의 점유 권원의 유무 등을 가려서 그 청구의 당부를 판단하고, 원고의 부당이득 주장이 이유 있는 것으로 판단된다면 민법 제201조 제1항, 제197조 제1항에도 불구하고 적어도 그 소제기일부터는 피고의 점유를 악의로 의제하여 피고에 대하여 부당이득의 반환을 명하여야 한다(대판 2002.11.22, 2001다6213).

3. 과실 있는 점유와 과실 없는 점유

1) 민법상 무과실의 추정규정은 없다. 이에 판례는 무과실은 추정되지 않으므로 선의취득자가 자신의 무과실을 주장·입증해야 한다고 본다. 따라서 등기부취득시효에서 점유개시의 무과실에 대한 입증책임은 점유자에게 있는 것이 원칙이다(대판 1992.11.13, 92다30245).
2) 부동산 매매에 있어 매도인이 등기부상 소유명의자가 아닌데도 매수인이 소유명의자에 대하여 확인하거나 매도인에게 처분권한이 있는지 여부를 확인하지 아니한 경우 점유개시의 과실이 있고, 매수부동산의 점유취득 당시 과실이 있었으나 그 후 매도인이 등기명의를 취득한 경우라도 무과실로 전환되지 않는다(대판 1992.11.13, 92다30245).

4. 평온·공연한 점유

강폭행위에 의하지 않은 점유가 평온한 점유이고, 남몰래 하지 않은 점유가 공연한 점유이다. 이는 취득시효(제245조 이하)·선의취득(제249조)의 요건이 되며, 점유의 평온·공연성은 추정된다(제197조 제1항). 따라서 시효취득을 부정하는 피고가 항변으로 강폭·은비의 점유임을 증명해야 한다(대판 1986.2.25, 85다카1891). 이 경우 그 점유가 불법이라고 주장하는 자로부터 이의를 받은 사실이 있거나 점유물의 소유권을 위하여 당사자 사이에 분쟁이 있었다 하더라도 그러한 사실만으로 곧 점유의 평온·공연성이 상실되지는 않는다(대판(전) 1982.9.28, 81사9).

5. 점유계속의 추정

> 제198조【점유계속의 추정】
> 전후 양시에 점유한 사실이 있는 때에는 그 점유는 계속한 것으로 추정한다.

민법 제198조에 의해 전후 양시에 점유한 사실이 있는 때에는 그 점유는 계속된 것으로 법률상 추정되므로, 그 사이 점유가 중단되었다는 사실은 피고가 주장·입증책임을 지는 항변사유로 된다. 취득시효 완성 전에 등기부상 소유명의가 변경되었다 하더라도 점유상태의 계속이 파괴되었다고는 볼 수 없으며(대판 1997.4.25, 97다6186), 또 취득시효기간이 만료되면 일단 점유자는 점유토지에 관한 소유권이전등기청구권을 취득하는 것이므로, 원고가 취득시효기간 만료 후 점유를 상실하였다는 주장은 유효한 항변사유가 되지 못한다(대판(전) 1995.3.28, 93다47745).

제3절 점유권

Ⅰ. 서설

민법은 점유라는 사실적 지배를 법률요건으로 하여 점유권이 발생하고, 이러한 점유권에서 점유에 대한 여러 가지의 효과가 파생되어 나오는 것으로 구성하고 있다.

Ⅱ. 점유권의 취득 및 소멸

제192조【점유권의 취득과 소멸】
① 물건을 사실상 지배하는 자는 점유권이 있다.
② 점유자가 물건에 대한 사실상의 지배를 상실한 때에는 점유권이 소멸한다. 그러나 제204조의 규정에 의하여 점유를 회수한 때에는 그러하지 아니하다.
제196조【점유권의 양도】
① 점유권의 양도는 점유물의 인도로 그 효력이 생긴다.
② 전항의 점유권의 양도에는 제188조 제2항, 제189조, 제190조의 규정을 준용한다.
제199조【점유의 승계의 주장과 그 효과】
① 점유자의 승계인은 자기의 점유만을 주장하거나 자기의 점유와 전점유자의 점유를 아울러 주장할 수 있다.
② 전점유자의 점유를 아울러 주장하는 경우에는 그 하자도 승계한다.

1. 점유권의 취득 · 소멸

(1) 직접점유의 취득 · 소멸

물건에 대한 사실상 지배가 성립하면 점유권을 당연히 원시적으로 취득한다. 또한 점유권의 이전으로 점유권을 승계취득할 수 있다. 승계취득으로는 특정승계와 포괄승계(상속에 의한 점유권 취득)의 두 가지가 있다. 직접점유는 점유물에 대한 사실상의 지배를 상실함으로써 소멸한다.

(2) 간접점유의 취득 · 소멸

간접점유의 취득에는 점유매개관계를 통해 직접점유자가 간접점유자로 되는 방법 또는 점유개정에 의한 방법 등이 있다. 간접점유는 직접점유자가 점유를 상실한 경우 직접점유자가 더 이상 점유매개자로서의 역할을 하지 않는 경우(예 횡령, 절도 등의 배신행위)에 소멸된다.

2. 점유권의 승계

(1) 점유의 분리 · 병합

1) 점유의 승계가 있는 경우 승계인은 자기의 점유만을 주장하거나 자기의 점유와 전점유자의 점유를 아울러 주장할 수 있는데, 자기의 점유와 전점유자의 점유를 주장하는 경우 그 하자까

지도 승계한다(제199조 제1항, 제2항). 그러나 점유의 법률효과(예 시효취득완성)까지 승계하는 것은 아니다(대판(전) 1995.3.28, 93다47745).

2) 즉 전점유자의 점유는 악의의 15년, 자기의 점유는 선의의 5년의 점유인 때 자기만의 선의의 점유 5년뿐만 아니라 20년의 악의의 점유를 주장할 수도 있다.

3) 점유의 승계가 있는 경우 전 점유자의 점유가 타주점유라 하여도 점유자의 승계인이 자기의 점유만을 주장하는 경우에는 현 점유자의 점유는 자주점유로 추정된다(대판 2002.2.26, 99다72743).

(2) 상속의 경우

위와 같은 점유의 분리·병합은 포괄승계 특히 상속의 경우에는 적용될 수 없다. 즉, 상속점유는 피상속인의 점유의 성질과 하자를 떠난 새로운 점유를 주장할 수 없으며, 다만 상속인이 새로운 권원에 의하여 자기 고유의 점유를 시작한 경우에만 자기의 점유를 분리주장할 수 있다(대판 1997.12.12, 97다40100).

Ⅲ. 점유권의 효력

1. 점유의 권리추정력

> 제200조【권리의 적법의 추정】
> 점유자가 점유물에 대하여 행사하는 권리는 적법하게 보유한 것으로 추정한다.

(1) 의의 및 성질

점유자가 점유물에 대하여 행사하는 권리는 적법하게 보유한 것으로 추정한다. 점유의 추정력은 법률상 권리추정이므로 입증책임이 상대방에게 전환된다.

(2) 효과

1) 점유자란 간접점유자를 포함하고, 점유물에 대하여 행사하는 권리에는 소유권 등과 같은 물권뿐만 아니라 임차권과 같은 채권도 포함된다.

2) 부동산물권에도 제200조가 적용되는가와 관련하여 판례는 제200조는 동산에만 적용되는 조항이라고 이해하면서 부동산은 등기유무(기등기부동산, 미등기부동산)를 불문하고 제200조가 적용되지 않으므로 점유의 추정력을 인정할 수 없다고 한다(대판 1976.9.28, 76다431).

3) 점유의 권리추정력은 점유자뿐 아니라 제3자도 이를 원용할 수 있고, 점유의 권리추정력은 점유자의 이익뿐만 아니라 불이익을 위해서도 인정된다(예 소유자로 추정되어 납세의무 등의 부담을 위해서도 인정).

2. 점유자와 회복자의 관계

제201조 내지 제203조는 소유자와 물건의 반환의무를 부담하는 점유자, 즉 불법점유자 혹은 무단점유자 사이의 이해조정에 관한 법률관계를 규율하고 있다. 즉 제213조에 기한 소유물반환관계가 존재하는 경우를 전제로 하여 소유자와 점유자의 권리를 정하고 있다(민법주해 Ⅳ).

(1) 과실의 취득 및 반환

> **제201조【점유자와 과실】**
> ① 선의의 점유자는 점유물의 과실을 취득한다. → 여기서의 과실은 사용이익을 포함한다(판례).
> ② 악의의 점유자는 수취한 과실을 반환하여야 하며 소비하였거나 과실로 인하여 훼손 또는 수취하지 못한 경우에는 그 과실의 대가를 보상하여야 한다.
> ③ 전항의 규정은 폭력 또는 은비에 의한 점유자에 준용한다.

1) 선의 점유자의 과실취득권

가) 의의

선의의 점유자는 점유물의 과실을 취득할 권리가 있다(제201조 제1항). 즉 점유할 권리가 없이 타인의 물건을 점유한 자는 원칙적으로 과실을 취득할 수 없는 것인데, 본조는 선의의 점유자에게도 수취한 과실을 반환케 함은 그에게 가혹하다는 점에서 예외적으로 선의의 점유자에 한해서는 과실을 취득할 권리가 있음을 정하고 있다.

나) 요건

① 선의란 과실수취권을 가지는 본권이 있다고 오신하는 것을 의미하므로 오신유치권자, 오신질권자에게는 선의점유자의 과실수취권이 인정되지 않는다. 나아가 ② 그와 같이 오신함에는 오신할 만한 정당한 근거가 있어야 한다는 것이 판례이다(대판 2000.3.10, 99다63350). 또한 ③ 위 점유는 자주·타주점유를 불문한다.

다) 효과

① 선의의 점유자는 점유물의 과실을 취득하는데, 여기의 과실은 천연과실과 법정과실을 포함하고, 물건을 현실적으로 사용하여 얻는 이익인 사용이익도 과실에 준하는 것으로 취급된다(대판 1996.1.26, 95다44290).

② 이미 소비한 과실은 반환의무를 면하고 아직 소비하지 않은 과실도 취득할 수 있다(대판 1996.1.26, 95다44290).

③ 과실을 취득할 수 있는 범위 내에서 부당이득은 성립하지 않는다. 판례도 선의의 점유자는 점유물로부터 생기는 과실을 취득할 수 있으므로 비록 선의의 점유자가 과실을 취득함으로 인하여 타인에게 손해를 입혔다 할지라도 그 과실취득으로 인한 이득을 그 타인에게 반환할 의무는 없다고 한다(대판 1978.5.23, 77다2169).

④ 그러나 선의의 점유자가 과실을 취득한 경우에도 불법행위로 인한 손해배상책임은 발생할 수 있다(대판 1966.7.19, 66다994).

> **선의의 점유자의 과실 취득권과 불법행위로 인한 손해배상책임과의 관계**
> 피고가 본건 토지의 선의의 점유자로 그 과실을 취득할 권리가 있어 경작한 농작물의 소유권을 취득할 수 있다 하더라도, 법령의 부지로 상속인이 될 수 없는 사람을 상속인이라고 생각하여 본건 토지를 점유하였다면 피고에게 과실이 있다고 아니할 수 없고, 따라서 피고의 본건 토지의 점유는 진정한 소유자에 대하여 불법행위를 구성하는 것이라 아니할 수 없는 것이고, 피고에게는 그 불법행위로 인한 손해배상의 책임이 있는 것이며 선의의 점유자도 과실취득권이 있다 하여 불법행위로 인한 손해배상책임이 배제되는 것은 아니다(대판 1966.7.19, 66다994).

라) 적용범위

① 매매계약의 무효·취소를 이유로 한 건물 명도청구와 함께 그 사용이익의 반환을 청구하는 경우 선의의 매수인에게 제201조 제1항이 적용된다(대판 1966.9.20, 66다939; 대판 1981.9.22, 81다233).

② 그러나 매도인의 경우에 매매대금 반환 의무는 성질상 부당이득 반환의무로서 그 반환 범위에 관하여는 민법 제748조가 적용된다 할 것이고, 명문의 규정이 없는 이상 그에 관한 특칙인 민법 제548조 제2항이 당연히 유추적용 또는 준용된다고 할 수 없다(대판 1997.9.26, 96다54997 → 토지거래허가를 받지 못해 매매계약이 무효로 된 사안에서, 민법 제548조 제2항을 준용하여 매도인은 매매대금을 받은 날로부터의 이자를 가산하여 지급하여야 한다는 매수인의 주장을 배척한 사례).

③ 다만 선의의 매수인에게 제201조가 적용되어 과실취득권이 인정되는 이상, 선의의 매도인에게도 민법 제587조의 유추적용에 의하여 대금의 운용이익 내지 법정이자의 반환을 부정함이 형평에 맞다.

> **쌍무계약이 취소된 경우 선의 매도인의 대금에 대한 운용이익 내지 법정이자의 반환 요부 ★**
> 쌍무계약이 취소된 경우 선의의 매수인에게 민법 제201조가 적용되어 과실취득권이 인정되는 이상 선의의 매도인에게도 민법 제587조의 유추적용에 의하여 대금의 운용이익 내지 법정이자의 반환을 부정함이 형평에 맞다(대판 1993.5.14, 92다45025).

④ 계약해제에 있어서는 제548조 제2항이 원상회복의 범위에 관해 별도로 규정을 두고 있으므로 선의점유자의 과실수취권에 관한 제201조 제1항의 적용은 배제된다(대판 1998.12.23, 98다43175; 대판 1962.3.29, 4294민상1338).

2) 악의 점유자의 과실반환의무

① 악의의 점유자는 수취한 과실을 반환하여야 하며 소비하였거나 과실로 인하여 훼손 또는 수취하지 못한 경우에는 그 과실의 대가를 보상하여야 한다. 이것은 폭력 또는 은비에 의한 점유자에 준용한다(제201조 제2항, 제3항).

② 한편 선의의 점유자가 본권에 관한 소에서 패소한 때에는 그 소가 제기된 때로부터 악의의 점유자로 간주된다(제197조 제2항).

③ 악의의 점유자의 구체적 반환범위에 대해서는 제201조 제2항이 아니라 제748조 제2항이라고 하는 것이 판례이다.

타인 소유물을 무단점유한 자의 사용이익 반환에 대한 제748조 제2항과 제201조 제2항의 반환범위의 관계 ★★

타인 소유물을 권원 없이 점유함으로써 얻은 사용이익을 반환하는 경우 민법은 선의점유자를 보호하기 위하여 제201조 제1항을 두어 선의점유자에게 과실수취권을 인정함에 대하여, 이러한 보호의 필요성이 없는 악의점유자에 관하여는 민법 제201조 제2항을 두어 과실수취권이 인정되지 않는다는 취지를 규정하는 것으로 해석되는바, 따라서 악의수익자가 반환하여야 할 범위는 민법 제748조 제2항에 따라 정하여지는 결과, 그는 받은 이익에 이자를 붙여 반환하여야 하며, 위 이자의 이행지체로 인한 지연손해금도 지급하여야 한다(대판 2003.11.14, 2001다61869).

(2) 점유물의 멸실·훼손에 대한 책임

> **제202조【점유자의 회복자에 대한 책임】**
> 점유물이 점유자의 책임 있는 사유로 인하여 멸실 또는 훼손된 때에는 악의의 점유자는 그 손해의 전부를 배상하여야 하며 선의의 점유자는 이익이 현존하는 한도에서 배상하여야 한다. 소유의 의사가 없는 점유자는 선의인 경우에도 손해의 전부를 배상하여야 한다.

1) 권원 없는 점유자가 점유물을 멸실, 훼손한 경우 불법행위가 되어 손해배상책임을 진다.
2) 선의이며 자주점유인 경우에만 이익이 현존하는 한도에서 반환할 의무가 있다.
3) 판례는 민법 제202조는 점유물 자체에 관하여 생긴 손해배상에 관한 것이므로 불법행위의 규정의 적용을 배제하지 않으며, 서로 경합한다고 한다(대판 1961.6.29, 4293민상704).

(3) 점유자의 비용상환청구권

> **제203조【점유자의 상환청구권】**
> ① 점유자가 점유물을 반환할 때에는 회복자에 대하여 점유물을 보존하기 위하여 지출한 금액 기타 필요비의 상환을 청구할 수 있다. 그러나 점유자가 과실을 취득한 경우에는 통상의 필요비는 청구하지 못한다.
> ② 점유자가 점유물을 개량하기 위하여 지출한 금액 기타 유익비에 관하여는 그 가액의 증가가 현존한 경우에 한하여 회복자의 선택에 좇아 그 지출금액이나 증가액의 상환을 청구할 수 있다.
> ③ 전항의 경우에 법원은 회복자의 청구에 의하여 상당한 상환기간을 허여할 수 있다.

1) 의의

점유자가 점유물을 보존하기 위하여 지출한 필요비와 점유물을 개량하기 위하여 지출한 유익비는 회복자에게 부당이득이 된다는 점에서, 본조는 점유자의 선의·악의 및 자주점유·타주점유를 불문하고 그 상환을 청구할 수 있도록 규정하고 있다(제203조).

점유자가 점유물 반환 이외의 원인으로 물건의 점유자 지위를 잃어 소유자가 그를 상대로 물권적 청구권을 행사할 수 없게 된 경우, 점유자가 민법 제203조를 근거로 비용상환청구권을 행사할 수 있는지 여부 (소극) ★★

물건의 소유자는 적법한 점유 권한 없는 점유자를 상대로 물권적 청구권을 행사하여 반환을 청구할 수 있고(민법 제213조), 점유자는 점유물을 반환하거나 그 반환을 청구받은 때에 회복자에 대하여 자기가 거기에 지출한 필요비나 유익비의 상환을 청구할 수 있다(민법 제203조). 그러나 점유자가 점유물 반환 이외의 원인으로 물건의 점유자 지위를 잃어 소유자가 그를 상대로 물권적 청구권을 행사할 수 없게 되었다면, 그들은 더 이상 민법 제203조가 규율하는 점유자와 회복자의 관계에 있지 않으므로, 점유자는 위 조항을 근거로 비용상환청구권을 행사할 수 없고, 다만 비용 지출이 사무관리에 해당할 경우 그 상환을 청구하거나(민법 제739조), 자기가 지출한 비용으로 물건 소유자가 얻은 이득의 존재와 범위를 증명하여 반환청구권(민법 제741조)을 행사할 수 있을 뿐이다(대판 2022.6.30, 2020다209815).

2) 내용

① 필요비란 물건을 통상 사용하는데 적합한 상태로 보존하고 관리하는 데 지출되는 비용으로서 통상필요비(예 보존·수선 등)와 특별필요비(예 태풍으로 인한 가옥의 대수선이나 심각한 누수의 수선 등)가 있는데, 점유자는 선의·악의나 소유의사를 묻지 않고 회복자에 대하여 필요비의 상환을 청구할 수 있다. 다만 점유자가 과실을 취득한 경우에 통상의 필요비는 청구하지 못한다(제203조 제1항 단서). 판례는 목적물을 이용한 경우에도 과실에 준해 통상의 필요비는 청구하지 못한다고 한다(대판 1964.7.14, 63다1119).

민법 제203조 제1항 단서에서 말하는 '점유자가 과실을 취득한 경우'의 의미 및 과실수취권이 없는 악의의 점유자에 대하여 위 단서 규정이 적용되는지 여부(소극) ★★

민법 제201조 제1항은 "선의의 점유자는 점유물의 과실을 취득한다."라고 정하고, 제2항은 "악의의 점유자는 수취한 과실을 반환하여야 하며 소비하였거나 과실로 인하여 훼손 또는 수취하지 못한 경우에는 그 과실의 대가를 보상하여야 한다."라고 정하고 있다. 민법 제203조 제1항은 "점유자가 점유물을 반환할 때에는 회복자에 대하여 점유물을 보존하기 위하여 지출한 금액 기타 필요비의 상환을 청구할 수 있다. 그러나 점유자가 과실을 취득한 경우에는 통상의 필요비는 청구하지 못한다."라고 정하고 있다. 위 규정을 체계적으로 해석하면 민법 제203조 제1항 단서에서 말하는 '점유자가 과실을 취득한 경우'란 점유자가 선의의 점유자로서 민법 제201조 제1항에 따라 과실수취권을 보유하고 있는 경우를 뜻한다고 보아야 한다. 선의의 점유자는 과실을 수취하므로 물건의 용익과 밀접한 관련을 가지는 비용인 통상의 필요비를 스스로 부담하는 것이 타당하기 때문이다. 따라서 과실수취권이 없는 악의의 점유자에 대해서는 위 단서 규정이 적용되지 않는다(대판 2021.4.29, 2018다261889).

→ [사실관계 및 해설] : 건물 소유자는 무단으로 점유한 자에게 소유권에 기한 반환청구와 부당이득반환을 구할 수 있는데, 이 경우 무단점유자는 민법 제203조 제1항 본문에 따라 필요비 상당액을 소유자에게 청구할 수 있다고 본 사례이다. 이에 따르면 무단점유자의 부당이득금에서 필요비 상당액은 공제된다.

② 유익비란 물건의 개량이나 물건의 가치를 증가시키기 위해 지출된 비용을 말한다. 선의·악의를 불문하고 점유자가 유익비를 지출하였다면 가액의 증가가 현존하는 경우에 한하여, 회복자의 선택에 따라 그 지출금액이나 증가액의 상환을 청구할 수 있다.

유익비상환청구가 있는 경우 실제 지출한 비용과 현존하는 증가액을 모두 산정하여야 하는지 여부(적극)
유익비상환청구에 관하여 민법 제203조 제2항은 점유자가 점유물을 개량하기 위하여 지출한 금액 기타 유익비에 관하여는 그 가액의 증가가 현존한 경우에 한하여 회복자의 선택에 좇아 그 지출금액이나 증가액의 상환을 청구할 수 있다고 규정하고 있고, 민법 제626조 제2항은 임차인이 유익비를 지출한 경우에는 임대인은 임대차 종료 시에 그 가액의 증가가 현존한 때에 한하여 임차인의 지출한 금액이나 그 증가액을 상환하여야 한다고 규정하고 있으므로, 유익비의 상환범위는 점유자 또는 임차인이 유익비로 지출한 비용과 현존하는 증가액 중 회복자 또는 임대인이 선택하는 바에 따라 정하여진다고 할 것이고, 따라서 유익비상환의무자인 회복자 또는 임대인의 선택권을 위하여 그 유익비는 실제로 지출한 비용과 현존하는 증가액을 모두 산정하여야 할 것이다(대판 2002.11.22, 2001다40381).

민법 제203조 제2항에서 정한 유익비의 상환범위 및 이에 관한 증명책임의 소재(유익비의 상환을 구하는 점유자) **등** ★
① 유익비상환청구에 관하여 민법 제203조 제2항은 "점유자가 점유물을 개량하기 위하여 지출한 금액 기타 유익비에 관하여는 그 가액의 증가가 현존한 경우에 한하여 회복자의 선택에 좇아 그 지출금액이나 증가액의 상환을 청구할 수 있다."라고 규정하고 있다. 즉 유익비의 상환범위는 '점유자가 유익비로 지출한 금액'과 '현존하는 증가액' 중에서 회복자가 선택하는 것으로 정해진다. 위와 같은 실제 지출금액 및 현존 증가액에 관한 증명책임은 모두 유익비의 상환을 구하는 점유자에게 있다. ② 따라서 점유자의 증명을 통해 실제 지출금액 및 현존 증가액이 모두 산정되지 아니한 상태에서 회복자가 '점유자가 주장하는 지출금액과 감정 결과에 나타난 현존 증가액 중 적은 금액인 현존 증가액을 선택한다'는 취지의 의사표시를 하였다고 하더라도, 특별한 사정이 없는 한 이를 곧바로 '실제 증명된 지출금액이 현존 증가액보다 적은 금액인 경우에도 현존 증가액을 선택한다'는 뜻까지 담긴 것으로 해석하여서는 아니 된다. 일반적으로 회복자의 의사는 실제 지출금액과 현존 증가액 중 적은 금액을 선택하겠다는 것으로 보아야 하기 때문이다(대판 2018.6.15, 2018다206707).

③ 점유자의 필요비 또는 유익비상환청구권은 점유자가 회복자로부터 점유물의 반환을 청구받거나 회복자에게 점유물을 반환하는 때에 비로소 발생하고, 또 그 때 변제기에 이르러 회복자에 대하여 이를 행사할 수 있다(대판 1994.9.9, 94다4592).

3) 관련문제

① 비용상환청구권은 '물건에 관하여 생긴 채권'이므로, 필요비·유익비에 대하여 유치권을 행사할 수 있다(제320조).

② 계약관계가 존재한 경우 제203조는 적용되지 않는다(대판 2003.7.25, 2001다64752). 따라서 유효한 도급계약에 기하여 수급인이 도급인으로부터 제3자 소유 물건의 점유를 이전받아 이를 수리한 결과 그 물건의 가치가 증가한 경우, 간접점유자인 도급인이 비용상환청구권자가 되고 수급인은 도급인에게 계약상의 권리를 행사해야 한다(대판 2002.8.23, 99다66564·66571).

판례 연구 관련판례 정리

1. 비용상환청구의 상대방 ★★

민법 제203조 제2항에 의한 점유자의 회복자에 대한 유익비상환청구권은 점유자가 계약관계 등 적법하게 점유할 권리를 가지지 않아 소유자의 소유물반환청구에 응하여야 할 의무가 있는 경우에 성립되는 것으로서, 이 경우 점유자는 그 비용을 지출할 당시의 소유자가 누구이었는지 관계없이 점유회복 당시의 소유자 즉 회복자에 대하여 비용상환청구권을 행사할 수 있는 것이나, 점유자가 유익비를 지출할 당시 계약관계 등 적법한 점유의 권원을 가진 경우에 그 지출비용의 상환에 관하여는 그 계약관계를 규율하는 법조항이나 법리 등이 적용되는 것이어서, 점유자는 그 계약관계 등의 상대방에 대하여 해당 법조항이나 법리에 따른 비용상환청구권을 행사할 수 있을 뿐 계약관계 등의 상대방이 아닌 점유회복 당시의 소유자에 대하여 민법 제203조 제2항에 따른 지출비용의 상환을 구할 수는 없다(대판 2003.7.25, 2001다64752).

→ [해설] : 대항력 없는 임대차의 경우, 임차인이 임대차계약에 의하여 건물을 적법하게 점유하고 있으면서 건물에 유익비를 지출한 경우, 임차인은 임대인에 대하여 민법 제626조 제2항에 의한 임대차계약상의 유익비상환청구를 할 수 있을 뿐이고, 매각허가결정에 의하여 소유권을 취득한 매수인(경락인)에 대하여 그와 별도로 민법 제203조 제2항에 의한 유익비의 상환청구를 할 수는 없다.

2. 계약에 따른 급부가 제3자의 이익으로 된 경우, 급부를 한 계약당사자가 그 제3자에 대하여 직접 부당이득반환을 청구할 수 있는지 여부(소극)

계약당사자 사이에서 그 계약의 이행으로 급부된 것은 그 급부의 원인관계가 적법하게 실효되지 아니하는 한 부당이득이 될 수 없는 것이고, 한편 계약에 따른 어떤 급부가 그 계약의 상대방 아닌 제3자의 이익으로 된 경우에도 급부를 한 계약당사자는 계약상대방에 대하여 계약상의 반대급부를 청구할 수 있을 뿐이고 그 제3자에 대하여 직접 부당이득을 주장하여 반환을 청구할 수 없다(대판 2005.4.15, 2004다49976).

3. 점유의 보호

(1) 점유보호청구권

제204조【점유의 회수】
① 점유자가 점유의 침탈을 당한 때에는 그 물건의 반환 및 손해의 배상을 청구할 수 있다. → 점유자가 점유를 침탈(그 의사에 의하지 않고 사실적 지배를 상실하는 것)당한 경우이어야 하므로, 기망당한 자나 유실한 자는 청구권자가 아니다(판례).
② 전항의 청구권은 침탈자의 특별승계인에 대하여는 행사하지 못한다. 그러나 승계인이 악의인 때에는 그러하지 아니하다.
③ 제1항의 청구권은 침탈을 당한 날로부터 1년 내에 행사하여야 한다.

제205조【점유의 보유】
① 점유자가 점유의 방해를 받은 때에는 그 방해의 제거 및 손해의 배상을 청구할 수 있다.
② 전항의 청구권은 방해가 종료한 날로부터 1년 내에 행사하여야 한다.
③ 공사로 인하여 점유의 방해를 받은 경우에는 공사착수 후 1년을 경과하거나 그 공사가 완성한 때에는 방해의 제거를 청구하지 못한다.

제206조【점유의 보전】
① 점유자가 점유의 방해를 받을 염려가 있는 때에는 그 방해의 예방 또는 손해배상의 담보를 청구할 수 있다. → 손해배상의 담보청구권 행사에 있어서는 침해자의 귀책사유를 요하지 않으나, 실제 손해가 발생하여 불법행위에 기한 손해배상청구를 함에 있어서는 귀책사유를 요한다.
② 공사로 인하여 점유의 방해를 받을 염려가 있는 경우에는 전조 제3항의 규정을 준용한다.
제207조【간접점유의 보호】
① 전3조의 청구권은 제194조의 규정에 의한 간접점유자도 이를 행사할 수 있다.
② 점유자가 점유의 침탈을 당한 경우에 간접점유자는 그 물건을 점유자에게 반환할 것을 청구할 수 있고 점유자가 그 물건의 반환을 받을 수 없거나 이를 원하지 아니하는 때에는 자기에게 반환할 것을 청구할 수 있다.

1) 서설

① 점유의 침해가 있는 경우 (종전)점유자에게는 그 침해를 배척할 수 있는 청구권이 인정되는데, 점유침해의 모습에 따라 점유물반환청구권, 점유물방해제거청구권, 점유물방해예방청구권의 세 가지가 있다. 이들을 통상 점유보호청구권이라고 한다.

② 한편 민법은 점유보호청구권의 내용에 「손해배상청구」를 포함시키고 있다. 그러나 이는 점유보호청구 외에 손해배상을 청구할 수 있게 한 편의적인 것에 불과하고, 그 성질은 불법행위에 기한 손해배상청구에 속하는 것이다. 따라서 점유의 침해 외에 불법행위의 요건을 갖추는 것을 전제로 그 배상을 청구할 수 있으며, 또 제척기간이 경과하였더라도 불법행위를 이유로 손해배상을 청구할 수 있는 것이다(통설).

2) 점유물반환청구권

① 본권의 유무와 관계없이 점유 그 자체, 즉 사실적 지배의 상태를 보호하고자 하는 제도가 점유보호청구권이다. 이러한 점유보호청구권의 주체는 점유자이다. 직접점유자는 물론 간접점유자도 포함된다. 그러나 점유보조자는 점유자가 아니므로 주체가 될 수 없다.

점유회수의 소에서 말하는 '점유'의 의미 및 간접점유의 경우 점유매개관계 인정 여부 ★
점유자가 점유의 침탈을 당한 때에는 그 물건의 반환 등을 청구할 수 있다(민법 제204조 제1항 참조). 이러한 점유회수의 소는 점유를 침탈당하였다고 주장하는 당시에 점유하고 있었는지만을 살피면 되는 것이고, 여기서 점유란 물건이 사회통념상 사람의 사실적 지배에 속한다고 보이는 객관적 관계에 있는 것을 말하고 사실상의 지배가 있다고 하기 위하여는 반드시 물건을 물리적·현실적으로 지배하는 것만을 의미하는 것이 아니고 물건과 사람 사이의 시간적·공간적 관계와 본권관계, 타인지배의 배제가능성 등을 고려하여 사회관념에 따라 합목적적으로 판단하여야 한다. 그리고 점유회수의 소의 점유에는 직접점유뿐만 아니라 간접점유도 포함되나, 간접점유를 인정하기 위해서는 간접점유자와 직접점유를 하는 자 사이에 일정한 법률관계, 즉 점유매개관계가 필요하다. 이러한 점유매개관계는 직접점유자가 자신의 점유를 간접점유자의 반환청구권을 승인하면서 행사하는 경우에 인정된다(대판 2012.2.23, 2011다61424·61431).

→ [사실관계 및 해설] : 甲 등이 乙 주식회사가 소유하는 건물 정문과 후문 입구 등에 '甲 등이 점유, 유치 중인 건물임. 관계자 외 출입을 금함'이라는 내용의 경고문을 부착하였는데, 그 중 건물 2층 일부는 직접점유하고 나머지 부분은 乙 회사와 임대차계약을 체결한 임차인 丙 등이 직접점유하였던 사안에서, 제반 사정에 비추어 임차 부분의 직접점유자인 丙 등에게 반환청구권을 갖는 자는 丙 등과 임대차계약을 체결하였던 乙 회사뿐이므로 위 임대차계약은 甲 등과 丙 등 사이의 점유매개관계를 인정할 기초가 될 수 없는데도, 甲 등이 乙 회사와 함께 건물 관리에 관여하였다는 사정 등을 들어 점유매개관계를 인정하면서 임차 부분에 관하여도 甲 등의 점유회수청구를 인용한 원심판결에 간접점유의 성립요건인 점유매개관계에 관한 법리오해 등의 위법이 있다고 한 사례이다.

② 점유물반환청구의 경우에는 침탈자의 고의·과실은 요구되지 않는다.[44)]

③ 반환청구권은 1년의 제척기간에 걸리며, 이는 출소기간이라고 함이 판례이다(대판 2002.4.26, 2001다8097·8103).

④ 직접점유자가 임의로 점유를 타에 양도한 경우에는 점유이전이 간접점유자의 의사에 반한다 하더라도 간접점유자의 점유가 침탈된 경우에 해당하지 않는다(대판 1993.3.9, 92다5300).

3) 점유물방해제거청구권

① 침탈 이외의 방법으로 점유의 방해를 받을 것을 요하며, 방해에는 방해자의 고의·과실 등 귀책사유를 요하지 않는다.

② 판례는 점유권에 의한 방해배제청구권, 점유보유청구권은 물건자체에 대한 사실상의 지배상태를 점유침탈 이외의 방법으로 침해하는 불법행위가 있을 때 성립되고(대판 1987.6.9, 86다카2942), 제205조 제2항의 행사기간을 출소기간으로 본다(대판 2002.4.26, 2001다8097·8103).

제204조 제3항과 제205조 제2항의 점유보호청구권의 행사기간이 출소기간인지 여부(적극) ★★★

민법 제204조 제3항과 제205조 제2항에 의하면 점유를 침탈당하거나 방해를 받은 자의 침탈자 또는 방해자에 대한 청구권은 그 점유를 침탈당한 날 또는 점유의 방해행위가 종료된 날로부터 1년 내에 행사하여야 하는 것으로 규정되어 있는데, 여기에서 제척기간의 대상이 되는 권리는 형성권이 아니라 통상의 청구권인 점과 점유의 침탈 또는 방해의 상태가 일정한 기간을 지나게 되면 그대로 사회의 평온한 상태가 되고 이를 복구하는 것이 오히려 평화질서의 교란으로 볼 수 있게 되므로, 일정한 기간을 지난 후에는 원상회복을 허용하지 않는 것이 점유제도의 이상에 맞고 여기에 점유의 회수 또는 방해제거 등 청구권에 단기의 제척기간을 두는 이유가 있는 점 등에 비추어 볼 때, 위의 제척기간은 재판 외에서 권리행사하는 것으로 족한 기간이 아니라 반드시 그 기간 내에 소를 제기하여야 하는 이른바 출소기간으로 해석함이 상당하다(대판 2002.4.26, 2001다8097·8103).

③ 1년의 제척기간(출소기간)의 기산점이 되는 '방해가 종료한 날'은 방해행위가 종료한 날을 의미한다(대판 2016.7.29, 2016다214483·2016다214490).

44) 이하의 방해제거청구권에서도 마찬가지이고, 점유의 침탈이나 방해를 원인으로 하는 손해배상청구권에 있어서는 상대방의 고의·과실이 있어야 한다.

민법 제204조 제3항에서 말하는 1년의 행사기간의 의미(=소를 제기하여야 하는 제척기간) **및 점유를 침탈당한 자가 본권인 유치권 소멸에 따른 손해배상청구권을 행사하는 경우, 위 조항이 적용되는지 여부**(소극) ★★★

민법 제204조에 따르면, 점유자가 점유의 침탈을 당한 때에는 그 물건의 반환 및 손해의 배상을 청구할 수 있고(제1항), 위 청구권은 점유를 침탈당한 날부터 1년 내에 행사하여야 하며(제3항), 여기서 말하는 1년의 행사기간은 제척기간으로서 소를 제기하여야 하는 기간을 말한다. 그런데 민법 제204조 제3항은 본권 침해로 발생한 손해배상청구권의 행사에는 적용되지 않으므로 점유를 침탈당한 자가 본권인 유치권 소멸에 따른 손해배상청구권을 행사하는 때에는 민법 제204조 제3항이 적용되지 아니하고, 점유를 침탈당한 날부터 1년 내에 행사할 것을 요하지 않는다(대판 2021.8.19, 2021다213866).

→ [사실관계 및 해설] : 甲이 건물에 유치권을 행사하고 있었는데 건물의 낙찰인 乙이 잠금장치를 임의로 교체하고 적법한 부동산의 인도명령을 받았다고 협박하면서 甲의 점유를 빼앗았는데, 점유를 침탈당한 유치권자 甲은 1년 이내에 점유회수청구권을 행사하지 않음으로써 결국 유치권이 종국적으로 침해된 경우 점유침탈자를 상대로 하여 유치권 침해에 따른 손해배상청구를 할 수 있는지가 문제되었다. 원심은 이 경우에도 제204조 제3항이 적용됨을 전제로 1년의 출소기간을 지나 제기되었으므로 부적법하다고 보았으나, 이에 대해 대법원은 유치권 침해에 따른 손해배상청구에는 제204조 제3항이 적용되지 않되 일반불법행위에 대한 소멸시효가 적용된다고 본 사례이다.

4) 점유물방해예방청구권

① 방해의 예방 또는 손해배상의 담보를 청구할 수 있다. 손해배상의 담보는 장래의 손해배상에 대비하여 미리 제공하게 하는 것으로 상대방의 고의·과실을 요하지 않는다.

② 이 청구권은 방해의 염려가 있는 경우에는 언제든지 행사할 수 있으나, 공사로 방해를 받을 염려가 있는 경우에는 공사착수 후 1년을 경과하거나 공사가 완성되면 방해예방을 청구하지 못한다(제205조 제3항).

(2) 자력구제권

제209조【자력구제】
① 점유자는 그 점유를 부정히 침탈 또는 방해하는 행위에 대하여 자력으로써 이를 방위할 수 있다.
② 점유물이 침탈되었을 경우에 부동산일 때에는 점유자는 침탈 후 즉시 가해자를 배제하여 이를 탈환할 수 있고 동산일 때에는 점유자는 현장에서 또는 추적하여 가해자로부터 이를 탈환할 수 있다.

1) 직접점유자뿐만 아니라 점유보조자에게도 자력구제권이 인정되지만, 간접점유자에게는 인정되지 않는다(통설).

2) 점유를 침탈·방해하는 자뿐만 아니라 그 승계인에 대하여도 행사할 수 있다. 그리고 위법한 강제집행에 의하여 점유를 침탈당한 경우에도 자력구제권을 행사할 수 있다(대판 1987.6.9, 86다카1683).

3) 위법한 강제집행으로 점유를 강탈당한 자가 강제집행 종료 후 2시간 이내에 점유를 탈환한 경우에 즉시성이 인정된다(대판 1987.6.9, 86다카1683).

점유의 상호침탈 ★★
상대방으로부터 점유를 위법하게 침탈당한 점유자가 상대방으로부터 점유를 탈환하였을 경우(이른바 '점유의 상호침탈'), 상대방의 점유회수청구가 받아들여지더라도 점유자가 상대방의 점유침탈을 문제삼아 점유회수청구권을 행사함으로써 다시 자신의 점유를 회복할 수 있다면 상대방의 점유회수청구를 인정하는 것이 무용할 수 있다. 따라서 이러한 경우 점유자의 점유탈환행위가 민법 제209조 제2항의 자력구제에 해당하지 않는다고 하더라도 특별한 사정이 없는 한 상대방은 자신의 점유가 침탈당하였음을 이유로 점유자를 상대로 민법 제204조 제1항에 따른 점유의 회수를 청구할 수 없다(대판 2023.8.18, 2022다269675).

→ [사실관계 및 해설] : 乙이 X건물을 점유하며 유치권을 행사하던 중, 원고 甲이 피고 乙을 폭행하는 등의 방법으로 2019.5.25. 이 사건 건물에 대한 피고 乙의 점유를 침탈하였는데, 이에 乙이 2019.5.29. 다수의 용역직원들을 동원하는 등의 방법으로 X건물의 점유를 탈환하자, 원고 甲이 피고 乙을 상대로 민법 제204조 제1항에 따른 점유의 회수를 청구한 사안에서, 대법원은 乙의 점유탈환행위가 민법 제209조 제2항에서 정한 자력구제의 한계를 벗어난 것이라고 하더라도 먼저 점유를 침탈한 원고 甲은 피고 乙에 대하여 점유회수를 청구할 수 없다고 하였다.

Ⅳ. 점유의 소와 본권의 소와의 관계

제208조【점유의 소와 본권의 소와의 관계】
① 점유권에 기인한 소와 본권에 기인한 소는 서로 영향을 미치지 아니한다.
② 점유권에 기인한 소는 본권에 관한 이유로 재판하지 못한다.

1) 점유권에 기인한 소는 본권에 관한 이유로 재판하지 못한다(제208조 제2항). 점유자로부터 점유물반환청구의 소를 제기당한 소유자는 그 소송에서 방어방법으로 본권을 주장할 수 없다.
2) 점유권에 기인한 소와 본권에 기인한 소는 서로 영향을 미치지 아니한다(제208조 제1항). 점유의 소와 본권의 소는 전혀 별개의 것으로서 민사소송법상의 중복제소금지의 적용도 없고 기판력도 서로 미치지 아니한다. 따라서 본권의 소와 점유의 소를 동시에 제기하여도 되고 따로 제기할 수도 있다.
3) 점유의 소에 대해 본권에 관한 소를 별소로서 제기하지 않고 반소로서 제기하여도 무방하다(대판 1957.11.14, 4290민상454·455).

점유권에 기한 소와 본권에 기한 소의 관계(대판 2021.2.4, 2019다202795·202801) ★★
[1] 점유회수의 청구 요건 및 여기서 '점유'의 의미와 판단 기준 / 점유권에 기한 본소에 대하여 본권자가 본소청구 인용에 대비하여 본권에 기한 예비적 반소를 제기하고 양 청구가 모두 이유 있는 경우, 법원은 위 본소와 반소를 모두 인용하여야 하는지 여부(적극) 및 점유권에 기한 본소를 본권에 관한 이유로 배척할 수 있는지 여부(소극)
① 점유자가 점유의 침탈을 당한 때에는 그 물건의 반환 등을 청구할 수 있고 이러한 점유회수의 청구에 있어서는 점유를 침탈당하였다고 주장하는 당시에 점유하고 있었는지의 여부만을 살피면 된다(민법 제204조 제1항).

여기서 점유란 물건이 사회통념상 그 사람의 사실적 지배에 속한다고 보여지는 객관적 관계에 있는 것을 말하고 사실상의 지배가 있다고 하기 위하여는 반드시 물건을 물리적, 현실적으로 지배하는 것만을 의미하는 것이 아니고 물건과 사람과의 시간적, 공간적 관계와 본권관계, 타인지배의 배제가능성 등을 고려하여 사회관념에 따라 합목적적으로 판단하여야 한다.

② 점유권에 기인한 소와 본권에 기인한 소는 서로 영향을 미치지 아니하고, 점유권에 기인한 소는 본권에 관한 이유로 재판하지 못하므로 점유회수의 청구에 대하여 점유침탈자가 점유물에 대한 본권이 있다는 주장으로 점유회수를 배척할 수 없다(민법 제208조). 그러므로 점유권에 기한 본소에 대하여 본권자가 본소청구 인용에 대비하여 본권에 기한 예비적 반소를 제기하고 양 청구가 모두 이유 있는 경우, 법원은 점유권에 기한 본소와 본권에 기한 예비적 반소를 모두 인용해야 하고 점유권에 기한 본소를 본권에 관한 이유로 배척할 수 없다.

[2] 점유회수의 본소에 대하여 본권자가 소유권에 기한 인도를 구하는 반소를 제기하여 본소청구와 예비적 반소청구가 모두 인용되어 확정된 경우, 점유자는 본소 확정판결에 의하여 집행문을 부여받아 강제집행으로 물건의 점유를 회복할 수 있는지 여부(적극) / 이때 본권자는 위 본소 집행 후 집행문을 부여받아 비로소 반소 확정판결에 따른 강제집행으로 물건의 점유를 회복할 수 있는지 여부(적극) 및 점유자가 제기하여 승소한 본소 확정판결에 대한 청구이의의 소를 통해서 점유권에 기한 강제집행을 저지할 수 있는 경우

① 점유회수의 본소에 대하여 본권자가 소유권에 기한 인도를 구하는 반소를 제기하여 본소청구와 예비적 반소청구가 모두 인용되어 확정되면, 점유자가 본소 확정판결에 의하여 집행문을 부여받아 강제집행으로 물건의 점유를 회복할 수 있다.

② 본권자의 소유권에 기한 반소청구는 본소의 의무 실현을 정지조건으로 하므로, 본권자는 위 본소 집행 후 집행문을 부여받아 비로소 반소 확정판결에 따른 강제집행으로 물건의 점유를 회복할 수 있다.

③ 이러한 과정은 애당초 본권자가 허용되지 않는 자력구제로 점유를 회복한 데 따른 것으로 그 과정에서 본권자가 점유 침탈 중 설치한 장애물 등이 제거될 수 있다. 다만 점유자의 점유회수의 집행이 무의미한 점유상태의 변경을 반복하는 것에 불과할 뿐 아무런 실익이 없거나 본권자로 하여금 점유회수의 집행을 수인하도록 하는 것이 명백히 정의에 반하여 사회생활상 용인할 수 없다고 인정되는 경우, 또는 점유자가 점유권에 기한 본소 승소 확정판결을 장기간 강제집행하지 않음으로써 본권자의 예비적 반소 승소 확정판결까지 조건불성취로 강제집행에 나아갈 수 없게 되는 등 특별한 사정이 있다면 본권자는 점유자가 제기하여 승소한 본소 확정판결에 대한 청구이의의 소를 통해서 점유권에 기한 강제집행을 저지할 수 있다.

점유권을 기초로 한 본소에 대하여 본권자가 본소청구 인용에 대비하여 본권에 기초한 장래이행의 소로서 예비적 반소를 제기하고 양 청구가 모두 이유 있는 경우, 법원은 위 본소와 예비적 반소를 모두 인용하여야 하는지 여부(적극) **및 점유권에 기초한 본소를 본권에 관한 이유로 배척할 수 있는지 여부**(소극) **/ 점유를 침탈당한 자가 점유권에 기한 점유회수의 소를 제기하고, 본권자가 그 점유회수의 소가 인용될 것에 대비하여 본권에 기초한 장래이행의 소로서 별소를 제기한 경우에도 같은 법리가 적용되는지 여부** (적극) ★★

① 점유권을 기초로 한 본소에 대하여 본권자가 본소청구의 인용에 대비하여 본권에 기초한 장래이행의 소로서 예비적 반소를 제기하고 양 청구가 모두 이유 있는 경우, 법원은 점유권에 기초한 본소와 본권에 기초한 예비적 반소를 모두 인용해야 하고 점유권에 기초한 본소를 본권에 관한 이유로 배척할 수 없다.

② 이러한 법리는 점유를 침탈당한 자가 점유권에 기한 점유회수의 소를 제기하고, 본권자가 그 점유회수의 소가 인용될 것에 대비하여 본권에 기초한 장래이행의 소로서 별소를 제기한 경우에도 마찬가지로 적용된다(대판 2021.3.25, 2019다208441).

Ⅴ. 준점유

> **제210조【준점유】**
> 본장의 규정은 재산권을 사실상 행사하는 경우에 준용한다.

1) 소유권 · 지상권 · 전세권 · 유치권 · 질권 · 임차권 등 점유를 수반하는 재산권에는 인정되지 않으며, 신분권에 대해서도 인정되지 않는다.
2) 사실상 행사라 함은 재산권이 누구의 사실적 지배하에 있는 것으로 객관적으로 인정되는 경우를 말한다. 판례는 채권의 준점유자라고 하려면 채권의 사실상 귀속자와 같은 외형을 갖추어야 하므로, 예금채권의 준점유자는 예금통장과 그에 찍힌 인영과 같은 인장을 소지하여야 한다고 보고 있다(대판 1985.12.24, 85다카880).

chapter

04 소유권

제1절 총설

Ⅰ. 소유권의 의의 및 법적 성질

소유권이란 법률의 범위 내에서 물건을 사용·수익·처분할 수 있는 권리를 말한다. 이러한 소유권은 사실상의 지배인 점유권과 구별되는 관념적 지배권이고, 물건의 사용가치와 교환가치 등 모든 가치에 대해 전면적으로 지배할 수 있는 권리이다.

Ⅱ. 소유권의 내용과 제한

> 제211조【소유권의 내용】
> 소유자는 법률의 범위 내에서 그 소유물을 사용, 수익, 처분할 권리가 있다.

1) 여기서 수익이란 물건으로부터 과실을 수취하는 것을 말하고, 처분은 물건의 소비·파괴 등의 사실적 처분과 매도, 제한물권의 설정, 양도담보설정 등의 법률적 처분을 불문한다. 소유권이 없는 자가 타인의 소유권을 자기이름으로 처분하는 것을 무권리자의 처분행위라 한다.
2) 소유권의 처분에는 농지의 매매에서 농지취득자격증명(농지법 제8조), 토지거래허가구역 내의 매매에서 관할관청의 허가(부동산 거래신고 등에 관한 법률 제11조), 전통사찰이나 향교재산 또는 학교법인의 기본재산의 처분에 필요한 관할관청의 허가(전통사찰보존법 제6조; 향교재산법 제4조; 사립학교법 제28조) 등의 제한이 있다.

학교법인이 기본재산에 대한 용도변경이나 의무부담을 내용으로 하는 계약을 체결한 경우 반드시 계약 전에 관할청의 허가를 받아야 하는 것은 아니고 계약 후라도 관할청의 허가를 받으면 유효하게 될 수 있는지 여부(적극) 및 이러한 계약이 확정적으로 무효가 되는 경우

학교법인이 기본재산에 대한 용도변경 등을 하거나 의무를 부담하려는 경우에는 관할청의 허가를 받아야 하고(사립학교법 제28조 제1항 본문), 관할청의 허가 없이 이러한 행위를 하면 효력이 없다. 위 규정은 학교법인의 용도변경 등 자체를 규제하려는 것이 아니라 사립학교를 설치·운영하는 학교법인의 재산을 유지·보전하기 위하여 관할청의 허가 없이 용도를 변경하거나 의무를 부담하는 것 등을 규제하려는 것이다. 따라서 학교법인이 용도변경이나 의무부담을 내용으로 하는 계약을 체결한 경우 반드시 계약 전에 관할청의 허가를 받아야만 하는 것은 아니고 계약 후라도 관할청의 허가를 받으면 유효하게 될 수 있다. 이러한 계약은 관할청의 불허가 처분이 있는 경우뿐만 아니라 당사자가 허가신청을 하지 않을 의사를 명백히 표시하거나 계약을 이행할 의사를 철회한 경우 또는 그 밖에 관할청의 허가를 받는 것이 사실상 불가능하게 된 경우 무효로 확정된다(대판 2022.1.27, 2019다289815).

판례 연구 **관련판례 정리**

☑ **소유권의 사용 · 수익권능의 포기에 관한 판례**

1. 소유자에게 배타적 사용 · 수익 권능이 존재하지 않는 경우가 허용되는지 여부(원칙적 소극)

민법 제211조는 "소유자는 법률의 범위 내에서 그 소유물을 사용, 수익, 처분할 권리가 있다."고 규정하고 있으므로, 소유자가 채권적으로 상대방에 대하여 사용 · 수익의 권능을 포기하거나 사용 · 수익권 행사에 제한을 설정하는 것 외에 소유권의 핵심적 권능에 속하는 배타적인 사용 · 수익 권능이 소유자에게 존재하지 아니한다고 하는 것은 물권법정주의에 반하여 특별한 사정이 없는 한 허용될 수 없다(대판 2012.6.28, 2010다81049).

2. 소유권의 사용 · 수익 권능을 대세적 · 영구적으로 포기할 수 있는지 여부(소극)

소유권은 외계 물자의 배타적 지배를 규율하는 기본적 법질서에서 그 기초를 이루는 권리로서 대세적 효력이 있으므로, 그에 관한 법률관계는 이해당사자들이 이를 쉽사리 인식할 수 있도록 명확하게 정하여져야 한다. 그런데 소유권의 핵심적 권능에 속하는 사용 · 수익의 권능이 소유자에 의하여 대세적으로 유효하게 포기될 수 있다고 하면, 이는 결국 처분권능만이 남는 민법이 알지 못하는 새로운 유형의 소유권을 창출하는 것으로서, 객체에 대한 전면적 지배권인 소유권을 핵심으로 하여 구축된 물권법의 체계를 현저히 교란하게 된다. 종전의 재판례 중에는 타인의 토지를 도로 등으로 무단 점용하는 자에 대하여 소유자가 그 사용이득의 반환을 사후적으로 청구하는 사안에서, 이른바 공평을 이념으로 한다는 부당이득법상의 구제와 관련하여 그 청구를 부인하면서 소유자의 '사용수익권 포기' 등을 이유로 든 예가 없지 않다. 그러나 그 당부는 별론으로 하고, 그 논리는 소유권의 내용을 장래를 향하여 원만하게 실현하는 것을 내용으로 하여 소유권의 보호를 위한 원초적 구제수단인 소유물반환청구권 등의 물권적 청구권과는 무관한 것으로 이해되어야 한다. 토지의 소유권자가 그 토지에 관한 사용수익권을 점유자에 대한 관계에서 채권적으로 '포기'하였다고 하여도, 그것이 점유자의 사용 · 수익을 일시적으로 인정하는 취지라면, 이는 사용대차의 계약관계에 다름 아니다. 그렇다면 사용내주인 소유권자는 계약관계의 해지 기타 그 종료를 내세워 토지의 반환 및 그 원상회복으로서의 건물의 철거(제615조 참조)를 청구할 수 있다. 그러므로 사용수익권의 채권적 포기를 이유로 위 청구들이 배척되려면, 그 포기가 일시적인 것이 아닌 영구적인 것이어야 한다(대판 2009.3.26, 2009다228 · 235).[45)]

3. 토지소유자가 소유 토지를 일반 공중의 통행로로 무상제공하거나 통행을 용인하는 등으로 토지이용상태가 형성되어 독점적 · 배타적 사용 · 수익권이 인정되지 않는 경우, 사용 · 수익권 자체를 대세적 · 확정적으로 상실하는지 여부(소극) 및 그 후 토지이용상태에 중대한 변화가 생기는 등으로 배타적 사용 · 수익권을 배제하는 기초가 된 객관적인 사정이 현저히 변경된 경우 토지소유자가 다시 완전한 소유권을 주장할 수 있는지 여부와 그러한 사정변경이 있는지 판단하는 기준

1) 물건에 대한 배타적인 사용 · 수익권은 소유권의 핵심적 권능이므로, 소유자가 제3자와의 채권관계에서 소유물에 대한 사용 · 수익의 권능을 포기하거나 사용 · 수익권의 행사에 제한을 설정하는 것을 넘어 이를 대세적 · 영구적으로 포기하는 것은 법률에 의하지 않고 새로운 물권을 창설하는 것과 다를 바 없어 허용되지 않는다. ★

2) 토지소유자가 그 소유 토지를 일반 공중의 통행로로 무상제공하거나 그에 대한 통행을 용인하는 등으로 자신의 의사에 부합하는 토지이용상태가 형성되어 그에 대한 독점적 · 배타적 사용 · 수익권이 인정되지 않는다고 보는 경우에도, 이는 금반언이나 신뢰보호 등 신의성실의 원칙상 기존의 이용상태가 유지되

는 한 토지소유자는 이를 수인하여야 하므로 배타적 점유·사용을 하지 못하는 것으로 인한 손해를 주장할 수 없기 때문에 부당이득반환을 청구할 수 없는 것일 뿐이고, 그로써 소유권의 본질적 내용인 사용·수익권 자체를 대세적·확정적으로 상실하는 것을 의미한다고 할 것은 아니다. 따라서 그 후 토지이용상태에 중대한 변화가 생기는 등으로 배타적 사용·수익권을 배제하는 기초가 된 객관적인 사정이 현저히 변경된 경우에는, 토지소유자는 그와 같은 사정변경이 있은 때부터는 다시 사용·수익권능을 포함한 완전한 소유권에 기한 권리주장을 할 수 있다고 보아야 한다. 이때 그러한 사정변경이 있는지는 당해 토지의 위치와 물리적 성상, 토지소유자가 토지를 일반 공중의 통행에 제공하게 된 동기와 경위, 당해 토지와 인근 다른 토지들과의 관계, 토지이용 상태가 바뀐 경위 및 종전 이용상태와의 동일성 여부 등 전후 여러 사정을 종합적으로 고려하여 판단할 것이다(대판 2013.8.22, 2012다54133).

토지소유자가 그 소유의 토지를 일반 공중을 위한 용도로 제공한 경우, 그 토지에 대한 소유자의 독점적이고 배타적인 사용·수익권의 행사가 제한되는지 판단하는 기준 및 효과 / 토지소유자의 독점적·배타적인 사용·수익권의 행사가 제한되는 경우, 위 토지를 상속받은 상속인의 독점적·배타적인 사용·수익권의 행사 역시 제한되는지 여부(적극) **/ 독점적·배타적인 사용·수익권의 행사가 제한되는 토지의 소유권을 특정승계한 자가 그 토지 부분에 대하여 독점적이고 배타적인 사용·수익권을 행사할 수 있는지 여부**(원칙적 소극) **및 특정승계인의 독점적·배타적인 사용·수익권의 행사를 허용할 특별한 사정이 있는지 판단하는 기준 / 토지소유자가 사정변경을 이유로 완전한 소유권에 기한 권리를 주장할 수 있는지 여부**(적극) **및 그러한 사정변경이 있는지 판단하는 기준**(대판(전) 2019.1.24, 2016다264556) ★★

[다수의견] (가) 대법원 판례를 통하여 토지소유자 스스로 그 소유의 토지를 일반 공중을 위한 용도로 제공한 경우에 그 토지에 대한 소유자의 독점적이고 배타적인 사용·수익권의 행사가 제한되는 법리가 확립되었고, 대법원은 그러한 법률관계에 관하여 판시하기 위하여 '사용·수익권의 포기', '배타적 사용·수익권의 포기', '독점적·배타적인 사용·수익권의 포기', '무상으로 통행할 권한의 부여' 등의 표현을 사용하여 왔다. 이러한 법리는 대법원이 오랜 시간에 걸쳐 발전시켜 온 것으로서, 현재에도 여전히 그 타당성을 인정할 수 있다. 다만 토지소유자의 독점적이고 배타적인 사용·수익권 행사의 제한 여부를 판단하기 위해서는 토지소유자의 소유권 보장과 공공의 이익 사이의 비교형량을 하여야 하고, 원소유자의 독점적·배타적인 사용·수익권 행사가 제한되는 경우에도 특별한 사정이 있다면 특정승계인의 독점적·배타적인 사용·수익권 행사가 허용될 수 있다. 또한, 토지소유자의 독점적·배타적인 사용·수익권 행사가 제한되는 경우에도 일정한 요건을 갖춘 때에는 사정변경의 원칙이 적용되어 소유자가 다시 독점적·배타적인 사용·수익권을 행사할 수 있다고 보아야 한다.

45) 소유자가 소유권의 핵심적 권능에 속하는 사용·수익의 권능을 대세적으로 포기하는 것은 특별한 사정이 없는 한 허용되지 않는다. 이를 허용하면 결국 처분권능만이 남는 새로운 유형의 소유권을 창출하는 것이어서 민법이 정한 물권법정주의에 반하기 때문이다. 따라서 사유지가 일반 공중의 교통을 위한 도로로 사용되고 있는 경우, 토지소유자가 스스로 토지의 일부를 도로 부지로 무상 제공하더라도 특별한 사정이 없는 한 이는 대세적으로 사용·수익권을 포기한 것이라기보다는 토지소유자가 도로 부지로 무상 제공받은 사람들에 대한 관계에서 채권적으로 사용·수익권을 포기하거나 일시적으로 소유권을 행사하지 않겠다고 양해한 것이라고 보아야 한다(대판 2017.6.19, 2017다211528·211535).

(나) 토지소유자가 그 소유의 토지를 도로, 수도시설의 매설 부지 등 일반 공중을 위한 용도로 제공한 경우에, 소유자가 토지를 소유하게 된 경위와 보유기간, 소유자가 토지를 공공의 사용에 제공한 경위와 그 규모, 토지의 제공에 따른 소유자의 이익 또는 편익의 유무, 해당 토지 부분의 위치나 형태, 인근의 다른 토지들과의 관계, 주위 환경 등 여러 사정을 종합적으로 고찰하고, 토지소유자의 소유권 보장과 공공의 이익 사이의 비교형량을 한 결과, 소유자가 그 토지에 대한 독점적·배타적인 사용·수익권을 포기한 것으로 볼 수 있다면, 타인[사인뿐만 아니라 국가, 지방자치단체도 이에 해당할 수 있다. 이하 같다]이 그 토지를 점유·사용하고 있다 하더라도 특별한 사정이 없는 한 그로 인해 토지소유자에게 어떤 손해가 생긴다고 볼 수 없으므로, 토지소유자는 그 타인을 상대로 부당이득반환을 청구할 수 없고, 토지의 인도 등을 구할 수도 없다. 다만 소유권의 핵심적 권능에 속하는 사용·수익 권능의 대세적·영구적인 포기는 물권법정주의에 반하여 허용할 수 없으므로, 토지소유자의 독점적·배타적인 사용·수익권의 행사가 제한되는 것으로 보는 경우에도, 일반 공중의 무상 이용이라는 토지이용현황과 양립 또는 병존하기 어려운 토지소유자의 독점적이고 배타적인 사용·수익만이 제한될 뿐이고, 토지소유자는 일반 공중의 통행 등 이용을 방해하지 않는 범위 내에서는 그 토지를 처분하거나 사용·수익할 권능을 상실하지 않는다.

(다) ① 위와 같은 법리는 토지소유자가 그 소유의 토지를 도로 이외의 다른 용도로 제공한 경우에도 적용된다. 또한 토지소유자의 독점적·배타적인 사용·수익권의 행사가 제한되는 것으로 해석되는 경우 특별한 사정이 없는 한 그 지하 부분에 대한 독점적이고 배타적인 사용·수익권의 행사 역시 제한되는 것으로 해석함이 타당하다. ② 상속인은 피상속인의 일신에 전속한 것이 아닌 한 상속이 개시된 때로부터 피상속인의 재산에 관한 포괄적 권리·의무를 승계하므로(민법 제1005조), 피상속인이 사망 전에 그 소유 토지를 일반 공중의 이용에 제공하여 독점적·배타적인 사용·수익권을 포기한 것으로 볼 수 있고 그 토지가 상속재산에 해당하는 경우에는, 피상속인의 사망 후 그 토지에 대한 상속인의 독점적·배타적인 사용·수익권의 행사 역시 제한된다고 보아야 한다. ③ 원소유자의 독점적·배타적인 사용·수익권의 행사가 제한되는 토지의 소유권을 경매, 매매, 대물변제 등에 의하여 특정승계한 자는, 특별한 사정이 없는 한 그와 같은 사용·수익의 제한이라는 부담이 있다는 사정을 용인하거나 적어도 그러한 사정이 있음을 알고서 그 토지의 소유권을 취득하였다고 봄이 타당하므로, 그러한 특정승계인은 그 토지 부분에 대하여 독점적이고 배타적인 사용·수익권을 행사할 수 없다. 이때 특정승계인의 독점적·배타적인 사용·수익권의 행사를 허용할 특별한 사정이 있는지 여부는 특정승계인이 토지를 취득한 경위, 목적과 함께, 그 토지가 일반 공중의 이용에 제공되어 사용·수익에 제한이 있다는 사정이 이용현황과 지목 등을 통하여 외관에 어느 정도로 표시되어 있었는지, 해당 토지의 취득가액에 사용·수익권 행사의 제한으로 인한 재산적 가치 하락이 반영되어 있었는지, 원소유자가 그 토지를 일반 공중의 이용에 무상 제공한 것이 해당 토지를 이용하는 사람들과의 특별한 인적 관계 또는 그 토지 사용 등을 위한 관련 법령상의 허가·등록 등과 관계가 있었다고 한다면, 그와 같은 관련성이 특정승계인에게 어떠한 영향을 미치는지 등의 여러 사정을 종합적으로 고려하여 판단하여야 한다.

(라) 토지소유자의 독점적·배타적인 사용·수익권 행사의 제한은 해당 토지가 일반 공중의 이용에 제공됨으로 인한 공공의 이익을 전제로 하는 것이므로, 토지소유자가 공공의 목적을 위해 그 토지를 제공할 당시의 객관적인 토지이용현황이 유지되는 한도 내에서만 존속한다고 보아야 한다. 따라서 토지소유자가 그 소유 토지를 일반 공중의 이용에 제공함으로써 자신의 의사에 부합하는 토지이용상태가 형성되어 그에 대한 독점적·배타적인 사용·수익권의 행사가 제한된다고 하더라도, 그 후 토지이용상태에 중대한 변화가 생기는 등으로 독점적·배타적인 사용·수익권의 행사를 제한하는 기초가 된 객관적인 사정이 현저히 변경되고, 소유자가 일반 공중의 사용을 위하여 그 토지를 제공할 당시 이러한 변화를 예견할 수 없었으며, 사용·수익권 행사가 계속하여 제한된다고 보는 것이 당사자의 이해에 중대한 불균형을 초래하는 경우에는, 토지소유자는 그와 같은 사정변경이 있은 때부터는 다시 사용·수익 권능을 포함한 완전한 소유권에 기한 권리를 주장할 수 있다고 보아야 한다. 이때 그러한 사정변경이 있는지 여부는 해당 토지의 위치와 물리적 형태, 토지소유자가 그 토지

를 일반 공중의 이용에 제공하게 된 동기와 경위, 해당 토지와 인근 다른 토지들과의 관계, 토지이용상태가 바뀐 경위와 종전 이용상태와의 동일성 여부 및 소유자의 권리행사를 허용함으로써 일반 공중의 신뢰가 침해될 가능성 등 전후 여러 사정을 종합적으로 고려하여 판단하여야 한다(대판 2022.7.14, 2022다228544).[46]

토지소유자의 독점적 · 배타적 사용 · 수익권 행사 제한의 법리가 토지가 건물의 부지 등 지상 건물의 소유자들만을 위한 용도로 제공된 경우에도 적용되는지 여부(소극) **및 토지소유자가 그 소유 토지를 건물의 부지로 제공하여 지상 건물소유자들이 이를 무상으로 사용하도록 허락한 경우, 특정승계인의 그 토지에 대한 소유권 행사가 제한되는지 여부**(원칙적 소극) ★★

① 토지소유자가 그 소유 토지를 도로, 수도시설의 매설 부지 등 일반 공중을 위한 용도로 제공한 경우 소유자가 토지를 공공의 사용에 제공한 경위 등 여러 사정을 종합적으로 고찰하고, 토지소유자의 소유권 보장과 공공의 이익 사이의 비교형량을 한 결과, 토지소유자가 그 소유 토지에 대한 독점적 · 배타적 사용 · 수익권을 포기한 것으로 볼 수 있다면, 토지소유자는 그 토지 부분에 대하여 독점적이고 배타적인 사용 · 수익권을 행사할 수 없다. 그리고 원소유자의 독점적 · 배타적 사용 · 수익권 행사가 제한되는 토지의 소유권을 특정승계한 자는, 특별한 사정이 없는 한 그와 같은 사용 · 수익의 제한이라는 부담이 있다는 사정을 용인하거나 적어도 그러한 사정이 있음을 알고서 그 토지의 소유권을 취득하였다고 봄이 타당하므로, 그러한 특정승계인도 그 토지 부분에 대하여 독점적이고 배타적인 사용 · 수익권을 행사할 수 없다.

② 그러나 이러한 토지소유자의 독점적 · 배타적 사용 · 수익권 행사 제한의 법리는 토지가 도로, 수도시설의 매설 부지 등 일반 공중을 위한 용도로 제공된 경우에 적용되는 것이어서, 토지가 건물의 부지 등 지상 건물의 소유자들만을 위한 용도로 제공된 경우에는 적용되지 않는다. 따라서 토지소유자가 그 소유 토지를 건물의 부지로 제공하여 지상 건물소유자들이 이를 무상으로 사용하도록 허락하였다고 하더라도, 그러한 법률관계가 물권의 설정 등으로 특정승계인에게 대항할 수 있는 것이 아니라면 채권적인 것에 불과하여 특정승계인이 그러한 채권적 법률관계를 승계하였다는 등의 특별한 사정이 없는 한 특정승계인의 그 토지에 대한 소유권 행사가 제한된다고 볼 수 없다(대판 2019.11.14, 2015다211685).

일반 공중의 통행에 공용되는 도로 부지의 소유자가 이를 점유 · 관리하는 지방자치단체를 상대로 도로의 철거, 점유 이전 또는 통행금지를 청구하는 것이 권리남용에 해당하는지 여부(원칙적 적극) ★

어떤 토지가 개설경위를 불문하고 일반 공중의 통행에 공용되는 도로, 즉 공로가 되면 그 부지의 소유권 행사는 제약을 받게 되며, 이는 소유자가 수인하여야 하는 재산권의 사회적 제약에 해당한다. 따라서 공로 부지의 소유자가 이를 점유 · 관리하는 지방자치단체를 상대로 공로로 제공된 도로의 철거, 점유 이전 또는 통행금지를 청구하는 것은 법질서상 원칙적으로 허용될 수 없는 '권리남용'이라고 보아야 한다(대판 2021.3.11, 2020다229239).

→ [사실관계] : 甲 지방자치단체가 乙 사찰로 출입하는 유일한 통행로로서 사찰의 승려, 신도, 탐방객 및 인근 주민들이 이용하고 있던 도로를 농어촌도로정비법 제2조 제1항의 농어촌도로로 지정하고 30년 이상 관리하고 있었는데, 위 도로가 있는 임야를 임의경매절차에서 매수한 丙이 甲 지방자치단체를 상대로 도로의 철거 및 인도를 구한 사안에서, 위 도로는 아주 오래전에 자연발생적으로 형성되었고 甲 지방자치단체가 농어촌도

46) 이러한 다수의견에 대해서는 다음과 같은 비판이 있다. 대표적으로 ① 사용 · 수익권의 포기를 '채권적 의미의 포기 또는 사용승낙'으로 보는 것이라면, 왜 채권계약의 당사자가 아닌 제3자에게 그 효력이 미치는지 설명하기 어렵다는 점, ② 토지소유자의 사용 · 수익권의 포기를 긍정함으로써 국가 또는 지방자치단체에 대한 부당이득반환청구를 배척하게 되면, 이는 실질적으로 보상 없는 수용을 인정하는 것과 마찬가지가 되어, 공공필요에 의한 재산권의 수용 · 사용 또는 제한에 대하여 정당한 보상을 지급하여야 한다는 헌법 제23조 제3항의 취지에 어긋난다는 점에서 다수의견은 문제가 있다는 것이다.

로 정비법상 농어촌도로로 지정하고 30년 이상 관리하면서 일반 공중의 통행에 공용되는 도로, 즉 공로에 해당한다고 봄이 타당하고, 이러한 이용상황을 알면서도 임의경매절차에서 위 임야를 매수한 丙이 甲 지방자치단체를 상대로 도로의 철거·인도를 구하는 것은 권리남용이라고 볼 여지가 큰데도, 이와 달리 본 원심판단에 법리오해의 잘못이 있다고 한 사례이다.

토지소유권의 침해와 제 문제(대판 2021.10.14. 2021다242154) ★

[1] 일반 공중의 통행에 공용된 도로의 통행을 방해함으로써 특정인의 통행 자유를 침해한 경우, 민법상 불법행위에 해당하는지 여부(적극) 및 이때 침해를 받은 자가 통행방해 행위의 금지를 소구할 수 있는지 여부(적극)

불특정 다수인인 일반 공중의 통행에 공용된 도로, 즉 공로(公路)를 통행하고자 하는 자는 그 도로에 관하여 다른 사람이 가지는 권리 등을 침해한다는 등의 특별한 사정이 없는 한, 일상생활상 필요한 범위 내에서 다른 사람들과 같은 방법으로 그 도로를 통행할 자유가 있다. 제3자가 특정인에 대하여만 그 도로의 통행을 방해함으로써 일상생활에 지장을 받게 하는 등의 방법으로 특정인의 통행 자유를 침해하였다면 민법상 불법행위에 해당하고, 침해를 받은 자로서는 방해의 배제나 장래에 생길 방해를 예방하기 위하여 통행방해 행위의 금지를 소구할 수 있다.

[2] 권리의 행사에 해당하는 외관을 지닌 어떠한 행위가 권리남용에 해당하는지 판단하는 기준

① 권리의 행사가 주관적으로 오직 상대방에게 고통을 주고 손해를 입히려는 데 있을 뿐 이를 행사하는 사람에게는 이익이 없고, 객관적으로 사회질서에 위반된다고 볼 수 있으면, 그 권리의 행사는 권리남용으로서 허용되지 아니하고, 이때 권리의 행사가 상대방에게 고통이나 손해를 주기 위한 것이라는 주관적 요건은 권리자의 정당한 이익을 결여한 권리행사로 보이는 객관적인 사정들을 모아서 추인할 수 있으며, 이와 같이 권리의 행사에 해당하는 외관을 지닌 어떠한 행위가 권리남용이 되는가는 권리남용 제도의 취지 및 그 근간이 되는 동시대 객관적인 사회질서의 토대하에서 개별적이고 구체적인 상황을 종합하여 판단하여야 한다.

② 민법 제2조 제2항은 권리남용 금지 원칙에 관하여 "권리는 남용하지 못한다."라고 정한다. 권리남용에 해당하는지는 구체적인 사안에서 개별적으로 판단해야 하는데, 권리 행사자에게 아무런 이익이 없는데도 상대방을 괴롭히기 위해 권리를 행사하거나 권리 행사에 따른 이익과 손해를 비교하여 권리 행사가 사회 관념에 비추어 도저히 허용할 수 없는 정도로 막대한 손해를 상대방에게 입히게 한다거나 권리 행사로 말미암아 사회질서와 신의성실의 원칙에 반하는 결과를 초래하는 경우에는 권리남용으로서 허용되지 않는다. 소유권에 기초를 둔 토지 인도 청구가 권리남용에 해당하는지는 토지 취득 경위와 이용현황 등에 비추어 토지 인도에 따른 소유자의 이익과 상대방의 손해 사이에 얼마나 큰 차이가 있는지, 토지소유자가 인도 청구를 하는 실제 의도와 목적이 무엇인지, 소유자가 적절한 가격으로 토지를 매도해 달라는 상대방의 요구에 정당한 이유 없이 불응하며 상대방에게 부당한 가격으로 토지를 매수할 것을 요구하고 있는지, 토지에 대한 법적 규제나 토지 이용현황 등에 비추어 다른 용도로 사용할 수 있는지, 토지 인도로 말미암아 사회 일반에 중대한 불이익이 발생하는지, 인도 청구 이외에 다른 권리구제수단이 있는지 등 여러 사정을 종합적으로 고려해서 판단해야 한다(대판 2021.11.11. 2020다254280).

[3] 일반 공중의 통행에 공용되는 도로 부지의 소유자가 이를 점유·관리하는 지방자치단체를 상대로 도로의 철거, 점유 이전 또는 통행금지를 청구하는 것이 권리남용에 해당하는지 여부(원칙적 적극)

어떤 토지가 개설경위를 불문하고 일반 공중의 통행에 공용되는 도로, 즉 공로가 되면 그 부지의 소유권 행사는 제약을 받게 되며, 이는 소유자가 수인하여야만 하는 재산권의 사회적 제약에 해당한다. 따라서 공로 부지의 소유자가 이를 점유·관리하는 지방자치단체를 상대로 공로로 제공된 도로의 철거, 점유 이전 또는 통행금지를 청구하는 것은 법질서상 원칙적으로 허용될 수 없는 '권리남용'이라고 보아야 한다.

→ [사실관계 및 해설] : ① 甲 주식회사가 마을 주민 등의 통행로로 주요 마을안길의 일부를 이루고 있는 토지가 위치한 부동산을 매수하였고, 그 후 乙 지방자치단체가 통행로 부분을 도로로 포장하여 현재까지 마을 주민들과 차량 등의 통행로로 사용되고 있는데, 甲 회사가 乙 지방자치단체를 상대로 도로 부분의 인도를 구한 사안에서, 위 도로 부분은 甲 회사가 부동산을 매수하거나 乙 지방자치단체가 도로로 포장하기 수십 년 전부터 자연발생적으로 마을 주민 등의 통행로로 제공되어 온 점, 甲 회사는 위 부동산을 현황대로 매수하여 도로 부분이 마을 주민 등의 통행로로 이용되고 있는 사실도 잘 알고 있었다고 보이므로, 이를 다른 용도로 사용하지 못하고 있다 하여 甲 회사가 불측의 손해를 입게 된 것이라고 보기 어려운 점 등의 제반 사정에 비추어 甲 회사의 청구는 객관적으로 사회질서에 위반되는 것으로서 권리남용에 해당하거나 신의칙에 반하여 허용되지 않는다고 본 원심판단이 정당하다고 한 사례(대판 2021.10.14, 2021다242154)와 ② 도로로 이용되고 있는 토지의 소유자인 甲이 도로 관리청인 乙 지방자치단체를 상대로 토지 인도를 구한 사안에서, 위 토지는 오래전부터 도로로 이용되었고 甲은 경매절차에서 이를 알면서 매수한 점, 甲은 乙 지방자치단체에 높은 금액의 보상금을 요구하였으나 乙 지방자치단체가 응하지 않자 토지 인도를 구한 점, 위 토지는 도로의 일부로 고가도로를 연결하는 지점에 위치하고 있어 차량 통행에 필수적이고 통행량도 많은 점, 위 토지가 인도되면 교통에 큰 지장이 초래되는 반면 주변 현황에 비추어 甲이 이를 다른 용도로 사용하기 어려운 점 등에 비추어 甲의 토지 인도 청구가 권리남용에 해당한다고 본 원심판단이 정당하다고 한 사례이다(대판 2021.11.11, 2020다254280).

토지 소유권의 제한(대판 2021.2.25, 2018다278320) ★

[1] 국가지정문화재로 지정된 구역에서 현상을 변경하거나 보존에 영향을 미칠 우려가 있는 행위 등이 제한된다는 사정만으로 건물 소유자가 정당한 권원 없이 부지인 토지를 점유·사용하는 것이 허용되는지 여부(소극) 및 건물 소유자가 부지인 토지를 점유·사용할 수 있는 권원을 주장·증명하지 못하는 경우, 토지 소유자에게 토지 차임에 대한 부당이득반환의무를 부담하는지 여부(적극)

문화재보호법은 국가지정문화재에 대하여 허가와 신고 사항, 일정한 조치와 그에 따른 손실보상 등을 정하고 있을 뿐이고, 건물 소유자가 부지인 토지를 사용할 권한이 있는지 여부나 토지 소유자의 손실을 보상하는 일반적인 규정을 두고 있지 않다. 이러한 문화재보호법의 입법 취지, 규정 내용과 체계 등을 종합하면, 국가지정문화재로 지정된 구역에서 현상을 변경하거나 보존에 영향을 미칠 우려가 있는 행위 등이 제한된다는 사정만으로 건물 소유자가 정당한 권원 없이 부지인 토지를 점유·사용하는 것이 허용된다고 볼 수 없다. 건물 소유자는 부지인 토지를 점유·사용할 수 있는 권원이 있음을 주장·증명하지 못하는 경우 토지의 차임에 해당하는 이익을 얻고 토지 소유자에게 같은 금액의 손해를 입혔다고 볼 수 있어 토지 소유자에게 부당이득반환의무를 부담한다.

[2] 토지 소유자의 배타적 사용·수익권 행사 제한의 법리가 토지가 건물의 부지 등 지상 건물의 소유자들만을 위한 용도로 제공된 경우에도 적용되는지 여부(소극)

토지 소유자의 배타적 사용·수익권 행사 제한의 법리는 토지가 도로, 수도시설의 매설 부지 등 일반 공중을 위한 용도로 제공된 경우에 적용되고, 토지가 건물의 부지 등 지상 건물의 소유자들만을 위한 용도로 제공된 경우에는 적용되지 않는다.

토지 소유자가 소유 토지를 일반 공중 등의 통행로로 무상 제공하거나 그에 대한 통행을 용인하는 등으로 자신의 의사에 부합하는 토지이용상태가 형성되어 그에 대한 독점적 · 배타적 사용 · 수익권의 행사가 제한되는 경우, 사용 · 수익권 자체를 대세적 · 확정적으로 상실하는지 여부(소극) **및 그 후 일정한 요건을 갖춘 때에는 사정변경의 원칙에 따라 소유자가 다시 독점적 · 배타적 사용 · 수익권을 행사할 수 있는지 여부**(적극) **/ 독점적 · 배타적 사용 · 수익권 행사가 제한되는지를 판단할 때 고려하여야 할 사항 및 그에 대한 증명책임의 소재**(=독점적 · 배타적 사용 · 수익권 행사의 제한을 주장하는 사람) ★

어느 사유지가 종전부터 자연발생적으로 또는 도로예정지로 편입되어 사실상 일반 공중의 교통에 공용되는 도로로 사용되고 있는 경우, 토지 소유자가 스스로 그 토지를 도로로 제공하거나 그러한 사용 상태를 용인함으로써 인근 주민이나 일반 공중이 이를 무상으로 통행하고 있는 상황에서, 도로의 점유자를 상대로 한 부당이득반환청구나 손해배상청구, 토지인도청구 등 그 토지에 대한 독점적 · 배타적인 사용 · 수익권의 행사를 제한할 수 있는 경우가 있다. 이와 같이 토지 소유자가 그 소유 토지를 일반 공중 등의 통행로로 무상 제공하거나 그에 대한 통행을 용인하는 등으로 자신의 의사에 부합하는 토지이용상태가 형성되어 그에 대한 독점적 · 배타적 사용 · 수익권의 행사가 제한되는 것은 금반언이나 신뢰보호 등 신의성실의 원칙상 기존 이용상태가 유지되는 한 토지 소유자가 이를 수인해야 함에 따른 결과일 뿐이고 그로써 소유권의 본질적 내용인 사용 · 수익권 자체를 대세적 · 확정적으로 상실하는 것은 아니다. 또한 토지 소유자의 독점적 · 배타적 사용 · 수익권 행사가 제한되는 경우에도 일정한 요건을 갖춘 때에는 신의성실의 원칙으로부터 파생되는 사정변경의 원칙에 따라 소유자가 다시 독점적 · 배타적 사용 · 수익권을 행사할 수 있다. 이러한 신의성실의 원칙과 독점적 · 배타적 사용 · 수익권 제한 법리의 관련성에 비추어 보면, 독점적 · 배타적 사용 · 수익권 행사가 제한되는지를 판단할 때는 토지 소유자의 의사를 비롯하여 다음에 보는 여러 사정을 종합적으로 고찰할 때 토지 소유자나 그 승계인이 권리를 행사하는 것이 금반언이나 신뢰보호 등 신의성실의 원칙상 허용될 수 있는지가 고려되어야 한다. 즉 독점적 · 배타적 사용 · 수익권을 행사하는 것을 제한할 수 있는지 여부는 소유자가 토지를 소유하게 된 경위와 보유기간, 소유자가 토지를 공공의 사용에 제공하거나 그 사용을 용인하게 된 경위와 그 규모, 토지 제공 당시 소유자의 의사, 토지 제공에 따른 소유자의 이익 또는 편익의 유무와 정도, 해당 토지의 위치나 형태, 인근의 다른 토지들과의 관계, 주위 환경, 소유자가 보인 행태의 모순 정도 및 이로 인한 일반 공중의 신뢰 내지 편익 침해 정도, 소유자가 행사하는 권리의 내용이나 행사 방식 및 권리 보호의 필요성 등 여러 사정을 종합적으로 고찰하고, 토지 소유자의 소유권 보장과 공공의 이익 사이의 비교형량을 하여 판단하여야 한다. 또한 독점적 · 배타적 사용 · 수익권 행사를 제한하는 법리는 토지 소유자의 권리행사를 제한하는 예외적인 법리이므로, 공공필요에 의한 재산권의 수용 · 사용 또는 제한에 관한 정당한 보상을 지급하여야 한다는 헌법 제23조 제3항 및 법치행정의 취지에 비추어 신중하고 엄격하게 적용되어야 하고, 독점적 · 배타적 사용 · 수익권 행사의 제한을 주장하는 사람이 그 제한 요건을 충족하였다는 점에 대한 증명책임을 진다(대판 2024.2.15, 2023다295442).

제2절 부동산소유권의 범위

Ⅰ. 토지소유권의 범위

> 제212조【토지소유권의 범위】
> 토지의 소유권은 정당한 이익 있는 범위 내에서 토지의 상하에 미친다.

1) 구체적으로 암석이나 토사 등과 같은 토지의 구성부분에 대해서는 토지소유권의 효력이 미친다. 그러나 매장물(제254조)이나 광업권의 객체가 되는 광물에는 토지소유권의 효력이 미치지 아니한다.
2) 어떤 특정한 토지가 지적공부에 의하여 일필의 토지로 등록되었다면 그 토지의 소재, 지번, 지목, 지적 및 경계는 다른 특별한 사정이 없는 한 이 등록으로써 확정되었다고 할 것이므로 ① 그 토지의 소유권의 범위는 지적공부상의 경계에 의하여 확정하여야 할 것이고, 다만 ② 지적도를 작성함에 있어서 그 기지점을 잘못 선택하는 등 기술적 착오로 말미암아 지적도상의 경계선이 진실한 경계선과 다르게 작성된 경우와 같은 특별한 사정이 있는 때에는 그 토지의 경계는 실제의 경계에 의하여야 한다(대판 1990.12.26, 88다카19712).

Ⅱ. 상린관계

> 제216조【인지사용청구권】
> ① 토지소유자는 경계나 그 근방에서 담 또는 건물을 축조하거나 수선하기 위하여 필요한 범위 내에서 이웃 토지의 사용을 청구할 수 있다. 그러나 이웃 사람의 승낙이 없으면 그 주거에 들어가지 못한다.
> ② 전항의 경우에 이웃 사람이 손해를 받은 때에는 보상을 청구할 수 있다.
> 제217조【매연 등에 의한 인지에 대한 방해금지】
> ① 토지소유자는 매연, 열기체, 액체, 음향, 진동 기타 이에 유사한 것으로 이웃 토지의 사용을 방해하거나 이웃 거주자의 생활에 고통을 주지 아니하도록 적당한 조처를 할 의무가 있다.
> ② 이웃 거주자는 전항의 사태가 이웃 토지의 통상의 용도에 적당한 것인 때에는 이를 인용할 의무가 있다.
> 제218조【수도 등 시설권】
> ① 토지소유자는 타인의 토지를 통과하지 아니하면 필요한 수도, 소수관, 가스관, 전선 등을 시설할 수 없거나 과다한 비용을 요하는 경우에는 타인의 토지를 통과하여 이를 시설할 수 있다. 그러나 이로 인한 손해가 가장 적은 장소와 방법을 선택하여 이를 시설할 것이며 타 토지의 소유자의 청구에 의하여 손해를 보상하여야 한다.
> ② 전항에 의한 시설을 한 후 사정의 변경이 있는 때에는 타 토지의 소유자는 그 시설의 변경을 청구할 수 있다. 시설변경의 비용은 토지소유자가 부담한다.

제219조【주위토지통행권】
① 어느 토지와 공로 사이에 그 토지의 용도에 필요한 통로가 없는 경우에 그 토지소유자는 주위의 토지를 통행 또는 통로로 하지 아니하면 공로에 출입할 수 없거나 과다한 비용을 요하는 때에는 그 주위의 토지를 통행할 수 있고 필요한 경우에는 통로를 개설할 수 있다. 그러나 이로 인한 손해가 가장 적은 장소와 방법을 선택하여야 한다.
② 전항의 통행권자는 통행지 소유자의 손해를 보상하여야 한다.
제220조【분할, 일부양도와 주위토지통행권】
① 분할로 인하여 공로에 통하지 못하는 토지가 있는 때에는 그 토지소유자는 공로에 출입하기 위하여 다른 분할자의 토지를 통행할 수 있다. 이 경우에는 보상의 의무가 없다.
② 전항의 규정은 토지소유자가 그 토지의 일부를 양도한 경우에 준용한다.
제221조【자연유수의 승수의무와 권리】
① 토지소유자는 이웃 토지로부터 자연히 흘러오는 물을 막지 못한다.
② 고지소유자는 이웃 저지에 자연히 흘러내리는 이웃 저지에서 필요한 물을 자기의 정당한 사용범위를 넘어서 이를 막지 못한다.
제222조【소통공사권】
흐르는 물이 저지에서 폐색된 때에는 고지소유자는 자비로 소통에 필요한 공사를 할 수 있다.
제223조【저수, 배수, 인수를 위한 공작물에 대한 공사청구권】
토지소유자가 저수, 배수, 또는 인수하기 위하여 공작물을 설치한 경우에 공작물의 파손 또는 폐색으로 타인의 토지에 손해를 가하거나 가할 염려가 있는 때에는 타인은 그 공작물의 보수, 폐색의 소통 또는 예방에 필요한 청구를 할 수 있다.
제224조【관습에 의한 비용부담】
전2조의 경우에 비용부담에 관한 관습이 있으면 그 관습에 의한다.
제225조【처마물에 대한 시설의무】
토지소유자는 처마물이 이웃에 직접 낙하하지 아니하도록 적당한 시설을 하여야 한다.
제226조【여수소통권】
① 고지소유자는 침수지를 건조하기 위하여 또는 가용이나 농, 공업용의 여수를 소통하기 위하여 공로, 공류 또는 하수도에 달하기까지 저지에 물을 통과하게 할 수 있다.
② 전항의 경우에는 저지의 손해가 가장 적은 장소와 방법을 선택하여야 하며 손해를 보상하여야 한다.
제227조【유수용공작물의 사용권】
① 토지소유자는 그 소유지의 물을 소통하기 위하여 이웃 토지소유자의 시설한 공작물을 사용할 수 있다.
② 전항의 공작물을 사용하는 자는 그 이익을 받는 비율로 공작물의 설치와 보존의 비용을 분담하여야 한다.
제228조【여수급여청구권】
토지소유자는 과다한 비용이나 노력을 요하지 아니하고는 가용이나 토지이용에 필요한 물을 얻기 곤란한 때에는 이웃 토지소유자에게 보상하고 여수의 급여를 청구할 수 있다.
제229조【수류의 변경】
① 구거(도랑) 기타 수류지의 소유자는 대안(건너편 기슭)의 토지가 타인의 소유인 때에는 그 수로나 수류의 폭을 변경하지 못한다.

② 양안의 토지가 수류지 소유자의 소유인 때에는 소유자는 수로와 수류의 폭을 변경할 수 있다. 그러나 하류는 자연의 수로와 일치하도록 하여야 한다.
③ 전2항의 규정은 다른 관습이 있으면 그 관습에 의한다.

제230조【언(둑)의 설치, 이용권】
① 수유지의 소유자가 언을 설치할 필요가 있는 때에는 그 언을 대안(건너편 기슭)에 접촉하게 할 수 있다. 그러나 이로 인한 손해를 보상하여야 한다.
② 대안의 소유자는 수류지의 일부가 자기소유인 때에는 그 언을 사용할 수 있다. 그러나 그 이익을 받는 비율로 언의 설치, 보존의 비용을 분담하여야 한다.

제231조【공유하천용수권】
① 공유하천의 연안에서 농, 공업을 경영하는 자는 이에 이용하기 위하여 타인의 용수를 방해하지 아니하는 범위 내에서 필요한 인수를 할 수 있다.
② 전항의 인수를 하기 위하여 필요한 공작물을 설치할 수 있다.

제232조【하류연안의 용수권 보호】
전조의 인수나 공작물로 인하여 하류연안의 용수권을 방해하는 때에는 그 용수권자는 방해의 제거 및 손해의 배상을 청구할 수 있다.

제233조【용수권의 승계】
농, 공업의 경영에 이용하는 수로 기타 공작물의 소유자나 몽리자(이용자)의 특별승계인은 그 용수에 관한 전소유자나 몽리자의 권리의무를 승계한다.

제234조【용수권에 관한 다른 관습】
전3조의 규정은 다른 관습이 있으면 그 관습에 의한다.

제235조【공용수의 용수권】
상린자는 그 공용에 속하는 원천이나 수도를 각 수요의 정도에 응하여 타인의 용수를 방해하지 아니하는 범위 내에서 각각 용수할 권리가 있다.

제236조【용수장해의 공사와 손해배상, 원상회복】
① 필요한 용도나 수익이 있는 원천이나 수도가 타인의 건축 기타 공사로 인하여 단수, 감수, 기타 용도에 장해가 생긴 때에는 용수권자는 손해배상을 청구할 수 있다.
② 전항의 공사로 인하여 음료수 기타 생활상 필요한 용수에 장해가 있을 때에는 원상회복을 청구할 수 있다.

제237조【경계표, 담의 설치권】
① 인접하여 토지를 소유한 자는 공동비용으로 통상의 경계표나 담을 설치할 수 있다.
② 전항의 비용은 쌍방이 절반하여 부담한다. 그러나 측량비용은 토지의 면적에 비례하여 부담한다.
③ 전2항의 규정은 다른 관습이 있으면 그 관습에 의한다.

제238조【담의 특수시설권】
인지소유자는 자기의 비용으로 담의 재료를 통상보다 양호한 것으로 할 수 있으며 그 높이를 통상보다 높게 할 수 있고 또는 방화벽 기타 특수시설을 할 수 있다.

제239조【경계표 등의 공유추정】
경계에 설치된 경계표, 담, 구거(도랑) 등은 상린자의 공유로 추정한다. 그러나 경계표, 담, 구거(도랑) 등이 상린자 일방의 단독비용으로 설치되었거나 담이 건물의 일부인 경우에는 그러하지 아니하다.

제240조【수지, 목근의 제거권】
① 인접지의 수목가지가 경계를 넘은 때에는 그 소유자에 대하여 가지의 제거를 청구할 수 있다.
② 전항의 청구에 응하지 아니한 때에는 청구자가 그 가지를 제거할 수 있다.
③ 인접지의 수목 뿌리가 경계를 넘은 때에는 임의로 제거할 수 있다.
제241조【토지의 심굴금지】
토지소유자는 인접지의 지반이 붕괴할 정도로 자기의 토지를 심굴하지 못한다. 그러나 충분한 방어공사를 한 때에는 그러하지 아니하다.
제242조【경계선부근의 건축】
① 건물을 축조함에는 특별한 관습이 없으면 경계로부터 반미터 이상의 거리를 두어야 한다.
② 인접지소유자는 전항의 규정에 위반한 자에 대하여 건물의 변경이나 철거를 청구할 수 있다. 그러나 건축에 착수한 후 1년을 경과하거나 건물이 완성된 후에는 손해배상만을 청구할 수 있다.
제243조【차면시설의무】
경계로부터 2미터 이내의 거리에서 이웃 주택의 내부를 관망할 수 있는 창이나 마루를 설치하는 경우에는 적당한 차면시설을 하여야 한다.
제244조【지하시설 등에 대한 제한】
① 우물을 파거나 용수, 하수 또는 오물 등을 저치할 지하시설을 하는 때에는 경계로부터 2미터 이상의 거리를 두어야 하며 저수지, 구거(도랑) 또는 지하실 공사에는 경계로부터 그 깊이의 반 이상의 거리를 두어야 한다.
② 전항의 공사를 함에는 토사가 붕괴하거나 하수 또는 오액이 이웃에 흐르지 아니하도록 적당한 조치를 하여야 한다.

1) 인접하고 있는 토지의 소유자 상호간의 이용을 조절하기 위해 민법은 제216조 내지 제244조에서 그들 상호간의 법률관계를 규정하고 있는데, 이를 상린관계라 하고 이러한 상린관계로부터 발생하는 권리를 상린권이라고 한다. 상린권은 소유권의 내용에 포함되어 있는 권리로서 소유권에 종속하는 법적 지위에 불과하고 독립된 물권이 아니므로 등기를 요하지 아니하고 독립하여 포기하거나 소멸시효에 걸리지 않는다. 나아가 상린관계에 관한 규정은 지상권(제290조)과 전세권(제319조)에도 준용되고, 명문의 규정은 없지만 토지의 임대차에도 유추적용된다.

구분	상린관계	지역권
발생원인	법률규정에 의해 발생(등기 불요)	계약에 의해 발생(등기 필요)
성질	소유권의 내용에 포함	독립한 물권
인접성	토지 상호간 인접성 요구(단, 생활방해 금지의 경우에는 인접성을 요하지 않음)	요역지와 승역지의 인접성 불요
소멸시효	소멸시효의 대상 ×	소멸시효의 대상 ○
공통점	토지의 이용관계를 규율함으로써 토지소유권의 확장·제한의 기능	

2) 민법 제219조에 정한 주위토지통행권은 인접한 토지의 상호이용의 조절에 기한 권리로서 토지의 소유자 또는 지상권자, 전세권자 등 토지사용권을 가진 자에게 인정되는 권리이다. 따라서 명의신탁자에게는 주위토지통행권이 인정되지 아니한다(대판 2008.5.8, 2007다22767).
3) 인접 대지에 건물이 건축됨으로 인하여 입는 환경 등 생활이익의 침해를 이유로 건축공사의 금지를 청구하는 경우, 그 침해가 사회통념상 일반적으로 수인할 정도를 넘어서는지의 여부는 피해의 성질 및 정도, 피해이익의 공공성, 가해행위의 태양, 가해행위의 공공성, 가해자의 방지조치 또는 손해회피의 가능성, 인・허가관계 등 공법상 기준에의 적합 여부, 지역성, 토지이용의 선후관계 등 모든 사정을 종합적으로 고려하여 판단하여야 한다(대판 1997.7.22, 96다56153).[47]
4) 새로운 지하수 개발 및 취수로 인하여 인근 토지소유자의 기존생활용수에 장해가 생기거나 장해의 염려가 있는 경우, 인근 토지소유자의 생활용수 방해제거 및 예방청구권이 있다. 새로운 지하수 개발에 대하여 행정청으로부터 허가를 받았다는 사유만으로 인근 토지소유자에 대한 생활용수방해가 정당화되지는 않는다(대판 1998.4.28, 97다48913).
5) 지하시설을 하는 경우에 있어 경계로부터 두어야 할 거리에 관한 사항들을 규정한 민법 제244조는 강행규정이라고는 볼 수 없으므로 이와 다른 내용의 당사자간의 특약을 무효라고 할 수 없다(대판 1981.1.13, 80다1034).

토지의 경계에 경계표나 담이 설치되어 있지 않을 때 한쪽 토지 소유자의 경계표나 담 설치 협력 요구에 인접 토지 소유자가 응하지 않는 경우, 민사소송으로 협력 의무의 이행을 구할 수 있는지 여부(적극) **및 이때 법원이 명할 협력 의무의 내용 / 기존의 경계표나 담장에 대하여 한쪽 토지 소유자가 처분권한을 가지고 있으면서 기존의 경계표나 담장을 제거할 의사를 분명하게 나타내고 있는 경우, 한쪽 토지 소유자가 인접 토지 소유자에 대하여 새로운 경계표나 담장의 설치에 협력할 것을 소구할 수 있는지 여부**(적극) **및 담장의 처분권한이 없는 토지 소유자가 처분권한이 있는 인접 토지 소유자를 상대로 기존 담장의 철거를 명하는 판결을 받아 담장이 적법하게 철거되어야 하는 경우에도 마찬가지인지 여부**(적극)

토지의 경계에 경계표나 담이 설치되어 있지 아니하다면 특별한 사정이 없는 한 어느 한쪽 토지의 소유자는 인접한 토지의 소유자에 대하여 공동비용으로 통상의 경계표나 담을 설치하는 데에 협력할 것을 요구할 수 있고, 인접 토지 소유자는 그에 협력할 의무가 있다고 보아야 하므로, 한쪽 토지 소유자의 요구에 대하여 인접 토지 소유자가 응하지 아니하는 경우에는 한쪽 토지 소유자는 민사소송으로 인접 토지 소유자에 대하여 그 협력 의무의 이행을 구할 수 있다. 법원은 당해 토지들의 이용 상황, 그 소재 지역의 일반적인 관행, 설치비용 등을 고려하여 새로 설치할 경계표나 담장의 위치(특별한 사정이 없는 한 원칙적으로 새로 설치할 경계표나 담장의 중심 또는 중심선이 양 토지의 경계선상에 위치하도록 해야 한다), 재질, 모양, 크기 등 필요한 사항을 심리하여 인접 토지 소유자에 대하여 협력 의무의 이행을 명할 수 있다. 한편 기존의 경계표나 담장에 대하여 어느 쪽 토지 소유자도 일방적으로 처분할 권한을 가지고 있지 아니하다면 한쪽 토지 소유자가 인접 토지 소유자의 동의 없이 임의로 기존의 경계표나 담장을 제거하는 것은 허용되지 않으므로 한쪽 토지 소유자의 의사만으로 새로운 경계표나 담장을 설치하도록 강제할 수는 없으나, 그와 달리 기존의 경계표나 담장에 대하여 한쪽 토지 소유자가 처분권

47) 병원시체실의 설치로 그 인접지 거주자가 받을 피해와 고통이 사회관념상 일반적으로 수인하여야 할 정도의 것일 때에는 거주자가 이를 수인하여야 하나, 그 정도를 초과할 때에는 수인의무가 없고 오히려 방해사유의 제거 내지 예방조치를 청구할 수 있다(대판 1974.12.24, 68다1489).

한을 가지고 있으면서 기존의 경계표나 담장을 제거할 의사를 분명하게 나타내고 있는 경우라면 한쪽 토지 소유자는 인접 토지 소유자에 대하여 새로운 경계표나 담장의 설치에 협력할 것을 소구할 수 있다. 담장의 처분권한이 없는 토지 소유자가 그 처분권한이 있는 인접 토지 소유자를 상대로 기존 담장의 철거를 명하는 판결을 받아 그 담장이 적법하게 철거되어야 하는 경우에도 인접 토지 사이에 경계를 표시할 통상의 담장이 설치되지 않은 상태와 마찬가지로 볼 수 있으므로, 이와 같은 법리가 그대로 적용된다(대판 2023.4.13, 2021다271725).

인접한 타인의 토지를 통과하지 않고도 전선 등 시설을 하고 물을 소통할 수 있는 경우, 스스로 그와 같은 시설을 하는 것이 타인의 토지 등을 이용하는 것보다 비용이 더 든다는 등의 이유만으로 상린관계에 관한 민법, 하수도법 등의 규정을 유추적용하여 토지소유자가 타인의 토지나 타인이 시설한 전선 등에 대한 사용권을 갖는다고 볼 수 있는지 여부(소극)

인접하는 토지 상호간의 이용의 조절을 위한 상린관계에 관한 민법 등의 규정은 인접지 소유자에게 소유권에 대한 제한을 수인할 의무를 부담하게 하는 것이므로 적용 요건을 함부로 완화하거나 유추하여 적용할 수는 없고, 상린관계 규정에 의한 수인의무의 범위를 넘는 토지이용관계의 조정은 사적자치의 원칙에 맡겨야 한다. 그러므로 어느 토지소유자가 타인의 토지를 통과하지 아니하면 필요한 전선 등을 시설할 수 없거나 과다한 비용을 요하는 경우에는 타인은 자기 토지를 통과하여 시설을 하는 데 대하여 수인할 의무가 있고(민법 제218조 참조), 또한 소유지의 물을 소통하기 위하여 이웃토지 소유자가 시설한 공작물을 사용할 수 있지만(민법 제227조), 이는 타인의 토지를 통과하지 않고는 전선 등 불가피한 시설을 할 수가 없거나 타인의 토지를 통하지 않으면 물을 소통할 수 없는 합리적 사정이 있어야만 인정되는 것이다. 인접한 타인의 토지를 통과하지 않고도 시설을 하고 물을 소통할 수 있는 경우에는 스스로 그와 같은 시설을 하는 것이 타인의 토지 등을 이용하는 것보다 비용이 더 든다는 등의 사정이 있다는 이유만으로 이웃토지 소유자에게 그 토지의 사용 또는 그가 설치·보유한 시설의 공동사용을 수인하라고 요구할 수 있는 권리는 인정될 수 없다. 따라서 위와 같은 경우에는 주위토지통행권에 관한 민법 제219조나 유수용공작물(流水用工作物)의 사용권에 관한 민법 제227조 또는 타인의 토지 또는 배수설비의 사용에 관하여 규정한 하수도법 제29조 등 상린관계에 관한 규정의 유추적용에 의하여 타인의 토지나 타인이 시설한 전선 등에 대한 사용권을 갖게 된다고 볼 여지는 없다(대판 2012.12.27, 2010다103086).

판례 연구 **관련판례 정리**

☑ **주위토지통행권과 관련된 판례의 정리**

1. 주위토지통행권의 성질과 그 범위

1) 주위토지통행권은 소극적·비배타적 권리로서 통행하는 범위에서 그 토지를 사용할 수 있을 뿐이므로, 통행권자가 소유토지를 전적으로 점유하면 소유자가 인도청구를 할 수 있다(대판 1993.8.24, 93다25479). ★

2) 주위토지통행권자가 민법 제219조 제1항 본문에 따라 통로를 개설하는 경우 통행지 소유자는 원칙적으로 통행권자의 통행을 수인할 소극적 의무를 부담할 뿐 통로개설 등 적극적인 작위의무를 부담하는 것은 아니고, 다만 통행지 소유자가 주위토지통행권에 기한 통행에 방해가 되는 담장 등 축조물을 설치한 경우에는 주위토지통행권의 본래적 기능발휘를 위하여 통행지 소유자가 그 철거의무를 부담한다. 그리고 주위토지통행권자는 주위토지통행권이 인정되는 때에도 그 통로개설이나 유지비용을 부담하여야 하고, 민법 제219조 제1항 후문 및 제2항에 따라 그 통로개설로 인한 손해가 가장 적은 장소와 방법을 선택하여야 하며, 통행지 소유자의 손해를 보상하여야 한다(대판 2006.10.26, 2005다30993). ★

3) ① 민법 제219조에 규정된 주위토지통행권은 공로와의 사이에 그 용도에 필요한 통로가 없는 토지의 이용이라는 공익목적을 위하여 피통행지 소유자의 손해를 무릅쓰고 특별히 인정되는 것이므로, 그 통행로의 폭이나 위치 등을 정함에 있어서는 피통행지의 소유자에게 가장 손해가 적게 되는 방법이 고려되어야 할 것이고, 어느 정도를 필요한 범위로 볼 것인가는 구체적인 사안에서 사회통념에 따라 쌍방 토지의 지형적·위치적 형상 및 이용관계, 부근의 지리상황, 상린지 이용자의 이해득실 기타 제반 사정을 기초로 판단하여야 하며, 토지의 이용방법에 따라서는 자동차 등이 통과할 수 있는 통로의 개설도 허용되지만 단지 토지이용의 편의를 위해 다소 필요한 상태라고 여겨지는 정도에 그치는 경우까지 자동차의 통행을 허용할 것은 아니다.

② 주위토지통행권의 확인을 구하기 위해서는 통행의 장소와 방법을 특정하여 청구취지로써 이를 명시하여야 하고, 또한 민법 제219조에 정한 요건을 주장·입증하여야 하며, 따라서 주위토지통행권이 있음을 주장하여 확인을 구하는 특정의 통로 부분이 민법 제219조에 정한 요건을 충족한다고 인정되지 아니할 경우에는 다른 토지 부분에 주위토지통행권이 인정된다고 할지라도 원칙적으로 그 청구를 기각할 수밖에 없으나, 이와 달리 통행권의 확인을 구하는 특정의 통로 부분 중 일부분이 민법 제219조에 정한 요건을 충족하여 주위토지통행권이 인정된다면, 그 일부분에 대해서만 통행권의 확인을 구할 의사는 없음이 명백한 경우가 아닌 한 그 청구를 전부 기각할 것이 아니라, 그 부분에 한정하여 청구를 인용함이 상당하다.

③ 주위토지통행권의 본래적 기능발휘를 위해서는 그 통행에 방해가 되는 담장과 같은 축조물도 위 통행권의 행사에 의하여 철거되어야 한다(대판 2006.6.2, 2005다70144). 그 담장이 비록 당초에는 적법하게 설치되었던 것이라 하더라도 그 철거의 의무에는 영향이 없다(대판 1990.11.13, 90다5238).

4) ① 주위토지통행권이 인정된다고 하더라도 통로를 상시적으로 개방하여 제한 없이 이용할 수 있도록 하거나 피통행지 소유자의 관리권이 배제되어야만 하는 것은 아니므로, 쌍방 토지의 용도 및 이용 상황, 통행로 이용의 목적 등에 비추어 토지의 용도에 적합한 범위에서 통행 시기나 횟수, 통행방법 등을 제한하여 인정할 수도 있다. (중략) ② 통행권의 확인을 구하는 특정의 통로 부분 중 일부분이 민법 제219조에 정한 요건을 충족하거나 특정의 통로 부분에 대하여 일정한 시기나 횟수를 제한하여 주위토지통행권을 인정하는 것이 가능한 경우라면, 그와 같이 한정된 범위에서만 통행권의 확인을 구할 의사는 없음이 명백한 경우가 아닌 한, 청구를 전부 기각할 것이 아니라, 그렇게 제한된 범위에서 청구를 인용함이 타당하다(대판 2017.1.12, 2016다39422). ★

2. 기존 통로가 있는 경우 ★

1) 공로에 통할 수 있는 자기의 공유토지를 두고 공로에의 통로라 하여 남의 토지를 통행한다는 것은 민법 제219조, 제220조에 비추어 허용될 수 없다. 설령 위 공유토지가 구분소유적 공유관계에 있고 공로에 접하는 공유 부분을 다른 공유자가 배타적으로 사용, 수익하고 있다고 하더라도 마찬가지이다(대판 2021.9.30, 2021다245443·245450).

2) 주위토지통행권은 어느 토지가 타인 소유의 토지에 둘러싸여 공로에 통할 수 없는 경우뿐만 아니라, 이미 기존의 통로가 있더라도 그것이 당해 토지의 이용에 부적합하여 실제로 통로로서의 충분한 기능을 하지 못하고 있는 경우에도 인정된다. (그러나) 주거지역에서 공로에 이르는 길로 폭 2미터의 우회도로가 있다면 주위토지를 이용하여 공로에 이르는 것이 보다 편리하다는 이유만으로 주위토지통행권을 주장할 수 없다(대판 1991.4.23, 90다15167).

3. 주위토지통행권의 성립과 소멸 ★

1) 주위토지통행권은 어느 토지와 공로 사이에 그 토지의 용도에 필요한 통로가 없어서 주위의 토지를 통행하거나 통로를 개설하지 않고서는 공로에 출입할 수 없는 경우 또는 통로가 있더라도 당해 토지의 이용에 부적합하여 실제로 통로로서의 충분한 기능을 하지 못하는 경우에 인정되는 것이므로, 일단 주위토지통행권이 발생하였다고 하더라도 나중에 그 토지에 접하는 공로가 개설됨으로써 주위토지통행권을 인정할 필요성이 없어진 때에는 그 통행권은 소멸한다(대판 1998.3.10, 97다47118).
2) 주위토지통행권은 법정의 요건을 충족하면 당연히 성립하고 요건이 없어지게 되면 당연히 소멸한다. 따라서 포위된 토지가 사정변경에 의하여 공로에 접하게 되거나 포위된 토지의 소유자가 주위의 토지를 취득함으로써 주위토지통행권을 인정할 필요성이 없어지게 된 경우에는 통행권은 소멸한다(대판 2014.12.24, 2013다11669).

4. 주위토지통행권의 인정범위

주위토지통행권의 범위는 통행권을 가진 자에게 필요할 뿐 아니라 이로 인한 주위토지소유자의 손해가 가장 적은 장소와 방법의 범위 내에서 인정되어야 하며, 그 범위는 결국 사회통념에 비추어 쌍방 토지의 지형적, 위치적 형상 및 이용관계, 부근의 지리상황, 상린지 이용자의 이해득실 기타 제반 사정을 참작한 뒤 구체적 사례에 응하여 판단하여야 하는 것인바, 통상적으로는 사람이 주택에 출입하여 다소의 물건을 공로로 운반하는 등의 일상생활을 영위하는 데 필요한 범위의 노폭까지 인정되고, 또 현재의 토지의 용법에 따른 이용의 범위에서 인정되는 것이지 더 나아가 장차의 이용상황까지 미리 대비하여 통행로를 정할 것은 아니다(대판 1996.11.29, 96다33433 · 33440).

5. 주위토지통행권의 내용 ★

다른 사람의 소유토지에 대하여 상린관계로 인한 통행권을 가지고 있는 사람은 그 통행권의 범위 내에서 그 토지를 사용할 수 있을 뿐이고 그 통행지에 대한 통행지 소유자의 점유를 배제할 권능까지 있는 것은 아니므로, 그 통행지 소유자는 그 통행지를 전적으로 점유하고 있는 주위토지통행권자에 대하여 그 통행지의 인도를 구할 수 있다고 할 것이나, 주위토지통행권자는 필요한 경우에는 통행지상에 통로를 개설할 수 있으므로, 모래를 깔거나, 돌계단을 조성하거나, 장해가 되는 나무를 제거하는 등의 방법으로 통로를 개설할 수 있으며, 통행지 소유자의 이익을 해하지 않는다면 통로를 포장하는 것도 허용된다고 할 것이고, 주위토지통행권자가 통로를 개설하였다고 하더라도 그 통로에 대하여 통행지 소유자의 점유를 배제할 정도의 배타적인 점유를 하고 있지 않다면, 통행지 소유자가 주위토지통행권자에 대하여 주위토지통행권이 미치는 범위 내의 통로 부분의 인도를 구하거나 그 통로에 설치된 시설물의 철거를 구할 수 없다(대판 2003.8.19, 2002다53469).

6. 손해보상청구의 상대방 ★

1) 민법 제219조는 어느 토지와 공로 사이에 그 토지의 용도에 필요한 통로가 없는 경우에 그 토지소유자에게 그 주위의 토지통행권을 인정하면서 그 통행권자로 하여금 통행지 소유자의 손해를 보상하도록 규정하고 있는 것이므로, 통행권자의 허락을 얻어 사실상 통행하고 있는 자에게는 그 손해의 보상을 청구할 수 없다(대판 1991.9.10, 91다19623).
2) 주위토지통행권자가 통행지 소유자에게 보상해야 할 손해액은 주위토지통행권이 인정되는 당시의 현실적 이용 상태에 따른 통행지의 임료 상당액을 기준으로 하여, 구체적인 사안에서 사회통념에 따라 쌍방

토지의 토지소유권 취득 시기와 가격, 통행지에 부과되는 재산세, 본래 용도에의 사용 가능성, 통행지를 공동으로 이용하는 사람이 있는지를 비롯하여 통행 횟수·방법 등의 이용태양, 쌍방 토지의 지형적·위치적 형상과 이용관계, 부근의 환경, 상린지 이용자의 이해득실 기타 제반 사정을 고려하여 이를 감경할 수 있고, 단지 주위토지통행권이 인정되어 통행하고 있다는 사정만으로 통행지를 '도로'로 평가하여 산정한 임료 상당액이 통행지 소유자의 손해액이 된다고 볼 수 없다(대판 2014.12.24, 2013다11669).

7. 민법 제220조의 무상주위통행권

(1) 적용범위 – 피통행지의 특정승계인에게 승계되는지 여부 ★

1) 분할 또는 토지의 일부 양도로 인하여 공로에 통하지 못하는 토지가 생긴 경우의 무상주위통행권에 관한 민법 제220조의 규정은 직접 분할자 또는 일부 양도의 당사자 사이에만 적용되고 포위된 토지 또는 피통행지의 특정승계인에게는 적용되지 않는다(대판 1990.8.28, 90다카10091·10107).

2) 분할 또는 토지의 일부 양도로 인하여 공로에 통하지 못하는 토지가 생긴 경우에 분할 또는 일부 양도 전의 종전 토지소유자가 그 포위된 토지를 위하여 인정한 통행사용권은 직접 분할자, 일부 양도의 당사자 사이에만 적용되므로, 포위된 토지 또는 피통행지의 특정승계인의 경우에는 주위토지통행권에 관한 일반원칙으로 돌아가 그 통행권의 범위를 따로 정하여야 한다. (또한) 이러한 법리는 분할자 또는 일부 양도의 당사자가 무상주위통행권에 기하여 이미 통로를 개설해 놓은 다음 특정승계가 이루어진 경우라 하더라도 마찬가지라 할 것이다(대판 1991.9.10, 91다19623).

(2) 일부양도와 무상주위통행권

동일인 소유 토지의 일부가 양도되어 공로에 통하지 못하는 토지가 생긴 경우에 포위된 토지를 위한 주위토지통행권은, 일부 양도 전의 양도인 소유의 종전 토지에 대하여만 생기고, 다른 사람 소유의 토지에 대하여는 인정되지 아니하며, 또 무상의 주위토지통행권이 발생하는 토지의 일부 양도라 함은 1필의 토지의 일부가 양도된 경우뿐만 아니라 일단으로 되어 있던 동일인 소유의 수 필지의 토지 중의 일부가 양도된 경우도 포함된다(대판 1995.2.10, 94다45869·94다45875).

8. 주위토지의 현황이나 구체적 이용상황에 변동이 생긴 경우, 기존의 확정판결 등이 인정한 통행장소와 다른 곳을 통행로로 삼아 다시 통행권확인 등의 소를 제기하는 것이 위 확정판결 등의 기판력에 저촉된다고 할 것인지 여부(소극)

주위토지통행권은 통행을 위한 지역권과는 달리 통행로가 항상 특정한 장소로 고정되어 있는 것은 아니고, 주위토지의 현황이나 사용방법이 달라졌을 때에는 주위토지 통행권자는 주위토지소유자를 위하여 보다 손해가 적은 다른 장소로 옮겨 통행할 수밖에 없는 경우도 있으므로, 일단 확정판결이나 화해조서 등에 의하여 특정의 구체적 구역이 위 요건에 맞는 통행로로 인정되었더라도 그 이후 그 전제가 되는 포위된 토지나 주위토지 등의 현황이나 구체적 이용상황에 변동이 생긴 경우에는 민법 제219조의 입법 취지나 신의성실의 원칙 등에 비추어 구체적 상황에 맞게 통행로를 변경할 수 있는 것이고, 그 과정에서 포위된 토지와 주위토지의 각 소유자 간에 원만한 합의가 이루어지지 아니하는 경우 일방이 상대방에 대하여 기존의 확정판결이나 화해조서 등이 인정한 통행장소와 다른 곳을 통행로로 삼아 주위토지통행권의 확인이나 통행방해의 배제·예방 또는 통행 금지 등을 소로써 구하더라도 그 청구가 위 확정판결이나 화해조서 등의 기판력에 저촉된다고 볼 수 없다(대판 2004.5.13, 2004다10268).

주위토지통행권의 제 문제(대판 2021.3.11, 2020다280326) ★

[1] 일반 공중의 통행에 공용된 도로의 통행을 방해함으로써 특정인의 통행의 자유를 침해한 경우, 민법상 불법행위에 해당하는지 여부(적극) 및 이때 침해를 받은 자가 통행방해 행위의 금지를 소구할 수 있는지 여부(적극)

① 불특정 다수인인 일반 공중의 통행에 공용된 도로, 즉 공로를 통행하고자 하는 자는 그 도로에 관하여 다른 사람이 가지는 권리 등을 침해한다는 등의 특별한 사정이 없는 한, 일상생활상 필요한 범위 내에서 다른 사람들과 같은 방법으로 그 도로를 통행할 자유가 있고, 제3자가 특정인에 대하여만 그 도로의 통행을 방해함으로써 일상생활에 지장을 받게 하는 등의 방법으로 그 특정인의 통행의 자유를 침해하였다면 민법상 불법행위에 해당하며, 그 침해를 받은 자로서는 그 방해의 배제나 장래에 생길 방해를 예방하기 위하여 통행방해 행위의 금지를 소구할 수 있다(대판 2011.10.13, 2010다63720 등 참조).

② 통상 주위토지통행권에 관한 분쟁은 통행권자와 피통행지의 소유자 사이에 발생하나, 피통행지의 소유자 이외의 제3자가 일정한 지위나 이해관계에서 통행권을 부인하고 그 행사를 방해할 때에는 그 제3자를 상대로 통행권의 확인 및 방해금지 청구를 하는 것이 통행권자의 지위나 권리를 보전하는 데에 유효 · 적절한 수단이 될 수 있다(대판 2005.7.14, 2003다18661).

[2] 어떤 도로가 일반 공중의 자유로운 통행이 보장된 공로인 경우, 공로에 이미 연결되어 있는 토지의 소유자에게 그 공로의 통행을 위하여 민법 제219조의 주위토지통행권을 인정할 필요가 있는지 여부(소극)

민법 제219조는 주위토지통행권에 관하여 “어느 토지와 공로 사이에 그 토지의 용도에 필요한 통로가 없는 경우에 그 토지소유자는 주위의 토지를 통행 또는 통로로 하지 아니하면 공로에 출입할 수 없거나 과다한 비용을 요하는 때에는 그 주위의 토지를 통행할 수 있고 필요한 경우에는 통로를 개설할 수 있다. 그러나 이로 인한 손해가 가장 적은 장소와 방법을 선택하여야 한다.”라고 규정하고 있다. 즉 주위토지통행권은 통행로가 없는 맹지를 공로와 연결하기 위하여 상린관계에서 인정되는 권리이다. 여기에서 공로란 사실상 일반 공중의 통행에 제공되는 도로를 말하고, 그 개설경위나 법령에 따라 정식으로 개설된 도로인지 여부를 가리지 않는다. 따라서 어떤 도로가 일반 공중의 자유로운 통행이 보장된 공로에 해당하면, 공로에 이미 연결되어 있는 토지의 소유자에게 그 공로의 통행을 위하여 굳이 민법 제219조의 주위토지통행권을 인정할 필요는 없다.

→ [사실관계 및 해설] : 甲 지방자치단체가 乙 사찰로 출입하는 유일한 통행로로서 사찰의 승려, 신도, 탐방객 및 인근 주민들이 이용하고 있던 도로를 농어촌도로 정비법 제2조 제1항의 농어촌도로로 지정하고 30년 이상 관리하고 있었는데, 위 도로가 있는 임야를 임의경매절차에서 매수한 丙이 불특정 다수인의 통행을 제한하려고 하자 乙 사찰이 丙을 상대로 통행권 확인 및 통행방해 금지를 구한 사안에서, 위 도로는 일반 공중의 통행에 제공된 공로에 해당한다고 봄이 타당하고, 위 도로 자체가 공로인 이상 乙 사찰은 일상생활상 필요한 범위 내에서 도로를 자유로이 통행하는 것이 보장되며, 주위토지통행권이 인정될 필요는 없다고 한 사안이다.

Ⅲ. 건물의 구분소유 - 「집합건물의 소유 및 관리에 관한 법률」의 주요내용

제215조【건물의 구분소유】

① 수인이 한 채의 건물을 구분하여 각각 그 일부분을 소유한 때에는 건물과 그 부속물중 공용하는 부분은 그의 공유로 추정한다.

② 공용부분의 보존에 관한 비용 기타의 부담은 각자의 소유부분의 가액에 비례하여 분담한다.

제268조【공유물의 분할청구】

① 공유자는 공유물의 분할을 청구할 수 있다. 그러나 5년 내의 기간으로 분할하지 아니할 것을 약정할 수 있다.

② 전항의 계약을 갱신한 때에는 그 기간은 갱신한 날로부터 5년을 넘지 못한다.

③ 전2항의 규정은 제215조, 제239조의 공유물에는 적용하지 아니한다.

◈ 집합건물의 소유 및 관리에 관한 법률 ◈

제1조【건물의 구분소유】

1동의 건물 중 구조상 구분된 여러 개의 부분이 독립한 건물로서 사용될 수 있을 때에는 그 각 부분은 이 법에서 정하는 바에 따라 각각 소유권의 목적으로 할 수 있다.

제1조의2【상가건물의 구분소유】

① 1동의 건물이 다음 각 호에 해당하는 방식으로 여러 개의 건물부분으로 이용상 구분된 경우에 그 건물부분(이하 "구분점포"라 한다)은 이 법에서 정하는 바에 따라 각각 소유권의 목적으로 할 수 있다.

1. 구분점포의 용도가 「건축법」 제2조 제2항 제7호의 판매시설 및 같은 항 제8호의 운수시설일 것
2. 삭제
3. 경계를 명확하게 알아볼 수 있는 표지를 바닥에 견고하게 설치할 것
4. 구분점포별로 부여된 건물번호 표지를 견고하게 붙일 것

제2조【정의】

이 법에서 사용하는 용어의 뜻은 다음과 같다.

1. "구분소유권"이란 제1조 또는 제1조의2에 규정된 건물부분[제3조 제2항 및 제3항에 따라 공용부분으로 된 것은 제외한다]을 목적으로 하는 소유권을 말한다.
2. "구분소유자"란 구분소유권을 가지는 자를 말한다.
3. "전유부분"이란 구분소유권의 목적인 건물부분을 말한다.
4. "공용부분"이란 전유부분 외의 건물부분, 전유부분에 속하지 아니하는 건물의 부속물 및 제3조 제2항 및 제3항에 따라 공용부분으로 된 부속의 건물을 말한다.
5. "건물의 대지"란 전유부분이 속하는 1동의 건물이 있는 토지 및 제4조에 따라 건물의 대지로 된 토지를 말한다.
6. "대지사용권"이란 구분소유자가 전유부분을 소유하기 위하여 건물의 대지에 대하여 가지는 권리를 말한다.

제3조【공용부분】

① 여러 개의 전유부분으로 통하는 복도, 계단, 그 밖에 구조상 구분소유자 전원 또는 일부의 공용에 제공되는 건물부분은 구분소유권의 목적으로 할 수 없다.

② 제1조 또는 제1조의2에 규정된 건물부분과 부속의 건물은 규약으로써 공용부분으로 정할 수 있다.

③ 제1조 또는 제1조의2에 규정된 건물부분의 전부 또는 부속건물을 소유하는 자는 공정증서로써 제2항

의 규약에 상응하는 것을 정할 수 있다.

④ 제2항과 제3항의 경우에는 공용부분이라는 취지를 등기하여야 한다.

제4조【규약에 따른 건물의 대지】

① 통로, 주차장, 정원, 부속건물의 대지, 그 밖에 전유부분이 속하는 1동의 건물 및 그 건물이 있는 토지와 하나로 관리되거나 사용되는 토지는 규약으로써 건물의 대지로 할 수 있다.

제5조【구분소유자의 권리·의무 등】

① 구분소유자는 건물의 보존에 해로운 행위나 그 밖에 건물의 관리 및 사용에 관하여 구분소유자 공동의 이익에 어긋나는 행위를 하여서는 아니 된다.

② 전유부분이 주거의 용도로 분양된 것인 경우에는 구분소유자는 정당한 사유 없이 그 부분을 주거 외의 용도로 사용하거나 그 내부 벽을 철거하거나 파손하여 증축·개축하는 행위를 하여서는 아니 된다.

③ 구분소유자는 그 전유부분이나 공용부분을 보존하거나 개량하기 위하여 필요한 범위에서 다른 구분소유자의 전유부분 또는 자기의 공유에 속하지 아니하는 공용부분의 사용을 청구할 수 있다. 이 경우 다른 구분소유자가 손해를 입었을 때에는 보상하여야 한다.

④ 전유부분을 점유하는 자로서 구분소유자가 아닌 자(이하 "점유자"라 한다)에 대하여는 제1항부터 제3항까지의 규정을 준용한다.

제7조【구분소유권 매도청구권】

대지사용권을 가지지 아니한 구분소유자가 있을 때에는 그 전유부분의 철거를 청구할 권리를 가진 자는 그 구분소유자에 대하여 구분소유권을 시가로 매도할 것을 청구할 수 있다.

제8조【대지공유자의 분할청구 금지】

대지 위에 구분소유권의 목적인 건물이 속하는 1동의 건물이 있을 때에는 그 대지의 공유자는 그 건물 사용에 필요한 범위의 대지에 대하여는 분할을 청구하지 못한다.

제10조【공용부분의 귀속 등】

① 공용부분은 구분소유자 전원의 공유에 속한다. 다만, 일부의 구분소유자만이 공용하도록 제공되는 것임이 명백한 공용부분(이하 "일부공용부분"이라 한다)은 그들 구분소유자의 공유에 속한다.

② 제1항의 공유에 관하여는 제11조부터 제18조까지의 규정에 따른다. 다만, 제12조, 제17조에 규정한 사항에 관하여는 규약으로써 달리 정할 수 있다.

제11조【공유자의 사용권】

각 공유자는 공용부분을 그 용도에 따라 사용할 수 있다.

제12조【공유자의 지분권】

① 각 공유자의 지분은 그가 가지는 전유부분의 면적 비율에 따른다.

② 제1항의 경우 일부공용부분으로서 면적이 있는 것은 그 공용부분을 공용하는 구분소유자의 전유부분의 면적 비율에 따라 배분하여 그 면적을 각 구분소유자의 전유부분 면적에 포함한다.

제13조【전유부분과 공용부분에 대한 지분의 일체성】

① 공용부분에 대한 공유자의 지분은 그가 가지는 전유부분의 처분에 따른다.

② 공유자는 그가 가지는 전유부분과 분리하여 공용부분에 대한 지분을 처분할 수 없다.

③ 공용부분에 관한 물권의 득실변경은 등기가 필요하지 아니하다.

제15조【공용부분의 변경】

① 공용부분의 변경에 관한 사항은 관리단집회에서 구분소유자의 3분의 2 이상 및 의결권의 3분의 2 이상의 결의로써 결정한다.

제16조【공용부분의 관리】

① 공용부분의 관리에 관한 사항은 제15조 제1항 본문 및 제15조의2의 경우를 제외하고는 제38조 제1항에 따른 통상의 집회결의로써 결정한다. 다만, 보존행위는 각 공유자가 할 수 있다.

제17조【공용부분의 부담·수익】

각 공유자는 규약에 달리 정한 바가 없으면 그 지분의 비율에 따라 공용부분의 관리비용과 그 밖의 의무를 부담하며 공용부분에서 생기는 이익을 취득한다.

제20조【전유부분과 대지사용권의 일체성】

① 구분소유자의 대지사용권은 그가 가지는 전유부분의 처분에 따른다.

② 구분소유자는 그가 가지는 전유부분과 분리하여 대지사용권을 처분할 수 없다. 다만, 규약으로써 달리 정한 경우에는 그러하지 아니하다.

③ 제2항 본문의 분리처분금지는 그 취지를 등기하지 아니하면 선의로 물권을 취득한 제3자에게 대항하지 못한다.

④ 제2항 단서의 경우에는 제3조 제3항을 준용한다.

제23조【관리단의 당연 설립 등】

① 건물에 대하여 구분소유 관계가 성립되면 구분소유자 전원을 구성원으로 하여 건물과 그 대지 및 부속시설의 관리에 관한 사업의 시행을 목적으로 하는 관리단이 설립된다.

제24조【관리인의 선임 등】

① 구분소유자가 10인 이상일 때에는 관리단을 대표하고 관리단의 사무를 집행할 관리인을 선임하여야 한다.

제25조【관리인의 권한과 의무】

② 관리인의 대표권은 제한할 수 있다. 다만, 이로써 선의의 제3자에게 대항할 수 없다.

제38조【의결 방법】

① 관리단집회의 의사는 이 법 또는 규약에 특별한 규정이 없으면 구분소유자의 과반수 및 의결권의 과반수로써 의결한다.

제42조【규약 및 집회의 결의의 효력】

① 규약 및 관리단집회의 결의는 구분소유자의 특별승계인에 대하여도 효력이 있다.

② 점유자는 구분소유자가 건물이나 대지 또는 부속시설의 사용과 관련하여 규약 또는 관리단집회의 결의에 따라 부담하는 의무와 동일한 의무를 진다.

제42조의2【결의취소의 소】

구분소유자는 다음 각 호의 어느 하나에 해당하는 경우에는 집회 결의 사실을 안 날부터 6개월 이내에, 결의한 날부터 1년 이내에 결의취소의 소를 제기할 수 있다.

1. 집회의 소집 절차나 결의 방법이 법령 또는 규약에 위반되거나 현저하게 불공정한 경우
2. 결의 내용이 법령 또는 규약에 위배되는 경우

제43조【공동의 이익에 어긋나는 행위의 정지청구 등】

① 구분소유자가 제5조 제1항의 행위를 한 경우 또는 그 행위를 할 우려가 있는 경우에는 관리인 또는 관리단집회의 결의로 지정된 구분소유자는 구분소유자 공동의 이익을 위하여 그 행위를 정지하거나 그 행위의 결과를 제거하거나 그 행위의 예방에 필요한 조치를 할 것을 청구할 수 있다.

② 제1항에 따른 소송의 제기는 관리단집회의 결의가 있어야 한다.

③ 점유자가 제5조 제4항에서 준용하는 같은 조 제1항에 규정된 행위를 한 경우 또는 그 행위를 할 우려가 있는 경우에도 제1항과 제2항을 준용한다.

제44조【사용금지의 청구】
① 제43조 제1항의 경우에 제5조 제1항에 규정된 행위로 구분소유자의 공동생활상의 장해가 현저하여 제43조 제1항에 규정된 청구로는 그 장해를 제거하여 공용부분의 이용 확보나 구분소유자의 공동생활 유지를 도모함이 매우 곤란할 때에는 관리인 또는 관리단집회의 결의로 지정된 구분소유자는 소로써 적당한 기간 동안 해당 구분소유자의 전유부분 사용금지를 청구할 수 있다.
② 제1항의 청구는 구분소유자의 4분의 3 이상 및 의결권의 4분의 3 이상의 관리단집회 결의가 있어야 한다.
③ 제1항의 결의를 할 때에는 미리 해당 구분소유자에게 변명할 기회를 주어야 한다.
제45조【구분소유권의 경매】
① 구분소유자가 제5조 제1항 및 제2항을 위반하거나 규약에서 정한 의무를 현저히 위반한 결과 공동생활을 유지하기 매우 곤란하게 된 경우에는 관리인 또는 관리단집회의 결의로 지정된 구분소유자는 해당 구분소유자의 전유부분 및 대지사용권의 경매를 명할 것을 법원에 청구할 수 있다.
② 제1항의 청구는 구분소유자의 4분의 3 이상 및 의결권의 4분의 3 이상의 관리단집회 결의가 있어야 한다.
③ 제2항의 결의를 할 때에는 미리 해당 구분소유자에게 변명할 기회를 주어야 한다.
④ 제1항의 청구에 따라 경매를 명한 재판이 확정되었을 때에는 그 청구를 한 자는 경매를 신청할 수 있다. 다만, 그 재판확정일부터 6개월이 지나면 그러하지 아니하다.
⑤ 제1항의 해당 구분소유자는 제4항 본문의 신청에 의한 경매에서 경락인이 되지 못한다.
제46조【전유부분의 점유자에 대한 인도청구】
① 점유자가 제45조 제1항에 따른 의무위반을 한 결과 공동생활을 유지하기 매우 곤란하게 된 경우에는 관리인 또는 관리단집회의 결의로 지정된 구분소유자는 그 전유부분을 목적으로 하는 계약의 해제 및 그 전유부분의 인도를 청구할 수 있다.
② 제1항의 경우에는 제44조 제2항 및 제3항을 준용한다.
③ 제1항에 따라 전유부분을 인도받은 자는 지체 없이 그 전유부분을 점유할 권원이 있는 자에게 인도하여야 한다.

1. 건물의 구분소유

민법 제215조는 수인이 한 채의 건물을 구분하여 각각 그 일부분을 소유하는 것을 인정한다. 이것을 토대로 건물과 그 부속물 중 공용하는 부분은 그의 공유로 추정하고, 공용부분의 보존에 관한 비용 기타의 부담은 각자의 소유부분의 가액에 비례하여 분담하며, 공용부분에 대해서는 분할청구를 할 수 없는 것(제268조 제3항)으로 규정한다.

2. 집합건물의 소유 및 관리에 관한 법률의 내용

(1) 구분소유권의 개념

1동의 건물 중 구조상의 독립성 및 이용상의 독립성을 가진 전유부분을 목적으로 하는 소유권을 말한다(동법 제2조 제1호).

(2) 소유관계의 대상(전유부분과 공용부분)

1) 전유부분

1동의 건물의 일부이면서 구분해서 소유권의 목적으로 된 부분을 말한다(동법 제2조 제3호). 건물의 구분소유의 객체인 전유부분으로 인정받으려면, 소유자의 구분소유의사와 구분행위 및 구조상의 독립성과 기능상의 독립성을 갖추어야 한다. 여기에서 구분행위는 건물의 특정 부분을 구분하여 별개의 소유권의 객체로 하려는 일종의 법률행위로서 그 시기나 방식에 특별한 제한은 없지만, 처분권자의 구분의사가 객관적으로 외부에 표시되어야 한다(대판 2018.2.13, 2016다245289).

분양계약의 목적인 구분점포에 구조상 독립성이 인정되지 아니하는 경우 분양계약의 효력 및 구분건물에서 이용상 독립성의 의미(대판 2017.12.22, 2017다225398)

① 구분건물의 소유권 취득을 목적으로 하는 매매계약에서 매도인의 소유권이전의무가 원시적 불능이어서 그 계약이 무효라고 하기 위해서는 단지 매매 목적물이 ⅰ) '매매계약 당시' 구분건물로서 구조상, 이용상 독립성을 구비하지 못했다는 정도를 넘어서 ⅱ) '그 후로도' 매매 목적물이 당사자 사이에 약정된 내용에 따른 구조상, 이용상 독립성을 갖추는 것이 사회통념상 불가능하다고 평가될 정도에 이르러야 한다.

② 그리고 1동의 건물에 대하여 구분소유가 성립하기 위해서는 ⅰ) 객관적, 물리적인 측면에서 1동의 건물이 존재하고, 구분된 건물부분이 구조상, 이용상 독립성을 갖추어야 할 뿐 아니라, ⅱ) 1동의 건물 중 물리적으로 구획된 건물부분을 각각 구분소유권의 객체로 하려는 구분행위가 있어야 한다(대판(전) 2013.1.17, 2010다71578 참조). 여기서 이용상 독립성이란 구분소유권의 대상이 되는 해당 건물부분이 그 자체만으로 독립하여 하나의 건물로서의 기능과 효용을 갖춘 것을 말한다. 이와 같은 의미의 이용상 독립성이 인정되는지 여부는 해당 부분의 효용가치, 외부로 직접 통행할 수 있는지 여부 등을 고려하여 판단하여야 한다. 특히 해당 건물부분이 집합건물법 제1조의2의 적용을 받는 '구분점포'인 경우에는 그러한 구분점포의 특성을 고려하여야 한다.

구분점포 매매 또는 교환계약의 경우, 점포의 실제 이용현황과 관계없이 집합건축물대장 등 공부에 의하여 확정된 구분점포가 매매 또는 교환의 대상이 되는지 여부(원칙적 적극) ★

집합건물의 소유 및 관리에 관한 법률 제1조의2는 1동의 상가건물이 일정한 요건을 갖추어 이용상 구분된 구분점포를 소유권의 목적으로 할 수 있도록 하고 있는데, 구분점포의 번호, 종류, 구조, 위치, 면적은 특별한 사정이 없는 한 건축물대장의 등록 및 그에 근거한 등기에 의해 특정된다. 따라서 구분점포의 매매당사자가 집합건축물대장등에 의하여 구조, 위치, 면적이 특정된 구분점포를 매매할 의사가 아니라고 인정되는 등 특별한 사정이 없다면, 점포로서 실제 이용현황과 관계없이 집합건축물대장 등 공부에 의해 구조, 위치, 면적에 의하여 확정된 구분점포를 매매의 대상으로 하는 것으로 보아야 하고, 매매당사자가 매매계약 당시 구분점포의 실제 이용현황이 집합건축물대장 등 공부와 상이한 것을 모르는 상태에서 점포로서 이용현황대로 위치 및 면적을 매매목적물의 그것으로 알고 매매하였다고 해서 매매당사자들이 건축물대장 등 공부상 위치와 면적을 떠나 이용현황대로 매매목적물을 특정하여 매매한 것이라고 볼 수 없고, 이러한 법리는 교환계약의 목적물 특정에 있어서도 마찬가지로 적용된다(대판 2012.5.24, 2012다105).

집합건물 중 전유부분 소유자들이 함께 사용하는 것이 일반적인 건물부분에 관하여 구분의사의 표시행위가 있었는지 판단하는 방법 및 다세대주택인 1동의 건물을 신축하면서 건축허가를 받지 않고 위법하게 건축한 지하층에 관하여 처분권자의 구분의사가 명확하게 표시되지 않은 경우 공용부분으로 추정되는지 여부(적극)

집합건물 중에서 전유부분 소유자들이 함께 사용하는 것이 일반적인 건물부분의 경우에는 구분소유권의 성립 여부가 전유부분 소유자들의 권리관계나 거래의 안전에 미치는 영향을 고려하여 구분의사의 표시행위가 있었는지를 신중하게 판단하여야 한다. 다세대주택의 지하층은 구분소유자들이 공동으로 사용하는 경우가 적지 않은데, 다세대주택인 1동의 건물을 신축하면서 건축허가를 받지 않고 위법하게 지하층을 건축하였다면 처분권자의 구분의사가 명확하게 표시되지 않은 이상 공용부분으로 추정하는 것이 사회관념이나 거래관행에 부합한다(대판 2018.2.13, 2016다245289).

구분소유 제 문제 ★★

[1] 1동의 건물 중 구조상 구분되어 구분소유권의 목적이 된 수개의 구분건물들이 그 사이의 격벽이 제거되는 등의 방법으로 건물로서의 독립성을 상실하여 일체화되고 일체화된 후의 구획을 전유부분으로 하는 1개의 건물이 된 경우, 기존 구분건물에 대한 등기의 효력

1동의 건물 중 구조상 구분된 수개의 부분이 독립한 건물로서 구분소유권의 목적이 되었으나 그 구분건물들 사이의 격벽이 제거되는 등의 방법으로 각 구분건물이 건물로서의 독립성을 상실하여 일체화되고 이러한 일체화 후의 구획을 전유부분으로 하는 1개의 건물이 되었다면 기존 구분건물에 대한 등기는 합동으로 인하여 생겨난 새로운 건물 중에서 위 구분건물이 차지하는 비율에 상응하는 공유지분 등기로서의 효력만 인정된다(대판 2020.2.27, 2018다232898).

[2] 인접한 구분건물 사이에 설치된 경계벽이 제거되어 각 구분건물이 구조상 및 이용상의 독립성을 상실하였으나 각 구분건물의 위치와 면적 등을 특정할 수 있고 사회통념상 복원을 전제로 한 일시적인 것으로서 복원이 용이한 경우 각 구분건물에 관한 등기의 효력(유효) / 이때 구조상의 구분에 의하여 구분소유권의 객체 범위를 확정할 수 없는 경우, 건축물관리대장상 독립한 별개의 구분건물로 등재되고 등기부상에도 구분소유권의 목적으로 등기되어 있더라도 등기 그 자체가 무효인지 여부(적극)

① 인접한 구분건물 사이에 설치된 경계벽이 일정한 사유로 제거됨으로써 각 구분건물이 구분건물로서의 구조상 및 이용상의 독립성을 상실하게 되었다고 하더라도, 각 구분건물의 위치와 면적 등을 특정할 수 있고 사회통념상 그것이 구분건물로서의 복원을 전제로 한 일시적인 것일 뿐만 아니라 그 복원이 용이한 것이라면, 각 구분건물은 구분건물로서의 실체를 상실한다고 쉽게 단정할 수는 없고, 아직도 그 등기는 구분건물을 표상하는 등기로서 유효하지만(대결 2022.12.29, 2019마5500, 대판 2023.4.27, 2022다273018), ② 구조상의 구분에 의하여 구분소유권의 객체 범위를 확정할 수 없는 경우에는 구조상의 독립성이 있다고 할 수 없고, 구분소유권의 객체로서 적합한 요건을 갖추지 못한 건물의 일부는 그에 관한 구분소유권이 성립할 수 없으므로, 건축물관리대장상 독립한 별개의 구분건물로 등재되고 등기부상에도 구분소유권의 목적으로 등기되어 있더라도, 그 등기는 그 자체로 무효이다(대판 2020.2.27, 2018다232898).

[3] 상가건물 구분소유자가 그 건물 1층의 복도와 로비를 무단으로 점유하여 자신의 영업장 내부공간인 것처럼 사용하고 있는 경우 그 구분소유자에게 부당이득반환의무가 인정되는지 여부(적극)

① 구분소유자 중 일부가 정당한 권원 없이 집합건물의 복도, 계단 등과 같은 공용부분을 배타적으로 점유·사용함으로써 이익을 얻고, 그로 인하여 다른 구분소유자들이 해당 공용부분을 사용할 수 없게 되었다면, 공용부분을 무단점유한 구분소유자는 특별한 사정이 없는 한 해당 공용부분을 점유·사용함으로써 얻은 이익을 부당이득으로 반환할 의무가 있다. 해당 공용부분이 구조상 이를 별개 용도로 사용하거나 다른 목적으로 임대할 수 있는 대상이 아니더라도, 무단점유로 인하여 다른 구분소유자들이 해당 공용부분을 사용·수익할 권리가 침해되었고 이는 그 자체로 민법 제741조에서 정한 손해로 볼 수 있다.

② 이러한 법리는 구분소유자가 아닌 제3자가 집합건물의 공용부분을 정당한 권원 없이 배타적으로 점유·사용하는 경우에도 마찬가지로 적용된다.

③ 이와 달리 집합건물의 복도, 계단 등과 같은 공용부분은 구조상 이를 점포로 사용하는 등 별개의 용도로 사용하거나 그와 같은 목적으로 임대할 수 있는 대상이 아니므로 특별한 사정이 없는 한 구분소유자 중

일부나 제3자가 정당한 권원 없이 이를 점유・사용하였더라도 이로 인하여 다른 구분소유자에게 차임 상당의 이익을 상실하는 손해가 발생하였다고 볼 수 없다고 하여 부당이득이 성립하지 않는다고 판시한 대법원 1998.2.10. 96다42277・96다42284 판결, 대법원 2005.6.24. 2004다30279 판결, 대법원 2014.7.24. 2014다202608 판결 등을 비롯하여 같은 취지의 대법원판결들은 이 판결의 견해에 배치되는 범위에서 이를 모두 변경하기로 한다(대판(전) 2020.5.21. 2017다220744).

→ [사실관계 및 해설] : ① 원고는 상가건물의 관리단이고 피고는 상가건물 1층 상가의 구분소유자로서 그곳에서 골프연습장을 운영하면서 1층 복도와 로비를 점유하여 골프연습장의 내부공간인 것처럼 사용하고 있어서, 원고가 피고에게 복도와 로비의 인도청구와 함께 이 부분의 점유・사용에 따른 부당이득반환을 청구하였다. ② 이에 대법원은, ⅰ) 피고가 이 사건 복도와 로비를 배타적으로 점유・사용함으로써 이익을 얻었고 상가건물의 다른 구분소유자들은 이 사건 복도와 로비를 전혀 사용하지 못하게 되는 손해가 발생하였으므로 이로써 부당이득이 성립하고, ⅱ) 이 사건 복도와 로비를 다른 용도로 사용할 수 있는지 임대할 수 있는지는 부당이득의 성립과 관련이 없으며, ⅲ) 일반적으로 부동산의 무단 점유・사용에 대하여 차임 상당액을 부당이득으로 인정하는 이유는 해당 부동산의 점유・사용으로 인한 이익을 객관적으로 평가할 때 그 부동산 사용에 관하여 약정되었을 대가로 산정하는 것이 합리적이기 때문이지 해당 부동산이 임대가능하기 때문이 아니라는 이유 등을 들어 종전 선례를 변경하고, 종전 선례에 따라 원고의 부당이득반환청구를 기각한 원심판결을 파기(일부)한 사례이다.

구분건물과 공유(대판 2020.9.7. 2017다204810) ★★★

[1] 구분건물로 등기된 1동의 건물 중 일부에 해당하는 구분건물들 사이에서 구조상의 구분이 소멸되는 경우, 그 구분건물에 해당하는 일부 건물 부분의 소유관계(=종전 구분건물 등기명의자의 공유) 및 위 일부 건물 부분과 나머지 구분건물들로 구성된 1동의 건물 전체가 집합건물의 소유 및 관리에 관한 법률의 적용을 받는지 여부(적극) / 공유자 사이에 공유물을 사용・수익할 구체적인 방법을 정하는 것이 공유자 지분의 과반수로써 결정하여야 하는 공유물의 관리에 관한 사항인지 여부(적극)

구분건물로 등기된 1동의 건물 중 일부에 해당하는 구분건물들 사이에서 구조상의 구분이 소멸되는 경우에 그 구분건물에 해당하는 일부 건물 부분은 종전 구분건물 등기명의자의 공유로 된다. 구조상의 독립성이 상실되지 아니한 나머지 구분건물들의 구분소유권은 그대로 유지됨에 따라 그 일부 건물 부분은 나머지 구분건물들과 독립되는 구조를 이룬다고 할 것이고, 또한 집합건물 중 일부 구분건물에 대한 공유도 당연히 허용되므로 그 일부 건물 부분과 나머지 구분건물들로 구성된 1동의 건물 전체는 집합건물의 소유 및 관리에 관한 법률의 적용을 받는다. 공유자 사이에 공유물을 사용・수익할 구체적인 방법을 정하는 것은 공유물의 관리에 관한 사항으로서 공유자 지분의 과반수로써 결정하여야 한다.

[2] 공유물의 소수지분권자가 다른 공유자와 협의 없이 공유물의 전부 또는 일부를 독점적으로 점유・사용하고 있는 경우, 다른 소수지분권자가 공유물의 보존행위로서 공유물의 인도를 청구할 수 있는지 여부(소극) 및 자신의 지분권에 기초하여 공유물에 대한 방해 상태를 제거하거나 공동 점유를 방해하는 행위의 금지 등을 청구할 수 있는지 여부(적극)

① 공유물의 소수지분권자가 다른 공유자와 협의 없이 공유물의 전부 또는 일부를 독점적으로 점유・사용하고 있는 경우 다른 소수지분권자는 공유물의 보존행위로서 그 인도를 청구할 수는 없고, 다만 자신의 지분권에 기초하여 공유물에 대한 방해 상태를 제거하거나 공동 점유를 방해하는 행위의 금지 등을 청구할 수 있다.

→ [사실관계] : 상가건물의 시설관리와 임대대행권을 취득한 甲 주식회사가 위 상가건물의 구분소유자 전체의 동의를 받지 아니하고 상가 4, 5층의 내부시설을 철거한 후 사우나를 설치함으로써 구분점포들 사이의 구분이 폐지되었는데, 구분폐지되어 하나의 공유물이 된 전유부분에 대한 공유지분 과반수의 동의를 얻지 못한 채 구분폐지 전 구분소유자였던 공유지분권자로부터 점유할 권리를 이전받은 乙이 4층 전유부분 중 일부인 매점 및 식당 부분을 단독으로 점유・사용하자 4층 일부의 구분점포에 관한 소유권이

전등기를 마친 丙이 乙을 상대로 매점 및 식당 부분의 인도를 구한 사안에서, 4층 구분점포의 구분소유자들은 상가 전체의 전유부분에 대한 공유지분권을 취득하는 것이 아니라 구분이 폐지되어 하나의 공유물이 된 전유부분에 한하여 구분소유권의 비율에 따라 공유지분권을 취득하는바, 소수지분권자인 丙으로서는 구분폐지되어 하나의 공유물이 된 전유부분에 한하여 그 공유지분권에 따라 공유물의 보존행위로서 위 전유부분 중 일부인 매점 및 식당 부분을 단독으로 점유·사용하는 乙을 상대로 방해 상태를 제거하거나 공동 점유를 방해하는 행위의 금지 등을 청구할 수 있을 뿐인데도, 상가 전체를 하나의 공유물로 보고 그 보존행위로서 인도청구를 받아들인 원심판단에 법리오해의 잘못이 있다고 한 사례이다.

② 공유물의 소수지분권자가 다른 공유자와 협의 없이 공유물의 전부 또는 일부를 독점적으로 점유·사용하고 있는 경우 다른 소수지분권자는 공유물의 보존행위로서 그 인도를 청구할 수는 없고, 다만 자신의 지분권에 기초하여 공유물에 대한 방해 상태를 제거하거나 공동 점유를 방해하는 행위의 금지 등을 청구할 수 있다. 이러한 법리는 집합건물의 소유 및 관리에 관한 법률(이하 '집합건물법'이라 한다)에 따라 구분소유자 전원 또는 일부의 공유에 속하고(제10조 제1항), 공유자가 그 용도에 따라 사용할 수 있는 집합건물의 공용부분(제11조)에도 마찬가지로 적용된다. 따라서 집합건물의 구분소유자가 집합건물법의 관련 규정에 따라 관리단집회 결의나 다른 구분소유자의 동의 없이 공용부분의 전부 또는 일부를 독점적으로 점유·사용하고 있는 경우 다른 구분소유자는 공용부분의 보존행위로서 그 인도를 청구할 수는 없고, 특별한 사정이 없는 한 자신의 지분권에 기초하여 공용부분에 대한 방해 상태를 제거하거나 공동 점유를 방해하는 행위의 금지 등을 청구할 수 있다(대판 2020.10.15, 2019다245822).

2) 공용부분

가) 의의 : 공용부분에는 법정공용부분(성질상 당연히 공용부분으로 볼 수 있는 계단, 엘리베이터 등)과 규약공용부분(관리사무실, 노인정 등과 같이 구조상으로는 전유부분이지만 규약에 의해 공용부분으로 한 부속건물)이 있다. 법정공용부분은 등기 없어도 되나 규약공용부분은 등기하여야 한다.

나) 전원의 공유 : 공용부분은 구분소유자 전원이 공유하는 것이 원칙이지만, 일부 사람만의 공용에 제공되는 것임이 명백한 경우에는 그 구분소유자 일부의 공유이다(동법 제10조 제1항). 공용부분은 규약으로서 달리 정할 수 있다(동법 제10조 제2항).

다) 공용부분인지 여부의 결정기준 : 건물의 어느 부분이 구분소유자 전원이나 일부의 공용에 제공되는지 여부는 일부공용부분이라는 취지가 등기되어 있거나 소유자의 합의가 있다면 그에 따르고, 그렇지 않다면 건물의 구조·용도·이용 상황, 설계도면, 분양계약서나 건축물대장의 공용부분 기재 내용 등을 종합하여 '구분소유가 성립될 당시 건물의 구조에 따른 객관적인 용도'에 따라 판단하여야 한다(대판 2022.1.13, 2020다278156).

공용부분인지 여부의 결정기준

① 집합건물에 있어서 수개의 전유부분으로 통하는 복도, 계단 기타 구조상 구분소유자의 전원 또는 그 일부의 공용에 제공되는 건물부분은 공용부분으로서 구분소유권의 목적이 되지 않으며, 건물의 어느 부분이 구분소유자의 전원 또는 일부의 공용에 제공되는지의 여부는 소유자들 간에 특단의 합의가 없는 한 그 건물의 구조에 따른 객관적인 용도에 의하여 결정되어야 할 것이다(대판 1995.2.28, 94다9269).

② 아파트 지하실이 건축 당시부터 그 지상의 주택 부분과는 별도의 용도나 목적으로 건축되었다고 볼 특별한 사정이 엿보이지 않는다면 건축 당시 그 아파트의 각층 주택의 관리를 위한 기계실 또는 전입주자 공동사용의 목적을 위한 창고, 대피소 등으로 사용하기 위하여 건축된 것으로 봄이 타당하고, 이에 관한 건축물관리대장상 용도가 주택으로 되어 있다거나 그 지하실이 주택 또는 상가 등의 용도로 사용하기에 충분한 높이와 환기시설 등을 갖추고 있다는 등의 사정만으로 달리 볼 수 없으므로, 이는 구분소유자 전원의 공용에 제공되는 건물 부분으로 그들의 공유에 속할 뿐 따로 구분소유의 목적이 될 수 없다(대판 1995.3.3, 94다4691).

집합건물의 어느 부분이 일부공용부분인지 결정하는 기준 및 구분소유가 성립될 당시 건물의 구조에 따른 객관적인 용도에 비추어 일부공용부분인 부분의 구조나 이용 상황을 그 후에 변경하였다는 사정만으로 일부공용부분이 전체공용부분이 되는지 여부(원칙적 소극) **/ 이러한 법리는 여러 동의 집합건물로 이루어진 단지 내의 특정 동의 건물 부분으로서 구분소유의 대상이 아닌 부분의 소유권 귀속을 판단할 때에도 마찬가지로 적용되는지 여부**(적극)

집합건물의 공용부분 중 일부의 구분소유자만의 공용에 제공되는 것임이 명백한 일부공용부분은 그들 구분소유자의 공유에 속한다[집합건물의 소유 및 관리에 관한 법률(이하 '집합건물법'이라고 한다) 제10조 제1항]. 이때 건물의 어느 부분이 구분소유자의 전원 또는 일부의 공용에 제공되는지는 소유자들 사이에 특단의 합의가 없는 한 구분소유가 성립될 당시 건물의 구조에 따른 객관적인 용도에 의하여 결정되고, 구분소유가 성립될 당시 건물의 구조에 따른 객관적인 용도에 비추어 일부공용부분인 부분의 구조나 이용 상황을 그 후에 변경하더라도, 그 부분을 공유하는 일부 구분소유자 전원의 승낙을 포함한 소유자들의 특단의 합의가 없는 한, 그러한 사정만으로 일부공용부분이 전체공용부분이 되는 것은 아니다. 그리고 이러한 법리는 여러 동의 집합건물로 이루어진 단지 내의 특정 동의 건물 부분으로서 구분소유의 대상이 아닌 부분이 해당 단지 구분소유자 전원의 공유에 속하는지, 해당 동 구분소유자 등 일부의 구분소유자만이 공유하는 것인지를 판단할 때에도 마찬가지로 적용된다(대판 2021.1.14, 2019다294947).

→ [사실관계] : 이 사건 옥상은 A동 건물의 지붕과 일체를 이루도록 설치되어 있고, A동 구분소유자는 그가 구분소유하는 A동의 내부 또는 외부에서 이 사건 옥상에 접근할 수 있으나, 다른 동의 구분소유자는 관리사무소의 승인을 얻어 A동 지하와 1층 출입구를 통해 출입하지 않고서는 이 사건 옥상에 접근조차 할 수 없음을 알 수 있다. 또 위와 같은 구조적 상황은 A동 등 이 사건 아파트 단지 전체에 관하여 구분소유가 성립된 때의 상황과 변함이 없는 것으로 보인다. 위와 같은 사실관계를 앞서 본 법리에 비추어 본다면, A동 구분소유자는 이 사건 옥상과 일체를 이루는 지붕을 건물의 안전과 외관 유지라는 기본적 용도대로 이용할 뿐 아니라 이 사건 옥상을 능동적으로 이용하는 데에 건물의 구조상 아무런 장애가 없는 반면, 다른 동의 구분소유자는 A동 출입구에 의하여 이 사건 옥상에의 접근이 차단되고, 다만 입주자대표회의 등의 결정을 집행하는 관리사무소의 승인을 얻어 이 사건 옥상에 접근할 수 있을 뿐이므로, 건물의 구조에 따른 이 사건 옥상의 이용 가능성에서 A동 구분소유자와 A동 구분소유자 아닌 이 사건 아파트 단지 구분소유자는 본질적인 차이가 있다고 할 것이다. 따라서 이 사건 옥상은 A동 구분소유자만의 공용에 제공되는 것임이 명백한 일부공용부분으로서 A동 구분소유자만의 공유에 속한다고 보아야 하고, 이 사건 아파트의 구분소유가 성립한 후에 이 사건 옥상 등을 어느 용도로 이용한 데 따른 반사적 이익의 귀속이나 A동 구분소유자 전원의 승낙을 포함한 구분소유자들의 특단의 합의가 아닌 입주자대표회의의 결정을 고려하여 이 사건 옥상 소유권의 귀속주체를 달리 볼 수 없다. 그럼에도 그 판시와 같은 이유만으로 이 사건 옥상이 이 사건 아파트 단지의 구분소유자 전원이 소유하는 전체공용부분에 해당한다고 본 원심의 판단에는 단지를 구성하는 집합건물 부분의 소유권 귀속에 관한 법리를 오해하여 판결에 영향을 미친 잘못이 있다고 본 사례이다.

라) 지분의 비율 : 공용부분에 대한 공유지분은 전유부분의 면적비율에 의한다(동법 제12조). 또한 관리비등 비용은 지분비율에 따라 부담한다.

마) 지분권의 처분 : 공용부분에 대한 지분은 전유부분의 처분에 따르며 독립하여 처분할 수 없다(동법 제13조).

(3) 구분소유권과 대지사용권의 일체화

1) 대지사용권의 의의 · 성질

구분소유자가 전유부분을 소유하기 위하여 건물의 대지(예 주차장 · 정원 · 어린이놀이터 등)에 대하여 가지는 권리(예 소유권 · 지상권 · 전세권 · 임차권 등)를 말한다(동법 제2조 제5호). 이는 구분소유자 전원의 공유이나 공유물분할청구는 금지된다. 또한 판례는 각 구분소유자는 특별한 사정이 없는 한 대지에 대하여 가지는 공유지분의 비율에 관계없이 그 건물의 대지 전부를 용도에 따라 사용할 수 있는 적법한 권원을 가진다고 한다(대판 2012.12.13, 2011다89910 · 89927 등 참조).

2) 구분소유자의 대지사용권 ★★

구분소유자는 누구나 대지 전체에 대하여 이용할 수 있는 권리를 갖는다(동법 제2조 제4호).

① 집합건물 구분소유자의 대지사용권은 전유부분과 분리처분이 가능하도록 규약으로 정하였다는 등의 특별한 사정이 없는 한 전유부분과 종속적 일체불가분성이 인정되므로, 구분건물의 전유부분에 대한 저당권 또는 경매개시결정과 압류의 효력은 당연히 종물 내지 종된 권리인 대지사용권에까지 미치고, 그에 터 잡아 진행된 경매절차에서 전유부분을 경락받은 자는 그 대지사용권도 함께 취득한다(대판 2008.3.13, 2005다15048).

② 동일인의 소유에 속하는 전유부분과 토지공유지분(이하 '대지지분'이라고 한다) 중 전유부분만에 관하여 설정된 저당권의 효력은 규약이나 공정증서로써 달리 정하는 등의 특별한 사정이 없는 한 종물 내지 종된 권리인 대지지분에까지 미치므로, 전유부분에 관하여 설정된 저당권에 기한 경매절차에서 전유부분을 매수한 매수인은 대지지분에 대한 소유권을 함께 취득하고, 그 경매절차에서 대지에 관한 저당권을 존속시켜 매수인이 인수하게 한다는 특별매각조건이 정하여져 있지 않았던 이상 설사 대지사용권의 성립 이전에 대지에 관하여 설정된 저당권이라고 하더라도 대지지분의 범위에서는 민사집행법 제91조 제2항이 정한 '매각부동산 위의 저당권'에 해당하여 매각으로 소멸하는 것이며, 이러한 대지지분에 대한 소유권의 취득이나 대지에 설정된 저당권의 소멸은 전유부분에 관한 경매절차에서 대지지분에 대한 평가액이 반영되지 않았다거나 대지의 저당권자가 배당받지 못하였다고 하더라도 달리 볼 것은 아니다(대판 2013.11.28, 2012다103325).

③ 대지사용권은 구분소유자가 전유부분을 소유하기 위하여 건물의 대지에 대하여 갖는 권리로서 반드시 대지에 대한 소유권과 같은 물권에 한정되는 것은 아니고 등기가 되지 않는 채권적 토지사용권도 대지사용권이 될 수 있다. 그러나 대지사용권은 권리로서 유효하게 존속하고 있어야 하므로 사후에 효력을 상실하여 소멸한 토지사용권은 더 이상 전유부분을 위한 대지사용권이 될 수 없다(대판 2017.12.5, 2014다227492).

구분소유와 대지사용권 ★

[1] 대지사용권과 전유부분의 철거청구(대판 2021.7.8, 2017다204247)

① 집합건물 대지의 소유자가 대지사용권 없이 전유부분을 소유하는 구분소유자에 대하여 전유부분의 철거를 구할 수 있는지 여부(적극) / 일부 전유부분만을 철거하는 것이 사실상 불가능하다는 사정이 철거 청구를 기각할 사유에 해당하는지 여부(소극)

1동의 집합건물의 구분소유자들은 그 전유부분을 구분소유하면서 건물의 대지 전체를 공동으로 점유 ·

사용하는 것이므로, 대지 소유자는 대지사용권 없이 전유부분을 소유하면서 대지를 무단 점유하는 구분소유자에 대하여 그 전유부분의 철거를 구할 수 있다. 집합건물은 건물 내부를 (구조상 · 이용상 독립성을 갖춘) 여러 개의 부분으로 구분하여 독립된 소유권의 객체로 하는 것일 뿐 1동의 건물 자체는 일체로서 건축되어 전체 건물이 존립과 유지에 있어 불가분의 일체를 이루는 것이므로, 1동의 집합건물 중 일부 전유부분만을 떼어내거나 철거하는 것은 사실상 불가능하다. 그러나 구분소유자 전체를 상대로 각 전유부분과 공용부분의 철거 판결을 받거나 동의를 얻는 등으로 집합건물 전체를 철거하는 것은 가능하고 이와 같은 철거 청구가 구분소유자 전원을 공동피고로 해야 하는 필수적 공동소송이라고 할 수 없으므로, 일부 전유부분만을 철거하는 것이 사실상 불가능하다는 사정은 집행개시의 장애요건에 불과할 뿐 철거 청구를 기각할 사유에 해당하지 않는다.

② 집합건물 대지의 소유자가 대지사용권을 갖지 아니한 구분소유자에 대하여 전유부분의 철거를 구하는 것이 권리남용에 해당하는지 여부(소극)

집합건물 대지의 소유자는 대지사용권을 갖지 아니한 구분소유자에 대하여 전유부분의 철거를 구할 수 있고, 일부 전유부분만의 철거가 사실상 불가능하다고 하더라도 이는 집행개시의 장애요건에 불과할 뿐이어서 대지 소유자의 건물 철거 청구가 권리남용에 해당한다고 볼 수 없다.

[2] **대지사용권의 성립 및 취득**(대판 2021.11.11, 2020다278170)

① 부동산이 신탁된 경우, 집합건물의 소유 및 관리에 관한 법률 제2조 제6호에서 정한 대지사용권의 성립 여부나 성립된 대지사용권의 법적 성질에 관하여는 대내외적으로 수탁자가 신탁 부동산의 소유자임을 전제로 판단하여야 하는지 여부(원칙적 적극)

집합건물의 소유 및 관리에 관한 법률 제2조 제6호에 따르면, 대지사용권은 구분소유자가 전유부분을 소유하기 위하여 건물의 대지에 대하여 가지는 권리로서 그 성립을 위해서는 집합건물의 존재와 구분소유자가 전유부분 소유를 위하여 해당 대지를 사용할 수 있는 권리를 보유하는 것 이외에 다른 특별한 요건이 필요하지 않다. 신탁법상의 신탁은 위탁자가 수탁자에게 특정의 재산을 이전하거나 담보권의 설정 또는 그 밖의 처분을 하여 수탁자로 하여금 신탁 목적의 달성을 위하여 그 재산권을 관리 · 처분하게 하는 등 필요한 행위를 하게 하는 것이므로(신탁법 제2조), 부동산의 신탁에서 수탁자 앞으로 소유권이전등기를 마치게 되면 대내외적으로 소유권이 수탁자에게 완전히 이전되고, 위탁자와의 내부관계에서 소유권이 위탁자에게 유보되어 있는 것은 아니다. 따라서 부동산이 신탁된 경우 대지사용권의 성립 여부나 성립된 대지사용권의 법적 성질은, 신탁계약의 체결 경위, 신탁계약의 목적이나 내용에 비추어 신탁재산 독립의 원칙에 반하는 등 특별한 사정이 없는 한, 대내외적으로 수탁자가 신탁 부동산의 소유자임을 전제로 판단하여야 한다.

② 집합건물 건축자의 대지소유권에 관하여 부동산등기법에 따른 구분건물의 대지권등기가 마쳐지지 않은 상태에서 전유부분에 관한 경매절차가 진행되는 경우, 그 경매절차에서 전유부분을 매수한 매수인이 대지사용권도 함께 취득하는지 여부(적극)

집합건물에서 구분소유자의 대지사용권은 규약으로써 달리 정하는 등 특별한 사정이 없는 한 전유부분과 종속적 일체불가분성이 인정되어 전유부분에 대한 가압류결정의 효력은 종물 또는 종된 권리인 대지사용권에도 미치는 것이므로(집합건물의 소유 및 관리에 관한 법률 제20조 제1항, 제2항), 건축자의 대지소유권에 관하여 부동산등기법에 따른 구분건물의 대지권등기가 마쳐지지 않았다 하더라도 전유부분에 관한 경매절차가 진행되어 그 경매절차에서 전유부분을 매수한 매수인은 전유부분과 함께 대지사용권을 취득한다.

3) 대지사용권의 처분

대지사용권에 관해서는 일체성의 원칙이 적용된다. 즉, 건물을 소유하려면 대지사용권은 필요적이므로, 전유부분과 분리하여 대지사용권만을 처분할 수 없다(동법 제20조 제1항, 제2항).

[1] 집합건물의 소유 및 관리에 관한 법률은 제20조에서 구분소유자의 대지사용권은 그가 가지는 전유부분의 처분에 따르고, 구분소유자는 규약으로써 달리 정하지 않는 한 그가 가지는 전유부분과 분리하여 대지사용권을 처분할 수 없으며, 분리처분금지는 그 취지를 등기하지 아니하면 선의로 물권을 취득한 제3자(여기서 선의의 제3자라 함은 원칙적으로 집합건물의 대지로 되어 있는 사정을 모른 채 대지사용권의 목적이 되는 토지를 취득한 제3자를 의미한다)에게 대항하지 못한다고 규정하고 있는데, 위 규정의 취지는 집합건물의 전유부분과 대지사용권이 분리되는 것을 최대한 억제하여 대지사용권이 없는 구분소유권의 발생을 방지함으로써 집합건물에 관한 법률관계의 안정과 합리적 규율을 도모하려는 데 있으므로, 전유부분과 대지사용권의 일체성에 반하는 대지의 처분행위는 효력이 없다(대판(전) 2013.1.17, 2010다71578).

[2] 집합건물에서 구분소유자의 대지사용권은 규약이나 공정증서로써 달리 정하는 등의 특별한 사정이 없는 한 전유부분과 종속적 일체불가분성이 인정되므로(집합건물의 소유 및 관리에 관한 법률 제20조 제1항, 제2항), 대지소유권을 가진 집합건물의 건축자로부터 전유부분을 매수하여 그에 관한 소유권이전등기를 마친 매수인은 전유부분의 대지사용권에 해당하는 토지공유지분(이하 '대지지분'이라고 한다)에 관한 이전등기를 마치지 아니한 때에도 대지지분에 대한 소유권을 취득한다(대판 2013.11.28, 2012다103325). ★

[3] ① 집합건물의 건축자가 그 대지를 매수하였으나 아직 소유권이전등기를 마치지 아니하였다 하여도 매매계약의 이행으로 대지를 인도받아 그 지상에 집합건물을 건축하였다면 매매계약의 효력으로서 전유부분의 소유를 위하여 그 대지를 점유・사용할 권리가 생긴 것이고, 이러한 점유・사용권은 단순한 점유권과는 차원을 달리하는 본권으로서 집합건물의 소유 및 관리에 관한 법률 제2조 제6호에 정한 구분소유자가 전유부분을 소유하기 위하여 건물의 대지에 대하여 가지는 권리인 대지사용권에 해당한다. ② 집합건물의 건축자가 그 대지를 매수하였으나 지적정리 등의 지연으로 소유권이전등기를 경료받지 못하여 우선 전유부분만에 관하여 소유권보존등기를 경료하였는데, 그 후 대지에 관한 소유권이전등기가 경료되지 아니한 상태에서 전유부분에 관한 경매절차가 진행되어 제3자가 전유부분을 경락받은 경우, 경락인은 전유부분과 함께 건축자가 가지는 대지사용권을 취득한다. ③ 집합건물의 소유 및 관리에 관한 법률 제20조의 취지는 집합건물의 전유부분과 대지사용권이 분리되는 것을 최대한 억제하여 대지사용권 없는 구분소유권의 발생을 방지함으로써 집합건물에 관한 법률관계의 안정과 합리적 규율을 도모하려는 데 있으므로, 전유부분에 대한 대지사용권을 분리처분할 수 있도록 정한 규약이 존재한다는 등의 특별한 사정이 없는 한, 집합건물을 신축하였으나 그 대지 소유권을 취득하지 못한 상태에서 전유부분의 소유권을 경매로 상실한 자는 장래 취득할 대지지분을 전유부분의 소유권을 취득한 경락인이 아닌 제3자에게 분리처분하지 못하고, 이를 위반한 대지지분의 처분행위는 무효이다(대판 2008.9.11, 2007다45777).

[4] 각 구분소유자는 별도의 규약이 존재하는 등의 특별한 사정이 없는 한 그 대지에 대하여 가지는 공유지분의 비율에 관계없이 그 건물의 대지 전부를 용도에 따라 사용할 수 있는 적법한 권원을 가지고, 이때 '건물의 대지'는 달리 특별한 사정이 없는 한 집합건물이 소재하고 있는 1필지의 토지 전부를 포함한다. 그리고 집합건물의 부지 전체에 대하여 대지권이 성립한 이후에는 구분소유자의 대지사용권은 규약으로 달리 정한 경우가 아니면 전유부분과 분리하여 처분할 수 없고, 이를 위반한 대지사용권의 처분은 법원의 강제경매절차에 의한 것이라 하더라도 무효이다(대판 2015.1.15, 2012다74175・74182・74199).

[5] ① 집합건물의 소유 및 관리에 관한 법률 제20조에 의하여 분리처분이 금지되는 대지사용권이란 구분소유자가 전유부분을 소유하기 위하여 건물의 대지에 대하여 가지는 권리이므로, 구분소유자 아닌 자가 집합건물의 건축 전부터 전유부분의 소유와 무관하게 집합건물의 대지로 된 토지에 대하여 가지고 있던 권리는 같은 법 제20조에 규정된 분리처분금지의 제한을 받지 않는다(대판 2023.12.14, 2023다229896). 또한 ② 집합건물의 구분소유자가 애초부터 대지사용권을 보유하고 있지 않거나 대지사용권 보유의 원인이 된 계약의 종료 등에 따라 대지사용권이 소멸한 경우에는 특별한 사정이 없는 한 집합건물의 소유 및 관리에 관한 법률 제20조가 정하는 전유부분과 대지사용권의 일체적 취급이 적용될 여지가 없다(대판 2017.9.12, 2015다242849). 나아가 ③ 분리처분이 금지되는 대지사용권이란 구분소유자가 전유부분을 소유하기 위하여 건물의 대지에 대하여 가지는 권리로서, 구분소유의 성립을 전제로 한다. 따라서 '구분소유가 성립하기 전'에는 집합건물의 대지에 관하여 분리처분금지 규정이 적용되지 않으므로, 구분소유가 성립하기 전에 대지에 관하여만 근저당권이 설정되었다가 구분소유가 성립하여 대지사용권이 성립되었더라도 이미 설정된 그 근저당권 실행으로 대지가 매각됨으로써 전유부분으로부터 분리처분된 경우에는 그 전유부분을 위한 대지사용권이 소멸하게 된다(대판 2022.3.31, 2017다9121·9138). ★★

[6] 전유부분에 대한 대지사용권을 분리처분할 수 있도록 정한 규약이 존재한다는 등의 특별한 사정이 인정되지 않는 한 전유부분과 분리하여 대지사용권을 처분할 수 없고, 이를 위반한 대지지분의 처분행위는 그 효력이 없다. 그러므로 구분소유권이 이미 성립한 집합건물이 증축되어 새로운 전유부분이 생긴 경우에는, 건축자의 대지소유권은 기존 전유부분을 소유하기 위한 대지사용권으로 이미 성립하여 기존 전유부분과 일체불가분성을 가지게 되었으므로 규약 또는 공정증서로써 달리 정하는 등의 특별한 사정이 없는 한 새로운 전유부분을 위한 대지사용권이 될 수 없다(대판 2017.4.27, 2016다271226). ★ → [사실관계] 구분소유권이 이미 성립한 지상 4층 집합건물이 10층으로 증축되었는데, 1층 103호를 소유한 원고들이 새로운 전유부분을 소유한 피고들을 상대로, 피고들 소유의 전유부분을 위한 대지사용권이 인정되지 아니한다는 이유로 차임 상당의 부당이득반환을 구하는 사례이다.

[7] 구 집합건물의 소유 및 관리에 관한 법률(2010.3.31. 법률 제10204호로 개정되기 전의 것, 이하 '구 집합건물법'이라고 한다)은 복수의 구분소유자들이 제정한 규약에서 달리 정하면 전유부분과 대지사용권의 분리처분을 허용하면서(제20조 제2항 단서), 복수의 구분소유자들이 존재하기 전이라도 집합건물의 전유부분 전부를 소유하는 사람은 공정증서로써 전유부분과 대지사용권을 분리하여 처분할 수 있도록 허용하고 있다(제20조 제4항, 제3조 제3항). 여기서 구분소유자라 함은 일반적으로 구분소유권을 취득한 사람(등기부상 구분소유권자로 등기되어 있는 사람)을 지칭하는 것이나, 다만 수분양자로서 분양대금을 완납하였음에도 분양자 측의 사정으로 소유권이전등기를 마치지 못한 경우와 같은 특별한 사정이 있는 경우에는 이러한 수분양자도 구분소유자에 준하는 것으로 보아야 한다. 따라서 위와 같이 구분소유자에 준하는 수분양자가 있는 경우에는 구 집합건물법 제20조 제2항 단서에 따라 규약으로써 전유부분과 대지사용권을 분리하여 처분할 수 있도록 정하여야 하고, 구 집합건물법 제20조 제2항, 제4항에 따라 분양자 단독으로 작성한 공정증서로는 대지사용권의 분리처분이 허용되지 않는다(대판 2020.6.4, 2016다245142).

[8] 甲 등이 신축한 집합건물에 관한 구분소유가 성립하기 전에 대지에 관하여 근저당권이 설정되어 있었는데, 위 대지와 건물에 관한 강제경매절차에서 乙이 대지와 건물을 매수한 후 대지에 관하여 소유권이전등기를 마쳤고, 위 경매절차 개시 전에 건물에 관하여 가등기를 마친 丙이 일부 전유부분에 관하여 본등기를 함으로써 각 전유부분과 전유부분의 대지사용권에 해당하는 토지공유지분이 분리된 사안에서, 각 전유부분에 관하여 가등기에 기한 본등기를 하더라도 집합건물의 소유 및 관리에 관한 법률 제20조에서 금지하는 대지사용권의 분리처분으로 볼 수 없다(대판 2022.6.30, 2018다43128).

PART 02

(4) 공시방법

건물의 전부에 대하여는 1개의 등기기록을 사용하고(부등법 제15조 제1항 단서), 표제부 및 甲구・乙구는 1동의 건물을 구분한 각 건물마다 둔다(동법 제15조 제2항).

(5) 구분소유건물의 관리관계

1) 임의규정

구분소유건물의 관리에 대하여는 기본적 사항만 법률로 정하고, 기타 사항은 규약으로서 정할 수 있다(집합건물법 제28조).

2) 전유부분에 대한 권리・의무

구분소유권에는 상린관계에 기초한 것으로 볼 수 있는 권리・의무가 발생한다. 즉, 공동의 이익에 반하는 행위의 금지(동법 제5조 제1항), 용도변경 및 증・개축의 금지(동법 제5조 제2항), 대지소유자의 구분소유권매도청구권 행사에 응할 의무(동법 제7조) 등이 인정된다. 구분소유자의 공동생활상의 장해가 현저하여 구분소유자의 공동생활의 유지를 도모함이 심히 곤란한 때에는 전유부분의 사용금지를 청구할 수 있다. 또한 구분소유자의 전유부분 및 대지사용권의 경매를 명할 것을 법원에 청구할 수 있고, 그 전유부분을 목적으로 하는 계약의 해제 및 그 전유부분의 인도를 청구할 수 있다(동법 제44조, 제45조, 제46조).

> 집합건물의 소유 및 관리에 관한 법률 제5조 제1항은 "구분소유자는 건물의 보존에 해로운 행위 기타 건물의 관리 및 사용에 관하여 구분소유자의 공동의 이익에 반하는 행위를 하여서는 아니 된다"고 규정하고 있으나, 그 취지가 집합건물인 상가건물의 구분소유자가 해당 전유부분에 대한 용도변경행위를 함에 있어 다른 구분소유자들과 함께 하여야 한다거나 그들의 동의를 얻어야 한다는 것까지 포함한다고 볼 수 없다(대판 2007.6.1, 2005두17201).

3) 공용부분에 대한 권리・의무

가) **용도에 따라 사용** : 각 공유자는 공용부분을 그 용도에 따라 사용할 수 있다(동법 제11조). 민법 제263조에서 공유지분의 비율에 의해 사용할 수 있는 것과 구별된다.

나) **보존행위** : 공용부분의 보존행위는 각자가 할 수 있다(동법 제16조 제1항 단서).

다) **변경행위** : 공용부분의 변경행위는 구분소유자 및 의결권의 3분의 2 이상의 결의로 하여야 하며(동법 제15조 제1항), 그 변경이 다른 구분소유자의 권리에 영향을 미칠 때에는 그 구분소유자의 승낙을 얻어야 한다(동법 제15조 제2항).

라) **권리 및 의무** : 각 공유자는 규약에 달리 정함이 없는 한 그 지분의 비율에 따라 공유부분의 이익을 취득하며, 관리비용 기타의 의무를 부담한다(동법 제17조). 또한 공유자가 공용부분에 관하여 다른 공유자에 대하여 가지는 채권은 그의 특별승계인에 대하여도 행사할 수 있다(동법 제18조).

(6) 관리조직

건물에 대한 구분소유관계가 성립하면 구분소유자 전원으로 관리단을 구성하여야 하며(동법 제23조 제1항), 구분소유자가 10인 이상일 때에는 반드시 관리인을 선임하여야 한다(동법 제24조 제1항).

집합건물의 관리단집회의 결의 하자 등(대판 2021.1.14, 2018다273981)

[1] 집합건물의 소유 및 관리에 관한 법률 제42조의2에서 정한 결의취소의 소의 대상이 되는 하자의 정도 및 위 규정에서 정한 취소사유로 인해 취소할 수 있는 결의가 제척기간 내에 제기된 결의취소의 소에 의하여 취소되지 않는 한 유효한지 여부(적극) / 이때 제척기간을 도과하였는지는 법원의 직권조사사항인지 여부(적극)

집합건물의 소유 및 관리에 관한 법률(이하 '집합건물법'이라고 한다)이 결의취소의 소를 도입한 것은, 관리단집회 결의의 하자에 대하여는 소집절차나 결의방법, 결의내용의 하자인지 여부를 구분하지 않고, 그 하자가 경미한 경우에는 결의취소의 소를 통해서만 다툴 수 있도록 함으로써 관리단집회 결의의 효력을 조속히 확정하여 구분소유자들 사이의 법률관계 안정을 도모하되, 그 하자가 결의를 무효로 돌릴 정도의 절차상 또는 내용상 중대한 하자에 해당하는 경우에는 종전과 같이 제소기간의 제한 없이 일반 민사상 무효확인의 소를 통해 결의무효확인을 구하거나 다른 법률관계에 관한 소송에서 선결문제로서 무효를 주장할 수 있도록 함으로써 구분소유자의 권리를 보장하고자 함에 있는 것으로 보인다. 따라서 집합건물법 제42조의2가 규정한 취소사유, 즉 '집회의 소집절차나 결의방법이 법령 또는 규약에 위반되거나 현저하게 불공정한 경우' 또는 '결의 내용이 법령 또는 규약에 위배되는 경우'라 함은 구분소유자들 사이의 법률관계를 합리적으로 규율하기 위한 집합건물법의 취지와 목적, 관리단의 의무와 사무처리 내용, 관리단집회 결의의 효력 등을 종합하여 살펴볼 때 그와 같은 하자가 결의를 무효로 돌릴 정도의 중대한 하자에 미치지 못하는 정도의 하자를 의미한다고 봄이 상당하고, 그와 같은 취소사유로 인해 취소할 수 있는 결의는 집합건물법 제42조의2가 정한 제척기간 내에 제기된 결의취소의 소에 의하여 취소되지 않는 한 유효하다. 한편 제척기간을 도과하였는지 여부는 법원의 직권조사사항이므로 당사자의 주장이 없더라도 법원이 이를 직권으로 조사하여 판단하여야 한다.

[2] 집합건물의 소유 및 관리에 관한 법률 제23조에 의하여 설립된 관리단의 관리단집회에서 임원선임결의가 있은 후 다시 개최된 관리단집회에서 종전 결의를 그대로 인준하거나 재차 임원선임결의를 한 경우, 새로운 관리단집회가 무권리자에 의하여 소집된 관리단집회라는 사유를 독립된 무효사유로 볼 수 있는지 여부(원칙적 소극)

집합건물의 소유 및 관리에 관한 법률 제23조에 의하여 설립된 관리단의 관리단집회에서 임원선임결의가 있은 후 다시 개최된 관리단집회에서 종전 결의를 그대로 인준하거나 재차 임원선임결의를 한 경우에는, 설령 당초의 임원선임결의가 무효라고 할지라도 다시 개최된 관리단집회 결의가 하자로 인하여 무효라고 인정되는 등의 특별한 사정이 없는 한, 새로운 관리단집회가 무효인 당초의 관리단집회 결의 후 새로 소집권한을 부여받은 관리인에 의하여 소집된 것이어서 무권리자에 의하여 소집된 관리단집회라는 사유는 원칙적으로 독립된 무효사유로 볼 수 없다. 만일 이를 무효사유로 본다면 당초 임원선임결의의 무효로 인하여 연쇄적으로 그 후의 결의가 모두 무효로 되는 결과가 되어 법률관계의 혼란을 초래하고 법적 안정성을 현저히 해하게 되기 때문이다.

관리단의 제 문제

[1] **관리단의 관리비 청구**(대판 2021.9.16, 2016다260882)

① 규약에서 집합건물의 관리단이 전유부분 관리비를 구분소유자로부터 징수할 수 있도록 정한 경우, 관리단이 구분소유자에게 전유부분의 관리비를 청구할 수 있는지 여부(적극)

집합건물의 공용부분과 달리 전유부분은 구분소유자가 직접 관리하는 것이 원칙이므로 집합건물의 소유 및 관리에 관한 법률은 관리단에게 전유부분 관리비의 징수권한을 부여하고 있지 않다. 그러나 규약에서 관리단이 전유부분 관리비를 구분소유자로부터 징수할 수 있도록 정하였다면 관리단은 규약에 따라 구분소유자에게 전유부분의 관리비를 청구할 수 있다.

② 관리비징수에 관한 유효한 규약이 없더라도 집합건물의 관리단이 공용부분에 대한 관리비를 그 부담의무자인 구분소유자에게 청구할 수 있는지 여부(적극) / 이러한 법리는 무효인 관리인 선임 결의에 의하여 관리인으로 선임된 자가 집합건물에 관하여 사실상의 관리행위를 한 경우에도 마찬가지로 적용되는지 여부(적극)

집합건물의 소유 및 관리에 관한 법률(이하 '집합건물법'이라고 한다) 제17조는 "각 공유자는 규약에 달리 정한 바가 없으면 그 지분의 비율에 따라 공용부분의 관리비용과 그 밖의 의무를 부담한다."라고 정하고, 구 집합건물의 소유 및 관리에 관한 법률 제25조 제1항은 "관리인은 공용부분의 보존·관리 및 변경을 위한 행위와 관리단의 사무의 집행을 위한 분담금액 및 비용을 각 구분소유자에게 청구·수령하는 행위 및 그 금원을 관리하는 행위를 할 권한과 의무를 가진다."라고 정하고 있다. 이에 의하면 집합건물법상 관리단은 관리비징수에 관한 유효한 규약이 있으면 그에 따라, 유효한 규약이 없더라도 구 집합건물법 제25조 제1항 등에 따라 적어도 공용부분에 대한 관리비에 대하여는 이를 그 부담의무자인 구분소유자에 대하여 청구할 수 있다. 이러한 법리는 무효인 관리인 선임 결의에 의하여 관리인으로 선임된 자가 집합건물에 관하여 사실상의 관리행위를 한 경우에도 마찬가지로 적용된다.

[2] **집합건물의 관리단 등 관리주체가 단전조치를 하기 위한 요건 / 단전조치에 관하여 법령이나 규약 등에 근거가 없거나 규약이 무효로 밝혀졌다고 하더라도 단전조치가 위법하지 않은 경우**

집합건물의 관리단 등 관리주체가 단전조치를 하기 위해서는 법령이나 규약 등에 근거가 있어야 하고, 단전조치의 경위, 동기와 목적, 수단과 방법, 입주자가 입게 된 피해의 정도 등 여러 사정을 종합하여 사회통념상 허용될 만한 정도의 상당성이 있어야 한다. 단전조치에 관하여 법령이나 규약 등에 근거가 없거나 규약이 무효로 밝혀진 경우 단전조치는 원칙적으로 위법하다. 다만 관리주체나 구분소유자 등이 규약을 유효한 것으로 믿고 규약에 따라 집합건물을 관리하였는지, 단전조치를 하지 않으면 집합건물의 존립과 운영에 심각한 지장을 초래하는지, 구분소유자 등을 보호할 가치가 있는지 등을 종합하여 사회통념상 허용될 만한 정도의 상당성을 인정할 만한 특별한 사정이 있다면 단전조치가 위법하지 않다(대판 2021.9.16, 2018다38607).

[3] **제3자와 건물관리의 위탁계약**(대판 2021.9.30, 2020다295304)

① 관리규약이나 관리단, 관리인 등이 제대로 갖춰지지 않은 집합건물의 구분소유자들이 개별적인 계약을 통해 제3자에게 건물관리를 위탁한 경우, 집합건물의 소유 및 관리에 관한 법률상 관리단 또는 관리인에 관한 규정이 적용되는지 여부(원칙적 소극)

관리규약이나 관리단, 관리인 등이 제대로 갖춰지지 않은 집합건물의 구분소유자들이 개별적인 계약을 통해 제3자에게 건물관리를 위탁한 경우, 구분소유자와 제3자 사이의 법률관계는 당사자가 체결한 계약의 내용에 따라 정해지고, 특별한 사정이 없는 한 집합건물의 소유 및 관리에 관한 법률상 관리단 또는 관리인에 관한 규정이 적용되지 않는다.

② 집합건물의 소유 및 관리에 관한 법률 제17조가 구분소유자가 제3자와 개별적인 계약을 통해 관리방식을 선택하고 그에 따른 비용부담과 정산방법 등을 구체적으로 정하는 것을 제한하는 규정인지 여부(소극)

집합건물의 소유 및 관리에 관한 법률 제17조는 집합건물의 구분소유자에게 전유부분의 면적 비율에 따라 공용부분에 대한 관리의무가 귀속된다는 원칙을 규정한 것일 뿐, 구분소유자가 제3자와 개별적인 계약을 통해 관리방식을 선택하고 그에 따른 비용부담과 정산방법 등을 구체적으로 정하는 것을 제한하는 규정이 아니다.

판례 연구 **관련판례 정리**

☑ **구분소유와 관련된 판례의 정리**

1. 구분소유의 성립

(1) 요건

① 구분건물이 되기 위하여는 객관적・물리적인 측면에서 구분건물이 구조상・이용상 독립성을 갖추어야 하고, 그 건물을 구분소유권의 객체로 하려는 의사표시 즉 구분행위가 있어야 하는 것이고, 소유자가 기존 건물에 증축을 한 경우에도 증축 부분이 구조상・이용상 독립성을 갖추었다는 사유만으로 당연히 구분소유권이 성립된다고 할 수는 없고, 소유자의 구분행위가 있어야 비로소 구분소유권이 성립된다고 할 것이다. ② 구분소유권의 객체로서 적합한 물리적 요건을 갖추지 못한 건물의 일부는 그에 관한 구분소유권이 성립될 수 없는 것이어서, 건축물관리대장상 독립한 별개의 구분건물로 등재되고, 등기부상에도 구분소유권의 목적으로 등기되어 있어, 이러한 등기에 기초하여 경매절차가 진행되어 이를 낙찰받았다고 하더라도 위 등기는 그 자체로 무효이므로 매수인은 그 소유권을 취득할 수 없다(대판 1999.11.9, 99다46096).

(2) 구분소유의 성립을 인정하기 위하여 반드시 집합건축물대장의 등록이나 구분건물의 표시에 관한 등기가 필요한지 여부(소극) ★★

1동의 건물에 대하여 구분소유가 성립하기 위해서는 객관적・물리적인 측면에서 1동의 건물이 존재하고, 구분된 건물부분이 구조상・이용상 독립성을 갖추어야 할 뿐 아니라, 1동의 건물 중 물리적으로 구획된 건물부분을 각각 구분소유권의 객체로 하려는 구분행위가 있어야 한다. 여기서 구분행위는 건물의 물리적 형질에 변경을 가함이 없이 법률관념상 건물의 특정 부분을 구분하여 별개의 소유권의 객체로 하려는 일종의 법률행위로서, 그 시기나 방식에 특별한 제한이 있는 것은 아니고 처분권자의 구분의사가 객관적으로 외부에 표시되면 인정된다. 따라서 구분건물이 물리적으로 완성되기 전에도 건축허가신청이나 분양계약 등을 통하여 장래 신축되는 건물을 구분건물로 하겠다는 구분의사가 객관적으로 표시되면 구분행위의 존재를 인정할 수 있고, 이후 1동의 건물 및 그 구분행위에 상응하는 구분건물이 객관적・물리적으로 완성되면 아직 그 건물이 집합건축물대장에 등록되거나 구분건물로서 등기부에 등기되지 않았더라도 그 시점에서 구분소유가 성립한다(대판(전) 2013.1.17, 2010다71578). 특히 일반건물로 등기된 기존의 건물이 구분건물로 변경등기되기 전이라도, 위와 같은 요건들을 갖추면 구분소유권이 성립한다(대판 2019.11.15, 2019두46763; 대판 2019.10.17, 2017다286485).

→ 구분소유권은 원칙적으로 건물 전체가 완성되어 당해 건물에 관한 건축물대장에 구분건물로 등록된 시점에 성립한다는 취지로 판시한 대판 1999.9.17, 99다1345 판결, 대판 2006.11.9, 2004다67691 판결 등의 견해는 이 판결의 견해와 저촉되는 한도에서 이를 변경하기로 한다.

(3) 구분건물에 관하여 구분소유가 성립될 당시 공용부분이었던 부분을 전유부분으로 개조하여 공부에 등록한 경우 해당 부분이 전유부분으로 되는지 여부(소극) ★★

집합건물 중 여러 개의 전유부분으로 통하는 복도, 계단, 그 밖에 구조상 구분소유자의 전원 또는 일부의 공용에 제공되는 건물부분은 공용부분으로서 구분소유권의 목적으로 할 수 없다. 이때 건물의 어느 부분이 구분소유자의 전원 또는 일부의 공용에 제공되는지 여부는 소유자들 사이에 특단의 합의가 없는 한 그 건물의 구조에 따른 객관적인 용도에 의하여 결정된다. 따라서 구분건물에 관하여 구분소유가 성립될 당시 객관적인 용도가 공용부분인 건물부분을 나중에 임의로 개조하는 등으로 이용 상황을 변경하거나 집합건축물대장에 전유부분으로 등록하고 소유권보존등기를 하였다고 하더라도 그로써 공용부분이 전유부분이 되어 어느 구분소유자의 전속적인 소유권의 객체가 되지는 않는다(대판 2016.5.27, 2015다77212).

(4) 신축건물의 보존등기를 건물 완성 전에 하였는데 그 후 건물이 완성된 경우, 등기의 효력(유효) 및 이러한 법리는 1동 건물의 일부분이 구분소유권의 객체로서 적합한 구조상 독립성을 갖추지 못한 상태에서 구분소유권의 목적으로 등기되고 이에 기초하여 근저당권설정등기 등이 순차로 마쳐진 다음 구분소유권의 객체가 된 경우에도 마찬가지인지 여부(적극)

신축건물의 보존등기를 건물 완성 전에 하였더라도 그 후 건물이 완성된 이상 등기를 무효라고 볼 수 없다. 이러한 법리는 1동 건물의 일부분이 구분소유권의 객체로서 적합한 구조상 독립성을 갖추지 못한 상태에서 구분소유권의 목적으로 등기되고 이에 기초하여 근저당권설정등기나 소유권이전등기 등이 순차로 마쳐진 다음 집합건물의 소유 및 관리에 관한 법률 제1조의2, '집합건물의 소유 및 관리에 관한 법률 제1조의2 제1항의 경계표지 및 건물번호표지에 관한 규정'에 따라 경계를 명확하게 식별할 수 있는 표지가 바닥에 견고하게 설치되고 구분점포별로 부여된 건물번호표지도 견고하게 부착되는 등으로 구분소유권의 객체가 된 경우에도 마찬가지이다(대판 2016.1.28, 2013다59876).

(5) 일반건물로 등기된 기존의 건물이 구분소유의 객체가 되는지 여부 ★★

구분행위는 건물의 물리적 형질에 변경을 가함이 없이 법률관념상 건물의 특정 부분을 구분하여 별개의 소유권의 객체로 하려는 일종의 법률행위로서, 시기나 방식에 특별한 제한이 있는 것은 아니고 처분권자의 구분의사가 객관적으로 외부에 표시되면 인정된다. 따라서 집합건물이 아닌 일반건물로 등기된 기존의 건물이 구분건물로 변경등기되기 전이라도, 구분된 건물부분이 구조상·이용상 독립성을 갖추고 건물을 구분건물로 하겠다는 처분권자의 구분의사가 객관적으로 외부에 표시되는 구분행위가 있으면 구분소유권이 성립한다. 그리고 일반건물로 등기되었던 기존의 건물에 관하여 실제로 건축물대장의 전환등록절차를 거쳐 구분건물로 변경등기까지 마쳐진 경우라면 특별한 사정이 없는 한 전환등록 시점에는 구분행위가 있었던 것으로 봄이 타당하다(대판 2016.6.28, 2013다70569).

2. 관리규약에 의한 체납관리비의 승계 가부 ★

아파트의 관리규약에서 체납관리비 채권 전체에 대하여 입주자의 지위를 승계한 자에 대하여도 행사할 수 있도록 규정하고 있다 하더라도, "관리규약이 구분소유자 이외의 자의 권리를 해하지 못한다"고 규정하고 있는 집합건물의 소유 및 관리에 관한 법률(이하 '집합건물법'이라 한다) 제28조 제3항에 비추어 볼 때, 관리규약으로 전 입주자의 체납관리비를 양수인에게 승계시키도록 하는 것은 입주자 이외의 자들과 사이의 권리·의무에 관련된 사항으로서 입주자들의 자치규범인 관리규약 제정의 한계를 벗어나는 것이고, 개인의 기본권을 침해하는 사항은 법률로 특별히 정하지 않는 한 사적 자치의 원칙에 반한다는 점 등을 고려하면, 특별승계인이 그 관리규약을 명시적, 묵시적으로 승인하지 않는 이상 그 효력이 없다고 할 것이며, 다만, 집합건물의 공용부분은 전체 공유자의 이익에 공여하는 것이어서 공동으로 유지·관리해야 하고 그에 대한 적정한 유지·관리를 도모하기 위하여는 소요되는 경비에 대한 공유자 간의 채권은 이를 특히 보장할 필요가 있어 공유자의 특별승계인에게 그 승계의사의 유무에 관계없이 청구할 수 있도록 집합건물법 제18조에서 특별규정을 두고 있는바, 위 관리규약 중 공용부분 관리비에 관한 부분은 위 규정에 터잡은 것으로서 유효하다고 할 것이므로, 아파트의 특별승계인은 전 입주자의 체납관리비 중 공용부분에 관하여는 이를 승계하여야 한다고 봄이 타당하다(대판(전) 2001.9.20, 2001다8677).

3. 공용부분 체납관리비의 연체료가 구분소유자의 특별승계인에게도 승계되는지 여부 ★★

관리비 납부를 연체할 경우 부과되는 연체료는 위약벌의 일종이고, 전(前) 구분소유자의 특별승계인이 체납된 공용부분 관리비를 승계한다고 하여 전 구분소유자가 관리비 납부를 연체함으로 인해 이미 발생하게 된 법률효과까지 그대로 승계하는 것은 아니라 할 것이어서, 공용부분 관리비에 대한 연체료는 특별승계인에게 승계되는 공용부분 관리비에 포함되지 않는다(대판 2006.6.29, 2004다3598・3604).

4. 구분소유권의 특별승계인이 구분소유권을 다시 제3자에 이전한 경우에도, 여전히 자신의 전 구분소유자의 공용부분에 대한 체납관리비를 지급할 책임이 있는지 여부(적극) ★★

집합건물의 소유 및 관리에 관한 법률상의 특별승계인은 관리규약에 따라 집합건물의 공용부분에 대한 유지・관리에 소요되는 비용의 부담의무를 승계한다는 점에서 채무인수인으로서의 지위를 갖는데, 위 법률의 입법 취지와 채무인수의 법리(채무인수가 면책적인가 중첩적인가 하는 것은 채무인수계약에 나타난 당사자 의사의 해석에 관한 문제이고, 채무인수에 있어서 면책적 인수인지, 중첩적 인수인지가 분명하지 아니한 때에는 이를 중첩적으로 인수한 것으로 볼 것이라는 채무인수의 법리)에 비추어 보면 구분소유권이 순차로 양도된 경우 각 특별승계인들은 이전 구분소유권자들의 채무를 중첩적으로 인수한다고 봄이 상당하므로, 현재 구분소유권을 보유하고 있는 최종 특별승계인뿐만 아니라 그 이전의 구분소유자들도 구분소유권의 보유 여부와 상관없이 공용부분에 관한 종전 구분소유자들의 체납관리비채무를 부담한다(대판 2008.12.11, 2006다50420; 대결 2010.1.14, 2009그196).

5. 관리단과 구성원

① 집합건물법 제23조 제1항의 관리단은 어떠한 조직행위를 거쳐야 비로소 성립되는 단체가 아니라 구분소유관계가 성립하는 건물이 있는 경우 당연히 그 구분소유자 전원을 구성원으로 하여 성립되는 단체라 할 것이므로, 집합건물의 분양이 개시되고 입주가 이루어져서 공동관리의 필요가 생긴 때에는 그 당시의 미분양된 전유부분의 구분소유자를 포함한 구분소유자 전원을 구성원으로 하는 관리단이 설립된다(대판 2005.11.10, 2003다45496).

② 관리단은 어떠한 조직행위를 거쳐야 비로소 성립되는 단체가 아니라 구분소유관계가 성립하는 건물이 있는 경우 당연히 구분소유자 전원을 구성원으로 하여 성립되는 단체이고, 구분소유자로 구성되어 있는 단체로서 위 법 제23조 제1항의 취지에 부합하는 것이면 존립형식이나 명칭에 불구하고 관리단으로서의 역할을 수행할 수 있다(대판 2013.3.28, 2012다4985).

6. 분양자의 담보책임

집합건물의 소유 및 관리에 관한 법률 제9조 제1항이 위 법 소정의 건물을 건축하여 분양한 자의 담보책임에 관하여 수급인에 관한 민법 제667조 내지 제671조의 규정을 준용하도록 규정한 취지는, 건축업자 내지 분양자로 하여금 견고한 건물을 짓도록 유도하고 부실하게 건축된 집합건물의 소유자를 두텁게 보호하기 위하여 집합건물의 분양자의 담보책임에 관하여 민법상 수급인의 담보책임에 관한 규정을 준용하도록 함으로써 분양자의 담보책임의 내용을 명확히 하는 한편 이를 강행규정화한 것으로서(대판 2004.1.27, 2001다24891), 분양자가 부담하는 책임의 내용이 민법상 수급인의 담보책임이라는 것이지, 그 책임이 분양계약에 기한 것이라거나 아니면 분양계약의 법률적 성격이 도급이라는 취지는 아니며, 통상 대단위 집합건물의 경우 분양자는 대규모 건설업체임에 비하여 수분양자는 경제적 약자로서 수분양자를 보호할 필요성이 높다는 점, 집합건물이 완공된 후 개별분양계약이 해제되더라도 분양자가 집합건물의 부지사용권을 보유하고 있으므로 계약해제에 의하여 건물을 철거하여야 하는 문제가 발생하지 않을 뿐 아니라 분양자는 제3자와 새로 분양계약을 체결함으로써 그 집합건물 건축의 목적을 충분히 달성할 수 있는 점 등에 비추어 볼 때, 집합건물의 소유 및 관리에 관한 법률 제9조 제1항이 적용되는 집합건물의 분양계약에 있어서는 민법 제668조 단서가 준용되지 않고, 따라서 수분양자는 집합건물의 완공 후에도 분양목적물의 하자로 인하여 계약의 목적을 달성할 수 없는 때에는 분양계약을 해제할 수 있다(대판 2003.11.14, 2002다2485).

7. 구분소유권의 소멸 ★★

1동 건물의 구분된 각 부분이 구조상·이용상 독립성을 가지는 경우 각 부분을 구분건물로 할지 1동 전체를 1개의 건물로 할지는 소유자의 의사에 의하여 자유롭게 결정할 수 있는 점에 비추어 보면, 구분건물이 물리적으로 완성되기 전에 분양계약 등을 통하여 장래 신축되는 건물을 구분건물로 하겠다는 구분의사를 표시함으로써 구분행위를 한 다음 1동의 건물 및 구분행위에 상응하는 구분건물이 객관적·물리적으로 완성되면 그 시점에서 구분소유가 성립하지만, 이후 소유권자가 분양계약을 전부 해지하고 1동 건물의 전체를 1개의 건물로 소유권보존등기를 마쳤다면 이는 구분폐지행위를 한 것으로서 구분소유권은 소멸한다. 그리고 이러한 법리는 구분폐지가 있기 전에 개개의 구분건물에 대하여 유치권이 성립한 경우라 하여 달리 볼 것은 아니다(대판 2016.1.14, 2013다219142).

제3절 소유권에 기한 물권적 청구권

Ⅰ. 소유물반환청구권

> **제213조【소유물반환청구권】**
> 소유자는 그 소유에 속한 물건을 점유한 자에 대하여 반환을 청구할 수 있다. 그러나 점유자가 그 물건을 점유할 권리가 있는 때에는 반환을 거부할 수 있다.

1. 요건

소유물반환청구권을 행사하는 자가 ① 목적물이 자기 소유라는 점과 ② 상대방이 현재 목적물을 점유하고 있다는 점을 주장하고 증명하여야 한다. 다만 이 경우 상대방은 제213조 단서의 '점유할 권리'를 항변으로 제출할 수 있다.

(1) 청구권자

청구권자는 사실심 변론종결 당시에 법률상 소유권자이어야 하고, 반드시 공시방법을 갖춰야 하는 것은 아니다. 구체적으로 ① 부동산 매수인이 이 권리를 행사하려면 이미 소유권이전등기를 하였어야 한다. 아직 소유권을 취득하지 못한 매수인은 매도인을 대위하여 반환청구를 할 수 있을 뿐이다. ② 유효한 명의신탁에서는 명의수탁자만이 대외적 소유자로서 소유물반환청구권을 가진다(대판(전) 1979.9.25, 77다1079; 대판 2001.8.21, 2000다36484). 또한 ③ 부동산양도담보에 관하여 제한물권설에 의하면 반환청구권자는 양도담보설정자이다.

청구권자 해당 여부 ★★

① 미등기 무허가건물의 양수인이라 할지라도 그 소유권이전등기를 경료받지 않는 한 그 건물에 대한 소유권을 취득할 수 없고, 그러한 상태의 건물 양수인에게 소유권에 준하는 관습상의 물권이 있다고 볼 수도 없으므로, 건물을 신축하여 그 소유권을 원시취득한 자로부터 그 건물을 매수하였으나 아직 소유권이전등기를 갖추지 못한 자는 그 건물의 불법점거자에 대하여 직접 자신의 소유권 등에 기하여 명도를 청구할 수는 없다(대판 2007.6.15, 2007다11347). 또한 미등기 무허가건물의 양수인은 소유권에 기한 방해제거청구도 할 수 없다(대판 2016.7.29, 2016다214483·2016다214490).

② 선행보존등기로부터 경료된 원고 명의의 소유권이전등기가 원인무효의 등기인 이상 특단의 사정이 없는 한 원고로서는 피고 명의의 후행보존등기에 대하여 그 말소를 청구할 권원이 없다고 할 것이므로, 아무리 후행보존등기가 무효라고 하여도 아무런 권원이 없는 원고의 말소등기청구를 받아들여 그 말소를 명할 수는 없다(대판 2007.5.10, 2007다3612).

③ 소유권에 기한 물권적 청구권을 소유권과 분리하여 소유권 없는 전소유자에게 유보하여 행사시킬 수 없는 것이므로 소유권을 상실한 전소유자는 제3자인 불법점유자에 대하여 소유권에 기한 물권적 청구권에 의한 방해배제를 구할 수 없다(대판 1980.9.9, 80다7).

④ 선등기명의자의 소유권이전등기가 원인무효라고 하더라도 그 이후의 최종 등기명의자가 등기부시효취득의 항변을 제출하여 법원에서 그것이 받아들여진 경우, 그 전의 등기명의자들이 최종 등기명의자의 시효취득 사실을 원용하여 원소유자의 소유권 상실을 주장하고 있다면 원소유자의 소유권에 기한 등기말소청구는 배척될 수밖에 없다(대판 1995.3.3, 94다7348).

⑤ 원고가 피고에 대하여 피고 명의로 마쳐진 소유권이전등기의 말소를 구하려면 먼저 원고에게 말소를 청구할 수 있는 권원이 있음을 적극적으로 주장·증명하여야 하고, 만일 원고에게 그러한 권원이 있음이 인정되지 않는다면 설령 피고 명의의 소유권이전등기가 말소되어야 할 무효의 등기라고 하더라도 원고의 청구를 인용할 수는 없다. 따라서 피고로부터 매매 등의 방법으로 부동산에 대한 권리가 순차적으로 이전되어 최종적으로 소유권이전등기를 마친 제3자가 시효취득을 원인으로 부동산에 대한 소유권을 취득함에 따라 당초 부동산의 소유자인 원고가 소유권을 상실하게 되면, 비록 피고 명의의 소유권이전등기가 원인무효라고 하더라도 원고에게 피고 명의의 소유권이전등기의 말소를 청구할 수 있는 권원이 없으므로, 원고는 피고에 대하여 소유권에 기한 등기말소청구를 할 수 없다(대판 2019.7.10, 2015다249352).

⑥ 소유권이전등기청구권에 대한 압류가 있으면 변제금지의 효력에 따라 제3채무자는 채무자에게 임의로 이전등기를 이행하여서는 아니 되나, 이러한 압류에는 청구권의 목적물인 부동산 자체의 처분을 금지하는 대물적 효력이 없으므로, 소유권이전등기청구권을 압류한 채권자는 제3채무자나 채무자로부터 이전등기를 마친 제3자에 대하여는 취득한 등기가 원인무효라고 주장하여 말소를 청구할 수 없지만, 제3채무자가 압류결정을 무시하고 이전등기를 이행하고 채무자가 다시 제3자에게 이전등기를 마쳐준 결과 채권자에게 손해를 입힌 때에는 불법행위에 따른 배상책임을 진다(대판 2022.12.15, 2022다247750).

소유자가 제3자에게 소유물의 처분권한을 수여한 경우, 제3자의 처분이 실제로 유효하게 행하여지지 아니하고 있는 동안에는 소유자가 소유물을 유효하게 처분하거나 소유권에 기한 물권적 청구권을 행사할 수 있는지 여부(적극)

소유권은 물건을 배타적으로 지배하는 권리로서 대세적 효력이 있으므로, 그에 관한 법률관계는 이해관계인들이 이를 쉽사리 인식할 수 있도록 명확하게 정하여져야 한다. 그런데 소유자에게 소유권의 핵심적 내용에 속하는 처분권능이 없다고 하면(민법 제211조 참조), 이는 결국 민법이 알지 못하는 새로운 유형의 소유권 내지 물권을 창출하는 것으로서, 객체에 대한 전면적 지배권인 소유권을 핵심으로 하여 구축되어 있고 또한 물권의 존재 및 내용에 관하여 일정한 공시수단을 요구하는 물권법의 체계를 현저히 교란하게 된다. 따라서 소유자가 제3자에 대하여 목적물의 소유권을 이전하기로 하는 매매·증여·교환 기타의 채권계약을 체결하는 것만에 의하여서는 자신의 소유권에 어떠한 물권적 제한을 받지 아니하여서, 그는 다른 특별한 사정이 없는 한 자신의 소유물을 여전히 유효하게 달리 처분할 수 있고, 또한 소유권에 기하여 소유물에 대한 방해 등을 배제할 수 있는 민법 제213조, 제214조의 물권적 청구권을 가진다. 나아가 소유자는 제3자에게 그 물건을 제3자의 소유물로 처분할 수 있는 권한을 유효하게 수여할 수 있다고 할 것인데, 그와 같은 이른바 '처분수권'의 경우에도 그 수권에 기하여 행하여진 제3자의 처분행위(부동산의 경우에 처분행위가 유효하게 성립하려면 단지 양도 기타의 처분을 한다는 의사표시만으로는 부족하고, 처분의 상대방 앞으로 그 권리 취득에 관한 등기가 있어야 한다. 민법 제186조 참조)가 대세적으로 효력을 가지게 되고 그로 말미암아 소유자가 소유권을 상실하거나 제한받게 될 수는 있다고 하더라도, 그러한 제3자의 처분이 실제로 유효하게 행하여지지 아니하고 있는 동안에는 소유자는 처분수권이 제3자에게 행하여졌다는 것만으로 그가 원래 가지는 처분권능에 제한을 받지 아니한다. 따라서 그는 처분권한을 수여받은 제3자와의 관계에서 처분수권의 원인이 된 채권적 계약관계 등에 기하여 채권적인 책임을 져야 하는 것을 별론으로 하고, 자신의 소유물을 여전히 유효하게 처분할 수 있고, 또한 소유권에 기하여 소유물에 대한 방해 등을 배제할 수 있는 민법 제213조, 제214조의 물권적 청구권을 가진다(대판 2014.3.13, 2009다105215).

(2) 상대방

1) 피고의 점유사실은 원고의 소유권을 현실적으로 방해하는 직접 점유사실을 의미한다. 따라서 불법점유자라 하여도 현재 그 물건을 다른 사람에게 인도하여 현실적으로 점유하고 있지 않은 이상 그 자를 상대로 한 인도청구는 부당하다(대판 1999.7.9, 98다9045).

2) 간접점유자가 상대방이 될 수 있는지 문제되는데, 이에 대해 판례는 불법점유를 이유로 한 인도청구와 그 밖의 인도청구, 예컨대 매매나 임대차 등의 인도 약정에 따라 그 이행을 구하는 경우를 나누어, ① 불법점유자에게 대한 인도청구는 현실로 불법점유를 하고 있는 자만을 상대로 해야 하므로, 간접점유자에 대한 인도청구는 이유 없다고 하고(대판 1999.7.9, 98다9045), 반면 ② 인도 약정(매매 또는 임대차)에 따른 이행청구의 경우에는 간접점유자를 상대로 인도를 구할 수 있다고 한다(대판 1983.5.10, 81다187 등 참조).

3) 피고에게 불법하게 점유하고 있다는 사실(목적물을 점유할 정당한 권원이 없다는 사실)은 청구원인의 요건사실이 아니고, 오히려 피고에게 정당한 점유권원이 있어 적법하게 점유하고 있다는 사실이 피고의 항변사실로 된다. 민법 제200조 소정의 점유자의 권리추정은 특별한 사정이 없는 한 부동산물권에 대하여는 적용되지 않는다(대판 1982.4.13, 81다780).

2. 점유할 정당한 권원에 따른 항변

점유할 권리란 점유를 정당화하는 모든 법률상 지위를 말한다. 구체적으로 ① 점유를 권리내용으로 하는 제한물권(지상권·지역권·전세권·유치권·질권), ② 채권(임차권), ③ 동시이행항변권, 취득시효완성자, 미등기 매수인뿐만 아니라 그로부터 매수한 매수인 등은 점유할 권리를 주장할 수 있다.

미등기매수인과 그로부터 전득한 자의 점유할 정당한 권원의 유무 ★

토지의 매수인이 아직 소유권이전등기를 경료받지 아니하였다 하여도 매매계약의 이행으로 그 토지를 인도받은 때에는 매매계약의 효력으로서 이를 점유·사용할 권리가 생기게 된 것으로 보아야 하고, 또 매수인으로부터 위 토지를 다시 매수한 자는 위와 같은 토지의 점유·사용권을 취득한 것으로 봄이 상당하므로 매도인은 매수인으로부터 다시 위 토지를 매수한 자에 대하여 토지 소유권에 기한 물권적청구권을 행사할 수 없다(대판 1998.6.26, 97다42823).

3. 다른 제도와의 관계

(1) 부당이득반환청구권과의 관계

소유물반환청구권은 부당이득반환청구권이나 계약에 기한 반환청구권과 경합이 가능하다. 그러나 불법원인급여를 한 사람은 그 원인행위가 법률상 무효라 하여 상대방에게 법정채권으로서 부당이득반환청구를 할 수 없음은 물론, 급여한 물건의 소유권이 여전히 자기에게 있다고 하여 소유권에 기한 반환청구도 할 수 없고, 따라서 급여한 물건의 소유권은 급여를 받은 상대방에게 귀속된다(대판(전) 1979.11.13, 79다483).

(2) 점유권에 기한 반환청구권과의 관계

동일인이 소유권과 점유를 가진 경우에는 소유권 및 점유권에 기한 반환청구권이 경합하게 된다.

소유권에 기한 미등기 무허가건물의 반환청구에 점유권에 기한 반환청구의 취지도 포함되는지 여부(소극)

소유권에 기하여 미등기 무허가건물의 반환을 구하는 청구취지 속에는 점유권에 기한 반환청구권을 행사한다는 취지가 당연히 포함되어 있다고 볼 수는 없고, 소유권에 기한 반환청구만을 하고 있음이 명백한 이상 법원에 점유권에 기한 반환청구도 구하는지의 여부를 석명할 의무가 있는 것은 아니다(대판 1996.6.14, 94다53006).

Ⅱ. 소유물방해제거 · 방해예방청구권

> **제214조【소유물방해제거, 방해예방청구권】**
> 소유자는 소유권을 방해하는 자에 대하여 방해의 제거를 청구할 수 있고 소유권을 방해할 염려 있는 행위를 하는 자에 대하여 그 예방이나 손해배상의 담보를 청구할 수 있다. → 불법건물의 철거 및 소유권이전등기말소청구가 소유권에 기한 방해제거청구권의 대표적인 예이다.

1. 소유물방해제거청구권

① 청구권자는 소유권의 실현이 점유상실 이외의 방법으로 방해받고 있는 소유자이고, 상대방은 현재 방해하는 사정을 지배하고 있는 자이다.

② 민법 제214조의 규정에 의하면, 소유자는 소유권을 방해하는 자에 대하여 그 방해제거 행위를 청구할 수 있고, 소유권을 방해할 염려가 있는 행위를 하는 자에 대하여 그 방해예방 행위를 청구하거나 소유권을 방해할 염려가 있는 행위로 인하여 발생하리라고 예상되는 손해의 배상에 대한 담보를 지급할 것을 청구할 수 있으나, 소유자가 침해자에 대하여 방해제거 행위 또는 방해예방 행위를 하는 데 드는 비용을 청구할 수 있는 권리는 위 규정에 포함되어 있지 않으므로, 소유자가 민법 제214조에 기하여 방해배제 비용 또는 방해예방 비용을 청구할 수는 없다(대판 2014.11.27, 2014다52612).

③ 등기청구와 관련해서는 말소등기청구와 진정명의회복을 위한 소유권이전등기청구가 이에 해당한다. 소유물방해제거청구와 관련해서는 다음과 같은 점이 특히 문제된다.

(1) (유효)명의신탁자도 소유물방해제거청구권을 행사할 수 있는지 여부

재산을 타인에게 신탁한 경우 대외적인 관계에 있어서는 수탁자만이 소유권자로서 그 재산에 대한 제3자의 침해에 대하여 배제를 구할 수 있으며, 신탁자는 수탁자를 대위하여 수탁자의 권리를 행사할 수 있을 뿐 직접 제3자에게 신탁재산에 대한 침해의 배제를 구할 수 없다(대판(전) 1979.9.25, 77다1079).

(2) 방해의 의미

소유권에 기한 방해배제청구권에 있어서 '방해'라 함은 현재에도 지속되고 있는 침해를 의미하고, 법익 침해가 과거에 일어나서 이미 종결된 경우에 해당하는 '손해'의 개념과는 다르다 할 것이어서, 소유권에 기한 방해배제청구권은 방해결과의 제거를 내용으로 하는 것이 되어서는 아니 되며(이는 손해배상의 영역에 해당한다 할 것이다) 현재 계속되고 있는 방해원인을 제거하는 것을 내용으로 한다(대판 2003.3.28, 2003다5917).

방해의 의미 ★

쓰레기 매립으로 조성한 토지에 소유권자가 매립에 동의하지 않은 쓰레기가 매립되어 있다 하더라도 이는 과거의 위법한 매립공사로 인하여 생긴 결과로서 소유권자가 입은 손해에 해당한다 할 것일 뿐, 그 쓰레기가 현재 소유권에 대하여 별도의 침해를 지속하고 있다고 볼 수 없으므로 소유권에 기한 방해배제청구권을 행사할 수 없다(대판 2003.3.28, 2003다5917).

→ [보충] : 이미 피해가 발생하고 침해가 종결된 경우 피고의 귀책사유 유무에 따라 손해배상청구의 문제가 남을 뿐이고 방해배제청구권의 대상이 될 수는 없다. 최근 판례는 "甲 지방자치단체가 30여 년 전 쓰레기매립지에 쓰레기를 매립하는 과정에서 매립지와 경계를 같이하는 인접 토지에 상당한 양의 쓰레기가 매립되었고, 그 후 인접 토지의 소유권을 취득한 乙이 토지를 굴착한 결과 지하 1.5~4m 지점 사이에 비닐, 목재, 폐의류, 오니류, 건축폐기물 등 각종 생활쓰레기가 뒤섞여 혼합된 상태로 매립되어 있었고 주변 토양은 검게 오염되어 있었으며, 이에 乙이 甲 지방자치단체를 상대로 매립물제거 등을 구한 사안에서, 위 토지 지하에 매립된 생활쓰레기는 매립된 후 30년 이상 경과하였고, 그 사이 오니류와 각종 생활쓰레기가 주변 토양과 뒤섞여 토양을 오염시키고 토양과 사실상 분리하기 어려울 정도로 혼재되어 있다고 봄이 타당하며, 이러한 상태는 과거 甲 지방자치단체의 위법한 쓰레기매립행위로 인하여 생긴 결과로서 토지 소유자인 乙이 입은 손해에 불과할 뿐 생활쓰레기가 현재 乙의 소유권에 대하여 별도의 침해를 지속하고 있는 것이라고 볼 수 없으므로, 乙의 방해배제청구는 인용될 수 없다."고 하였다(대판 2019.7.10, 2016다205540).

자기 소유 토지에 토양오염을 유발하거나 폐기물을 불법으로 매립한 종전 토지소유자가 그 토지를 전전 매수하여 오염토양 정화비용이나 폐기물 처리비용을 지출하게 된 현재의 토지소유자에 대하여 불법행위로 인한 손해배상책임을 부담하는지 여부(원칙적 적극)(대판(전) 2016.5.19, 2009다66549) ★★★

① (축약하면) 헌법 제35조 제1항은 모든 국민이 건강하고 쾌적한 환경에서 생활할 권리를 보장하고, 아울러 국가와 국민이 환경보전을 위하여 노력하도록 의무를 지우고 있다. 이는 국가뿐만 아니라 국민도 오염방지와 오염된 환경의 개선에 관하여 책임을 부담함을 의미하며, 구 환경정책기본법 규정들은 헌법이 선언한 이러한 국가와 국민의 헌법상 책무를 구체화하기 위하여 마련된 것이다. 따라서 환경오염에 관련된 법률관계에 대하여 위 규정들 및 관련 법리를 해석·적용할 때에는 환경보전을 위한 헌법의 정신과 구 환경정책기본법의 기본이념이 충분히 실현될 수 있도록 하여야 한다. 폐기물 역시 대기, 물, 소음·진동, 악취 등과 함께 사람의 일상생활과 관계되는 '생활환경'의 하나로서, 구 환경정책기본법에 따라 폐기물로 인한 환경오염 또는 환경훼손의 원인을 야기한 자는 그 오염·훼손에 대한 방지 및 회복·복원의 책임을 진다. 또한 토지에 폐기물이 매립되면, 그것이 토지의 토사와 물리적으로 분리할 수 없을 정도로 혼합되어 토지의 일부를 구성하게 되지 않는 이상, 토지소유자의 소유권을 방해하는 상태가 계속되며, 이에 따라 폐기물을 매립한 자는 그 폐기물이 매립된 토지의 소유자에 대하여 민법상 소유물방해제거의무의 하나로서 폐기물 처리의무를 부담할 수도 있다(대판 2002.10.22, 2002다46331 참조).

② 위와 같은 헌법 제35조 제1항, 구 환경정책기본법, 구 토양환경보전법 및 구 폐기물관리법의 취지와 아울러 토양오염원인자의 피해배상의무 및 오염토양 정화의무, 폐기물 처리의무 등에 관한 관련 규정들과 법리에 비추어 보면, 토지의 소유자라 하더라도 토양오염물질을 토양에 누출·유출하거나 투기·방치함으로써 토양오염을 유발하였음에도 오염토양을 정화하지 않은 상태에서 그 오염토양이 포함된 토지를 거래에 제공함으로써 유통되게 하거나, 토지에 폐기물을 불법으로 매립하였음에도 이를 처리하지 않은 상태에서 그 해당 토지를 거래에 제공하는 등으로 유통되게 하였다면, ⅰ) 다른 특별한 사정이 없는 한 이는 거래의 상대방 및 위 토지를 전전 취득한 현재의 토지소유자에 대한 위법행위로서 불법행위가 성립할 수 있다고 봄이 타당하다. 그리고 ⅱ) 위 토지를 매수한 현재의 토지소유자가 오염토양 또는 폐기물이 매립되어 있는 지하까지 그 토지를 개발·사용하게 된 경우 등과 같이 자신의 토지소유권을 완전하게 행사하기 위하여 오염토양 정화비용이나

폐기물 처리비용을 지출하였거나 지출해야만 하는 상황에 이르렀다거나 구 토양환경보전법에 의하여 관할 행정관청으로부터 조치명령 등을 받음에 따라 마찬가지의 상황에 이르렀다면, 위 위법행위로 인하여 오염토양 정화비용 또는 폐기물 처리비용의 지출이라는 손해의 결과가 현실적으로 발생하였다고 할 것이므로, iii) 토양오염을 유발하거나 폐기물을 매립한 종전 토지소유자는 그 오염토양 정화비용 또는 폐기물 처리비용 상당의 손해에 대하여 불법행위자로서 손해배상책임을 진다.
이와 달리, 자신의 소유 토지에 폐기물 등을 불법으로 매립하였다고 하더라도 그 후 그 토지를 매수하여 소유권을 취득한 자에 대하여 불법행위가 성립하지 않는다는 취지의 대판 2002.1.11, 99다16460 판결은 이 판결의 견해에 배치되는 범위 내에서 이를 변경하기로 한다.48)

(3) 방해제거청구의 상대방과 내용

1) 말소등기청구

① 원고는 소유권에 기한 방해로서 피고의 명의로 소유권이전등기가 존재한다는 사실을 주장・입증해야 한다.

② 소유권이전등기의 말소등기청구를 하는 경우 그 상대방은 등기의무자, 즉 등기부상의 형식상 그 등기에 의하여 권리를 상실하거나 기타 불이익을 받을 자가 아닌 자를 상대로 한 등기의 말소절차이행을 구하는 소는 당사자적격이 없는 자를 상대로 한 부적법한 소이다(대판 1994.2.25, 93다39225).

---

48) 불법 폐기물을 매립한 토지소유자가 오염된 토지를 매도한 경우에는 매수인이 입은 폐기물처리비용 상당의 손해에 대하여 불완전이행에 기한 손해배상책임 및 하자담보책임을 부담한다(대판 2004.7.22, 2002다51586). 그런데 토지가 전전 양도된 경우에는 폐기물을 매립한 자와 현재의 토지소유자 사이에 계약관계가 없어 위와 같은 책임이 인정될 수는 없다. 이와 관련하여 불법행위에 기한 손해배상책임의 성립 여부가 문제되어 왔는데, 종래 대법원은 자신의 소유 토지에 폐기물을 불법으로 매립한 행위는 제3자에 대한 행위가 아니라 소유자 자신에 대한 행위여서 불법행위가 성립되지 않고, 신 소유자에게 손해가 발생하였다고 볼 수도 없다는 이유로 폐기물을 매립한 전 소유자의 불법행위 책임을 부정하였었는데, 대상판결은 14년 만에 위 판결을 변경하였다. 제반 법령 상 토양오염원인자의 배상의무, 오염토양 정화의무, 폐기물 처리의무 등에 관한 규정 및 법리를 근거로 불법 폐기물을 매립한 소유자가 오염토양을 정화하지 않고 토지를 거래에 제공하여 유통되게 하였다면, 특별한 사정이 없는 한 거래의 상대방 및 위 토지를 전전 취득한 현재 소유자에 대한 위법행위로서 불법행위가 성립하는 것이고, 신 소유자가 소유권 행사를 위해 폐기물을 처리해야 할 시점에 손해가 현실화되어 불법행위가 완성되는 것이라고 판시한 것이다. 폐기물을 자신의 토지에 매립하는 경우에도 법이 정하는 방법과 기준을 따라야 하고, 이를 위반한 경우에는 제거의무를 부담할 뿐만 아니라 형사처벌까지 받게 되는데, 위와 같은 공법상 책임 이외에 장시간에 걸쳐서 완성되어 제3자에게 손해를 입히는 행위에 대하여서도 사법상 책임을 인정하는 것이 법 전체를 조화롭게 해석하는 것이며 공평의 원칙 및 자기책임의 원리에 부합한다고 할 것이다. 대상판결은 토양오염을 유발한 전 소유자가 현 소유자에 대하여 사법상 책임을 부담하는 법적 근거를 밝힘으로써 토지 등 제반 환경에 대하여 관리권한을 가진 소유자에게 높은 책임을 묻는다는 점에서 의미가 있는 판결이다. 이에 대하여 토양이 오염되고 폐기물이 매립된 토지의 매수인이 그 정화・처리비용을 실제 지출하거나 지출하게 된 것을 민법 제750조가 규정하는 '손해'로 평가할 수 있는지 여부는 그 토지의 거래 상대방과 사이에서 논의될 수 있을 뿐이고, 그 이전의 매도인이나 오염유발자와 사이에서 논의될 수 있는 성질의 것이 아니므로, 자기 소유 토지에 토양오염을 유발하고 폐기물을 매립한 자는, 그 토지의 매매과정에 기망 등 다른 위법행위가 있고 그것이 매도인의 고의 또는 과실로 평가될 수 있는 경우에 그 직접 매수인에 대하여 불법행위책임을 부담할 수 있을 뿐, 전전 매수인에 대하여 불법행위책임을 부담하지 않는다는 대법관 박보영, 대법관 김창석, 대법관 김신, 대법관 조희대의 반대의견이 있었다.

등기부상 진실한 소유자가 허무인 명의의 부실등기행위를 한 사람을 상대로 허무인 명의 등기의 말소를 구할 수 있는지 여부(적극)

등기부상 진실한 소유자의 소유권에 방해가 되는 부실등기가 존재하는 경우에 그 등기명의인이 허무인 또는 실체가 없는 단체인 때에는 소유자는 그와 같은 허무인 또는 실체가 없는 단체 명의로 실제 등기행위를 한 사람에 대하여 소유권에 기한 방해배제로서 등기행위자를 표상하는 허무인 또는 실체가 없는 단체 명의 등기의 말소를 구할 수 있다. 또한, 소유자는 이와 같은 말소청구권을 보전하기 위하여 실제 등기행위를 한 사람을 상대로 처분금지가처분을 할 수도 있다(대결 2008.7.11, 2008마615).

소유권이전등기의 말소등기청구의 제 문제(대판 2019.5.30, 2015다47105) ★★

[1] 등기부상 진실한 소유자의 소유권에 방해되는 허무인 또는 실체가 없는 단체 명의의 불실등기가 존재하는 경우, 소유자가 허무인 등 명의로 실제 등기행위를 한 자를 상대로 등기의 말소를 구할 수 있는지 여부(적극)

등기부상 진실한 소유자의 소유권에 방해가 되는 불실등기가 존재하는 경우에 그 등기명의인이 허무인 또는 실체가 없는 단체인 때에는 소유자는 그와 같은 허무인 또는 실체가 없는 단체 명의로 실제 등기행위를 한 자에 대하여 소유권에 기한 방해배제로서 등기행위자를 표상하는 허무인 또는 실체가 없는 단체 명의 등기의 말소를 구할 수 있다.

[2] 등기명의인 표시변경(경정)의 등기에 등기의무자라는 관념이 존재할 수 있는지 여부(소극) 및 등기의무자가 아닌 자를 상대로 등기의 말소절차이행을 구하는 소가 적법한지 여부(소극)

등기명의인의 표시변경(경정)의 등기는 등기명의인의 동일성이 유지되는 범위 내에서 등기부상의 표시를 실제와 합치시키기 위하여 행하여지는 것에 불과할 뿐 어떠한 권리변동을 가져오는 것이 아니므로 등기가 잘못된 경우에도 등기명의인은 다시 소정의 서면을 갖추어 경정등기를 하면 되는 것이고 따라서 거기에는 등기의무자의 관념이 있을 수 없다. 한편 등기의무자, 즉 등기부상의 형식상 그 등기에 의하여 권리를 상실하거나 기타 불이익을 받을 자(등기명의인이거나 그 포괄승계인)가 아닌 자를 상대로 한 등기의 말소절차이행을 구하는 소는 당사자적격이 없는 자를 상대로 한 부적법한 소이다.

→ [사실관계 및 해설] : 甲은 A로부터 이 사건 토지 및 사찰건물을 증여받은 후 세금감면을 목적으로 실체가 없는 단체인 대한불교 ○○○○ 명의로 소유권이전등기를 마쳤으므로 이는 무효이고, 이 경우 소유자인 A가 무효인 등기의 말소를 청구할 수 있는 상대방은 위와 같은 실체 없는 단체 명의로 실제 등기행위를 한 甲이지, 대한불교○○○○ 명의의 소유권이전등기를 주등기로 하여 단체의 대표자 변경을 원인으로 한 부기등기를 마친 것에 불과한 乙은 위 소유권이전등기의 말소등기와 관련된 등기의무자가 아니고, 따라서 등기의무자가 아닌 乙을 상대로 무효인 위 소유권이전등기의 말소절차의 이행을 구하는 이 사건 소는 당사자적격이 없는 사람을 상대로 한 부적법한 소라고 판단한 사례이다.

무효인 소유권이전등기청구권 가등기의 유용 합의에 따라 그 가등기에 기한 본등기가 마쳐지고, 그에 따라 가등기 이후 마쳐진 경매개시결정 기입등기가 직권말소된 경우, 말소 당시 소유자를 상대로 말소된 경매개시결정 기입등기의 회복절차에 대한 승낙청구의 소를 제기할 수 있는지 여부(적극)

부동산 강제경매개시결정 기입등기는 채권자나 채무자가 직접 등기공무원에게 이를 신청하여 행할 수는 없고 반드시 법원의 촉탁에 의하여 행하여지는바, 이와 같이 당사자가 신청할 수 없는 강제경매개시결정 기입등기가 법원의 촉탁에 의하여 말소된 경우에는 그 회복등기도 법원의 촉탁에 의하여 행하여져야 하므로, 이 경우 강제경매신청채권자가 말소된 강제경매개시결정 기입등기의 회복등기절차의 이행을 소구할 이익은 없고, 다만 그 강제경매개시결정 기입등기가 말소될 당시 그 부동산에 관하여 소유권이전등기를 경료하고 있는 사람은 법원이 그 강제경매개시결정 기입등기의 회복을 촉탁함에 있어서 등기상 이해관계가 있는 제3자에 해당하므로, 강제경매 신청채권자로서는 그 사람을 상대로 하여 법원의 촉탁에 의한 그 강제경매개시결정 기입등기의 회복절차에 대한 승낙청구의 소를 제기할 수는 있다(대판 2019.5.16, 2015다253573).

→ [사실관계 및 해설] : 甲이 소유자 乙과 무효인 가등기를 유용하기로 합의한 후 그 가등기에 기하여 甲 명의의 본등기를 마치자 등기공무원이 그 가등기 이후에 마쳐진 A 명의의 강제경매개시결정 기입등기를 직권으로 말소한 사실관계에서, A는 무효인 등기 유용합의가 있기 전에 이 사건 부동산에 대한 강제경매개시결정을 통해 부동산을 압류하여 등기부상 이해관계를 가지게 되었으므로, 甲은 A에게 이 사건 등기 유용합의로써 대항할 수 없고, 그에 따라 이 사건 경매개시결정 기입등기는 이 사건 가등기의 순위보전의 효력에 반하지 아니하여 직권으로 말소될 것이 아님에도 불구하고 원인 없이 말소되었으므로 이 사건 경매개시결정 기입등기의 말소등기는 무효이며, 말소회복될 이 사건 경매개시결정 기입등기와 이 사건 본등기는 양립 가능하여 甲은 이 사건 경매개시결정 기입등기의 말소회복등기에 관하여 등기상 이해관계 있는 제3자로서 승낙의 의사표시를 할 의무가 있다고 본 사례이다.

소유자가 원인무효인 소유권이전등기의 말소와 함께 가압류등기 등의 말소를 구하는 경우, 그 청구취지를 소유권이전등기의 말소에 대한 승낙을 구하는 것으로 해석할 여지가 있는지 여부(적극)

원인무효인 소유권이전등기 명의인을 채무자로 한 가압류등기와 그에 터잡은 경매신청기입등기가 경료된 경우, 그 부동산의 소유자는 원인무효인 소유권이전등기의 말소를 위하여 이해관계에 있는 제3자인 가압류채권자를 상대로 하여 원인무효 등기의 말소에 대한 승낙을 청구할 수 있고, 그 승낙이나 이에 갈음하는 재판이 있으면 등기공무원은 신청에 따른 원인무효 등기를 말소하면서 직권으로 가압류등기와 경매신청기입등기를 말소하여야 할 것인바, 소유자가 원인무효인 소유권이전등기의 말소와 함께 가압류등기 등의 말소를 구하는 경우, 그 청구의 취지는 소유권이전등기의 말소에 대한 승낙을 구하는 것으로 해석할 여지가 있다(대판 1998.11.27, 97다41103).

→ [해설] : 가압류권자를 상대로 소유권이전등기 말소에 대한 승낙을 구하여야 하지, 가압류등기 자체의 말소를 구하여서는 안 된다는 것이다.

2) 토지소유자의 건물 소유자에 대한 건물철거청구

① 건물철거소송에서 토지점유자는 건물 점유자가 아니라 건물의 소유자이다. 지상건물의 소유자는 지상건물의 소유를 통하여 그 대지를 점유하는 것이므로, 원고는 피고가 지상건물을 소유한 사실을 입증하면 피고의 대지점유사실까지 입증하는 것이 된다. 판례도 "사회통념상 건물은 그 부지를 떠나서는 존재할 수 없는 것이므로 건물의 부지가 된 토지는 그 건물의 소유자가 점유하는 것으로 볼 것이고, 건물의 소유권이 양도된 경우에는 특별한 사정이 없는 한, 그 부지에 대한 점유도 함께 상실하는 것으로 보아야 할 것이다."라고 판시하여 같은 입장이다(대판 2009.9.10, 2009다28462 등 참조).

② 한편 미등기건물을 양수하여 건물에 관한 사실상의 처분권을 보유하게 된 양수인은 건물부지 역시 아울러 점유하고 있다고 볼 수 있다(대판 2010.1.28, 2009다61193).

③ 건물철거는 그 소유권의 종국적 처분에 해당하는 사실행위이므로 원칙으로는 그 소유자, 등기명의자에게만 그 철거처분권이 있다고 할 것이나 그 건물을 매수하여 점유하고 있는 자(미등기건물의 매수인)는 등기부상 아직 소유자로서의 등기명의가 없다 하더라도 그 권리의 범위 내에서 그 점유 중인 건물에 대하여 법률상 또는 사실상 처분을 할 수 있는 지위에 있고 그 건물이 건립되어 있어 불법점유를 당하고 있는 토지소유자는 위와 같은 지위에 있는 건물점유자에게 그 철거를 구할 수 있다(대판 1986.12.23, 86다카1751).

3) 토지소유자의 건물퇴거청구

가) 건물 소유자에 대한 퇴거청구의 가부

건물의 소유자가 그 건물의 소유를 통하여 타인 소유의 토지를 점유하고 있다고 하더라도 그 토지소유자로서는 그 건물의 철거와 그 대지 부분의 인도를 청구할 수 있을 뿐, 자기 소유의 건물을 점유하고 있는 자에 대하여 그 건물에서 퇴거할 것을 청구할 수는 없다(대판 1999.7.9, 98다57457 · 57464).

건물 소유자가 건물의 소유를 통하여 타인 소유의 토지를 점유하고 있는 경우, 토지 소유자가 건물 소유자에게 건물에서 퇴거할 것을 청구할 수 있는지 여부(소극) 및 이러한 법리는 건물이 공유관계에 있는 경우에 건물의 공유자에 대해서도 마찬가지로 적용되는지 여부(적극) ★★

건물 소유자가 건물의 소유를 통하여 타인 소유의 토지를 점유하고 있다고 하더라도 토지 소유자로서는 건물의 철거와 대지 부분의 인도를 청구할 수 있을 뿐, 자기 소유의 건물을 점유하고 있는 사람에 대하여 건물에서 퇴거할 것을 청구할 수 없다. 이러한 법리는 건물이 공유관계에 있는 경우에 건물의 공유자에 대해서도 마찬가지로 적용된다. 그 이유는 다음과 같다. ① 모든 공유자는 공유물 전부를 지분의 비율로 사용 · 수익할 수 있다(민법 제263조). 공유자가 공유물에 대하여 가지는 공유지분권은 소유권의 분량적 일부이지만 하나의 독립된 소유권과 같은 성질을 가지므로, 공유자는 소유권의 권능에 속하는 사용 · 수익권을 갖는다. 설령 공유자 중 1인이 공유물을 독점적으로 점유하여 사용 · 수익하고 있더라도, 공유자 아닌 제3자가 공유물을 무단으로 점유하는 것과는 다르다. 따라서 공유자가 건물을 점유하는 것은 그 소유 지분과 관계없이 자기 소유의 건물에 대한 점유로 보아야 하고, 소유 지분을 넘는 부분을 관념적으로 분리하여 그 부분을 타인의 점유라고 볼 수 없다. ② 토지 소유자는 토지 소유권에 기한 방해배제청구권의 행사로써 그 지상 건물의 철거와 해당 토지의 인도를 구할 수 있을 뿐이고 건물의 점유 자체를 회복하거나 건물에 관한 공유자의 사용관계를 정할 권한이 없다. 토지 소유자로 하여금 그 지상 건물 공유자를 상대로 퇴거 청구를 할 수 있도록 허용한다면 토지 소유자가 건물의 점유 자체를 회복하도록 하거나 해당 건물에 관한 공유자의 사용관계를 임의로 정하게 하는 결과를 가져오게 된다. ③ 소유 지분의 범위에서 철거를 명하는 확정판결을 받은 공유자가 계속하여 건물을 점유하는 것은 토지 소유자가 건물 전체의 철거를 명하는 확정판결을 받지 못하여 철거집행이 불가능한 상황에 따른 반사적 효과에 지나지 않는다. 토지 소유자로서는 건물 전체에 대하여 철거에 관한 집행권원을 확보하여 곧바로 집행에 들어가거나 철거집행 전까지 토지 점유에 관한 부당이득반환 등을 청구하는 방법으로 권리구제를 받을 수 있다(대판 2022.6.30, 2021다276256).

나) 건물 소유자와 건물 점유자가 다른 경우 건물 점유자에 대한 퇴거청구의 가부

지상건물 소유자 이외의 자가 지상건물을 점유하고 있는 때에는 지상건물에 대한 점유사용으로 인하여 대지인 토지의 소유권이 방해되고 있는 것이므로, 토지소유자는 방해배제로서 점유자에 대한 건물퇴거를 청구할 수 있다(대판 1967.11.28, 67다2155; 대판 1965.9.28, 65다1561).

건물이 그 존립을 위한 토지사용권을 갖추지 못하여 토지소유자가 건물소유자에 대하여 당해 건물의 철거 및 그 대지의 인도를 청구할 수 있는 상황에서 건물소유자가 아닌 사람이 건물을 점유하고 있는 경우, 토지소유자가 건물점유자에 대하여 퇴거청구를 할 수 있는지 여부(적극) 및 그 건물점유자가 대항력 있는 임차인인 경우 위 퇴거청구에 대항할 수 있는지 여부(소극) ★★★

건물이 그 존립을 위한 토지사용권을 갖추지 못하여 토지의 소유자가 건물의 소유자에 대하여 당해 건물의 철거 및 그 대지의 인도를 청구할 수 있는 경우에라도 건물소유자가 아닌 사람이 건물을 점유하고 있다면 토지소유자는 그 건물 점유를 제거하지 아니하는 한 위의 건물 철거 등을 실행할 수 없다. 따라서 그때 토지소유권은 위와 같은 점유에 의하여 그 원만한 실현을 방해당하고 있다고 할 것이므로, 토지소유자는 자신의 소유권에 기한 방해배제로서 건물점유자에 대하여 건물로부터의 퇴출을 청구할 수 있다. 그리고 이는 건물점유자가 건물소유자로부터의 임차인으로서 그 건물임차권이 이른바 대항력을 가진다고 해서 달라지지 아니한다. 건물임차권의 대항력은 기본적으로 건물에 관한 것이고 토지를 목적으로 하는 것이 아니므로 이로써 토지소유권을 제약할 수 없고, 토지에 있는 건물에 대하여 대항력 있는 임차권이 존재한다고 하여도 이를 토지소유자에 대하여 대항할 수 있는 토지사용권이라고 할 수는 없다. 바꾸어 말하면, 건물에 관한 임차권이 대항력을 갖춘 후에 그 대지의 소유권을 취득한 사람은 민법 제622조 제1항이나 주택임대차보호법 제3조 제4항 등에서 그 임차권의 대항을 받는 것으로 정하여진 '제3자'에 해당한다고 할 수 없다(대판 2010.8.19, 2010다43801).

4) 토지 인근 건물 소유자의 토지소유자를 상대로 한 공작물철거청구

토지소유자가 자신 소유의 토지 위에 공작물을 설치한 행위가 인근 건물의 소유자에 대한 관계에서 권리남용에 해당하고, 그로 인하여 인근 건물 소유자의 건물 사용수익이 실질적으로 침해되는 결과를 초래하였다면, 인근 건물 소유자는 건물 소유권에 기한 방해제거청구권을 행사하여 토지소유자를 상대로 공작물의 철거를 구할 수 있다(대판 2014.10.30, 2014다42967).[49]

2. 소유물방해예방청구권

방해제거청구의 상대방은 점유의 상실 이외의 방법에 의하여 현재의 방해상태를 야기시킨 자 또는 그 방해상태를 제거해야 할 지위에 있는 자로서 상대방의 고의·과실 등 귀책사유의 존부를 묻지 않는다.

49) 甲 주식회사가 콘도를 운영하면서 콘도 출입구 쪽 도로 및 주차장으로 이용하던 토지에 관하여 甲 회사의 사내이사였던 乙이 소유권이전등기를 마친 후 아들인 丙에게 소유권이전등기를 마쳐 주었는데, 丁 주식회사가 부동산임의경매절차에서 위 콘도 지분을 매수한 이후 丙이 콘도와 토지의 경계 위에 블록으로 화단을 설치하고 그 위에 쇠파이프 등으로 철제 구조물을 설치한 사안에서, 제반 사정에 비추어 丙이 구조물을 설치한 행위는 외형상으로는 정당한 권리의 행사로 보이나 실질적으로는 토지가 자기 소유임을 기화로 丁 회사 소유인 콘도의 사용·수익을 방해하고 나아가 丁 회사에 고통이나 손해를 줄 목적으로 행한 것이라고 볼 수밖에 없으므로, 丙의 구조물 설치행위는 정당한 권리행사의 한계를 벗어난 것으로서 권리남용에 해당한다고 볼 여지가 충분하다고 한 사례이다.

제4절 소유권의 취득

제1관 법률행위에 의한 취득

법률행위에 의한 부동산 소유권의 취득이나 동산의 취득에 관해서는 전술한 물권변동의 일반론에서의 설명이 그대로 적용된다. 특히 동산의 소유권취득에 관해 무권리자로부터 양수한 경우에 관한 선의취득도 전술하였다. 따라서 여기서는 법률에 의한 취득만을 살펴보기로 한다.

제2관 법률에 의한 취득

법률규정에 의한 소유권취득에 관해서는 제187조의 설명이 그대로 적용된다. 다만 소유권 편에서는 이와 별도의 취득원인을 규정하고 있다. 취득시효(제245조), 무주물선점(제252조), 유실물습득(제253조), 매장물발견(제254조), 첨부(제256조 내지 제261조) 등이 이에 해당한다.

Ⅰ. 취득시효

> **제245조 【점유로 인한 부동산소유권의 취득기간】**
> ① 20년간 소유의 의사로 평온, 공연하게 부동산을 점유하는 자는 등기함으로써 그 소유권을 취득한다.
> → 선의 · 무과실 ✗
> ② 부동산의 소유자로 등기한 자가 10년간 소유의 의사로 평온, 공연하게 선의이며 과실 없이 그 부동산을 점유한 때에는 소유권을 취득한다.
> **제246조 【점유로 인한 동산소유권의 취득기간】**
> ① 10년간 소유의 의사로 평온, 공연하게 동산을 점유한 자는 그 소유권을 취득한다.
> ② 전항의 점유가 선의이며 과실 없이 개시된 경우에는 5년을 경과함으로써 그 소유권을 취득한다.
> **제247조 【소유권취득의 소급효, 중단사유】**
> ① 전2조의 규정에 의한 소유권 취득의 효력은 점유를 개시한 때에 소급한다.
> ② 소멸시효의 중단에 관한 규정은 전2조의 소유권취득기간에 준용한다.
> **제248조 【소유권 이외의 재산권의 취득시효】**
> 전3조의 규정은 소유권 이외의 재산권의 취득에 준용한다.

1. 서설

(1) 의의

취득시효란 물건에 대해 권리를 가지고 있는 듯한 외관이 일정기간 계속되는 경우에 그것이 진실한 권리관계와 일치하는지 여부를 따지지 않고 그 외관을 존중하여 권리취득의 효과를 생기게 하는 제도를 말한다. 부동산에 대한 취득시효 제도의 존재이유는 해당 부동산을 점유하는 상태가 오랫동안 계속된 경우 권리자로서의 외형을 지닌 그 사실상태를 존중하여 이를 진실한 권리관계로 높여 보호함으로써 법질서의 안정을 기하고, 장기간 지속된 사실상태는 진실한 권리관계와 일치될 개연성이 높다는 점을 고려하여 권리관계에 관한 분쟁이 생긴 경우 점유자의 증명곤란을 구제하려는 데에 있다.

(2) 취득시효의 종류

민법은 취득시효에 관해 부동산(제245조)과 동산(제246조)으로 나누고, 전자를 다시 점유취득시효와 등기부취득시효로 나누어 규정하고 있다. 또한 소유권 이외의 재산권에도 취득시효를 인정하고 있다(제248조).

(3) 시효취득의 목적이 될 수 있는 권리

① 소유권과 그 밖의 재산권이 취득시효가 인정되는 권리인데, 구체적으로는 소유권, 지상권, 지역권(제294조 - 계속되고 표현된 것에 한함), 분묘기지권(대판 1995.2.28, 94다37912), 전세권, 질권 등이 이에 해당한다.

> **지상권의 시효취득의 대상 여부 등**
> ① 건물을 소유하기 위하여 그 건물부지를 평온・공연하게 20년간 점유함으로써 건물부지에 대한 지상권을 시효취득한다(대판 1994.10.14, 94다9849).
> ② 타인의 토지에 관하여 공작물의 소유를 위한 지상권의 점유취득시효가 인정되려면 그 토지의 점유사실 외에도 그것이 임대차나 사용대차관계에 기한 것이 아니라 지상권자로서의 점유에 해당함이 객관적으로 표시되어 계속되어야 하고, 그 입증책임은 시효취득을 주장하는 자에게 있다(대판 1996.12.23, 96다7984).

② 그러나 점유권, 유치권, 저당권 등은 시효취득의 대상이 되지 않는다. 점유권은 물건에 대한 사실상 지배가 성립하면 당연히 취득하는 권리이고, 유치권은 법률의 규정에 의해 성립하는 권리이며, 저당권은 그 성질상 점유를 수반하지 않기 때문이다.

2. 부동산소유권의 점유취득시효

(1) 취득시효의 요건

1) 취득시효의 주체

자연인, 법인, 권리능력 없는 사단, 국가, 지방자치단체 등이 주체가 되며, 조합은 법인격이 없으므로 그 주체가 되지 못한다.

2) 취득시효의 대상(객체)

① 성명불상자의 소유물에 대해서도 시효취득이 가능하다(대판 1992.2.25, 91다9312). 또한 1필의 토지 일부에 대해서도 취득시효가 가능하다. 한편, 국유재산 중 일반재산(잡종재산)은 시효취득의 대상이 된다. 그러나 취득시효 완성 후 등기 전에 행정재산으로 지정되고 나면 시효취득을 원인으로 소유권이전등기를 받을 수 없다(대판 1997.11.14, 96다10782).

② 취득시효의 대상에는 타인의 물건뿐만 아니라 자기 소유의 물건(부동산)도 포함된다고 할 것이지만, 자기 소유의 부동산인데도 소유권을 증명하기 곤란한 경우이거나 사실상태를 보호할 필요가 있을 때에 시효취득의 대상이 된다고 할 것이다.

판례 연구 **관련판례 정리**

☑ **취득시효의 대상 여부가 문제되는 경우**

1. 자기 소유의 부동산

(1) 인정 여부

시효취득의 목적물은 타인의 부동산임을 요하지 않고 자기 소유의 부동산이라도 시효취득의 목적물이 될 수 있다고 할 것이고, 취득시효를 규정한 민법 제245조가 '타인의 물건인 점'을 규정에서 빼놓은 것도 같은 취지에서라고 할 것이다(대판 2001.7.13, 2001다17572).

(2) 부정 예

1) 구분소유적 공유 ★

토지소유자가 토지의 특정한 일부분을 타인에게 매도하면서 등기부상으로는 전체 토지의 일부 지분에 관한 소유권이전등기를 경료해 준 경우에 매도 대상에서 제외된 나머지 특정 부분을 계속 점유한다고 하더라도, 이는 자기 소유의 토지를 점유하는 것이어서 취득시효의 기초가 되는 점유라고 할 수 없다(대판 2001.4.13, 99다62036 · 62043).

2) 환지예정지

토지구획정리사업의 시행으로 환지예정지 지정이 있을 경우 종전 토지의 소유자는 환지예정지로 지정된 토지에 관하여 사용 · 수익권을 취득하게 되고, 이 사용 · 수익권은 종전 토지에 대한 소유권에 기한 것이므로, 종전 토지소유자의 환지예정지에 대한 점유는 자기 소유의 종전 토지에 대한 점유와 그 성질이 같다 할 것이어서, 종전 토지소유자가 종전 토지에 대한 환지예정지를 점유하는 것은 취득시효의 기초로서의 점유라고 볼 수 없다(대판 2002.9.4, 2002다22083 · 22090). → 다만 환지처분에 의해 그 부분이 타인 소유로 된 다음날부터는 시효취득을 위한 점유로 인정할 수 있다.

3) 부동산에 관하여 적법 · 유효한 등기를 마친 소유자 ★★★

① 부동산에 대한 취득시효 제도의 존재이유는 해당 부동산을 점유하는 상태가 오랫동안 계속된 경우 권리자로서의 외형을 지닌 그 사실상태를 존중하여 이를 진실한 권리관계로 높여 보호함으로써 법질서의 안정을 기하고, 장기간 지속된 사실상태는 진실한 권리관계와 일치될 개연성이 높다는 점을 고려하여 권리관계에 관한 분쟁이 생긴 경우 점유자의 증명곤란을 구제하려는 데에 있다. 그런데 부동산에 관하여 적법 · 유효한 등기를 마치고 그 소유권을 취득한 사람이 자기 소유의 부동산을 점

유하는 경우에는 특별한 사정이 없는 한 사실상태를 권리관계로 높여 보호할 필요가 없고, 부동산의 소유명의자는 그 부동산에 대한 소유권을 적법하게 보유하는 것으로 추정되어 소유권에 대한 증명의 곤란을 구제할 필요 역시 없으므로, 그러한 점유는 취득시효의 기초가 되는 점유라고 할 수 없다. 다만 그 상태에서 다른 사람 명의로 소유권이전등기가 되는 등으로 소유권의 변동이 있는 때에 비로소 취득시효의 요건인 점유가 개시된다고 볼 수 있을 뿐이다(대판 2016.10.27, 2016다224596).[50]

② 부동산에 대하여 원고의 등기부취득시효가 인정되려면, 자기 소유 부동산에 대한 취득시효가 인정될 수 있다는 것이 전제되어야 한다. 그러나 부동산에 관하여 적법・유효한 등기를 하여 그 소유권을 취득한 사람이 당해 부동산을 점유하는 경우에는 특별한 사정이 없는 한 사실상태를 권리관계로 높여 보호할 필요가 없고, 부동산의 소유명의자는 그 부동산에 대한 소유권을 적법하게 보유하는 것으로 추정되어 소유권에 대한 증명의 곤란을 구제할 필요 역시 없으므로, 그러한 점유는 취득시효의 기초가 되는 점유라고 할 수 없다(대판 2016.11.25, 2013다206313).[51]

③ 소유권에 기초하여 부동산을 점유하는 사람이더라도 그 등기를 하고 있지 않아 자신의 소유권을 증명하기 어렵거나 소유권을 제3자에게 대항할 수 없는 등으로 점유의 사실 상태를 권리관계로 높여 보호하고 증명곤란을 구제할 필요가 있는 예외적인 경우에는, 자기 소유 부동산에 대한 점유도 취득시효를 인정하기 위해 기초가 되는 점유로 볼 수 있다(대판 2022.7.28, 2017다204629).

2. 1필의 토지 일부

부동산의 일부에 대한 시효취득도 가능하다. 다만 판례는 일정한 요건을 요구하고 있다. 즉 1필의 토지의 일부에 대한 시효취득을 인정하기 위하여는 그 부분이 다른 부분과 구분되어 시효취득자의 점유에 속한다는 것을 인식하기에 족한 객관적 징표가 계속하여 존재할 것을 요한다(대판 1993.12.14, 93다5581).

3. 공유관계와 시효취득 ★★

(1) 공유지분의 시효취득

토지의 공유지분 일부에 대하여도 시효취득이 가능하다(대판 1979.6.26, 79다639). 다만 시효로 부동산의 지분권을 취득하였음을 주장하는 당사자가 ① 그 「전체의 토지 중 자기의 지분에 해당하는 특정부분」을 시효취득한 것으로 주장하는 경우에는 그 특정부분이 동인의 점유에 속한다는 것을 인식하기에 충분한 객관적 증표가 계속 존재하여야 하나, ② 토지의 1/2지분에 대하여는 자주점유로 나머지 1/2지분에 대하여는 타주점유로 「전 토지를 점유하여 왔음을 이유로 그 1/2의 지분권」을 시효로 취득하였다고 주장하는 경우에는 객관적 증표가 계속 존재할 필요는 없다(대판 1975.6.24, 74다1877).

(2) 공유건물의 타인소유 부지에 대한 시효취득

건물 공유자 중 일부만이 당해 건물을 점유하고 있는 경우라도 그 건물의 부지는 건물 소유를 위하여 공유명의자 전원이 공동으로 이를 점유하고 있는 것으로 볼 것이며, 건물 공유자들이 건물부지의 공동점유로 인하여 건물부지에 대한 소유권을 시효취득하는 경우라면 그 취득시효 완성을 원인으로 한 소유권이전등기청구권은 당해 건물의 공유지분비율과 같은 비율로 건물 공유자들에게 귀속된다(대판 2003.11.13, 2002다57935).

(3) 집합건물의 공용부분이 취득시효에 의한 소유권 취득의 대상이 될 수 있는지 여부(소극)

집합건물의 소유 및 관리에 관한 법률(이하 '집합건물법'이라 한다) 제1조, 제2조 제1호 및 제3호는 1동의 건물 중 구조상 구분된 수개의 부분이 독립한 건물로서 사용될 수 있을 때에는 그 각 부분을 집합건물법이 정하는 바에 따라 각각 소유권의 목적으로 할 수 있고, 그 각 부분을 목적으로 하는 소유권을 구분소유권으로, 구분소유권의 목적인 각 건물부분을 전유부분으로 규정하고 있으므로, 공용부분은 전유부분으로 변경되지 않는 한 구분소유권의 목적이 될 수 없다. 집합건물의 공용부분은 구분소유자 전원의 공유에 속하나(집합건물법 제10조 제1항), 그 공유는 민법상의 공유와는 달리 건물의 구분소유라고 하는 공동의 목적을 위하여 인정되는 것으로 집합건물법 제13조는 공용부분에 대한 공유자의 지분은 그가 가지는 전유부분의 처분에 따를 뿐 전유부분과 분리하여 처분할 수 없도록 규정하고 있다. 또한 공용부분을 전유부분으로 변경하기 위하여는 집합건물법 제15조에 따른 구분소유자들의 집회결의와 그 공용부분의 변경으로 특별한 영향을 받게 되는 구분소유자의 승낙을 얻어야 한다. 그런데 공용부분에 대하여 취득시효의 완성을 인정하여 그 부분에 대한 소유권 취득을 인정한다면 전유부분과 분리하여 공용부분의 처분을 허용하고 일정 기간의 점유로 인하여 공용부분이 전유부분으로 변경되는 결과가 되어 집합건물법의 취지에 어긋나게 된다. 따라서 집합건물의 공용부분은 취득시효에 의한 소유권 취득의 대상이 될 수 없다고 봄이 상당하다(대판 2013.12.12, 2011다78200·78217).

(4) **20년간 소유의 의사로 평온, 공연하게 집합건물을 구분소유한 사람은 등기함으로써 대지의 소유권을 취득할 수 있는지 여부(적극) 및 이때 집합건물의 구분소유자들이 취득하는 대지의 소유권의 내용(=전유부분을 소유하기 위한 대지사용권) ★**

건물은 일반적으로 대지를 떠나서는 존재할 수 없으므로, 건물의 소유자가 건물의 대지인 토지를 점유하고 있다고 볼 수 있다. 이 경우 건물의 소유자가 현실적으로 건물이나 대지를 점유하지 않고 있더라도 건물의 소유를 위하여 대지를 점유한다고 보아야 한다. 그리고 점유는 물건을 사실상 지배하는 것을 가리키므로, 1개의 물건 중 특정 부분만을 점유할 수는 있지만, 일부 지분만을 사실상 지배하여 점유한다는 것은 상정하기 어렵다. 따라서 1동의 건물의 구분소유자들은 전유부분을 구분소유하면서 공용부분을 공유하므로 특별한 사정이 없는 한 건물의 대지 전체를 공동으로 점유한다. 이는 집합건물의 대지에 관한 점유취득시효에서 말하는 '점유'에도 적용되므로, 20년간 소유의 의사로 평온, 공연하게 집합건물을 구분소유한 사람은 등기함으로써 대지의 소유권을 취득할 수 있다. 이와 같이 점유취득시효가 완성된 경우에 집합건물의 구분소유자들이 취득하는 대지의 소유권은 전유부분을 소유하기 위한 대지사용권에 해당한다(대판 2017.1.25, 2012다72469).

4. 일반재산(잡종재산)

(1) 원칙

구 지방재정법 제74조 제2항은 "공유재산은 민법 제245조의 규정에 불구하고 시효취득의 대상이 되지 아니한다. 다만, 일반재산(잡종재산)의 경우에는 그러하지 아니하다"라고 규정하고 있으므로, 구 지방재정법상 공유재산에 대한 취득시효가 완성되기 위하여는 그 공유재산이 취득시효기간 동안 계속하여 시효취득의 대상이 될 수 있는 일반재산(잡종재산)이어야 하고, 이러한 점에 대한 증명책임은 시효취득을 주장하는 자에게 있다(대판 2009.12.10, 2006다19177).

50) 원고가 부동산에 관하여 적법·유효한 등기를 마치고 그 소유권을 취득하였음에도, 그때로부터 20년간 위 부동산을 점유하였으므로 점유취득시효가 완성되어 이를 원시취득하였다고 주장하면서, 원고의 소유권 취득 이전부터 존재하던 가압류에 기하여 이루어진 강제집행의 불허를 구하는 사건에서, 원고의 위와 같은 점유는 취득시효의 기초로서의 점유에 해당하지 않는다고 한 사안이다.

51) 부동산에 관한 소유권이전의 원인행위가 사해행위로 인정되어 취소된 경우 그 부동산에 대한 수익자의 등기부취득시효가 인정되는지 여부가 문제된 사안에서, 채권자는 사해행위취소의 판결이 확정됨으로써 그 등기 명의를 채무자 앞으로 회복하여 강제집행을 할 수 있게 되었는데, 수익자가 그러한 부담을 안고 있다는 사정을 잘 알고 있는 상태에서 위 판결 전후 기간 동안 부동산을 점유한 경우, 판례는 위와 같은 이유로 수익자의 등기부취득시효 주장을 인정하지 않았다.

(2) 일반재산(잡종재산)에 대한 취득시효가 완성된 후 그 일반재산(잡종재산)이 행정재산으로 된 경우

일반재산(잡종재산)에 대하여는 취득시효가 가능하다. 다만 일반재산(잡종재산)에 대한 취득시효가 완성된 후 그 일반재산(잡종재산)이 행정재산으로 된 경우에는 취득시효완성을 원인으로 소유권이전등기를 청구할 수 없다(대판 1997.11.14, 96다10782).

5. 행정재산

1) 행정 목적을 위하여 공용되는 행정재산은 공용폐지가 되지 않는 한 사법상 거래의 대상이 될 수 없으므로 취득시효의 대상도 되지 않는 것이고, 공물의 용도폐지 의사표시는 명시적이든, 묵시적이든 불문하나 적법한 의사표시여야 하고 단지 사실상 공물로서의 용도에 사용되지 아니하고 있다는 사실만으로 용도폐지의 의사표시가 있다고 볼 수는 없다(대판 1995.12.22, 95다19478).

2) 행정재산이 기능을 상실하여 본래의 용도에 제공되지 않는 상태에 있다 하더라도 관계 법령에 의하여 용도폐지가 되지 아니한 이상 당연히 취득시효의 대상이 되는 일반재산(잡종재산)이 되는 것은 아니다(대판 1998.11.10, 98다42974).

---

3) 점유요건

취득시효의 요건인 점유는 직접점유뿐만 아니라 간접점유도 포함된다(대판 1991.10.8, 91다25116). 이러한 점유는 소유의 의사로 하는 자주점유이어야 하고, 평온·공연한 점유이어야 한다.

가) 자주점유일 것

① 소유의 의사로 점유하여야 한다. 자주점유의 유무는 권원의 성질에 의해 객관적으로 결정되며, 민법은 보충적으로 소유의 의사로 점유한 것으로 추정되는 규정을 두고 있다(제197조 제1항). 따라서 취득시효의 완성을 주장하는 자가 이를 입증할 필요는 없다.

② 한편 판례는 악의의 무단점유의 경우에 자주점유의 추정이 깨진다고 한다. 즉 점유자가 성질상 소유의 의사가 없는 것으로 보이는 권원에 바탕을 두고 점유를 취득한 사실이 증명되었거나, 점유자가 타인의 소유권을 배제하여 자기의 소유물처럼 배타적 지배를 행사하는 의사를 가지고 점유하는 것으로 볼 수 없는 객관적 사정, 즉 점유자가 진정한 소유자라면 통상 취하지 아니할 태도를 나타내거나 소유자라면 당연히 취했을 것으로 보이는 행동을 취하지 아니한 경우 등 외형적·객관적으로 보아 점유자가 타인의 소유권을 배척하고 점유할 의사를 갖고 있지 아니하였던 것이라고 볼 만한 사정이 증명된 경우에도 그 추정은 깨어진다(대판(전) 1997.8.21, 95다28625). 자주점유에 관한 구체적인 내용은 점유편에서의 점유의 태양에 대한 설명이 그대로 적용된다.

나) 평온·공연한 점유일 것

① 평온·공연한 점유도 추정된다(제197조 제1항). 따라서 취득시효의 완성을 주장하는 자가 이를 입증할 필요는 없다.

② 나아가 판례는 그 점유가 불법이라고 주장하는 자로부터 이의를 받은 사실이 있거나 점유물의 소유권을 위하여 당사자 사이에 분쟁이 있었다 하더라도 그러한 사실만으로 곧 점유의 평온·공연성이 상실되지는 않는다고 하였다(대판(전) 1982.9.28, 81사9).

4) 시효기간의 경과

가) 시효기간

점유는 20년간 계속되어야 하는데, 이러한 점유의 계속은 추정된다(제198조). 여기서의 추정은 법률상 사실의 추정으로서 취득시효의 완성을 주장하는 자가 이를 입증할 필요는 없다.

나) 점유개시의 기산점

① 시효완성으로 인한 등기청구권은 채권적 청구권일 뿐이므로 그 상대방은 시효완성당시의 소유자로 특정된다. 그런데 기산점을 임의로 선택할 수 있게 하면 언제나 현재의 소유자를 상대로 등기청구를 할 수 있게 되므로 물권적 권리와 같은 효과를 낳게 된다. 따라서 점유취득시효의 완성시기를 객관화하기 위해 원칙적으로 임의로 기산점을 선택할 수 없고 점유가 개시된 시점을 기산점으로 한다(고정시설의 원칙).

② 고정시설을 취하는 경우에도 점유의 승계가 있는 경우에는 점유의 분리・병합에 의해 전점유자의 점유까지 아울러 주장할 수 있으므로, 수인의 전 점유자 중 일부 점유자의 점유만을 합산할 것을 선택할 수 있다. 다만 이 경우에도 특정점유자의 점유개시시점을 기산점으로 정할 수는 있으나, 전점유자의 점유기간 중의 임의의 시점을 선택할 수는 없다(대판 1982.1.26, 81다826).

시효취득을 주장하는 점유승계인이 전 점유자의 점유를 원용하는 경우, 원용 단계의 선택 가부(적극) **및 전 점유자의 점유기간 중의 임의시점 선택 가부**(소극) ★

취득시효의 기초가 되는 점유가 법정기간 이상으로 계속되는 경우, 취득시효는 그 기초가 되는 점유가 개시된 때를 기산점으로 하여야 하고 취득시효를 주장하는 사람이 임의로 기산일을 선택할 수는 없으나, 점유가 순차 승계된 경우에 있어서는 취득시효의 완성을 주장하는 자는 자기의 점유만을 주장하거나 또는 자기의 점유와 전 점유자의 점유를 아울러 주장할 수 있는 선택권이 있으며, 전 점유자의 점유를 아울러 주장하는 경우에도 어느 단계의 점유자의 점유까지를 아울러 주장할 것인가도 이를 주장하는 사람에게 선택권이 있고, 다만 전 점유자의 점유를 아울러 주장하는 경우에는 그 점유의 개시시기를 어느 점유자의 점유기간 중의 임의의 시점으로 선택할 수 없는 것인바, 이와 같은 법리는 반드시 소유자의 변동이 없는 경우에만 적용되는 것으로 볼 수 없다(대판 1998.4.10, 97다56822).

③ 그러나 시효기간(점유기간) 중 계속해서 등기명의자가 동일하고 취득자의 변경이 없는 경우, 즉 이해관계인이 없는 경우에는 취득시효를 주장하는 사람이 기산점을 임의로 정할 수 있다(예외적 역산설).

다) 기산점의 성질

취득시효의 기산점은 법률효과의 판단에 관하여 직접 필요한 주요사실이 아니고 간접사실에 불과하므로 법원으로서는 이에 관한 당사자의 주장에 구속되지 아니하고 소송자료에 의하여 점유의 시기를 인정할 수 있다(대판 1998.5.12, 97다34037).

판례 연구 **관련판례 정리**

1. 점유기간 중 부동산 소유권자의 변동이 없는 경우 – 역산설

① 취득시효를 주장하는 자는 소유자의 변동이 없는 토지에 관하여는 취득시효의 기산점을 임의로 선택할 수 있고, 취득시효를 주장하는 날로부터 역산하여 20년 이상의 점유사실이 인정되고 그 점유가 자주점유가 아닌 것으로 밝혀지지 않는 한 취득시효를 인정할 수 있다(대판 1993.11.26, 93다30013). ★★

② 취득시효기간 중 계속해서 등기명의자가 동일한 경우에는 그 기산점을 어디에 두든지 간에 취득시효의 완성을 주장할 수 있는 시점에서 보아 그 기간이 경과한 사실만 확정되면 충분하므로, 전 점유자의 점유를 승계하여 자신의 점유기간을 통산하여 20년이 경과한 경우에 있어서도 전 점유자가 점유를 개시한 이후의 임의의 시점을 그 기산점으로 삼을 수 있다(대판 1998.5.12, 97다8496・8502).

2. 점유기간 중 부동산 소유권자의 변동이 있는 경우 – 고정시설

① 취득시효기간의 계산에 있어 점유기간 중에 당해 부동산의 소유권자의 변동이 있는 경우에는 취득시효를 주장하는 자가 임의로 기산점을 선택하거나 소급하여 20년 이상 점유한 사실만 내세워 시효완성을 주장할 수 없고, 이와 같은 경우에는 법원이 당사자의 주장에 구애됨이 없이 소송자료에 의하여 인정되는 바에 따라 진정한 점유의 개시시기를 인정하고, 그에 터잡아 취득시효주장의 당부를 판단하여야 한다(대판 1995.5.23, 94다39987). ★★

② 구분소유적 공유관계에 있는 토지 중 공유자 1인의 특정 구분소유 부분에 관한 점유취득시효가 완성된 경우, 다른 공유자의 특정 구분소유 부분이 다른 사람에게 양도되고 그에 따라 토지 전체의 공유지분에 관한 지분이전등기가 경료되었다면, 대외적인 관계에서는 점유취득시효가 완성된 특정 구분소유 부분 중 다른 공유자 명의의 지분에 관하여는 소유 명의자가 변동된 경우에 해당하므로, 점유자는 취득시효의 기산점을 임의로 선택하여 주장할 수 없다(대판 2006.10.12, 2006다44753).

③ 취득시효기간 완성 후 아직 그것을 원인으로 소유권이전등기를 경료하지 아니한 자는 종전 소유자로부터 그 부동산에 대한 등기부상 소유명의를 넘겨받은 제3자에 대하여 시효취득을 주장할 수 없으나 취득시효기간 만료 전에 등기명의를 넘겨받은 시효완성당시의 등기명의자에 대하여는 그 소유권취득을 주장할 수 있다(대판 1989.4.11, 88다카5843・88다카5850).

3. 새로운 2차 점유취득시효(대판(전) 2009.7.16, 2007다15172・15189) ★★★

(1) 취득시효 완성 후 제3자 명의의 소유권이전등기가 마쳐진 경우, 그 소유권 변동시를 새로운 기산점으로 삼아 2차 취득시효의 완성을 주장할 수 있는지 여부(적극)

부동산에 대한 점유취득시효가 완성된 후 취득시효 완성을 원인으로 한 소유권이전등기를 하지 않고 있는 사이에 그 부동산에 관하여 제3자 명의의 소유권이전등기가 경료된 경우라 하더라도 당초의 점유자가 계속 점유하고 있고 소유자가 변동된 시점을 기산점으로 삼아도 다시 취득시효의 점유기간이 경과한 경우에는 점유자로서는 제3자 앞으로의 소유권 변동시를 새로운 점유취득시효의 기산점으로 삼아 2차의 취득시효의 완성을 주장할 수 있다.

(2) 새로이 2차 점유취득시효가 개시되어 그 취득시효기간이 경과하기 전에 등기부상 소유명의자가 변경된 경우 시효취득을 주장할 수 있는지 여부(적극)

취득시효기간이 경과하기 전에 등기부상의 소유명의자가 변경된다고 하더라도 그 사유만으로는 점유자의 종래의 사실상태의 계속을 파괴한 것이라고 볼 수 없어 취득시효를 중단할 사유가 되지 못하므로, 새로운 소유명의자는 취득시효 완성 당시 권리의무 변동의 당사자로서 취득시효 완성으로 인한 불이익을 받게 된다 할 것이어서 시효완성자는 그 소유명의자에게 시효취득을 주장할 수 있는바, 이러한 법리는 새로이 2차의 취득시효가 개시되어 그 취득시효기간이 경과하기 전에 등기부상의 소유명의자가 다시 변경된 경우에도 마찬가지로 적용된다고 봄이 상당하다.

(2) 취득시효완성의 효과

1) 등기청구권의 발생

취득시효는 법률규정에 의한 물권의 취득이므로 그 등기를 필요로 하지 않는다고 할 것이지만, 제245조 제1항은 예외적으로 등기하여야 소유권을 취득하는 것으로 규정하고 있다. 따라서 등기 없이 그 취득기간이 경과하였다는 사유만으로 소유권의 확인을 구할 수는 없다(대판 1991.5.28, 91다5716).

미등기 부동산의 점유자는 등기 없이도 소유권을 취득하는지 여부(소극) ★★

민법 제245조 제1항의 취득시효기간의 완성만으로는 소유권취득의 효력이 바로 생기는 것이 아니라, 다만 이를 원인으로 하여 소유권취득을 위한 등기청구권이 발생할 뿐이고, 미등기 부동산의 경우라고 하여 취득시효기간의 완성만으로 등기 없이도 점유자가 소유권을 취득한다고 볼 수 없다(대판 2006.9.28, 2006다22074 · 22081).

시효취득자가 점유취득시효의 완성을 원인으로 하여 소유권이전등기를 청구하면서 그와 동시에 시효완성 후 토지소유자가 설치한 담장의 철거를 청구한 경우, 담장철거청구의 권원(점유권에 기한 방해배제청구권)

취득시효가 완성된 점유자는 점유권에 기하여 등기부상의 명의인을 상대로 점유방해의 배제를 청구할 수 있다 할 것인데, 시효취득자가 점유취득시효의 완성을 원인으로 하여 소유권이전등기를 청구하면서, 그와 동시에 시효완성 후에 토지소유자가 멋대로 설치한 담장 등의 철거를 구하고 있을 뿐, 소유권에 기한 방해배제청구권에 기하여 위 담장 등의 철거를 구한 바 없고, 오히려 "토지소유자가 기존의 담장을 허물고 새로운 담장을 쌓은 것은 시효취득자의 점유를 침탈한 행위에 해당한다."고 주장하였으며, 원심의 변론종결 직전에는 소유권에 기한 주장은 하지 아니하고 담장 등 철거 청구도 시효취득에 의하여서만 구하는 것이라고 진술하였는바, 그렇다면 시효취득자는 점유권에 기한 방해배제청구권의 행사로서 토지소유자를 상대로 담장 등의 철거를 청구하고 있는 것으로 보아야 한다(대판 2005.3.25, 2004다23899 · 23905).

가) 등기청구권의 법적 성격 : 점유취득시효완성을 원인으로 하는 소유권이전등기청구권은 채권적 청구권이라고 봄이 통설과 판례(대판 1966.10.21, 66다976)이다. 따라서 시효취득자는 그 취득시효기간 완성 당시의 등기명의자에 대하여 그 소유권취득을 주장할 수 있고, 취득시효완성 후 적법 · 유효하게 소유권을 취득한 제3자에게는 대항할 수 없다.

취득시효완성으로 인한 소유권이전등기청구권의 소멸시효 ★

① 등기청구권은 점유가 계속되는 한 시효로 소멸하지 않으며, 여기의 점유는 직접점유 외에 간접점유도 포함된다(대판 1995.2.10, 94다28468).

② 토지에 대한 취득시효 완성으로 인한 소유권이전등기청구권은 그 토지에 대한 점유가 계속되는 한 시효로 소멸하지 아니하고, 그 후 점유를 상실하였다고 하더라도 이를 시효이익의 포기로 볼 수 있는 경우가 아닌 한 이미 취득한 소유권이전등기청구권은 바로 소멸되는 것은 아니다(대판 1991.7.26, 91다8104).

③ 그러나 취득시효가 완성된 점유자가 점유를 상실한 경우 취득시효 완성으로 인한 소유권이전등기청구권의 소멸시효는 이와 별개의 문제로서, 그 점유자가 점유를 상실한 때로부터 10년간 등기청구권을 행사하지 아니하면 소멸시효가 완성한다(대판 1996.3.8, 95다34866·34873; 대판 2023.8.31, 2023다240428).[52]

나) 등기의 방식 : 등기의 방식에 관해 민법이나 부동산등기법은 아무런 규정을 두고 있지 않다. 점유취득시효는 원시취득이므로 이론상 '보존등기'를 하여야 하나, 현재 실무상 '이전등기'를 하는 방식으로 행하여지고 있다.

2) 소유권 취득

가) 성질 – 원시취득

취득시효로 인한 권리취득을 원시취득이라고 보는 것이 통설·판례이다. 따라서 ① 그 이전의 제한물권은 소멸한다. 다만 이는 취득시효의 완성 전 목적물에 제한이나 부담이 설정된 경우로서 시효취득의 등기를 경료한 경우에 그러한 것이고, 아직 점유자 앞으로 등기를 마치지 아니한 이상 전 소유권에 붙어 있는 제한이나 부담은 소멸되지 아니한다(대판 2004.9.24, 2004다31463). ② 또한 시효완성 후 그 등기 전에 목적물에 설정된 제한이나 부담은 소멸하지 않는다는 것이 판례이다(대판 2006.5.12, 2005다75910 참조).

부동산점유취득시효완성으로 인한 소유권 취득의 법적 성질(=원시취득) **및 취득시효기간이 완성되었으나 점유자 앞으로 등기가 마쳐지지 않은 경우, 그 부동산에 설정된 소유권이전등기청구권가등기에 의하여 보전된 매매예약상의 권리의 소멸 여부**(소극) ★

부동산점유취득시효는 20년의 시효기간이 완성한 것만으로 점유자가 곧바로 소유권을 취득하는 것은 아니고 민법 제245조에 따라 점유자 명의로 등기를 함으로써 소유권을 취득하게 되며, 이는 원시취득에 해당하므로 특별한 사정이 없는 한 원소유자의 소유권에 가하여진 각종 제한에 의하여 영향을 받지 아니하는 완전한 내용의 소유권을 취득하게 되고, 이와 같은 소유권취득의 반사적 효과로서 그 부동산에 관하여 취득시효의 기간이 진행중에 체결되어 소유권이전등기청구권가등기에 의하여 보전된 매매예약상의 매수인의 지위는 소멸된다고 할 것이지만, 시효기간이 완성되었다고 하더라도 점유자 앞으로 등기를 마치지 아니한 이상 전 소유권에 붙어 있는 위와 같은 부담은 소멸되지 아니한다(대판 2004.9.24, 2004다31463).

52) 매매로 인한 등기청구권의 경우에 제3자에게 처분하여 점유를 승계해 주더라도 소멸시효가 진행되지 않는다는 판례의 태도와 혼동하지 말아야 할 것이다(대판(전) 1999.3.18, 98다32175).

나) 소급효의 원칙과 제한

취득시효에 의한 소유권취득의 효과는 점유를 개시한 때에 소급한다(제247조 제1항). 따라서 시효기간 중에 시효취득자가 수취한 과실은 정당한 소유자로서 취득한 것이고, 종전 소유자는 시효취득자에 대해 부당이득반환청구나 불법행위를 이유로 한 손해배상을 청구할 수 없다. 또한 시효기간 중에 시효취득자가 한 처분은 유효하다. 다만 다음과 같은 제한이 있다.

소급효의 제한 및 시효완성자의 지위(대판 2006.5.12, 2005다75910) ★★★

[1] 타인의 토지를 20년간 소유의 의사로 평온·공연하게 점유한 자는 등기를 함으로써 비로소 그 소유권을 취득하게 되므로 점유자가 원소유자에 대하여 점유로 인한 취득시효기간이 만료되었음을 원인으로 소유권이전등기청구를 하는 등 그 권리행사를 하거나 원소유자가 취득시효완성 사실을 알고 점유자의 권리취득을 방해하려고 하는 등의 특별한 사정이 없는 한 원소유자는 점유자 명의로 소유권이전등기가 마쳐지기까지는 소유자로서 그 토지에 관한 적법한 권리를 행사할 수 있다.

[2] 원소유자가 취득시효의 완성 이후 그 등기가 있기 전에 그 토지를 제3자에게 처분하거나 제한물권의 설정, 토지의 현상 변경 등 소유자로서의 권리를 행사하였다 하여 시효취득자에 대한 관계에서 불법행위가 성립하는 것이 아님은 물론 위 처분행위를 통하여 그 토지의 소유권이나 제한물권 등을 취득한 제3자에 대하여 취득시효의 완성 및 그 권리취득의 소급효를 들어 대항할 수도 없다 할 것이니, 이 경우 시효취득자로서는 원소유자의 적법한 권리행사로 인한 현상의 변경이나 제한물권의 설정 등이 이루어진 그 토지의 사실상 혹은 법률상 현상 그대로의 상태에서 등기에 의하여 그 소유권을 취득하게 된다. 따라서 시효취득자가 원소유자에 의하여 그 토지에 설정된 근저당권의 피담보채무를 변제하는 것은 시효취득자가 용인하여야 할 그 토지상의 부담을 제거하여 완전한 소유권을 확보하기 위한 것으로서 그 자신의 이익을 위한 행위라 할 것이니, 위 변제액 상당에 대하여 원소유자에게 대위변제를 이유로 구상권을 행사하거나 부당이득을 이유로 그 반환청구권을 행사할 수는 없다.

진정한 권리자가 아니었던 채무자 또는 물상보증인이 채무담보의 목적으로 채권자에게 부동산에 관하여 저당권설정등기를 경료해 준 후 그 부동산을 시효취득하는 경우, 저당목적물의 시효취득으로 저당권자의 권리가 소멸하는지 여부(소극) **/ 양도담보권설정자가 양도담보부동산을 20년간 소유의 의사로 평온, 공연하게 점유한 경우, 양도담보권자를 상대로 점유취득시효를 원인으로 하여 담보 목적으로 경료된 소유권이전등기의 말소 또는 양도담보권설정자 명의로의 소유권이전등기를 구할 수 있는지 여부**(소극)(대판 2015.2.26, 2014다21649) ★★★

[1] 부동산점유취득시효는 원시취득에 해당하므로 특별한 사정이 없는 한 원소유자의 소유권에 가하여진 각종 제한에 의하여 영향을 받지 아니하는 완전한 내용의 소유권을 취득하는 것이지만, 진정한 권리자가 아니었던 채무자 또는 물상보증인이 채무담보의 목적으로 채권자에게 부동산에 관하여 저당권설정등기를 경료해 준 후 그 부동산을 시효취득하는 경우에는, 채무자 또는 물상보증인은 피담보채권의 변제의무 내지 책임이 있는 사람으로서 이미 저당권의 존재를 용인하고 점유하여 온 것이므로, 저당목적물의 시효취득으로 저당권자의 권리는 소멸하지 않는다.

→ [사실관계 및 해설] : 甲의 X토지를 무단 점유하던 乙은 1987.3.5.경에 등기서류를 위조하여 자신 앞으로 이전등기를 하고, 이를 모르는 丙에게 1992.3.5.경에 매도하고 인도 및 이전등기를 경료하여 주었다. 그 후에 丙은 戊로부터 1억원을 빌리면서 2007.3.5.경에 戊에게 저당권을 설정해 주었다. 2015년 현재 甲이 자신의 권리를 행사하려고 한다. 이 경우 丙이 취득시효를 완성하였으므로, 丙의 이전등기는 실체관계에 부합하는 유효한 등기가 되어, 결국 甲은 소유권을 상실하게 된다. 그러나 丙은 애초에 자신이 戊에게 설정한 저당권을 용인하면서 계속해서 X토지를 점유하여 취득시효를 완성한 것이므로, 취득시효의 효과로써 戊의 저당권은 소멸하지 않는다.

[2] 이러한 법리는 부동산 양도담보의 경우에도 마찬가지이므로, 양도담보권설정자가 양도담보부동산을 20년간 소유의 의사로 평온, 공연하게 점유하였다고 하더라도, 양도담보권자를 상대로 피담보채권의 시효소멸을 주장하면서 담보 목적으로 경료된 소유권이전등기의 말소를 구하는 것은 별론으로 하고, 점유취득시효를 원인으로 하여 담보 목적으로 경료된 소유권이전등기의 말소를 구할 수 없고, 이와 같은 효과가 있는 양도담보권설정자 명의로의 소유권이전등기를 구할 수도 없다.

→ [사실관계 및 해설] : A는 Y토지를 적법하게 매수하여 1992.3.5.경에 이전등기를 경료하고 점유를 하였다. 그리고 A는 급전이 필요하여 B로부터 1994.3.4.경에 5억원을 빌리면서 당일에 양도담보로써 당시 시가 3억원의 Y토지의 소유권을 이전하여 주었고, 그 후로도 A는 2015년까지 계속해서 위 토지를 점유·사용하였다. 그러나 A는 B에게 채무를 변제하지 않았다. 이 경우 A의 점유는 1994.3.4.경 양도담보로 B에게 소유권이 이전된 이후부터 자주점유가 되어 이때부터 20년이 지난 2014.3.4. 24시에 점유취득시효가 완성된다. 그러나 A는 자신이 스스로 설정해 준 B의 양도담보권을 인정하면서 Y토지를 점유한 것이므로 취득시효 완성으로 B의 양도담보권은 소멸하지 않는다. 따라서 취득시효를 원인으로 B의 양도담보권의 소멸을 전제로 한 B에게의 이전등기청구나 말소등기청구는 불가하다. 다만 B의 차용금 채권은 10년의 소멸시효가 완성되어 소멸하였으므로 이를 이유로 하여 말소청구는 가능하다.

3) 시효완성 후 등기 전의 시효완성자 지위 - 제3취득자와의 관계

가) 시효기간만료 전에 제3자가 소유권을 취득한 경우

① 점유취득시효완성을 원인으로 하는 소유권이전등기청구권은 채권적 청구권이므로, 시효취득자는 그 취득시효기간 완성 당시의 등기명의자에 대하여 그 시효취득을 주장할 수 있다.
② 다만 등기부상의 소유자로 등기되어 있는 사람이라고 하더라도 그가 진정한 소유자가 아닌 이상 그를 상대로 취득시효의 완성을 원인으로 소유권이전등기를 청구할 수는 없다(대판 2009.12.24, 2008다71858). 이 경우 점유자는 소유자를 대위하여 무효등기의 말소를 구하고 다시 소유자를 상대로 취득시효 완성을 원인으로 소유권이전등기절차의 이행을 구하여야 한다(대판 2005.5.26, 2002다43417).

부동산의 점유로 인한 취득시효 완성 당시 그 부동산의 등기부상 소유명의자의 등기가 원인 무효의 흠결이 있으나 진정한 소유자를 상대로 제기한 소유권이전등기 청구소송의 확정판결에 기하여 경료된 경우, 시효취득자가 그 등기부상 소유명의자를 상대로 취득시효를 원인으로 한 소유권이전등기를 청구할 수 있는지 여부(적극) ★★★

부동산의 점유로 인한 시효취득자는 취득시효 완성 당시의 소유자에 대하여 소유권이전등기를 청구할 수 있다고 할 것인바, 취득시효 완성 당시 그 부동산의 등기부상 소유명의자의 등기가 원인 무효의 흠결이 있다 하더라도 그 등기명의 소유자가 진정한 소유자를 상대로 제기한 소유권이전등기 청구소송의 기판력 있는 확정판결에 의하여 소유권이전등기를 경료하였던 것이고, 따라서 시효취득자가 진정한 소유자를 대위하여 등기부상 소유자를 상대로 위 등기의 말소를 구하는 것은 위 판결의 기판력 때문에 극히 어려운 것이고, 그 등기명의를 둔 채 진정한 소유자를 상대로 시효취득을 원인으로 한 이전등기를 구하여 판결을 받더라도 위 등기가 말소되지 않는 한 그 판결이 이행될 수 없는 것이라면 특별한 사정이 없는 한 시효취득자는 그 등기부상 소유명의자를 상대로 취득시효를 원인으로 한 소유권이전등기를 청구할 수 있다고 보아야 할 것이다(대판 1999.7.9, 98다29575).

→ [사실관계] : (사안을 다소 축소변경) 甲은 1986.9.경 C로부터 C 소유의 X토지를 매수하여 지금까지 점유하여 왔는데, C가 사망하자 그의 상속인 A는 B와 1999.4.11.경 매매계약을 체결하였다. A와 B의 매매행위는 배임행위에 적극 가담한 반사회적 법률행위로서 무효였는데, 그 후 B는 A를 상대로 소유권이전등기청구의 소를 제기하여 그 승소확정판결에 기하여 2001.4.11. B 명의의 소유권이전등기를 경료하였다. 이에 甲은 2006.10.경 B를 상대로 점유취득시효의 완성을 원인으로 한 소유권이전등기청구의 소를 제기하였고, 대법원은 위와 같은 법리에 따라 B는 상대방이 될 수 있다고 보았다.

나) 시효기간만료 후에 제3자가 소유권을 취득한 경우

① 제3자와의 관계

(ㄱ) 원칙

부동산의 점유취득시효 완성자는 등기함으로써 비로소 그 소유권을 취득하며, 그 전에는 채권적 청구권으로서 소유권이전등기청구권만을 가질 뿐이다. 따라서 그 등기를 경료하기 전에 먼저 등기를 경료하여 그 소유권을 취득한 제3자에 대하여는 시효취득을 주장할 수 없다.

(ㄴ) 예외

다만 i) 소유자가 변동된 시점을 새로운 기산점으로 삼아도 다시 취득시효의 점유기간이 완성되는 경우에는 점유자는 소유권 변동시를 기산점으로 삼아 2차의 취득시효의 완성을 주장하여 소유권이전등기를 청구할 수 있다. 또한 새로이 2차의 취득시효가 개시되어 그 취득시효기간이 경과하기 전에 등기부상의 소유명의자가 다시 변경된 경우에도 새로운 2차 점유취득시효의 완성자는 그 소유명의자에게 시효취득을 주장할 수 있다. ii) 또한 소유권이전이 통정허위표시에 해당하거나(대판 1990.11.27, 90다6651), 시효완성을 알고도 소유명의자가 이를 제3자에게 처분하고 제3자가 이에 적극 가담하여 제103조에 해당하는 경우, 시효완성자는 그 완성 당시의 소유자에 대해 가지는 소유권이전등기청구권으로써 위 소유자를 대위하여 제3자 앞으로 경료된 원인무효의 등기의 말소를 구할 수 있다(대판 1986.8.19, 85다카2306). 나아가 iii) 어떠한 사유이든지 취득시효 완성 당시의 소유명의자에게로 소유권이 회복된 경우에는 그 소유자를 상대로 이전등기청구권을 행사할 수 있다(대판 1999.2.12, 98다40688).

취득시효 완성 후 제3자 앞으로 경료된 소유권이전등기가 원인무효인 경우, 점유자가 시효취득을 주장할 수 있는지 여부(적극) 및 제3자가 취득시효 완성 당시 소유자의 상속인인 경우 직접 제3자에 대하여 취득시효 완성을 원인으로 한 소유권이전등기를 구할 수 있는지 여부(적극) ★★★

취득시효가 완성된 후 점유자가 그 등기를 하기 전에 제3자가 소유권이전등기를 경료한 경우에는 점유자는 그 제3자에 대하여는 시효취득을 주장할 수 없는 것이 원칙이기는 하지만, 이는 어디까지나 그 제3자 명의의 등기가 적법 유효함을 전제로 하는 것으로서 위 제3자 명의의 등기가 원인무효인 경우에는 점유자는 취득시효 완성 당시의 소유자를 대위하여 위 제3자 앞으로 경료된 원인무효인 등기의 말소를 구함과 아울러 위 소유자에게 취득시효 완성을 원인으로 한 소유권이전등기를 구할 수 있고, 또 위 제3자가 취득시효 완성 당시의 소유자의 상속인인 경우에는 그 상속분에 한하여는 위 제3자에 대하여 직접 취득시효 완성을 원인으로 한 소유권이전등기를 구할 수 있다(대판 2002.3.15, 2001다77352 · 77369).

판례 연구 관련판례 정리

1. 취득시효완성 후의 새로운 소유자 변동에 해당하는 경우

(1) 취득시효완성을 제3자에게 주장할 수 있는지 여부 ★★

① 취득시효기간 완성 후 아직 그것을 원인으로 하여 소유권이전등기를 경료하지 아니한 자는, 종전 소유자로부터 그 부동산에 대한 등기부상 소유명의를 넘겨받은 제3자에 대하여 시효취득을 주장할 수 없다 할 것이나, ② 취득시효기간 만료 전에 등기명의를 넘겨받은 경우에는 시효취득자는 그 취득시효기간 완성 당시의 등기명의자에 대하여 그 소유권취득을 주장할 수 있다(대판 1977.8.23, 77다785).

(2) 피상속인 처분 후 상속인이 소유권을 회복한 경우 ★★

취득시효 완성 후에 원소유자가 일시 상실하였던 소유권을 회복한 것이 아니라 그 상속인이 소유권이전등기를 마쳤을 뿐인 경우에는 그 상속인의 등기가 실질적으로 상속재산의 협의분할과 동일시할 수 있는 등의 특별한 사정이 없는 한 그 상속인은 점유자에 대한 관계에서 종전 소유자와 같은 지위에 있는 자로 볼 수 없고 취득시효 완성 후의 새로운 이해관계인으로 보아야 하므로, 그에 대하여는 취득시효 완성으로 대항할 수 없다(대판 1999.2.12, 98다40688).

(3) 상속인이 증여를 받은 경우 ★★

상속인 중의 한 사람이 소유자인 피상속인으로부터 증여를 받아 소유권이전등기를 마친 경우, 그 증여가 실질적인 상속재산의 협의분할과 동일시할 수 있는 등의 특별한 사정이 없는 한 등기명의인은 점유자에 대한 관계에서 종전 소유자와 같은 지위에 있는 자로 볼 수는 없고 취득시효 완성 후의 새로운 이해관계인으로 보아야 한다(대판 1998.4.10, 97다56495). → 본 사안은 시효완성 후 사망이 이루어진 경우이다. 이에 반해 다음의 판례는 시효완성 전 사망이 이루어진 경우로서 주의를 요한다.

★ 주의 – 부동산을 증여받았으나 소유권이전등기를 하지 않고 있던 중 부동산 소유자가 사망하여 상속이 개시되고 그 후 점유자의 점유취득시효 기간이 경과된 경우, 부동산을 증여받은 자가 상속인이라면, 그 상속인이 가지고 있던 피상속인에 대한 증여를 원인으로 한 소유권이전등기청구권은 자기의 상속지분 범위 내에서는 상속에 의하여 혼동으로 소멸하는 반면, 점유자에 대하여는 취득시효 기간이 경과된 때에 새로 취득시효 완성을 원인으로 한 소유권이전등기의무를 부담하게 되므로, 그 후 그 상속인이 그 부동산 전체에 관하여 위 증여를 원인으로 한 소유권이전등기를 하였다고 하더라도 그 상속인은 취득시효 완성 후의 새로운 이해관계인이라 할 수 없다 할 것이다(대판 2012.3.15, 2011다59445).

(4) 명의신탁이 해지된 경우 ★★

명의신탁된 부동산에 대하여 점유취득시효가 완성된 후 시효취득자가 그 소유권이전등기를 경료하기 전에 명의신탁이 해지되어 그 등기명의가 명의수탁자로부터 명의신탁자에게로 이전된 경우에는, 명의신탁의 취지에 따라 대외적 관계에서는 등기명의자만이 소유권자로 취급되고 시효완성 당시 시효취득자에게 져야 할 등기의무도 명의수탁자에게만 있을 뿐이므로, 명의신탁자의 등기 취득이 등기의무자의 배임행위에 적극 가담한 반사회적 행위에 근거한 등기라든가 또는 기타 다른 이유로 원인무효의 등기인 경우는 별론으로 하고, 그 명의신탁자는 취득시효 완성 후에 소유권을 취득한 자에 해당하여 그에 대하여 취득시효를 주장할 수 없다(대판 2001.10.26, 2000다8861).

(5) 새로운 명의신탁이 있는 경우

명의신탁된 부동산에 관하여 그 점유자의 점유취득시효 완성 후 그 소유권이전등기를 경료하기 전에 위 명의신탁이 해지되고 새로운 명의신탁이 이루어져, 그 소유 명의가 점유취득시효 완성 당시의 명의수탁자로부터 새로운 명의수탁자에게로 이전된 경우, 위 소유 명의의 이전이 무효가 아닌 이상 새로운 명의수탁자는 위 점유취득시효 완성 후에 소유권을 취득한 자에 해당하므로, 위 점유자는 그에 대하여 시효취득을 주장할 수 없다(대판 2000.8.22, 2000다21987).

(6) 신탁법상의 수탁자

① 부동산에 관한 점유취득시효기간이 경과한 후 원래의 소유자의 위탁에 의하여 소유권이전등기를 마친 신탁법상의 수탁자는 그 점유자가 시효취득을 주장할 수 없는 새로운 이해관계인인 제3자에 해당하고, 그 수탁자가 해당 부동산의 공유자들을 조합원으로 한 비법인사단인 재건축조합이라고 하여 달리 볼 것도 아니다(대판 2003.8.19, 2001다47467).

② 신탁재산의 소유관계, 신탁재산의 독립성, 신탁등기의 대항력, 구 신탁법(2011.7.25. 법률 제10924호로 전부 개정되기 전의 것, 이하 같다) 제3조 제1항, 제20조, 제24조, 제30조의 취지 등에 비추어 보면, 부동산에 대한 점유취득시효가 완성될 당시 부동산이 구 신탁법상의 신탁계약에 따라 수탁자 명의로 소유권이전등기와 신탁등기가 되어 있더라도 수탁자가 신탁재산에 대하여 대내외적인 소유권을 가지는 이상 점유자가 수탁자에 대하여 취득시효 완성을 주장하여 소유권이전등기청구권을 행사할 수 있지만, 이를 등기하지 아니하고 있는 사이에 부동산이 제3자에게 처분되어 그 명의로 소유권이전등기가 마쳐짐으로써 점유자가 제3자에 대하여 취득시효 완성을 주장할 수 없게 되었다면 제3자가 다시 별개의 신탁계약에 의하여 동일한 수탁자 명의로 소유권이전등기와 신탁등기를 마침으로써 부동산의 소유권이 취득시효 완성 당시의 소유자인 수탁자에게 회복되는 결과가 되었더라도 수탁자는 특별한 사정이 없는 한 취득시효 완성 후의 새로운 이해관계인에 해당하므로 점유자는 그에 대하여도 취득시효 완성을 주장할 수 없다. 이 경우 점유자가 수탁자의 원래 신탁재산에 속하던 부동산에 관하여 점유취득시효 완성을 원인으로 하는 소유권이전등기청구권을 가지고 있었다고 하여 수탁자가 별개의 신탁계약에 따라 수탁한 다른 신탁재산에 속하는 부동산에 대하여도 소유권이전등기청구권을 행사할 수 있다고 보는 것은 신탁재산을 수탁자의 고유재산이나 다른 신탁재산으로부터 분리하여 보호하려는 신탁재산 독립의 원칙의 취지에 반하기 때문이다(대판 2016.2.18, 2014다61814).

(7) 소유자의 파산선고에 기한 파산관재인 ★★

파산선고 전에 부동산에 대한 점유취득시효가 완성되었으나 파산선고 시까지 이를 원인으로 한 소유권이전등기를 마치지 아니한 자는, 그 부동산의 소유자에 대한 파산선고와 동시에 파산채권자 전체의 공동의 이익을 위하여 파산재단에 속하는 그 부동산에 관하여 이해관계를 갖는 제3자의 지위에 있는 파산관재인이 선임된 이상, 파산관재인을 상대로 파산선고 전의 점유취득시효 완성을 원인으로 한 소유권이전등기절차의 이행을 청구할 수 없다. 또한, 그 부동산의 관리처분권을 상실한 파산자가 파산선고를 전후하여 그 부동산의 법률상 소유자로 남아 있음을 이유로 점유취득시효의 기산점을 임의로 선택하여 파산선고 후에 점유취득시효가 완성된 것으로 주장하여 파산관재인에게 소유권이전등기절차의 이행을 청구할 수도 없다. 이 경우 법률적 성질이 채권적 청구권인 점유취득시효 완성을 원인으로 한 소유권이전등기청구권은 구 파산법 제14조(2005.3.31. 법률 제7428호 채무자 회생 및 파산에 관한 법률 부칙

제2조로 폐지)가 규정하는 파산자에 대하여 파산선고 전의 원인으로 생긴 재산상의 청구권으로서 파산채권에 해당하므로 파산절차에 의하여서만 그 권리를 행사할 수 있다(대판 2008.2.1, 2006다32187).

(8) 취득시효 완성 전 가등기에 기해 시효완성 후 본등기를 경료한 경우 ★★

취득시효완성에 의한 등기를 하기 전에 먼저 소유권이전등기를 경료하여 부동산 소유권을 취득한 제3자에 대하여는 그 제3자 명의의 등기가 무효가 아닌 한 시효취득을 주장할 수 없다. 한편 가등기는 그 성질상 본등기의 순위보전의 효력만이 있어 후일 본 등기가 경료된 때에는 본등기의 순위가 가등기한 때로 소급하는 것 뿐이지 본등기에 의한 물권변동의 효력이 가등기한 때로 소급하여 발생하는 것은 아니므로, 취득시효가 완성된 후 완성자가 그 등기를 하기 전, 취득시효완성 전에 이미 설정되어 있던 가등기에 기하여 소유권이전의 본등기를 경료하였다면 그 가등기나 본등기를 무효로 볼 수 있는 경우가 아닌 한 취득시효 완성자는 시효완성 후 부동산소유권을 취득한 제3자인 가등기에 기한 본등기를 경료한 자에 대하여 시효취득을 주장할 수 없다(대판 1992.9.25, 92다21258).

2. 취득시효완성 후의 새로운 소유자 변동에 해당하지 않는 경우

(1) 취득시효 완성 당시의 소유자에게 소유권이 복귀된 경우(일시적 이행불능) ★★★

부동산에 대한 점유취득시효가 완성된 후 이를 등기하지 않고 있는 사이에 그 부동산에 관하여 제3자 명의의 소유권이전등기가 경료 되어 점유자가 그 제3자에게 시효취득으로 대항할 수 없게 된 경우에도, 점유자가 취득시효 당시의 소유자에 대한 시효취득으로 인한 소유권이전등기청구권을 상실하게 되는 것이 아니라 단지 그 소유자의 점유자에 대한 소유권이전등기의무가 이행불능으로 된 것에 불과하므로, 그 후 어떠한 사유로 취득시효 완성 당시의 소유자에게로 소유권이 회복되면 그 소유자에게 시효취득의 효과를 주장할 수 있다(대판 1999.2.12, 98다40688).

(2) 이중매매법리의 확장(원인무효의 등기) ★★★

부동산의 점유로 인한 시효취득자는 취득시효완성당시의 소유자에 대하여 소유권이전등기청구권을 가질 뿐, 그 등기 전에 먼저 소유권이전등기를 경료하여 부동산소유권을 취득한 제3자에 대하여 시효취득을 주장할 수 없는 것이지만, 이는 어디까지나 그 제3자 명의의 등기가 적법 유효함을 전제로 하는 것이므로, 만일 위 제3자 명의의 등기가 원인무효라면 동인에게 대항할 수 있고, 따라서 취득시효완성 당시의 소유자에 대하여 가지는 소유권이전등기청구권으로서 위 소유자를 대위하여 동인 앞으로 경료된 원인무효인 등기의 말소를 구하고 아울러 위 소유자에게 취득시효완성을 원인으로 한 소유권이전등기를 구할 수 있다(대판 1986.8.19, 85다카2306). → 점유취득시효 완성을 원인으로 한 소유권이전등기청구는 시효 완성 당시의 소유자를 상대로 하여야 하므로 시효 완성 당시의 소유권보존등기 또는 이전등기가 무효라면 원칙적으로 그 등기명의인은 시효취득을 원인으로 한 소유권이전등기청구의 상대방이 될 수 없고, 이 경우 시효취득자는 소유자를 대위하여 위 무효등기의 말소를 구하고 다시 위 소유자를 상대로 취득시효 완성을 이유로 한 소유권이전등기를 구하여야 한다(대판 2007.7.26, 2006다64573).

(3) 미등기토지소유자가 취득시효완성 후 보존등기를 경료한 경우 ★★

토지에 대한 점유로 인한 취득시효 완성 당시 미등기로 남아 있던 토지에 관하여 소유권을 가지고 있던 자가 취득시효 완성 후에 그 명의로 소유권보존등기를 마쳤다 하더라도 소유자에 변경이 있다고 볼 수 없으며(취득시효 완성 후의 새로운 이해관계인으로 볼 수 없다), 그러한 등기 명의자로부터 상속을 원인으로 소유권이전등기를 마친 자가 있다 하여도 취득시효 완성을 주장할 수 있는 시점에서 역산하여 취득시효 기간이 경과되면 그에게 취득시효 완성을 주장할 수 있다(대판 1998.4.14, 97다44089; 대판 1995.2.10, 94다28468; 대판 2007.6.14, 2006다84423).

(4) 취득시효완성 후 명의수탁자가 명의신탁자로부터 매수한 경우

명의신탁된 부동산의 소유권은 대외적으로 수탁자에게 귀속되는 것이므로 수탁자명의의 등기는 유효하고, 수탁자가 그 부동산 점유자의 취득시효완성 후 명의신탁자로부터 그 부동산을 매수하였더라도, 이는 내부적으로도 그 소유권을 취득하였다는 것을 의미할 뿐 대외적으로는 그 소유권이나 등기명의에 아무런 변동이 없는 만큼, 시효취득자로서는 소유자를 상대로 취득시효완성을 원인으로 한 소유권이전등기절차의 이행을 청구할 수 있다(대판 1989.10.27, 88다카23506).

(5) 취득시효완성 후 명의신탁된 경우

부동산에 관한 점유취득시효기간이 경과하였다고 하더라도 그 점유자가 자신의 명의로 등기하지 아니하고 있는 사이에 먼저 제3자 명의로 소유권이전등기가 경료되어 버리면, 특별한 사정이 없는 한 그 제3자에 대하여는 시효취득을 주장할 수 없으나, 그 제3자가 취득시효기간만료 당시의 등기명의인으로부터 신탁 또는 명의신탁받은 경우라면 종전 등기명의인으로서는 언제든지 이를 해지하고 소유권이전등기를 청구할 수 있고, 점유시효취득자로서는 종전 등기명의인을 대위하여 이러한 권리를 행사할 수 있으므로, 그러한 제3자가 소유자로서의 권리를 행사하는 경우 점유자로서는 취득시효완성을 이유로 이를 저지할 수 있다(대판 1995.9.5, 95다24586).

3. 취득시효가 완성된 후 취득시효완성자로부터 점유를 승계한 양수인의 소유권이전등기청구 방법 ★★★

전 점유자의 점유를 승계한 자는 그 점유 자체와 하자만을 승계하는 것이지 그 점유로 인한 법률효과까지 승계하는 것은 아니므로, 부동산을 취득시효기간 만료 당시의 점유자로부터 양수하여 점유를 승계한 현 점유자는 자신의 전 점유자에 대한 소유권이전등기청구권을 보전하기 위하여 전 점유자의 소유자에 대한 소유권이전등기청구권을 대위 행사할 수 있을 뿐, 전 점유자의 취득시효 완성의 효과를 주장하여 직접 자기에게 소유권이전등기를 청구할 권원은 없다(대판(전) 1995.3.28, 93다47745).

---

② 시효완성 당시의 소유자와의 관계

부동산의 소유명의자는 그 부동산에 대해 점유취득시효가 완성된 자에게 소유권이전등기를 하여 줄 의무를 부담하지만, 그 시효가 완성된 자가 시효완성 후에 어떤 사정에 의하여 그 점유를 잃었다고 해서 그 점유자로부터 점유를 회수하여 다시 이를 시효가 완성된 자에게 돌려 줄 의무까지 부담한다고 할 수 없다(대판 1997.3.28, 96다10638).

판례 연구 관련판례 정리

☑ 취득시효 완성자와 소유자와의 관계에 관한 판례의 정리

1. 취득시효완성 후 등기명의인의 채무불이행책임의 성립 여부 ★★★

부동산 점유자에게 시효취득으로 인한 소유권이전등기청구권이 있다고 하더라도 이로 인하여 부동산 소유자와 시효취득자 사이에 계약상의 채권·채무관계가 성립하는 것은 아니므로, 그 부동산을 처분한 소유자에게 채무불이행 책임을 물을 수 없다(대판 1995.7.11, 94다4509).

2. 대상청구권의 인정 여부 ★★★

민법상 이행불능의 효과로서 채권자의 전보배상청구권과 계약해제권 외에 별도로 대상청구권을 규정하고 있지는 않으나 해석상 대상청구권을 부정할 이유는 없는 것이지만, 점유로 인한 부동산 소유권 취득기간 만료를 원인으로 한 등기청구권이 이행불능으로 되었다고 하여 대상청구권을 행사하기 위하여는, 그 이행불능 전에 등기명의자에 대하여 점유로 인한 부동산 소유권 취득기간이 만료되었음을 이유로 그 권리를 주장하였거나 그 취득기간 만료를 원인으로 한 등기청구권을 행사하였어야 하고, 그 이행불능 전에 그와 같은 권리의 주장이나 행사에 이르지 않았다면 대상청구권을 행사할 수 없다고 봄이 공평의 관념에 부합한다. (다만) 취득시효가 완성된 토지가 수용됨으로써 취득시효 완성을 원인으로 하는 소유권이전등기 의무가 이행불능이 된 경우에는, 그 소유권이전등기청구권자가 대상청구권의 행사로서 그 토지의 소유자가 토지의 대가로서 지급받은 수용보상금의 반환을 청구할 수 있다고 하더라도, 시효취득자가 직접 토지의 소유자를 상대로 공탁된 토지수용보상금의 수령권자가 자신이라는 확인을 구할 수는 없다(대판 1995.7.28, 95다2074).

3. 취득시효완성 후 등기명의인에게 불법행위책임의 성립 여부 ★★★

1) 부동산에 관한 점유취득시효가 완성된 후에 그 취득시효를 주장하거나 이로 인한 소유권이전등기청구를 하기 이전에는 그 등기명의인인 부동산 소유자로서는 특별한 사정이 없는 한 그 시효취득 사실을 알 수 없는 것이므로 이를 제3자에게 처분하였다 하더라도 그로 인한 손해배상책임(제750조 불법행위책임)을 부담하지 않는 것이나, 등기명의인인 부동산 소유자가 그 부동산의 인근에 거주하는 등으로 그 부동산의 점유 · 사용관계를 잘 알고 있고, 시효취득을 주장하는 권리자가 등기명의인을 상대로 취득시효완성을 원인으로 한 소유권이전등기 청구소송을 제기하여 등기명의인이 그 소장 부본을 송달받은 경우에는 등기명의인이 그 부동산의 취득시효완성 사실을 알았거나 알 수 있었다고 봄이 상당하므로, 그 이후 등기명의인이 그 부동산을 제3자에게 매도하거나 근저당권을 설정하는 등 처분하여 취득시효완성을 원인으로 한 소유권이전등기의무가 이행불능에 빠졌다면 그러한 등기명의인의 처분행위는 시효취득자에 대한 소유권이전등기의무를 면탈하기 위하여 한 것으로서 위법하고, 부동산을 처분한 등기명의인은 이로 인하여 시효취득자가 입은 손해를 배상할 책임이 있다(대판 1999.9.3, 99다20926).
2) 부동산 소유자가 부동산을 처분하기 위하여 먼저 점유자를 상대로 그 인도를 구하는 소송을 제기하여 이를 진행하고 있던 중에, 상대방이 취득시효의 항변을 한다거나 반소를 제기하였다는 것만으로는 그 부동산 소유자가 상대방의 시효취득 사실을 알았다고 할 수 없고, 더구나 상대방의 시효취득을 원인으로 한 반소청구가 제1심에서 기각된 마당에는 더욱 그러하다. (따라서) 취득시효가 완성된 후 점유자가 그 취득시효를 주장하거나 이로 인한 소유권이전등기청구를 하기 이전에는, 특별한 사정이 없는 한 그 등기명의인인 부동산 소유자로서는 그 시효취득 사실을 알 수 없는 것이므로, 이를 제3자에게 처분하였다고 하더라도 불법행위가 성립하는 것은 아니다(대판 1995.7.11, 94다4509).
3) 시효취득을 주장하는 권리자가 취득시효를 주장하면서 소유권이전등기청구소송을 제기하여 그에 관한 입증까지 마쳤다면 부동산 소유자로서는 시효취득사실을 알 수 있다 할 것이고, 이러한 경우에 부동산 소유자가 부동산을 제3자에게 처분하여 소유권이전등기를 넘겨줌으로써 취득시효완성을 원인으로 한 소유권이전등기의무가 이행불능에 빠짐으로써 시효취득을 주장하는 자가 손해를 입었다면 불법행위를 구성한다고 할 것이며, 부동산을 취득한 제3자가 부동산 소유자의 이와 같은 불법행위에 적극 가담하였다면 이는 사회질서에 반하는 행위로서 무효라 할 것이다(대판 1993.2.9, 92다47892).

4) 부동산의 시효취득자가 취득시효완성을 주장하고 이전등기청구소송을 제기하여 제1심에서 승소까지 하였다면 종전 소유자로서는 시효완성을 주장하는 권리자와 그 경위를 알고 있는 터이므로 그 부동산을 제3자에게 처분하여 가등기나 본등기를 해주는 것은 시효취득자에 대한 이전등기의무를 면탈하기 위한 것으로서 위법이고 이로 인하여 시효취득자가 손해를 입었다면 종전 소유자에게 불법행위책임이 있다. 취득시효가 완성된 부동산에 대하여 제3자 명의로 가등기만 경료한 경우 시효취득자명의의 소유권이전등기 자체는 불가능하지 않다고 하더라도 시효취득자는 특별한 사정이 없는 한 그가 이전받을 부동산에 대하여 가등기를 부담하게 됨으로 인한 손해를 입은 것이라고 보아야 한다(대판 1989.4.11, 88다카8217).

3. 부동산소유권의 등기부취득시효

부동산의 소유자로 등기한 자가 10년간 소유의 의사로 평온·공연하게 선의이며 과실 없이 그 부동산을 점유한 때에는 소유권을 취득한다(제245조 제2항). 점유취득시효와 등기부취득시효 모두의 요건을 갖추고 있는 경우 점유자는 양자 중 자유로이 선택하여 주장할 수 있다.

점유취득시효와 등기부취득시효의 선택적 주장 가부

점유기간 20년의 장기취득시효를 주장하느냐 또는 점유기간 10년의 단기취득시효를 주장하느냐는 시효이익을 받으려는 사람이 자유로이 선택할 수 있는 것이라고 할 것이니, 양 취득시효의 요건을 갖추고 있는 경우에 점유자가 장기취득시효를 주장하는 것도 무방하며, 이 경우에는 법원도 그 주장에 의거하여 판단하여야 한다(대판 1977.4.12, 77다45).[53]

(1) 특별요건

1) 등기

가) 소유권의 등기 및 등기의 유효성

① **등기와 점유의 일치** : 점유자가 소유자로 등기되어 있어야 한다. 즉 등기와 점유는 일치되어야 하므로, 소유자로 등기된 부동산을 10년간 점유하여야 한다.

53) 취득시효의 요건인 점유가 계속하는 동안에 대지의 소유권자가 변경됨으로 인하여 시효원용자가 주장하는 20년의 장기취득시효를 인정하면 시효가 완성되는 사건에서 시효원용자가 주장하지 아니한 10년의 단기취득시효를 인정하여 시효원용자를 패소시킬 수 없다(대판 1974.11.12, 74다416·417).

공유자 중 1인이 1필지 토지 중 특정부분만을 점유하여 온 경우, 등기부취득시효 완성의 범위(=특정부분에 대한 공유지분의 범위 내) **및 그 1필지 토지가 구분소유적 공유관계에 있었던 토지인 경우에도 마찬가지인지 여부**(적극) ★★

공유자 중 1인이 1필지 토지 중 특정부분만을 점유하여 왔다면 민법 제245조 제2항이 정한 '부동산의 소유자로 등기한 자'와 '그 부동산을 점유한 때'라는 등기부취득시효의 요건 중 특정부분을 제외한 나머지 부분에 관하여는 부동산의 점유라는 요건을 갖추지 못하였고, 그 특정부분 점유자가 1필지 토지에 관하여 가지고 있는 공유지분등기가 그 특정부분 자체를 표상하는 등기라고 볼 수는 없으므로, 결국 그 특정부분에 대한 공유지분의 범위 내에서만 등기부취득시효가 완성되었다고 보아야 할 것이고, 그 1필지 토지가 원래 2인 이상이 내부적으로는 위치와 면적을 특정하여 구분소유하기로 하고 그들의 공유로 등기한 구분소유적 공유관계에 있었던 토지라고 하여 달리 볼 수 없다. 즉 ① 특정부분에 대한 지분 범위 내에서만 등기부취득시효의 요건을 구비한 것일 뿐, ② 토지 전체에 대한 지분이나 특정부분 자체에 관하여 등기부취득시효의 요건을 충족하는 것은 아니라고 할 것이다(대판 2015.2.12, 2013다215515).

② 등기의 유효성 여부 : 등기는 적법·유효한 등기일 필요는 없고 원인무효의 등기라 하더라도 무방하다. 그러나 무효인 이중보존등기에 기초한 등기부취득시효는 인정되지 않는다. 즉, 등기는 부동산등기법 제15조가 규정한 1부동산 1등기기록주의에 위배되지 아니하는 등기를 말한다(대판(전) 1996.10.17, 96다12511).

판례 연구 관련판례 정리

☑ **등기부취득시효의 경우 등기에 관한 판례의 정리**

1. 원칙 ★

등기부취득시효의 요건으로서의 소유자로 등기한 자라 함은 적법 유효한 등기를 마친 자일 필요는 없고 무효의 등기를 마친 자라도 상관없다(대판 1994.2.8, 93다23367).

2. 이중보존등기 ★★

민법 제245조 제2항은 부동산의 소유자로 등기한 자가 10년간 소유의 의사로 평온·공연하게 선의이며 과실 없이 그 부동산을 점유한 때에는 소유권을 취득한다고 규정하고 있는바, 위 법 조항의 '등기'는 부동산등기법 제15조가 규정한 1부동산 1등기기록주의에 위배되지 아니한 등기를 말하므로, 어느 부동산에 관하여 등기명의인을 달리하여 소유권보존등기가 2중으로 경료된 경우 먼저 이루어진 소유권보존등기가 원인무효가 아니어서 뒤에 된 소유권보존등기가 무효로 되는 때에는, 뒤에 된 소유권보존등기나 이에 터잡은 소유권이전등기를 근거로 하여서는 등기부취득시효의 완성을 주장할 수 없다(대판(전) 1996.10.17, 96다12511).

3. 유효한 명의신탁과 시효취득(대판 1987.11.10, 85다카1644) ★★

(1) 부동산취득시효에 있어서 소유의사의 존부결정기준 및 그 입증책임

부동산취득시효에 있어서 자주점유의 요건인 소유의 의사는 객관적으로 점유취득의 원인이 된 점유권원의 성질에 의하여 그 존부를 결정하여야 하고, 점유권원의 성질이 분명하지 아니하는 때에는 민법 제197조 제1항에 의하여 점유자는 소유의 의사로 점유한 것으로 추정된다.

(2) 명의신탁에 있어서 수탁자의 상속인이 신탁부동산의 소유권을 시효취득할 수 있는지 여부(소극)

명의신탁에 의하여 부동산의 소유자로 등기된 자는 그 점유권원의 성질상 자주점유라 할 수 없어 신탁부동산의 소유권을 시효취득할 수 없고, 수탁자의 상속인은 피상속인의 법률상의 지위를 그대로 승계하는 것이므로 상속인이 따로 소유의 의사로서 점유를 개시하였다고 인정할 수 있는 별개의 사유가 존재하지 않는 한 수탁자의 상속인으로서는 시효의 효과로 인하여 신탁물인 부동산의 소유권을 취득할 수 없다.

(3) 명의수탁자명의로 등기된 기간이 10년이 넘은 경우 신탁자가 시효취득할 수 있는지 여부(소극)

부동산의 명의신탁에 있어서 수탁자명의로 등기된 기간이 10년이 경과하였다고 하더라도 명의수탁자의 등기를 신탁자의 등기로 볼 수 없을 뿐만 아니라 명의수탁자의 등기를 통하여 그 등기명의를 보유하고 있다고 할 수도 없으므로 신탁자에게 위 부동산에 대한 시효취득은 인정될 수 없다.

→ [사실관계] : (사안을 축약변형하면) 丙을 상대로 허위주소지 송달에 의한 판결편취에 기해 소유권이전등기를 경료한 乙이 甲종중에 부동산을 매도하고, 甲종중은 A에게 명의신탁에 따라 소유권이전등기를 경료한 사안이다.

4. 분필절차 없는 등기

등기부상만으로 어떤 토지 중 일부가 분할되고 그 분할된 토지에 대하여 지번과 지적이 부여되어 등기되어 있어도 지적공부 소관청에 의한 지번, 지적, 지목, 경계확정 등의 분필절차를 거친 바가 없다면 그 등기가 표상하는 목적물은 특정되었다고 할 수는 없으니, 그 등기부에 소유자로 등기된 자가 그 등기부에 기재된 면적에 해당하는 만큼의 토지를 특정하여 점유하였다고 하더라도, 그 등기는 그가 점유하는 토지 부분을 표상하는 등기로 볼 수 없어 그 점유자는 등기부취득시효의 요건인 '부동산의 소유자로 등기한 자'에 해당하지 아니하므로 그가 점유하는 부분에 대하여 등기부시효취득을 할 수는 없다(대판 1995.6.16, 94다4615).

5. 등기부취득시효 완성 후 원인 없이 불법말소되거나 적법한 원인 없이 타인 앞으로 소유권이전등기가 경료된 경우 ★★

등기부취득시효에 관하여 민법 제245조 제2항은 "부동산의 소유자로 등기한 자가 10년간 소유의 의사로 평온, 공연하게 선의이며 과실 없이 그 부동산을 점유한 때에는 소유권을 취득한다"고 규정하고 있는데, 위 규정에 의하여 소유권을 취득하는 자는 10년간 반드시 그의 명의로 등기되어 있어야 하는 것은 아니고 앞 사람의 등기까지 아울러 그 기간 동안 부동산의 소유자로 등기되어 있으면 된다고 할 것이고, 등기는 물권의 효력발생요건이고 효력존속요건이 아니므로 물권에 관한 등기가 원인 없이 말소된 경우에 그 물권의 효력에는 아무런 영향을 미치지 않는 것이므로, 등기부취득시효가 완성된 후에 그 부동산에 관한 점유자 명의의 등기가 말소되거나 적법한 원인 없이 다른 사람 앞으로 소유권이전등기가 경료되었다 하더라도, 그 점유자는 등기부취득시효의 완성에 의하여 취득한 소유권을 상실하는 것은 아니다. (따라서) 그 점유자는 등기부취득시효의 완성에 의하여 취득한 소유권에 기하여 현재의 등기명의자를 상대로 방해배제청구를 할 수 있을 뿐이라 할 것이다(대판 1999.12.10, 99다25785).

나) 등기기간

① **등기의 존속기간** : 통설 및 판례는 등기된 기간과 점유기간이 모두 10년임을 요한다. 따라서 점유기간이 10년이라도 등기기간이 10년에 미달하면 등기부취득시효의 완성을 인정할 수 없다.

② **등기의 승계 인정 여부** : 점유의 승계(제199조)가 인정되는 것처럼 등기의 승계도 인정되는지 여부가 문제되는데, 판례는 등기부취득시효에 관한 민법 제245조 제2항의 규정에 의하여 소유권을 취득하는 자는 10년간 반드시 그의 명의로 등기되어 있어야 하는 것은 아니고 앞 사람의 등기까지 아울러 그 기간 동안 부동산의 소유자로 등기되어 있으면 된다고 본다(대판(전) 1989.12.26, 87다카2176).

2) 점유자의 선의 · 무과실

① 등기부취득시효에 있어서는 선의 · 무과실의 점유가 요건으로 추가적으로 요구된다. 선의 · 무과실은 등기가 아니라 점유에 요구됨을 유의해야 한다. 이러한 점유자의 선의 · 무과실은 점유개시 시에 있으면 족하다(통설 · 판례).

② 점유자의 선의는 추정되나, 무과실은 추정되지 않으므로, 점유자가 무과실에 대한 입증책임이 있다(대판 1987.8.18, 87다카191).

③ 부동산을 매수하는 사람으로서는 특별한 사정이 없는 한 매도인에게 그 부동산을 처분할 권한이 있는지 여부를 조사하여야 할 것이고, 그 조사를 하였더라면 매도인에게 처분권이 없음을 알 수 있었을 것임에도 그와 같은 조사를 하지 아니하고 매수하였다면 부동산의 점유에 대하여 과실이 없다고 할 수 없다(대판 1991.2.12, 90다13178).

등기부취득시효에서 무과실의 의미 및 증명책임의 소재 등(대판 2017.12.13, 2016다248424) ★★

① 등기부취득시효가 인정되려면 점유의 개시에 과실이 없어야 하고, 무과실에 관한 증명책임은 시효취득을 주장하는 자에게 있으며, 여기서 무과실이란 점유자가 자기의 소유라고 믿은 데에 과실이 없음을 말한다. 그런데 부동산에 등기부상 소유자가 존재하는 등 소유자가 따로 있음을 알 수 있는 경우에는 비록 소유자가 행방불명되어 생사를 알 수 없더라도 부동산이 바로 무주부동산에 해당하는 것은 아니므로, 소유자가 따로 있음을 알 수 있는 부동산에 대하여 국가가 국유재산법 제8조에 따른 무주부동산 공고절차를 거쳐 국유재산으로 등기를 마치고 점유를 개시하였다면, 특별한 사정이 없는 한 점유의 개시에 자기의 소유라고 믿은 데에 과실이 있다(대판 2016.8.24, 2016다220679).

② 부동산을 매수하는 사람으로서는 매도인에게 그 부동산을 처분할 권한이 있는지 여부를 조사하여야 하므로, 이를 조사하였더라면 매도인에게 처분권한이 없음을 알 수 있었음에도 불구하고 그러한 조사를 하지 않고 매수하였다면 그 부동산의 점유에 대하여 과실이 있다고 보아야 한다.

③ 매도인이 등기부상의 소유명의자와 동일인인 경우에는 일반적으로는 등기부의 기재가 유효한 것으로 믿고 매수한 사람에게 과실이 있다고 할 수 없을 것이다. 그러나 만일 등기부의 기재 또는 다른 사정에 의하여 매도인의 처분권한에 대하여 의심할 만한 사정이 있거나, 매도인과 매수인의 관계 등에 비추어 매수인이 매도인에게 처분권한이 있는지 여부를 조사하였더라면 별다른 사정이 없는 한 그 처분권한이 없음을 쉽게 알 수 있었을 것으로 보이는 경우에는, 매수인이 매도인 명의로 된 등기를 믿고 매수하였다 하여 그것만으로 과실이 없다고 할 수 없다. 이러한 법리는 매수인이 지적공부 등의 관리주체인 국가나 지방자치단체라고 하여 달리 볼 것은 아니다(대판 2019.12.13, 2019다267464).

(2) 효과

부동산의 소유자로 등기한 자가 10년간 소유의 의사로 평온·공연하게 선의이며 과실 없이 그 부동산을 점유한 때에는 민법 제245조 제2항의 규정에 의하여 바로 그 부동산에 대한 소유권을 취득하는 것이므로, 등기부취득시효가 완성된 경우에는 별도로 이를 원인으로 한 소유권이전등기청구권이 발생할 여지가 없다(대판 1999.12.10, 99다25785). 물론 취득시효에 의한 소유권취득의 효과는 점유를 개시한 때에 소급한다(제247조 제1항).

적법한 원인 없이 타인 소유 부동산에 관하여 소유권보존등기를 마친 무권리자가 그 부동산을 제3자에게 매도하고 소유권이전등기를 마쳐준 경우, 소유권보존등기와 소유권이전등기의 효력(원칙적 무효) **및 이때 무권리자가 받은 매매대금이 부당이득에 해당하여 이를 원소유자에게 반환하여야 하는지 여부**(소극) **/ 무권리자로부터 부동산을 매수한 제3자나 그 후행 등기 명의인의 등기부취득시효가 완성되어 원소유자가 소급하여 소유권을 상실한 경우에도 마찬가지인지 여부**(적극) ★★★

① 적법한 원인 없이 타인 소유 부동산에 관하여 소유권보존등기를 마친 무권리자가 그 부동산을 제3자에게 매도하고 소유권이전등기를 마쳐주었다고 하더라도, 그러한 소유권보존등기와 소유권이전등기는 실체관계에 부합한다는 등의 특별한 사정이 없는 한 모두 무효이다. ② 따라서 이 경우 원소유자가 소유권을 상실하지 아니하고, 또 무권리자가 제3자와 체결한 매매계약의 효력이 원소유자에게 미치는 것도 아니므로, 무권리자가 받은 매매대금이 부당이득에 해당하여 이를 원소유자에게 반환하여야 한다고 볼 수는 없다. ③ 무권리자로부터 부동산을 매수한 제3자나 그 후행 등기 명의인이 과실 없이 점유를 개시한 후 소유권이전등기가 말소되지 않은 상태에서 소유의 의사로 평온, 공연하게 선의로 점유를 계속하여 10년이 경과한 때에는 민법 제245조 제2항에 따라 바로 그 부동산에 대한 소유권을 취득하고, 이때 원소유자는 소급하여 소유권을 상실함으로써 손해를 입게 된다. 그러나 이는 민법 제245조 제2항에 따른 물권변동의 효과일 뿐 무권리자와 제3자가 체결한 매매계약의 효력과는 직접 관계가 없으므로, 무권리자가 제3자와의 매매계약에 따라 대금을 받음으로써 이익을 얻었다고 하더라도 이로 인하여 원소유자에게 손해를 가한 것이라고 볼 수도 없다(대판 2022.12.29, 2019다272275).

→ [사실관계 및 해설] : X토지는 일제강점기 원고 甲의 조상이 1917년 사정받은 토지인데, 6·25전쟁으로 지적공부가 멸실됐다가 1977년 소유자 미기재 상태로 임야대장이 복구됐다. 피고 乙(대한민국)은 1986년 원고 甲의 조상이 사정받은 사실을 알지 못한 상태에서 원인 없이 소유권보존등기를 마치고, 1997년 A에게 이 사건 토지를 5499만원에 매도해 소유권이전등기를 마쳐줬다. 원고 甲은 2017년 피고 乙과 A를 상대로 이 사건 X토지에 관한 피고 乙명의의 소유권보존등기와 A명의의 소유권이전등기의 각 말소를 구하는 이른바 '조상 땅 찾기' 소송을 제기하였다. ① 재판부는 피고 乙에 대한 소유권보존등기 말소청구는 인용하되 A에 대한 소유권이전등기 말소청구는 등기부취득시효가 완성되었다는 이유로 기각하였고, 그대로 확정되었다. ② 이에 원고 甲은 결과적으로 이 사건 X토지에 대한 소유권을 상실하는 손해를 입었고, 피고 乙의 행위는 불법행위에 해당한다며 손해액 약 1억 5000만 원 정도의 국가배상을 청구하였다. 하지만 1심 재판부는 "전쟁을 거치면서 토지소유권에 관해 극심한 변동이 있었고, 국가가 지적공부에 소유자 기재가 없는 미등기의 토지에 대해 국가 명의로 소유권보존등기를 하는 권리보전조치를 취한 것이 위법한 행위라 볼 수 없다"고 판시하면서, 국가배상청구를 기각하였다. ③ 이에 원고 甲은 항소하면서 주위적으로 국가배상을, 예비적으로 부당이득반환을 청구하였고, 2심 재판부는 국가배상청구는 1심과 마찬가지로 기각하였으나 부당이득반환청구는 일부 인용하였다. ④ 하지만 대법원은 위와 같은 이유로 부당이득반환청구도 인정될 수 없다고 보았다. 조상으로부터 상속받은 토지의 소유권을 주장하는 후손들을 보호하는 것도 중요하지만 그 토지에 대해 전혀 관리하거나 세금도 내지 않았던 후손들이 이제야 국가에 대해 부당이득반환청구를 주장하는 것은 부당하다는 점을 더 강조한 판례라고 본다.

4. 동산 취득시효

1) 동산소유권의 취득시효에는 점유취득시효만 있을 뿐 부동산의 경우처럼 등기부 취득시효는 있을 수 없고, 제246조의 적용범위는 선의취득이 인정되지 않는 경우에 한정된다.
2) 소유의 의사로 평온·공연하게 10년간 점유하여야 하고, 다만 이러한 점유가 선의·무과실인 때에는 5년간 계속 점유하면 된다. 여기서 선의·무과실은 점유개시 시에 있는 것으로 족하다.
3) 부동산소유권의 취득시효와 마찬가지로 점유를 개시한 때에 소급하여 원시적으로 소유권을 취득하게 된다.

종류		소유권 취득의 요건	시효기간
부동산	점유취득시효	자주·평온·공연의 점유와 등기	20년
	등기부취득시효	자주·평온·공연·선의·무과실의 점유	10년
동산	일반취득시효	자주·평온·공연의 점유	10년
	선의취득시효	자주·평온·공연·선의·무과실의 점유	5년

5. 취득시효의 중단·정지 및 시효이익의 포기

(1) 취득시효의 중단

소멸시효의 중단에 관한 규정은 취득시효에도 준용된다(제247조 제2항). 따라서 시효중단의 사유와 효력은 소멸시효에 있어서와 같다. 이 경우 ① 소유권의 시효취득에 준용되는 시효중단사유인 민법 제168조, 제170조에 규정된 재판상의 청구라 함은 시효취득의 대상인 목적물의 인도 내지는 소유권존부확인이나 소유권에 관한 등기청구소송은 말할 것도 없고, 소유권침해의 경우에 그 소유권을 기초로 하여 하는 방해배제 및 손해배상 혹은 부당이득반환청구소송도 이에 포함된다(대판 1997.3.14, 96다55211). 다만 ② 취득시효기간의 만료 전에 등기부상의 소유명의가 변경되었다 하더라도 이로써 종래의 점유상태의 계속이 파괴되었다고 할 수 없으므로, 이는 취득시효의 중단사유가 될 수 없다(대판 1997.4.25, 97다6186). 또한 점유자가 소유자를 상대로 소유권이전등기청구소송을 제기하면서 그 청구원인으로 '취득시효 완성'이 아닌 '매매'를 주장함에 대하여, 소유자가 이에 응소하여 원고 청구기각의 판결을 구하면서 원고의 주장 사실을 부인하는 경우에는 원고 주장의 매매 사실을 부인하여 원고에게 그 매매로 인한 소유권이전등기 청구권이 없음을 주장함에 불과한 것이어서 시효중단사유에 해당한다고 할 수 없다(대판 1997.12.12, 97다30288).

점유로 인한 부동산소유권의 시효취득에서 부동산에 대한 압류 또는 가압류가 취득시효의 중단사유가 되는지 여부(소극)(대판 2019.4.3, 2018다296878) ★★

민법 제247조 제2항은 '소멸시효의 중단에 관한 규정은 점유로 인한 부동산소유권의 시효취득기간에 준용한다.'고 규정하고, 민법 제168조 제2호는 소멸시효 중단사유로 '압류 또는 가압류, 가처분'을 규정하고 있다. 점유로 인한 부동산소유권의 시효취득에 있어 취득시효의 중단사유는 종래의 점유상태의 계속을 파괴하는 것으로 인정될 수 있는 사유이어야 하는데, 민법 제168조 제2호에서 정하는 '압류 또는 가압류'는 금전채권의 강제집행을 위한 수단이거나 그 보전수단에 불과하여 취득시효기간의 완성 전에 부동산에 압류 또는 가압류 조치가 이루어졌다고 하더라도 이로써 종래의 점유상태의 계속이 파괴되었다고는 할 수 없으므로 이는 취득시효의 중단사유가 될 수 없다.

→ [사실관계] : 이 사건 부동산에 대하여 원고의 점유취득시효에 따른 소유권취득을 인정한 다음, 취득시효기간의 완성 전에 이 사건 부동산에 대한 임의경매개시결정이 이루어져 그 결정이 점유자인 원고에게 송달되고, 부동산이 압류되었으므로 취득시효가 중단된다는 피고의 주장에 대하여, 부동산에 대한 압류나 가압류는 취득시효의 중단사유가 될 수 없다는 이유로 피고의 위 주장을 배척한 사례이다.

(2) 취득시효의 정지

소멸시효정지에 관한 규정을 준용한다는 규정은 없으나 이를 배척할 이유는 없으므로, 소멸시효의 정지에 관한 규정을 유추적용해야 한다는 것이 통설의 입장이다.

(3) 시효이익의 포기

① 민법은 취득시효의 경우 취득시효이익의 포기에 관한 규정은 두고 있지 않은데, 소멸시효이익의 사전 포기금지규정(제184조 제1항)을 유추적용하여 시효완성 전에는 포기할 수 없으나 시효완성 후에는 포기하는 것이 가능하다(통설·판례).

② 시효이익의 포기가 인정되기 위해서는 ① 시효이익의 포기사실, 즉 점유자가 시효의 완성으로 인하여 생긴 법률상의 이익을 받지 않겠다는 의사표시를 한 사실, ② 점유자가 시효완성사실을 알면서 그 이익을 포기한 사실을 주장·입증해야 한다.

③ 취득시효이익의 포기와 같은 상대방 있는 단독행위는 그 의사표시로 인하여 권리에 직접적인 영향을 받는 상대방에게 도달하는 때에 효력이 발생한다. 취득시효 완성으로 인한 권리변동의 당사자는 시효취득자와 취득시효 완성 당시의 진정한 소유자이고, 실체관계와 부합하지 않는 원인무효인 등기의 등기부상 소유명의자는 권리변동의 당사자가 될 수 없으므로, 결국 시효이익의 포기는 달리 특별한 사정이 없는 한 시효취득자가 취득시효 완성 당시의 진정한 소유자에 대하여 하여야 그 효력이 발생하는 것이지 원인무효인 등기의 등기부상 소유명의자에게 그와 같은 의사를 표시하였다고 하여 그 효력이 발생하는 것은 아니다(대판 2011.7.14, 2011다23200).

④ 점유자가 시효완성기간 경과 후에 매수의사를 표시하였다고 하더라도 달리 적극적인 의사표시가 있었다고 볼 수 없다면 이로써 승인에 의한 취득시효의 중단 또는 시효취득의 이익을 포기하였다고 볼 수 없다(대판(전) 1983.7.12, 82다708·709). 마찬가지로 취득시효 완성 후에 매도하여 줄 것을 요청한 바 있으나, 매수대금에 대한 견해차로 매수교섭이 결렬된 바 있다는 사실만으로 시효이익을 포기하였다고 볼 수 없다(대판 1991.2.22, 90다12977).

⑤ 취득시효기간 만료 후 점유중단 내지 상실은 일반적으로 취득시효이익의 포기로 볼 수 없다. 따라서 취득시효완성 후 점유가 중단되더라도 시효이익의 포기가 아닌 한 소유권이전등기청구권은 존속한다(대판 1990.11.13, 90다카25352).

⑥ 그러나 취득시효완성을 원인으로 한 소유권이전등기청구의 소를 제기한 후 다시 소를 취하했다면 시효이익의 포기로 볼 수 있다(대판 1973.9.29, 73다762).

⑦ 나아가 취득시효완성 사실을 모르고 어떠한 권리주장도 하지 않기로 한 점유자가 후에 취득시효를 주장함은 신의칙에 어긋난다(대판 1998.5.22, 96다24101).

II. 선점 · 습득 · 발견 · 첨부

1. 무주물선점

> **제252조【무주물의 귀속】**
> ① 무주의 동산을 소유의 의사로 점유한 자는 그 소유권을 취득한다. → 점유보조자나 점유매개자를 통해서도 할 수 있고, 선점자는 그 목적물의 소유권을 원시취득한다.
> ② 무주의 부동산은 국유로 한다.
> ③ 야생하는 동물은 무주물로 하고 사양하는 야생동물도 다시 야생상태로 돌아가면 무주물로 한다.

1) 법률규정에 의한 소유권 취득의 원인이며, 그 법적 성질은 혼합사실행위이다.
2) 과거에 어느 누구의 소유였더라도, 현재 시점에서 그 소유가 계속되지 아니하면 무주물이다. 그러나 과거에 누군가의 소유에 속하였고 현재에 그 상속인의 소유에 속한다고 인정되는 물건은 무주물이 아니고 매장물이다.
3) 선점의 대상은 동산에 한하며, 무주의 부동산은 국유가 된다. 따라서 부동산은 선점의 대상이 될 수 없다.
4) 학술 · 기예 · 고고의 중요한 재료가 되는 동산, 즉 문화재는 언제나 국유가 된다.

2. 유실물습득

> **제253조【유실물의 소유권취득】**
> 유실물은 법률에 정한 바에 의하여 공고한 후 6개월 내에 그 소유자가 권리를 주장하지 아니하면 습득자가 그 소유권을 취득한다. → 종전에는 공고한 후 1년 내로 규정하였던 것을 현재는 교통 · 통신망의 발달로 유실물이 소유자에게 반환되는 기간이 짧아지고 있으며, 유실물 중 고가의 전자기기 등은 시간이 지날수록 가치가 하락하므로 습득자의 권리를 보다 빨리 인정할 필요가 있는 점을 고려하여 유실물의 소유권이 습득자에게 귀속되는 기간을 1년에서 6개월로 단축

1) 유실물이라 함은 점유자의 의사에 기하지 않고 그의 점유를 떠난 물건으로서 도품이 아닌 것을 말한다. 성질상 유실물은 동산에 한정된다. 유실물법에서는 범죄자가 놓고 간 것으로 인정되는 물건, 착오로 인해 점유한 물건, 타인이 놓고 간 물건, 일실한 가축 등을 유실물에 준하는 준유실물로 본다(동법 제11조, 제12조).
2) 습득이란 유실물의 점유를 취득하는 것으로서 소유의 의사는 필요하지 않으며, 또한 습득자가 유실물임을 알고 있을 필요도 없다.
3) 유실물법은 유실한 소유자는 원칙적으로 유실물가액의 100분의 5내지 100분의 20의 범위 내에서 보상금을 습득자에게 지급하여야 한다고 규정함으로써(동법 제4조), 습득자에게 보상금청구권을 인정하고 있다.

3. 매장물발견

> **제254조【매장물의 소유권취득】**
> 매장물은 법률에 정한 바에 의하여 공고한 후 1년 내에 그 소유자가 권리를 주장하지 아니하면 발견자가 그 소유권을 취득한다. 그러나 타인의 토지 기타 물건으로부터 발견한 매장물은 그 토지 기타 물건의 소유자와 발견자가 절반하여 취득한다. → 법률규정에 의한 소유권 취득의 원인이며, 그 법적 성질은 순수사실행위이다. 유실물법이 적용된다.
> **제255조【「국가유산기본법」 제3조에 따른 국가유산의 국유】**
> ① 학술, 기예 또는 고고의 중요한 자료가 되는 물건에 대하여는 제252조 제1항 및 전2조의 규정에 의하지 아니하고 국유로 한다.
> ② 전항의 경우에 습득자, 발견자 및 매장물이 발견된 토지 기타 물건의 소유자는 국가에 대하여 적당한 보상을 청구할 수 있다.
> ※ 제255조의 조문 표제는 2023.5.16. 「국가유산기본법 제3조에 따른 국가유산의 국유」로 개정, 단 시행일은 2024.5.17.

1) 매장물이란 토지 또는 그 밖의 물건 속에 매장되어서, 그 소유권이 누구에게 속하는지를 판별할 수 없는 물건을 말한다. 소유자나 그 상속인이 존재하지만 이를 확정할 수 없다는 점에서 무주물과 구별된다.
2) 매장물의 존재를 인식하는 것(발견)으로 족하고 점유의 취득을 요하지 않는다는 점에서 선점이나 습득과 다르다.
3) 발견자는 그 소유권을 취득한다. 다만, 타인의 토지 기타 물건으로부터 발견한 매장물은 그 토지 기타 물건의 소유자와 발견자가 각 2분의 1의 지분으로 공유한다.
4) 매장물이 문화재인 경우에는 발견자가 소유권을 취득하지 못하고 언제나 국유가 되며, 이 경우에 발견자는 국가에 대하여 정당한 보상을 청구할 수 있다(제255조).

4. 첨부

> **제256조【부동산에의 부합】**
> 부동산의 소유자는 그 부동산에 부합한 물건의 소유권을 취득한다. 그러나 타인의 권원에 의하여 부속된 것은 그러하지 아니하다.
> **제257조【동산간의 부합】**
> 동산과 동산이 부합하여 훼손하지 아니하면 분리할 수 없거나 그 분리에 과다한 비용을 요할 경우에는 그 합성물의 소유권은 주된 동산의 소유자에게 속한다. 부합된 동산의 주종을 구별할 수 없는 때에는 동산의 소유자는 부합당시의 가액의 비율로 합성물을 공유한다.
> **제258조【혼화】**
> 전조의 규정은 동산과 동산이 혼화하여 식별할 수 없는 경우에 준용한다.

제259조【가공】
① 타인의 동산에 가공한 때에는 그 물건의 소유권은 원재료의 소유자에게 속한다. 그러나 가공으로 인한 가액의 증가가 원재료의 가액보다 현저히 다액인 때에는 가공자의 소유로 한다.
② 가공자가 재료의 일부를 제공하였을 때에는 그 가액은 전항의 증가액에 가산한다.
제260조【첨부의 효과】
① 전4조의 규정에 의하여 동산의 소유권이 소멸한 때에는 그 동산을 목적으로 한 다른 권리도 소멸한다.
② 동산의 소유자가 합성물, 혼화물 또는 가공물의 단독소유자가 된 때에는 전항의 권리는 합성물, 혼화물 또는 가공물에 존속하고 그 공유자가 된 때에는 그 지분에 존속한다.
제261조【첨부로 인한 구상권】
전5조의 경우에 손해를 받은 자는 부당이득에 관한 규정에 의하여 보상을 청구할 수 있다.

(1) 부합

1) 의의

부합 · 혼화 · 가공의 3가지를 첨부라 하는데, 첨부란 소유자를 달리하는 물건이 결합되어 하나의 물건으로 되거나(부합 · 혼화), 어떤 물건에 타인의 노력이 가해져 새로운 물건으로 되는 것(가공)을 말한다. 민법은 부동산에의 부합과 동산간의 부합을 인정하고 있다.

2) 성질

① 첨부에 의하여 생긴 물건은 1개의 물건으로서 존속하고 그 복구는 인정되지 않는다. 이는 강행규정의 성질을 갖는다. 이에 반하여 ② 첨부에 의하여 생긴 새 물건에는 새로운 소유자가 결정되며, 이에 관한 민법규정은 임의규정으로서 당사자 간의 특약으로 자유로이 정할 수 있다.

3) 부동산에의 부합

① 부합의 주물(피부합물)은 부동산이어야 하고, 토지 · 건물 모두 피부합물이 된다.

② 부합물은 동산뿐만 아니라 부동산도 포함된다(대판 1962.1.31, 4294민상445).

③ 부합의 정도는 훼손하지 않으면 분리할 수 없거나 분리에 과다한 비용을 요하는 경우는 물론, 분리하면 경제적 가치가 심히 감소되는 정도에 이르러야 한다.

④ 부동산의 소유자가 그의 부동산에 부합하는 물건의 소유권을 취득하는 것이므로, 부합하는 동산의 가격이 부동산의 가격을 초과하는 경우에도 물건소유자는 부동산의 소유권을 취득하지 못한다(제256조 본문).

⑤ 그러나 부합한 물건이 타인의 권원에 의하여 부속된 때에는 부속시킨 자의 소유로 되고, 여기서 권원이라 함은 지상권, 전세권, 임차권 등을 의미한다(제256조 단서).

→ 결국 제256조에 의하여 부속시킨 자의 소유가 되려면 권원과 구조상 · 기능상 독립성이라는 두 가지 요건이 요구되는 것이다.

입목 · 수목의 소유권 – 토지에의 부합 여부 등(대판 2021.8.19. 2020다266375)

① 부동산의 소유자는 그 부동산에 부합한 물건의 소유권을 취득하지만, 타인의 권원에 의하여 부속된 것은 그러하지 아니하다(민법 제256조). 토지 위에 식재된 입목은 토지의 구성부분으로 토지의 일부일 뿐 독립한 물건으로 볼 수 없으므로 특별한 사정이 없는 한 토지에 부합하고, 토지의 소유자는 식재된 입목의 소유권을 취득한다.

② 토지 위에 식재된 입목을 그 토지와 독립하여 거래의 객체로 하기 위해서는 '입목에 관한 법률'에 따라 입목을 등기하거나 명인방법을 갖추어야 한다. 물권변동에 관한 성립요건주의를 채택하고 있는 민법에서 명인방법은 부동산의 등기 또는 동산의 인도와 같이 입목에 대하여 물권변동의 성립요건 또는 효력발생요건에 해당하므로 식재된 입목에 대하여 명인방법을 실시해야 그 토지와 독립하여 소유권을 취득한다. 이는 토지와 분리하여 입목을 처분하는 경우뿐만 아니라, 입목의 소유권을 유보한 채 입목이 식재된 토지의 소유권을 이전하는 경우에도 마찬가지이다.

③ 민법 제256조에서 부동산에의 부합의 예외사유로 규정한 '권원'은 지상권, 전세권, 임차권 등과 같이 타인의 부동산에 자기의 동산을 부속시켜서 그 부동산을 이용할 수 있는 권리를 뜻한다. 따라서 타인 소유의 토지에 수목을 식재할 당시 토지의 소유권자로부터 그에 관한 명시적 또는 묵시적 승낙 · 동의 · 허락 등을 받았다면, 이는 민법 제256조에서 부동산에의 부합의 예외사유로 정한 '권원'에 해당한다고 볼 수 있으므로, 해당 수목은 토지에 부합하지 않고 식재한 자에게 그 소유권이 귀속된다(대판 2023.11.16. 2023도11885).

부합과 부속의 구별

① 부동산에 부합된 물건이 사실상 분리복구가 불가능하여 거래상 독립한 권리의 객체성을 상실하고 그 부동산과 일체를 이루는 부동산의 구성부분이 된 경우에는 타인이 권원에 의하여 이를 부합시킨 경우에도 그 물건의 소유권은 부동산의 소유자에게 귀속된다(대판 1985.12.24. 84다카2428).

② 부합물에 관한 소유권귀속의 예외를 규정한 민법 제256조 단서의 규정은 타인이 그 권원에 의하여 부속시킨 물건이라 할지라도 그 부속된 물건이 분리하여 경제적 가치가 있는 경우에 한하여 부속시킨 타인의 권리에 영향이 없다는 취지이지, 분리하여도 경제적 가치가 없는 경우에는 원래의 부동산소유자의 소유에 귀속되는 것이고, 경제적 가치의 판단은 부속시킨 물건에 대한 일반 사회통념상의 경제적 효용의 독립성 유무를 그 기준으로 하여야 한다(대판 2007.7.27. 2006다39270 · 39278).

→ [사실관계] : 가스공급시설은 이 사건 아파트에 설치되었을 때 그 대지와 일체를 이루는 구성부분으로 부합됨으로써, 그 대지에 대한 지분권을 양수한 이 사건 아파트 구분소유자들의 소유로 되었다고 봄이 상당하다고 본 사례이다.

제256조 단서의 해당 여부 ★

① 민법 제256조 단서 소정의 "권원"이라 함은 지상권, 전세권, 임차권 등과 같이 타인의 부동산에 자기의 동산을 부속시켜서 그 부동산을 이용할 수 있는 권리를 뜻하므로, 그와 같은 권원이 없는 자가 토지소유자의 승낙을 받음이 없이 그 임차인의 승낙만을 받아 그 부동산 위에 나무를 심었다면 특별한 사정이 없는 한 토지소유자에 대하여 그 나무의 소유권을 주장할 수 없다(대판 1989.7.11. 88다카9067).

② 민법 제256조는 "부동산의 소유자는 그 부동산에 부합한 물건의 소유권을 취득한다. 그러나 타인의 권원에 의하여 부속된 것은 그러하지 아니하다."라고 규정하고 있다. 위 조항 단서에서 말하는 '권원'이라 함은 지상권, 전세권, 임차권 등과 같이 타인의 부동산에 자기의 동산을 부속시켜서 부동산을 이용할 수 있는 권리를 뜻하므로, 그와 같은 권원이 없는 자가 타인의 토지 위에 나무를 심었다면 특별한 사정이 없는 한 토지소유자에 대하여 나무의 소유권을 주장할 수 없다. 지상권자는 타인의 토지에 건물 기타 공작물이나 수목을 소유하기 위하여 그 토지를 사용하는 권리가 있으므로, 지상권설정등기가 경료되면 토지의 사용 · 수익권은 지상권자에게 있고, 지상권을 설정한 토지소유자는 지상권이 존속하는 한 토지를 사용 · 수익할 수 없다. 따라서 지상권

을 설정한 토지소유자로부터 토지를 이용할 수 있는 권리를 취득하였다고 하더라도 지상권이 존속하는 한 이와 같은 권리는 원칙적으로 민법 제256조 단서가 정한 '권원'에 해당하지 아니한다(대판 2018.3.15, 2015다69907).

③ 그러나 금융기관이 대출금 채권의 담보를 위하여 토지에 저당권과 함께 지료 없는 지상권을 설정하면서 채무자 등의 사용・수익권을 배제하지 않은 경우, 지상권은 저당권이 실행될 때까지 제3자가 용익권을 취득하거나 목적 토지의 담보가치를 하락시키는 침해행위를 하는 것을 배제함으로써 저당 부동산의 담보가치를 확보하는 데에 목적이 있으므로, 토지소유자는 저당 부동산의 담보가치를 하락시킬 우려가 있는 등의 특별한 사정이 없는 한 토지를 사용・수익할 수 있다고 보아야 한다. 따라서 그러한 토지소유자로부터 토지를 사용・수익할 수 있는 권리를 취득하였다면 이러한 권리는 민법 제256조 단서가 정한 '권원'에 해당한다고 볼 수 있다(대판 2018.3.15, 2015다69907).

밭으로 사용되는 토지 일부를 통행로로 사용할 것을 허가받은 제3자가 통행로를 아스콘으로 포장한 경우, 이후 토지의 소유권을 취득한 사람이 제3자를 상대로 아스콘의 철거를 구함에 있어 아스콘이 토지에 부합되어 제3자가 철거의무를 면하는지 여부(소극) ★

① 부동산에 부합된 물건이 사실상 분리복구가 불가능하여 거래상 독립한 권리의 객체성을 상실하고 그 부동산과 일체를 이루는 부동산의 구성부분이 된 경우에는 타인이 권원에 의하여 이를 부합시켰더라도 그 물건의 소유권은 부동산의 소유자에게 귀속되어 부동산의 소유자는 방해배제청구권에 기하여 부합물의 철거를 청구할 수 없지만, ② 부합물이 위와 같은 요건을 충족하지 못해 그 물건의 소유권이 부동산의 소유자에게 귀속되었다고 볼 수 없는 경우에는 부동산의 소유자는 방해배제청구권에 기하여 부합물의 철거를 청구할 수 있다(대판 2020.4.9, 2018다264307).

→ [사실관계 및 해설] : 피고가 사적인 통행을 위해 종래 밭으로 사용되던 이 사건 도로부지에 가볍게 아스콘(아스팔트 콘크리트)을 씌운 것이어서 토지와 아스콘의 구분이 명확하고, 아스콘 제거에 과다한 비용이 소요되지 아니하므로, 포장은 이 사건 도로부지로부터 사실적・물리적으로 충분히 분리복구가 가능한 상태로 봄이 타당하고, 그 포장은 원고가 이 사건 도로부지를 당초 용도에 따라 밭으로 사용하고자 할 경우에는 불필요하고 오히려 원고의 소유권 행사를 방해하는 것으로서 이 사건 도로부지와 일체를 이루는 토지의 구성부분이 되었다고 볼 수 없으므로, 원고의 철거청구를 인정한 사례이다.

4) 동산간의 부합

동산과 동산이 부합하여 훼손하지 아니하면 분리할 수 없거나, 그 분리에 과다한 비용을 요할 경우에는 그 합성물의 소유권은 주된 동산의 소유자에게 속한다. 단 주・종을 구별할 수 없는 때에는 각 동산의 소유자는 부합 당시의 가액의 비율로 합성물을 공유한다(제257조 후문).

5) 구 물건 위에 존재하였던 제3자의 권리(지위)

가) **원칙** : 첨부에 의하여 동산의 소유권이 소멸하면 그 동산 위에 존재하는 제3자의 권리도 소멸함이 원칙이다(제260조 제1항).

나) **동산의 소유자가 단독소유자가 된 때** : 그 동산을 목적으로 한 제3자의 권리는 첨부에 의하여 발생한 물건 위에 존속한다(제260조 제2항 후단).

다) **동산의 소유자가 공유자가 된 때** : 그 동산을 목적으로 한 제3자의 권리는 첨부에 의하여 발생한 물건의 공유지분에 존속한다(제260조 제2항 후단).

라) **강행규정성** : 제3자의 권리보호규정은 강행규정이다.

판례 연구 **관련판례 정리**

☑ **부합에 관한 판례의 정리**

1) 어떠한 동산이 민법 제256조에 의하여 부동산에 부합된 것으로 인정되기 위해서는 그 동산을 훼손하거나 과다한 비용을 지출하지 않고서는 분리할 수 없을 정도로 부착·합체되었는지 여부 및 그 물리적 구조, 용도와 기능면에서 기존 부동산과는 독립한 경제적 효용을 가지고 거래상 별개의 소유권의 객체가 될 수 있는지 여부 등을 종합하여 판단하여야 하고, 이러한 부동산에의 부합에 관한 법리는 건물의 증축의 경우는 물론 건물의 신축의 경우에도 그대로 적용될 수 있다고 한다(대판 2009.9.24, 2009다15602).

2) 타인 소유의 건물을 증축 또는 개축한 경우 증·개축 부분이 독립성을 가지고, 임차인이 건물소유자의 승낙을 얻어 증개축한 경우에는 증개축 부분은 임차인의 소유에 귀속한다(대판 1977.5.24, 76다464).
★ → 임차인이 임차한 건물에 그 권원에 의하여 증축을 한 경우에 증축된 부분이 부합으로 인하여 기존 건물의 구성부분이 된 때에는 증축된 부분에 별개의 소유권이 성립할 수 없으나, 증축된 부분이 구조상으로나 이용상으로 기존 건물과 구분되는 독립성이 있는 때에는 구분소유권이 성립하여 증축된 부분은 독립한 소유권의 객체가 된다(대판 1999.7.27, 99다14518).

3) 건물소유자가 증·개축한 부분의 부합판단기준에 관하여 건물의 증·개축 부분이 종래건물과 독립적인 경우 부합이 성립되지 않는다(대판 1994.6.10, 94다11606).

4) 건물의 증축 부분이 기존건물에 부합하여 기존건물과 분리하여서는 별개의 독립물로서의 효용을 갖지 못하는 이상 기존건물에 대한 근저당권은 민법 제358조에 의하여 부합된 증축 부분에도 효력이 미치는 것이므로 기존건물에 대한 경매절차에서 경매목적물로 평가되지 아니하였다고 할지라도 경락인은 부합된 증축 부분의 소유권을 취득한다(대판 2002.10.25, 2000다63110). ★

5) 경매법원이 기존건물의 종물이라거나 부합된 부속건물이라고 볼 수 없는 건물에 대하여 경매신청된 기존건물의 부합물이나 종물로 보고서 경매를 같이 진행하여 경락허가를 하였다 하더라도 그 독립된 건물에 대한 경락은 당연무효이고, 따라서 그 경락인은 위 독립된 건물에 대한 소유권을 취득할 수 없다(대판 1988.2.23, 87다카600). ★

6) 권원 없이 재배한 농작물이라 하더라도 그 농작물이 성숙성이 있다면 명인방법을 갖추지 않더라도 토지에 부합하지 않고 경작자에게 그 소유권이 있다(대판 1968.6.4, 68다613). ★

7) 민법 제261조는 첨부에 관한 민법 규정에 의하여 어떤 물건의 소유권 또는 그 물건 위의 다른 권리가 소멸한 경우 이로 인하여 손해를 받은 자는 '부당이득에 관한 규정에 의하여 보상을 청구할 수 있다'고 규정하고 있는데, 여기서 '부당이득에 관한 규정에 의하여 보상을 청구할 수 있다'는 것은 법률효과만이 아니라 법률요건도 부당이득에 관한 규정이 정하는 바에 따른다는 의미이다. 즉 민법 제261조의 요건 외에 부당이득 법리에 따른 판단에 의하여 부당이득의 요건이 모두 충족되어야 한다(대판 2016.4.28, 2012다19659 등). ★

8) 부당이득반환청구에서 이득이란 실질적인 이익을 의미하는데, 동산에 대하여 양도담보권을 설정하면서 양도담보권설정자가 양도담보권자에게 담보목적인 동산의 소유권을 이전하는 이유는 양도담보권자가 양도담보권을 실행할 때까지 스스로 담보물의 가치를 보존할 수 있게 함으로써 만약 채무자가 채무를 이행하지 않더라도 채권자인 양도담보권자가 양도받은 담보물을 환가하여 우선변제받는 데에 지장이 없도록 하기 위한 것이고, 동산양도담보권은 담보물의 교환가치 취득을 목적으로 하는 것이다. 이러한 양도담보권의 성격에 비추어 보면, 양도담보권의 목적인 주된 동산에 다른 동산이 부합되어 부합된

동산에 관한 권리자가 권리를 상실하는 손해를 입은 경우 주된 동산이 담보물로서 가치가 증가된 데 따른 실질적 이익은 주된 동산에 관한 양도담보권설정자에게 귀속되는 것이므로, 이 경우 부합으로 인하여 권리를 상실하는 자는 양도담보권설정자를 상대로 민법 제261조에 따라 보상을 청구할 수 있을 뿐 양도담보권자를 상대로 보상을 청구할 수는 없다(대판 2016.4.28, 2012다19659). ★★

9) 민법 제261조에서 첨부로 법률규정에 의한 소유권 취득(민법 제256조 내지 제260조)이 인정된 경우에 "손해를 받은 자는 부당이득에 관한 규정에 의하여 보상을 청구할 수 있다"라고 규정하고 있는바, 이러한 보상청구가 인정되기 위해서는 민법 제261조 자체의 요건뿐만 아니라, 부당이득 법리에 따른 판단에 의하여 부당이득의 요건이 모두 충족되었다고 인정되어야 한다. 매도인에게 소유권이 유보된 자재가 제3자와 매수인 사이에 이루어진 도급계약의 이행으로 제3자 소유 건물의 건축에 사용되어 부합된 경우 보상청구를 거부할 법률상 원인이 있다고 할 수 없지만, 제3자가 도급계약에 의하여 제공된 자재의 소유권이 유보된 사실에 관하여 과실 없이 알지 못한 경우라면 선의취득의 경우와 마찬가지로 제3자가 그 자재의 귀속으로 인한 이익을 보유할 수 있는 법률상 원인이 있다고 봄이 상당하므로, 매도인으로서는 그에 관한 보상청구를 할 수 없다. 이러한 법리는 매도인에게 소유권이 유보된 자재가 본인에게 효력이 없는 계약에 기초하여 매도인으로부터 무권대리인에게 이전되고, 무권대리인과 본인 사이에 이루어진 도급계약의 이행으로 본인 소유 건물의 건축에 사용되어 부합된 경우에도 마찬가지로 적용된다(대판 2018.3.15, 2017다282391). ★ → [보충] : 건축자재가 직접 매수인으로부터 제3자에게 교부된 것은 아니지만 도급계약에 따른 이행에 의하여 제3자에게 제공된 것으로서 거래에 의한 동산 양도와 유사한 실질을 가지므로, 그 부합에 의한 보상청구에 대하여도 선의취득에서의 이익보유에 관한 법리가 유추적용된다고 봄이 상당하다(대판 2009.9.24, 2009다15602).

10) ① 민법 제261조에서 첨부로 법률규정에 의한 소유권 취득(민법 제256조 내지 제260조)이 인정된 경우에 "손해를 받은 자는 부당이득에 관한 규정에 의하여 보상을 청구할 수 있다."라고 규정하고 있는데, 이러한 보상청구가 인정되기 위해서는 민법 제261조 자체의 요건뿐만 아니라, 부당이득 법리에 따른 판단에 의하여 부당이득의 요건이 모두 충족되었다고 인정되어야 한다. ② 한편 원래 계약당사자 사이에서 그 계약의 이행으로 급부된 것은 그 급부의 원인관계가 적법하게 실효되지 아니하는 한 부당이득이 될 수 없고, 계약에 따른 어떤 급부가 그 계약의 상대방 아닌 제3자의 이익으로 된 경우에도 급부를 한 계약당사자는 계약상대방에 대하여 계약상의 반대급부를 청구할 수 있는 것이지 그 제3자에 대하여 직접 부당이득을 주장하여 반환을 청구할 수 없다(대판 2023.4.27, 2022다304189).

(2) 혼화

혼화란 동산과 동산이 서로 쉽게 섞여져서 원물을 식별할 수 없게 되는 것을 말하는데, 그 성질은 일종의 동산 간의 부합이라 할 수 있기 때문에 동산의 부합에 관한 규정이 준용된다(제258조).

(3) 가공

① 가공이란 타인의 재료를 써서 또는 타인의 동산에 변경을 가하여 새로운 물건을 만들어 내는 것을 말한다. 옷감으로 양복, 가죽으로 구두 및 지갑, 목재로 가구 등을 만들어 내는 것은 새로운 물건으로 인정되나, 이와는 달리 대수선이라도 변경에 해당하지 않으므로 새로운 물건이 만들어졌다고 할 수 없다.

② 가공물의 소유권은 원칙적으로 원재료의 소유자에게 속한다. 다만, 예외적으로 가공으로 인한 가액의 증가가 원재료의 가액보다 현저히 다액인 때에는 가공자의 소유에 속한다(제259조).

제5절 공동소유

제1관 총설

공동소유란 하나의 물건을 2인 이상의 다수인이 공동으로 소유하는 것을 말한다. 민법은 공동소유의 형태로 공유·합유·총유의 3가지를 인정하고 있다.

공동소유형태의 비교

구분	공유	합유	총유
인적 결합의 형태	인적 결합의 관계가 없다(지분적 소유).	다수인이 공동목적으로 결합하나 단체로서의 독립성을 갖추지 못한 조합체로서의 인적 결합(합수적 소유)	비법인사단의 인적 결합소유 형태
지분	공유지분(제262조 제1항) → 공유지분은 1개의 소유권의 분량적 일부분이 된다(대판 1991.11.12, 91다27228).	합유지분(제273조 제1항)	없음
지분의 처분	자유로이 처분가능(제263조 전단)	전원 동의로만 가능(제273조 제1항)	없음
보존행위	각자 단독으로 가능(제265조 단서)	각자 단독으로 가능(제272조 단서)	비법인사단 또는 구성원 전원이 당사자가 되며 구성원 1인은 총회결의를 거쳐도 당사자가 되지 못한다(대판(전) 2005.9.15, 2004다44971).
관리행위(이용, 개량 행위)	과반수지분으로 가능(제265조 본문)	계약(조합규약)에 의함	사원총회 결의로만 가능(제275조 제2항)
사용, 수익	지분의 비율에 따라 공유물 전부 사용(제263조)	조합계약 기타 규약에 따름(제271조 제2항)	정관 기타 규약에 좇아 가능(제276조 제2항)
처분, 변경	전원 동의(제264조)	전원 동의(제272조 본문)	사원총회 결의(제276조 제1항)

분할청구	분할청구의 자유(제268조 제1항), 단 금지특약도 가능	불가, 단 조합종료 시 가능(제273조 제2항)	불가
등기방식	계약에 의해 성립하는 경우 공유의 등기와 지분의 등기	합유자 전원 명의로 등기, 합유의 취지의 기재	단체 자체 명의로 등기 가능(부동산등기법 제26조)

제2관 공유

> 제262조【물건의 공유】
> ① 물건이 지분에 의하여 수인의 소유로 된 때에는 공유로 한다.
> ② 공유자의 지분은 균등한 것으로 추정한다.

1. 의의

(1) 개념

공유란 물건이 지분에 의하여 수인의 소유로 된 것, 즉 공동목적을 위한 인적 결합관계 없는 수인이 물건을 공동으로 소유하는 것을 말한다.

(2) 법적 성질

공유는 1개의 소유권이 분량적으로 분할되어 수인에게 속하는 상태라는 양적 분할설이 통설로서 일물일권주의를 근거로 한다. 이에 따르면 지분은 1개의 소유권의 분량적 일부분이 된다.

2. 성립

(1) 계약에 의한 성립

하나의 물건을 수인이 공유로 한다는 뜻의 명시적 또는 묵시적 의사의 합치에 의해 성립할 수 있다. 다만 부동산에 관하여는 공유의 등기와 지분의 등기가 모두 있어야 한다.

(2) 법률의 규정에 의한 성립

① 매장물 발견(제254조), 주종을 구별할 수 없는 동산의 부합(제257조), 혼화(제258조), 건물 구분소유에 있어서의 공용부분(제215조 제1항), 경계에 설치된 경계표, 담, 구거 등(제239조) 등이 이에 해당한다.

② 공동상속재산은 상속인의 공유에 속하는데(제1006조), 이에 대해 견해의 대립이 있으나 통설·판례는 공유설의 입장이다(대판 1996.2.9, 94다61649).

3. 공유의 지분

(1) 의의

지분의 의미에 관하여 통설인 양적 분할설에 의하면 1개의 소유권의 분량적 일부분이라고 한다. 즉 지분은 그 성질이나 효력에서 소유권과 동일하다.

(2) 지분의 비율

① 지분의 비율은 공유자의 의사표시 또는 법률의 규정(제254조 단서, 제257조, 제258조, 제1009조, 집합건물법 제12조)에 의하여 정해진다. 그러나 그것이 불분명한 때에는 공유자의 지분은 균등한 것으로 추정된다(제262조 제2항).

② 등기부상의 지분과 실제의 지분이 다른 경우 원래의 공유자들 사이에서는 실제의 지분이 기준으로 된다(대판 2001.3.9, 98다51169).

준공유비율의 결정(대판 2008.3.13, 2006다31887) ★

[1] 여러 채권자가 하나의 근저당권을 설정하여 준공유하는 경우, 그 준공유비율의 확정방법 및 이와 다르게 준공유비율이나 채권의 변제방법을 정하는 약정의 효력

여러 채권자가 같은 기회에 어느 부동산에 관하여 하나의 근저당권을 설정받아 이를 준공유하는 경우 그 근저당권은 준공유자들의 피담보채권액을 모두 합쳐서 채권최고액까지 담보하게 되고, 피담보채권이 확정되기 전에는 근저당권에 대한 준공유비율을 정할 수 없으나 피담보채권액이 확정되면 각자 그 확정된 채권액의 비율에 따라 근저당권을 준공유하는 것이 되므로, 준공유자는 각기 그 채권액의 비율에 따라 변제 받는 것이 원칙이다. 그러나 준공유자 전원의 합의로 피담보채권의 확정 전에 위와 다른 비율을 정하거나 준공유자 중 일부가 먼저 변제받기로 약정하는 것을 금할 이유가 없으므로 그와 같은 약정이 있으면 그 약정에 따라야 하며, 이와 같은 별도의 약정을 등기하게 되면 제3자에 대하여도 효력이 있다.

[2] 근저당권의 준공유자들이 공유지분을 특정하여 근저당권설정등기를 마친 경우, 그 근저당권의 실행으로 인한 경매절차에서의 배당방법(=지분비율로 안분배당)

근저당권의 준공유자들이 각자의 공유지분을 미리 특정하여 근저당권설정등기를 마쳤다면 그들은 처음부터 그 지분의 비율로 근저당권을 준공유하는 것이 되고, 이러한 경우 다른 특별한 사정이 없는 한 준공유자들 사이에는 각기 그 지분비율에 따라 변제받기로 하는 약정이 있었다고 봄이 상당하므로, 그 근저당권의 실행으로 인한 경매절차에서 배당을 하는 경매법원으로서는 배당시점에서의 준공유자 각자의 채권액의 비율에 따라 안분하여 배당할 것이 아니라 각자의 지분비율에 따라 안분하여 배당해야 하며, 어느 준공유자의 실제 채권액이 위 지분비율에 따른 배당액보다 적어 잔여액이 발생하게 되면 이를 다른 준공유자들에게 그 지분비율에 따라 다시 안분하는 방법으로 배당해야 한다.

(3) 지분의 처분

제263조【공유지분의 처분과 공유물의 사용, 수익】
공유자는 그 지분을 처분할 수 있고 공유물 전부를 지분의 비율로 사용, 수익할 수 있다.

① 지분은 하나의 소유권과 같은 성질을 가지기 때문에 공유자는 그 지분을 자유로이 처분(양도, 담보제공 등)할 수 있다. 즉, 지분을 처분함에는 다른 공유자의 동의를 요하지 않으며(대판 1972.5.23, 71다2760), 지분처분금지의 특약이 있더라도 이는 당사자간에 채권적 효력을 가질 뿐이며, 그러한 특약을 등기할 방법도 없다.

② 지분이 양도된 경우에 종래 다른 공유자와의 공유관계는 그대로 양수인에게 승계된다.

(4) 지분의 주장

각 공유자는 단독으로 다른 공유자 및 제3자에 대하여 지분을 주장할 수 있다. 따라서 지분권의 확인청구, 지분의 이전 또는 말소등기청구, 지분권에 기한 취득시효중단 등을 단독으로 할 수 있다.

공유자 일부가 제3자를 상대로 다른 공유자의 지분의 확인을 구하는 소는 확인의 이익이 없는지 여부 및 이것이 공유물의 보존행위에 속한다고 볼 수 있는지 여부(대판 1994.11.11, 94다35008)

① 공유자의 지분은 다른 공유자의 지분에 의하여 일정한 비율로 제한을 받는 것을 제외하고는 독립한 소유권과 같은 것으로 공유자는 그 지분을 부인하는 제3자에 대하여 각자 그 지분권을 주장하여 지분의 확인을 소구하여야 하는 것이고, 공유자 일부가 제3자를 상대로 다른 공유자의 지분의 확인을 구하는 것은 타인의 권리관계의 확인을 구하는 소에 해당한다고 보아야 할 것이므로 그 타인 간의 권리관계가 자기의 권리관계에 영향을 미치는 경우에 한하여 확인의 이익이 있다고 할 것이며, 공유물 전체에 대한 소유관계 확인도 이를 다투는 제3자를 상대로 공유자 전원이 하여야 하는 것이지 공유자 일부만이 그 관계를 대외적으로 주장할 수 있는 것이 아니므로, 아무런 특별한 사정이 없이 다른 공유자의 지분의 확인을 구하는 것은 확인의 이익이 없다.

② 공유자가 다른 공유자의 지분권을 대외적으로 주장하는 것을 공유물의 멸실・훼손을 방지하고 공유물의 현상을 유지하는 사실적・법률적 행위인 공유물의 보존행위에 속한다고 할 수 없다.

(5) 지분의 탄력성

제267조【지분포기 등의 경우의 귀속】
공유자가 그 지분을 포기하거나 상속인 없이 사망한 때에는 그 지분은 다른 공유자에게 각 지분의 비율로 귀속한다.

① 지분은 하나의 독립된 소유권과 같은 것이므로 탄력성이 있다. 즉 공유자가 그 지분을 포기하거나 상속인이 없이 사망한 때에는 그 지분은 다른 공유자에게 각 지분의 비율로 귀속한다(제267조).

② 여기서 공유지분의 포기는 법률행위로서 상대방 있는 단독행위에 해당하므로, 부동산 공유자의 공유지분 포기의 의사표시가 다른 공유자에게 도달하더라도 이로써 곧바로 공유지분 포기에 따른 물권변동의 효력이 발생하는 것은 아니고, 다른 공유자는 자신에게 귀속될 공유지분에 관하여 소유권이전등기청구권을 취득하며, 이후 민법 제186조에 의하여 등기를 하여야 공유지분 포기에 따른 물권변동의 효력이 발생한다. 그리고 부동산 공유자의 공유지분 포기에 따른 등기는 해당 지분에 관하여 다른 공유자 앞으로 소유권이전등기를 하는 형태가 되어야 한다(대판 2016.10.27, 2015다52978).

4. 공유자 사이의 법률관계

(1) 공유물의 사용・수익

> 第263條【공유지분의 처분과 공유물의 사용, 수익】
> 공유자는 그 지분을 처분할 수 있고 공유물 전부를 지분의 비율로 사용, 수익할 수 있다.

각 공유자는 공유물 전부를 지분의 비율로 사용・수익할 수 있다(제263조 후단).

공유자 간의 공유물에 대한 사용・수익・관리에 관한 특약이 특정승계인에게 승계되는지 여부(원칙적 적극) **및 위 특약 후 특약사항을 변경할 수 있는지 여부**(적극) ★★

① 공유자 간의 공유물에 대한 사용・수익・관리에 관한 특약은 공유자의 특정승계인에 대하여도 당연히 승계된다고 할 것이나, 민법 제265조는 "공유물의 관리에 관한 사항은 공유자의 지분의 과반수로써 결정한다"라고 규정하고 있으므로, 위와 같은 특약 후에 공유자에 변경이 있고 특약을 변경할 만한 사정이 있는 경우에는 공유자의 지분의 과반수의 결정으로 기존 특약을 변경할 수 있다(대판 2005.5.12, 2005다1827).

② 공유자는 공유물 전부를 지분의 비율로 사용・수익할 수 있으며(민법 제263조), 공유물의 관리에 관한 사항은 공유자의 지분의 과반수로써 결정된다(민법 제265조). 그리고 공유물의 사용・수익・관리에 관한 공유자 사이의 특약은 유효하며 그 특정승계인에 대하여도 승계되지만, 그 특약이 지분권자로서의 사용・수익권을 사실상 포기하는 등으로 공유지분권의 본질적 부분을 침해하는 경우에는 특정승계인이 그러한 사실을 알고도 공유지분권을 취득하였다는 등의 특별한 사정이 없다면 특정승계인에게 당연히 승계된다고 볼 수 없다. 그리고 위와 같은 특약의 존재 및 그 특약을 알면서 공유지분권을 취득하였다는 등의 특별한 사정이 있는지에 관하여는 구체적인 공유물의 사용・수익・관리의 현황, 이에 이르게 된 경위 및 공유자들의 의사, 현황대로 사용・수익된 기간, 공유지분권의 취득 경위 및 그 과정에서 특약 등의 존재가 드러나 있었거나 이를 쉽게 알 수 있었는지 여부 등 여러 사정을 종합하여 판단하여야 한다(대판 2013.3.14, 2011다58701).

→ [해설] : 甲은 3/5, 乙과 丙은 각 1/5의 지분비율로 X 토지를 공유하고 있는데, 甲, 乙, 丙이 합의하여 甲, 乙은 X 토지의 사용・수익권을 영구히 포기하고 丙이 X 토지 전체를 무기한 무상으로 사용하기로 하였다면, 그 특약의 효력은 甲으로부터 공유지분을 취득한 丁이 그 사실을 알지 못한 경우에는 丁에 대하여 효력이 없다.

공유자 중 1인이 자신의 지분 중 일부를 다른 공유자에게 양도하기로 하는 공유자 간의 약정이 특정승계인에게 당연히 승계되는지 여부(소극) ★

공유자 간의 공유물에 대한 사용수익・관리에 관한 특약은 공유자의 특정승계인에 대하여도 당연히 승계된다고 할 것이나(대판 2005.5.12, 2005다1827 참조), 공유자 중 1인이 자신의 지분 중 일부를 다른 공유자에게 양도하기로 하는 공유자 간의 지분의 처분에 관한 약정까지 공유자의 특정승계인에게 당연히 승계되는 것으로 볼 수는 없다(대판 2007.11.29, 2007다64167).

(2) 공유물의 관리 · 보존

> 제265조【공유물의 관리, 보존】
> 공유물의 관리에 관한 사항은 공유자의 지분의 과반수로써 결정한다. 그러나 보존행위는 각자가 할 수 있다.

1) 의의

① 보존행위는 각자가 단독으로 할 수 있고(제265조 단서), 관리행위는 지분의 과반수로 결정한다(제265조 본문). 여기서 보존행위란 목적물의 멸실 · 훼손을 방지하고 그 현상을 유지하기 위하여 하는 행위를 말하고, 관리란 처분 및 변경에 이르지 않은 것으로서 공유물을 이용 · 개량하는 행위를 말한다. 보존행위의 형태는 수선 · 유지 · 보관뿐만 아니라 필요한 경우에는 공유물에 관한 원인무효의 등기에 대하여 말소등기를 청구하는 것도 보존행위에 해당한다(대판 1993.5.11, 92다52870).

공동상속인 중 1인이 피상속인과 체결하였다는 매매 등 효력 없는 계약을 원인으로 공동상속한 부동산 전부에 관하여 소유권이전등기를 마친 경우, 다른 공동상속인이 등기명의인의 상속분을 제외한 나머지 공유지분 전부에 관하여 소유권이전등기의 말소등기절차 이행을 구할 수 있는지 여부(적극)와 공유자 1인의 보존권 행사 결과가 다른 공유자의 이해와 충돌되는 경우, 보존권 행사를 공유물의 보존행위로 볼 수 있는지 여부(소극)(대판 2015.1.29, 2014다49425) ★★

[1] 부동산의 공유자 중 1인은 당해 부동산에 관하여 무효의 소유권이전등기가 경료되어 있는 경우에 민법 제265조 단서에서 정하는 공유물에 관한 보존행위로서 자신의 공유지분을 넘어서 그 무효인 등기 전부의 말소를 청구할 수 있다. 따라서 공동상속에 의하여 여러 사람의 공유로 된 부동산에 관하여 공동상속인 중 1인이 피상속인과의 사이에 행하여졌다는 매매 등 효력 없는 계약(필자 주 – 치매로 인하여 망 소외 1에게 의사능력이 없어서 이 사건 증여계약 등이 무효인 경우에 해당)을 원인으로 하여 공유물 전부에 관하여 소유권이전등기를 경료한 경우에도, 다른 상속인은 공유물에 관한 보존행위로서 등기명의인의 상속분을 제외한 나머지 공유지분 전부에 관하여 그 소유권이전등기의 말소등기절차를 이행할 것을 청구할 수 있다.

[2] 한편 공유물의 보존행위는 공유물의 멸실 · 훼손을 방지하고 그 현상을 유지하기 위하여 하는 사실적 법률적 행위로서 이러한 공유물의 보존행위를 각 공유자가 단독으로 할 수 있도록 한 취지는 그 보존행위가 긴급을 요하는 경우가 많고 다른 공유자에게도 이익이 되는 것이 보통이기 때문이므로, 어느 공유자가 보존권을 행사하는 때에 그 행사의 결과가 다른 공유자의 이해와 충돌될 때에는 그 행사는 보존행위로 될 수 없다고 보아야 한다.[54)]

---

54) 예컨대 甲의 상속인으로 A, B, C, D, E가 있었고, 甲의 제사를 지내는 B가 생전에 甲으로부터 X 부동산을 증여받았음을 원인으로 X 부동산 전부에 관하여 소유권이전등기를 경료하였는데, C와 D는 수사기관에서, E는 이 사건 제1심법정에서, 甲이 B에게 정상적인 절차에 의해서 그의 유효한 의사에 따라 이 사건 증여를 한 것이라는 취지로 B의 주장에 부합하는 진술 · 증언을 한 사실과 또한 제1심법원에 위와 같은 취지의 내용이 기재된 탄원서 및 준비서면을 제출하여 B 명의의 지분이전등기에 이의가 없다는 입장을 밝힌 사실을 기초로 살펴보건대, 甲으로부터 증여받은 것이라는 B의 주장이 받아들여지지 않는 경우에도 자신들은 이를 인정하거나 자신들의 상속분을 B에게 새롭게 증여하여 그 현상을 유지하겠다는 취지라면, A가 C, D, E의 각 상속분에 해당하는 부분까지 말소를 구하는 것은 C, D, E의 이해와 충돌되어 공유물의 보존행위로 될 수 없다고 본 사례이다.

공유물의 보존행위

공유물의 보존행위는 공유물의 멸실 · 훼손을 방지하고 그 현상을 유지하기 위하여 하는 사실적 · 법률적 행위이다. 민법 제265조 단서가 이러한 공유물의 보존행위를 각 공유자가 단독으로 할 수 있도록 한 취지는 그 보존행위가 긴급을 요하는 경우가 많고 다른 공유자에게도 이익이 되는 것이 보통이기 때문이므로, 어느 공유자가 보존권을 행사하는 때에 그 행사의 결과가 다른 공유자의 이해와 충돌될 때에는 그 행사는 보존행위로 될 수 없다고 보아야 한다(대판 2024.3.12, 2023다240879).

→ [사실관계 및 해설] : 피고 회사(현대백화점)는 공사를 통하여 원고 소유의 점포들이 있는 층의 공용부분 통로에 변경된 전유부분을 구획하기 위한 각 벽(이하 '이 사건 각 벽'이라 한다)을 설치하였는데, 이 사건 각 벽의 철거는 피고 회사에 점포를 임대한 다른 다수 구분소유자들의 이익에 어긋나는 것으로서 공용부분의 보존행위가 아니라 관리행위에 해당한다고 본 사례이다(따라서 이 사건 각 벽의 철거를 위해서는 관리단집회의 결의를 거쳐야 한다).

공유 부동산에 관하여 제3자 명의로 원인무효의 소유권이전등기가 마쳐져 있는 경우, 공유자의 1인이 공유물에 관한 보존행위로서 등기 전부의 말소를 구할 수 있는지 여부(적극) **/ 공유자가 다른 공유자의 지분권을 대외적으로 주장하는 것이 공유물의 보존행위에 속하는지 여부**(소극) **및 자신의 소유지분 범위를 초과하는 부분에 관하여 마쳐진 등기에 대하여 공유물에 관한 보존행위로서 무효라고 주장하면서 말소를 구할 수 있는지 여부**(소극) **/ 원인무효의 등기가 특정 공유자의 지분에만 한정하여 마쳐진 경우, 지분을 침해받게 된 특정 공유자를 제외한 나머지 공유자들이 공유물의 보존행위로서 위 등기의 말소를 구할 수 있는지 여부**(소극) ★★

부동산의 공유자의 1인은 당해 부동산에 관하여 제3자 명의로 원인무효의 소유권이전등기가 마쳐져 있는 경우 공유물에 관한 보존행위로서 제3자에 대하여 그 등기 전부의 말소를 구할 수 있으나, 공유자가 다른 공유자의 지분권을 대외적으로 주장하는 것을 공유물의 멸실 · 훼손을 방지하고 공유물의 현상을 유지하는 사실적 · 법률적 행위인 공유물의 보존행위에 속한다고 할 수는 없으므로, 자신의 소유지분 범위를 초과하는 부분에 관하여 마쳐진 등기에 대하여 공유물에 관한 보존행위로서 무효라고 주장하면서 말소를 구할 수는 없다. 결국 공유물에 관한 원인무효의 등기에 대하여 모든 공유자가 항상 공유물의 보존행위로서 말소를 구할 수 있는 것은 아니고, 원인무효의 등기로 인하여 자신의 지분이 침해된 공유자에 한하여 공유물의 보존행위로서 그 등기의 말소를 구할 수 있을 뿐이므로, 원인무효의 등기가 특정 공유자의 지분에만 한정하여 마쳐진 경우에는 그로 인하여 지분을 침해받게 된 특정 공유자를 제외한 나머지 공유자들은 공유물의 보존행위로서 위 등기의 말소를 구할 수는 없다(대판 2023.12.7, 2023다273206).

공유물의 보존행위에 관한 법리(대판 2019.9.26, 2015다208252)

[1] 공유물 보존행위의 의미 및 민법 제265조 단서에서 공유물 보존행위를 각 공유자가 단독으로 할 수 있도록 정한 취지

공유물의 보존행위는 공유물의 멸실 · 훼손을 방지하고 그 현상을 유지하기 위하여 하는 사실적, 법률적 행위이다. 민법 제265조 단서가 이러한 공유물의 보존행위를 각 공유자가 단독으로 할 수 있도록 한 취지는 그 보존행위가 긴급을 요하는 경우가 많고 다른 공유자에게도 이익이 되는 것이 보통이기 때문이다.

[2] 집합건물의 공용부분과 대지의 관리 업무가 기본적으로 구분소유자들로 구성된 관리단과 이를 대표하는 관리인에게 있는지 여부(적극) / 집합건물의 소유 및 관리에 관한 법률 제16조 제1항의 규정 취지 / 구분소유자가 공용부분과 대지에 대해 지분권에 기하여 권리를 행사하는 것이 다른 구분소유자들의 이익에 어긋날 수 있는 경우, 그 권리 행사를 각 구분소유자가 개별적으로 할 수 있는 보존행위가 아니라 관리단집회의 결의를 거쳐야 하는 관리행위로 보아야 하는지 여부(적극)

집합건물의 소유 및 관리에 관한 법률(이하 '집합건물법'이라 한다)은 집합건물의 존립에 필수적인 공용부분과 대지의 원활하고 적정한 유지 · 관리, 집합건물 내 공동생활을 둘러싼 구분소유자 상호 간의 이해관계

조절을 위하여 민법상 공유에 대한 여러 특별규정을 두고 있다. 구분소유관계가 성립되면 구분소유자 전원을 구성원으로 하여 건물과 대지 등의 관리를 목적으로 하는 집합건물의 관리단이 당연 설립된다(제23조). 구분소유자가 10인 이상인 경우 관리단을 대표하고 관리행위를 할 관리인을 선임해야 하고(제24조), 공용부분의 보존·관리 및 변경을 위한 행위 등은 관리인의 권한과 의무에 속한다(제25조 제1항). 구분소유자는 구분소유자 공동의 이익에 어긋나는 행위를 해서는 안 되고(제5조 제1항), 구분소유자가 그러한 행위를 한 경우 관리인은 그 행위의 정지 등을 청구할 수 있고 이를 위한 소송 제기는 관리단집회의 결의를 거쳐야 한다(제43조 제1항, 제2항). 따라서 집합건물의 공용부분과 대지의 관리 업무는 기본적으로 구분소유자들로 구성된 관리단과 이를 대표하는 관리인에게 있다. 집합건물법 제16조 제1항은 공용부분의 관리에 관한 사항은 관리단의 통상의 집회결의로써 결정한다고 정하면서 그 단서에 "다만, 보존행위는 각 공유자가 할 수 있다."라고 정하고 있고, 같은 법 제19조는 구분소유자가 공유하는 건물의 대지 및 공용부분 외의 부속시설에 관하여 제16조를 준용하고 있다. 집합건물법 제16조 제1항의 취지는 집합건물의 공용부분과 대지의 현상을 유지하기 위한 보존행위를 관리행위와 구별하여 공유자인 구분소유자가 단독으로 행사할 수 있도록 정한 것이다. 민법 제265조 단서의 취지, 집합건물법의 입법 취지와 관련 규정을 종합하여 보면, 구분소유자가 공용부분과 대지에 대해 그 지분권에 기하여 권리를 행사할 때 이것이 다른 구분소유자들의 이익에 어긋날 수 있다면 이는 각 구분소유자가 집합건물법 제16조 제1항 단서에 의하여 개별적으로 할 수 있는 보존행위라고 볼 수 없고 집합건물법 제16조 제1항 본문에 따라 관리단집회의 결의를 거쳐야 하는 관리행위라고 보아야 한다.[55)]

② 공유자가 공유물을 타인에게 임대하는 행위 및 그 임대차계약을 해지하는 행위는 공유물의 관리행위에 해당하므로, 공유자의 지분의 과반수로써 결정하여야 한다(대판 2010.9.9, 2010다37905).

공유자의 임대행위 및 임대차계약의 해지와 갱신거절의 통지가 공유물의 관리행위인지 여부(적극) ★★

공유자가 공유물을 타인에게 임대하는 행위 및 그 임대차계약을 해지하는 행위는 공유물의 관리행위에 해당하므로 민법 제265조 본문에 의하여 공유자의 지분의 과반수로써 결정하여야 한다. 상가건물 임대차보호법이 적용되는 상가건물의 공유자인 임대인이 같은 법 제10조 제4항에 의하여 임차인에게 갱신 거절의 통지를 하는 행위는 실질적으로 임대차계약의 해지와 같이 공유물의 임대차를 종료시키는 것이므로 공유물의 관리행위에 해당하여 공유자의 지분의 과반수로써 결정하여야 한다(대판 2010.9.9, 2010다37905).

③ 다만 다수지분권자라 하여 나대지에 새로이 건물을 건축한다든지 하는 것은 '관리'의 범위를 넘는 것이 된다(대판 2001.11.27, 2000다33638·33645).

---

55) 도시가스사업자인 甲 주식회사가 아파트 건축 시 시행사로부터 사용기간 영구, 무상의 사용승낙을 얻어 아파트 대지 위에 정압기실을 설치한 다음 위 아파트와 인근 지역에 도시가스를 공급하고 있는데, 위 아파트의 입주자대표회의 회장, 동대표 및 그 배우자들인 乙 등이 입주자대표회의의 결의에 따라 甲 회사를 상대로 정압기실의 철거와 부지의 인도를 구하는 소를 제기하면서 관리단집회의 결의를 거치지 않은 사안에서, 위 정압기실은 아파트의 구분소유자들이 도시가스를 공급받기 위한 필수적인 시설로서 이를 철거할 경우 도시가스 공급에 지장을 줄 수 있고, 도시가스의 공급 없이는 원만한 주거생활이 어려운 점을 고려하면, 乙 등이 구하는 정압기실의 철거와 부지의 인도 청구는 다른 구분소유자들의 이익에 반할 수 있고, 甲 회사가 아파트 건축 시 시행사의 사용승낙을 받아 적법하게 정압기실을 설치하였고 그 후 현재까지 정압기실이 아파트 대지에 존재하고 있어 그 철거를 구하는 것이 아파트 대지의 현상을 유지하기 위한 행위라고 보기 어려우므로, 乙 등의 청구는 보존행위가 아니라 아파트 대지의 관리를 위한 행위로서 집합건물의 소유 및 관리에 관한 법률 제16조 제1항에 따라 아파트 관리단집회의 결의를 거쳐야 하는데도 이를 거치지 않아 허용될 수 없다고 한 사례이다.

2) 공유자 1인이 공유물을 배타적으로 점유하고 있는 경우의 법률관계

가) 다수지분권자의 배타적 점유

① 과반수 지분의 공유자는 공유자와 사이에 미리 공유물의 관리방법에 관하여 협의가 없었다 하더라도 공유물의 관리에 관한 사항을 단독으로 결정할 수 있으므로 과반수 지분의 공유자는 그 공유물의 관리방법으로서 그 공유토지의 특정된 한 부분을 배타적으로 사용・수익할 수 있으나, 그로 말미암아 지분은 있으되 그 특정 부분의 사용・수익을 전혀 하지 못하여 손해를 입고 있는 소수지분권자에 대하여 그 지분에 상응하는 임료 상당의 부당이득을 하고 있다 할 것이므로 이를 반환할 의무가 있다. 소수지분권자는 공유물을 자기 지분 비율로 사용・수익할 권리(제263조)가 침해되었기 때문이다(대판 2021.12.30, 2021다252458).

> **공유자 사이에 공유물을 사용 · 수익할 구체적인 방법을 정하는 것이 공유자 지분의 과반수로써 결정하여야 하는 공유물의 관리에 관한 사항인지 여부(적극) 및 과반수 지분의 공유자가 공유물의 특정 부분을 배타적으로 사용 · 수익하기로 정하는 것이 공유물의 관리방법으로서 적법한지 여부(적극) / 공유 지분 과반수 소유자의 공유물인도청구를 그 상대방인 타 공유자가 민법 제263조의 공유물의 사용수익권으로 거부할 수 있는지 여부(소극) ★★**
>
> 공유자 사이에 공유물을 사용 · 수익할 구체적인 방법을 정하는 것은 공유물의 관리에 관한 사항으로서 공유자의 지분의 과반수로써 결정하여야 할 것이고, 과반수 지분의 공유자는 다른 공유자와 사이에 미리 공유물의 관리방법에 관한 협의가 없었다 하더라도 공유물의 관리에 관한 사항을 단독으로 결정할 수 있으므로, 과반수 지분의 공유자가 그 공유물의 특정 부분을 배타적으로 사용 · 수익하기로 정하는 것은 공유물의 관리방법으로서 적법하다. 또한 공유 지분 과반수 소유자의 공유물인도청구는 민법 제265조의 규정에 따라 공유물의 관리를 위하여 구하는 것으로서 그 상대방인 타 공유자는 민법 제263조의 공유물의 사용수익권으로 이를 거부할 수 없다(대판 2022.11.17, 2022다253243).

② 다만 ⅰ) 그 과반수 지분의 공유자로부터 다시 그 특정 부분의 사용・수익을 허락받은 제3자의 점유는 다수지분권자의 공유물관리권에 터잡은 적법한 점유이므로 그 제3자는 소수지분권자에 대하여도 그 점유로 인하여 법률상 원인 없이 이득을 얻고 있다고는 볼 수 없다(대판 2002.5.14, 2002다9738). ⅱ) 이때에는 과반수 지분을 가지고 있었던 자가 임대료 상당의 이익을 얻고 있다면 타공유자는 과반수지분을 소유하고 있는 공유자에게 자신의 지분상당의 부당이득반환청구를 할 수 있을 뿐이다.

판례 연구 관련판례 정리

1. 과반수 지분의 공유자가 공유물의 특정 부분을 배타적으로 사용・수익할 것을 정하는 것이 공유물의 관리방법으로서 적법한지 여부(적극)(대판 2001.11.27, 2000다33638・33645) ★★★

1) 공유자 사이에 공유물을 사용・수익할 구체적인 방법을 정하는 것은 공유물의 관리에 관한 사항으로서 공유자의 지분의 과반수로써 결정하여야 할 것이고, 과반수의 지분을 가진 공유자는 다른 공유자와 사이에 미리 공유물의 관리방법에 관한 협의가 없었다 하더라도 공유물의 관리에 관한 사항을 단독으로 결정할

수 있으므로, 과반수의 지분을 가진 공유자가 그 공유물의 특정 부분을 배타적으로 사용・수익하기로 정하는 것은 공유물의 관리방법으로서 적법하며, 다만 그 사용・수익의 내용이 공유물의 기존의 모습에 본질적 변화를 일으켜 '관리' 아닌 '처분'이나 '변경'의 정도에 이르는 것이어서는 안 될 것이고, 예컨대 다수지분권자라 하여 나대지에 새로이 건물을 건축한다든지 하는 것은 '관리'의 범위를 넘는 것이 될 것이다.

2) 공유토지에 관하여 점유취득시효가 완성된 후 취득시효 완성 당시의 공유자들 일부로부터 과반수에 미치지 못하는 소수 지분을 양수 취득한 제3자는 나머지 과반수 지분에 관하여 취득시효에 의한 소유권이전등기를 경료받아 과반수 지분권자가 될 지위에 있는 시효취득자(점유자)에 대하여 지상 건물의 철거와 토지의 인도 등 점유배제를 청구할 수 없다.

2. 과반수 지분을 갖지 못한 공유자가 부동산을 임의로 타에 임대한 경우 타공유자에 대한 부당이득 또는 불법행위의 성부 ★★★

부동산의 일부 지분 소유자가(1/7 지분 소유권자)가 다른 공유자의 동의 없이 그 부동산을 다른 사람에게 임대하여 임대차보증금을 받았다면, ① 이로 인한 수익 중 자신의 지분을 초과하는 부분에 대하여는 법률상 원인 없이 취득한 부당이득이 되어 이를 반환할 의무가 있고, ② 또한 위 무단임대행위는 다른 공유지분권자의 사용・수익을 침해한 불법행위가 성립되어 그 손해를 배상할 의무가 있다. ③ 이 경우 반환 또는 배상해야 할 범위는 위 부동산의 임대차로 인한 차임 상당액이라 할 것으로서 다른 공유자는 그 임대보증금 자체에 대한 지분비율 상당액의 반환 또는 배상을 구할 수는 없다(대판 1991.9.24, 91다23639, 대판 2021.4.29, 2018다261889).

3. 과반수 지분의 공유자로부터 사용・수익을 허락받은 점유자(임차인)에 대하여 소수 지분의 공유자가 점유배제를 구할 수 있는지 여부(소극) ★★★

공유자 사이에 공유물을 사용・수익할 구체적인 방법을 정하는 것은 공유물의 관리에 관한 사항으로서 공유자의 지분의 과반수로써 결정하여야 할 것이고, 과반수 지분의 공유자는 다른 공유자와 사이에 미리 공유물의 관리방법에 관한 협의가 없었다 하더라도 공유물의 관리에 관한 사항을 단독으로 결정할 수 있으므로, 과반수 지분의 공유자가 그 공유물의 특정 부분을 배타적으로 사용・수익하기로 정하는 것은 공유물의 관리방법으로서 적법하다고 할 것이므로, 과반수 지분의 공유자로부터 사용・수익을 허락받은 점유자에 대하여 소수 지분의 공유자는 그 점유자가 사용・수익하는 건물의 철거나 퇴거 등 점유배제를 구할 수 없다(대판 2002.5.14, 2002다9738).

4. 과반수 지분의 공유자로부터 공유물의 특정 부분의 사용・수익을 허락받은 점유자는 소수지분권자에 대하여 그 점유로 인하여 법률상 원인 없이 이득을 얻고 있다고 볼 수 있는지 여부(소극) ★★★

과반수 지분의 공유자는 공유자와 사이에 미리 공유물의 관리방법에 관하여 협의가 없었다 하더라도 공유물의 관리에 관한 사항을 단독으로 결정할 수 있으므로 과반수 지분의 공유자는 그 공유물의 관리방법으로서 그 공유토지의 특정된 한 부분을 배타적으로 사용・수익할 수 있으나, 그로 말미암아 지분은 있으되 그 특정 부분의 사용・수익을 전혀 하지 못하여 손해를 입고 있는 소수지분권자에 대하여 그 지분에 상응하는 임료 상당의 부당이득을 하고 있다 할 것이므로 이를 반환할 의무가 있다 할 것이나, 그 과반수 지분의 공유자로부터 다시 그 특정 부분의 사용・수익을 허락받은 제3자의 점유는 다수지분권자의 공유물관리권에 터잡은 적법한 점유이므로 그 제3자는 소수지분권자에 대하여도 그 점유로 인하여 법률상 원인 없이 이득을 얻고 있다고는 볼 수 없다(대판 2002.5.14, 2002다9738).

나) 소수지분권자의 배타적 점유

① 다수지분권자의 권리

다수지분자권자는 i) 제265조의 관리방법의 일환으로 소수지분권자에 대하여 공유물 전부의 인도를 청구할 수 있고(대판 1981.10.13, 81다653), ii) 소수지분권자의 공유물에 대한 배타적 지배는 제265조의 관리방법으로서도 위법하다고 할 것이므로 다수지분권자는 자신의 지분권 침해를 이유로 손해배상을 청구할 수 있다. 나아가 iii) 부당이득반환청구도 가능하다.

② 다른 소수지분권자의 권리

i) 판례는 종래 보존행위를 근거로 공유자 자신의 지분이 과반수에 미달되더라도 배타적으로 공유물을 점유하는 다른 과반수미달의 공유자에게 공유물의 인도를 청구할 수 있다고 하였으나(대판(전) 1994.3.22, 93다9392·93다9408: 다수의견), 최근 입장을 변경하여 보존행위를 근거로는 공유물의 인도를 청구할 수 없고, 공유자는 자신의 지분권 행사를 방해하는 행위에 대해서 민법 제214조에 따른 방해배제청구권을 행사할 수 있으며, 공유물에 대한 지분권은 공유자 각자가 행사할 수 있다고 하였다(대판(전) 2020.5.21, 2018다287522). 나아가 ii) 토지의 공유자는 각자의 지분 비율에 따라 토지 전체를 사용·수익할 수 있지만, 그 구체적인 사용·수익 방법에 관하여 공유자들 사이에 지분 과반수의 합의가 없는 이상, 1인이 특정 부분을 배타적으로 점유·사용할 수 없는 것이므로, 공유자 중의 일부가 특정 부분을 배타적으로 점유·사용하고 있다면, 그들은 비록 그 특정 부분의 면적이 자신들의 지분 비율에 상당하는 면적 범위 내라고 할지라도, 다른 공유자들 중 지분은 있으나 사용·수익은 전혀 하지 않고 있는 자에 대하여는 그 자의 지분에 상응하는 부당이득을 하고 있다고 보아야 할 것인바, 이는 모든 공유자는 공유물 전부를 지분의 비율로 사용·수익할 권리가 있기 때문이다(대판 2001.12.11, 2000다13948).

공유자 1인의 배타적·독점적 사용·수익의 법률관계(대판(전) 2020.5.21, 2018다287522) ★★★

[1] 공유물의 소수지분권자가 다른 공유자와 협의 없이 공유물을 독점적으로 점유하는 다른 소수지분권자를 상대로 인도를 청구할 수 있는지 여부(소극)

공유물의 소수지분권자인 피고가 다른 공유자와 협의하지 않고 공유물의 전부 또는 일부를 독점적으로 점유하는 경우 소수지분권자인 원고가 피고를 상대로 공유물의 인도를 청구할 수는 없다고 보아야 한다. 이유는 다음과 같다. ① 공유자 중 1인인 피고가 공유물을 독점적으로 점유하고 있어 다른 공유자인 원고가 피고를 상대로 공유물의 인도를 청구하는 경우, 그러한 행위는 공유물을 점유하는 피고의 이해와 충돌한다. 애초에 보존행위를 공유자 중 1인이 단독으로 할 수 있도록 한 것은 보존행위가 다른 공유자에게도 이익이 되기 때문이라는 점을 고려하면, 이러한 행위는 민법 제265조 단서에서 정한 보존행위라고 보기 어렵다. ② 모든 공유자는 공유물 전부를 지분의 비율로 사용·수익할 수 있다(민법 제263조). 피고가 공유물을 독점적으로 점유하는 위법한 상태를 시정한다는 명목으로 원고의 인도 청구를 허용한다면, 피고가 적법하게 보유하는 '지분 비율에 따른 사용·수익권'까지 근거 없이 박탈하는 부당한 결과를 가져온다. ③ 원고 역시 소수지분권자에 지나지 않으므로 원고가 공유자인 피고를 전면적으로 배제하고 자신만이 단독으로 공유물을 점유하도록 인도해 달라고 청구할 권원은 없다. ④ 공유물에 대한 인도 판결과 그에 따른 집행의 결과는 원고가 공유물을 단독으로 점유하며 사용·수익할 수 있는 상태가 되어 '일부 소수지분권자가 다른 공유자를 배제하고 공유물을 독점적으로 점유'하는 인도 전의 위법한 상태와 다르지 않다. ⑤ 기존 대법원 판례가 공유자 사이의 공유물 인도 청구를 보존행위로서 허용한 것은, 소수지분권자가 자의적으로 공유물을 독점하고 있는 위법 상태를 시정하기 위해서 인도 청구를 가장 실효적인 구제수단으로 보았기 때문이라고 할 수 있다. 그러나 원고는 피고를 상대로 지분권에 기한 방해배제청구권을 행사함으로써 위와 같은 위법 상태를 충분히 시정할 수 있다.

[2] 공유물의 소수지분권자가 공유물을 독점적으로 점유하는 다른 소수지분권자를 상대로 방해배제를 청구할 수 있는지 여부(적극)

① 공유자들 사이에 공유물 관리에 관한 결정이 없는 경우 공유자가 다른 공유자를 배제하고 공유물을 독점적으로 점유·사용하는 것은 위법하여 허용되지 않지만, 다른 공유자의 사용·수익권을 침해하지 않는 방법으로, 즉 비독점적인 형태로 공유물 전부를 다른 공유자와 함께 점유·사용하는 것은 자신의 지분권에 기초한 것으로 적법하다. 일부 공유자가 공유물의 전부나 일부를 독점적으로 점유한다면 이는 다른 공유자의 지분권에 기초한 사용·수익권을 침해하는 것이다. 공유자는 자신의 지분권 행사를 방해하는 행위에 대해서 민법 제214조에 따른 방해배제청구권을 행사할 수 있고, 공유물에 대한 지분권은 공유자 개개인에게 귀속되는 것이므로 공유자 각자가 행사할 수 있다. 원고는 공유물의 종류(토지, 건물, 동산 등), 용도, 상태(피고의 독점적 점유를 전·후로 한 공유물의 현황)나 당사자의 관계 등을 고려해서 원고의 공동 점유를 방해하거나 방해할 염려 있는 피고의 행위와 방해물을 구체적으로 특정하여 그 방해의 금지, 제거, 예방(작위·부작위의무의 이행)을 구하는 형태로 청구취지를 구성할 수 있다. 법원은 이것이 피고의 방해 상태를 제거하기 위하여 필요하고 원고가 달성하려는 상태가 공유자들의 공동 점유 상태에 부합한다면 이를 인용할 수 있다. 위와 같은 출입 방해금지 등의 부대체적 작위의무와 부작위의무는 간접강제의 방법으로 민사집행법에 따라 충분히 실효성 있는 강제집행을 할 수 있다.

② 이와 달리 공유물의 소수지분권자가 다른 공유자와 협의 없이 공유물의 전부 또는 일부를 독점적으로 점유하고 있는 경우 다른 소수지분권자가 공유물에 대한 보존행위로서 그 인도를 청구할 수 있다고 판단한 대법원 1994.3.22, 93다9392·93다9408 전원합의체 판결 등은 이 판결의 견해에 배치되는 범위에서 이를 변경하기로 한다.

→ [사실관계 및 해설] : ① 원고는 이 사건 토지의 1/2 지분을 소유하고 있는 소수지분권자로서, 그 지상에 소나무를 식재하여 토지를 독점적으로 점유하고 있는 피고를 상대로 소나무 등 지상물의 수거와 점유 토지의 인도 등을 청구한 사안에서, 원심은 원고가 공유물의 보존행위로서 공유 토지에 대한 방해배제와 인도를 청구할 수 있다고 보아 원고의 청구를 모두 받아들였으나, 대법원은 원고가 공유자인 피고를 상대로 토지 인도를 청구할 수는 없고 방해배제로 지상물 수거를 청구할 수 있다고 보아, 원심 판결 중 토지 인도 청구 부분을 법리 오해로 파기하고, 토지 인도 청구가 인용될 것을 전제로 한 일부 금원지급 청구 부분도 함께 파기한 사례이다. ② 참고로 이러한 다수의견에 대해, ⅰ) 공유관계에서 소수지분권자인 피고가 자의적으로 공유물을 독점적으로 점유하는 위법 상태를 초래하여 그와 같은 위법 상태가 유지되고 있는 경우 이를 적법한 상태로 회복하기 위하여 다른 소수지분권자인 원고는 보존행위로서 공유물의 인도를 청구할 수 있다고 보아야 하고, 원고의 인도 청구를 긍정한 기존 대법원 판례는 타당하여 유지되어야 한다는 반대의견과 ⅱ) 민법 제263조에 근거한 공유물의 사용·수익권은 법령에 의하여서는 그 권리의 내용이 정하여져 있지 아니한 일반적·추상적 권리에 지나지 아니하므로, 공유물의 사용·수익 방법에 관하여 공유자들 사이에 과반수 지분에 의한 정함이 없는 경우에는 어느 공유자도 그 내용이 어떠하든지 간에 자신이 주장하는 바와 같은 방법으로 그 공유물을 사용·수익할 권리가 있다고 할 수 없고, 기존 대법원판결은 소수지분권자의 인도 청구뿐만 아니라 방해배제 청구를 인정한 부분까지 모두 변경되어야 한다는 반대의견도 있었다.

집합건물의 구분소유자가 아닌 대지 공유자가 대지 공유지분권에 기초하여 적정 대지지분을 가진 구분소유자를 상대로 대지의 사용 · 수익에 따른 부당이득반환을 청구할 수 있는지 여부(소극) ★★★

① 공유자는 공유물 전부를 지분의 비율로 사용 · 수익할 수 있으므로 공유토지의 일부를 배타적으로 점유하면서 사용 · 수익하는 공유자는 그가 보유한 공유지분의 비율에 관계없이 다른 공유자에 대하여 부당이득반환의무를 부담한다. ② 그런데 일반 건물에서 대지를 사용 · 수익할 권원이 건물의 소유권과 별개로 존재하는 것과는 달리, 집합건물의 경우에는 대지사용권인 대지지분이 구분소유권의 목적인 전유부분에 종속되어 일체화되는 관계에 있으므로, 집합건물 대지의 공유관계에서는 이와 같은 민법상 공유물에 관한 일반 법리가 그대로 적용될 수 없고, 이는 대지 공유자들 중 구분소유자 아닌 사람이 있더라도 마찬가지이다. (따라서) 집합건물에서 전유부분 면적 비율에 상응하는 적정 대지지분을 가진 구분소유자는 그 대지 전부를 용도에 따라 사용 · 수익할 수 있는 적법한 권원을 가지므로, 구분소유자 아닌 대지 공유자는 그 대지 공유지분권에 기초하여 적정 대지지분을 가진 구분소유자를 상대로는 대지의 사용 · 수익에 따른 부당이득반환을 청구할 수 없다(대판(전) 2022.8.25, 2017다257067).

→ [해설] : 집합건물 대지의 공유관계에서는 민법상 공유물에 관한 일반 법리가 그대로 적용되지 않으므로 구분소유자 아닌 대지 공유자는 적정 대지지분을 가진 구분소유자를 상대로 대지의 사용 · 수익에 따른 부당이득반환을 청구할 수 없다고 보아야 한다. 이와 달리 구분소유자가 적정 대지지분의 보유 여부를 불문하고 구분소유자 아닌 대지 공유자(또는 그로부터 대지 공유지분을 양수한 구분소유자)에 대하여 민법상 공유물에 관한 일반 법리에 따라 전유부분 면적이 차지하는 비율에 따른 차임 상당의 부당이득반환의무를 부담한다고 판단한 대법원 2001.12.11. 선고 2000다13948 판결, 대법원 2011.7.14. 선고 2009다76522, 76539 판결 등은 이 판결의 견해와 배치되는 범위에서 변경한 사안이다.

(3) 공유물의 처분 · 변경

> 제264조 【공유물의 처분, 변경】
> 공유자는 다른 공유자의 동의 없이 공유물을 처분하거나 변경하지 못한다. → 처분이란 법률상 · 사실상의 처분을 포함한다.

1) 공유물의 처분 · 변경을 위해서는 공유자 전원의 동의가 있어야 한다(제264조).
2) 공유자 중 1인이 다른 공유자의 동의 없이 그 공유토지의 특정부분을 매도하여 타인명의로 소유권이전등기가 마쳐졌다면 그 특정부분에 대한 소유권이전등기는 처분공유자의 공유지분 범위 내에서는 실체관계에 부합하는 유효인 등기이다(대판 2008.4.24, 2008다5073).

(4) 공유물에 관한 부담

> 제266조 【공유물의 부담】
> ① 공유자는 그 지분의 비율로 공유물의 관리비용 기타 의무를 부담한다.
> ② 공유자가 1년 이상 전항의 의무이행을 지체한 때에는 다른 공유자는 상당한 가액으로 지분을 매수할 수 있다.

1) 관리비용의 부담의무는 공유자의 내부관계에 있어서 부담을 정하는 것일 뿐, 제3자와의 관계는 당해 법률관계에 따라 결정된다. 판례도 "공유토지의 과반수지분권자는 다른 공유자와 협의 없이 단독으로 관리행위를 할 수가 있으며 그로 인한 관리비용은 공유자의 지분비율에 따라 부담할 의무가 있으나, 위와 같은 관리비용의 부담의무는 공유자의 내부관계에 있어서 부담을 정하는 것일 뿐, 제3자와의 관계는 당해 법률관계에 따라 결정된다고 할 것이고, 따라서 과반수지분권자가 관리행위가 되는 공사를 시행함에 있어 시공회사에 대하여 공사비용은 자신이 정산하기로 약정하였다면 그 공사비를 직접 부담해야 할 사람은 과반수지분권자만이라 할 것이고, 다만 그가 그 공사비를 지출하였다면 다른 공유자에게 그의 지분비율에 따른 공사비만을 상환청구할 수 있을 뿐이다."라고 하였다(대판 1991.4.12, 90다20220).

2) 민법 제266조 제2항의 규정에 의하여 공유자가 다른 공유자의 의무이행지체를 이유로 그 지분의 매수청구권을 행사함에 있어서는 매수대상이 되는 지분 전부의 매매대금을 제공한 다음 매수청구권을 행사하여야 한다(대판 1992.10.9, 92다25656). → 공유자가 다른 공유자의 의무이행지체를 이유로 그 지분의 매수청구권을 행사함에 있어서는 매수대상이 되는 지분 일부의 매매대금을 제공한 경우에도 가능하다.(✗)

5. 공유관계의 대외적 주장

판례는 공유관계의 확인청구나 공유관계 자체에 기하여 방해배제를 청구하는 경우 모든 공유자에게 합일확정이 필요하다는 점을 논거로 공유자 전원의 공동청구가 필요하다는 입장으로 정리되어 가고 있다.[56)]

판례 연구 관련판례 정리

1) **[대판(전) 2012.2.16, 2010다82530] ★★**

[1] 수인의 채권자가 각기 그 채권을 담보하기 위하여 채무자와 채무자 소유의 부동산에 관하여 수인의 채권자를 공동매수인으로 하는 1개의 매매예약을 체결하고 그에 따라 수인의 채권자 공동명의로 그 부동산에 가등기를 마친 경우, 수인의 채권자가 공동으로 매매예약완결권을 가지는 관계인지 아니면 채권자 각자의 지분별로 별개의 독립적인 매예약완결권을 가지는 관계인지는 매매예약의 내용에 따라야 하고, 매매예약에서 그러한 내용을 명시적으로 정하지 않은 경우에는 수인의 채권자가 공동으로 매매예약을 체결하게 된 동기 및 경위, 그 매매예약에 의하여 달성하려는 담보의 목적, 담보 관련 권리를 공동 행사하려는 의사의 유무, 채권자별 구체적인 지분권의 표시 여부 및 그 지분권 비율과 피담보채권 비율의 일치 여부, 가등기담보권 설정의 관행 등을 종합적으로 고려하여 판단하여야 한다.

56) 공동상속인이 다른 공동상속인을 상대로 어떤 재산이 상속재산임의 확인을 구하는 소는 이른바 고유필수적 공동소송이라고 할 것이고, 고유필수적 공동소송에서는 원고들 일부의 소 취하 또는 피고들 일부에 대한 소취하는 특별한 사정이 없는 한 그 효력이 생기지 않는다(대판 2007.8.24, 2006다40980).

[2] 이와 달리 1인의 채무자에 대한 수인의 채권자의 채권을 담보하기 위하여 그 수인의 채권자와 채무자가 채무자 소유의 부동산에 관하여 수인의 채권자를 권리자로 하는 1개의 매매예약을 체결하고 그에 따른 가등기를 마친 경우에, 매매예약의 내용이나 매매예약완결권 행사와 관련한 당사자의 의사와 관계없이 언제나 수인의 채권자가 공동으로 매매예약완결권을 가진다고 보고, 매매예약완결의 의사표시도 수인의 채권자 전원이 공동으로 행사하여야 한다는 취지의 대판 1984.6.12, 83다카2282 판결, 대판 1985.5.28, 84다카2188 판결, 대판 1985.10.8, 85다카604 판결, 대판 1987.5.26, 85다카2203 판결 등은 이 판결의 견해와 저촉되는 한도에서 변경하기로 한다.

[3] 원심은, 원고가 2005.3.11. 피고에게 1억원을 대여하면서 이를 담보하기 위하여 피고에 대한 다른 채권자들인 소외 1, 소외 2, 소외 3, 소외 4, 소외 5와 공동명의로 피고와 이 사건 부동산 중 피고 소유의 1,617분의 1,607 지분(이하 '이 사건 담보목적물'이라고 한다)에 관하여 매매예약을 체결한 사실, 이에 따라 이 사건 담보목적물에 관하여 원고는 2,498,265분의 241,050 지분(이하 '이 사건 지분'이라 한다), 소외 1은 2,498,265분의 1,205,250 지분, 소외 2는 2,498,265분의 795,465 지분, 소외 3은 2,498,265분의 120,525 지분, 소외 4는 2,498,265분의 72,315 지분, 소외 5는 2,498,265분의 48,210 지분(위 각 지분은 원고 등 6인 각자의 채권액의 비율에 따라 산정되었다)으로 특정하여 이 사건 가등기를 마친 사실을 인정한 다음, 원고를 포함한 6인의 채권자가 각자의 지분별로 별개의 독립적인 매매예약완결권을 갖는 것으로 보아, 채권자 중 1인인 원고는 단독으로 이 사건 담보목적물 중 이 사건 지분에 관하여 매매예약완결권을 행사할 수 있고, 이에 따라 단독으로 이 사건 지분에 관하여 가등기에 기한 본등기절차의 이행을 구할 수 있다고 판단하였다.

앞서 본 법리에 비추어 보면 원심의 이러한 판단은 정당하고, 거기에 상고이유에서 주장하는 바와 같이 매매예약완결권의 행사와 필수적 공동소송에 관한 법리를 오해한 위법은 없다.

2) 건물의 공유지분권자는 동 건물 전부에 대하여 보존행위로서 방해배제 청구를 할 수 있다(대판 1968.9.17, 68다1142・1143).

3) ① 부동산의 공유자의 1인은 당해 부동산에 관하여 제3자 명의로 원인무효의 소유권이전등기가 경료되어 있는 경우 공유물에 관한 보존행위로서 제3자에 대하여 그 등기 전부의 말소를 구할 수 있다(대판 1993.5.11, 92다52870). 다만 ② 공유자가 다른 공유자의 지분권을 대외적으로 주장하는 것을 공유물의 멸실・훼손을 방지하고 공유물의 현상을 유지하는 사실적・법률적 행위인 공유물의 보존행위에 속한다고 할 수 없고(대판 1994.11.11, 94다35008; 대판 2009.2.26, 2006다72802 同旨), ③ 부동산의 공유자의 1인은 당해 부동산에 관하여 제3자 명의로 원인무효의 소유권보존등기가 경료되어 있는 경우 공유물에 관한 보존행위로서 제3자에 대하여 그 등기 전부의 말소를 구할 수 있다고 할 것이나, 그 제3자가 당해 부동산의 공유자 중의 1인인 경우에는 그 소유권보존등기는 동인의 공유지분에 관하여는 실체관계에 부합하는 등기라고 할 것이므로, 이러한 경우 공유자의 1인은 단독 명의로 등기를 경료하고 있는 공유자에 대하여 그 공유자의 공유지분을 제외한 나머지 공유지분 전부에 관하여만 소유권보존등기 말소등기절차의 이행을 구할 수 있다 할 것이다(대판 2006.8.24, 2006다32200). ★★★ ④ 부동산 공유자 중의 한 사람은 당해 부동산에 관하여 제3자 명의로 원인무효의 소유권이전등기가 경료되어 있는 경우 공유물에 관한 보존행위로서 그 제3자에 대하여 그 등기 전부의 말소를 구할 수 있으나, 공유자의 한 사람이 공유물의 보존행위로서 그 공유물의 일부 지분에 관하여서만 재판상 청구를 하였으면 그로 인한 시효중단의 효력은 그 공유자와 그 청구한 소송물에 한하여 발생한다(대판 1999.8.20, 99다15146).

4) 부동산의 공유자 중 한 사람은 공유물에 경료된 원인무효의 등기에 관하여 각 공유자에게 해당 지분별로 진정명의회복을 원인으로 한 소유권이전등기를 이행할 것을 단독으로 청구할 수 있다(대판 2005.9.29, 2003다40651). ★

5) 원고가 피고에 대하여 피고 명의로 마쳐진 소유권보존등기의 말소를 구하려면 먼저 원고에게 그 말소를 청구할 수 있는 권원이 있음을 적극적으로 주장·증명하여야 하며, 만일 원고에게 이러한 권원이 있음이 인정되지 않는다면 설사 피고 명의의 소유권보존등기가 말소되어야 할 무효의 등기라고 하더라도 원고의 청구를 인용할 수 없다 할 것인바, 부동산의 공유자의 1인은 당해 부동산에 관하여 제3자 명의로 원인무효의 소유권이전등기가 경료되어 있는 경우 공유물에 관한 보존행위로서 제3자에 대하여 그 등기 전부의 말소를 구할 수 있으나, 공유자가 다른 공유자의 지분권을 대외적으로 주장하는 것을 공유물의 멸실·훼손을 방지하고 공유물의 현상을 유지하는 사실적·법률적 행위인 공유물의 보존행위에 속한다고 할 수 없으므로, 자신의 소유지분을 침해하는 지분 범위를 초과하는 부분('다른 공유자'의 지분)에 대하여 공유물에 관한 보존행위로서 무효라고 주장하면서 그 부분 등기의 말소를 구할 수는 없다(대판 2010.1.14, 2009다67429).[57] ★★

6. 공유물의 분할

(1) 분할의 자유와 제한

> **제268조【공유물의 분할청구】**
> ① 공유자는 공유물의 분할을 청구할 수 있다. 그러나 5년 내의 기간으로 분할하지 아니할 것을 약정할 수 있다.
> ② 전항의 계약을 갱신한 때에는 그 기간은 갱신한 날로부터 5년을 넘지 못한다.
> ③ 전2항의 규정은 제215조, 제239조의 공유물에는 적용하지 아니한다.

1) 각 공유자는 원칙적으로 언제든지 공유물의 분할을 청구할 수 있다. 이 점에서 합유나 총유와 크게 구별된다. 이와 같은 공유물분할청구권의 법적 성격은 형성권에 해당한다. 따라서 분할청구라는 일방적 의사표시에 의하여 분할의 법률관계로 변경된다.

2) 그러나 ① 공유자는 5년 내의 기간으로 분할하지 아니할 것을 약정할 수 있다(분할금지의 특약). 이 특약은 등기되어 있는 때에만 지분의 양수인에게 그 효력이 미친다(부등법 제67조 제1항). 또한 ② 건물을 구분소유하는 경우의 공용부분(제215조), 경계선상의 경계표(제239조) 등에 관하여는 분할이 인정되지 않는다. ③ 그 밖에 구분소유적 공유자간의 공유물분할청구도 허용되지 않는다.

57) 대판 2010.1.14, 2009다67429 판례는, 공유자의 지분이 등기부에 표시된 공유부동산에 관하여 자신의 지분이 침해되지 아니한 공유자가 원인 없이 마쳐진 다른 공유자의 소유지분에 관한 이전등기의 말소를 구하는 경우에 대한 것이다.

공유물분할 및 분할금지의 약정이 공유지분권의 특정승계인에게 당연히 승계되는지 여부(소극)

공유물을 분할한다는 공유자간의 약정이 공유와 서로 분리될 수 없는 공유자간의 권리관계라 할지라도 그것이 그 후 공유지분권을 양수받은 특정승계인에게 당연히 승계된다고 볼 근거가 없을 뿐 아니라 공유물을 분할하지 아니한다는 약정(민법 제268조 제1항 단서) 역시 공유와 서로 분리될 수 없는 공유자간의 권리관계임에도 불구하고 이 경우엔 부동산등기법 제89조에 의하여 등기하도록 규정하고 있는 점을 대비하여 볼 때 다 같은 분할에 관한 약정이면서 분할특약의 경우에만 특정승계인에게 당연승계된다고 볼 수 없다(대판 1975.11.11, 75다82).

공유물분할청구권이 공유관계와는 별도로 시효소멸하는지 여부(소극)

공유물분할청구권은 공유관계에서 수반되는 형성권이므로 공유관계가 존속하는 한 그 분할청구권만이 독립하여 시효소멸될 수 없다(대판 1981.3.24, 80다1888 · 1889).

(2) 분할의 방법

제269조【분할의 방법】
① 분할의 방법에 관하여 협의가 성립되지 아니한 때에는 공유자는 법원에 그 분할을 청구할 수 있다.
② 현물로 분할할 수 없거나 분할로 인하여 현저히 그 가액이 감손될 염려가 있는 때에는 법원은 물건의 경매를 명할 수 있다.

1) 협의에 의한 분할

① 공유물의 분할은 우선 공유자의 협의에 의한다. 즉 협의분할이 원칙이다(제269조 제1항). 이 경우 공유자 전원이 참여하여야 하고, 공유자의 일부를 제외한 채 분할절차를 진행하면 그 분할은 효력이 없다.

② 구체적인 분할방법으로는 공유물을 있는 그대로 현실적으로 분할하는 방법인 '현물분할'(실질상 지분의 교환에 해당)과, 공유물을 타인에게 매각하여 그 대금을 분할하는 방법인 '대금분할', 공유자 1인이 단독소유권을 취득하고 다른 자는 그 자로부터 지분의 가격의 지급을 받는 방법인 '가격배상'(실질상 지분의 매매에 해당)이 있다.

2) 재판상 분할

가) 의의 및 소의 성질 : ① 분할의 협의가 이루어지지 않을 경우에는 법원에 그 분할을 청구할 수 있다. ② 이는 법원의 재량에 의해 분할의 법률관계를 형성하는 것을 내용으로 하므로「형식적 형성의 소」이고, 고유필수적 공동소송에 해당한다. 따라서 공유자 전원을 소송의 당사자로 하여야 한다(대판 2003.12.12, 2003다44615 · 44622).

이미 공유물분할에 관한 협의가 성립된 경우, 공유물분할의 소를 제기하거나 유지함이 허용되는지 여부(소극) ★

공유물분할은 협의분할을 원칙으로 하고 협의가 성립되지 아니한 때에는 재판상 분할을 청구할 수 있으므로 공유자 사이에 이미 분할에 관한 협의가 성립된 경우에는 일부 공유자가 분할에 따른 이전등기에 협조하지 않거나 분할에 관하여 다툼이 있더라도 그 분할된 부분에 대한 소유권이전등기를 청구하든가 소유권확인을 구함은 별문제이나 다시 소로써 그 분할을 청구하거나 이미 제기한 공유물분할의 소를 유지함은 허용되지 않는다(대판 1995. 1.12, 94다30348 · 30355).

공유물분할청구의 소가 고유필수적 공동소송인지 여부(적극) ★

공유물분할청구의 소는 분할을 청구하는 공유자가 원고가 되어 다른 공유자 전부를 공동피고로 하여야 하는 고유필수적 공동소송이다(대판 2014.1.29, 2013다78556).[58]

나) 분할의 방법 : ① 분할방법은 현물분할을 원칙으로 한다(제269조 제2항 참조). 다만, 분할로 인하여 그 가액이 현저히 감소될 염려가 있는 때에는 공유물을 경매하여 그 대금을 분할한다(대판 1991.11.12, 91다27228). 가격배상에 의한 분할은 규정이 없으나 현물분할의 일종으로서 인정된다. ② 대법원도 공유자 상호간에 금전으로 경제적 가치의 과부족을 조정하게 하여 분할을 하는 것도 현물분할의 한 방법으로 허용되고, 여러 사람이 공유하는 물건을 현물분할하는 경우에는 분할을 원하지 않는 나머지 공유자는 공유로 남는 방법도 허용된다고 하며(대판 1993. 12.7, 93다27819; 대판 1997.9.9, 97다18219; 대판 2004.7.22, 2004다10183 · 10190), 또한 甲과 乙의 공유인 공유물을 분할함에 있어서, 제반사정을 고려하여 공유물을 甲 1인의 단독소유로 하고 甲으로 하여금 乙에 대하여 그 지분의 적정하고도 합리적인 가액을 배상시키는 방법에 의한 분할을 할 수도 있다고 한다(대판 2004.10.14, 2004다30583).

공유물분할청구의 소에 있어서 공유물분할의 방법 ★★

[1] ① 공유물분할의 소는 형성의 소로서 공유자 상호간의 지분의 교환 또는 매매를 통하여 공유의 객체를 단독소유권의 대상으로 하여 그 객체에 대한 공유관계를 해소하는 것을 말하므로, 법원은 공유물분할을 청구하는 자가 구하는 방법에 구애받지 아니하고 자유로운 재량에 따라 공유관계나 그 객체인 물건의 제반 상황에 따라 공유자의 지분 비율에 따른 합리적인 분할을 하면 된다.

② 공유관계의 발생원인과 공유지분의 비율 및 분할된 경우의 경제적 가치, 분할 방법에 관한 공유자의 희망 등의 사정을 종합적으로 고려하여 당해 공유물을 특정한 자에게 취득시키는 것이 상당하다고 인정되고, 다른 공유자에게는 그 지분의 가격을 취득시키는 것이 공유자 간의 실질적인 공평을 해치지 않는다고 인정되는 특별한 사정이 있는 때에는 공유물을 공유자 중의 1인의 단독소유 또는 수인의 공유로 하되 현물을 소유하게 되는 공유자로 하여금 다른 공유자에 대하여 그 지분의 적정하고도 합리적인 가격을 배상시키는 방법에 의한 분할도 현물분할의 하나로 허용된다(대판 2004.10.14, 2004다30583).

③ 재판에 의하여 공유물을 분할하는 경우에 현물로 분할할 수 없거나 현물로 분할하게 되면 그 가액이 현저히 감손될 염려가 있는 때에는 물건의 경매를 명하여 대금분할을 할 수 있는 것이고, 여기에서 '현물로 분할할 수 없다'는 요건은 이를 물리적으로 엄격하게 해석할 것은 아니고, 공유물의 성질, 위치나 면적,

58) 공유물분할에 관한 소송계속 중 변론종결일 전에 공유자 중 1인인 甲의 공유지분의 일부가 乙 및 丙 주식회사 등에게 이전된 사안에서, 변론종결 시까지 민사소송법 제81조에서 정한 승계참가나 민사소송법 제82조에서 정한 소송인수 등의 방식으로 일부 지분권을 이전받은 자가 소송의 당사자가 되었어야 함에도 그렇지 못하였으므로 위 소송 전부가 부적법하게 되었다고 한 사례이다.

이용상황, 분할 후의 사용가치 등에 비추어 보아 현물분할을 하는 것이 곤란하거나 부적당한 경우를 포함한다 할 것이고, '현물로 분할을 하게 되면 현저히 그 가액이 감손될 염려가 있는 경우'라는 것은 공유자의 한 사람이라도 현물분할에 의하여 단독으로 소유하게 될 부분의 가액이 분할 전의 소유지분 가액보다 현저하게 감손될 염려가 있는 경우도 포함하는 것이다. 재판에 의하여 공유물을 분할하는 경우에 법원은 현물로 분할하는 것이 원칙이므로, 불가피하게 대금분할을 할 수밖에 없는 요건에 관한 객관적・구체적인 심리 없이 단순히 공유자들 사이에 분할의 방법에 관하여 의사가 합치하고 있지 않다는 등의 주관적・추상적인 사정에 터잡아 함부로 대금분할을 명하는 것은 허용될 수 없다(대판 2009.9.10. 2009다40219・40226).

④ 공유물분할의 소는 형성의 소로서 공유자 상호 간의 지분의 교환 또는 매매를 통하여 공유의 객체를 단독 소유권의 대상으로 하여 그 객체에 대한 공유관계를 해소하는 것을 말하므로, 법원은 공유물분할을 청구하는 자가 구하는 방법에 구애받지 아니하고 자유로운 재량에 따라 공유관계나 그 객체인 물건의 제반 상황에 따라 공유자의 지분비율에 따른 합리적인 분할을 하면 된다. 따라서 여러 사람이 공유하는 물건을 분할하는 경우 원칙적으로는 각 공유자가 취득하는 토지의 면적이 그 공유지분의 비율과 같도록 하여야 할 것이나, 반드시 그런 방법으로만 분할하여야 하는 것은 아니고, 분할 대상이 된 공유물의 형상이나 위치, 그 이용 상황이나 경제적 가치가 균등하지 아니할 때에는 이와 같은 여러 사정을 고려하여 경제적 가치가 지분비율에 상응되도록 분할하는 것도 허용되며, 일정한 요건이 갖추어진 경우에는 공유자 상호 간에 금전으로 경제적 가치의 과부족을 조정하여 분할을 하는 것도 현물분할의 한 방법으로 허용된다. 나아가 공유관계의 발생원인과 공유지분의 비율 및 분할된 경우의 경제적 가치, 분할 방법에 관한 공유자의 희망 등의 여러 사정을 종합적으로 고려하여 당해 공유물을 특정한 자에게 취득시키는 것이 상당하다고 인정되고, 다른 공유자에게는 그 지분의 가격을 취득시키는 것이 공유자 간의 실질적인 공평을 해치지 않는다고 인정되는 특별한 사정이 있는 때에는 공유물을 공유자 중의 1인의 단독소유 또는 수인의 공유로 하되 현물을 소유하게 되는 공유자로 하여금 다른 공유자에 대하여 그 지분의 적정하고도 합리적인 가격을 배상시키는 방법에 의한 분할도 현물분할의 하나로 허용된다. 이때 그 가격배상의 기준이 되는 '지분가격'이란 '공유물분할 시점의 객관적인 교환가치에 해당하는 시장가격 또는 매수가격을 의미하는 것으로, 그 적정한 산정을 위해서는 분할 시점에 가까운 사실심 변론종결일을 기준'으로 변론과정에 나타난 관련 자료를 토대로 최대한 객관적・합리적으로 평가하여야 하므로, 객관적 시장가격 또는 매수가격에 해당하는 시가의 변동이라는 사정을 일절 고려하지 않은 채 그러한 사정이 제대로 반영되지 아니한 감정평가액에만 의존하여서는 아니 된다(대판 2022.9.7. 2022다244805).

[2] 공유물분할청구의 소는 형성의 소로서 법원은 공유물분할을 청구하는 원고가 구하는 방법에 구애받지 않고 재량에 따라 합리적 방법으로 분할을 명할 수 있으므로, 여러 사람이 공유하는 물건을 현물분할하는 경우에는 분할청구자의 지분 한도 안에서 현물분할을 하고 분할을 원하지 않는 나머지 공유자는 공유로 남게 하는 방법도 허용되지만, 그렇다고 하더라도 공유물분할을 청구한 공유자의 지분한도 안에서는 공유물을 현물 또는 경매・분할함으로써 공유관계를 해소하고 단독소유권을 인정하여야지, 그 분할청구자 「지분의 일부」에 대하여만 공유물 분할을 명하고 일부 지분에 대하여는 이를 분할하지 아니하거나, 공유물의 지분비율만을 조정하는 등의 방법으로 공유관계를 유지하도록 하는 것은 허용될 수 없다(대판 2011.3.10. 2010다92506).

[3] 공유물의 분할은 공유자 간에 협의가 이루어지는 경우에는 방법을 임의로 선택할 수 있으나 협의가 이루어지지 아니하여 재판에 의하여 공유물을 분할하는 경우에는 법원은 현물로 분할하는 것이 원칙이고, 현물로 분할할 수 없거나 현물로 분할을 하게 되면 현저히 가액이 감손될 염려가 있는 때에 비로소 물건의 경매를 명하여 대금분할을 할 수 있는 것이므로, 위와 같은 사정이 없는 한 법원은 각 공유자의 지분비율에 따라 공유물을 현물 그대로 수개의 물건으로 분할하고 분할된 물건에 대하여 각 공유자의 단독소유권을 인정하는 판결을 하여야 한다. 그리고 분할의 방법은 당사자가 구하는 방법에 구애받지 아니하고 법원의 재량에 따라 공유관계나 객체인 물건의 제반 상황에 따라 공유자의 지분비율에 따른 합리적인 분할을 하면 되는데, 여러

PART 02

사람이 공유하는 물건을 현물분할하는 경우에는 분할청구자의 지분한도 안에서 현물분할을 하고 분할을 원하지 않는 나머지 공유자는 공유로 남는 방법도 허용된다. 그러나 분할청구자가 상대방들을 공유로 남기는 방식의 현물분할을 청구하고 있다고 하여, 「상대방들이 그들 사이만의 공유관계의 유지를 원하고 있지 아니한」 데도 상대방들을 여전히 공유로 남기는 방식으로 현물분할을 하여서는 아니 된다(대판 2015.3.26, 2014다233428).

[4] 공유물분할청구의 소는 형성의 소로서 법원은 공유물분할을 청구하는 원고가 구하는 방법에 구애받지 않고 재량에 따라 합리적 방법으로 분할을 명할 수 있으므로, 여러 사람이 공유하는 물건을 현물분할하는 경우에는 분할청구자의 지분 한도 안에서 현물분할을 하고 분할을 원하지 않는 나머지 공유자는 공유로 남게 하는 방법도 허용되나, 그렇다고 하더라도 공유물분할을 청구한 공유자의 지분 한도 안에서는 공유물을 현물 또는 경매・분할함으로써 공유관계를 해소하고 단독소유권을 인정하여야지, 「분할청구자들이 그들 사이의 공유관계의 유지를 원하고 있지 아니한」 데도 분할청구자들과 상대방 사이의 공유관계만 해소한 채 분할청구자들을 여전히 공유로 남기는 방식으로 현물분할을 하는 것은 허용될 수 없다(대판 2015.7.23, 2014다88888).

건축허가나 신고 없이 건축된 미등기 건물에 대하여 경매에 의한 공유물분할이 허용되는지 여부(소극) ★

민사집행법 제81조 제1항 제2호 단서는 등기되지 아니한 건물에 대한 강제경매신청서에는 그 건물에 관한 건축허가 또는 건축신고를 증명할 서류를 첨부하여야 한다고 규정함으로써 적법하게 건축허가나 건축신고를 마친 건물이 사용승인을 받지 못한 경우에 한하여 부동산 집행을 위한 보존등기를 할 수 있게 하였고, 같은 법 제274조 제1항은 공유물분할을 위한 경매와 같은 형식적 경매는 담보권 실행을 위한 경매의 예에 따라 실시한다고 규정하며, 같은 법 제268조는 부동산을 목적으로 하는 담보권 실행을 위한 경매절차에는 같은 법 제79조 내지 제162조의 규정을 준용한다고 규정하고 있으므로, 건축허가나 신고 없이 건축된 미등기 건물에 대하여는 경매에 의한 공유물분할이 허용되지 않는다(대판 2013.9.13, 2011다69190).

공유물분할청구소송의 제 문제 ★★

[1] 甲이 乙을 상대로 제기한 공유물분할청구의 소에 관하여 선고한 원심판결의 주문에서 '1. 가. (가), (나) 부분 토지는 乙의 소유로, (다) 부분 토지는 甲의 소유로 각 분할한다. 나. 甲은 乙로부터 가액보상금을 지급받음과 동시에, 乙에게 (가), (나) 부분 토지 중 甲의 지분에 관하여 공유물분할을 원인으로 한 소유권이전등기절차를 이행하라'고 한 사안에서, 원심판결의 주문 제1의 가항과 나항은 효과 면에서 서로 모순되는지 여부(적극)

甲이 乙을 상대로 제기한 공유물분할청구의 소에 관하여 선고한 원심판결의 주문에서 '1. 가. (가), (나) 부분 토지는 乙의 소유로, (다) 부분 토지는 甲의 소유로 각 분할한다. 나. 甲은 乙로부터 가액보상금을 지급받음과 동시에, 乙에게 (가), (나) 부분 토지 중 甲의 지분에 관하여 공유물분할을 원인으로 한 소유권이전등기절차를 이행하라'고 한 사안에서, ① 원심판결의 주문 제1의 가항은 형성판결로서 그대로 확정될 경우, 乙은 (가), (나) 부분 토지에 관한 단독소유권을 취득하고, 甲은 (다) 부분 토지에 관한 단독소유권을 취득하게 되므로, 乙이 단독소유권을 취득하게 될 (가), (나) 부분 토지와 관련하여, 甲이 乙에게 (가), (나) 부분 토지 중 甲의 지분에 관하여 소유권이전등기신청에 대한 의사표시를 별도로 할 필요가 없고, ② 반면에 원심판결의 주문 제1의 나항은 이행판결로서 그대로 확정될 경우, 乙이 반대의무인 가액보상금 지급의무를 이행한 사실을 증명하여 재판장의 명령에 의하여 집행문을 받아야만 (가), (나) 부분 토지 중 甲의 지분에 관하여 甲의 소유권이전등기신청에 대한 의사표시 의제의 효과가 발생하므로, ③ 향후 (가), (나) 부분 토지 중 甲의 지분에 관하여 甲의 소유권이전등기신청에 대한 의사표시가 필요하지 않음을 전제로 하는 원심판결의 주문 제1의 가항과 향후 (가), (나) 부분 토지 중 甲의 지분에 관하여 甲의 소유권이전등기신청에 대한 의사표시가 필요함을 전제로 하는 원심판결의 주문 제1의 나항은 효과 면에서 서로 모순되므로, 원심판결에는 이유모순 등의 잘못이 있다(대판 2020.8.20, 2018다241410・2018다241427).

[2] 공유물분할청구의 소에서 법원이 등기의무자가 아닌 자를 상대로 등기의 말소절차 이행을 명할 수 있는지 여부(소극)

공유물분할청구의 소는 형성의 소로서 법원은 공유물분할을 청구하는 원고가 구하는 방법에 구애받지 않고 재량에 따라 합리적 방법으로 분할을 명할 수 있다. 그러나 법원은 등기의무자, 즉 등기부상의 형식상 그 등기에 의하여 권리를 상실하거나 기타 불이익을 받을 자(등기명의인이거나 그 포괄승계인)가 아닌 자를 상대로 등기의 말소절차 이행을 명할 수는 없다(대판 2020.8.20, 2018다241410 · 2018다241427).

[3] 대금분할을 명한 공유물분할 확정판결의 당사자인 공유자가 신청하여 진행된 공유물분할을 위한 경매절차에서 매수인이 매각대금을 완납한 경우, 위 판결의 변론이 종결된 뒤(또는 변론 없이 한 판결의 경우에는 판결을 선고한 뒤) 해당 공유자의 공유지분에 마쳐진 소유권이전청구권의 순위보전을 위한 가등기상 권리가 소멸하는지 여부(원칙적 적극)

대금분할을 명한 공유물분할 확정판결의 당사자인 공유자가 공유물분할을 위한 경매를 신청하여 진행된 경매절차에서 공유물 전부에 관하여 매수인에 대한 매각허가결정이 확정되고 매각대금이 완납된 경우, 매수인은 공유물전부에 대한 소유권을 취득하게 되고, 이에 따라 각 공유지분을 가지고 있던 공유자들은 지분소유권을 상실하게 된다. 그리고 대금분할을 명한 공유물분할판결의 변론이 종결된 뒤(변론 없이 한 판결의 경우에는 판결을 선고한 뒤) 해당 공유자의 공유지분에 관하여 소유권이전청구권의 순위보전을 위한 가등기가 마쳐진 경우, 대금분할을 명한 공유물분할 확정판결의 효력은 민사소송법 제218조 제1항이 정한 변론종결 후의 승계인에 해당하는 가등기권자에게 미치므로, 특별한 사정이 없는 한 위 가등기상의 권리는 매수인이 매각대금을 완납함으로써 소멸한다(대판 2021.3.11, 2020다253836).

재판상 공유물분할의 방법(대판 2023.6.29, 2020다260025)

[1] 공유물분할의 소에서 공유물분할의 방법 / 공유물을 공유자 중 1인의 단독소유 또는 수인의 공유로 하되 현물을 소유하게 되는 공유자로 하여금 다른 공유자에 대하여 그 지분의 적정하고도 합리적인 가격을 배상시키는 방법에 의한 분할도 현물분할로 허용되는지 여부(적극)

공유물분할의 소는 형성의 소로서 공유자 상호 간의 지분의 교환 또는 매매를 통하여 공유의 객체를 단독 소유권의 대상으로 하여 그 객체에 대한 공유관계를 해소하는 것을 말하므로, 법원은 공유물분할을 청구하는 측이 구하는 방법에 구애받지 아니하고 자유로운 재량에 따라 공유관계나 그 객체인 물건의 제반 상황에 따라 공유자의 지분 비율에 따른 합리적인 분할을 할 수 있다. 이 경우 원칙적으로는 각 공유자가 취득하는 토지의 면적이 그 공유지분의 비율과 같도록 하여야 할 것이나, 반드시 그런 방법으로만 분할하여야 하는 것은 아니고, 분할 대상이 된 공유물의 형상이나 위치, 그 이용 상황이나 경제적 가치가 균등하지 아니할 때에는 이와 같은 여러 사정을 고려하여 경제적 가치가 지분비율에 상응되도록 분할하는 것도 허용되며, 일정한 요건이 갖추어진 경우에는 공유자 상호 간에 금전으로 경제적 가치의 과부족을 조정하여 분할을 하는 것도 현물분할의 한 방법으로 허용된다. 나아가 공유물을 공유자 중의 1인의 단독소유 또는 수인의 공유로 하되 현물을 소유하게 되는 공유자로 하여금 다른 공유자에 대하여 그 지분의 적정하고도 합리적인 가격을 배상시키는 방법에 의한 분할도 현물분할의 하나로 허용된다.

[2] 재판에 의하여 공유물을 분할하는 경우, 법원이 경매분할의 방법을 선택할 때 유의할 사항 / 공동상속을 원인으로 하는 공유관계처럼 공유자들 사이에 긴밀한 유대관계가 있어서 이들 사이에 공유물 사용에 관한 명시적 또는 묵시적 합의가 있고, 공유자 전부 또는 일부가 분할의 목적이 된 공유토지나 그 지상 건물에서 거주 · 생활하는 등 공유물 점유 · 사용의 형태를 보더라도 이러한 합의를 충분히 추단할 수 있는 경우, 공유자 일부의 지분을 경매 등으로 취득한 사람이 경매분할의 방법으로 분할할 것을 주장할 때 법원이 우선적으로 강구하여야 할 분할방법 및 이때 경매분할을 선택하기 위한 요건

재판에 의하여 공유물을 분할하는 경우에 법원은 현물로 분할하는 것이 원칙이므로, 불가피하게 경매분할을

할 수밖에 없는 요건에 관한 객관적 · 구체적인 심리 없이 단순히 공유자들 사이에 분할의 방법에 관하여 의사가 합치하고 있지 않다는 등의 주관적 · 추상적인 사정을 들어 함부로 경매분할을 명하는 것은 허용될 수 없다. 특히 공동상속을 원인으로 하는 공유관계처럼 공유자들 사이에 긴밀한 유대관계가 있어서 이들 사이에 공유물 사용에 관한 명시적 또는 묵시적 합의가 있었고, 공유자 전부 또는 일부가 분할의 목적이 된 공유토지나 그 지상 건물에서 거주 · 생활하는 등 공유물 점유 · 사용의 형태를 보더라도 이러한 합의를 충분히 추단할 수 있는 사안에서, 그러한 공유자 일부의 지분을 경매 등으로 취득한 사람이 공유물 점유 · 사용에 관한 기존의 명시적 · 묵시적 합의를 무시하고 경매분할의 방법으로 분할할 것을 주장한다면 법원으로서는 기존 공유자들의 합의에 의한 점유 · 사용관계를 해치지 않고 공유물을 분할할 수 있는 방법을 우선적으로 강구하여야 한다. 따라서 이러한 경우 법원이 경매분할을 선택하기 위해서는 현물로 분할할 수 없거나 현물로 분할하게 되면 그 가액이 현저히 감손될 염려가 있다는 사정이 분명하게 드러나야 하고, 현물분할을 위한 금전적 조정에 어려움이 있다고 하여 경매분할을 명하는 것에는 매우 신중하여야 한다.

(3) 분할의 효과

1) 소유권의 변동 및 담보책임

제270조【분할로 인한 담보책임】
공유자는 다른 공유자가 분할로 인하여 취득한 물건에 대하여 그 지분의 비율로 매도인과 동일한 담보책임이 있다.

① 분할에 의하여 공유관계는 종료하고 지분의 교환 또는 매매가 있게 된다.

② 공유물분할의 효과는 원칙적으로 소급하지 아니한다. 다만, 예외적으로 공동상속재산의 분할에 있어서는 상속법상의 원칙에 따라 분할의 효과가 상속개시 시로 소급한다(제1015조).

③ 공유자는 다른 공유자가 분할로 인하여 취득한 물건에 대하여 그 지분의 비율로 매도인과 동일한 담보책임을 부담한다(제270조).

2) 지분상의 담보물권에 대한 영향

예컨대 甲 · 乙 · 丙이 각 1/3 지분으로 토지를 공유하고, 甲의 지분상에 A의 저당권이 설정되었는데, 그 후 공유물의 분할이 이루어진 경우 A의 저당권은 어떤 영향을 받는지가 문제이다. 이에 대해서는 ① 현물분할로 甲 · 乙 · 丙이 각각 공유토지의 일부를 취득한 경우, A의 저당권은 종전 1/3 지분 범위에서 甲 · 乙 · 丙이 취득한 토지에 각각 존속한다(대판 1989.8.8, 88다카24868). 즉 甲 · 乙 · 丙의 부동산은 저당권의 공동담보가 된다. 이로써 가령 乙의 부동산에 대해 저당권을 실행하여 경매가 이루어진 경우, 그 경매대금 중 지분비율인 1/3 범위에서는 저당권자가 피담보채권을 기준으로 우선변제권을 갖는다(대판 2012.3.29, 2011다74932). 한편 乙과 丙의 토지에 대한 저당권의 실행으로 인한 가액감손에 대해서는 甲이 乙과 丙에게 이를 보상할 담보책임을 진다(대판 1993.1.19, 92다30603). ② 甲이 가격배상의 방법으로 공유토지 전부를 취득한 경우, A의 저당권은 종전 1/3 지분 범위에서 토지에 존속한다. ③ 乙이 가격배상의 방법으로 또는 제3자가 대금분할의 방법으로 공유토지 전부를 취득한 경우, A의 저당권은 종전 1/3 지분 범위에서 乙 또는 제3자의 토지에 존속한다.

판례 연구 관련판례 정리

☑ 구분소유적 공유관계

1. 성립 ★★

① 1필지의 토지의 특정부분을 매수하면서 그 등기는 그 토지 전체에 관하여 공유지분이전등기를 한 경우처럼 등기상으로는 공유등기가 되어 있으나, 내부적으로는 각자가 특정부분을 구분하여 단독소유하는 형태를 구분소유적 공유라 한다. 일명 상호명의신탁이라고도 한다(대판 1989.4.25, 88다카7184; 대판 1994.2.8, 93다42986 등). ② 1동의 건물 중 위치 및 면적이 특정되고 구조상・이용상 독립성이 있는 일부분씩을 2인 이상이 구분소유하기로 하는 약정을 하고 등기만은 편의상 각 구분소유의 면적에 해당하는 비율로 공유지분등기를 하여 놓은 경우, 구분소유자들 사이에 공유지분등기의 상호명의신탁관계 내지 건물에 대한 구분소유적 공유관계가 성립하지만, 1동 건물 중 각 일부분의 위치 및 면적이 특정되지 않거나 구조상・이용상 독립성이 인정되지 아니한 경우에는 공유자들 사이에 이를 구분소유하기로 하는 취지의 약정이 있다 하더라도 일반적인 공유관계가 성립할 뿐, 공유지분등기의 상호명의신탁관계 내지 건물에 대한 구분소유적 공유관계가 성립한다고 할 수 없다(대판 2014.2.27, 2011다42430). ③ 구분소유적 공유관계의 성립요건으로서 특정부분을 각 공유자에게 귀속시키려는 합의가 필요하다(대판 2005.4.29, 2004다71409).

2. 효력 및 소멸

1) 공유자 내부관계에서 상호명의신탁관계에 있다(대판 1989.4.25, 88다카7184).
2) 甲과 乙은 대지를 매수하는 과정에서, 甲은 A지역, 乙은 B지역을 각각 특정하여 매수하였다. 甲은 B지역에 건물을 신축하였는데 후에 상호명의신탁이 해지되어 甲은 A지역・乙은 B지역의 토지를 각각 취득하였다. 乙이 취득한 B지역의 甲소유 건물의 철거를 청구하자 甲은 관습상의 법정지상권이 발생하였다고 주장하였다. 甲의 주장은 부당하다(대판 1994.1.28, 93다49871).
3) 지분권자는, ① 내부관계에 있어서는 특정부분에 한하여 소유권을 취득하고 이를 배타적으로 사용・수익할 수 있고, 다른 구분소유자의 방해행위에 대하여는 소유권에 터 잡아 그 배제를 구할 수 있으나, ② 외부관계에 있어서는 1필지 전체에 관하여 공유관계가 성립되고 공유자로서의 권리만을 주장할 수 있는 것이므로, 제3자의 방해행위가 있는 경우에는 자기의 구분소유 부분뿐 아니라 전체토지에 대하여 공유물의 보존행위로서 그 배제를 구할 수 있다(대판 1994.2.8, 93다42986).
4) 구분소유적 공유지분에 설정된 근저당권의 실행에 의하여 공유지분을 취득한 경락인은 그 구분소유적 공유지분을 그대로 취득한다(대판 1991.8.27, 91다3703).
5) 공유관계해소 시 공유물분할의 소를 제기할 수 없고, 상호명의신탁해지를 원인으로 한 지분이전등기절차이행의 소를 제기해야 한다(대판 1989.9.12, 88다카10517). → 상호명의신탁관계 내지 구분소유적 공유관계에서 건물의 특정 부분을 구분소유하는 자는 그 부분에 대하여 신탁적으로 지분등기를 가지고 있는 자를 상대로 하여 그 특정 부분에 대한 명의신탁 해지를 원인으로 한 지분이전등기절차의 이행을 구할 수 있을 뿐 그 건물 전체에 대한 공유물분할을 구할 수는 없다(대판 2010.5.27, 2006다84171). ★★★

6) 구분소유적 공유관계가 해소되는 경우 공유지분권자 상호간의 지분이전등기의무는 그 이행상 견련관계에 있다고 봄이 공평의 관념 및 신의칙에 부합하고, 또한 각 공유지분권자는 특별한 사정이 없는 한 제한이나 부담이 없는 완전한 지분소유권이전등기의무를 지므로, 그 구분소유권 공유관계를 표상하는 공유지분에 근저당권설정등기 또는 압류, 가압류등기가 경료되어 있는 경우에는 그 공유지분권자로서는 그러한 각 등기도 말소하여 완전한 지분소유권이전등기를 해 주어야 한다. 따라서 구분소유적 공유관계가 해소되는 경우 쌍방의 지분소유권이전등기의무와 아울러 그러한 근저당권설정등기 등의 말소의무 또한 동시이행의 관계에 있다. 그리고 구분소유적 공유관계에서 어느 일방이 그 명의신탁을 해지하고 지분소유권이전등기를 구함에 대하여 상대방이 자기에 대한 지분소유권이전등기 절차의 이행이 동시에 이행되어야 한다고 항변하는 경우, 그 동시이행의 항변에는 특별한 사정이 없는 한 명의신탁 해지의 의사표시가 포함되어 있다고 보아야 한다(대판 2008.6.26, 2004다32992).

7) ① 외부관계에 있어서는 1필지 전체에 관하여 공유관계가 성립되고 공유자로서의 권리만을 주장할 수 있다(대판 1994.2.8, 93다42986). ② 공유자들 사이에 상호명의신탁이 해지되었더라도 지분에 관한 소유권이전등기를 하지 않았다면 외부관계에서 해당 지분에 관한 소유권은 명의수탁자에게 있고 명의수탁자로부터 소유권(지분)을 승계취득한 제3자가 소유자라 할 것이므로, 명의신탁자는 대외관계(외부관계)에서 소유권을 주장할 수 없다(대판 2023.12.28, 2023다260972). ★

8) 제3자가 구분소유권자 1인의 토지만을 불법점유 사용하고 있는 경우 그 구분소유권자는 자기의 지분범위 내에서 권리를 행사할 수 있다(대판 1993.11.23, 93다22326). → 제3자가 구분소유적 공유관계에 있는 특정부분을 권원 없이 점유함으로써 법률상 원인 없이 그 임료상당의 이익을 얻고 이로 인하여 특정부분의 소유자에게 동액상당의 손해를 입힌 경우, 무단점유자는 특정부분 소유자에 대한 관계에서 그 자의 지분에 상응한 만큼의 부당이득반환의무가 있는 것이므로, 토지 전부에 대한 부당이득반환의 청구는 인정될 수 없다고 본 사례이다.

9) 부동산의 위치나 면적을 특정하여 2인 이상이 구분소유하기로 하는 약정을 하고, 그 구분소유자의 공유로 등기하는 경우(소위 상호명의신탁)는 부동산 실권자명의 등기에 관한 법률이 금지하는 명의신탁약정에서 제외된다(부동산실명법 제2조 제1호). → 1필의 토지의 일부를 특정하여 양도받고 편의상 그 전체에 관하여 공유지분등기를 경료한 경우에는 상호 명의신탁에 의한 수탁자의 등기로서 유효하고, 위 특정부분이 전전 양도되고 그에 따라 공유지분등기도 전전 경료되면 위와 같이 상호 명의신탁한 지위도 전전 승계 되어 최초의 양도인과 위 특정부분의 최후의 양수인과의 사이에 명의신탁 관계가 성립한다 할 것이다(대판 1990.6.26, 88다카14366).

10) 경락에 의한 소유권취득은 성질상 승계취득이므로 하나의 토지 중 특정부분에 대한 구분소유적 공유관계를 표상하는 공유지분등기에 근저당권이 설정된 후 그 근저당권의 실행에 의하여 위 공유지분을 취득한 경락인은 구분소유적 공유지분을 그대로 (승계)취득한다고 할 것이다(대판 1991.8.27, 91다3703; 대판 2006.9.28, 2004다53050 同旨).

11) 1필지의 토지의 위치와 면적을 특정하여 2인 이상이 구분소유하기로 하는 약정을 하고 그 구분소유자의 공유로 등기하는 이른바 구분소유적 공유관계에 있어서, 각 구분소유적 공유자가 자신의 권리를 타인에게 처분하는 경우 중에는 ① 구분소유의 목적인 특정 부분을 처분하면서 등기부상의 공유지분을 그 특정 부분에 대한 표상으로서 이전하는 경우와 ② 등기부의 기재대로 1필지 전체에 대한 진정한 공유지분으로서 처분하는 경우가 있을 수 있고, 이 중 ⅰ) 전자의 경우에는 그 제3자에 대하여 구분소

유적 공유관계가 승계되나, ii) 후자의 경우에는 제3자가 그 부동산 전체에 대한 공유지분을 취득하고 구분소유적 공유관계는 소멸한다. 이는 경매에서도 마찬가지이므로, 전자에 해당하기 위하여는 집행법원이 공유지분이 아닌 특정 구분소유 목적물에 대한 평가를 하게 하고 그에 따라 최저경매가격을 정한 후 경매를 실시하여야 하며, 그러한 사정이 없는 경우에는 1필지에 관한 공유자의 지분에 대한 경매목적물은 원칙적으로 1필지 전체에 대한 공유지분이라고 봄이 상당하다(대판 2008.2.15, 2006다68810 · 68827).

12) 1필지의 토지의 위치와 면적을 특정하여 2인 이상이 구분소유하기로 하는 약정을 하고 구분소유자의 공유로 등기하는 이른바 구분소유적 공유관계에 있어서, 1필지의 토지 중 특정 부분에 대한 구분소유적 공유관계를 표상하는 공유지분을 목적으로 하는 근저당권이 설정된 후 구분소유하고 있는 특정 부분별로 독립한 필지로 분할되고 나아가 구분소유자 상호 간에 지분이전등기를 하는 등으로 구분소유적 공유관계가 해소되더라도 그 근저당권은 종전의 구분소유적 공유지분의 비율대로 분할된 토지들 전부의 위에 그대로 존속하는 것이고, 근저당권설정자의 단독소유로 분할된 토지에 당연히 집중되는 것은 아니다(대판 2014.6.26, 2012다25944). ★

제3관 합유

제271조【물건의 합유】

① 법률의 규정 또는 계약에 의하여 수인이 조합체로서 물건을 소유하는 때에는 합유로 한다. 합유자의 권리는 합유물 전부에 미친다.

② 합유에 관하여는 전항의 규정 또는 계약에 의하는 외에 다음 3조의 규정에 의한다.

제272조【합유물의 처분, 변경과 보존】 합유물을 처분 또는 변경함에는 합유자 전원의 동의가 있어야 한다. 그러나 보존행위는 각자가 할 수 있다.

제273조【합유지분의 처분과 합유물의 분할금지】

① 합유자는 전원의 동의 없이 합유물에 대한 지분을 처분하지 못한다.

② 합유자는 합유물의 분할을 청구하지 못한다.

제274조【합유의 종료】

① 합유는 조합체의 해산 또는 합유물의 양도로 인하여 종료한다.

② 전항의 경우에 합유물의 분할에 관하여는 공유물의 분할에 관한 규정을 준용한다.

1) 수인이 조합체를 이루어 물건을 소유하는 공동소유의 형태를 합유라고 한다. 제271조는 조합체의 성립원인으로 "법률의 규정 또는 계약"을 들고 있다. 계약으로 조합체가 성립하는 경우로는 조합계약이 있고, 그 대표적인 예가 '동업계약'이다.

2) 합유자는 합유물 분할을 청구하지 못하고 합유물에 대한 지분은 단독으로 처분할 수 없으며, 합유자의 권리는 합유물 전부에 미치고, 합유물을 처분 또는 변경함에는 합유자 전원의 동의가 있어야 하나 보존행위는 각자가 할 수 있으며, 합유관계는 조합체의 해산 또는 합유물의 양도로 인하여 종료한다(제271조 제1항 후단, 제2항, 제272조~제274조).

3) 합유재산을 합유자 1인 명의로 소유권보존등기를 하면 그 등기는 원인 없는 무효의 등기이다. 부동산등기법은 등기권리자가 다수인 경우에 그 권리가 합유인 때에는 등기신청서에 그 취지를 기재해야 한다고 규정한다(동법 제48조 제4항).
4) 합유자 중 일부가 사망한 경우, 사망한 합유자의 상속인은 합유자로서의 지위를 승계하는 것이 아니므로 해당 부동산은 잔존 합유자의 합유 혹은 단독소유로 귀속된다(대판 1994.2.25, 93다39225).
5) 민법 제272조에 따르면 합유물을 처분 또는 변경함에는 합유자 전원의 동의가 있어야 하나, 합유물 가운데서도 조합재산의 경우 그 처분・변경에 관한 행위는 조합의 특별사무에 해당하는 업무집행으로서, 이에 대하여는 특별한 사정이 없는 한 민법 제706조 제2항이 민법 제272조에 우선하여 적용되므로, 조합재산의 처분・변경은 업무집행자가 없는 경우에는 조합원의 과반수로 결정하고, 업무집행자가 수인 있는 경우에는 그 업무집행자의 과반수로써 결정하며, 업무집행자가 1인만 있는 경우에는 그 업무집행자가 단독으로 결정한다(대판 2010.4.29, 2007다18911).
6) 합유지분 포기가 적법하다면 그 포기된 합유지분은 나머지 잔존 합유지분권자들에게 균분으로 귀속하게 되지만, 그와 같은 물권변동은 합유지분권의 포기라고 하는 법률행위에 의한 것이므로 등기하여야 효력이 있고 지분을 포기한 합유지분권자로부터 잔존 합유지분권자들에게 합유지분권 이전등기가 이루어지지 아니하는 한 지분을 포기한 지분권자는 제3자에 대하여 여전히 합유지분권자로서의 지위를 가지고 있다고 보아야 한다(대판 1997.9.9, 96다16896).
7) 합유재산을 합유자 1인의 단독소유로 소유권보존등기를 한 경우에는 소유권보존등기가 실질관계에 부합하지 않는 원인무효의 등기이므로, 다른 합유자는 등기명의인인 합유자를 상대로 소유권보존등기 말소청구의 소를 제기하는 등의 방법으로 원인무효의 등기를 말소시킨 다음 새로이 합유의 소유권보존등기를 신청할 수 있다(대판 2017.8.18, 2016다6309).

판례 연구 **관련판례 정리**

1) 수인이 부동산을 공동으로 매수한 경우, 매수인들 사이의 법률관계는 공유관계로서 단순한 공동매수인에 불과하여 매도인은 매수인 수인에게 그 지분에 대한 소유권이전등기의무를 부담하는 경우도 있을 수 있고, 그 수인을 조합원으로 하는 조합체에서 매수한 것으로서 매도인이 소유권 전부의 이전의무를 그 조합체에 대하여 부담하는 경우도 있을 수 있으나, 매수인들이 상호 출자하여 공동사업을 경영할 것을 목적으로 하는 조합이 조합재산으로서 부동산의 소유권을 취득하였다면 민법 제271조 제1항의 규정에 의하여 당연히 그 조합체의 합유물이 되고, 다만 그 조합체가 합유등기를 하지 아니하고 그 대신 조합원 1인의 명의로 소유권이전등기를 하였다면 이는 조합체가 그 조합원에게 명의신탁한 것으로 보아야 한다(대판 2006.4.13, 2003다25256). 이 경우에는 부동산 실권리자명의 등기에 관한 법률 제4조 제2항 본문이 적용되어 명의수탁자인 조합원들 명의의 소유권이전등기는 무효이어서 그 부동산 지분은 조합원들의 소유가 아니기 때문에 이를 일반채권자들의 공동담보에 공하여지는 책임재산이라고 볼 수 없고, 따라서 조합원들 중 1인이 조합에서 탈퇴하면서 나머지 조합원들에게 그 지분에 관한 소유권이전등기를 경료하여 주었다 하더라도 그로써 채무자인 그 해당 조합원의 책임재산에 감소를 초래한 것이라고 할 수 없으므로, 이를 들어 일반채권자를 해하는 사해행위라고 볼 수는 없으며, 그에게 사해의 의사가 있다고 볼 수도 없다(대판 2002.6.14, 2000다30622).

2) 공유자들 사이에 조합관계가 성립하여 각자가 부동산을 조합재산으로 출연하였음에도 그 조합체 재산에 관한 소유권등기를 함에 있어서 이를 합유로 하지 아니하고 공유로 한 경우에는 제3자에 대한 관계에서는 공유관계임을 전제로 한 법률관계만이 적용될 뿐이므로 조합원들이 공유자로서 소유권행사를 할 수 있을 것임은 별론으로 하고, 조합원들 상호간 및 조합원과 조합체 상호간의 내부관계에서는 조합계약에 따른 효력으로 인하여 그 재산은 조합계약상의 공동사업을 위해 출자된 합유물인 특별재산으로 취급될 것이므로 조합원들로서는 그 지분의 회수방법으로서 조합을 탈퇴하여 조합지분 정산금을 청구하거나 일정한 경우 조합체의 해산청구를 할 수 있는 등의 특별한 사정이 없는 한 그 합유물에 대하여 곧바로 분할청구를 할 수는 없다(대판 2009.12.24, 2009다57064).

3) 동업약정에 따라 동업자 공동으로 토지를 매수하였다면 그 토지는 동업자들을 조합원으로 하는 동업체에서 토지를 매수한 것이므로 그 동업자들은 토지에 대한 소유권이전등기청구권을 준합유하는 관계에 있고, 합유재산에 관한 소는 이른바 고유필요적공동소송이라 할 것이므로 그 매매계약에 기하여 소유권이전등기의 이행을 구하는 소를 제기하려면 동업자들이 공동으로 하지 않으면 안 된다(대판 1994.10.25, 93다54064).

4) 합유물에 관하여 경료된 원인 무효의 소유권이전등기의 말소를 구하는 소송은 합유물에 관한 보존행위로서 합유자 각자가 할 수 있다(대판 1997.9.9, 96다16896).

5) 민법상 조합인 공동수급체가 경쟁입찰에 참가하였다가 다른 경쟁업체가 낙찰자로 선정된 경우, 그 공동수급체의 구성원 중 1인이 그 낙찰자 선정이 무효임을 주장하며 무효확인의 소를 제기하는 것은 그 공동수급체가 경쟁입찰과 관련하여 갖는 법적 지위 내지 법률상 보호받는 이익이 침해될 우려가 있어 그 현상을 유지하기 위하여 하는 소송행위이므로 이는 합유재산의 보존행위에 해당한다(대판 2013.11.28, 2011다80449).

제4관 총유

제275조【물건의 총유】
① 법인이 아닌 사단의 사원이 집합체로서 물건을 소유할 때에는 총유로 한다.
② 총유에 관하여는 사단의 정관 기타 규약에 의하는 외에 다음 2조의 규정에 의한다.
제276조【총유물의 관리, 처분과 사용, 수익】
① 총유물의 관리 및 처분은 사원총회의 결의에 의한다.
② 각 사원은 정관 기타의 규약에 좇아 총유물을 사용, 수익할 수 있다.
제277조【총유물에 관한 권리의무의 득상】
총유물에 관한 사원의 권리의무는 사원의 지위를 취득상실함으로써 취득상실된다.

1) 법인 아닌 사단의 사원이 집합체로서 물건을 소유하는 공동소유의 형태를 가리켜 총유라고 한다(제275조 제1항).

2) 총유물의 관리, 처분은 사원총회의 결의에 의하고, 보존행위도 마찬가지이다(제276조 제1항). 판례는 본 조항을 강행규정으로 파악하고 본 조항에 위배된 법률행위에 관하여 표현대리에 의한 보호는 있을 수 없다고 한다(대판 2003.7.11, 2001다73626).

3) 재건축조합의 조합장이 특정 조합원에게 그가 출자한 대지에 관하여 다른 조합원들과는 달리 실제면적 이상의 할증보상을 하여 주겠다는 내용의 약정을 체결한 행위는 재건축조합이 가지고 있는 총유물 그 자체에 관한 관리 및 처분행위에 해당하므로 이에 관하여 별도의 정관이나 규약을 가지고 있지 않고 재건축조합의 총회결의도 없었다면 위 약정은 무효이다(대판 2006.1.27, 2004다45349).

4) 비법인사단이 타인 간의 금전채무를 보증하는 행위에 총회결의를 요하도록 하는 것은 총유물 자체의 처분행위로 보지 않고 채무부담행위로서 대표권의 제한에 해당하는 것으로 본다. 판례는 ① 비법인사단이 타인 간의 금전채무를 보증하는 행위는 총유물 그 자체의 관리·처분이 따르지 아니하는 단순한 채무부담행위에 불과하여 이를 총유물의 관리·처분행위라고 볼 수는 없고(대판(전) 2007.4.19, 2004다60072·60089), 비법인사단인 재건축조합의 조합장이 채무보증계약을 체결하면서 조합규약에서 정한 조합 임원회의 결의를 거치지 아니하였다거나 조합원 총회 결의를 거치지 않았다고 하더라도 그것만으로 바로 그 보증계약이 무효라고 할 수는 없다고 하였다(대판(전) 2007.4.19, 2004다60072·60089). ② 재건축조합이 설계용역계약을 체결하는 행위도 마찬가지이다(대판 2003.7.22, 2002다64780).

제276조 제1항의 총유물의 관리·처분행위에 해당하는지 여부

① 구 주택건설촉진법에 의하여 설립된 재건축조합은 민법상의 비법인사단에 해당하고, 총유물의 관리 및 처분에 관하여는 정관이나 규약에 정한 바가 있으면 이에 따라야 하고, 그에 관한 정관이나 규약이 없으면 사원총회의 결의에 의하여 하는 것이므로 정관이나 규약에 정함이 없는 이상 사원총회의 결의를 거치지 않은 총유물의 관리 및 처분행위는 무효라고 할 것이나, 총유물의 관리·처분행위라 함은 총유물 그 자체에 관한 법률적·사실적 처분행위와 이용·개량행위를 말하는 것으로서 재건축조합이 재건축사업 시행을 위해 설계용역계약을 체결하는 것은 단순한 채무부담행위에 불과하여 총유물 그 자체에 대한 관리·처분행위라고 볼 수 없다(대판 2003.7.22, 2002다64780).

② 총유물의 처분이라 함은 '총유물을 양도하거나 그 위에 물권을 설정한 등의 행위'를 말하므로, 그에 이르지 않은 단순히 '총유물의 사용권을 타인에게 부여하거나 임대하는 행위'는 원칙적으로 총유물의 처분이 아닌 관리행위에 해당한다고 보아야 한다. 한편 민법 제619조에 의하면 처분의 능력 또는 권한 없는 사람도 석조, 석회조, 연와조 및 그와 유사한 건축물을 목적으로 한 토지의 임대차의 경우에는 10년, 그 밖의 토지의 임대차의 경우에는 5년의 범위 안에서 다른 사람에게 토지를 임대할 수 있으므로, 종중이 종중총회의 결의에 의하지 않고 타인에게 기한을 정하지 않은 채 건축물을 목적으로 하는 토지의 사용권을 부여하였다고 하더라도 이를 곧 처분행위로 단정하여 전체가 무효라고 볼 것이 아니라 관리권한에 기하여 사용권의 부여가 가능한 범위 내에서는 관리행위로서 유효할 여지가 있다고 봄이 타당하다(대판 2012.10.25, 2010다56586).

③ 비법인사단에 있어서 총유물의 관리 및 처분은 정관 기타 계약에 정함이 없으면 사원총회의 결의에 의해야 하고, 비법인사단의 사원이 총유자의 한 사람으로서 총유물인 임야를 사용·수익할 수 있다 하여도 위 임야에 대한 분묘설치행위는 단순한 사용·수익에 불과한 것이 아니고 관습에 의한 지상권 유사의 물권을 취득하게 되는 처분행위에 해당된다 할 것이므로 사원총회의 결의가 필요하다(대판 2007.6.28, 2007다16885).

5) 비법인사단이 총유물에 관한 매매계약을 체결하는 행위는 총유물 그 자체의 처분이 따르는 채무부담행위로서 총유물의 처분행위에 해당하나, 그 매매계약에 의하여 부담하고 있는 채무의 존재를 인식하고 있다는 뜻을 표시하는 데 불과한 소멸시효 중단사유로서의 승인은 총유물 그 자체의 관리·처분이 따르는 행위가 아니어서 총유물의 관리·처분행위라고 볼 수 없다. 따라서 피고의 대표자가 매매계약에 따른 소유권이전등기의무에 대하여 소멸시효 중단의 효력이 있는 승인을 하는 경우에 있어 주민총회의 결의를 거치지 않았다고 하더라도 그것만으로 그 승인이 무효라고 할 수 없다(대판 2009.11.26, 2009다64383).
6) 총유재산에 관한 소송은 법인 아닌 사단이 그 명의로 사원총회의 결의를 거쳐 하거나 또는 그 구성원 전원이 당사자가 되어 필수적 공동소송의 형태로 할 수 있을 뿐 그 사단의 구성원은 설령 그가 사단의 대표자라거나 사원총회의 결의를 거쳤다 하더라도 그 소송의 당사자가 될 수 없고, 이러한 법리는 총유재산의 보존행위로서 소를 제기하는 경우에도 마찬가지이다(대판(전) 2005.9.15, 2004다44971).
7) 총유물의 보존에 있어서는 공유물의 보존에 관한 민법 제265조의 규정이 적용될 수 없고, 특별한 사정이 없는 한 민법 제276조 제1항의 규정에 따라 사원총회의 결의를 거쳐야 하므로, 법인 아닌 사단인 종중이 그 총유재산에 대한 보존행위로서 소송을 하는 경우에도 특별한 사정이 없는 한 종중 총회의 결의를 거쳐야 한다(대판 2010.2.11, 2009다83650).

제5관 준공동소유

제278조【준공동소유】 본절의 규정은 소유권 이외의 재산권에 준용한다. 그러나 다른 법률에 특별한 규정이 있으면 그에 의한다.

1) 준공동소유란 소유권 이외의 재산권을 수인이 공동으로 소유하는 법률관계를 의미하며, 이에는 준공유·준합유·준총유의 세 가지가 있다. 준공동소유가 인정되는 것으로는 지상권·지역권·전세권·저당권과 같은 민법상의 물권이 있다.
2) 수인의 채권자가 돈을 빌려주면서 그 채권담보를 위해 채무자 소유의 부동산에 대하여 매매예약을 하고 그에 기한 청구권의 순위를 보존하기 위해 가등기를 경료한 경우, 판례는 수인의 채권자는 매매예약완결권을 준공유하는 관계에 있다고 한다.
3) 준공동소유에 관해서는 다른 법률에 특별한 규정이 없는 한, 공유·합유·총유의 민법규정이 준용된다.

제6절 명의신탁

제1관 총설

1. 명의신탁의 개념

명의신탁이란 신탁자가 소유권을 보유하여 이를 관리·수익하면서, 공부상의 소유명의만을 수탁자 앞으로 해 두는 것을 말한다.

2. 명의신탁에 관한 규율

종래 명의신탁에 관한 이론은 판례에 의해 정립되었는데, 부동산 실권리자명의 등기에 관한 법률(이하 '부동산실명법'이라 한다)이 제정되면서 명의신탁에 대하여는 동법의 적용을 받게 되었다. 그러나 동법에 의하더라도 그 적용이 배제되는 경우가 적지 않다. 따라서 이와 같이 부동산실명법이 적용되지 않는 명의신탁에 관하여는 여전히 종래의 판례이론이 적용된다.

이하에서는 부동산실명법의 해석론을 먼저 살펴본 후, 동법의 적용이 부정되는 경우에 대한 종래의 판례이론을 설명하기로 한다.

제2관 부동산 실권리자명의 등기에 관한 법률

Ⅰ. 서설

1. 제정목적

> 제1조【목적】
> 이 법은 부동산에 관한 소유권과 그 밖의 물권을 실체적 권리관계와 일치하도록 실권리자 명의로 등기하게 함으로써 부동산등기제도를 악용한 투기·탈세·탈법행위 등 반사회적 행위를 방지하고 부동산 거래의 정상화와 부동산 가격의 안정을 도모하여 국민경제의 건전한 발전에 이바지함을 목적으로 한다.

부동산에 관한 소유권 기타 물권을 실질적 권리관계에 부합하도록 실권리자 명의로 등기하게 함으로써, 부동산등기제도를 악용한 투기·탈세·탈법행위 등 반사회적 행위를 방지하고 부동산거래의 정상화와 부동산가격의 안정을 도모하여 국민경제의 건전한 발전에 이바지함을 목적으로 한다(동법 제1조).

부동산실명법에 위반되어 무효인 명의신탁약정에 기한 수탁자명의 등기 ★★

① 부동산 실권리자명의 등기에 관한 법률이 규정하는 명의신탁약정은 부동산에 관한 물권의 실권리자가 타인과의 사이에서 대내적으로는 실권리자가 부동산에 관한 물권을 보유하거나 보유하기로 하고 그에 관한 등기는 그 타인의 명의로 하기로 하는 약정을 말하는 것일 뿐이므로, 그 자체로 선량한 풍속 기타 사회질서에 위반하는 경우에 해당한다고 단정할 수 없을 뿐만 아니라, 위 법률은 원칙적으로 명의신탁약정과 그 등기에 기한 물권변동만을 무효로 하고 명의신탁자가 다른 법률관계에 기하여 등기회복 등의 권리행사를 하는 것까지 금지하지는 않는 대신, 명의신탁자에 대하여 행정적 제재나 형벌을 부과함으로써 사적자치 및 재산권보장의 본질을 침해하지 않도록 규정하고 있으므로, 위 법률이 비록 부동산등기제도를 악용한 투기·탈세·탈법행위 등 반사회적 행위를 방지하는 것 등을 목적으로 제정되었다고 하더라도, 무효인 명의신탁약정에 기하여 타인 명의의 등기가 마쳐졌다는 이유만으로 그것이 당연히 불법원인급여에 해당한다고 볼 수 없다(대판 2003.11.27, 2003다41722).

② 부동산 실권리자명의 등기에 관한 법률(이하 '부동산실명법'이라 한다) 규정의 문언, 내용, 체계와 입법 목적 등을 종합하면, 부동산실명법을 위반하여 무효인 명의신탁약정에 따라 명의수탁자 명의로 등기를 하였다는 이유만으로 그것이 당연히 불법원인급여에 해당한다고 단정할 수는 없다. 이는 농지법에 따른 제한을 회피하고자 명의신탁을 한 경우에도 마찬가지이다(대판(전) 2019.6.20, 2013다218156).

→ [사실관계 및 해설] : 농지인 이 사건 부동산에 관해 농지법상 처분명령을 회피하기 위한 목적으로 양자 간 명의신탁약정이 체결되고 그에 따라 명의수탁자에게 소유권이전등기가 마쳐졌는데, 명의신탁자가 사망하여 명의신탁 부동산에 관한 명의신탁자의 권리를 상속한 원고가, 명의수탁자가 사망함에 따라 상속을 원인으로 명의신탁 부동산에 관한 소유권이전등기를 마친 피고를 상대로 진정명의회복을 원인으로 한 소유권이전등기절차의 이행을 구한 사안에서, 종래 대법원 판례에 따라 부동산실명법에 위반하여 명의수탁자에게 등기가 마쳐졌다는 사정만으로 당연히 불법원인급여에 해당한다고 보기는 어렵다는 이유로 원고의 청구를 인정한 사례이다. 부동산 명의신탁이 우리 사회에서 차지하고 있는 중요성과 그에 대한 판단의 사회·경제적 영향력, 판례가 변경될 경우의 파급효 등을 고려하여 공개변론을 열어 다양한 의견을 수렴한 후 이를 기초로 최종적인 판단을 내린 사안인데, ① 다수의견은 종래 대법원 판례에 따라 부동산실명법에 위반하여 명의수탁자에게 등기가 마쳐졌다는 사정만으로 당연히 불법원인급여에 해당한다고 보기는 어렵다는 이유로 원고의 청구를 받아들인 원심판결에 관련 법리를 오해한 잘못이 없다고 본 사례이다. 부동산실명법에서 명의신탁을 금지하고 있다는 이유만으로 불법원인급여라고 인정함으로써 명의신탁자로부터 부동산에 관한 권리까지 박탈하는 것은 일반 국민의 관념에 맞지 않고, 명의수탁자의 불법성도 작지 않은데 불법원인급여 규정을 적용함으로써 명의수탁자에게 부동산 소유권을 귀속시키는 것은 정의관념에 부합하지 않고, 또한 명의신탁을 금지하겠다는 목적만으로 부동산실명법에서 예정한 것 이상으로 명의신탁자의 신탁부동산에 대한 재산권의 본질적 부분을 침해할 수는 없다는 것이 주된 이유였다. ② 이러한 다수의견에 대하여, 부동산실명법을 위반하여 무효인 명의신탁약정에 따라 명의수탁자에게 마쳐진 등기는 특별한 사정이 없는 한 민법 제746조의 불법원인급여에 해당한다고 보아야 한다는 반대의견이 있었다. 부동산 명의신탁은 우리 민법이 취하고 있는 부동산 법제의 근간인 성립요건주의와 상충될 뿐만 아니라 세계 어디에서도 찾아볼 수 없는 부끄러운 법적 유산으로서 이에 대한 반성적 고려에서 불법원인급여에 해당한다고 보아 명의신탁자의 권리를 부정해야 하고, 이와 같은 부동산에 관한 명의신탁을 근절하기 위한 사법적 결단이 필요하다는 것이 주된 이유였다.

2. 적용대상 및 유효성

제2조【정의】
이 법에서 사용하는 용어의 뜻은 다음과 같다.
1. "명의신탁약정"이란 부동산에 관한 소유권이나 그 밖의 물권(이하 "부동산에 관한 물권"이라 한다)을 보유한 자 또는 사실상 취득하거나 취득하려고 하는 자(이하 "실권리자"라 한다)가 타인과의 사이에서 대내적으로는 실권리자가 부동산에 관한 물권을 보유하거나 보유하기로 하고 그에 관한 등기(가등기를 포함한다. 이하 같다)는 그 타인의 명의로 하기로 하는 약정(위임·위탁매매의 형식에 의하거나 추인에 의한 경우를 포함한다)을 말한다. 다만, 다음 각 목의 경우는 제외한다.
   가. 채무의 변제를 담보하기 위하여 채권자가 부동산에 관한 물권을 이전(이전)받거나 가등기하는 경우
   나. 부동산의 위치와 면적을 특정하여 2인 이상이 구분소유하기로 하는 약정을 하고 그 구분소유자의 공유로 등기하는 경우
   다. 「신탁법」 또는 「자본시장과 금융투자업에 관한 법률」에 따른 신탁재산인 사실을 등기한 경우
2. "명의신탁자"란 명의신탁약정에 따라 자신의 부동산에 관한 물권을 타인의 명의로 등기하게 하는 실권리자를 말한다.
3. "명의수탁자"란 명의신탁약정에 따라 실권리자의 부동산에 관한 물권을 자신의 명의로 등기하는 자를 말한다.
4. "실명등기"란 법률 제4944호 부동산 실권리자명의 등기에 관한 법률 시행 전에 명의신탁약정에 따라 명의수탁자의 명의로 등기된 부동산에 관한 물권을 법률 제4944호 부동산 실권리자명의 등기에 관한 법률 시행일 이후 명의신탁자의 명의로 등기하는 것을 말한다.

제3조【실권리자명의 등기의무 등】
① 누구든지 부동산에 관한 물권을 명의신탁약정에 따라 명의수탁자의 명의로 등기하여서는 아니 된다.
② 채무의 변제를 담보하기 위하여 채권자가 부동산에 관한 물권을 이전받는 경우에는 채무자, 채권금액 및 채무변제를 위한 담보라는 뜻이 적힌 서면을 등기신청서와 함께 등기관에게 제출하여야 한다.

제4조【명의신탁약정의 효력】
① 명의신탁약정은 무효로 한다.
② 명의신탁약정에 따른 등기로 이루어진 부동산에 관한 물권변동은 무효로 한다. 다만, 부동산에 관한 물권을 취득하기 위한 계약에서 명의수탁자가 어느 한쪽 당사자가 되고 상대방 당사자는 명의신탁약정이 있다는 사실을 알지 못한 경우에는 그러하지 아니하다.
③ 제1항 및 제2항의 무효는 제3자에게 대항하지 못한다.

제8조【종중, 배우자 및 종교단체에 대한 특례】
다음 각 호의 어느 하나에 해당하는 경우로서 조세 포탈, 강제집행의 면탈 또는 법령상 제한의 회피를 목적으로 하지 아니하는 경우에는 제4조부터 제7조까지 및 제12조 제1항부터 제3항까지를 적용하지 아니한다.
1. 종중이 보유한 부동산에 관한 물권을 종중(종중과 그 대표자를 같이 표시하여 등기한 경우를 포함한다) 외의 자의 명의로 등기한 경우
2. 배우자 명의로 부동산에 관한 물권을 등기한 경우
3. 종교단체의 명의로 그 산하 조직이 보유한 부동산에 관한 물권을 등기한 경우

> **제11조 제1항【기존 명의신탁약정에 따른 등기의 실명등기 등】**
> 법률 제4944호 부동산 실권리자명의 등기에 관한 법률 시행 전에 명의신탁약정에 따라 부동산에 관한 물권을 명의수탁자의 명의로 등기하거나 등기하도록 한 명의신탁자(이하 "기존 명의신탁자"라 한다)는 법률 제4944호 부동산 실권리자명의 등기에 관한 법률 시행일부터 1년의 기간(이하 "유예기간"이라 한다) 이내에 실명등기하여야 한다. 다만, 공용징수, 판결, 경매 또는 그 밖에 법률에 따라 명의수탁자로부터 제3자에게 부동산에 관한 물권이 이전된 경우(상속에 의한 이전은 제외한다)와 종교단체, 향교 등이 조세 포탈, 강제집행의 면탈을 목적으로 하지 아니하고 명의신탁한 부동산으로서 대통령령으로 정하는 경우는 그러하지 아니하다.
> **제14조 제1항【기존 양도담보권자의 서면 제출 의무 등】**
> 법률 제4944호 부동산실권리자명의 등기에 관한 법률 시행 전에 채무의 변제를 담보하기 위하여 채권자가 부동산에 관한 물권을 이전받은 경우에는 법률 제4944호 부동산 실권리자명의 등기에 관한 법률 시행일부터 1년 이내에 채무자, 채권금액 및 채무변제를 위한 담보라는 뜻이 적힌 서면을 등기관에게 제출하여야 한다.

(1) 원칙적 금지의 대상

① 부동산실명법이 금지하는 명의신탁약정이란 "부동산에 관한 소유권 기타 물권"을 보유한 자 또는 사실상 취득하거나 취득하려고 하는 자가 타인과의 사이에서 대내적으로는 실권리자가 부동산에 관한 물권을 보유하거나 보유하기로 하고, 그에 관한 등기(가등기를 포함한다)는 그 타인의 명의로 하기로 하는 약정(위임, 위탁매매의 형식에 의하거나 추인에 의한 경우를 포함한다)을 말한다(동법 제2조 제1호 본문).

② 따라서 소유권등기뿐만 아니라 담보목적의 가등기나 저당권등기도 원칙적으로 동법의 적용대상이 된다.

(2) 예외적 허용 – 적용 예외(동법 제2조 제1호, 제8조)

부동산실명법은 다음과 같이 적지 않은 예외를 인정하고 있다.

① 채무의 변제를 담보하기 위하여 채권자가 부동산에 관한 물권을 이전받거나(양도담보) 가등기하는 경우(가등기담보)

② 부동산의 위치나 면적을 특정하여 2인 이상이 구분소유하기로 하는 약정을 하고, 그 구분소유자의 공유로 등기하는 경우(소위 상호명의신탁)

③ 신탁법에 의한 신탁재산인 사실을 등기한 경우

④ 종중재산의 명의신탁이나 부부간 명의신탁·종교단체의 명의로 그 산하 조직이 보유한 부동산에 관한 물권을 등기한 경우로서, 조세포탈·강제집행의 면탈 또는 법령상 제한의 회피를 목적으로 하지 않는 경우

적용 예외에 해당하는지 여부에 대한 판단(대판 2017.12.5, 2015다240645)

[1] 부동산에 관하여 부부간의 명의신탁 약정에 따른 등기가 부동산 실권리자명의 등기에 관한 법률 제8조의 조세 포탈 등의 목적이 있다는 이유로 무효라는 점에 관한 증명책임의 소재(등기가 무효임을 주장하는 자) 및 이때 '조세 포탈 등의 목적'이 있는지 판단하는 방법

① 부동산실명법 제8조의 내용과 문장 구조에 비추어 보면, 부동산에 관하여 부부간의 명의신탁 약정에 따른 등기가 있는 경우 그것이 조세 포탈 등을 목적으로 한 것이라는 점은 예외에 속한다. 따라서 이러한 목적이 있다는 이유로 등기가 무효라는 점은 이를 주장하는 자가 증명하여야 한다. ★

② 위 규정에서 '조세 포탈 등의 목적'은 명의신탁약정과 그에 따른 등기의 효력을 가리는 기준이 될 뿐만 아니라 과징금·이행강제금의 부과 요건, 형벌조항의 범죄구성요건에 해당한다. 이러한 목적이 있는지는 부부간의 재산관리 관행을 존중하려는 특례규정의 목적과 취지, 부부의 재산관계와 거래의 안전에 미치는 영향, 조세 포탈 등의 행위를 처벌하는 다른 형벌조항과의 체계적 연관성 등을 고려하여 판단하여야 한다.

[2] 부동산 실권리자명의 등기에 관한 법률 제8조의 '강제집행의 면탈'을 목적으로 한 명의신탁에 해당하기 위한 요건 및 부부간의 명의신탁 당시에 막연한 장래에 채권자가 집행할 가능성을 염두에 두었다는 것만으로 강제집행 면탈의 목적을 인정할 수 있는지 여부(소극)

한편 부동산실명법 제8조의 '강제집행의 면탈'을 목적으로 한 명의신탁에 해당하려면 민사집행법에 따른 강제집행 또는 가압류·가처분의 집행을 받을 우려가 있는 객관적인 상태, 즉 채권자가 본안 또는 보전소송을 제기하거나 제기할 태세를 보이고 있는 상태에서 한쪽 배우자가 상대방 배우자에게 부동산을 명의신탁함으로써 채권자가 집행할 재산을 발견하기 곤란하게 할 목적이 있다고 인정되어야 한다. 부부간의 명의신탁 당시에 막연한 장래에 채권자가 집행할 가능성을 염두에 두었다는 것만으로 강제집행 면탈의 목적을 섣불리 인정해서는 안 된다.

판례 연구 **관련판례 정리**

1. 부동산실명법상 허용되는 부부간 명의신탁에서 '배우자'의 의미 – 법률상 배우자 ★

부동산 실권리자명의 등기에 관한 법률 제5조에 의하여 부과되는 과징금에 대한 특례를 규정한 같은 법 제8조 제2호 소정의 '배우자'에는 사실혼 관계에 있는 배우자는 포함되지 아니한다(대판 1999.5.14, 99두35).

2. 부동산실명법 위반으로 무효가 된 명의신탁 이후에 당사자가 혼인한 경우 특례 적용 여부

부동산 실권리자명의 등기에 관한 법률 제8조 제2호에서는 배우자 명의로 부동산에 관한 물권을 등기한 경우로서 조세포탈, 강제집행의 면탈 또는 법령상 제한의 회피를 목적으로 하지 아니하는 경우에는 그 명의신탁약정과 그 약정에 기하여 행하여진 물권변동을 무효로 보는 위 법률 제4조 등을 적용하지 않는다고 규정하고 있는바, 어떠한 명의신탁등기가 위 법률에 따라 무효가 되었다고 할지라도 그 후 신탁자와 수탁자가 혼인하여 그 등기의 명의자가 배우자로 된 경우에는 조세포탈, 강제집행의 면탈 또는 법령상 제한의 회피를 목적으로 하지 아니하는 한 이 경우에도 위 법률 제8조 제2호의 특례를 적용하여 그 명의신탁등기는 당사자가 혼인한 때로부터 유효하게 된다고 보아야 한다(대판 2002.10.25, 2002다23840).

3. 부동산실명법 제8조 제2호에 따라 부부간 명의신탁이 일단 유효한 것으로 인정된 후 배우자 일방의 사망으로 부부관계가 해소된 경우, 명의신탁약정이 사망한 배우자의 다른 상속인과의 관계에서도 여전히 유효하게 존속하는지 여부(적극)

명의신탁을 받은 사람이 사망하면 그 명의신탁관계는 재산상속인과의 사이에 그대로 존속한다고 할 것인데, 부동산실명법 제8조 제2호의 문언상 명의신탁약정에 따른 명의신탁등기의 성립 시점에 부부관계가 존재할 것을 요구하고 있을 뿐 부부관계의 존속을 그 효력 요건으로 삼고 있지 아니한 점, 부동산실명법상 제8조 제2호에 따라 일단 유효한 것으로 인정된 부부간 명의신탁에 대하여 그 후 배우자 일방의 사망 등으로 부부관계가 해소되었음을 이유로 이를 다시 무효화하는 별도의 규정이 존재하지 아니하는 점, 부부간 명의신탁이라 하더라도 조세포탈 등 목적이 없는 경우에 한하여 위 조항이 적용되는 것이므로 부부관계가 해소된 이후에 이를 그대로 유효로 인정하더라도 새삼 부동산실명법의 입법 취지가 훼손될 위험성은 크지 아니한 점 등에 비추어 보면, 부동산실명법 제8조 제2호에 따라 부부간 명의신탁이 일단 유효한 것으로 인정되었다면 그 후 배우자 일방의 사망으로 부부관계가 해소되었다 하더라도 그 명의신탁약정은 사망한 배우자의 다른 상속인과의 관계에서도 여전히 유효하게 존속한다고 보아야 한다(대판 2013.1.24, 2011다99498).

4. 부동산실명법 제8조 제1호에서 말하는 '종중'에 '종중 유사의 비법인 사단'이 포함되는지 여부(소극) ★

부동산 실권리자명의 등기에 관한 법률(이하 '부동산실명법'이라 한다) 제8조 제1호에 의하면 종중이 보유한 부동산에 관한 물권을 종중 이외의 자의 명의로 등기하는 명의신탁의 경우 조세포탈, 강제집행의 면탈 또는 법령상 제한의 회피를 목적으로 하지 아니하는 경우에는 같은 법 제4조 내지 제7조 및 제12조 제1항·제2항의 규정의 적용이 배제되도록 되어 있는바, 부동산실명법의 제정목적, 위 조항에 의한 특례의 인정취지, 다른 비법인 사단과의 형평성 등을 고려할 때 위 조항에서 말하는 종중은 고유의 의미의 종중만을 가리키고, 종중 유사의 비법인 사단은 포함하지 않는 것으로 봄이 상당하다(대판 2007.10.25, 2006다14165).

II. 명의신탁의 성립과 효력

1. 명의신탁의 성립

명의신탁관계는 반드시 신탁자와 수탁자 사이의 명시적 계약에 의하여만 성립하는 것이 아니라 묵시적 합의에 의하여도 성립할 수 있으나, 명시적인 계약이나 묵시적 합의가 인정되지 않는데도 명의신탁약정이 있었던 것으로 단정하거나 간주할 수는 없다.

2. 명의신탁의 약정과 등기의 효력

(1) 당사자 사이의 효력

1) 명의신탁약정은 무효로 한다(동법 제4조 제1항). 그리고 이 약정에 따라 행하여진 물권변동도 무효가 된다(동법 제4조 제2항 본문).

2) 다만, 부동산에 관한 물권을 취득하기 위한 계약에서 명의수탁자가 그 일방 당사자가 되고 그 타방 당사자는 명의신탁약정이 있다는 사실을 알지 못한 경우(소위 계약명의신탁)에는, 예외적으로 그 약정에 따라 행하여진 물권변동은 유효하다(제4조 제2항 단서).

(2) 제3자에 대한 효력

1) 명의신탁약정의 무효는 선·악의를 불문하고 제3자에게 대항하지 못한다(제4조 제3항). 즉 제3자에 대한 관계에서는 유효한 것으로 취급되고, 그 결과 수탁자의 처분행위는 유효하게 된다는 것이다. 다만 제3자가 수탁자의 처분행위에 적극 가담함으로써 사회질서에 반한다고 판단되는 등의 특별한 사정이 있는 경우에는 그 제3자 명의의 등기는 무효이다(대판 2004.8.30, 2002다48771).

2) 여기서 제3자란 "명의수탁자가 물권자임을 기초로 그와의 사이에 직접적 새로운 이해관계를 맺은 자"를 말한다.

3) 판례는 ① 명의신탁자와 부동산에 관한 계약을 체결하고 단지 등기명의만을 명의수탁자로부터 경료받은 것과 같은 외관을 갖춘 제3자를 부동산실명법 제4조 제3항에 정한 '제3자'로 볼 수 없다고 하였다(대판 2004.8.30, 2002다48771). ② 명의수탁자로부터 등기명의를 넘겨받은 자가 부동산실명법 제4조 제3항의 제3자에 해당하지 않아 그 등기가 무효인 경우, 그 등기를 기초로 다시 이해관계를 맺은 자도 제3자에 해당하지 않으므로 그 명의의 등기는 무효라고 본다(대판 2005.11.10, 2005다34667·34674). 또한 ③ 명의수탁자의 일반 채권자는 부동산실명법 제4조 제3항의 '제3자'에 해당하지 않는다(대판 2007.12.27, 2005다54104 판결이유 중).

부동산 실권리자명의 등기에 관한 법률에서 정한 유예기간이 경과한 후, 명의신탁자가 명의신탁 해지를 원인으로 하는 소유권이전등기를 청구할 수 있는지 여부(소극)

부동산 실권리자명의 등기에 관한 법률 제11조, 제12조 제1항과 제4조의 규정에 의하면, 같은 법 시행 전에 명의신탁약정에 의하여 부동산에 관한 물권을 명의수탁자의 명의로 등기하도록 한 명의신탁자는 같은 법 제11조에서 정한 유예기간 이내에 실명등기 등을 하여야 하고, 유예기간이 경과한 날 이후부터 명의신탁약정과 그에 따라 행하여진 등기에 의한 부동산에 관한 물권변동이 무효가 되므로, 명의신탁자는 더 이상 명의신탁 해지를 원인으로 하는 소유권이전등기를 청구할 수 없다(대판 2007.6.14, 2005다5140).

명의수탁자와 직접 이해관계를 맺은 것이 아니라 부동산실명법 제4조 제3항에 정한 제3자가 아닌 자와 사이에서 무효인 등기를 기초로 다시 이해관계를 맺은 자의 제3자성 여부(소극) ★★★

부동산 실권리자명의 등기에 관한 법률(이하 '부동산실명법'이라 한다) 제4조 제3항에서 '제3자'라고 함은 명의신탁약정의 당사자 및 포괄승계인 이외의 자로서 명의수탁자가 물권자임을 기초로 그와의 사이에 직접 새로운 이해관계를 맺은 사람을 말한다고 할 것이므로, 명의수탁자로부터 명의신탁된 부동산의 소유명의를 이어받은 사람이 위 규정에 정한 제3자에 해당하지 아니한다면 그러한 자로서는 부동산실명법 제4조 제3항의 규정을 들어 무효인 명의신탁등기에 터 잡아 마쳐진 자신의 등기의 유효를 주장할 수 없고, 따라서 그 명의의 등기는 실체관계에 부합하여 유효라고 하는 등의 특별한 사정이 없는 한 무효라고 할 것이고, 등기부상 명의수탁자로부터 소유권이전등기를 이어받은 자의 등기가 무효인 이상, 부동산등기에 관하여 공신력이 인정되지 아니하는 우리 법제 아래서는 그 무효인 등기에 기초하여 새로운 법률원인으로 이해관계를 맺은 자가 다시 등기를 이어받았다면 그 명의의 등기 역시 특별한 사정이 없는 한 무효임을 면할 수 없다고 할 것이므로, 이렇게 명의수탁자와 직접 이해관계를 맺은 것이 아니라 부동산실명법 제4조 제3항에 정한 제3자가 아닌 자와 사이에서 무효인 등기를 기초로 다시 이해관계를 맺은 데 불과한 자는 위 조항이 규정하는 제3자에 해당하지 않는다고 보아야 한다(대판 2005.11.10, 2005다34667).

부동산 실권리자명의 등기에 관한 법률 제4조 제3항에서 정한 '제3자'의 범위 및 이는 명의신탁약정에 따라 형성된 외관을 토대로 다시 명의신탁이 이루어지는 등 연속된 명의신탁관계에서 최후의 명의수탁자가 물권자임을 기초로 그와 사이에 직접 새로운 이해관계를 맺은 사람에게도 적용되는지 여부(원칙적 적극) ★★★

부동산 실권리자명의 등기에 관한 법률 제4조 제3항에 의하면 명의신탁약정 및 이에 따른 등기로 이루어진 부동산에 관한 물권변동의 무효는 제3자에게 대항하지 못한다. ① 여기서 '제3자'는 명의신탁약정의 당사자 및 포괄승계인 이외의 자로서 명의수탁자가 물권자임을 기초로 그와 사이에 직접 새로운 이해관계를 맺은 사람으로서, 소유권이나 저당권 등 물권을 취득한 자뿐만 아니라 압류 또는 가압류채권자도 포함하고 그의 선의·악의를 묻지 않는다. ② 이러한 법리는 특별한 사정이 없는 한 명의신탁약정에 따라 형성된 외관을 토대로 다시 명의신탁이 이루어지는 등 연속된 명의신탁관계에서 최후의 명의수탁자가 물권자임을 기초로 그와 사이에 직접 새로운 이해관계를 맺은 사람에게도 적용된다(대판 2021.11.11, 2019다272725).

→ [사실관계 및 해설] : ① 甲은 2014.1. 경 X부동산에 대하여 A와 명의신탁약정을 맺고(이하 '제1명의신탁약정'이라고 한다) A 명의로 소유권이전등기를 마쳐 주었다. → ② A는 B에게 차용금채무의 변제에 갈음하여 X부동산의 소유권을 이전하여 주기로 약정하였는데, B는 X부동산에 대하여 자신의 아들인 C와 명의신탁약정(이하 '제2명의신탁약정'이라고 한다)을 맺은 후, 2015.8.10. A로부터 X부동산에 대한 소유권이전등기를 C명의로 이전받았다. → ③ C는 2015.8.25. X부동산을 담보로 乙부터 1억 원을 빌리고 乙 앞으로 저당권설정등기를 마쳐 주었다. 이와 관련하여 대법원은 "乙은 제1명의신탁약정의 명의수탁자인 A와 대물변제약정을 맺은 B가 C와 체결한 제2명의신탁약정에 따라 C가 A로부터 이어받은 소유권등기를 바탕으로 C가 물권자임을 기초로 C로부터 직접 저당권을 설정받은 자로서 부동산실명법 제4조 제3항에서 말하는 '제3자'에 해당하므로, 제1명의신탁약정의 명의신탁자인 甲에게 저당권설정등기의 유효를 주장할 수 있다고 보아야 하고, 이는 특별한 사정이 없는 한 제1명의신탁약정이 甲에 대한 관계에서 무효라는 사정 및 제2명의신탁약정이 B에 대한 관계에서 무효라는 사정만으로 영향을 받지 않는다."고 하였다.

학교법인이 명의신탁약정에 기하여 명의수탁자로서 기본재산에 관한 등기를 마침으로써 관할청이 기본재산 처분에 관하여 허가권을 갖게 되는 경우, 관할청이 부동산 실권리자명의 등기에 관한 법률 제4조 제3항에서 말하는 제3자에 해당하는지 여부(소극)

사립학교법 제28조 제1항은 학교법인이 기본재산에 대한 처분행위를 하고자 할 때에는 관할청의 허가를 받아야 한다고 규정하고 있고, 이는 사립학교의 설치경영을 위하여 설립된 학교법인이 기본재산을 부당하게 감소시키는 것을 방지함으로써 사립학교의 건전한 발달을 도모하고자 하는 데 목적이 있는바, 학교법인이 명의신탁약정에 기하여 명의수탁자로서 기본재산에 관한 등기를 마침으로써 관할청이 기본재산 처분에 관하여 허가권을 갖게 된다고 하더라도, 위 관할청의 허가권은 위와 같은 목적 달성을 위하여 관할청에게 주어진 행정상 권한에 불과한 것이어서 위 관할청을 명의수탁자인 학교법인이 물권자임을 기초로 학교법인과 사이에 직접 새로운 이해관계를 맺은 자라고 볼 수 없으므로, 부동산 실권리자명의 등기에 관한 법률 제4조 제3항에서 규정하는 제3자에 해당한다고 할 수 없다(대판 2013.8.22, 2013다31403).

명의수탁자가 신탁부동산을 임의로 처분하거나 강제수용이나 공공용지 협의취득 등을 원인으로 제3취득자 명의로 이전등기가 마쳐진 경우, 명의신탁관계의 당연종료 여부(적극) ★★

부동산 실권리자명의 등기에 관한 법률 제4조 제3항에 따르면 명의수탁자가 신탁부동산을 임의로 처분하거나 강제수용이나 공공용지 협의취득 등을 원인으로 제3취득자 명의로 이전등기가 마쳐진 경우, 특별한 사정이 없는 한 제3취득자는 유효하게 소유권을 취득한다. 그리고 이 경우 명의신탁관계는 당사자의 의사표시 등을 기다릴 필요 없이 당연히 종료되었다고 볼 것이다(대판 2021.7.8, 2021다209225·2021다209232).

→ [사실관계 및 해설] : ① 甲은 A로부터 구주택에 대한 매매계약을 체결하고 매매대금을 모두 지급했다. 다만 甲은 이 주택의 등기명의를 처제인 乙 명의로 하기로 하고, A는 이 주택에 관하여 乙 명의로 소유권이전등기를 해 주었다. 그 후 구주택 일원에 재개발사업이 시행되어 구주택이 철거되고 乙이 조합원의 자격에서 신주택을 분양받아 소유자로 등기하였다. 이 경우 신주택의 소유자가 누구인지가 문제되었다. ② 이에 대해 원심은 구주택에 관한 명의신탁관계의 연장선상에서 신주택에 관하여도 명의신탁관계가 존재하는 것으로 보고, 그에 따라 소유권의 유무 등에 대하여 판단하였다. ③ 그러나 대법원은 구주택이 철거 · 멸실됨으로써 명의신탁관계는 종료되었고, 당사자 간 별도의 명시적 계약이나 묵시적 합의가 있었다는 등의 특별한 사정이 인정되지 않는 한 신주택에 관하여 당연히 명의신탁관계가 발생하였다거나 존재하는 것으로 볼 수는 없다고 판단하였다. ④ 사견으로는 명확하진 않으나 대법원은 乙이 조합원의 자격에서 구주택을 사업시행자인 조합에게 현물출자하여 이를 철거하도록 한 것이 명의신탁을 종료시키는 '처분'에 해당하는 것으로 본 것이 아닌가 생각된다. 즉 사업시행자는 구주택의 명의수탁자인 乙로부터 구주택의 소유권을 유효하게 취득하였고, 다시 乙이 조합원의 자격에서 신주택을 분양받은 것으로 본다. 이에 따르면 결국 甲과 乙 간 별도의 명시적 · 묵시적 합의가 없는 한 신주택은 기존 명의수탁자인 乙의 소유로 된다. 다만 乙이 신주택의 소유권을 취득한다고 하더라도 甲이 乙을 상대로 부당이득 반환청구를 행사할 수 있는 가능성은 얼마든지 남아있다고 본다. 특히 차명으로 재개발 구역에 투자한 경우에 유념할 판례이다.

무효인 명의신탁등기에 터 잡아 마쳐진 제3자 명의 등기로서, 부동산실명법 제4조 제3항에 따른 보호를 받을 수 없는 제3자가 실체관계에 부합하는 유효한 등기라는 주장을 할 수 있는지 여부(적극) ★★★

① 부동산 실권리자명의 등기에 관한 법률(이하 '부동산실명법'이라 한다) 제4조 제3항에 정한 '제3자'는 명의수탁자가 물권자임을 기초로 그와 새로운 이해관계를 맺은 사람을 말하고, 이와 달리 오로지 명의신탁자와 부동산에 관한 물권을 취득하기 위한 계약을 맺고 단지 등기명의만을 명의수탁자로부터 경료받은 것 같은 외관을 갖춘 자는 위 조항의 제3자에 해당하지 아니하므로, 위 조항에 근거하여 무효인 명의신탁등기에 터 잡아 경료된 자신의 등기의 유효를 주장할 수는 없다. 그러나 이러한 자도 자신의 등기가 실체관계에 부합하는 등기로서 유효하다는 주장은 할 수 있다(대판 2008.12.11, 2008다45187 참조). ② 이른바 3자간 등기명의신탁의 경우 명의신탁약정과 그에 기한 등기는 무효로 되고(부동산실명법 제4조 제1, 2항), 그 결과 명의신탁된 부동산은 매도인 소유로 복귀하므로 매도인은 명의수탁자에게 무효인 그 명의 등기의 말소를 구할 수 있게 된다. 한편 부동산실명법은 매도인과 명의신탁자 사이의 매매계약의 효력을 부정하는 규정을 두고 있지 아니하므로 매도인과 명의신탁자 사이의 매매계약은 여전히 유효하고, 명의신탁자는 매도인에 대하여 매매계약에 기한 소유권이전등기를 청구하거나 그 소유권이전등기청구권을 보전하기 위하여 매도인을 대위하여 명의수탁자에게 무효인 그 명의 등기의 말소를 구할 수 있다(대판 2009.10.15, 2007다67111 등 참조). 그러므로 이러한 지위에 있는 명의신탁자가 제3자와 사이에 부동산 처분에 관한 약정을 맺고 그 약정에 기하여 명의수탁자에서 제3자 앞으로 마쳐준 소유권이전등기는 다른 특별한 사정이 없는 한 실체관계에 부합하는 등기로서 유효하다고 보아야 한다(대판 2022.9.29, 2022다228933).

→ [사실관계 및 해설] : ① 3자간 등기명의신탁에서, 명의신탁자가 제3자(피고)에게 신탁부동산을 처분한 후 명의수탁자에서 제3자(피고)로 바로 소유권이전등기를 마친 상황에서, 명의신탁자의 채권자들(원고)이 명의신탁자를 대위하여 제3자(피고)를 상대로 진정명의회복을 원인으로 한 소유권이전등기절차의 이행을 구하자, 피고가 실체관계에 부합하는 유효한 등기라는 항변을 한 사안이다. ② 대법원은, 이른바 3자간 등기명의신탁의 경우 매도인은 명의수탁자에게 무효인 그 명의 등기의 말소를 구할 수 있고, 명의신탁자는 매도인에 대하여 매매계약에 기한 소유권이전등기를 청구하거나 그 소유권이전등기청구권을 보전하기 위하여 매도인을 대위하여 명의수탁자에게 무효인 그 명의 등기의 말소를 구할 수 있는 지위에 있으므로, 이러한 지위에 있는 명의신탁자가 제3자와 사이에 부동산 처분에 관한 약정을 맺고 그 약정에 기하여 명의수탁자에서 제3자 앞으로 마쳐준 소유권이전등기는 다른 특별한 사정이 없는 한 실체관계에 부합하는 등기로서 유효하다고 판단하였다.

Ⅲ. 명의신탁의 유형에 따른 구체적 법률관계

1. 2자간 등기명의신탁 – 단순등기명의신탁

(1) 개념

신탁자가 부동산에 관한 물권을 보유하기로 하되, 신탁자의 명의로 되어 있는 부동산의 등기를 수탁자에게 이전하기로 하는 약정(명의신탁약정)을 말한다.

(2) 법률관계

① 명의신탁약정과 물권변동이 무효이므로 등기도 무효이다. 따라서 신탁자는 여전히 신탁부동산에 대한 소유권을 보유하고, 명의신탁약정이 무효이므로 해지를 원인으로 한 원상회복으로서의 이전등기를 청구할 수 없다.

② 그러나 수탁자 앞으로 경료된 등기는 무효이므로 신탁자는 수탁자를 상대로 소유권에 기한 방해배제청구권을 행사하여 수탁자 명의의 등기의 말소를 구하거나 진정명의회복을 원인으로 하는 소유권이전등기를 구할 수 있다(대판 2002.9.6, 2002다35157). 이때 불법원인급여의 법리는 적용되지 않는다.

③ 또한 명의수탁자가 신탁부동산을 임의로 처분한 경우 형사상 횡령죄가 성립되지 않더라도, 이러한 행위는 명의신탁자의 소유권을 침해하는 행위로서 형사상 횡령죄의 성립 여부와 관계없이 민법 제750조의 불법행위에 해당하여 명의수탁자는 명의신탁자에게 손해배상책임을 부담한다. 명의신탁자는 명의수탁자가 제3자에게 부동산을 임의로 처분한 경우 부동산실명법 제4조 제3항에 따라 제3자에게 자신의 소유권을 주장하여 그 소유권이전등기의 말소를 구할 수 없고, 명의수탁자로부터 부동산을 양수한 제3자는 그 소유권을 유효하게 취득하기 때문이다. 즉 명의신탁 받은 부동산을 명의신탁자의 동의 없이 제3자에게 임의로 처분한 명의수탁자는 명의신탁자의 소유권을 침해하는 위법행위를 한 것이고, 이로 인하여 명의신탁자에게 손해가 발생하였으므로, 명의수탁자의 행위는 민법 제750조에 따른 불법행위책임의 성립요건을 충족한다.

양자 간 등기명의신탁에서 명의수탁자가 신탁부동산을 처분하여 제3취득자가 유효하게 소유권을 취득함으로써 명의신탁자가 신탁부동산에 대한 소유권을 상실한 경우, 명의신탁자의 소유권에 기한 물권적 청구권이 인정되는지 여부(소극) 및 그 후 명의수탁자가 우연히 신탁부동산의 소유권을 다시 취득하더라도 마찬가지인지 여부(적극) ★★★

양자 간 등기명의신탁에서 명의수탁자가 신탁부동산을 처분하여 제3취득자가 유효하게 소유권을 취득하고 이로써 명의신탁자가 신탁부동산에 대한 소유권을 상실하였다면, 명의신탁자의 소유권에 기한 물권적 청구권, 즉 말소등기청구권이나 진정명의회복을 원인으로 한 이전등기청구권도 더 이상 그 존재 자체가 인정되지 않는다. 그 후 명의수탁자가 우연히 신탁부동산의 소유권을 다시 취득하였다고 하더라도 명의신탁자가 신탁부동산의 소유권을 상실한 사실에는 변함이 없으므로, 여전히 물권적 청구권은 그 존재 자체가 인정되지 않는다(대판 2013.2.28, 2010다89814).

양자 간 등기명의신탁(대판 2014.2.13. 2012다97864) ★★★

[1] 양자 간 등기명의신탁에서 부동산 실권리자명의 등기에 관한 법률 제11조의 유예기간 내에 실명등기를 하지 않은 경우, 명의수탁자가 제3자에 대한 관계에서 소유권을 주장하거나 소유권에 기한 물권적 청구권을 행사할 수 있는지 여부(소극)

'부동산 실권리자명의 등기에 관한 법률'(이하 '부동산실명법'이라고 한다) 제4조, 제11조, 제12조 등에 의하면, 부동산실명법 시행 전에 명의신탁약정에 의하여 부동산에 관한 물권을 명의수탁자의 명의로 등기하거나 하도록 한 명의신탁자는 부동산실명법의 시행일부터 1년의 기간 내에 실명등기를 하여야 하고, 그 기간 이내에 실명등기 또는 매각처분 등을 하지 아니하면 그 이후에는 명의신탁약정은 무효가 되고, 명의신탁약정에 따라 행하여진 등기에 의한 부동산의 물권변동도 무효가 된다고 정하고 있다. 따라서 명의신탁자가 그 소유인 부동산의 등기명의를 명의수탁자에게 이전하는 이른바 양자 간 등기명의신탁의 경우에 있어서 명의신탁자와의 명의신탁약정에 의하여 행하여진 명의수탁자 명의의 소유권이전등기는 부동산실명법의 유예기간이 경과한 1996.7.1. 이후에는 원인무효로서 말소되어야 한다. 그리하여 명의수탁자로서는 명의신탁자는 물론 제3자에 대한 관계에서도 수탁된 부동산에 대한 소유권자임을 주장할 수 없고, 소유권에 기한 물권적 청구권을 행사할 수도 없다고 할 것이다(대판 2006.8.24. 2006다18402 · 18419 등 참조).

[2] 부동산 실권리자명의 등기에 관한 법률에 따라 무효인 양자 간 등기명의신탁의 명의신탁자가 명의수탁자를 상대로 침해부당이득반환을 원인으로 한 소유권이전등기절차의 이행을 구할 수 있는지 여부(소극)

양자 간 등기명의신탁의 경우 '부동산 실권리자명의 등기에 관한 법률'(이하 '부동산실명법'이라고 한다)에 의하여 명의신탁약정과 그에 의한 등기가 무효이므로 목적 부동산에 관한 명의수탁자 명의의 소유권이전등기에도 불구하고 그 소유권은 처음부터 이전되지 아니하는 것이어서 원래 그 부동산의 소유권을 취득하였던 명의신탁자가 그 소유권을 여전히 보유하는 것이 되는 이상, 침해부당이득의 성립 여부와 관련하여 명의수탁자 명의로의 소유권이전등기로 인하여 명의신탁자가 어떠한 '손해'를 입게 되거나 명의수탁자가 어떠한 이익을 얻게 된다고 할 수 없다. 결국 양자 간 등기명의신탁에 있어서 그 명의신탁자로서는 명의수탁자를 상대로 소유권에 기하여 원인무효인 소유권이전등기의 말소를 구하거나 진정한 등기명의의 회복을 원인으로 한 소유권이전등기절차의 이행을 구할 수 있음은 별론으로 하고(대판 2002.9.6. 2002다35157 등 참조), 침해부당이득반환을 원인으로 하여 소유권이전등기절차의 이행을 구할 수는 없다고 할 것이다.

양자간 등기명의신탁과 제750조 불법행위책임 인정 여부 ★★★

양자간 등기명의신탁의 경우 부동산 실권리자명의 등기에 관한 법률에 따라 명의신탁 약정과 그에 터 잡은 등기가 무효이므로, 명의신탁자가 부동산 소유권을 여전히 보유하고 있는 이상 명의수탁자 앞으로 마친 소유권이전등기로 인하여 어떠한 손해를 입게 되는 것은 아니며, 명의수탁자가 부동산을 제3자에게 처분할 경우에 비로소 명의신탁자는 소유권을 상실하게 되므로, 이와 달리 명의수탁자가 원인무효인 소유권이전등기의 말소를 거부하고 있을 뿐이라면 명의신탁자의 소유권이 침해되어 부동산 가액 상당의 손해가 발생하였다고 볼 수 없다(대판 2023.1.12. 2022다266874).

명의수탁자가 양자 간 명의신탁에 따라 명의신탁자로부터 소유권이전등기를 넘겨받은 부동산을 임의로 처분한 경우, 형사상 횡령죄의 성립 여부와 관계없이 명의신탁자에 대하여 민사상 불법행위책임을 부담하는지 여부(적극) ★★★

명의수탁자가 양자 간 명의신탁에 따라 명의신탁자로부터 소유권이전등기를 넘겨받은 부동산을 임의로 처분한 행위가 형사상 횡령죄로 처벌되지 않더라도, 위 행위는 명의신탁자의 '소유권을 침해'하는 행위로서 형사상 횡령죄의 성립 여부와 관계없이 민법상 불법행위에 해당하여 명의수탁자는 명의신탁자에게 손해배상책임을 부담한다. 이유는 다음과 같다. ① 대법원은 2021.2.18. 2016도18761 전원합의체 판결을 통해 부동산 실권리자명의 등기에 관한 법률(이하 '부동산실명법'이라 한다)을 위반하여 명의신탁자가 그 소유인 부동산 등기명의를 명의수탁자에게 이전하는 양자 간 명의신탁의 경우 명의수탁자와 명의신탁자 간의 관계는 형법상 보호할 만한 가치 있는 신임에 의한 관계가 아니고, 명의수탁자가 명의신탁자에 대한 관계에서 '타인의 재물을 보관하는 자'의 지위에 있다고 볼 수도 없으므로 명의수탁자가 신탁받은 부동산을 임의로 처분하여도 명의신탁자에 대한 관계에서 횡령죄가 성립하지 않는다고 하여 종전 대법원 판례를 변경하였다. ② 민사책임과 형사책임은 지도이념 및 증명책임의 부담과 증명의 정도 등에서 서로 다른 원리가 적용된다. 불법행위에 따른 형사책임은 사회의 법질서를 위반한 행위에 대한 책임을 묻는 것으로서 행위자에 대한 공적인 제재(형벌)를 내용으로 함에 비하여, 민사책임은 타인의 법익을 침해한 데 대하여 행위자의 개인적 책임을 묻는 것으로서 피해자에게 발생된 손해의 전보를 내용으로 하고 손해배상제도는 손해의 공평·타당한 부담을 지도원리로 하는 것이므로, 형사상 범죄를 구성하지 않는 침해행위라고 하더라도 그것이 민사상 불법행위를 구성하는지는 형사책임과 별개의 관점에서 검토되어야 한다. ③ 부동산실명법은 명의신탁약정(제4조 제1항)과 명의신탁약정에 따른 등기로 이루어진 부동산에 관한 물권변동(제4조 제2항 본문)은 무효라고 명시하고 있다. 명의신탁약정에 따라 명의수탁자 앞으로 등기를 하더라도 부동산에 관한 물권변동의 효력이 발생하지 않는다. 그 결과 부동산 소유권은 등기와 상관없이 명의신탁자에게 그대로 남아 있게 되고, 명의신탁자는 부동산 소유자로서 소유물방해배제청구권에 기초하여 명의수탁자를 상대로 등기의 말소를 청구할 수 있다. 그런데 부동산실명법 제4조 제3항에서는 명의신탁약정과 그에 따른 물권변동의 무효는 "제3자에게 대항하지 못한다."라고 정하고 있다. 이에 따라 명의신탁자는 명의수탁자가 제3자에게 부동산을 임의로 처분한 경우 제3자에게 자신의 소유권을 주장하여 소유권이전등기의 말소를 구할 수 없고, 명의수탁자로부터 부동산을 양수한 제3자는 소유권을 유효하게 취득하게 된다. 그렇다면 명의신탁 받은 부동산을 명의신탁자의 동의 없이 제3자에게 임의로 처분한 명의수탁자는 명의신탁자의 소유권을 침해하는 위법행위를 한 것이고 이로 인하여 명의신탁자에게 손해가 발생하였으므로, 명의수탁자의 행위는 민법 제750조에 따른 불법행위책임의 성립 요건을 충족한다. ④ 대법원 2016도18761 全合 판결은 횡령죄의 본질이 신임관계에 기초하여 위탁된 타인의 물건을 위법하게 영득하는 데 있고 명의신탁자와 명의수탁자의 관계는 형법상 보호할 만한 가치 있는 신임관계가 아니므로 명의수탁자의 임의처분행위에 대하여 횡령죄를 인정할 수 없다는 취지를 밝힌 것이지 명의신탁관계에서 신탁자의 소유권을 보호할 수 없다는 취지로 볼 수는 없다. 따라서 명의수탁자의 임의처분행위로 인하여 명의신탁자의 소유권이 침해된 이상 형법상 횡령죄의 성립 여부와 관계없이 명의수탁자는 명의신탁자에 대하여 민사상 불법행위책임을 부담한다고 봄이 타당하다(대판 2021.6.3, 2016다34007).

2. 3자간 등기명의신탁 – 중간생략형 명의신탁

(1) 개념

매도인과 명의신탁자가 매매계약의 당사자이고, 명의신탁자가 명의수탁자와 명의신탁약정을 맺고 등기를 매도인으로부터 명의수탁자에게 직접 이전하는 경우이다.

3자간 등기명의신탁과 계약명의신탁의 구별 기준 ★★

명의신탁약정이 3자간 등기명의신탁인지 아니면 계약명의신탁인지의 구별은 계약당사자가 누구인가를 확정하는 문제로 귀결되는데, 계약명의자가 명의수탁자로 되어 있다 하더라도 계약당사자를 명의신탁자로 볼 수 있다면 이는 3자간 등기명의신탁이 된다. 따라서 계약명의자인 명의수탁자가 아니라 명의신탁자에게 계약에 따른 법률효과를 직접 귀속시킬 의도로 계약을 체결한 사정이 인정된다면 명의신탁자가 계약당사자라고 할 것이므로, 이 경우의 명의신탁관계는 3자간 등기명의신탁으로 보아야 한다(대판 2010.10.28, 2010다52799, 대판 2022.4.28, 2019다300422).

→ [사실관계] : 甲이 매매계약 당사자로서 계약 상대방으로부터 토지 지분을 매수하면서 그 중 1/2 지분에 관한 등기명의만을 乙로 하기로 한 것으로, 그 매매계약에 따른 법률효과를 甲에게 직접 귀속시킬 의도였던 사정이 인정되므로 甲과 乙의 명의신탁약정은 3자간 등기명의신탁에 해당한다고 본 사례이다.

(2) 법률관계

① 명의신탁자와 매도인간의 매매계약은 유효하나 수탁자 사이의 명의신탁약정은 무효이다. 또한 물권변동도 무효이므로 소유권은 매도인이 보유한다.

② 따라서 (ㄱ) 신탁자는 매도인을 대위하여 수탁자를 상대로 무효인 수탁자 명의의 등기말소를 구하고 아울러 매도인을 상대로 매매계약에 기한 소유권이전등기청구를 할 수 있다. 나아가 (ㄴ) 유예기간 경과 후로도 매도인과 명의신탁자 사이의 매매계약은 여전히 유효하므로, 명의신탁자는 매도인에 대하여 매매계약에 기한 소유권이전등기를 청구할 수 있고, 그 소유권이전등기청구권을 보전하기 위하여 매도인을 대위하여 명의수탁자에게 무효인 그 명의 등기의 말소를 구할 수도 있으므로, 명의수탁자가 명의신탁자 앞으로 바로 경료해 준 소유권이전등기는 결국 실체관계에 부합하는 등기로서 유효하다(대판 2004.6.25, 2004다6764).

3자간 등기명의신탁의 법률관계 ★★★

[1] 부동산 실권리자명의 등기에 관한 법률에 의하면, 이른바 3자간 등기명의신탁의 경우 같은 법에서 정한 유예기간 경과에 의하여 기존 명의신탁약정과 그에 의한 등기가 무효로 되고 그 결과 명의신탁된 부동산은 매도인 소유로 복귀하므로, 매도인은 명의수탁자에게 무효인 그 명의 등기의 말소를 구할 수 있게 되고, 한편 같은 법은 매도인과 명의신탁자 사이의 매매계약의 효력을 부정하는 규정을 두고 있지 아니하여 유예기간 경과 후로도 매도인과 명의신탁자 사이의 매매계약은 여전히 유효하므로, 명의신탁자는 매도인에 대하여 매매계약에 기한 소유권이전등기를 청구할 수 있고, 그 소유권이전등기청구권을 보전하기 위하여 매도인을 대위하여 명의수탁자에게 무효인 그 명의 등기의 말소를 구할 수도 있다(대판 2002.3.15, 2001다61654).

[2] 이른바 3자간 등기명의신탁의 경우 부동산 실권리자명의 등기에 관한 법률에서 정한 유예기간 경과에 의하여 그 명의신탁 약정과 그에 의한 등기가 무효로 되더라도 명의신탁자는 매도인에 대하여 매매계약에 기한 소유권이전등기청구권을 보유하고 있어 그 유예기간의 경과로 그 등기 명의를 보유하지 못하는 손해를 입었다고 볼 수 없다. 또한 명의신탁 부동산의 소유권이 매도인에게 복귀한 마당에 명의신탁자가 무효인 등기의 명의인인 명의수탁자를 상대로 그 이전등기를 구할 수도 없다. 결국 3자간 등기명의신탁에 있어서 명의신탁자는 명의수탁자를 상대로 부당이득반환을 원인으로 한 소유권이전등기를 구할 수 없다(대판 2008.11.27, 2008다55290 · 55306).

이른바 3자간 등기명의신탁에 있어 명의신탁등기가 부동산 실권리자명의 등기에 관한 법률 시행에 의하여 무효로 된 후에 명의수탁자가 임의로 신탁부동산을 처분한 경우, 매도인이 명의수탁자의 처분행위로 인하여 손해를 입었다고 볼 수 있는지 여부(소극)

명의수탁자가 신탁부동산을 임의로 매각처분한 경우, 특별한 사정이 없는 한 그 매수인은 유효하게 소유권을 취득하게 되는바, 명의신탁약정 및 이에 따라 행하여진 등기에 의한 부동산에 관한 물권변동을 무효로 하는 부동산 실권리자명의 등기에 관한 법률이 시행되기 이전에 매도인이 명의신탁자의 요구에 따라 명의수탁자 앞으로 등기명의를 이전하여 주었다면, 매도인에게 매매계약의 체결이나 그 이행에 관하여 어떠한 귀책사유가 있다고 보기 어려우므로, 자신의 편의를 위하여 명의수탁자 앞으로의 등기이전을 요구한 명의신탁자가 자신의 귀책사유로 같은 법에서 정한 유예기간이 지나도록 실명등기를 하지 아니한 사정에 기인하여 매도인에 대하여 매매대금의 반환을 구하거나, 명의신탁자 앞으로 재차 소유권이전등기를 경료할 것을 요구하는 것은 신의칙상 허용되지 아니하고, 따라서 매도인으로서는 명의수탁자가 신탁부동산을 타에 처분하였다고 하더라도, 명의수탁자로부터 그 소유명의를 회복하기 전까지는 명의신탁자에 대하여 신의칙 내지 민법 제536조 제1항 본문의 규정에 의하여 이와 동시이행의 관계에 있는 매매대금 반환채무의 이행을 거절할 수 있고, 한편 명의신탁자의 소유권이전등기청구도 허용되지 아니하므로, 결국 매도인으로서는 명의수탁자의 처분행위로 인하여 손해를 입은 바가 없다(대판 2002.3.15, 2001다61654).59)

3자간 등기명의신탁에서 부동산 실권리자명의 등기에 관한 법률에서 정한 유예기간이 경과한 후 명의수탁자가 신탁부동산을 임의로 처분하거나 강제수용이나 공공용지 협의취득 등을 원인으로 제3취득자 명의로 이전등기가 마쳐진 경우, 명의수탁자가 명의신탁자에게 신탁부동산의 처분대금이나 보상금으로 취득한 이익을 부당이득으로 반환할 의무가 있는지 여부(적극) ★★★

이른바 3자간 등기명의신탁에서 부동산 실권리자명의 등기에 관한 법률에서 정한 유예기간이 경과한 후 명의수탁자가 신탁부동산을 임의로 처분하거나 강제수용이나 공공용지 협의취득 등을 원인으로 제3취득자 명의로 이전등기가 마쳐진 경우, 특별한 사정이 없는 한 제3취득자는 유효하게 소유권을 취득하게 되므로(같은 법 제4조 제3항), 그로 인하여 매도인의 명의신탁자에 대한 소유권이전등기의무는 이행불능으로 되고 그 결과 명의신탁자는 신탁부동산의 소유권을 이전받을 권리를 상실하는 손해를 입게 되는 반면, 명의수탁자는 신탁부동산의 처분대금이나 보상금을 취득하는 이익을 얻게 되므로, 명의수탁자는 명의신탁자에게 그 이익을 부당이득으로 반환할 의무가 있다(대판 2011.9.8, 2009다49193·49209).

3자간 등기명의신탁에서 명의수탁자가 제3자에게 부동산을 매도하거나 부동산에 근저당권을 설정하는 등으로 처분행위를 하여 제3자가 부동산 실권리자명의 등기에 관한 법률 제4조 제3항에 따라 부동산에 관한 권리를 취득하는 경우, 명의신탁자가 명의수탁자를 상대로 직접 부당이득반환을 청구할 수 있는지 여부(적극) ★★★

[다수의견] ① 3자간 등기명의신탁에서 명의수탁자의 임의처분 또는 강제수용이나 공공용지 협의취득 등(이러한 소유명의 이전의 원인관계를 통틀어 이하에서는 '명의수탁자의 처분행위 등'이라 한다)을 원인으로 제3자 명의로 소유권이전등기가 마쳐진 경우, 특별한 사정이 없는 한 제3자는 유효하게 소유권을 취득한다[부동산 실권리자명의 등기에 관한 법률(이하 '부동산실명법'이라 한다) 제4조 제3항]. 그 결과 매도인의 명의신탁자에 대한 소유권이전등기의무는 이행불능이 되어 명의신탁자로서는 부동산의 소유권을 이전받을 수 없게 되는 한편, 명의수탁자는 부동산의 처분대금이나 보상금 등을 취득하게 된다. 판례는 명의수탁자가 그러한 처분대금이나 보상금 등의 이익을 명의신탁자에게 부당이득으로 반환할 의무를 부담한다고 보고 있다. 이러한 판례는 타당하므로 그대로 유지되어야 한다. ② 명의수탁자가 부동산에 관하여 제3자에게 근저당권을 설정하여 준 경우에도 부동산의 소유권이 제3자에게 이전된 경우와 마찬가지로 보아야 한다. 명의수탁자가 제3자에게 부동산에 관하여 근저당권을 설정하여 준 경우에 제3자는 부동산실명법 제4조 제3항에 따라 유효하게 근저당권을 취득한다. 이 경우 매도인의 부동산에 관한 소유권이전등기의무가 이행불능된 것은 아니므로, 명의신탁자는 여전히 매도인을 대위하여 명의수탁자의 부동산에 관한 진정명의회복을 원인으로 한 소유권이전등기 등을 통하여 매도인으로부터 소유권을 이전받을 수 있지만, 그 소유권은 명의수탁자가 설정한 근저당권이 유효하게 남아 있는 상태의 것이다. 명의수탁자는 제3자에게 근저당권을 설정하여 줌으로써 피담보채무액 상당의 이익을 얻었고, 명의신탁자는 매도인을 매개로 하더라도 피담보채무액만큼의 교환가치가 제한된 소유권만을 취득할 수밖에 없는 손해를 입은 한편, 매도인은 명의신탁자로부터 매매대금을 수령

59) 명의신탁자가 매도인을 대위하거나 또는 그의 손해배상채권을 양수하였음을 원인으로 한 손해배상청구를 기각한 사례이다.

하여 매매계약의 목적을 달성하였으면서도 근저당권이 설정된 상태의 소유권을 이전하는 것에 대하여 손해배상책임을 부담하지 않으므로 실질적인 손실을 입지 않는다. 따라서 3자간 등기명의신탁에서 명의수탁자가 부동산에 관하여 제3자에게 근저당권을 설정한 경우 명의수탁자는 근저당권의 피담보채무액 상당의 이익을 얻었고 그로 인하여 명의신탁자에게 그에 상응하는 손해를 입혔으므로, 명의수탁자는 명의신탁자에게 이를 부당이득으로 반환할 의무를 부담한다(대판(전) 2021.9.9. 2018다284233).

명의수탁자가 3자간 등기명의신탁에 따라 매도인으로부터 소유권이전등기를 넘겨받은 부동산을 자기 마음대로 처분한 경우, 형사상 횡령죄로 처벌되는지와 관계없이 명의수탁자는 명의신탁자에 대하여 민사상 불법행위책임을 부담하는지 여부(적극) ★★★

명의수탁자가 3자간 등기명의신탁에 따라 매도인으로부터 소유권이전등기를 넘겨받은 부동산을 자기 마음대로 처분한 행위가 형사상 횡령죄로 처벌되지 않더라도, 이는 명의신탁자의 채권인 '소유권이전등기청구권을 침해'하는 행위로써 민법 제750조에 따라 불법행위에 해당하여 명의수탁자는 명의신탁자에게 손해배상책임을 질 수 있다. 왜냐하면 3자간 등기명의신탁에서 명의수탁자의 임의처분 등을 원인으로 제3자 앞으로 소유권이전등기가 된 경우, 특별한 사정이 없는 한 제3자는 유효하게 소유권을 취득한다(부동산실명법 제4조 제3항). 그 결과 매도인의 명의신탁자에 대한 소유권이전등기의무는 이행불능이 되어 명의신탁자로서는 부동산 소유권을 이전받을 수 없게 된다. 명의수탁자가 명의신탁자의 채권인 소유권이전등기청구권을 침해한다는 사정을 알면서도 명의신탁받은 부동산을 자기 마음대로 처분하였다면 이는 사회통념상 사회질서나 경제질서를 위반하는 위법한 행위로서 특별한 사정이 없는 한 제3자의 채권침해에 따른 불법행위책임이 성립하기 때문이다(대판 2022.6.9. 2020다208997).

3. 계약명의신탁

(1) 개념

명의신탁자가 명의수탁자에게 위임(혹은 위탁매매의 형식)하며 명의수탁자와 명의신탁약정을 맺고, 명의수탁자가 매도인과 매매계약의 당사자로서 계약을 하여, 등기를 매도인으로부터 명의수탁자에게 이전하는 경우이다.

타인을 통하여 부동산을 매수하면서 매수인 명의 및 소유권이전등기 명의를 타인 명의로 하기로 한 경우, 계약명의자인 타인이 매매당사자인지 여부(원칙적 적극) **및 이때 상대방이 명의신탁관계를 알고 있었더라도 마찬가지인지 여부**(원칙적 적극) ★★

어떤 사람이 타인을 통하여 부동산을 매수하면서 매수인 명의 및 소유권이전등기 명의를 타인 명의로 하기로 한 경우에, 매수인 및 등기 명의의 신탁관계는 그들 사이의 내부적인 관계에 불과하므로, 상대방이 명의신탁자를 매매당사자로 이해하였다는 등의 특별한 사정이 없는 한 대외적으로는 계약명의자인 타인(명의수탁자)을 매매 당사자로 보아야 하므로 계약명의신탁에 해당하며, 설령 상대방이 명의신탁관계를 알고 있었더라도 상대방이 계약명의자인 타인(명의수탁자)이 아니라 명의신탁자에게 계약에 따른 법률효과를 직접 귀속시킬 의도로 계약을 체결하였다는 등의 특별한 사정이 인정되지 아니하는 한 마찬가지로 그 명의신탁관계는 계약명의신탁에 해당한다고 보아야 함이 원칙이다(대판 2016.7.22. 2016다207928, 대결 2013.10.7. 2013스133).

→ [보충] : 상대방이 명의신탁자를 매매당사자로 이해하였다면 계약명의자인 명의수탁자가 아니라 명의신탁자를 계약당사자로 보아야 하고(규범적 해석), 이 경우에는 3자간 등기명의신탁관계에 있다.

(2) 법률관계

1) 명의신탁약정의 효력

명의신탁자와 명의수탁자 간에는 위임약정과 명의신탁약정이 함께 존재하나, 일부무효의 법리에 비추어 계약관계 전체가 무효로 된다. 나아가 판례는 부동산경매절차에서 매수대금의 실질적 부담자와 명의인 간에 명의신탁관계가 성립한 경우, 그들 사이에 매수대금의 실질적 부담자의 지시(요구)에 따라 부동산의 소유 명의를 이전하거나 그 처분대금을 반환하기로 약정하였다 하더라도, 이는 부동산 실권리자명의 등기에 관한 법률에 의하여 무효인 명의신탁약정을 전제로 명의신탁 부동산 자체 또는 그 처분대금의 반환을 구하는 범주에 속하는 것이어서 역시 무효라고 한다(대판 2006.11.9, 2006다35117).

부동산경매절차에서 매수대금을 부담한 명의신탁자와 매수인 명의를 빌려준 명의수탁자 및 제3자 사이의 새로운 명의신탁약정에 따라 확정판결에 의하여 명의수탁자가 다시 제3자 명의로 소유권이전등기를 마쳐 준 경우, 부동산의 소유자(=명의수탁자)(대판 2009.9.10, 2006다73102) ★

[1] 부동산경매절차에서 부동산을 매수하려는 사람이 다른 사람과의 명의신탁약정 아래 그 사람의 명의로 매각허가결정을 받아 자신의 부담으로 매수대금을 완납한 경우, 경매목적 부동산의 소유권은 매수대금의 부담 여부와는 관계없이 그 명의인이 취득하게 되고, 매수대금을 부담한 명의신탁자와 명의를 빌려 준 명의수탁자 사이의 명의신탁약정은 부동산 실권리자명의 등기에 관한 법률 제4조 제1항에 의하여 무효이므로, 명의신탁자는 명의수탁자에 대하여 그 부동산 자체의 반환을 구할 수는 없고 명의수탁자에게 제공한 매수대금에 상당하는 금액의 부당이득반환청구권을 가질 뿐이다.

[2] 경매절차에서 매수대금을 부담한 명의신탁자와 매수인 명의를 빌려준 명의수탁자 및 제3자 사이의 새로운 명의신탁약정에 의하여 명의수탁자가 다시 명의신탁자가 지정하는 제3자 앞으로 소유권이전등기를 마쳐 주었다면, 제3자 명의의 소유권이전등기는 위 법률 제4조 제2항에 의하여 무효이므로, 제3자는 소유권이전등기에도 불구하고 그 부동산의 소유권을 취득하거나 그 매수대금 상당의 이익을 얻었다고 할 수 없다. 또한, 제3자 명의로 소유권이전등기를 마치게 된 것이 제3자가 명의수탁자를 상대로 제기한 소유권이전등기 청구소송의 확정판결에 의한 것이더라도, 소유권이전등기절차의 이행을 명한 확정판결의 기판력은 소송물인 이전등기청구권의 존부에만 미치고 소송물로 되어 있지 아니한 소유권의 귀속 자체에까지 미치지는 않으므로, 명의수탁자가 여전히 그 부동산의 소유자임은 마찬가지이다.

명의수탁자가 완전한 소유권 취득을 전제로 사후적으로 명의신탁자와 매수자금반환의무의 이행에 갈음하여 명의신탁된 부동산을 양도하기로 한 약정 및 소유권이전등기의 효력 ★

부동산 실권리자명의 등기에 관한 법률(이하 '부동산실명법'이라고 한다) 제4조 제1항, 제2항에 의하면, 명의신탁자와 명의수탁자가 이른바 계약명의신탁 약정을 맺고 명의수탁자가 당사자가 되어 명의신탁약정이 있다는 사실을 알지 못하는 소유자와의 사이에 부동산에 관한 매매계약을 체결한 후 매매계약에 따라 당해 부동산의 소유권이전등기를 수탁자 명의로 마친 경우에는 명의신탁자와 명의수탁자 사이의 명의신탁약정의 무효에도 불구하고 명의수탁자는 당해 부동산의 완전한 소유권을 취득하게 되고, 다만 명의수탁자는 명의신탁자에 대하여 부당이득반환의무를 부담하게 될 뿐이다. 그런데 계약명의신탁약정이 부동산실명법 시행 후에 이루어진 경우에는 명의신탁자는 애초부터 당해 부동산의 소유권을 취득할 수 없었으므로 위 명의신탁약정의 무효로 명의신탁자가 입은 손해는 당해 부동산 자체가 아니라 명의수탁자에게 제공한 매수자금이고, 따라서 명의수탁자는 당해 부동산 자체가 아니라 명의신탁자로부터 제공받은 매수자금만을 부당이득한다. 그 경우 ① 계약명의신탁의 당사자들이 명의신탁약정이 유효한 것, 즉 명의신탁자가 이른바 내부적 소유권을 가지는 것을 전제로 하여 장차 명의신탁자 앞으로 목적 부동산에 관한 소유권등기를 이전하거나 부동산의 처분대가를 명의신탁자에게 지급하는 것 등을 내용으로 하는 약정을 하였다면 이는 명의신탁약정을 무효라고 정하는 부동산실명법 제4조 제1항에 좇아 무효이다. 그러나 ② 명의수탁자가 앞서 본 바와 같이 명의수탁자의 완전한 소유권 취득을 전제로 하여 사후적으로 명의신탁자와의 사이에 위에서 본 매수자금반환의무의 이행에 갈음하여 명의신탁된 부동산 자체를 양도하기로 합의하고 그에 기하여 명의신탁자 앞으로 소유권이전등기를 마쳐준 경우에는 그 소유권이전등기는 새로운 소유권 이전의 원인인 대물급부의 약정에 기한 것이므로 약정이 무효인 명의신탁약정을 명의신탁자를 위하여 사후에 보완하는 방책에 불과한 등의 다른 특별한 사정이 없는 한 유효하고, 대물급부의 목적물이 원래의 명의신탁부동산이라는 것만으로 유효성을 부인할 것은 아니다(대판 2014.8.20, 2014다30483).

부동산 실권리자명의 등기에 관한 법률이 시행되기 전에 계약명의신탁 약정을 한 명의수탁자가 이러한 사실을 알지 못하는 소유자와 부동산에 관한 매매계약을 체결한 후 자신의 명의로 소유권이전등기를 마치면서 장차 위 부동산의 처분대가를 명의신탁자에게 지급하기로 하는 정산약정을 한 경우, 정산약정 이후에 같은 법이 시행되었다거나 부동산의 처분이 같은 법 시행 이후에 이루어졌다는 사정만으로 정산약정이 당연 무효가 되는지 여부(소극) ★★★

부동산 실권리자명의 등기에 관한 법률(이하 '부동산실명법'이라 한다)이 시행되기 전에 명의신탁자와 명의수탁자가 명의신탁 약정을 맺고 이에 따라 명의수탁자가 당사자가 되어 명의신탁 약정이 있다는 사실을 알지 못하는 소유자와 부동산에 관한 매매계약을 체결한 후 그 매매계약에 기하여 당해 부동산의 소유권이전등기를 자신의 명의로 마치는 한편, 장차 위 부동산의 처분대가를 명의신탁자에게 지급하기로 하는 정산약정을 한 경우, 그러한 약정 이후에 부동산실명법이 시행되었다거나 그 부동산의 처분이 부동산실명법 시행 이후에 이루어졌다고 하더라도 그러한 사정만으로 위 정산약정까지 당연히 무효로 된다고 볼 수 없다. 그 이유는 다음과 같다. 위와 같은 정산약정 당시에는 부동산실명법이 시행되기 전으로서 부동산에 관한 명의신탁 약정이 허용되었고, 명의신탁의 당사자들 사이에 명의신탁자가 이른바 내부적 소유권을 가진다고 보았다. 이에 따라 장차 명의신탁자 앞으로 목적 부동산에 관한 소유권등기를 이전하거나 그 부동산의 처분대가를 명의신탁자에게 지급하는 것 등을 내용으로 하는 약정도 유효하였다. 부동산실명법 시행 전에 명의수탁자가 명의신탁 약정에 따라 부동산에 관한 소유명의를 취득한 경우에 부동산실명법 시행 후 같은 법 제11조의 유예기간이 경과하기 전까지 명의신탁자는 언제라도 명의신탁 약정을 해지하고 해당 부동산에 관한 소유권을 취득할 수 있었던 것으로, 실명화 등의 조치 없이 위 유예기간이 경과함으로써 같은 법 제12조 제1항, 제4조에 의해 명의신탁 약정은 무효로 되는 한편, 명의수탁자가 해당 부동산에 관한 완전한 소유권을 취득하게 된다. 그런데 부동산실명법 제3조 및 제4조가 명의신탁자에게 소유권이 귀속되는 것을 막는 취지의 규정은 아니므로 명의수탁자는 명의신탁자에게 자신이 취득한 해당 부동산을 부당이득으로 반환할 의무가 있다. 이와 같은 경위로 명의신탁자가 해당 부동산의 회복을 위해 명의수탁자에 대해 가지는 소유권이전등기청구권은 그 성질상 법률의 규정에 의한 부당이득반환청구권이다. 만일 명의수탁자가 신탁부동산을 처분하였다면, 앞서 본 바와 같은 처분대가에 관한 정산약정이 없는 경우라도 명의수탁자는 민법 제747조 제1항에 의하여 명의신탁자에게 그 부동산의 가액을 반환할 의무를 부담한다. 부동산실명법 시행 전에 명의수탁자가 신탁부동산의 처분대가를 명의신탁자에게 지급하기로 하는 정산약정을 한 경우 그러한 약정에 따른 법적 효과는 위와 같이 법률에 의하여 이미 명의신탁자에게 인정되는 권리의 범위 내에 속하는 것이라고 볼 수 있다. 따라서 위 약정이 애초부터 신탁부동산의 소유권을 취득할 수 없는 명의신탁자를 위하여 사후에 보완하는 방책에 해당한다거나 무효인 명의신탁 약정이 유효함을 전제로 명의신탁 부동산 자체 또는 그 처분대금의 반환을 구하는 범주에 든다고 보기 어렵다. 따라서 위 정산약정 이후에 부동산실명법이 시행되었다거나 신탁부동산의 처분이 부동산실명법 시행 이후에 이루어졌다는 것만으로 그 유효성을 부인할 것은 아니다(대판 2021.7.21, 2019다266751).

무효인 명의신탁약정을 전제로 하여 이에 기한 명의신탁자의 명의수탁자에 대한 소유권이전등기청구권을 확보하기 위하여 명의신탁 부동산에 명의신탁자 명의로 가등기를 마치고 향후 명의신탁자가 요구하는 경우 본등기를 마쳐 주기로 한 약정 및 위 약정에 의하여 마쳐진 가등기의 효력(무효) ★

부동산 실권리자명의 등기에 관한 법률(이하 '부동산실명법'이라 한다) 시행 이후 부동산을 매수하면서 매수대금의 실질적 부담자와 명의인 간에 명의신탁관계가 성립한 경우, 그들 사이에 매수대금의 실질적 부담자의 요구에 따라 부동산의 소유 명의를 이전하기로 하는 등의 약정을 하였다고 하더라도, 이는 부동산실명법에 의하여 무효인 명의신탁약정을 전제로 명의신탁 부동산 자체 또는 처분대금의 반환을 구하는 범주에 속하는 것이어서 역시 무효라고 보아야 한다. 나아가 명의신탁자와 명의수탁자가 위와 같이 무효인 명의신탁약정을 함과 아울러 그 약정을 전제로 하여 이에 기한 명의신탁자의 명의수탁자에 대한 소유권이전등기청구권을 확보하기 위하여 명의신탁 부동산에 명의신탁자 명의의 가등기를 마치고 향후 명의신탁자가 요구하는 경우 본등기를 마쳐 주기로 약정하였더라도, 이러한 약정 또한 부동산실명법에 의하여 무효인 명의신탁약정을 전제로 한 것이어서 무효이고, 위 약정에 의하여 마쳐진 가등기는 원인무효이다(대판 2015.2.26. 2014다63315).

명의신탁약정과는 별개의 적법한 원인에 기한 명의신탁자의 명의수탁자에 대한 소유권이전등기청구권을 보전하기 위하여 제3자 명의로 마친 가등기의 효력(무효) ★

명의신탁자가 명의신탁약정과는 별개의 적법한 원인에 기하여 명의수탁자에 대하여 소유권이전등기청구권을 가지게 되었다 하더라도, 이를 보전하기 위하여 자신의 명의가 아닌 제3자 명의로 가등기를 마친 경우 위 가등기는 명의신탁자와 제3자 사이의 명의신탁약정에 기하여 마쳐진 것으로서 약정의 무효로 말미암아 효력이 없다(대판 2015.2.26. 2014다63315).

2) 매도인(상대방)이 선의인 경우

매도인이 명의신탁약정의 존재를 몰랐던 경우 명의신탁약정이 무효라도 매매계약이 유효하고, 이에 따른 물권변동도 유효하므로 경료된 등기는 확정적으로 유효하다. 따라서 명의수탁자는 완전한 소유권을 취득하게 된다(대판 2022.5.12. 2019다249428). 다만 신탁자는 수탁자에게 부당이득 반환청구를 할 수 있다. 이때 부당이득반환의 내용은 ① 부동산실명법 시행 전인 경우에는 원칙적으로 원물반환이고, ② 부동산실명법 시행 후에는 가액반환이라고 한다.

명의신탁약정과 법률관계(대판 2015.12.23. 2012다202932)

[1] 명의신탁자와 명의수탁자가 계약명의신탁약정을 맺고 명의수탁자가 당사자가 되어 명의신탁약정이 있다는 사실을 알지 못하는 소유자와 부동산 취득에 관한 계약을 체결한 경우, 계약의 효력(유효)

구 부동산 실권리자명의 등기에 관한 법률(2010.3.31. 법률 제10203호로 개정되기 전의 것) 제4조 제1항은 "명의신탁약정은 무효로 한다."고 규정하고, 제2항은 "명의신탁약정에 따라 행하여진 등기에 의한 부동산에 관한 물권변동은 무효로 한다. 다만 부동산에 관한 물권을 취득하기 위한 계약에서 명의수탁자가 그 일방당사자가 되고 그 타방당사자는 명의신탁약정이 있다는 사실을 알지 못한 경우에는 그러하지 아니하다."고 규정하고 있다. 따라서 명의신탁자와 명의수탁자가 계약명의신탁약정을 맺고 명의수탁자가 당사자가 되어 명의신탁약정이 있다는 사실을 알지 못하는 소유자와 부동산의 취득에 관한 계약을 체결하면 계약은 유효하다.

[2] 아파트의 수분양자가 타인과 대내적으로는 명의신탁약정을 맺으면서 수분양자로서의 지위를 포괄적으로 이전하는 계약인수약정을 체결하고 이에 대하여 명의신탁약정의 존재를 모르는 분양자가 동의 내지 승낙을 한 경우, 분양계약인수약정의 효력(유효)

아파트의 수분양자가 타인과 대내적으로는 자신이 수분양권을 계속 보유하기로 하되 수분양자 명의만을 타인의 명의로 하는 내용의 명의신탁약정을 맺으면서 분양계약의 수분양자로서의 지위를 포괄적으로 이전하는 내용의 계약인수약정을 체결하고 이에 대하여 명의신탁약정의 존재를 모르는 분양자가 동의 내지 승낙을 한 경우, 이는 계약명의신탁 관계에서 명의수탁자가 당초 명의신탁약정의 존재를 모르는 분양자와 분양계약을 체결한 경우와 다를 바 없으므로, 분양계약인수약정은 유효하다.

명의신탁자와 명의수탁자가 계약명의신탁약정을 맺고 명의수탁자가 당사자가 되어 매도인과 부동산에 관한 매매계약을 체결하는 경우, 계약과 등기의 효력을 판단하는 기준(매매계약을 체결할 당시 매도인의 인식) **/ 이때 매도인이 계약 체결 이후 명의신탁약정 사실을 알게 되었다는 이유로 위 계약과 등기가 무효로 되는지 여부**(소극) ★

부동산 실권리자명의 등기에 관한 법률 제4조 제2항 단서는 부동산 거래의 상대방을 보호하기 위한 것으로 상대방이 명의신탁약정이 있다는 사실을 알지 못한 채 물권을 취득하기 위한 계약을 체결한 경우 그 계약과 그에 따른 등기를 유효라고 한 것이다. 명의신탁자와 명의수탁자가 계약명의신탁약정을 맺고 명의수탁자가 당사자가 되어 매도인과 부동산에 관한 매매계약을 체결하는 경우 그 계약과 등기의 효력은 매매계약을 체결할 당시 매도인의 인식을 기준으로 판단해야 하고, 매도인이 계약 체결 이후에 명의신탁약정 사실을 알게 되었다고 하더라도 위 계약과 등기의 효력에는 영향이 없다. 매도인이 계약 체결 이후 명의신탁약정 사실을 알게 되었다는 우연한 사정으로 인해서 위와 같이 유효하게 성립한 매매계약이 소급적으로 무효로 된다고 볼 근거가 없다. 만일 매도인이 계약 체결 이후 명의신탁약정 사실을 알게 되었다는 사정을 들어 매매계약의 효력을 다툴 수 있도록 한다면 매도인의 선택에 따라서 매매계약의 효력이 좌우되는 부당한 결과를 가져올 것이다(대판 2018.4.10, 2017다257715).

→ [사실관계 및 판단] :

① 甲은 2015.9.23. 乙로부터 그 소유의 부동산(이하 '이 사건 부동산'이라 한다)을 1억 5,000만원에 매수하기로 하고(이하 '이 사건 매매계약'이라 한다), 같은 날 乙에게 계약금 1,500만원을 지급하면서 잔금 1억 3,500만원은 2015.10.13. 지급하되 그중 8,000만원은 乙의 전세보증금 반환채무를 승계하기로 약정하였다.

② 甲의 딸인 A는 자신의 이름으로 이 사건 매매계약을 체결할 경우 생애최초 주택구입에 따른 혜택을 잃어버리게 되는 점을 감안하여 甲이 이 사건 매매계약을 체결하였다. 甲은 이 사건 매매계약 당시 乙에게 위와 같은 사정을 말하지 않았다. A는 이 사건 매매계약 체결 시 甲과 함께 참석하였고, 甲은 A의 신한은행 계좌에서 출금한 1,500만원을 계약금으로 지급하였다.

③ 이후 乙은 2015.10.7. 甲에게 이 사건 부동산이 재건축 대상에 해당하게 된 사정변경을 이유로 이 사건 매매계약의 해제를 통지하면서 그 이행을 거절하였다. 이에 甲은 乙에게 매매계약 체결의 경위를 설명하던 중 A를 위하여 甲의 이름으로 이 사건 매매계약을 체결하게 되었다고 말하였다.

④ 甲은 잔금 지급일인 2015.10.13. 잔금 1억 3,500만원에서 甲이 승계하기로 약정한 전세보증금 8,000만원을 뺀 나머지 5,500만원을 乙 앞으로 변제공탁하였다.

⑤ 위와 같은 사실관계를 앞에서 본 법리에 비추어 살펴보면, 乙은 이 사건 매매계약 체결 시에는 甲과 딸 A 사이의 명의신탁약정 사실을 알지 못한 채 甲과 이 사건 매매계약을 체결하였으므로, 甲과 乙 사이에 체결된 이 사건 매매계약은 부동산실명법 제4조 제2항 단서에 따라 유효하다. 乙이 이후 위와 같은 명의신탁약정 사실을 알았는지 여부는 이러한 결론에 영향이 없다. 따라서 乙은 甲에게 이 사건 부동산에 관하여 이 사건 매매계약을 원인으로 한 소유권이전등기절차를 이행할 의무가 있다.

3) 매도인(상대방)이 악의인 경우

매도인이 명의신탁약정의 존재를 알았던 경우에는 먼저 계약당사자가 누구인지를 확정해야 한다. 판례는 매도인이 신탁약정의 존재를 알았다고 하더라도, 여전히 계약당사자는 매도인과 명의수탁자이고, 계약의 효력도 그들 사이에서 발생한다고 한다. 이 경우 신탁약정이 무효가 되고 등기도 무효가 되므로 소유권은 그대로 매도인에게 남아 있게 되며, 소유자와 매매계약관계가 없는 명의신탁자는 소유자를 상대로 소유권이전등기청구를 할 수 없다(대판 2022.5.12, 2019다249428). 다만 수탁자는 매도인에 대해 매매대금반환청구를 할 수 있고, 신탁자는 부당이득반환의 방법으로 수탁자에게 매매대금반환청구를 하거나, 수탁자를 대위해 매도인에게 대금반환을 청구할 수 있다.

4) 명의신탁자가 명의신탁약정에 따라 부동산을 점유하는 경우 취득시효 완성 여부

계약명의신탁에서 명의신탁자는 부동산의 소유자가 명의신탁약정을 알았는지 여부와 관계없이 부동산의 소유권을 갖지 못할 뿐만 아니라 매매계약의 당사자도 아니어서 소유자를 상대로 소유권이전등기청구를 할 수 없고, 이는 명의신탁자도 잘 알고 있다고 보아야 한다. 명의신탁자가 명의신탁약정에 따라 부동산을 점유한다면 명의신탁자에게 점유할 다른 권원이 인정되는 등의 특별한 사정이 없는 한 명의신탁자는 소유권 취득의 원인이 되는 법률요건이 없이 그와 같은 사실을 잘 알면서 타인의 부동산을 점유한 것이다. 이러한 명의신탁자는 타인의 소유권을 배척하고 점유할 의사를 가지지 않았다고 할 것이므로 소유의 의사로 점유한다는 추정은 깨어진다(대판 2022.5.12, 2019다249428).

판례 연구 관련판례 정리

1. 계약명의신탁에서의 당사자 결정 ★★

1) 계약을 체결하는 행위자가 타인의 이름으로 법률행위를 한 경우에 행위자 또는 명의인 가운데 누구를 계약의 당사자로 볼 것인가에 관하여는, 우선 행위자와 상대방의 의사가 일치한 경우에는 그 일치한 의사대로 행위자 또는 명의인을 계약의 당사자로 확정하여야 할 것이고, 행위자와 상대방의 의사가 일치하지 않는 경우에는 그 계약의 성질・내용・목적・체결 경위 등 그 계약 체결 전후의 구체적인 제반 사정을 토대로 상대방이 합리적인 사람이라면 행위자와 명의자 중 누구를 계약당사자로 이해할 것인가에 의하여 당사자를 결정하여야 한다.

2) 어떤 사람이 타인을 통하여 부동산을 매수함에 있어 매수인 명의 및 소유권이전등기 명의를 그 타인 명의로 하기로 하였다면 이와 같은 매수인 및 등기 명의의 신탁관계는 그들 사이의 내부적인 관계에 불과한 것이므로 특별한 사정이 없는 한 대외적으로는 그 타인을 매매 당사자로 보아야 한다.

3) 부동산경매절차에서 부동산을 매수하려는 사람이 매수대금을 자신이 부담하면서 다른 사람의 명의로 매각허가결정을 받기로 그 다른 사람과 약정함에 따라 매각허가가 이루어진 경우, 그 경매절차에서 매수인의 지위에 서게 되는 사람은 어디까지나 그 명의인이므로, 경매 목적 부동산의 소유권은 매수대금을 실질적으로 부담한 사람이 누구인가와 상관없이 그 명의인이 취득한다. 이 경우 매수대금을 부담한 사람과 이름을 빌려 준 사람 사이에는 명의신탁관계가 성립한다(대판 2008.11.27, 2008다62687).

2. 매도인이 악의인 경우의 계약명의신탁

어떤 사람이 타인을 통하여 부동산을 매수함에 있어 매수인 명의 및 소유권이전등기 명의를 타인 명의로 하기로 약정하였고 매도인도 그 사실을 알고 있어서 그 약정이 부동산 실권리자명의 등기에 관한 법률 제4조의 규정에 의하여 무효로 되고 이에 따라 매매계약도 무효로 되는 경우에, 매매계약상의 매수인의 지위가 당연히 명의신탁자에게 귀속되는 것은 아니지만, 그 무효사실이 밝혀진 후에 계약상대방인 매도인이 계약명의자인 명의수탁자 대신 명의신탁자가 그 계약의 매수인으로 되는 것에 대하여 동의 내지 승낙을 함으로써 부동산을 명의신탁자에게 양도할 의사를 표시하였다면, 명의신탁약정이 무효로 됨으로써 매수인의 지위를 상실한 명의수탁자의 의사에 관계없이 매도인과 명의신탁자 사이에는 종전의 매매계약과 같은 내용의 양도약정이 따로 체결된 것으로 봄이 상당하고, 따라서 이 경우 명의신탁자는 당초의 매수인이 아니라고 하더라도 매도인에 대하여 별도의 양도약정을 원인으로 하는 소유권이전등기청구를 할 수 있다(대판 2003.9.5, 2001다32120).

3. 경매목적물의 소유자가 명의신탁약정 사실을 알았거나 명의신탁자와 동일인인 경우, 그 사정만으로 명의인의 소유권 취득이 '부동산 실권리자명의 등기에 관한 법률' 제4조 제2항에 따라 무효가 되는지 여부(소극)

부동산경매절차에서 부동산을 매수하려는 사람이 매수대금을 자신이 부담하면서 타인의 명의로 매각허가 결정을 받기로 함에 따라 그 타인이 경매절차에 참가하여 매각허가가 이루어진 경우에도 그 경매절차의 매수인은 어디까지나 그 명의인이므로 경매 목적 부동산의 소유권은 매수대금을 실질적으로 부담한 사람이 누구인가와 상관없이 그 명의인이 취득한다 할 것이고, 이 경우 매수대금을 부담한 사람과 이름을 빌려 준 사람 사이에는 명의신탁관계가 성립한다. 이러한 경우 매수대금을 부담한 명의신탁자와 명의를 빌려 준 명의수탁자 사이의 명의신탁약정은 '부동산 실권리자명의 등기에 관한 법률'(이하 '부동산실명법') 제4조 제1항에 의하여 무효이나, 경매절차에서의 소유자가 위와 같은 명의신탁약정 사실을 알고 있었거나 소유자와 명의신탁자가 동일인이라고 하더라도 그러한 사정만으로 그 명의인의 소유권취득이 부동산실명법 제4조 제2항에 따라 무효로 된다고 할 것은 아니다. 비록 경매가 사법상 매매의 성질을 보유하고 있기는 하나 다른 한편으로는 법원이 소유자의 의사와 관계없이 그 소유물을 처분하는 공법상 처분으로서의 성질을 아울러 가지고 있고, 소유자는 경매절차에서 매수인의 결정 과정에 아무런 관여를 할 수 없는 점, 경매절차의 안정성 등을 고려할 때 경매부동산의 소유자를 위 제4조 제2항 단서의 '상대방 당사자'라고 볼 수는 없기 때문이다(대판 2012.11.15, 2012다69197). → 경매부동산의 소유자와 명의신탁자가 동일한 경우, 소유자는 제4조 제2항 단서의 상대방 당사자에 해당하지 않으므로, 소유자가 명의신탁약정 사실을 알고 있었다 하더라도 명의수탁자는 경매부동산의 소유권을 유효하게 취득하고, 따라서 종전 소유자는 명의수탁자를 상대로 진정한 등기명의회복을 원인으로 한 소유권이전등기청구권을 행사할 수 없다고 본 사례이다.

4. 신탁약정이 부동산실명법 시행 전에 이루어진 경우, 계약명의신탁에서 명의신탁자의 부당이득반환청구권의 내용 ★★★

1) 부동산 실권리자명의 등기에 관한 법률 제4조 제1항, 제2항의 규정에 의하면, 명의신탁자와 명의수탁자가 명의신탁 약정을 맺고, 이에 따라 명의수탁자가 당사자가 되어 명의신탁 약정이 있다는 사실을 알지 못하는 소유자와의 사이에 부동산에 관한 매매계약을 체결한 후, 그 매매계약에 기하여 당해 부동산의 소유권이전등기를 수탁자 명의로 마친 경우에는 명의신탁자와 명의수탁자 사이의 명의신탁 약정의 무효에도 불구하고 그 소유권이전등기에 의한 당해 부동산에 관한 물권변동 자체는 유효한 것으로 취급되

어 명의수탁자는 당해 부동산의 완전한 소유권을 취득하게 되고, 부동산 실권리자명의 등기에 관한 법률 시행 전에 위와 같은 명의신탁약정과 그에 기한 물권변동이 이루어진 다음 부동산 실권리자명의 등기에 관한 법률 제11조에서 정한 유예기간 내에 실명등기 등을 하지 않고 그 기간을 경과한 때에도 같은 법 제12조 제1항에 의하여 제4조의 적용을 받게 되어 위 법리가 그대로 적용되는 것인바, 이 경우 명의수탁자는 명의신탁 약정에 따라 명의신탁자가 제공한 비용을 매매대금으로 지급하고 당해 부동산에 관한 소유명의를 취득한 것이고, 위 유예기간이 경과하기 전까지는 명의신탁자는 언제라도 명의신탁약정을 해지하고 당해 부동산에 관한 소유권을 취득할 수 있었던 것이므로, 명의수탁자는 부동산 실권리자명의 등기에 관한 법률 시행에 따라 당해 부동산에 관한 완전한 소유권을 취득함으로써 당해 부동산 자체를 부당이득하였다고 보아야 할 것이고, 부동산 실권리자명의 등기에 관한 법률 제3조 및 제4조가 명의신탁자에게 소유권이 귀속되는 것을 막는 취지의 규정은 아니므로 명의수탁자는 명의신탁자에게 자신이 취득한 당해 부동산을 부당이득으로 반환할 의무가 있다(대판 2002.12.26, 2000다21123).

2) 부동산 실권리자명의 등기에 관한 법률 시행 전에 명의신탁자와 명의수탁자가 이른바 계약명의신탁약정을 맺고 명의수탁자가 당사자가 되어 명의신탁약정이 있다는 사실을 알지 못하는 소유자와의 사이에 부동산에 관한 매매계약을 체결한 후 그 매매계약에 따라 당해 부동산의 소유권이전등기를 수탁자 명의로 마쳤으나 위 법률 제11조에서 정한 유예기간이 경과하기까지 명의신탁자가 그 명의로 당해 부동산을 등기이전하는 데 법률상 장애가 있었던 경우에는, 명의신탁자는 당해 부동산의 소유권을 취득할 수 없었으므로, 위 명의신탁약정의 무효로 인하여 명의신탁자가 입은 손해는 당해 부동산 자체가 아니라 명의수탁자에게 제공한 매수자금이고, 따라서 명의수탁자는 당해 부동산 자체가 아니라 명의신탁자로부터 제공받은 매수자금을 부당이득하였다고 할 것이다(대판 2008.5.15, 2007다74690).

5. 신탁약정이 부동산실명법 시행 후에 이루어진 경우, 계약명의신탁에서 명의신탁자의 부당이득반환청구권의 내용 ★★★

1) 부동산 실권리자명의 등기에 관한 법률 제4조 제1항, 제2항에 의하면, 명의신탁자와 명의수탁자가 이른바 계약명의신탁약정을 맺고 명의수탁자가 당사자가 되어 명의신탁약정이 있다는 사실을 알지 못하는 소유자와의 사이에 부동산에 관한 매매계약을 체결한 후, 그 매매계약에 따라 당해 부동산의 소유권이전등기를 수탁자 명의로 마친 경우에는 명의신탁자와 명의수탁자 사이의 명의신탁약정의 무효에도 불구하고 그 명의수탁자는 당해 부동산의 완전한 소유권을 취득하게 되고, 다만 명의수탁자는 명의신탁자에 대하여 부당이득반환의무를 부담하게 될 뿐이라 할 것인데, 그 계약명의신탁약정이 부동산 실권리자명의 등기에 관한 법률 시행 후인 경우에는 명의신탁자는 애초부터 당해 부동산의 소유권을 취득할 수 없었으므로, 위 명의신탁약정의 무효로 인하여 명의신탁자가 입은 손해는 당해 부동산 자체가 아니라 명의수탁자에게 제공한 매수자금이라 할 것이고, 따라서 명의수탁자는 당해 부동산 자체가 아니라 명의신탁자로부터 제공받은 매수자금을 부당이득하였다고 할 것이다(대판 2005.1.28, 2002다66922).

2) 대법원은 계약명의신탁에 있어 명의신탁자가 명의수탁자에 대하여 가지는 매매대금 상당의 부당이득반환청구권에 기하여 유치권을 행사할 수 없다고 하면서, 명의신탁자의 부당이득반환청구권은 부동산 자체로부터 발생한 채권이 아닐 뿐만 아니라 소유권 등에 기한 부동산의 반환청구권과 동일한 법률관계나 사실관계로부터 발생한 채권이라고 보기도 어려우므로, 결국 민법 제320조 제1항에서 정한 유치권 성립요건으로서의 목적물과 채권 사이의 견련관계를 인정할 수 없다고 한다(대판 2009.3.26, 2008다34828).

6. 취득비용 포함 여부(적극) ★★★

'부동산 실권리자명의 등기에 관한 법률' 제4조 제1항, 제2항에 의하면 명의신탁자와 명의수탁자가 이른바 계약명의신탁약정을 맺고 명의수탁자가 당사자가 되어 명의신탁약정이 있다는 사실을 알지 못하는 소유자와의 사이에 부동산에 관한 매매계약을 체결한 후 그 매매계약에 따라 당해 부동산의 소유권이전등기를 수탁자 명의로 마친 경우에는 명의신탁자와 명의수탁자 사이의 명의신탁약정의 무효에도 불구하고 그 명의수탁자는 당해 부동산의 완전한 소유권을 취득하게 되고, 다만 명의수탁자는 명의신탁자에 대하여 부당이득반환의무를 부담하게 될 뿐이다. 이 경우 그 계약명의신탁약정이 '부동산 실권리자명의 등기에 관한 법률' 시행 후인 경우에는 명의신탁자는 애초부터 당해 부동산의 소유권을 취득할 수 없었으므로, 위 계약명의신탁약정의 무효로 인하여 명의신탁자가 입은 손해는 당해 부동산 자체가 아니라 명의수탁자에게 제공한 매수자금이고, 따라서 명의수탁자는 당해 부동산 자체가 아니라 명의신탁자로부터 제공받은 매수자금 상당액을 부당이득하였다고 할 것이다. 이때 명의수탁자가 소유권이전등기를 위하여 지출하여야 할 취득세, 등록세 등을 명의신탁자로부터 제공받았다면, 이러한 자금 역시 위 계약명의신탁약정에 따라 명의수탁자가 당해 부동산의 소유권을 취득하기 위하여 매매대금과 함께 지출된 것이므로, 당해 부동산의 매매대금 상당액 이외에 명의신탁자가 명의수탁자에게 지급한 취득세, 등록세 등의 취득비용도 특별한 사정이 없는 한 위 계약명의신탁약정의 무효로 인하여 명의신탁자가 입은 손해에 포함되어 명의수탁자는 이 역시 명의신탁자에게 부당이득으로 반환하여야 한다(대판 2010.10.14, 2007다90432).

7. 계약명의신탁 약정의 명의수탁자가 신탁부동산의 소유권을 취득한 후 채무초과 상태에서 신탁부동산을 양도하는 행위의 사해행위성 여부(적극) ★★★

부동산에 관하여 부동산 실권리자명의 등기에 관한 법률 제4조 제2항 본문이 적용되어 명의수탁자인 채무자 명의의 소유권이전등기가 무효인 경우에는 그 부동산은 채무자의 소유가 아니기 때문에 이를 채무자의 일반 채권자들의 공동담보에 제공되는 책임재산이라고 볼 수 없고, 채무자가 위 부동산에 관하여 제3자와 매매계약을 체결하고 그에게 소유권이전등기를 마쳐주었다고 하더라도 그로써 채무자의 책임재산에 감소를 초래한 것이라고 할 수 없으므로 이를 들어 채무자의 일반 채권자들을 해하는 사해행위라고 할 수 없으며, 채무자에게 사해의 의사가 있다고 볼 수도 없다. 그러나 명의신탁자와 명의수탁자가 이른바 계약명의신탁 약정을 맺고 명의수탁자가 당사자가 되어 명의신탁 약정이 있다는 사실을 알지 못하는 소유자와 부동산에 관한 매매계약을 체결한 후 그 매매계약에 따라 당해 부동산의 소유권이전등기를 명의수탁자 명의로 마친 경우에는, 명의신탁자와 명의수탁자 사이의 명의신탁 약정의 무효에도 불구하고 부동산 실권리자명의 등기에 관한 법률 제4조 제2항 단서에 의하여 그 명의수탁자는 당해 부동산의 완전한 소유권을 취득하게 되고, 다만 명의신탁자에 대하여 그로부터 제공받은 매수자금 상당액의 부당이득반환의무를 부담하게 되는바, 위와 같은 경우에 명의수탁자가 취득한 부동산은 채무자인 명의수탁자의 일반 채권자들의 공동담보에 제공되는 책임재산이 되고, 명의신탁자는 명의수탁자에 대한 관계에서 금전채권자 중 한 명에 지나지 않으므로, 명의수탁자의 재산이 채무의 전부를 변제하기에 부족한 경우 명의수탁자가 위 부동산을 명의신탁자 또는 그가 지정하는 자에게 양도하는 행위는 특별한 사정이 없는 한 다른 채권자의 이익을 해하는 것으로서 다른 채권자들에 대한 관계에서 사해행위가 된다(대판 2008.9.25, 2007다74874).

8. 이른바 계약명의신탁에서 매매계약을 체결한 악의의 매도인이 명의수탁자 앞으로 부동산 소유권이전등기를 마친 경우, 명의수탁자가 그 부동산을 제3자에게 처분하는 행위가 매도인의 소유권을 침해하는 불법행위가 되는지 여부(적극) 및 이때 매매대금을 수령한 매도인에게 명의수탁자의 처분행위로 인하여 손해가 발생하였다고 볼 수 있는지 여부(원칙적 소극) ★★

명의신탁자와 명의수탁자가 이른바 계약명의신탁 약정을 맺고 매매계약을 체결한 소유자도 명의신탁자와 명의수탁자 사이의 명의신탁약정을 알면서 그 매매계약에 따라 명의수탁자 앞으로 당해 부동산의 소유권이전등기를 마친 경우 부동산 실권리자명의 등기에 관한 법률 제4조 제2항 본문에 의하여 명의수탁자 명의의 소유권이전등기는 무효이므로, 당해 부동산의 소유권은 매매계약을 체결한 소유자에게 그대로 남아 있게 되고, 명의수탁자가 자신의 명의로 소유권이전등기를 마친 부동산을 제3자에게 처분하면 이는 매도인의 소유권 침해행위로서 불법행위가 된다. 그러나 명의수탁자로부터 매매대금을 수령한 상태의 소유자로서는 그 부동산에 관한 소유명의를 회복하기 전까지는 신의칙 내지 민법 제536조 제1항 본문의 규정에 의하여 명의수탁자에 대하여 이와 동시이행의 관계에 있는 매매대금 반환채무의 이행을 거절할 수 있는데, 이른바 계약명의신탁에서 명의수탁자의 제3자에 대한 처분행위가 유효하게 확정되어 소유자에 대한 소유명의 회복이 불가능한 이상, 소유자로서는 그와 동시이행관계에 있는 매매대금 반환채무를 이행할 여지가 없다. 또한 명의신탁자는 소유자와 매매계약관계가 없어 소유자에 대한 소유권이전등기청구도 허용되지 아니하므로, 결국 소유자인 매도인으로서는 특별한 사정이 없는 한 명의수탁자의 처분행위로 인하여 어떠한 손해도 입은 바가 없다(대판 2013.9.12, 2010다95185).

9. 조합원들이 공동사업을 위하여 매수한 부동산에 관하여 합유등기를 하지 않고 조합원 중 1인 명의로 소유권이전등기를 한 경우, 조합체가 조합원에게 명의신탁한 것으로 보아야 하는지 여부(적극) 및 이때 신탁부동산 자체가 조합재산이 될 수 있는지 여부(소극) ★

조합원들이 공동사업을 위하여 매수한 부동산에 관하여 합유등기를 하지 않고 조합원 중 1인 명의로 소유권이전등기를 한 경우 조합체가 조합원에게 명의신탁한 것으로 보아야 한다. 조합체가 조합원에게 명의신탁한 부동산의 소유권은 물권변동이 무효인 경우에는 매도인에게 귀속되고, 유효인 경우에는 명의수탁자에게 귀속된다. 이 경우 조합재산은 소유권이전등기청구권 또는 부당이득반환채권이고, 신탁부동산 자체는 조합재산이 될 수 없다(대판 2019.6.13, 2017다246180).

제3관 명의신탁에 관한 판례이론

Ⅰ. 명의신탁의 유효성(종래의 논의)

종래에는 명의신탁의 경우 당사자 사이에 소유권이전을 의욕하는 내심의 효과의사가 없다는 점을 근거로 일종의 통정허위표시로서 무효라는 견해도 있었지만, 현재에는 당사자간의 명의신탁약정은 소유권을 수탁자 앞으로 이전하여 그로 하여금 소유권을 행사하도록 할 의사이므로 내심의 효과의사와 표시상의 효과의사는 일치하는 것이고, 따라서 명의신탁의 유효성 자체를 부정할 것은 아니라고 본다(다수설 및 판례).

명의신탁자와 명의수탁자의 매매예약을 원인으로 한 가등기약정이 통정허위표시에 해당하는지 여부(소극)

명의신탁 부동산을 명의수탁자가 임의로 처분할 경우에 대비하여 명의신탁자가 명의수탁자와 합의하여 자신의 명의로, 혹은 명의신탁자 이외의 다른 사람 명의로 소유권이전등기청구권 보전을 위한 가등기를 경료한 것이라면 비록 그 가등기의 등기원인을 매매예약으로 하고 있으며 명의신탁자와 명의수탁자 사이에 그와 같은 매매예약이 체결된 바 없다 하더라도 그와 같은 가등기를 하기로 하는 명의신탁자와 명의수탁자의 합의가 통정허위표시로서 무효라고 할 수 없다(대판 1997.9.30, 95다39526).

Ⅱ. 명의신탁의 성립요건

1. 명의신탁약정

명의신탁이 성립하려면 신탁자와 수탁자 사이에 명의신탁관계의 설정에 관한 합의가 있어야 한다. 명의신탁약정은 명시적 뿐만 아니라 묵시적으로도 가능하다. 등기권리증과 같은 권리관계를 증명하는 서류를 명의신탁자라고 주장하는 사람이 소지하고 있는 경우, 그러한 사실은 명의신탁약정이 있음을 뒷받침하는 유력한 자료가 될 수 있다.

1필지의 토지 중 일부를 매도하면서 토지가 등기부상 분할되어 있지 아니하였던 관계로 전부에 관하여 소유권이전등기가 마쳐진 경우, 매도하지 아니한 토지부분에 관한 매매당사자 사이의 권리관계(명의신탁)

1필지의 토지 중 일부를 매도하면서 토지가 등기부상 분할되어 있지 아니하였던 관계로 전부에 관하여 매도인으로부터 매수인에게 소유권이전등기가 경료된 경우에 있어서, 매도인이 매수인에게 매도하지 아니하였던 토지부분에 관하여는 특별한 사정이 없는 한 두 사람 사이에 명의신탁관계가 성립되었다고 할 것이다(대판 2010.2.11, 2009다40264).

→ [보충] : 토지의 일부를 매매하였는데 그 전부에 관하여 매수인 앞으로 이전등기가 경료되었다면 특별한 사정이 없는 한 매매하지 아니한 부분에 대하여는 당사자 간에 명의신탁관계가 성립된 것으로 보아야 하고, 甲과 乙 사이의 토지교환계약 후 甲 소유의 교환목적토지에 관하여 丙 명의로 소유권이전등기가 경료되었다고 하더라도 甲과 丙 사이에 명의신탁관계가 성립된 경우 甲이 丙으로부터 그 소유권을 회복하여 乙에게 소유권이전등기절차를 이행할 수 있는 특별한 사정이 있다면 그 교환목적토지의 소유권이전등기절차이행은 아직 이행불능이 확정되었다고 볼 수 없다(대판 1989.9.12, 88다카33176).

2. 명의신탁의 대상

① 공부(등기부나 등록부)에 의해 소유관계를 공시할 수 있는 물건(예 토지 · 건물 · 자동차 등)이어야 한다. 따라서 동산은 공부상 권리관계가 공시되는 것이 아니므로 명의신탁이 성립될 여지는 없다(대판 1994.10.11, 94다16175).

② 일반적으로 명의신탁은 소유권에 대해서 인정되나, 지상권, 전세권 등의 용익물권에 대해서도 가능하다(대판 1998.9.4, 98다20981 참고).

3. 명의신탁등기

명의신탁이 성립하려면 명의신탁관계 설정에 관한 합의 외에 명의수탁자 명의의 등기(또는 등록)가 있어야 한다. 등기는 본등기에 한하지 않고 가등기라도 무방하다.

Ⅲ. 명의신탁의 법률관계

판례는 명의신탁에 대해 대내관계와 대외관계로 구별하여 그 법리를 전개하고 있다. 즉 신탁자와 수탁자 사이의 대내관계에서는 신탁자가 소유자이고, 대외관계에서는 수탁자를 완전한 소유자로 취급한다(신탁적 소유권이전설).

1. 대내적 관계(신탁자와 수탁자관계)

(1) 신탁자의 지위

신탁자가 소유권을 보유하므로, 신탁자는 등기 없이도 수탁자를 상대로 소유권을 주장할 수 있다(대판 1982.11.23, 81다372). 또한 명의신탁해지를 원인으로 한 신탁자의 수탁자에 대한 등기청구권은 소유권에 기한 물권적 청구권으로 소멸시효에 걸리지 않는다(대판 1991.11.26, 91다34387).

(2) 수탁자의 지위

등기부상의 소유명의자인 수탁자는 대외적으로 소유권을 취득하더라도, 신탁자에 대해서는 소유권을 주장할 수 없다(대판 1993.11.9, 92다31699). 또한 수탁자의 점유는 권원의 객관적 성질상 타주점유이므로 등기부취득시효를 할 수 없다.

2. 대외적 관계(제3자와의 관계)

(1) 신탁자의 처분

대외적 관계에서는 수탁자가 소유권을 가지므로, 신탁자의 일반채권자는 명의신탁재산에 대하여 강제집행할 수 없다. 또한 신탁자가 처분한 경우 양수인은 신탁자를 대위하여 명의신탁계약을 해지한 후 이전등기를 청구할 수 있다.

명의신탁자의 처분행위 ★★

명의신탁한 부동산을 명의신탁자가 매도하는 경우에 명의신탁자는 그 부동산을 사실상 처분할 수 있을 뿐 아니라 법률상으로도 처분할 수 있는 권원에 의하여 매도한 것이므로 이를 민법 제569조 소정의 타인 권리의 매매라고 할 수 없다(대판 1996.8.20, 96다18656).

(2) 수탁자의 처분

대외적 관계에서는 수탁자가 소유권을 가지므로, ① 수탁자로부터 그 부동산을 양수한 제3자는 선의·악의를 묻지 않고 유효하게 소유권을 취득한다. 다만 ② 제3자가 수탁자에게 매도나 담보

제공 등을 적극적으로 권유함으로써 수탁자의 배임행위에 적극 가담한 경우에는 명의수탁자와 제3자 사이의 계약은 제103조 위반으로서 무효가 될 수 있다(이중매매법리의 확장).

(3) 제3자의 소유권침해

① 제3자가 목적 부동산을 불법점거하거나 방해하는 경우에 수탁자만이 물권적 청구권을 행사할 수 있고, ② 신탁자는 수탁자를 대위해서만 반환청구・방해배제청구・손해배상청구를 할 수 있을 뿐이다. 한편, ③ 부당이득반환청구권은 신탁자의 소유권이전청구권의 보전의 필요성이 없으므로 수탁자를 대위해서도 청구할 수 없다(대판 1991.10.22, 91다17207).

종중원에게 명의신탁된 종중소유 부동산에 관하여 원인무효의 소유권이전등기가 경유된 경우에 종중의 등기말소 청구권의 대위행사의 허부(적극) ★

종중원에게 명의신탁된 종중소유 부동산에 관하여 제3자 명의로 원인무효의 소유권이전등기가 경유된 경우에는 종중은 수탁자가 가지고 있는 소유권이전등기 말소등기절차이행 청구권을 대위행사 할 수 있다. 이 경우 종중이 본건 임야에 대한 소유권을 신탁계약 당사자 이외의 제3자에게 대항할 수 없다 하여도 종중은 본건 임야에 관한 신탁계약에 기한 신탁자로서 수탁자에 대하여 신탁계약상의 채권이 있음은 분명하다 할 것이므로, 신탁자인 종중은 수탁자가 본건 임야에 관하여 가지고 있는 원인무효로 인한 소유권이전등기 말소등기절차이행청구권을 대위행사 할 수 있다 할 것이다(주 – 결국 종중은 신탁계약을 해제하지 않고서도 수탁자를 대위하여 제3자 명의의 원인무효의 소유권이전등기의 말소등기절차이행을 구할 수 있다). 따라서 원심이 원고 종중은 신탁계약을 해제하지 아니하고서는 신탁계약의 수탁자를 대위하여 피고 등에게 각 등기말소를 구할 수 없다고 판단한 것은 채권자 대위권에 관한 법리를 오해한 위법이 있다 할 것이다(대판 1965.11.23, 65다1669).

판례 연구 **관련판례 정리**

☑ **명의신탁자의 진정명의회복을 위한 소유권이전등기청구권**

1. 부정되는 경우 ★★

명의신탁에 있어서 대외적으로는 수탁자가 소유자라고 할 것이고, 명의신탁재산에 대한 침해배제를 구하는 것은 대외적 소유권자인 수탁자만이 가능한 것이며, 신탁자는 수탁자를 대위하여 그 침해에 대한 배제를 구할 수 있을 뿐이므로, 명의신탁사실이 인정된다고 할지라도 신탁자는 제3자에 대하여 진정한 등기명의의 회복을 원인으로 한 소유권이전등기청구를 할 수 있는 진정한 소유자의 지위에 있다고 볼 수 없다(대판 2001.8.21, 2000다36484).

2. 긍정되는 경우 ★

부동산 실권리자명의 등기에 관한 법률 소정의 유예기간 이내에 실명등기 또는 매각처분 등을 하지 아니하면 그 이후에는 명의신탁약정은 무효가 되고, 명의신탁약정에 따라 행하여진 등기에 의한 부동산의 물권변동도 무효가 되므로, 원칙적으로 일반 명의신탁의 명의신탁자는 명의수탁자를 상대로 원인무효를 이유로 그 등기의 말소를 구하여야 하는 것이기는 하나, 자기 명의로 소유권을 표상하는 등기가 되어 있었거나 법률에 의하여 소유권을 취득한 진정한 소유자는 그 등기명의를 회복하기 위한 방법으로 그 소유권에 기하여 현재의 원인무효인 등기명의인을 상대로 진정한 등기명의의 회복을 원인으로 한 소유권이전등기절차의 이행을 구할 수도 있으므로, 명의신탁대상 부동산에 관하여 자기 명의로 소유권이전등기를 경료한 적이 있었던 명의신탁자로서는 「명의수탁자」를 상대로 진정명의회복을 원인으로 한 이전등기를 구할 수도 있다(대판 2002.9.6, 2002다35157).

Ⅳ. 명의신탁관계의 해소

1. 당사자 일방의 사망

신탁관계는 당사자 일방의 사망으로 당연히 소멸하는 것은 아니고, 상속인과의 사이에 그대로 존속한다(대판 1994.2.8, 92다31675).

2. 명의신탁의 해지

(1) 해지권의 행사

① 신탁자는 특별한 사정이 없으면 언제든지 명의신탁계약을 해지할 수 있다.

② 해지의 불가분성에 관한 제547조 제1항은 적용되지 않는다. 따라서 수탁자가 수인이더라도 일부의 수탁자에 대해서만 해지하는 것도 가능하다(대판 1992.6.9, 92다9579).

(2) 해지의 효과

① 신탁자는 수탁자에 대하여 신탁관계의 종료만을 이유로 하여 소유명의의 이전등기절차이행을 청구할 수 있음은 물론 신탁해지를 원인으로 소유권에 기하여 그와 같은 청구를 할 수 있다 할 것이고, 이 소유권에 기한 등기청구권은 시효에 의해서 소멸되는 것은 아니다.

부부간 명의신탁에서 명의신탁관계가 종료된 경우, 신탁자의 수탁자에 대한 소유권이전등기청구권이 신탁자의 책임재산이 되는지 여부(적극) **/ 신탁자가 유효한 명의신탁약정을 해지함을 전제로 신탁된 부동산을 제3자에게 직접 처분하면서 수탁자에게서 곧바로 제3자 앞으로 소유권이전등기를 마쳐 주는 것이 사해행위에 해당하는 경우 ★★**

부부간의 명의신탁약정은 특별한 사정이 없는 한 유효하고(부동산 실권리자명의 등기에 관한 법률 제8조 참조), 이때 명의신탁자는 명의수탁자에 대하여, ① 신탁해지를 하고 신탁관계의 종료 그것만을 이유로 하여 소유 명의의 이전등기절차의 이행을 청구할 수 있음은 물론, ② 신탁해지를 원인으로 하고 소유권에 기해서도 그와 같은 청구를 할 수 있는데, 이와 같이 명의신탁관계가 종료된 경우 신탁자의 수탁자에 대한 소유권이전등기청구권은 신탁자의 일반채권자들에게 공동담보로 제공되는 책임재산이 된다. 그런데 신탁자가 유효한 명의신탁약정을 해지함을 전제로 신탁된 부동산을 제3자에게 직접 처분하면서 수탁자 및 제3자와의 합의 아래 중간등기를 생략하고 수탁자에게서 곧바로 제3자 앞으로 소유권이전등기를 마쳐 준 경우 이로 인하여 신탁자의 책임재산인 수탁자에 대한 소유권이전등기 청구권이 소멸하게 되므로, 이로써 신탁자의 소극재산이 적극재산을 초과하게 되거나 채무초과상태가 더 나빠지게 되고 신탁자도 그러한 사실을 인식하고 있었다면 이러한 신탁자의 법률행위는 신탁자의 일반채권자들을 해하는 행위로서 사해행위에 해당한다(대판 2016.7.29, 2015다56086).

부동산 명의신탁자가 명의신탁약정을 해지한 다음 제3자에게 '명의신탁 해지를 원인으로 한 소유권이전등기청구권'을 양도하였으나 명의수탁자가 양도에 대하여 동의하거나 승낙하지 않은 경우, 양수인이 명의수탁자에 대하여 직접 소유권이전등기청구를 할 수 있는지 여부(소극) ★★★

① 부동산이 전전 양도된 경우에 중간생략등기의 합의가 없는 한 최종 양수인은 최초 양도인에 대하여 직접 자기 명의로의 소유권이전등기를 청구할 수 없고, 부동산의 양도계약이 순차 이루어져 최종 양수인이 중간생략등기의 합의를 이유로 최초 양도인에게 직접 소유권이전등기청구권을 행사하기 위하여는 관계 당사자 전원의 의사 합치, 즉 중간생략등기에 대한 최초 양도인과 중간자의 동의가 있는 외에 최초 양도인과 최종 양수인 사이에도 중간등기 생략의 합의가 있었음이 요구된다. 그러므로 비록 최종 양수인이 중간자로부터 소유권이전등기청구권을 양도받았다 하더라도 최초 양도인이 양도에 대하여 동의하지 않고 있다면 최종 양수인은 최초 양도인에 대하여 채권양도를 원인으로 하여 소유권이전등기절차 이행을 청구할 수 없다.

② 이와 같은 법리는 명의신탁자가 부동산에 관한 유효한 명의신탁약정을 해지한 후 이를 원인으로 한 소유권이전등기청구권을 양도한 경우에도 적용된다. 따라서 비록 부동산 명의신탁자가 명의신탁약정을 해지한 다음 제3자에게 '명의신탁 해지를 원인으로 한 소유권이전등기청구권'을 양도하였다고 하더라도 명의수탁자가 양도에 대하여 동의하거나 승낙하지 않고 있다면 양수인은 위와 같은 소유권이전등기청구권을 양수하였다는 이유로 명의수탁자에 대하여 직접 소유권이전등기청구를 할 수 없다(대판 2021.6.3, 2018다280316).

→ [사실관계 및 해설] :

① 乙과 丙, 丁은 1972.12.22. X토지에 관하여 각 1/3 지분씩 소유권이전등기를 마쳤다.

② 종중 甲은 2016.1.29. 乙과 丙, 丁을 상대로 '이들은 이 사건 X토지에 관한 명의수탁자들인데, 그 명의신탁약정을 해지한다.'고 주장하며, 명의신탁 해지를 원인으로 한 소유권이전등기절차 이행을 구하는 소를 제기하였다. 법원은 2017.4.26. 민사소송법 제257조에 의한 무변론판결로 이 사건 종중 甲의 청구를 인용하는 판결을 선고하였고, 위 판결은 그 무렵 그대로 확정되었다(이하 '선행사건 확정판결'이라 한다).

③ 그 후 종중 甲은 선행사건 확정판결에 따른 소유권이전등기를 마치지 아니한 채 2017.7.1. A에게 이 사건 토지를 매도하기로 하는 매매계약을 체결하였다.

④ 丙과 丁은 2018.3.14. A에게 X토지 중 자신들 명의의 각 1/3 지분에 관하여 '2018.1.2.자 매매'를 원인으로 한 소유권이전등기를 마쳐주었다.

⑤ 종중 甲은 2018.5.3. A에게, 종중 甲이 乙에 대하여 가지고 있는 'X토지 중 1/3 지분에 관한 명의신탁 해지를 원인으로 한 소유권이전등기청구권'을 양도하고, 그 채권양도통지에 관한 권한을 수여하였다.

⑥ A는 2018.5.16. 乙에게 위 채권양도에 관한 통지서를 발송하였고 그 무렵 그 통지서가 피고에게 도달하였다.

⑦ A는 乙에 대하여 X토지 중 1/3 지분에 관하여 A 명의로의 소유권이전등기절차의 이행을 구하였으나, 乙은 거부하였다.

⑧ 원심은 부동산의 취득시효완성으로 인한 소유권이전등기청구권 양도의 경우 매매로 인한 소유권이전등기청구권에 관한 양도제한의 법리가 적용되지 않는다는 대판 2018.7.12, 2015다36167을 이유로 들어 乙은 A에게 X토지 중 1/3 지분에 관하여 명의신탁 해지를 원인으로 한 소유권이전등기절차를 이행할 의무가 있다고 판단하였다.

⑨ 이에 대해 대법원은 X토지 중 1/3 지분에 관하여 비록 명의신탁자인 종중 甲이 乙과의 명의신탁약정을 해지한 다음 A에게 '명의신탁 해지를 원인으로 한 소유권이전등기청구권'을 양도하였다고 하더라도, 명의수탁자인 乙이 그 양도에 대하여 동의하거나 승낙하지 않은 이상 A는 乙에 대하여 직접 A 명의로의 '명의신탁 해지를 원인으로 한 소유권이전등기절차' 이행을 청구할 수는 없다고 하였다. 나아가 원심이 들고 있는 대판 2018.7.12, 2015다36167은 이 사건과 사안이 달라 원용하기에 적절하지 않다고 하였다.

② 반면 명의신탁이 해지되더라도 외부관계에서는 소유권이 신탁자에게 당연히 복귀하지 않고, 수탁자명의의 등기가 남아있는 이상 외부관계에 있어서는 수탁자의 소유임에 변동이 없으므로 수탁자의 처분행위는 완전히 유효하고 신탁자는 신탁해지가 있었음을 이유로 제3자에게 대항하지 못한다(판례는 대내외관계구별설의 입장이다; 대판 1982.12.28, 82다카984 등 다수). 즉 신탁자 앞으로 등기명의를 이전하기 전에 수탁자로부터 부동산을 취득한 자는 적법하게 소유권을 취득한다.

chapter

05 용익물권

제1절 지상권

Ⅰ. 총설

> 제279조【지상권의 내용】
> 지상권자는 타인의 토지에 건물 기타 공작물이나 수목을 소유하기 위하여 그 토지를 사용하는 권리가 있다.

1. 의의

타인의 토지에 건물 기타 공작물이나 수목을 소유하기 위하여 그 토지를 사용할 수 있는 권리를 말한다(제279조).

2. 법적 성질

(1) 타 물권

① 지상권은 타인의 토지에 대한 권리로서(자기의 토지에 대한 지상권은 혼동으로 소멸), 1필의 토지 전부뿐만 아니라 그 일부라도 무방하며, 지상에 한하지 않고 지하의 사용도 그 내용으로 할 수 있다.

② 토지소유자에 대한 채권이 아니라 토지를 직접 지배하는 물권으로서, 당연히 양도성과 상속성이 있다. 지상권자는 지상권을 유보한 채 지상물 소유권만을 양도할 수도 있고 지상물 소유권을 유보한 채 지상권만을 양도할 수도 있는 것이어서 지상권자와 그 지상물의 소유권자가 반드시 일치하여야 하는 것은 아니며, 또한 지상권설정시에 그 지상권이 미치는 토지의 범위와 그 설정 당시 매매되는 지상물의 범위를 다르게 하는 것도 가능하다(대판 2006.6.15, 2006다6126・6133).[60]

60) 토지의 일정 부분 위의 일부 수목들의 소유를 위해 지상권을 설정한 사안을 고려하면 이해할 수 있을 것이다. 나아가 지상권의 양도는 소유자의 의사에 반하여도 자유롭게 할 수 있다(제282조). 그리고 지상권의 양도금지 특약은 지상권자에게 불리한 것으로서 무효이다(제289조). 이처럼 지상권은 독립된 물권으로서 다른 권리에 부종함이 없이 그 자체로서 양도될 수 있으며, 대상판결은 이와 취지를 같이 하면서 양도의 자유를 한층 더 강화하여 보장하려는 태도라고 보인다.

(2) 용익물권

① 지상권은 타인의 토지를 사용하는 권리이다. 즉, 토지를 점유할 수 있는 권리이며, 상린관계의 규정이 준용된다.

② 지상권은 본질이 용익물권이므로, 현재 공작물이나 수목이 없더라도 지상권은 유효하게 성립하며, 기존의 공작물이나 수목이 멸실하더라도 지상권은 계속 존속할 수 있다. 또한 이미 건물이 있는 토지상에 건물소유 목적의 지상권 설정도 가능하다(대판 1978.3.14, 77다2379).

지상권의 본질적 내용 – 토지의 사용 ★

지상권은 타인의 토지에서 건물 기타의 공작물이나 수목을 소유하는 것을 본질적 내용으로 하는 것이 아니라 타인의 토지를 사용하는 것을 본질적 내용으로 하고 있으므로, 지상권 설정계약 당시 건물 기타의 공작물이나 수목이 없더라도 지상권은 유효하게 성립할 수 있고, 또한 기존의 건물 기타의 공작물이나 수목이 멸실되더라도 존속기간이 만료되지 않는 한 지상권이 소멸되지 아니한다(대판 1996.3.22, 95다49318 참조).

③ 지상권이 저당권의 담보가치를 유지하기 위해 보조수단으로 활용되는 경우(예 보통 은행 실무에서 은행이 대출하면서 토지를 담보로 받을 때 설정자의 건물 건축 등으로 인해 토지의 담보가치가 떨어질 염려가 있으므로 지상권을 아울러 설정받는다), 즉 담보목적의 지상권(담보지상권)의 효력이 인정될 수 있는지가 문제이다. 이에 대해 판례는 그 유효성을 인정함을 전제로 하는 입장이다. 다만 이와 같은 판례의 태도는 물권법정주의에 반한다는 문제가 있다.

이른바 담보지상권의 성질 · 효력 및 소멸 ★

[1] 의의 및 성질 – 지상권은 용익물권으로서 담보물권이 아니므로 피담보채무라는 것이 존재할 수 없다. 근저당권 등 담보권 설정의 당사자들이 담보로 제공된 토지에 추후 용익권이 설정되거나 건물 또는 공작물이 축조·설치되는 등으로 토지의 담보가치가 줄어드는 것을 막기 위하여 담보권과 아울러 설정하는 지상권을 이른바 담보지상권이라고 하는데, 이는 당사자의 약정에 따라 담보권의 존속과 지상권의 존속이 서로 연계되어 있을 뿐이고, 이러한 경우에도 지상권의 피담보채무가 존재하는 것은 아니다(대판 2017.10.31, 2015다65042).

[2] 효력 – ① 토지에 관하여 저당권을 취득함과 아울러 그 저당권의 담보가치를 확보하기 위하여 지상권을 취득하는 경우, 특별한 사정이 없는 한 당해 지상권은 저당권이 실행될 때까지 제3자가 용익권을 취득하거나 목적 토지의 담보가치를 하락시키는 침해행위를 하는 것을 배제함으로써 저당 부동산의 담보가치를 확보하는 데에 그 목적이 있다고 할 것이므로, 토지 위에 건물을 신축중인 토지소유자가 토지에 관한 근저당권 및 지상권설정등기를 경료한 후 제3자에게 위 건물에 대한 건축주 명의를 변경하여 준 경우, 제3자가 지상권자에게 대항할 수 있는 권원이 없는 한 지상권자는 제3자에 대하여 목적 토지 위에 건물을 축조하는 것을 중지하도록 요구할 수 있다(대결 2004.3.29, 2003마1753). 반면 ② 불법점유를 당한 부동산의 소유자 또는 용익권자로서는 불법점유자에 대하여 그로 인한 임료 상당 손해의 배상이나 부당이득의 반환을 구할 수 있을 것이나, 불법점유라는 사실이 발생한 바 없었다고 하더라도 부동산의 소유자 또는 용익권자에게 임료 상당 이익이나 기타 소득이 발생할 여지가 없는 특별한 사정이 있는 때에는 손해배상이나 부당이득반환을 청구할 수 없다. 따라서 금융기관이 대출금 채권의 담보를 위하여 토지에 저당권과 함께 지료 없는 지상권을 설정하면서 채무자 등의 사용·수익권을 배제하지 않은 경우, 위 지상권은 근저당목적물의 담보가치를 확보하는 데 목적이 있으므로, 그 위에 도로개설·옹벽축조 등의 행위를 한 무단점유자에 대하여 지상권 자체의 침해를 이유로 한 임료

상당 손해배상을 구할 수 없다. 그러나 이 경우 저당권자는 저당부동산의 본래의 용법에 따른 사용·수익의 범위를 초과하여 그 교환가치를 감소시켜 저당권의 침해가 있음을 이유로 손해배상을 구할 수는 있다(대판 2008. 1.17, 2006다586).

[3] 소멸 – ① 근저당권 등 담보권 설정의 당사자들이 그 목적이 된 토지 위에 차후 용익권이 설정되거나 건물 또는 공작물이 축조·설치되는 등으로써 그 목적물의 담보가치가 저감하는 것을 막는 것을 주요한 목적으로 하여 채권자 앞으로 아울러 지상권을 설정하였다면, 그 피담보채권이 변제 등으로 만족을 얻어 소멸한 경우는 물론이고 시효소멸한 경우에도 그 지상권은 피담보채권에 부종하여 소멸한다(대판 2011.4.14, 2011다6342). 즉 담보권이 소멸하면 등기된 지상권의 목적이나 존속기간과 관계없이 지상권도 그 목적을 잃어 함께 소멸한다고 할 것이다(대판 2014.7.24, 2012다97871·97888). ② 원고 A가 피고 甲, 乙로부터 금원을 차용함에 있어 그 담보조로 원고 소유 부동산에 관하여 지상권설정등기를 경료한 후 다시 위 피고들을 포함한 6인으로부터 금원을 차용하면서 양도담보를 내용으로 하는 제소전 화해조서의 집행에 의하여 같은 부동산에 관하여 피고 甲, 乙을 포함한 6인 공동명의의 소유권이전등기가 경료되었다고 하더라도, 원고와 위 피고들 사이에 있어서는 그 소유권은 의연히 원고에게 남아있는 것이므로 동 피고들 명의의 지상권지분이 혼동으로 소멸되는 것은 아니다(대판 1980.12.23, 80다2176).

[4] 가등기 사안 – 토지를 매수하여 그 명의로 소유권이전청구권보전을 위한 가등기를 경료하고 그 토지상에 타인이 건물 등을 축조하여 점유 사용하는 것을 방지하기 위하여 지상권을 설정하였다면 이는 위 가등기에 기한 본등기가 이루어질 경우 그 부동산의 실질적인 이용가치를 유지 확보할 목적으로 전소유자에 의한 이용을 제한하기 위한 것이라고 봄이 상당하다고 할 것이고, 그 가등기에 기한 본등기청구권이 시효의 완성으로 소멸하였다면 그 가등기와 함께 경료된 위 지상권 또한 그 목적을 잃어 소멸되었다고 봄이 상당하다. 가등기에 기한 소유권이전등기청구권이 시효의 완성으로 소멸되었다면 그 가등기 이후에 그 부동산을 취득한 제3자는 그 소유권에 기한 방해배제청구로서 그 가등기권자에 대하여 본등기청구권의 소멸시효를 주장하여 그 등기의 말소를 구할 수 있다(대판 1991.3.12, 90다카27570).

토지에 관한 저당권설정 당시 그 지상에 건물이 건축 중이었던 경우 법정지상권이 인정되기 위한 건물의 요건 및 이때 토지에 관한 저당권설정과 동시에 설정된 지상권이 저당권 실행으로 소멸한 경우, 건물을 위한 법정지상권이 발생하지 않는지 여부(원칙적 소극) ★

민법 제366조의 법정지상권은 저당권설정 당시 동일인의 소유에 속하던 토지와 건물이 경매로 인하여 양자의 소유자가 다르게 된 때에 건물의 소유자를 위하여 발생하는 것으로서, 토지에 관하여 저당권이 설정될 당시 토지소유자에 의하여 그 지상에 건물이 건축 중이었던 경우 그것이 사회관념상 독립된 건물로 볼 수 있는 정도에 이르지 않았다 하더라도 건물의 규모, 종류가 외형상 예상할 수 있는 정도까지 건축이 진전되어 있었고, 그 후 경매절차에서 매수인이 매각대금을 다 낸 때까지 최소한의 기둥과 지붕 그리고 주벽이 이루어지는 등 독립된 부동산으로서 건물의 요건을 갖춘 경우에는 법정지상권이 성립한다(대판 2011.1.13, 2010다67159 등 참조). 이 경우 토지에 관하여 저당권이 설정될 당시 저당권자를 위하여 동시에 지상권이 설정되었다고 하더라도 저당권설정 당시 그 토지 위에 건축 중이던 건물을 철거하기로 하는 등 특별한 사유가 없고 저당권의 실행으로 그 지상권도 소멸하였다면 건물을 위한 법정지상권이 발생하지 않는다고 할 수 없다(대판 2013.10.17, 2013다51100).

(3) 건물 기타 공작물이나 수목을 「소유」하기 위한 권리

건물 기타 공작물이나 수목의 소유를 토지사용의 주된 목적으로 하는 권리이다.

(4) 지료의 지급 여부

토지사용의 대가인 지료는 지상권의 성립요건이 아니다(제279조, 임대차의 경우 차임은 성립요건이다). 따라서 지료에 관한 약정이 없는 무상의 지상권도 가능하다. 다만 법정지상권의 경우에는 당연히 지료지급의무가 발생한다.

3. 토지임차권과의 비교

구분	지상권	(토지)임차권
법적 성질	토지에 대한 배타적 물권(대세권)	임대인에 대한 채권(대인권)
설정 방법	지상권설정계약 + 등기	임대차계약만으로 성립
토지소유자의 의무	토지사용을 용인할 소극적 의무	사용·수익케 할 적극적 의무(제623조)
양도·상속성	양도·임대 등의 자유(제282조, 제371조)	임대인의 동의 없는 양도·전대 불가능(제629조)
대항력 여부	물권이기 때문에 제3자에게도 대항 가능	제3자에게 대항 불가능, 다만 등기된 임대차(제621조)·주택임대차(주임법 제3조)는 대항력 있음
지료·차임	지료는 지상권의 요소 아님(제279조)	차임은 임차권의 요소(제618조)
존속기간의 제한	• 30년·15년·5년의 최단존속기간의 제한(제280조) • 존속기간의 약정이 없는 경우 최단존속기간(제281조) • 법정갱신 불가	• 존속기간의 약정이 없는 경우 해지통고 할 수 있고(제635조), 일정기간의 경과로 해지의 효력 발생 • 법정갱신 가능(제639조)
소멸청구권 및 해지	2년 이상 지료연체시 소멸청구(제287조)	차임연체액이 2기에 달하면 해지가능(제640조)
매수청구권 등	• 지상권자의 갱신청구권, 매수청구권(제283조) • 지상권자의 수거의무와 지상권설정자의 매수청구권(제285조) • 지료증감청구권(286조)	• 임차인의 갱신청구권과 매수청구권(제643조) • 임차인의 원상회복의무(제654조) • 차임증감청구권(제628조)
비용상환 청구권	지상권자의 비용상환청구권 부정. But 유익비상환청구권은 인정(통설)	임차인의 필요비·유익비 상환청구권 모두 인정(제626조)

Ⅱ. 지상권의 취득

1. 법률행위에 의한 취득

지상권설정계약에 의해 취득하는 경우가 일반적인 예이다. 그 밖에 유언 또는 지상권의 양도에 의해 지상권을 취득할 수 있다. 이러한 법률행위에 의한 지상권의 취득은 등기하여야 그 효력이 생긴다(제186조).

2. 법률에 의한 취득 – 법정지상권

(1) 일반론

상속・판결・경매・공용징수 기타 법률의 규정에 의한 지상권의 취득은 등기 없이 그 효력이 생긴다(제187조). 다만 취득시효로 인한 지상권의 취득은 등기하여야 효력이 생긴다.

(2) 법정지상권

1) 의의

① 우리 법제에서는 토지와 건물이 별개의 부동산으로 취급되므로, 동일인 소유에 속하던 토지와 건물이 나중에 그 소유자를 달리 하게 되는 경우, 지상건물 소유를 위해 임차권이나 지상권 등 토지의 이용관계를 설정하여야 한다. 그러나 이러한 기회를 갖지 못하는 등의 사유로 건물 소유자가 대지이용권을 가지지 못한다면 그 건물을 철거하여야 하는바, 이는 사회경제적으로도 바람직하지 못하다. 이러한 결과를 막기 위해 인정되는 것이 바로 법정지상권이다.

② 법정지상권도 법률규정에 의한 취득이므로 등기를 요하지 않는다.

2) 명문의 규정에 의해 법정지상권이 인정되는 경우

가) **민법 제305조 제1항** : 토지와 그 지상건물이 동일소유자에게 속하는 상태에서 건물에 대해서만 전세권을 설정하였는데, 나중에 토지소유자의 변경이 있은 경우 전세권설정자(건물의 소유자)는 법정지상권을 취득한다.

나) **민법 제366조** : 토지와 그 지상건물이 동일소유자에게 속한 상태에서 토지와 건물 중 어느 한 쪽에 저당권을 설정한 후, 나중에 저당권이 실행(임의경매)됨으로써 토지와 건물의 소유자가 다르게 된 경우 건물소유자는 법정지상권을 취득한다.

다) **가등기담보 등에 관한 법률** : 토지와 그 지상건물이 동일소유자에게 속한 상태에서 토지와 건물 중 어느 한 쪽에 가등기담보권이 설정된 후, 담보권의 실행으로 토지와 건물의 소유자가 다르게 된 경우 건물소유자는 법정지상권을 취득한다(동법 제10조).

라) **입목법** : 토지와 입목이 동일소유자에게 속한 상태에서 경매 기타의 사유로 토지와 입목이 각각 다른 소유자에게 속하게 된 경우 입목의 소유자는 법정지상권을 취득한다(입목법 제6조).

3) 관습법에 의해 인정되는 법정지상권

판례는 분묘기지권과 관습법상의 법정지상권을 인정하고 있다.

Ⅲ. 지상권의 존속기간

1. 존속기간을 약정한 지상권

> 제280조 【존속기간을 약정한 지상권】
> ① 계약으로 지상권의 존속기간을 정하는 경우에는 그 기간은 다음 연한보다 단축하지 못한다.
> 1. 석조, 석회조, 연와조 또는 이와 유사한 견고한 건물이나 수목의 소유를 목적으로 하는 때에는 30년
> 2. 전호 이외의 건물의 소유를 목적으로 하는 때에는 15년
> 3. 건물 이외의 공작물의 소유를 목적으로 하는 때에는 5년
>
> ② 전항의 기간보다 단축한 기간을 정한 때에는 전항의 기간까지 연장한다.

(1) 최단기간(제280조)

지상물의 구조에 따라 30년, 15년, 5년이다. 민법 제280조 제1항 제1호가 견고한 건물이나 수목의 소유를 목적으로 하는 지상권의 경우에 그 존속기간은 30년보다 단축할 수 없다고 규정하고 있음에 비추어 볼 때, 지상권자가 그 소유의 건물을 건축하거나 수목을 식재하여 토지를 이용할 목적으로 지상권을 설정한 경우에만 그 적용이 있고, 기존 건물의 사용을 목적으로 지상권이 설정된 경우에는 적용되지 않는다(대판 1996.3.22, 95다49318).

(2) 최장기간

지상권의 존속기간을 영구무한으로 할 수 있는가의 문제에 대하여, 판례는 민법상 지상권의 존속기간은 최단기간만이 규정되어 있을 뿐 최장기에 관하여는 아무런 제한이 없으며, 존속기간이 영구인 지상권을 인정할 실제의 필요성도 있고, 이러한 지상권을 인정한다고 하더라도 지상권의 제한이 없는 토지의 소유권을 회복할 방법이 있다는 점 등에 비추어 보면 지상권의 존속기간을 영구로 약정하는 것도 허용된다는 입장이다(대판 2001.5.29, 99다66410).

2. 존속기간을 약정하지 아니한 지상권

> 제281조 【존속기간을 약정하지 아니한 지상권】
> ① 계약으로 지상권의 존속기간을 정하지 아니한 때에는 그 기간은 전조의 최단존속기간으로 한다.
> ② 지상권설정당시에 공작물의 종류와 구조를 정하지 아니한 때에는 지상권은 전조 제2호의 건물의 소유를 목적으로 한 것으로 본다.

1) 지상물의 종류와 구조에 따라 제280조의 최단존속기간이 지상권의 존속기간이 된다. 따라서 그 기간은 지상물의 종류에 따라 30년, 15년, 5년이 된다(제281조 제1항).
2) 단 공작물의 종류와 구조를 정하지 않은 경우에는 견고하지 않은 건물의 소유를 목적으로 한 것으로 간주되므로 그 존속기간은 15년이 된다(제281조 제2항). 수목인 경우에 존속기간은 언제나 30년이다.

3. 계약의 갱신과 존속기간

> 제283조【지상권자의 갱신청구권, 매수청구권】
> ① 지상권이 소멸한 경우에 건물 기타 공작물이나 수목이 현존한 때에는 지상권자는 계약의 갱신을 청구할 수 있다.
> ② 지상권설정자가 계약의 갱신을 원하지 아니하는 때에는 지상권자는 상당한 가액으로 전항의 공작물이나 수목의 매수를 청구할 수 있다.
> 제284조【갱신과 존속기간】
> 당사자가 계약을 갱신하는 경우에는 지상권의 존속기간은 갱신한 날로부터 제280조의 최단존속기간보다 단축하지 못한다. 그러나 당사자는 이보다 장기의 기간을 정할 수 있다.

(1) 계약갱신의 자유

지상권의 존속기간이 만료한 경우 당사자는 계약자유의 원칙상 자유로이 지상권설정계약을 갱신할 수 있다.

(2) 지상권자의 갱신청구권(제283조 제1항)

1) 성립요건

① 건물 기타 공작물이나 수목이 현존하여야 하고, ② 지상권이 그 존속기간의 만료로 소멸하여야 한다. 존속기간 만료 시 지체 없이 행사 당시의 토지소유자에게 행사하여야 하고, 지체 없이 행사하지 않은 경우에는 갱신청구권은 소멸한다(통설).

> **지상권의 존속기간 만료 후 지체 없이 행사하지 않아 지상권갱신청구권이 소멸한 경우, 민법 제283조 제2항의 지상물매수청구권이 발생하는지 여부(소극) ★★**
> 민법 제283조 제2항에서 정한 지상물매수청구권은 지상권이 존속기간의 만료로 인하여 소멸하는 때에 지상권자에게 갱신청구권이 있어 갱신청구를 하였으나 지상권설정자가 계약갱신을 원하지 아니할 때 비로소 행사할 수 있는 권리이다. 한편 지상권갱신청구권의 행사는 지상권의 존속기간 만료 후 지체 없이 하여야 한다. 따라서 지상권의 존속기간 만료 후 지체 없이 행사하지 아니하여 지상권갱신청구권이 소멸한 경우에는, 지상권자의 적법한 갱신청구권의 행사와 지상권설정자의 갱신 거절을 요건으로 하는 지상물매수청구권은 발생하지 않는다(대판 2023.4.27, 2022다306642).

2) 행사의 효과

① 갱신청구권은 형성권이 아니므로, 지상권자의 갱신청구로 인해 곧바로 계약갱신의 효과가 발생하는 것은 아니다. 즉 갱신청구권은 청구권이므로 지상권설정자가 이에 응하여 갱신계약이 체결됨으로써 갱신의 효과가 생긴다.

② 그러나 지상권설정자가 갱신청구를 거절하는 때에는 지상권자는 상당한 가액으로 공작물이나 수목의 매수를 청구할 수 있다(제283조 제2항).

3) 존속기간

계약갱신의 경우 존속기간은 갱신한 날로부터 최단존속기간(제280조)보다 단축하지는 못하지만, 이보다 장기의 기간을 약정할 수 있다. 계약갱신 당시에 존속기간 등의 내용에 관하여 특별한 약정이 없으면 갱신된 계약의 내용은 종전의 계약과 동일한 것으로 추정한다(통설).

4. 편면적 강행규정성

지상권의 존속기간과 갱신에 관한 규정은 이른바 편면적 강행규정으로서, 이들 규정에 위반하여 지상권자에게 불리한 약정은 효력이 없다(제289조).

Ⅳ. 지상권의 효력

1. 지상권자의 토지사용권

제290조【준용규정】
① 제213조, 제214조, 제216조 내지 제244조의 규정은 지상권자간 또는 지상권자와 인지소유자 간에 이를 준용한다.
② 제280조 내지 제289조 및 제1항의 규정은 제289조의2의 규정에 의한 구분지상권에 관하여 이를 준용한다.

1) 토지사용권의 내용

지상권을 설정한 목적에 의하여 제한을 받으며, 지상권설정자는 소극적인 인용의무만을 지므로 사용에 필요한 비용은 지상권자가 부담하므로 지상권자는 필요비 상환청구권을 갖지 못한다.

2) 상린관계 규정의 준용(제290조 제1항)

상린관계에 관한 규정은 인접하는 토지이용자인 지상권자와 지상권자 사이, 지상권자와 인지소유자 사이에 준용된다.

3) 물권적 청구권

지상권 침해 시 지상권에 기한 물권적 청구권이 인정된다(제290조 제1항).

지상권설정자인 토지소유자의 권리(대판 1974.11.12, 74다1150) ★★
① 토지소유권은 그 토지에 대한 지상권설정이 있어도 이로 인하여 그 권리의 전부 또는 일부가 소멸하는 것도 아니고 단지 지상권의 범위에서 그 권리행사가 제한되는 것에 불과하며, 일단 지상권이 소멸되면 토지소유권은 다시 자동적으로 완전한 제한 없는 권리로 회복되는 법리라 할 것이므로 소유자가 그 소유토지에 대하여 지상권을 설정하여도 그 소유자는 그 토지를 불법으로 점유하는 자에게 대하여 방해배제를 구할 수 있는 물권적 청구권이 있다고 해석함이 상당하다.
② 그러나 지상권을 설정한 토지소유권자는 지상권이 존속하는 한 토지를 사용 수익할 수 없으므로 특별한 사정이 없는 한 불법점유자에게 손해배상을 청구할 수 없다.

2. 지상권의 처분

지상권자의 토지사용은 자본의 투하를 수반하므로, 민법은 이러한 자본을 회수할 수 있도록 하기 위해 다음과 같은 규정을 두고 있다.

(1) 지상권의 양도·임대·저당권 설정

> 제282조【지상권의 양도, 임대】
> 지상권자는 타인에게 그 권리를 양도하거나 그 권리의 존속기간 내에서 그 토지를 임대할 수 있다.
> 제289조【강행규정】
> 제280조 내지 제287조의 규정에 위반되는 계약으로 지상권자에게 불리한 것은 그 효력이 없다.

① 지상권은 독립된 물권으로서 다른 권리에 부종함이 없이 그 자체로서 양도될 수 있으며 그 양도성은 민법 제282조, 제289조에 의하여 절대적으로 보장되고 있으므로 소유자의 의사에 반하여도 자유롭게 타인에게 양도할 수 있고(대판 1991.11.8, 90다15716), 지상건물과 법정지상권의 분리처분이 가능하다(대판 2001.12.27, 2000다1976). 그 양도 또는 임대를 금지하는 특약은 지상권자에게 불리한 것으로서 무효이다.

② 나아가 지상권자는 지상권 위에 저당권을 설정할 수 있다(제371조).

(2) 지상물의 양도 시 지상권의 이전 여부

종물은 주물의 처분에 따른다는 제100조 제2항의 규정은 권리 사이에도 준용되므로, 지상물을 양도하는 경우에는 그 지상물 소유를 위한 지상권도 함께 처분한 것으로 본다. 그러나 지상물 양수인이 지상권을 취득하기 위하여는 지상물에 대한 이전등기 외에 지상권에 대하여도 이전등기를 하여야 한다(대판(전) 1985.4.9, 84다카1131·1132).

3. 지상권자의 지료지급의무

(1) 지료

① 지료는 지상권의 요소가 아니지만, 당사자가 지료의 지급을 약정한 때에는 지료지급의무가 발생한다. 따라서 무상의 지상권을 설정하는 것도 가능하다. 이와 같은 지료는 일시급이든 정기급이든 상관없으며 또한 반드시 금전에 한하지 않는다.

② 지료액이나 지료의 지급시기에 관한 약정은 등기할 수 있고 등기를 하여야 제3자에게 대항할 수 있다(부등법 제69조).

③ 한편 법정지상권의 경우에는 당사자의 청구에 의하여 법원이 지료를 결정한다(제305조 제1항 단서, 제366조). 법원에 의한 지료결정은 형식적 형성소송인 지료결정판결로 이루어져야 제3자에게도 그 효력이 미친다.

(2) 지상권 또는 토지소유권의 이전과 지료

1) 지상권이 이전된 경우

① 지료에 관한 등기가 있는 경우에는 지상권이 이전하면 장래의 지료도 새로운 지상권자에게 이전한다(통설).

② 다만 등기가 없으면 토지소유자는 새로운 지상권자에 대해 지료채권을 가지고 대항하지 못한다.

지료에 관한 약정을 등기하지 않은 경우, 토지소유자가 구 지상권자의 지료연체 사실을 지상권 양수인에게 대항할 수 있는지 여부(소극) ★
지료액 또는 그 지급시기 등 지료에 관한 약정은 이를 등기하여야만 제3자에게 대항할 수 있으므로, 지료의 등기를 하지 않은 이상 토지소유자는 구 지상권자의 지료연체 사실을 들어 지상권을 이전받은 자에게 대항하지 못한다(대판 1996.4.26, 95다52864).

2) 토지소유권이 이전된 경우

① 토지소유권이 이전된 때에는 지료에 관한 등기가 없더라도 지료채권은 토지소유권에 수반하므로, 새로운 토지의 소유자(토지 양수인)는 지료를 청구할 수 있다(통설).

② 한편 지상권의 지료지급연체가 토지소유권의 양도 전후에 걸쳐 이루어진 경우, 양도인에 대하여 2년 이상의 지료를 연체하더라도 양수인에 대한 연체가 2년 이상이 아니라면 양수인은 지상권의 소멸을 청구할 수 없다(대판 2001.3.13, 99다17142).

(3) 지료증감청구권

제286조【지료증감청구권】
지료가 토지에 관한 조세 기타 부담의 증감이나 지가의 변동으로 인하여 상당하지 아니하게 된 때에는 당사자는 그 증감을 청구할 수 있다.
제289조【강행규정】
제280조 내지 제287조의 규정에 위반되는 계약으로 지상권자에게 불리한 것은 그 효력이 없다.

사정변경의 원칙을 규정한 조항으로서 지료증감청구권은 채권적 청구권이 아니라 형성권이다.

판례 연구 **관련판례 정리**

1. 법정지상권의 지료결정의 기준

법정지상권자가 지급할 지료를 정함에 있어서 법정지상권 설정 당시의 제반 사정을 참작하여야 하나, 법정지상권이 설정된 건물이 건립되어 있음으로 인하여 토지의 소유권이 제한을 받는 사정은 참작·평가하여서는 안 된다(대판 1995.9.15, 94다61144).

2. 지료약정에 대한 대항요건으로서의 등기 ★★

지상권에 있어서 지료의 지급은 그의 요소가 아니어서 지료에 관한 유상 약정이 없는 이상 지료의 지급을 구할 수 없다. (또한) 지상권에 있어서 유상인 지료에 관하여 지료액 또는 그 지급시기 등의 약정은 이를 등기하여야만 그 뒤에 토지소유권 또는 지상권을 양수한 사람 등 제3자에게 대항할 수 있고, 지료에 관하여 등기되지 않은 경우에는 무상의 지상권으로서 지료증액청구권도 발생할 수 없다(대판 1999.9.3, 99다24874).

Ⅴ. 지상권의 소멸

1. 지상권의 소멸사유

토지의 멸실, 존속기간의 만료, 혼동, 소멸시효, 지상권에 우선하는 저당권이 실행으로 인한 경매, 토지수용 등으로 소멸한다. 단 지상물이 소멸한다고 해서 지상권이 소멸하지는 않는다.

2. 지상권에 특유한 소멸사유

제287조【지상권 소멸청구권】
지상권자가 2년 이상의 지료를 지급하지 아니한 때에는 지상권설정자는 지상권의 소멸을 청구할 수 있다.
제288조【지상권 소멸청구와 저당권자에 대한 통지】
지상권이 저당권의 목적인 때 또는 그 토지에 있는 건물, 수목이 저당권의 목적이 된 때에는 전조의 청구는 저당권자에게 통지한 후 상당한 기간이 경과함으로써 그 효력이 생긴다.
제289조【강행규정】
제280조 내지 제287조의 규정에 위반되는 계약으로 지상권자에게 불리한 것은 그 효력이 없다.

(1) 지상권설정자의 소멸청구

지상권자가 2년 이상의 지료를 지급하지 아니한 때에는 지상권설정자는 지상권의 소멸을 청구할 수 있다.

1) 성질

지상권소멸청구권은 형성권이다. 따라서 지상권설정자가 지상권의 소멸을 청구하면 (말소)등기 없이도 지상권은 소멸한다(다수설, 제187조).

2) 2년 이상의 의미

판례는 연속해서 2년 이상일 필요가 없고(단속적 무방), 특정당사자간 2년분 이상이면 요건을 충족하며, 전소유자에게 연체된 부분의 합산을 신소유자는 주장하지 못한다고 하였다(대판 2001.3.13, 99다17142).

3) 지료약정이 없는 경우

관습상의 법정지상권에 관하여 지료가 결정된 바 없다면 법정지상권자가 지료를 지급하지 아니하였다 하더라도 지료지급을 지체한 것으로 볼 수 없으므로 법정지상권자가 2년 이상의 지료를 지급하지 아니하였음을 이유로 하는 토지소유자의 지상권소멸청구는 이유가 없다(대판 1994.12.2, 93다52297).

지상권설정자가 지상권의 소멸을 청구하지 않고 있는 동안 지상권자로부터 연체된 지료 일부를 받고 이의 없이 수령하여 연체된 지료가 2년 미만으로 된 경우, 지상권설정자가 종전에 2년분의 지료를 연체하였다는 사유를 들어 지상권의 소멸을 청구할 수 있는지 여부(소극) 및 이러한 법리가 토지소유자와 법정지상권자 사이에도 마찬가지인지 여부(적극) ★

지상권자가 2년 이상의 지료를 지급하지 아니한 때에는 지상권설정자는 지상권의 소멸을 청구할 수 있으나(민법 제287조), 지상권설정자가 지상권의 소멸을 청구하지 않고 있는 동안 지상권자로부터 연체된 지료의 일부를 지급받고 이를 이의 없이 수령하여 연체된 지료가 2년 미만으로 된 경우에는 지상권설정자는 종전에 지상권자가 2년분의 지료를 연체하였다는 사유를 들어 지상권자에게 지상권의 소멸을 청구할 수 없으며, 이러한 법리는 토지소유자와 법정지상권자 사이에서도 마찬가지이다(대판 2014.8.28, 2012다102384).

법정지상권의 지료액수가 판결에 의하여 정하여 졌지만 지체된 지료가 판결확정 전후에 걸쳐 2년분 이상일 경우 토지소유자의 지상권소멸청구의 가부(적극) ★★

법정지상권이 성립되고 지료액수가 판결에 의하여 정해진 경우 지상권자가 판결확정 후 지료의 청구를 받고도 책임 있는 사유로 상당한 기간 동안 지료의 지급을 지체한 때에는 지체된 지료가 판결확정의 전후에 걸쳐 2년분 이상일 경우에도 토지소유자는 민법 제287조에 의하여 지상권의 소멸을 청구할 수 있다(대판 1993.3.12, 92다44749).

(2) 지상권의 포기

무상의 지상권에서는 기간약정의 유무를 묻지 않고 언제든지 지상권을 포기할 수 있다. 그러나 유상의 지상권에서는 그 포기로 인하여 토지소유자에게 손해가 생길 때에는 그 손해를 배상하여야 하고(제153조 제2항), 지상권이 저당권의 목적인 때에는 저당권자의 동의 없이 포기할 수 없다.

(3) 약정소멸사유

당사자 간에 약정한 소멸사유가 발생하면 지상권이 소멸한다. 다만 이러한 약정사유가 존속기간・지료체납 등인 경우에는 편면적 강행규정(제289조)에 의해 약정자체가 무효로 될 수는 있다.

3. 지상권 소멸의 효과

제283조【지상권자의 갱신청구권, 매수청구권】
① 지상권이 소멸한 경우에 건물 기타 공작물이나 수목이 현존한 때에는 지상권자는 계약의 갱신을 청구할 수 있다.
② 지상권설정자가 계약의 갱신을 원하지 아니하는 때에는 지상권자는 상당한 가액으로 전항의 공작물이나 수목의 매수를 청구할 수 있다.

제285조【수거의무, 매수청구권】
① 지상권이 소멸한 때에는 지상권자는 건물 기타 공작물이나 수목을 수거하여 토지를 원상에 회복하여야 한다.
② 전항의 경우에 지상권설정자가 상당한 가액을 제공하여 그 공작물이나 수목의 매수를 청구한 때에는 지상권자는 정당한 이유 없이 이를 거절하지 못한다.
제289조【강행규정】
제280조 내지 제287조의 규정에 위반되는 계약으로 지상권자에게 불리한 것은 그 효력이 없다.

(1) 지상물수거권(제285조 제1항)

지상권자는 지상권이 소멸하면 지상물을 철거하고 원상회복해야 할 의무가 있다.

(2) 지상물매수청구권

1) 지상권설정자의 매수청구권(제285조 제2항)

지상물매수청구권은 형성권이며 상당가액의 제공을 요한다. 판례는 지상권이 소멸한 때에 지상권설정자는 상당한 가액을 제공하여 그 공작물이나 수목의 매수를 청구할 수 있는데 여기서 상당한 가액이란 매수청구권 행사당시의 시가상당액을 의미한다고 한다(대판 1972.7.25, 72다653).

2) 지상권자의 매수청구권(제283조 제2항)

존속기간만료 후 갱신청구권를 하였지만 지상권설정자로부터 거절당한 경우 지상권자는 지상물의 매수를 청구할 수 있다. ① 민법 제283조 제2항 소정의 지상물매수청구권은 지상권이 존속기간의 만료로 인하여 소멸하는 때에 지상권자에게 갱신청구권이 있어 그 갱신청구를 하였으나 지상권설정자가 계약갱신을 원하지 아니할 경우 행사할 수 있는 권리이므로, 지상권자의 지료연체를 이유로 토지소유자가 그 지상권소멸청구를 하여 이에 터잡아 지상권이 소멸된 경우에는 매수청구권이 인정되지 않는다(대판 1993.6.22, 92다29030). ② 이와 같은 지상물매수청구권의 법적 성질은 형성권이며 그 행사로 인하여 법률상 매매계약이 성립한다. 이는 지상권자의 매수청구권은 갱신을 강제하는 기능을 하며, 본 규정은 강행규정이므로 당사자의 특약에 의하여 배제할 수 없다(제289조).

(3) 유익비상환청구권(제626조 제2항 유추적용)

지상권자는 사용수익에 필요한 상태를 스스로 만들어야 하므로 필요비상환청구권이 없다.

(4) 강행규정(제289조)

지상권자의 갱신청구권, 지료증감청구권, 지료체납의 효과, 지상물수거권, 지상권의 최단존속기간, 지상물매수청구권, 지상권의 양도, 임대에 관한 규정은 지상권자를 위한 편면적 강행규정으로, 이에 위반하여 지상권자에게 불리한 약정은 무효이다.

Ⅵ. 특수지상권

특수한 지상권의 종류로는 분묘기지권, 구분지상권, 관습법상의 법정지상권이 있다. 이 가운데 관습법상의 법정지상권에 대해서는 항을 바꿔서 살펴본다.

1. 분묘기지권

(1) 의의

① 분묘기지권이란 타인의 토지 위에 분묘를 소유하기 위하여 분묘의 기지부분인 토지를 사용할 수 있는 권리로서, 지상권 유사의 물권을 말한다.

② 이러한 분묘기지권을 시효취득할 수 있다 함은 토지소유자의 소유권을 극도로 제한하고 장묘문화가 매장문화에서 화장문화로 변화한 점에서 헌법을 최상위 규범으로 하는 전체 법질서에 부합하지 않아서 정당성과 합리성을 인정할 수 없고 사회 구성원들의 법적 구속력에 대한 확신이 소멸되었다는 점에서 부정할 것인지가 문제되었는데, 최근 판례는 타인 소유의 토지에 분묘를 설치한 경우에 20년간 평온·공연하게 분묘의 기지를 점유하면 지상권과 유사한 관습상의 물권인 분묘기지권을 시효로 취득한다는 점은 오랜 세월 동안 지속되어 온 관습 또는 관행으로서 법적 규범으로 승인되어 왔고, 이러한 법적 규범이 장사법(법률 제6158호) 시행일인 2001.1.13. 이전에 설치된 분묘에 관하여 현재까지 유지되고 있다고 보아야 한다고 하였다(대판(전) 2017.1.19, 2013다17292).

(2) 취득유형 및 요건

1) 판례에 의하면 ① 타인의 소유지 내에 토지소유자의 승낙을 얻어 분묘를 설치한 경우(대판 1962.4.26, 4294민상451), ② 타인 소유의 토지에 토지소유자의 승낙 없이 분묘를 설치한 후 20년간 평온·공연하게 그 분묘의 기지를 점유하여 분묘기지권을 시효취득한 경우(대판 1969.1.28, 68다1927·68다1928), 다만 이 경우는 점유취득시효에 의해 취득하는 경우이지만, 그 분묘기지에 대해 소유의 의사가 요구되지 않고(대판 2000.11.14, 2000다35511), 또 등기가 필요 없는 점에서 보통의 점유취득시효와는 다르다. 또한 ③ 자기 소유의 토지에 분묘를 설치한 자가 후에 이 토지를 타인에게 양도한 경우에 성립한다.

2) 다만 현재 시신이 안장되어 있지 아니한 장래 묘소로서 외형상 분묘의 형태만 갖추었을 뿐인 경우에는 실제 분묘라 할 수 없으니 그 소유를 위하여 지상권 유사의 물권이 생길 수 없다(대판 1976.10.26, 76다1359·1360). 또한 시신이 안장되어 있더라도 외부에서 분묘임을 인식할 수 없는 평장·암장의 형태는 분묘라 할 수 없고 분묘기지권을 취득할 수 없다(대판 1996.6.14, 96다14036).

3) 봉분 등 외부에서 분묘의 존재를 인식할 수 있는 형태를 갖추고 있는 경우 분묘의 외형 자체가 공시방법으로서의 구실을 하므로 등기는 필요하지 않다(대판 1996.6.14, 96다14036 참조).

(3) 권리의 내용

1) 분묘기지권의 효력이 미치는 범위

판례는 ① 분묘기지권이 미치는 범위는 분묘를 수호하고 봉사하는 목적을 달성하는 데 필요한 범위이므로 분묘가 설치된 기지뿐만 아니라 분묘의 보호 및 제사에 필요한 주위의 빈 땅에도 미친다고 하고(대판 1965.3.23, 65다17), ② 분묘기지권은 분묘의 기지 자체(봉분의 기저 부분)뿐만 아니라 그 분묘의 설치 목적인 분묘의 수호 및 제사에 필요한 범위 내에서 분묘의 기지 주위의 공지를 포함한 지역에까지 미치는 것이고, 그 확실한 범위는 각 구체적인 경우에 개별적으로 정하여야 하며(대판 2007.6.14, 2006다84423), ③ 분묘기지권에 그 효력이 미치는 지역적 범위 내에서 기존의 분묘에 단분(單墳)형태나 쌍분형태로 합장하여 새로운 분묘를 설치할 권능이 포함되어 있지 않다고 한다(대판 1958.6.12, 4290민상771). 또한, ④ 분묘의 부속시설인 비석 등 제구를 설치관리할 권한은 제사주재자에게 있으며, 제사주재자 아닌 다른 후손들이 비석 등 시설물을 설치하고 그것이 제사주재자의 의사에 반하는 경우, 분묘가 위치한 토지의 소유권자가 토지소유권에 기하여 방해배제청구로서 당연히 그 철거를 구할 수 있는 권리는 없다고 한다(대판 2000.9.26, 99다14006).

2) 지료의 지급문제

① 토지소유자의 승낙을 얻어 분묘를 설치한 경우에는 당사자 간의 약정에 따르되 약정이 없으면 무상으로 한다.

② 시효취득으로 분묘기지권을 취득한 경우 종래 판례는 지상권에 있어서 지료의 지급은 그 요소가 아니어서 지료에 관한 약정이 없는 한 지료의 지급을 구할 수 없는 점에 비추어 보면, 분묘기지권을 시효취득하는 경우에도 지료를 지급할 필요가 없다고 하였다(대판 1995.2.28, 94다37912). 그러나 최근 판례는 종래 판례를 변경하여 분묘기지권을 시효로 취득하였더라도, 분묘기지권자는 토지소유자가 분묘기지에 관한 지료를 청구하면 그 청구한 날부터의 지료를 지급할 의무가 있다고 하였다(대판(전) 2021.4.29, 2017다228007).

분묘기지권을 시효로 취득한 경우 분묘기지권자가 토지 소유자에게 지료를 지급할 의무가 있는지 여부
(한정 적극)(대판(전) 2021.4.29, 2017다228007) ★★

① 장사법 시행일 이전에 타인의 토지에 분묘를 설치한 다음 20년간 평온・공연하게 그 분묘의 기지를 점유함으로써 분묘기지권을 시효로 취득하였더라도, 분묘기지권자는 토지소유자가 분묘기지에 관한 지료를 청구하면 그 청구한 날부터의 지료를 지급할 의무가 있다고 보아야 한다. 관습법으로 인정된 권리의 내용을 확정함에 있어서는 그 권리의 법적 성질과 인정취지, 당사자 사이의 이익형량 및 전체 법질서와의 조화를 고려하여 합리적으로 판단하여야 하고, 취득시효형 분묘기지권은 당사자의 합의에 의하지 않고 성립하는 지상권 유사의 권리이고, 그로 인하여 토지 소유권이 사실상 영구적으로 제한될 수 있다. 따라서 시효로 분묘기지권을 취득한 사람은 일정한 범위에서 토지 소유자에게 토지 사용의 대가를 지급할 의무를 부담한다고 보는 것이 형평에 부합하기 때문이다. 따라서 취득시효형 분묘기지권이 관습법으로 인정되어 온 역사적・사회적 배경, 분묘를 둘러싸고 형성된 기존의 사실관계에 대한 당사자의 신뢰와 법적 안정성, 관습법상 권리로서의 분묘기지권의 특수성, 조리와 신의성실의 원칙 및 부동산의 계속적 용익관계에 관하여 이러한 가치를 구체화한

민법상 지료증감청구권 규정의 취지 등을 종합하여 볼 때, 분묘기지권자가 토지 소유자의 이의 없이 대가를 지급하지 않고 장기간 분묘기지를 평온·공연하게 점유하여 분묘기지권을 시효로 취득한 경우 분묘기지권자는 토지 소유자가 토지사용의 대가를 청구하면 그때부터 지료 지급의무를 부담한다고 보아야 한다.

② 이와 달리 분묘기지권을 시효로 취득하는 경우 분묘기지권자의 지료 지급의무가 분묘기지권이 성립됨과 동시에 발생한다는 취지의 대법원 1992. 6. 26. 선고 92다13936 판결 및 분묘기지권자가 지료를 지급할 필요가 없다는 취지로 판단한 대법원 1995. 2. 28. 선고 94다37912 판결 등은 이 판결의 견해에 배치되는 범위 내에서 이를 변경하기로 한다.

→ [사실관계] : ① 이 사건 임야에는 1940년과 1961년 각각 설치된 분묘 2기가 있고 피고는 현재까지 위 분묘를 수호·관리하고 있었다. 이에 원고들은 2014년 이 사건 임야의 일부 지분을 경매로 취득한 다음 분묘기지에 대한 소유권 취득일 이후의 지료를 피고에게 청구하였다. 원심은 분묘기지권을 시효로 취득한 경우 토지 소유자가 지료를 청구한 때부터 지료를 지급할 의무가 있다고 보아 원고들의 지료 청구를 일부 받아들였고, 이에 대해 피고가 상고하였는데, 대법원은 분묘기지권자는 토지 소유자가 분묘기지에 관한 지료를 청구하면 그 청구한 날부터의 지료를 지급할 의무가 있다고 보아, 상고를 기각하였다. ② 이러한 다수의견에 대하여 ⅰ) 분묘기지권을 시효취득한 경우 분묘기지권자는 분묘를 설치하여 토지를 점유하는 기간 동안 토지 소유자에게 지료를 지급할 의무가 있다고 보아야 하고, 토지 소유자의 지료 청구가 있어야만 그때부터 지료 지급의무가 발생한다고 볼 수 없다는 별개의견과 ⅱ) 특별한 사정이 없는 한 분묘기지권자는 토지 소유자에게 지료를 지급할 의무가 없다는 반대의견이 있었다.

분묘기지권의 취득 유형별 지료지급의무(대판 2021.9.16, 2017다271834·2017다271841) ★★

[1] 분묘의 기지인 토지가 분묘의 수호·관리권자가 아닌 다른 사람의 소유인 경우, 토지 소유자가 분묘의 설치를 승낙한 때 분묘기지권을 설정한 것으로 보아야 하는지 여부(적극) 및 위 분묘기지권 성립 당시 토지 소유자와 분묘의 수호·관리자가 지료 지급의무의 존부나 범위 등에 관하여 약정한 경우, 그 약정의 효력이 분묘 기지의 승계인에 미치는지 여부(적극)

분묘의 기지인 토지가 분묘의 수호·관리권자 아닌 다른 사람의 소유인 경우에 그 토지 소유자가 분묘 수호·관리권자에 대하여 분묘의 설치를 승낙한 때에는 그 분묘의 기지에 관하여 분묘기지권을 설정한 것으로 보아야 한다. 이와 같이 승낙에 의하여 성립하는 분묘기지권의 경우 성립 당시 토지 소유자와 분묘의 수호·관리자가 지료 지급의무의 존부나 범위 등에 관하여 약정을 하였다면 그 약정의 효력은 분묘 기지의 승계인에 대하여도 미친다.

[2] 자기 소유 토지에 분묘를 설치한 사람이 토지를 양도하면서 분묘를 이장하겠다는 특약을 하지 않음으로써 분묘기지권을 취득한 경우, 분묘기지권이 성립한 때부터 분묘 기지에 대한 지료 지급의무를 지는지 여부(원칙적 적극)

자기 소유 토지에 분묘를 설치한 사람이 그 토지를 양도하면서 분묘를 이장하겠다는 특약을 하지 않음으로써 분묘기지권을 취득한 경우, 특별한 사정이 없는 한 분묘기지권자는 분묘기지권이 성립한 때부터 토지 소유자에게 그 분묘의 기지에 대한 토지사용의 대가로서 지료를 지급할 의무가 있다(대판 2021.5.27, 2020다295892).

자기 소유의 토지 위에 분묘를 설치한 후 토지의 소유권이 경매 등으로 타인에게 이전되면서 분묘기지권을 취득한 자가, 판결에 따라 분묘기지권에 관한 지료의 액수가 정해졌음에도 책임 있는 사유로 판결확정 전후에 걸쳐 2년분 이상의 지료지급을 지체한 경우, 새로운 토지소유자가 분묘기지권의 소멸을 청구할 수 있는지 여부(적극) **및 이 경우 분묘기지권자가 판결확정 후 지료지급 청구를 받았음에도 지료지급을 지체한 경우에만 분묘기지권의 소멸을 청구할 수 있는지 여부**(소극)

자기 소유의 토지 위에 분묘를 설치한 후 토지의 소유권이 경매 등으로 타인에게 이전되면서 분묘기지권을 취득한 자가, 판결에 따라 분묘기지권에 관한 지료의 액수가 정해졌음에도 판결확정 후 책임 있는 사유로 상당한 기간

> 동안 지료의 지급을 지체하여 지체된 지료가 판결확정 '전후'에 걸쳐 2년분 이상이 되는 경우에는 민법 제287조를 유추적용하여 새로운 토지소유자는 분묘기지권자에 대하여 분묘기지권의 소멸을 청구할 수 있다. 분묘기지권자가 판결확정 후 지료지급 청구를 받았음에도 책임 있는 사유로 상당한 기간 지료의 지급을 지체한 경우에만 분묘기지권의 소멸을 청구할 수 있는 것은 아니다(대판 2015.7.23, 2015다206850).

3) 존속기간

분묘수호를 위한 분묘기지권의 존속기간은 민법의 지상권에 관한 규정에 따를 것이 아니라 당사자 사이의 특약 등 특별한 사정이 있으면 그에 따를 것이고, 그런 사정이 없으면 권리자가 분묘의 수호와 봉사를 계속하며, 그 분묘가 존속하고 있는 동안은 분묘기지권이 존속한다고 해석함이 타당하므로 민법 제281조에 따라 5년간이라고 보아야 할 것은 아니다(대판 1982.1.26, 81다1220; 대판 2007.6.28, 2005다44114).

(4) 분묘기지권의 소멸

1) 분묘기지권은 권리자가 의무자에 대하여 그 권리를 포기하는 의사표시를 하면 되고, 점유까지도 포기하여야만 그 권리가 소멸하는 것은 아니다(대판 1992.6.23, 92다14762).
2) 분묘가 멸실된 경우라고 하더라도 유골이 존재하여 분묘의 원상회복이 가능하여 일시적인 멸실에 불과하다면 분묘기지권은 소멸하지 않고 존속하고 있다고 해석함이 상당하다(대판 2007.6.28, 2005다44114).

2. 구분지상권

> **제289조의2 【구분지상권】**
> ① 지하 또는 지상의 공간을 상하의 범위를 정하여 건물 기타 공작물을 소유하기 위한 지상권의 목적으로 할 수 있다. 이 경우 설정행위로써 지상권의 행사를 위하여 토지의 사용을 제한할 수 있다.
> ② 제1항의 규정에 의한 구분지상권은 제3자가 토지를 사용·수익할 권리를 가진 때에도 그 권리자 및 그 권리를 목적으로 하는 권리를 가진 자 전원의 승낙이 있으면 이를 설정할 수 있다. 이 경우 토지를 사용·수익할 권리를 가진 제3자는 그 지상권의 행사를 방해하여서는 아니 된다.

(1) 의의

구분지상권은 건물 기타 공작물을 소유할 목적으로 타인 토지의 지하 또는 지상의 공간을 그 상하의 범위를 정하여 사용하는 지상권을 말한다(제289조의2). 구분지상권도 일반 지상권과 질적인 차이는 없으므로 상린관계에 관한 규정이 준용된다(제290조 제2항).

(2) 설정

1) 구분지상권은 당사자 사이의 구분지상권설정계약과 등기에 의하여 성립된다. 구분지상권의 객체는 어떤 층에 한정되므로 층의 한계, 즉 토지의 상하의 범위를 반드시 정해서 등기해야 한다.

2) 구분지상권을 설정하려는 토지에 이미 배타성 있는 용익권이 존재하는 경우, 즉 제3자가 그 토지를 사용·수익할 권리(예 지상권·지역권·등기된 임차권 등)를 가지고 있는 경우에 그 권리자 및 그 권리를 목적으로 하는 권리(지상권·전세권을 목적으로 하는 저당권)를 가진 자 전원의 승낙이 있어야만 구분지상권을 설정할 수 있다(제289조의2 제2항).

Ⅶ. 관습법상의 법정지상권

1. 의의

토지와 건물이 동일 소유자에게 속하였다가 그 중 어느 하나가 매매·증여 기타의 원인으로 처분되어 소유자를 달리하게 된 경우, 그 건물을 철거한다는 특약이 없는 한 당연히 건물소유자가 취득하게 되는 지상권을 관습법상의 법정지상권이라고 한다. 법정지상권은 토지와 건물을 독립한 부동산으로 취급하고 있는 우리 법제의 특수성에 기인하는 제도이다.

동일인 소유이던 토지와 지상 건물이 매매 등으로 각각 소유자를 달리하게 되었을 때 건물 철거 특약이 없는 한 건물 소유자가 법정지상권을 취득한다는 관습법이 현재에도 여전히 법적 규범으로서 효력을 유지하고 있는지 여부(적극) ★

[다수의견] 동일인 소유이던 토지와 그 지상 건물이 매매 등으로 인하여 각각 소유자를 달리하게 되었을 때 그 건물 철거 특약이 없는 한 건물 소유자가 법정지상권을 취득한다는 관습법은 현재에도 그 법적 규범으로서의 효력을 여전히 유지하고 있다고 보아야 한다(대판(전) 2022.7.21, 2017다236749).

→ [보충] : [반대의견] 동일인 소유이던 토지와 그 지상 건물이 매매 등으로 소유자가 달라질 때 법정지상권이라는 물권이 성립한다는 관습은 관습법으로서의 성립 요건을 갖춘 것이라고 볼 수 없다. 설령 그러한 관습법이 성립하였다고 하더라도 현재에 이르러서는 사회 구성원들이 그러한 관행의 법적 구속력에 대하여 확신을 갖지 않게 되었고, 또한 헌법을 최상위 규범으로 하는 전체 법질서에 부합하지 않으므로, 법적 규범으로서 효력을 인정할 수 없다고 보아야 한다. 따라서 관습법상 법정지상권을 광범위하게 인정하고 있는 종래 판례는 폐기해야 한다.

2. 성립요건

(1) 처분 당시 토지와 건물이 동일인의 소유에 속할 것

1) 소유의 의미

법률상의 소유권을 의미한다. 사실상의 소유권, 즉 사실상의 처분권한만을 가지고 있는 경우에는 관습법상 법정지상권이 성립하지 않는다(대판 1994.4.12, 93다56053 참고).

형식상 소유권자이지만 실질상 처분권한이 제한되는 경우

토지와 건물이 동일인의 소유이었다가 매매 기타의 원인으로 그 소유자가 달라지게 된 경우에는, 특히 그 건물을 철거한다는 특약이 없는 이상 건물소유자는 토지소유자에 대하여 관습상의 법정지상권을 취득하게 되는 것이나, 토지의 소유자가 건물을 건축할 당시 이미 토지를 타에 매도하여 소유권을 이전하여 줄 의무를 부담하고 있었다면, 토지의 매수인이 그 건축행위를 승낙하지 않는 이상 그 건물은 장차 철거되어야 하는 운명에 처하게 될 것이고 토지소유자가 이를 예상하면서도 건물을 건축하였다면 그 건물을 위한 관습상의 법정지상권은 생기지 않는다고 보아야 할 것이다(대판 1994.12.22, 94다41072·41089).

2) 동일인의 의미

처분 당시에 동일인의 소유에 속하였으면 족하고 원시적으로 동일인의 소유였을 필요는 없다(대판 1995.7.28, 95다9075·9082). 동일인의 소유에 속하는 한 그 건물이 미등기건물이거나 무허가건물이더라도 상관이 없다(대판 1988.4.12, 87다카2404).

토지 명의신탁자와의 관계에서 수탁자가 건물을 신축한 경우 ★
명의신탁된 토지상에 수탁자가 건물을 신축한 후 명의신탁이 해지되어 토지소유권이 신탁자에게 환원된 경우, 명의수탁자는 신탁자와의 대내적 관계에 있어서 그 토지가 자기소유에 속하는 것이었다고 주장할 수 없고 따라서 위 건물은 어디까지나 명의신탁자 소유의 토지 위에 지은 것이라 할 것이므로 그 후 소유명의가 신탁자명의로 회복될 당시 위 수탁자가 신탁자들에 대하여 지상건물의 소유를 위한 관습상의 지상권을 취득하였다고 주장할 수 없다(대판 1986.5.27, 86다카62).

미등기 토지 매수인이 건물을 신축한 경우 ★
토지를 매수하여 사실상 처분권한을 가지는 자가 그 지상에 건물을 신축하여 건물의 소유권을 취득하였다고 하더라도, 토지에 관한 소유권을 취득하지 아니한 이상 토지와 건물이 동일한 소유자에게 속하였다고 할 수는 없는 것이므로, 이러한 상태의 건물에 관하여 강제경매절차에 의하여 그 소유권자가 다르게 되었다고 하여 건물을 위한 관습상의 법정지상권이 성립하는 것은 아니다(대판 1994.4.12, 93다56053).

대지상에 담보가등기가 경료되고 그 뒤 대지소유자가 그 지상에 건물을 신축한 후 본등기가 경료되어 대지와 건물의 소유자가 달라진 경우, 건물을 위한 관습상 법정지상권이 성립하는지 여부(소극) ★
원래 채권을 담보하기 위하여 나대지상에 가등기가 경료되었고, 그 뒤 대지소유자가 그 지상에 건물을 신축하였는데, 그 후 그 가등기에 기한 본등기가 경료되어 대지와 건물의 소유자가 달라진 경우에 관습상 법정지상권을 인정하면 애초에 대지에 채권담보를 위하여 가등기를 경료한 사람의 이익을 크게 해하게 되기 때문에 특별한 사정이 없는 한 건물을 위한 관습상 법정지상권이 성립한다고 할 수 없다(대판 1994.11.22, 94다5458).

동일인에의 소유권 귀속이 원인무효인 경우 ★
관습상의 법정지상권은 토지와 건물이 동일인에게 속하였다가 그 중 어느 하나가 일정한 원인으로 소유자를 달리하게 되는 경우 그 건물을 철거한다는 특약이 없으면 성립되는 것으로 토지와 건물을 각기 독립한 부동산으로 취급하는 우리 법제에서 그 건물의 가치를 유지시키기 위한 필요에 의하여 관습법상 인정한 제도인바, 토지소유권으로서는 그로 인하여 제한을 당하는 결과로 된다. 이와 같은 제도의 취지와 그 결과의 측면에서 볼 때, 그 해당 토지와 건물의 소유권의 동일인에의 귀속과 그 후의 각기 다른 사람에의 귀속은 법의 보호를 받을 수 있는 권리변동으로 인한 것이어야 할 것이다. 따라서 원래 동일인에게의 그 소유권 귀속이 원인무효로 이루어졌다가 그 뒤 그 원인무효임이 밝혀져 그 등기가 말소됨으로써 그 건물과 토지의 소유자가 달라지게 된 이 사건과 같은 경우에는 관습상의 법정지상권을 허용할 수 없는 것이다(대판 1999.3.26, 98다64189).

매수인의 의사에 따라 건물만 매도된 경우에도 관습상의 법정지상권이 인정되는지 여부(적극) ★

토지 또는 건물이 동일한 소유자에게 속하였다가 그 건물 또는 토지가 매매 기타의 원인으로 인하여 양자의 소유자가 다르게 된 때에 그 건물을 철거한다는 조건이 없는 이상 건물소유자는 토지소유자에 대하여 그 건물을 위한 관습상의 법정지상권을 취득하는 것이고, 자기의 의사에 의하여 건물만의 소유권을 취득하였다고 하여 관습상의 법정지상권을 취득할 수 없는 것은 아니다(대판 1997.1.21, 96다40080).

강제경매의 목적이 된 토지 또는 그 지상 건물의 소유권이 강제경매로 인하여 그 절차상 매수인에게 이전된 경우, 건물 소유를 위한 관습상 법정지상권의 성립 요건인 '토지와 그 지상 건물이 동일인 소유에 속하였는지'를 판단하는 기준 시기(=압류 또는 가압류의 효력 발생 시) ★★★

강제경매의 목적이 된 토지 또는 그 지상 건물의 소유권이 강제경매로 인하여 그 절차상의 매수인에게 이전된 경우에 건물의 소유를 위한 관습상 법정지상권이 성립하는가 하는 문제에 있어서는 그 매수인이 소유권을 취득하는 매각대금의 완납시가 아니라 그 압류의 효력이 발생하는 때를 기준으로 하여 토지와 그 지상 건물이 동일인에 속하였는지가 판단되어야 한다. 강제경매개시결정의 기입등기가 이루어져 압류의 효력이 발생한 후에 경매목적물의 소유권을 취득한 이른바 제3취득자는 그의 권리를 경매절차상 매수인에게 대항하지 못하고, 나아가 그 명의로 경료된 소유권이전등기는 매수인이 인수하지 아니하는 부동산의 부담에 관한 기입에 해당하므로(민사집행법 제144조 제1항 제2호 참조) 매각대금이 완납되면 직권으로 그 말소가 촉탁되어야 하는 것이어서, 결국 매각대금 완납 당시 소유자가 누구인지는 이 문제맥락에서 별다른 의미를 가질 수 없다는 점 등을 고려하여 보면 더욱 그러하다. 한편 강제경매개시결정 이전에 가압류가 있는 경우에는, 그 가압류가 강제경매개시결정으로 인하여 본압류로 이행되어 가압류집행이 본집행에 포섭됨으로써 당초부터 본집행이 있었던 것과 같은 효력이 있다. 따라서 경매의 목적이 된 부동산에 대하여 가압류가 있고 그것이 본압류로 이행되어 경매절차가 진행된 경우에는, 애초 가압류가 효력을 발생하는 때를 기준으로 토지와 그 지상 건물이 동일인에 속하였는지를 판단하여야 한다(대판(전) 2012.10.18, 2010다52140). 이와 달리 강제경매로 인하여 관습상 법정지상권이 성립함에는 그 매각 당시를 기준으로 토지와 그 지상 건물이 동일인에게 속하여야 한다는 취지의 대판 1970.9.29, 70다1454 판결, 대판 1971.9.28, 71다1631 판결 등은 이 판결의 견해와 저촉되는 한도에서 변경하기로 한다.

강제경매의 목적이 된 토지 또는 그 지상 건물에 관하여 강제경매를 위한 압류나 그 압류에 선행한 가압류가 있기 이전에 저당권이 설정되어 있다가 강제경매로 저당권이 소멸한 경우, 건물 소유를 위한 관습상 법정지상권의 성립 요건인 '토지와 그 지상 건물이 동일인 소유에 속하였는지'를 판단하는 기준 시기(=저당권 설정 당시) ★★★

토지 또는 그 지상 건물의 소유권이 강제경매로 인하여 그 절차상의 매수인에게 이전되는 경우에는 그 매수인이 소유권을 취득하는 매각대금의 완납 시가 아니라 강제경매개시결정으로 압류의 효력이 발생하는 때를 기준으로 토지와 지상 건물이 동일인에게 속하였는지에 따라 관습상 법정지상권의 성립 여부를 가려야 하고, 강제경매의 목적이 된 토지 또는 그 지상 건물에 대하여 강제경매개시결정 이전에 가압류가 되어 있다가 그 가압류가 강제경매개시결정으로 인하여 본압류로 이행되어 경매절차가 진행된 경우에는 애초 가압류의 효력이 발생한 때를 기준으로 토지와 그 지상 건물이 동일인에 속하였는지에 따라 관습상 법정지상권의 성립 여부를 판단하여야 한다. 나아가 강제경매의 목적이 된 토지 또는 그 지상 건물에 관하여 강제경매를 위한 압류나 그 압류에 선행한 가압류가 있기 이전에 저당권이 설정되어 있다가 그 후 강제경매로 인해 그 저당권이 소멸하는 경우에는, 그 저당권 설정 이후의 특정 시점을 기준으로 토지와 그 지상 건물이 동일인의 소유에 속하였는지에 따라 관습상 법정지상권의 성립 여부를 판단하게 되면, 저당권자로서는 저당권 설정 당시를 기준으로 그 토지나 지상 건물의 담보가치를 평가하였음에도 저당권 설정 이후에 토지나 그 지상 건물의 소유자가 변경되었다는 외부의 우연한 사정으로 인하여 자신이 당초에 파악하고 있던 것보다 부당하게 높아지거나 떨어진 가치를 가진 담보를 취득하게 되는 예상하지 못한 이익을 얻거나 손해를 입게 되므로, 그 저당권 설정 당시를 기준으로 토지와 그 지상 건물이 동일인에게 속하였는지에 따라 관습상 법정지상권의 성립 여부를 판단하여야 한다(대판 2013.4.11, 2009다62059).

토지와 지상 건물이 함께 양도되었다가 채권자취소권의 행사에 따라 그중 건물에 관하여만 양도가 취소되고 수익자와 전득자 명의의 소유권이전등기가 말소된 경우, 관습상 법정지상권의 성립요건인 '동일인의 소유에 속하고 있던 토지와 지상 건물이 매매 등으로 인하여 소유자가 다르게 된 경우'에 해당하는지 여부(소극) ★★★

동일인의 소유에 속하고 있던 토지와 지상 건물이 매매 등으로 인하여 소유자가 다르게 된 경우에 건물을 철거한다는 특약이 없는 한 건물소유자는 건물의 소유를 위한 관습상 법정지상권을 취득한다. 그런데 민법 제406조의 채권자취소권의 행사로 인한 사해행위의 취소와 일탈재산의 원상회복은 채권자와 수익자 또는 전득자에 대한 관계에 있어서만 효력이 발생할 뿐이고 채무자가 직접 권리를 취득하는 것이 아니므로, 토지와 지상 건물이 함께 양도되었다가 채권자취소권의 행사에 따라 그중 건물에 관하여만 양도가 취소되고 수익자와 전득자 명의의 소유권이전등기가 말소되었다고 하더라도, 이는 관습상 법정지상권의 성립요건인 '동일인의 소유에 속하고 있던 토지와 지상 건물이 매매 등으로 인하여 소유자가 다르게 된 경우'에 해당한다고 할 수 없다(대판 2014.12.24, 2012다73158).

(2) 매매 기타 적법한 원인으로 건물소유자와 토지소유자가 달라질 것

처분원인으로 매매, 증여, 귀속재산의 불하, 공유물분할, 국세징수법상 공매, 강제경매 등을 들 수 있다. 여기에 저당권에 기한 임의경매는 제외된다.

형식적으로만 소유자가 달라졌을 뿐 실질적으로는 동일인에게 처분된 경우 ★★

관습상의 법정지상권은 동일인의 소유이던 토지와 그 지상건물이 매매 기타 원인으로 인하여 각각 소유자를 달리하게 되었으나 그 건물을 철거한다는 등의 특약이 없으면 건물 소유자로 하여금 토지를 계속 사용하게 하려는 것이 당사자의 의사라고 보아 인정되는 것이므로 토지의 점유·사용에 관하여 당사자 사이에 약정이 있는 것으로 볼 수 있거나 토지소유자가 건물의 처분권까지 함께 취득한 경우에는 관습상의 법정지상권을 인정할 까닭이 없다 할 것이어서, 미등기건물을 그 대지와 함께 매도하였다면, 비록 매수인에게 그 대지에 관하여만 소유권이전등기가 경료되고 건물에 관하여는 등기가 경료되지 아니하여, 형식적으로 대지와 건물이 그 소유 명의자를 달리하게 되었다 하더라도 「매도인」에게 관습상의 법정지상권을 인정할 이유가 없다(대판(전) 2002.6.20, 2002다9660).

나대지상에 환매특약의 등기가 마쳐진 상태에서 대지 소유자가 그 지상에 건물을 신축하고 환매권의 행사에 따라 토지와 건물의 소유자가 달라진 경우, 건물소유자가 관습상의 법정지상권을 취득하는지 여부(소극) ★

나대지상에 환매특약의 등기가 마쳐진 상태에서 대지소유자가 그 지상에 건물을 신축하였다면, 대지소유자는 그 신축 당시부터 환매권 행사에 따라 환매권자에게 환매특약 등기 당시의 권리관계 그대로의 토지 소유권을 이전하여 줄 잠재적 의무를 부담한다고 볼 수 있으므로, 통상의 대지소유자로서는 그 건물이 장차 철거되어야 하는 운명에 처하게 될 것임을 예상하면서도 그 건물을 건축하였다고 볼 수 있고, 환매권자가 환매기간 내에 적법하게 환매권을 행사하면 환매특약의 등기 후에 마쳐진 제3자의 근저당권 등 이미 유효하게 성립한 제한물권조차 소멸하므로, 특별한 사정이 없는 한 환매권의 행사에 따라 토지와 건물의 소유자가 달라진 경우 그 건물을 위한 관습상의 법정지상권은 애초부터 생기지 않는다. 이와 달리 관습상의 법정지상권을 인정하면 환매권자의 이익을 크게 해치게 된다(대판 2010.11.25, 2010두16431).

(3) 당사자 사이에 건물철거의 특약이 없을 것

건물철거특약이 없으면 건물소유를 위하여 계속 토지를 사용하게 하려는 당사자간의 묵시적 합의가 있는 것으로 볼 수 있기 때문이다. 건물을 철거하기로 하는 특약의 존재에 관한 주장·입증책임은 이를 주장하는 자에게 있다(대판 1988.9.27, 87다카279).

건물철거특약의 의미(대판 1999.12.10, 98다58467) ★★

[1] 토지와 건물이 동일한 소유자에게 속하였다가 건물 또는 토지가 매매 기타 원인으로 인하여 양자의 소유자가 다르게 되었더라도, 당사자 사이에 그 건물을 철거하기로 하는 합의가 있었던 경우에는 건물 소유자는 토지소유자에 대하여 그 건물을 위한 관습상의 법정지상권을 취득할 수 없다.

[2] 건물 철거의 합의가 관습상의 법정지상권 발생의 소극적 요건이 되는 이유는 그러한 합의가 없을 때라야 토지와 건물의 소유자가 달라진 후에도 건물 소유자로 하여금 그 건물의 소유를 위하여 토지를 계속 사용케 하려는 묵시적 합의가 있는 것으로 볼 수 있다는 데 있고, 한편 관습상의 법정지상권은 타인의 토지 위에 건물을 소유하는 것을 본질적 내용으로 하는 권리가 아니라, 건물의 소유를 위하여 타인의 토지를 사용하는 것을 본질적 내용으로 하는 권리여서, 위에서 말하는 '묵시적 합의'라는 당사자의 추정 의사는 건물의 소유를 위하여 "토지를 계속 사용한다"는 데 중점이 있는 의사라 할 것이므로, 건물 철거의 합의에 위와 같은 묵시적 합의를 깨뜨리는 효력, 즉 관습상의 법정지상권의 발생을 배제하는 효력을 인정할 수 있기 위하여서는, 단지 형식적으로 건물을 철거한다는 내용만이 아니라 건물을 철거함으로써 토지의 계속 사용을 그만두고자 하는 당사자의 의사가 그 합의에 의하여 인정될 수 있어야 한다.

→ [해설] : 토지와 건물의 소유자가 토지만을 타인에게 증여한 후 구 건물을 철거하되 그 지상에 자신의 이름으로 건물을 다시 신축하기로 합의한 경우, 그 건물 철거의 합의는 건물 소유자가 토지의 계속 사용을 그만두고자 하는 내용의 합의로 볼 수 없어 관습상의 법정지상권의 발생을 배제하는 효력이 인정되지 않는다.

토지임대차계약을 맺은 경우 ★★

동일인 소유의 토지와 그 토지상에 건립되어 있는 건물 중 어느 하나만이 타에 처분되어 토지와 건물의 소유자를 각 달리하게 된 경우에는 관습상의 법정지상권이 성립한다고 할 것이나, (대지상의 건물만을 매수한) 건물 소유자가 토지소유자와 사이에 건물의 소유를 목적으로 하는 토지 임대차계약을 체결한 경우에는 관습상의 법정지상권을 포기한 것으로 봄이 상당하다(대판 1992.10.27, 92다3984).

(4) 등기의 불요 – 제187조

관습법에 의한 물권변동이므로 등기는 요구되지 않는다. 그러나 이를 제3자에게 처분하려면 반드시 등기를 하여야 한다(제187조). 즉 제3자가 관습법상의 법정지상권을 전득하려면 먼저 건물소유자가 그의 법정지상권의 등기를 하고 난 다음에 이 지상권의 이전등기를 하여야 한다.

관습상 법정지상권자가 등기 없이 토지소유자나 전득자에게 그 지상권을 주장할 수 있는지 여부(적극) ★

관습상의 지상권은 법률행위로 인한 물권의 취득이 아니고 관습법에 의한 부동산물권의 취득이므로 등기를 필요로 하지 아니하고 지상권취득의 효력이 발생하고 이 관습상의 법정지상권은 물권으로서의 효력에 의하여 이를 취득할 당시의 토지소유자나 이로부터 소유권을 전득한 제3자에게 대하여도 등기 없이 위 지상권을 주장할 수 있다(대판 1988.9.27, 87다카279).

판례 연구 관련판례 정리

☑ 공유토지상의 관계 - 관습법상의 법정지상권

1. 공유토지의 분할협의

공유지상에 공유자의 1인 또는 수인 소유의 건물이 있을 경우 위 공유지의 분할로 그 대지와 지상건물이 소유자를 달리하게 된 경우에는 다른 특별사정이 없는 한 건물소유자는 그 건물부지상에 그 건물을 위하여 관습상의 지상권을 취득한다(대판 1974.2.12, 73다353).

2. 지분 과반수의 동의하에 신축된 건물

토지공유자의 한 사람이 다른 공유자의 지분 과반수의 동의를 얻어 건물을 건축한 후 토지와 건물의 소유자가 달라진 경우, 토지에 관하여 관습법상의 법정지상권이 성립되는 것으로 보게 되면, 이는 토지공유자의 1인으로 하여금 자신의 지분을 제외한 다른 공유자의 지분에 대하여서까지 지상권설정의 처분행위를 허용하는 셈이 되어 부당하다(대판 1993.4.13, 92다55756).

3. 토지공유자 중 1인의 건물소유자가 토지지분만을 매도한 경우 ★★★

토지공유자 중 1인이 공유토지 위에 건물을 소유하고 있다가 그 토지지분만을 전매한 경우, 해당 토지 자체에 관하여 건물의 소유를 위한 관습상의 법정지상권이 성립된 것으로 보게 된다면, 이는 마치 토지공유자의 1인으로 하여금 다른 공유자의 지분에 대하여서까지 지상권설정의 처분행위를 허용하는 셈이 되어 부당하다 할 것이므로, 위와 같은 경우에 있어서는 당해 토지에 관하여 건물의 소유를 위한 관습상의 법정지상권이 성립될 수 없다(대판 1987.6.23, 86다카2188).

4. 구분소유적 공유관계의 경우 ★★

① 甲과 乙이 대지를 각자 특정하여 매수하여 배타적으로 점유하여 왔으나 분필이 되어 있지 아니한 탓으로 그 특정부분에 상응하는 지분소유권이전등기만을 경료하였다면 그 대지의 소유관계는 처음부터 구분소유적 공유관계에 있다 할 것이고, 또한 구분소유적 공유관계에 있어서는 통상적인 공유관계와는 달리 당사자 내부에 있어서는 각자가 특정매수한 부분은 각자의 단독 소유로 되었다 할 것이므로, 乙은 위 대지 중 그가 매수하지 아니한 부분에 관하여는 甲에게 그 소유권을 주장할 수 없어 위 대지 중 乙이 매수하지 아니한 부분지상에 있는 乙 소유의 건물부분은 당초부터 건물과 토지의 소유자가 서로 다른 경우에 해당되어 그에 관하여는 관습상의 법정지상권이 성립될 여지가 없다(대판 1994.1.28, 93다49871). (그러나) ② 원고와 피고가 1필지의 대지를 공동으로 매수하여 같은 평수로 사실상 분할한 다음 각자 자기의 돈으로 자기 몫의 대지 위에 건물을 신축하여 점유하여 왔다면, 비록 위 대지가 등기부상으로는 원·피고 사이의 공유로 되어 있다 하더라도 그 대지의 소유관계는 처음부터 구분소유적 공유관계에 있다 할 것이고, 따라서 피고 소유의 건물과 그 대지는 원고와의 내부관계에 있어서 피고의 단독소유로 되었다 할 것이므로, 피고는 그 후 이 사건 대지의 피고지분만을 경락 취득한 원고에 대하여 그 소유의 위 건물을 위한 관습상의 법정지상권을 취득하였다고 할 것이다(대판 1990.6.26, 89다카24094).

3. 효과

(1) 민법의 지상권에 관한 규정의 준용

관습법상 법정지상권은 설정계약 없이 당연히 성립하는 점을 제외하고는 보통의 지상권과 다를 바 없으므로, 민법의 지상권에 관한 규정이 준용된다.

(2) 범위

건물의 유지 및 사용에 필요한 범위 내에서 인접토지에까지 미친다. 또한 관습법상의 법정지상권이 성립한 건물을 개축 또는 증축하는 경우는 물론 건물이 멸실되거나 철거된 후에 신축하는 경우에도 법정지상권은 성립한다. 다만 그 효력범위는 구건물을 기준으로 한다(대판 1997.1.21, 96다40080).

(3) 존속기간 및 지료

1) 존속기간

존속기간을 약정하지 아니한 지상권으로 보아 제280조와 제281조에 의한다. 또한 존속기간이 만료된 경우에 갱신청구권과 매수청구권(제283조)이 인정된다.

2) 지료

지료는 당사자 간의 협의에 의하여 결정하되, 협의가 안 되면 당사자의 신청에 의하여 법원이 결정한다(제366조 단서 준용).

법정지상권에 관한 지료가 결정되지 않은 경우, 지료 지급이 2년 이상 연체되었다는 이유로 지상권소멸청구를 할 수 있는지 여부(소극) 등(대판 2001.3.13, 99다17142) ★★

① 법정지상권의 경우 당사자 사이에 지료에 관한 협의가 있었다거나 법원에 의하여 지료가 결정되었다는 아무런 입증이 없다면, 법정지상권자가 지료를 지급하지 않았다고 하더라도 지료 지급을 지체한 것으로는 볼 수 없으므로 법정지상권자가 2년 이상의 지료를 지급하지 아니하였음을 이유로 하는 토지소유자의 지상권소멸청구는 이유가 없고, 지료액 또는 그 지급시기 등 지료에 관한 약정은 이를 등기하여야만 제3자에게 대항할 수 있는 것이고, 법원에 의한 지료의 결정은 당사자의 지료결정청구에 의하여 형식적 형성소송인 지료결정판결로 이루어져야 제3자에게도 그 효력이 미친다.

→ [해설] : 당사자의 지료결정청구인 형식적 형성소송인 경우에 그에 대한 법원의 지료결정의 효력이 제3자에게도 미친다는 것이지, 단순히 지료지급청구의 이행의 소에 대한 이행판결이 확정된 것에 불과한 경우까지 제3자에게 지료결정의 효력이 미친다는 것이 아님에 주의를 요한다.

② 지상권의 지료지급연체가 토지소유권의 양도 전후에 걸쳐 이루어진 경우, 양도인에 대하여 2년 이상의 지료를 연체하더라도 양수인에 대한 연체가 2년 이상이 아니라면 양수인은 지상권의 소멸을 청구할 수 없다.

4. 관습상 법정지상권이 성립한 후 토지 또는 건물이 양도된 경우

(1) 토지가 양도된 경우

관습법상의 법정지상권도 물권이므로 건물소유자는 법정지상권 취득 당시의 토지소유자에 대해서는 물론이고, 그로부터 토지소유권을 전득한 제3자에 대해서도 등기 없이 관습법상의 법정지상권을 주장할 수 있다(대판 1988.9.27, 87다카279 등).

(2) 건물이 양도된 경우 – 관습법상의 법정지상권의 등기 없이 양도된 경우

1) 제100조 제2항(주물 · 종물 이론)의 준용

관습법상의 법정지상권은 지상건물의 소유권과 종된 권리와 주된 권리의 관계에 있으므로 그 법률적 운명을 같이 하는 것이 원칙이다(제100조 제2항). 따라서 법정지상권을 취득한 건물소유자가 건물을 양도하는 경우에는 특별한 사정이 없는 한 건물과 함께 지상권도 양도하는 것이 된다(대판 1981.9.8, 80다2873).

2) 건물양수인의 관습법상 법정지상권 승계취득 여부

① 건물양도인이 등기 없이 취득한 관습법상의 법정지상권도 이를 제3자(건물양수인)에게 처분하려면 민법 제187조 단서에 의해 등기를 하여야 한다. 만약 지상권을 등기하지 않은 채 건물을 처분하였다면, 건물의 양수인은 건물의 소유권이전등기를 함으로써 건물소유권을 취득할 수는 있어도 관습법상의 법정지상권은 승계취득하지 못하므로 관습법상의 법정지상권은 건물양도인에게 유보되어 있다(대판 1995.4.11, 94다39925).

② 다만 제3자가 경매에 의하여 건물을 양수받은 경우에는 양수인은 제187조에 의하여 법정지상권 자체를 등기 없이 승계취득한다(대판 1979.8.29, 79다1087).

법정지상권을 취득한 사람으로부터 경매에 의하여 건물 소유권을 이전받은 매수인의 지위(대판 2013.9.12, 2013다43345) ★★★

[1] 법정지상권을 취득한 사람으로부터 경매에 의하여 건물 소유권을 이전받은 매수인이 그 지상권을 당연취득하는지 여부(원칙적 적극) 및 지료에 관한 약정을 등기하지 않은 경우 토지소유자가 구 지상권자의 지료연체 사실을 들어 지상권을 이전받은 자에게 대항할 수 있는지 여부(소극)

동일한 소유자에 속하는 대지와 그 지상건물이 매매 등에 의하여 각기 그 소유자가 달라지게 된 경우에는 특히 그 건물을 철거한다는 조건이 없는 한 건물소유자는 그 대지 위에 그 건물을 위한 관습법상의 법정지상권을 취득하는 것이고, 한편 건물 소유를 위하여 법정지상권을 취득한 사람으로부터 경매에 의하여 그 건물의 소유권을 이전받은 매수인은 매수 후 건물을 철거한다는 등의 매각조건하에서 경매되는 경우 등 특별한 사정이 없는 한 건물의 매수취득과 함께 위 지상권도 당연히 취득한다. 그리고 지료액 또는 그 지급시기 등 지료에 관한 약정은 이를 등기하여야만 제3자에게 대항할 수 있는 것이므로, 지료의 등기를 하지 아니한 이상 토지소유자는 구 지상권자의 지료연체 사실을 들어 지상권을 이전받은 자에게 대항하지 못한다.

[2] 관습법상 법정지상권의 존속기간 및 민법 제280조 제1항 제1호에서 정한 '견고한 건물'인지 판단하는 기준

관습법상의 법정지상권에 관하여는 특별한 사정이 없는 한 민법의 지상권에 관한 규정이 준용되므로, 당사자 사이에 관습법상의 법정지상권의 존속기간에 대하여 따로 정하지 않은 때에는 위 기간은 민법 제281조 제1항에 의하여 민법 제280조 제1항 각 호에 규정된 기간이 된다. 민법 제280조 제1항은 지상권의 최단 존속기간을 석조, 석회조, 연와조 또는 이와 유사한 견고한 건물의 소유를 목적으로 하는 때에는 30년(제1호), 그 이외의 건물의 소유를 목적으로 하는 때에는 15년(제2호)으로 규정하고 있는바, 위 제1호가 정하는 견고한 건물인지의 여부는 그 건물이 갖고 있는 물리적・화학적 외력 또는 화재에 대한 저항력 및 건물해체의 난이도 등을 종합하여 판단하여야 한다.

법정지상권을 취득한 사람으로부터 경매에 의하여 건물 소유권을 이전받은 매수인은 그 지상권을 당연 취득하는지 여부(원칙적 적극) **및 이는 사해행위의 수익자 또는 전득자가 건물의 소유자로서 법정지상권을 취득한 후 채권자취소권 행사에 따라 수익자와 전득자 명의의 소유권이전등기가 말소된 다음 경매절차에서 건물이 매각되는 경우에도 마찬가지로 적용되는지 여부**(적극) ★★★

저당권설정 당시 동일인의 소유에 속하고 있던 토지와 지상 건물이 경매로 인하여 소유자가 다르게 된 경우에 건물소유자는 건물의 소유를 위한 민법 제366조의 법정지상권을 취득한다. 그리고 건물 소유를 위하여 법정지상권을 취득한 사람으로부터 경매에 의하여 건물의 소유권을 이전받은 매수인은 매수 후 건물을 철거한다는 등의 매각조건하에서 경매되는 경우 등 특별한 사정이 없는 한 건물의 매수취득과 함께 위 지상권도 당연히 취득하는데, 이러한 법리는 사해행위의 수익자 또는 전득자가 건물의 소유자로서 법정지상권을 취득한 후 채무자와 수익자 사이에 행하여진 건물의 양도에 대한 채권자취소권의 행사에 따라 수익자와 전득자 명의의 소유권이전등기가 말소된 다음 경매절차에서 건물이 매각되는 경우에도 마찬가지로 적용된다(대판 2014.12.24, 2012다73158).

3) 건물양수인의 대지소유자에 대한 법정지상권설정등기의 대위청구 가부

법정지상권을 취득한 건물양도인이 법정지상권설정등기를 경료하지 않고 건물을 양도한 경우에, 특별한 사정이 없는 한 건물과 함께 관습법상의 법정지상권도 양도하기로 하는 것으로 보고, 건물양수인은 양도인을 대위하여 대지소유자에 대하여 법정지상권설정등기를 양도인에게 해줄 것을 청구할 수 있다(대판 1995.4.11, 94다39925).

4) 대지소유자의 건물양수인에 대한 건물철거 및 대지인도청구 인정 여부

건물양수인에 대하여 대지소유자가 그 소유권을 기해 건물철거 및 대지인도를 청구하는 것은, 지상권의 부담을 용인하고 그 설정등기절차를 이행할 의무 있는 자가 그 권리자를 상대로 한 청구이므로 신의칙상 허용될 수 없다(대판(전) 1985.4.9, 84다카1131・1132). 다만, 임료상당액의 청구는 부당이득반환청구로서 인정된다(제366조 단서).

판례 연구 **관련판례 정리**

1. 관습상 법정지상권이 붙은 건물의 양수인이 건물의 소유권을 취득한 사실만으로 법정지상권을 취득하는지 여부 ★★★

① 관습상 법정지상권이 붙은 건물의 소유자가 건물을 제3자에게 처분한 경우에는 법정지상권에 관한 등기를 경료하지 아니한 자로서는 건물의 소유권을 취득한 사실만 가지고는 법정지상권을 취득하였다고 할 수 없어 대지소유자에게 지상권을 주장할 수 없고 그 법정지상권은 여전히 당초의 법정지상권자에게 유보되어 있다고 보아야 한다. ② 법정지상권자가 건물을 제3자에게 양도하는 경우에는 특별한 사정이 없는 한 건물과 함께 법정지상권도 양도하기로 하는 채권적 계약이 있었다고 할 것이며, 양수인은 양도인을 순차 대위하여 토지소유자 및 건물의 전소유자에 대하여 법정지상권의 설정등기 및 이전등기절차이행을 구할 수 있고, 토지소유자는 건물소유자에 대하여 법정지상권의 부담을 용인하고 그 설정등기절차를 이행할 의무가 있다 할 것이므로, 법정지상권이 붙은 건물의 양수인은 법정지상권에 대한 등기를 하지 않았다 하더라도 토지소유자에 대한 관계에서 적법하게 토지를 점유사용하고 있는 자라 할 것이고, 따라서 건물을 양도한 자라고 하더라도 지상권갱신청구권이 있고 건물의 양수인은 법정지상권자인 양도인의 갱신청구권을 대위행사할 수 있다고 보아야 할 것이다(대판 1995.4.11, 94다39925).

2. 관습법상의 법정지상권이 성립된 후 건물이 양도된 경우의 법률관계 ★★★

① 관습상의 지상권은 법률행위로 인한 물권의 취득이 아니고 관습법에 의한 부동산물권의 취득이므로 등기를 필요로 하지 아니하고 지상권취득의 효력이 발생하고, 이 관습상의 법정지상권은 물권으로서의 효력에 의하여 이를 취득할 당시의 토지소유자나 이로부터 소유권을 전득한 제3자에게 대하여도 등기 없이 위 지상권을 주장할 수 있다. (한편) ② 법정지상권을 취득한 건물소유자가 법정지상권의 설정등기를 경료함이 없이 건물을 양도하는 경우에는 특별한 사정이 없는 한 건물과 함께 지상권도 양도하기로 하는 채권적 계약이 있었다고 할 것이므로, 법정지상권자는 지상권설정등기를 한 후에 건물양수인에게 이의 양도등기절차를 이행하여줄 의무가 있는 것이고, 따라서 ③ 건물양수인은 건물양도인을 순차대위하여 토지소유자에 대하여 건물소유자였던 최초의 법정지상권자에게 법정지상권설정등기절차이행을 청구할 수 있다. (그리고) ④ 법정지상권을 가진 건물소유자로부터 건물을 양수하면서 지상권까지 양도받기로 한 사람에 대하여, 대지소유자가 소유권에 기하여 건물철거 및 대지의 인도를 구하는 것은 지상권의 부담을 용인하고 그 설정등기절차를 이행할 의무 있는 자가 그 권리자를 상대로 한 청구라 할 것이어서 신의성실의 원칙상 허용될 수 없다(대판 1988.9.27, 87다카279).

3. 관습법상의 법정지상권이 있는 건물 양수인의 부당이득반환의무 ★★

법정지상권자라 할지라도 대지 소유자에게 지료를 지급할 의무는 있는 것이고, 법정지상권이 있는 건물의 양수인으로서 장차 법정지상권을 취득할 지위에 있어 대지 소유자의 건물 철거나 대지 인도 청구를 거부할 수 있다 하더라도, 그 대지를 점유・사용함으로 인하여 얻은 이득은 부당이득으로서 대지 소유자에게 반환할 의무가 있다(대판 1997.12.26, 96다34665).

4. 압류, 가압류나 체납처분압류 등 처분제한 등기가 된 건물에 관하여 그에 저촉되는 소유권이전등기를 마친 사람이 건물의 소유자로서 관습상의 법정지상권을 취득한 후 경매 또는 공매절차에서 건물이 매각되는 경우, 매수인이 위 지상권을 취득하는지 여부(원칙적 적극)

동일한 소유자에 속하는 대지와 그 지상건물이 매매에 의하여 각기 소유자가 달라지게 된 경우에는 특히 건물을 철거한다는 조건이 없는 한 건물소유자는 대지 위에 건물을 위한 관습상의 법정지상권을 취득하는 것이고, 한편 건물 소유를 위하여 법정지상권을 취득한 자로부터 경매에 의하여 건물의 소유권을 이전받은 경락인은 경락 후 건물을 철거한다는 등의 매각조건하에서 경매되는 경우 등 특별한 사정이 없는 한 건물의 경락취득과 함께 위 지상권도 당연히 취득한다. 이러한 법리는 압류, 가압류나 체납처분압류 등 처분제한의 등기가 된 건물에 관하여 그에 저촉되는 소유권이전등기를 마친 사람이 건물의 소유자로서 관습상의 법정지상권을 취득한 후 경매 또는 공매절차에서 건물이 매각되는 경우에도 마찬가지로 적용된다(대판 2014.9.4, 2011다13463).61)

제2절 지역권

Ⅰ. 총설

1. 의의

> **제291조 【지역권의 내용】**
> 지역권자는 일정한 목적을 위하여 타인의 토지를 자기 토지의 편익에 이용하는 권리가 있다.

지역권이란 어느 토지(요역지)의 편익을 위하여 타인의 토지(승역지)를 이용하는 용익물권을 말한다(제291조). 통행지역권, 용수지역권, 조망·일조지역권, 특수지역권 등이 있다.

2. 법적 성격

(1) 타인의 토지를 자기토지의 편익에 이용하는 권리

지역권은 일정한 목적을 위하여 타인의 토지를 자기의 토지의 편익에 이용하는 용익물권으로서 요역지와 승역지 사이의 권리관계에 터 잡은 것이므로 어느 토지에 대하여 통행지역권을 주장하려면 그 토지의 통행으로 편익을 얻는 요역지가 있음을 주장·입증하여야 한다(대판 1992.12.8, 92다22725).

(2) 요역지와 승역지의 두 토지 사이의 관계

① 요역지는 1필의 토지여야 하나, 승역지는 1필의 토지일 필요가 없고, 토지는 서로 인접할 것을 요하지 않는다.

② 지역권은 토지소유자 뿐만 아니라 지상권자·전세권자·임차인도 지역권을 설정할 수 있다.

---

61) 甲이 건물의 소유권과 관습상의 법정지상권을 취득하였는데, 이후 건물에 관한 과세관청의 선행 체납처분압류등기에 기해 건물에 대한 공매절차가 개시되어 甲 명의의 건물에 관한 소유권이전등기가 말소됨에 따라 甲의 관습상 법정지상권 역시 소멸하여 경락인은 관습상 법정지상권을 취득할 수 없는지가 문제된 사안에서, 원심은 甲의 관습상 법정지상권의 소멸을 긍정하여 경락인의 관습상 법정지상권 취득의 항변을 배척하였으나, 대법원은 이 경우에도 위와 같은 이유로 특별한 사정이 없는 한 경락인은 관습상 법정지상권을 취득한다고 보았다.

(3) 무상성 및 존속기간

지료는 지역권성립의 요건이 아니다. 따라서 지역권은 유상일 수도 있고 무상일 수도 있다(통설). 나아가 지역권의 존속기간에 관한 규정이 없으므로 영구무제한의 지역권설정이 가능하다는 것이 판례이다(대판 1980.1.29, 79다1704).

(4) 부종성

> **제292조 【부종성】**
> ① 지역권은 요역지 소유권에 부종하여 이전하며 또는 요역지에 대한 소유권 이외의 권리의 목적이 된다. 그러나 다른 약정이 있는 때에는 그 약정에 의한다.
> ② 지역권은 요역지와 분리하여 양도하거나 다른 권리의 목적으로 하지 못한다.

① 지역권은 요역지의 소유권과 법률적 운명을 같이 한다. 따라서 요역지가 이전되면 별도로 지역권이전의 합의와 등기는 필요 없다. 다만 당사자 약정으로 달리 정할 수는 있다(제292조 제1항).

② 나아가 지역권은 요역지로부터 분리하여 양도되거나 다른 권리의 목적으로 하지 못한다(제292조 제2항).

(5) 불가분성

> **제293조 【공유관계, 일부양도와 불가분성】**
> ① 토지공유자의 1인은 지분에 관하여 그 토지를 위한 지역권 또는 그 토지가 부담한 지역권을 소멸하게 하지 못한다.
> ② 토지의 분할이나 토지의 일부양도의 경우에는 지역권은 요역지의 각 부분을 위하여 또는 그 승역지의 각 부분에 존속한다. 그러나 지역권이 토지의 일부분에만 관한 것인 때에는 다른 부분에 대하여는 그러하지 아니하다.
> **제295조 【취득과 불가분성】**
> ① 공유자의 1인이 지역권을 취득한 때에는 다른 공유자도 이를 취득한다.
> ② 점유로 인한 지역권 취득기간의 중단은 지역권을 행사하는 모든 공유자에 대한 사유가 아니면 그 효력이 없다.
> **제296조 【소멸시효의 중단, 정지와 불가분성】**
> 요역지가 수인의 공유인 경우에 그 1인에 의한 지역권 소멸시효의 중단 또는 정지는 다른 공유자를 위하여 효력이 있다.

1) 요역지공유자의 1인이 지역권을 취득하면 다른 공유자도 취득하고, 지역권의 취득시효의 중단은 모든 공유자들에 대한 사유가 아니면 안 된다.

2) 요역지소유자가 수인인 경우 소멸시효중단은 1인에 대한 사유만으로 효력이 있다.

Ⅱ. 지역권의 취득

1. 취득사유

지역권은 통상 지역권설정계약과 등기에 의해 취득하지만, 그 밖에 취득시효, 유언, 상속, 양도 등에 의해서도 취득될 수 있다.

2. 지역권의 시효취득

> 第294조【지역권 취득기간】
> 지역권은 계속되고 표현된 것에 한하여 제245조의 규정을 준용한다.

1) 지역권은 계속되고 표현된 것에 한하여 시효취득하는데, 이 경우 등기가 필요하다(대판 1990.10.30, 90다카20395). 즉 시효취득완성자는 지역권설정등기청구권을 가진다.
2) 지역권의 시효취득에서 요역지소유자가 승역지상에 통로를 개설하여 계속 사용하여야 통행지역권이 성립한다.

> 통로의 개설이 없는 일정한 장소를 오랜 시일 통행한 사실이 있다거나, 또는 토지의 소유자가 다만 이웃하여 사는 교문으로 통행을 묵인하여 온 사실이 있다고 하더라도, 그러한 사실만으로는 지역권을 취득할 수 없는 것이고, 민법 제294조에 의하여 지역권을 취득함에 있어서는 요역지의 소유자가 승역지상에 통로를 개설하여 승역지를 항시 사용하고 있는 객관적 상태가 민법 제245조에 규정된 기간 계속한 사실이 있어야 하는 것인바, 본건에 있어서 원고가 그러한 지역권취득의 요건을 구비하였다고 볼 수 없으므로, 원고의 위 주장을 배척한 원심판단은 정당한 것이다(대판 1966.9.6, 65다2305 · 2306).

3) 요역지의 불법점유자는 지역권을 시효취득할 수 없다(대판 1976.10.29, 76다1694). 요역지의 소유자 기타 사용자만이 시효취득할 수 있다.
4) 공유자의 1인이 지역권의 취득시효의 요건을 구비하면 전원을 위하여 지역권의 시효취득이 인정된다. 다만 점유로 인한 지역권취득시효의 중단은 요역지가 공유인 때에는 그 지역권을 행사하는 공유자 전원에 대한 사유로 효력이 생긴다(제295조 제2항).

Ⅲ. 지역권의 효력

1. 지역권자의 권리

(1) 용수지역권

> 第297조【용수지역권】
> ① 용수승역지의 수량이 요역지 및 승역지의 수요에 부족한 때에는 그 수요정도에 의하여 먼저 가용에 공급하고 다른 용도에 공급하여야 한다. 그러나 설정행위에 다른 약정이 있는 때에는 그 약정에 의한다.
> ② 승역지에 수개의 용수지역권이 설정된 때에는 후순위의 지역권자는 선순위의 지역권자의 용수를 방해하지 못한다.

(2) 공작물의 공동사용

> **제300조【공작물의 공동사용】**
> ① 승역지의 소유자는 지역권의 행사를 방해하지 아니하는 범위내에서 지역권자가 지역권의 행사를 위하여 승역지에 설치한 공작물을 사용할 수 있다.
> ② 전항의 경우에 승역지의 소유자는 수익정도의 비율로 공작물의 설치, 보존의 비용을 분담하여야 한다.

(3) 물권적 청구권

> **제301조【준용규정】**
> 제214조의 규정은 지역권에 준용한다.

지역권자는 승역지를 점유하지 않고 사용을 할 뿐이므로 승역지의 점유가 침탈되더라도 반환청구권을 갖지는 않는다. 다만 방해제거청구권과 방해예방청구권은 인정된다(이러한 사실은 저당권자와 마찬가지이고 지상권자, 전세권자, 질권자와는 다른 점이다).

2. 승역지소유자의 의무

> **제298조【승역지 소유자의 의무와 승계】**
> 계약에 의하여 승역지 소유자가 자기의 비용으로 지역권의 행사를 위하여 공작물의 설치 또는 수선의 의무를 부담한 때에는 승역지소유자의 특별승계인도 그 의무를 부담한다.
> **제299조【위기(委棄)에 의한 부담면제】**
> 승역지의 소유자는 지역권에 필요한 부분의 토지소유권을 지역권자에게 위기하여 전조의 부담을 면할 수 있다.

① 승역지소유자는 승역지가 요역지의 편익에 이용되는 범위에서 지역권자의 행위를 인용하고 또 일정한 이용을 하지 않을 부작위의무를 부담한다.

② 계약에 의해 승역지소유자가 자기의 비용으로 지역권의 행사를 위해 공작물의 설치 또는 수선 의무를 부담한 때에는 승역지소유자의 특별승계인도 그 의무를 부담한다.

③ 승역지소유자의 위기(제299조)가 있으면, 지역권은 혼동으로 소멸한다. 여기서 위기란 승역지를 지역권자의 처분에 맡기기 위하여 그 소유권을 포기한다는 물권적 단독행위이다. 따라서 지역권자가 위기된 승역지의 소유권을 취득함에 있어 소유전이전등기를 해야 한다(제186조).

Ⅳ. 지역권의 소멸

1. 물권 일반의 소멸사유

지역권도 일반물권과 같이 요역지 또는 승역지의 멸실, 지역권자의 포기, 혼동, 존속기간의 만료, 약정소멸사유의 발생, 승역지의 수용 등에 의해 소멸하고, 승역지가 제3자에 의해 시효취득되는 경우에도 지역권은 소멸하는 것이 원칙이다. 또한 지역권을 20년간 행사하지 않으면 시효소멸(제162조 제2항)한다.

2. 지역권 특유의 소멸사유

승역지소유자의 위기가 있으면, 지역권은 혼동으로 소멸한다.

V. 특수지역권

> **제302조【특수지역권】**
> 어느 지역의 주민이 집합체의 관계로 각자가 타인의 토지에서 초목, 야생물 및 토사의 채취, 방목 기타의 수익을 하는 권리가 있는 경우에는 관습에 의하는 외에 본장의 규정을 준용한다.

제3절 전세권

I. 총설

1. 의의

> **제303조【전세권의 내용】**
> ① 전세권자는 전세금을 지급하고 타인의 부동산을 점유하여 그 부동산의 용도에 좇아 사용수익하며, 그 부동산 전부에 대하여 후순위권리자 기타 채권자보다 전세금의 우선변제를 받을 권리가 있다.
> ② 농경지는 전세권의 목적으로 하지 못한다.
> **제312조의2【전세금 증감청구권】**
> 전세금이 목적부동산에 관한 조세·공과금 기타 부담의 증감이나 경제사정의 변동으로 인하여 상당하지 아니하게 된 때에는 당사자는 장래에 대하여 그 증감을 청구할 수 있다. 그러나 증액의 경우에는 대통령령이 정하는 기준에 따른 비율을 초과하지 못한다. → 사정변경의 원칙이 개별적으로 규정된 것이다.

전세권이란 전세권자가 전세금을 지급하고 타인의 부동산을 점유하여 그 부동산의 용도에 좇아 사용·수익하고, 전세권이 소멸하면 부동산 전부에 대하여 후순위권리자 기타 채권자보다 전세금의 우선변제를 받을 수 있는 권리를 말한다(제303조 제1항).

2. 법적 성질

(1) 물권

① 전세권은 물권으로서 상속성과 양도성이 있다. 다만 전세권의 양도는 설정행위로 금지할 수 있다(제306조 단서). 이 점에서 양도금지특약이 무효가 되는 지상권과 다르다. 단, 전세권 양도금지특약으로 양수인에 대항하기 위하여는 등기를 해야 한다(부등법 제72조 제1항 제5호).

② 또한 전세권이 침해된 경우에는 물권적 청구권이 인정된다(제319조).

(2) 용익물권

전세권은 목적부동산을 점유하여 그 부동산의 용도에 좇아 사용・수익하는 용익물권이다. 따라서 소유권에서와 마찬가지로 상린관계의 규정이 준용된다(제319조).

(3) 담보물권성

1) 담보물권인지 여부

민법의 개정으로 인하여 전세권에 관해 우선변제적 효력이 부여되었고, 이를 근거로 통설은 전세권은 용익물권인 동시에 담보물권의 성질을 겸유하지만, 주된 성질은 용익물권이라고 하는 특수 용익물권설의 입장이다. 판례도 전세권은 용익물권적 성격과 담보물권적 성격을 겸비하고 있다고 하여 기본적으로 같은 입장으로 평가된다(대판 1995.2.10, 94다18508 등).

2) 내용

① 전세권자는 전세금에 관하여 우선변제권(제303조 제1항)을 갖고 있으므로, 전세권설정자가 전세금의 반환을 지체한 경우에는 전세권의 목적물에 대한 경매를 청구할 수 있다(제318조).

② 또한 담보물권의 통유성인 부종성・수반성・불가분성・물상대위성 등을 지닌다. 즉, 전세권은 전세금반환채권의 운명에 부종 또는 수반하며, 본래의 목적물뿐만 아니라 그 대체물 위에도 효력이 미치고(물상대위성), 전세권은 전세금 반환채권 전액에 관하여 목적물 전부 위에 효력을 미친다(불가분성).

Ⅱ. 전세권의 취득

전세권은 보통 설정합의에 의해 취득되지만, 그 밖에 양도나 상속에 의해서도 전세권을 승계취득할 수 있다. 임대차와는 달리 전세권의 양도에 전세권설정자의 동의를 요하지 않는다.

1. 설정계약에 의한 취득

전세권은 전세권설정합의와 등기에 의해 설정된다. 여기서 합의의 내용은 전세권자가 전세금을 지급하고 일정한 권능을 포함하는 법적 권리로서 전세권을 취득하기로 한다는 것이다. 또한 목적부동산의 인도는 그 요건이 아니다(대판 1995.2.10, 94다18508).

전세권 존속기간이 시작되기 전에 마친 전세권설정등기가 유효한 것으로 추정되는지 여부(원칙적 적극) **및 전세권의 순위를 결정하는 기준**(등기된 순서) ★
전세권자는 전세금을 지급하고 타인의 부동산을 점유하여 그 부동산의 용도에 좇아 사용・수익하며, 그 부동산 전부에 대하여 후순위권리자 기타 채권자보다 전세금의 우선변제를 받을 권리가 있다(민법 제303조 제1항). 이처럼 전세권이 용익물권적인 성격과 담보물권적인 성격을 모두 갖추고 있는 점에 비추어 전세권 존속기간이 시작되기 전에 마친 전세권설정등기도 특별한 사정이 없는 한 유효한 것으로 추정된다. 한편 부동산등기법 제4조 제1항은 "같은 부동산에 관하여 등기한 권리의 순위는 법률에 다른 규정이 없으면 등기한 순서에 따른다."라고 정하고 있으므로, 전세권은 등기부상 기록된 전세권설정등기의 존속기간과 상관없이 등기된 순서에 따라 순위가 정해진다(대결 2018.1.25, 2017마1093).

전세권자의 사용・수익을 배제하고 채권담보만을 목적으로 한 전세권의 효력(무효) ★★
민법 제185조는 "물권은 법률 또는 관습법에 의하는 외에는 임의로 창설하지 못한다."라고 정하여 물권법정주의를 선언하고 있다. 물권법의 강행법규성에 따라 법률과 관습법이 인정하지 않는 새로운 종류나 내용의 물권을 창설하는 것은 허용되지 않는다. 전세권자는 전세금을 지급하고 타인의 부동산을 점유하여 그 부동산의 용도에 좇아 사용・수익하며, 그 부동산 전부에 대하여 후순위권리자 기타 채권자보다 전세금의 우선변제를 받을 권리가 있다(제303조 제1항). 전세권설정계약의 당사자가 주로 채권담보 목적으로 전세권을 설정하고 설정과 동시에 목적물을 인도하지 않는다고 하더라도 장차 전세권자가 목적물을 사용・수익하는 것을 배제하지 않는다면, 전세권의 효력을 부인할 수는 없다. 그러나 전세권 설정의 동기와 경위, 전세권 설정으로 달성하려는 목적, 채권의 발생 원인과 목적물의 관계, 전세권자의 사용・수익 여부와 그 가능성, 당사자의 진정한 의사 등에 비추어 전세권설정계약의 당사자가 전세권의 핵심인 사용・수익 권능을 배제하고 채권담보만을 위해 전세권을 설정하였다면, 법률이 정하지 않은 새로운 내용의 전세권을 창설하는 것으로서 물권법정주의에 반하여 허용되지 않고 이러한 전세권설정등기는 무효라고 보아야 한다(대판 2021.12.30, 2018다40235・2018다40242).
→ [사실관계 및 해설] : (사안을 다소 변형하여) 乙은 甲의 X식당에 관한 임대차보증금반환채권을 담보할 목적으로 X 식당이 아닌 甲의 또 다른 Y식당에 관하여 전세권을 설정받았으나 실제로 식당을 운영하거나 점유하지는 않았다. 그 후 A는 강제경매 절차에서 Y식당을 매수하였다. 乙은 Y식당에 관한 전세권을 주장하며 A에게 식당에서 퇴거하고 자신에게 식당을 인도할 것을 청구하는 본소를 제기하였고, A는 乙을 상대로 Y식당에 관한 전세권설정등기는 무효라는 이유로 그 말소등기를 구하는 반소를 제기하였다. 대법원은 위 법리에 기초하여 이 사건 전세권은 전세권자가 목적물인 이 사건 식당을 사용・수익하는 것을 배제하고 채권 담보만을 목적으로 설정된 것이므로 이 사건 전세권설정등기는 무효라고 판단하였다.

(1) 전세권의 객체

전세권의 목적물은 타인의 부동산이다. 따라서 건물 이외에 토지도 포함된다. 다만 농경지에 대해서는 전세권의 목적으로 하지 못한다(제303조 제2항). 또한 전세권의 객체인 부동산은 1필의 토지 또는 1동의 건물의 일부라도 무방하다(일물일권주의의 예외).

(2) 제3자 명의의 전세권등기의 유효성

전세권이 담보물권적 성격을 아울러 가지고 있는 이상 부종성과 수반성이 있기는 하지만, 다른 담보권과 마찬가지로 전세권자와 전세권설정자 및 제3자 사이에 합의가 있으면 그 전세권자의 명의를 제3자로 하는 것도 가능하므로, 임대차계약에 바탕을 두고 이에 기한 임차보증금반환채권을 담보할 목적으로 임대인, 임차인 및 제3자 사이의 합의에 따라 제3자 명의로 경료된 전세권설정등기는 유효하다 할 것이고, 비록 임대인과 임차인 또는 제3자 사이에 실제로 전세권설정계약이 체결되거나 전세금이 수수된 바 없다거나, 위 전세권설정등기의 피담보채권인 임차보증금반환채권의 귀속자는 임차인이고, 제3자는 임대인에 대하여 직접 어떤 채권을 가지고 있지 아니하다 하더라도 달리 볼 것은 아니다(대판 2005.5.26, 2003다12311).

2. 전세금

(1) 의의 및 성질

① 전세금이란 전세권자가 그 부동산의 사용대가로서 전세권설정자에게 교부하되, 전세권소멸시 전세권설정자로부터 전세권자가 다시 반환받는 금전을 말한다(제317조).

② 전세금은 보증금으로서의 성질을 갖는다. 민법 제315조는 전세권자의 귀책사유로 목적물의 전부 또는 일부가 멸실된 경우에 전세권설정자는 전세권이 소멸된 후 전세금으로써 그 손해의 배상에 충당할 수 있다고 하여, 이를 표명하고 있다. 다만 보증금의 경우에는 임대차존속 중에도 보증금으로써 이행되지 않은 채무에 충당할 수 있지만, 전세권에서는 전세권이 소멸된 후에만 충당할 수 있는 점에서 차이가 있다.

통정허위표시와 전세권저당권자의 물상대위권 행사 및 전세권설정자가 제315조 외의 채권으로써 전세금반환채무와 상계할 수 있는지 여부(소극)(대판 2008.3.13, 2006다29372·29389) ★★★

[1] 실제로는 전세권설정계약이 없으면서도 임차보증금 반환채권을 담보할 목적으로 전세권설정등기를 마친 후 그 전세권에 대하여 근저당권이 설정된 경우, 임대인이 그와 같은 사정을 알지 못한 근저당권자에게 위 전세권설정계약이 통정허위표시에 해당함을 이유로 무효를 주장할 수 있는지 여부(소극)
실제로는 전세권설정계약이 없으면서도 임대차계약에 기한 임차보증금 반환채권을 담보할 목적으로 임차인과 임대인 사이의 합의에 따라 임차인 명의로 전세권설정등기를 경료한 후 그 전세권에 대하여 근저당권이 설정된 경우, 설령 위 전세권설정계약만 놓고 보아 그것이 통정허위표시에 해당하여 무효라 하더라도 이로써 위 전세권설정계약에 의하여 형성된 법률관계를 토대로 별개의 법률원인에 의하여 새로운 법률상 이해관계를 갖게 된 근저당권자에 대하여는 그와 같은 사정을 알고 있었던 경우에만 그 무효를 주장할 수 있다.

[2] 전세권의 존속기간 만료 후 그 전세권에 설정되어 있던 저당권을 실행하는 방법 및 그 실행의 효과
전세권의 존속기간이 만료하면 전세권의 용익물권적 권능이 소멸하기 때문에 그 전세권에 대한 저당권자는 더 이상 전세권 자체에 대하여 저당권을 실행할 수 없게 되고, 이러한 경우에는 민법 제370조, 제342조, 민사집행법 제273조에 의하여 저당권의 목적물인 전세권에 갈음하여 존속하는 것으로 볼 수 있는 전세금반환채권에 대하여 추심명령 또는 전부명령을 받거나, 제3자가 전세금반환채권에 대하여 실시한 강제집행절차에서 배당요구를 하는 등의 방법으로 자신의 권리를 행사할 수 있고, 민법 제370조, 제342조 단서가 저당권자는 물상대위권을 행사하기 위하여 저당권설정자가 받을 금전 기타 물건의 지급 또는 인도 전에 압류하여야 한다고 규정한 것은 물상대위의 목적인 채권의 특정성을 유지하여 그 효력을 보전함과 동시에 제3자에게 불측의 손해를 입히지 않으려는 데 그 목적이 있으므로, 적법한 기간 내에 적법한 방법으로 물상대위권을 행사한 저당권자는 전세권자에 대한 일반채권자보다 우선변제를 받을 수 있다.

[3] 전세권설정자가 전세권자에 대하여 민법 제315조의 손해배상채권 외 다른 채권을 가지고 있는 경우, 전세금반환채권에 대하여 물상대위권을 행사한 전세권저당권자에게 상계 등으로 대항할 수 있는지 여부(소극)

전세금은 그 성격에 비추어 민법 제315조에 정한 전세권설정자의 전세권자에 대한 손해배상채권 외 다른 채권까지 담보한다고 볼 수 없으므로, 전세권설정자가 전세권자에 대하여 위 손해배상채권 외 다른 채권을 가지고 있더라도 다른 특별한 사정이 없는 한 이를 가지고 전세금반환채권에 대하여 물상대위권을 행사한 전세권저당권자에게 상계 등으로 대항할 수 없다.

전세권과 전세권저당권자의 지위(대판 2021.12.30, 2018다268538) ★★★

[1] 당사자가 주로 채권담보의 목적으로 전세권을 설정하면서 목적물을 인도하지 않은 경우, 장차 전세권자가 목적물을 사용・수익하는 것을 완전히 배제하지 않는 한 전세권이 유효한지 여부(적극) 및 기존의 채권으로 전세금 지급을 대신할 수 있는지 여부(적극)

전세권이 용익물권적 성격과 담보물권적 성격을 모두 갖추고 있고, 목적물의 인도는 전세권의 성립요건이 아닌 점 등에 비추어 볼 때, 당사자가 주로 채권담보의 목적으로 전세권을 설정하였고, 그 설정과 동시에 목적물을 인도하지 아니한 경우라 하더라도, 장차 전세권자가 목적물을 사용・수익하는 것을 완전히 배제하는 것이 아니라면 그 전세권의 효력을 부인할 수는 없다. 전세금의 지급은 전세권 성립의 요소가 되는 것이지만 그렇다고 하여 전세금의 지급이 반드시 현실적으로 수수되어야만 하는 것은 아니고 기존의 채권으로 전세금 지급을 대신할 수도 있다.

[2] 임대인과 임차인이 임대차계약에 따른 임대차보증금반환채권을 담보할 목적으로 전세권을 설정하기 위하여 전세권설정계약을 체결한 경우, 위 전세권설정계약이 임대차계약과 양립할 수 없는 범위에서 통정허위표시에 해당하여 무효인지 여부(적극) / 이때 임대인이 전세권설정계약에 의하여 형성된 법률관계에 기초하여 새로이 법률상 이해관계를 가지게 된 제3자에 대하여 무효를 주장할 수 있는 경우

① 임대차계약에 따른 임대차보증금반환채권을 담보할 목적으로 임대인과 임차인 사이의 합의에 따라 임차인 명의로 전세권설정등기를 마친 경우, 그 전세금의 지급은 이미 지급한 임대차보증금으로 대신한 것이고, 장차 전세권자가 목적물을 사용・수익하는 것을 완전히 배제하는 것도 아니므로, 그 전세권설정등기는 유효하다. 이때 임대인과 임차인이 그와 같은 전세권설정등기를 마치기 위하여 전세권설정계약을 체결하여도, 임대차보증금은 임대차계약이 종료된 후 임차인이 목적물을 인도할 때까지 발생하는 차임 및 기타 임차인의 채무를 담보하는 것이므로, 임대인과 임차인이 위와 같이 임대차보증금반환채권을 담보할 목적으로 전세권을 설정하기 위하여 전세권설정계약을 체결하였다면, 임대차보증금에서 연체차임 등을 공제하고 남은 돈을 전세금으로 하는 것이 임대인과 임차인의 합치된 의사라고 볼 수 있다. ② 그러나 그 전세권설정계약은 외관상으로는 그 내용에 차임지급 약정이 존재하지 않고 이에 따라 전세금이 연체차임으로 공제되지 않는 등 임대인과 임차인의 진의와 일치하지 않는 부분이 존재한다. 따라서 그러한 전세권설정계약은 위와 같이 '임대차계약과 양립할 수 없는 범위'에서 통정허위표시에 해당하여 무효라고 봄이 타당하다. ③ 다만 그러한 전세권설정계약에 의하여 형성된 법률관계에 기초하여 새로이 법률상 이해관계를 가지게 된 제3자에 대하여는 그 제3자가 그와 같은 사정을 알고 있었던 경우에만 그 무효를 주장할 수 있다.

[3] 저당권이 설정된 전세권의 존속기간이 만료된 경우, 저당권자가 전세금의 지급을 구하는 방법 / 전세권저당권자가 전세금반환채권에 대하여 압류 및 추심명령 또는 전부명령을 받는 방법으로 물상대위권을 행사하여 전세금의 지급을 구하는 경우, 전세권설정자가 압류 및 추심명령 또는 전부명령이 송달된 때를 기준으로 하여 그 이전에 채무자와 사이에 발생한 모든 항변사유로 압류채권자에게 대항할 수 있는지 여부(적극) / 임대차계약에 따른 임대차보증금반환채권을 담보할 목적으로 유효한 전세권설정등기가 마쳐지고 전세권저당권자가 이를 알고 있었던 경우, 전세권설정자가 전세권저당권자에게 임대차계약에 따른 연체차임 등의 공제 주장으로 대항할 수 있는지 여부(적극)
전세권을 목적으로 한 저당권이 설정된 경우, 전세권의 존속기간이 만료되면 전세권의 용익물권적 권능이 소멸하기 때문에 더 이상 전세권 자체에 대하여 저당권을 실행할 수 없게 되고, 저당권자는 저당권의 목적물인 전세권에 갈음하여 존속하는 것으로 볼 수 있는 전세금반환채권에 대하여 압류 및 추심명령 또는 전부명령을 받거나 제3자가 전세금반환채권에 대하여 실시한 강제집행절차에서 배당요구를 하는 등의 방법으로 물상대위권을 행사하여 전세금의 지급을 구하여야 한다. ① 전세권저당권자가 물상대위권을 행사하여 전세금반환채권에 대하여 압류 및 추심명령 또는 전부명령을 받고 이에 기하여 추심금 또는 전부금을 청구하는 경우 제3채무자인 전세권설정자는 일반적 채권집행의 법리에 따라 압류 및 추심명령 또는 전부명령이 송달된 때를 기준으로 하여 그 이전에 채무자와 사이에 발생한 모든 항변사유로 압류채권자에게 대항할 수 있다. ② 다만 임대차계약에 따른 임대차보증금반환채권을 담보할 목적으로 유효한 전세권설정등기가 마쳐진 경우에는 전세권저당권자가 저당권설정 당시 그 전세권설정등기가 임대차보증금반환채권을 담보할 목적으로 마쳐진 것임을 알고 있었다면, 제3채무자인 전세권설정자는 전세권저당권자에게 그 전세권설정계약이 임대차계약과 양립할 수 없는 범위에서 무효임을 주장할 수 있으므로, 그 임대차계약에 따른 연체차임 등의 공제 주장으로 대항할 수 있다.

(2) 전세금이 성립요소인지 여부

통설 및 판례는 전세금의 지급은 전세권의 요소라고 본다. 따라서 ① 전세권설정계약에서 설정계약과 등기 이외에 약정된 전세금의 지급이 있을 때 비로소 전세권이 성립하고, 물권법정주의 원칙상 당사자 간에 전세금을 지급하지 않는다는 특약은 무효이다. ② 다만 전세금은 현실적으로 수수되지 않고 기존 채권으로 갈음할 수 있다.

(3) 전세금의 등기

전세금액은 등기하여야 하며(부등법 제72조 제1항 제1호), 등기된 금액에 한하여 제3자에게 대항할 수 있다.

판례 연구 **관련판례 정리**

[대판 1995.2.10, 94다18508] ★★★

[1] 전세권이 용익물권적 성격과 담보물권적 성격을 겸비하고 있다는 점 및 목적물의 인도는 전세권의 성립요건이 아닌 점 등에 비추어 볼 때, 당사자가 주로 채권담보의 목적으로 전세권을 설정하였고, 그 설정과 동시에 목적물을 인도하지 아니한 경우라 하더라도, 장차 전세권자가 목적물을 사용・수익하는 것을 완전히 배제하는 것이 아니라면, 그 전세권의 효력을 부인할 수는 없다.

[2] 전세금의 지급은 전세권 성립의 요소가 되는 것이지만 그렇다고 하여 전세금의 지급이 반드시 현실적으로 수수되어야만 하는 것은 아니고 기존의 채권으로 전세금의 지급에 갈음할 수도 있다.

[3] 전세권이 담보물권적 성격도 가지는 이상 부종성과 수반성이 있는 것이기는 하지만, 채권담보를 위하여 담보권을 설정하는 경우 채권자와 채무자 및 제3자 사이에 합의가 있으면 채권자가 그 담보권의 명의를 제3자로 하는 것도 가능하고, 이와 같은 경우에는 채무자와 담보권명의자인 제3자 사이에 담보계약관계가 성립하는 것으로 그 담보권명의자는 그 피담보채권을 수령하고 그 담보권을 실행하는 등의 담보계약상의 권한을 가진다.

3. 전세권의 존속기간

제312조【전세권의 존속기간】
① 전세권의 존속기간은 10년을 넘지 못한다. 당사자의 약정기간이 10년을 넘는 때에는 이를 10년으로 단축한다.
② 건물에 대한 전세권의 존속기간을 1년 미만으로 정한 때에는 이를 1년으로 한다.
③ 전세권의 설정은 이를 갱신할 수 있다. 그 기간은 갱신한 날로부터 10년을 넘지 못한다.
④ 건물의 전세권설정자가 전세권의 존속기간 만료전 6월부터 1월까지 사이에 전세권자에 대하여 갱신거절의 통지 또는 조건을 변경하지 아니하면 갱신하지 아니한다는 뜻의 통지를 하지 아니한 경우에는 그 기간이 만료된 때에 전전세권과 동일한 조건으로 다시 전세권을 설정한 것으로 본다. 이 경우 전세권의 존속기간은 그 정함이 없는 것으로 본다.

(1) 존속기간을 약정한 경우(제312조)

민법은 ① 건물전세권의 경우 최단존속기간을 1년으로 하여 보장하고 있으며, ② 토지·건물 모두 10년을 넘지 못한다고 함으로써 최장기간의 제한을 두고 있다. 따라서 약정기간이 10년을 넘더라도 10년으로 단축된다. ③ 주택임대차보호법이 적용되는 주택에 대한 채권적 전세의 경우에는 최단기간은 2년이다(주택임대차보호법 제4조 제1항).

(2) 존속기간을 약정하지 않은 경우(제313조)

상대방은 언제든지 전세권소멸통고를 할 수 있으며 소멸통고 후 6월 경과시 소멸한다. 다만 건물전세권은 비록 존속기간의 약정이 없더라도 제312조 제2항을 확대해석하여 1년으로 의제할 것이다.

(3) 법정갱신(제312조 제4항)

1) 성립

① 건물의 전세권설정자가 전세권의 존속기간 만료전 6월부터 1월까지 사이에 전세권자에 대하여 갱신거절의 통지 또는 조건을 변경하지 아니하면 갱신하지 아니한다는 뜻의 통지를 하지 아니한 경우에는 그 기간이 만료된 때에 전전세권과 동일한 조건으로 다시 전세권을 설정한 것으로 본다. 다만 이 경우 전세권의 존속기간은 그 정함이 없는 것으로 본다.

② 법정갱신은 건물전세권에 한하여 인정된다.

2) 법정갱신의 효과

① 동일한 조건으로 계약한 것으로 보지만 존속기간은 정함이 없는 것으로 본다. 따라서 각 당사자가 소멸통고를 한 후 6월이 경과하면 소멸한다.

② 전세권의 법정갱신은 법률의 규정에 의한 부동산에 관한 물권의 변동이므로 전세권갱신에 관한 등기를 필요로 하지 아니하고 전세권자는 그 등기 없이도 전세권설정자나 그 목적물을 취득한 제3자에 대하여 그 권리를 주장할 수 있다(대판 1989.7.11, 88다카21029).

Ⅲ. 전세권의 효력

1. 전세권자의 부동산이용권능

제304조【건물의 전세권, 지상권, 임차권에 대한 효력】
① 타인의 토지에 있는 건물에 전세권을 설정한 때에는 전세권의 효력은 그 건물의 소유를 목적으로 한 지상권 또는 임차권에 미친다.
② 전항의 경우에 전세권설정자는 전세권자의 동의 없이 지상권 또는 임차권을 소멸하게 하는 행위를 하지 못한다.

제305조【건물의 전세권과 법정지상권】
① 대지와 건물이 동일한 소유자에 속한 경우에 건물에 전세권을 설정한 때에는 그 대지소유권의 특별승계인은 전세권설정자에 대하여 지상권을 설정한 것으로 본다. 그러나 지료는 당사자의 청구에 의하여 법원이 이를 정한다.
② 전항의 경우에 대지소유자는 타인에게 그 대지를 임대하거나 이를 목적으로 한 지상권 또는 전세권을 설정하지 못한다.

제319조【준용규정】
제213조, 제214조, 제216조 내지 제244조의 규정은 전세권자간 또는 전세권자와 인지소유자 및 지상권자간에 이를 준용한다.

(1) 전세권자의 사용·수익

1) 내용

① 전세권자는 목적 부동산을 점유하여 그 용도에 좇아 사용·수익할 권리가 있다(제303조 제1항). 여기서 수익은 과실의 취득을 의미한다.

② 따라서 전세권자는 목적물을 점유할 권리(제213조 단서) 및 물권적 청구권이 인정된다. 또한 상린관계의 규정이 전세권에 준용된다.

2) 건물전세권과 토지이용관계의 규율

① 타인의 토지에 있는 건물에 전세권을 설정한 때에는 전세권의 효력은 그 건물의 소유를 목적으로 한 지상권 또는 임차권에 미친다(제304조 제1항). 따라서 甲 소유의 토지 위에 乙이 지상권 또는 임차권을 설정받아 지상 건물을 소유하고 丙이 乙로부터 건물전세권을 설정받았을 때, 丙은 乙이 가지는 甲에 대한 지상권 또는 임차권에 대하여 전세권의 효력을 주장할 수 있다.

② 위 경우에 전세권설정자는 전세권자의 동의 없이 지상권 또는 임차권을 소멸하게 하는 행위를 하지 못한다(제304조 제2항). 건물전세권은 대지이용권과 불가분적 관계에 있기 때문이다. 다만 동 조항이 제한하려는 것은 포기 등 지상권설정자의 임의적 행위를 말하고, 2년 이상의 지료 연체를 이유로 지상권소멸청구를 하는 경우와 같이 법률의 규정에 따라 지상권이 소멸되는 경우는 포함되지 않는다(대판 2010.8.19, 2010다43801).

③ 동일소유자에 속하는 건물과 대지 중 건물에만 전세권을 설정한 후 전세권설정자가 토지소유권을 다른 자에게 처분하여 토지와 건물의 소유자가 달라진 경우에, '전세권설정자'의 법정지상권이 성립한다(제305조 제1항).

④ 전세권이 설정된 건물의 양수인으로서 민법 제305조 제1항에 의한 법정지상권을 취득할 지위를 가지고 다른 한편으로는 전세권 관계도 이전받는 자가 전세권자의 동의 없이 법정지상권을 취득할 지위를 소멸시킨 경우, 건물 양수인이나 토지소유자는 민법 제304조 제2항에 따라 전세권자에게 대항할 수 없다(대판 2007.8.24, 2006다14684).

전세권이 설정된 건물의 양수인으로서 민법 제305조 제1항에 의한 법정지상권을 취득할 지위를 가지고 다른 한편으로는 전세권 관계도 이전받는 자가 전세권자의 동의 없이 법정지상권을 취득할 지위를 소멸시킨 경우, 건물 양수인이나 토지소유자가 전세권자에게 대항할 수 있는지 여부(소극) ★★★

토지와 건물을 함께 소유하던 토지·건물의 소유자가 건물에 대하여 전세권을 설정하여 주었는데 그 후 토지가 타인에게 경락되어 민법 제305조 제1항에 의한 법정지상권을 취득한 상태에서 다시 건물을 타인에게 양도한 경우, 그 건물을 양수하여 소유권을 취득한 자는 특별한 사정이 없는 한 법정지상권을 취득할 지위를 가지게 되고, 다른 한편으로는 전세권 관계도 이전받게 되는바, 민법 제304조 등에 비추어 건물 양수인이 토지소유자와의 관계에서 전세권자의 동의 없이 법정지상권을 취득할 지위를 소멸시켰다고 하더라도, 그 건물 양수인은 물론 토지소유자도 그 사유를 들어 전세권자에게 대항할 수 없다(대판 2007.8.24, 2006다14684).[62]

---

62) 원심이 같은 취지에서, 전세권이 설정된 이 사건 건물을 양수한 피고 1이 법정지상권을 취득할 지위를 포기(건물 양수인인 피고 1이 원고인 대지 소유자와 사이에 건물의 소유를 목적으로 하는 토지 임대차계약을 체결한 경우에는 법정지상권을 취득할 지위를 포기한 것으로 봄이 상당하다(대판 1992.10.27, 92다3984 참조))한 효력은 건물 전세권자인 피고 2 주식회사에게 미치지 않는다고 판단하여 이에 관한 피고 2 주식회사의 항변을 인용하고, 대지 소유자인 원고의 건물퇴거 및 대지인도 청구를 배척한 것은 정당하고, 거기에 민법 제304조에 관한 법리오해 등의 위법이 있다고 할 수 없다고 본 사례이다.

건물 일부만에 관하여 전세권이 설정되었다가 그 건물이 집합건물로 된 후 그 전세권이 구분건물의 전유 부분만에 관한 전세권으로 이기된 경우, 그 전세권의 효력은 그 대지권에까지 미치는지 여부(한정 적극) **및 그 전세권의 효력이 대지사용권에 미치는 시점**(대지사용권이 성립한 때)
집합건물이 되기 전의 상태에서 건물 일부만에 관하여 전세권이 설정되었다가 그 건물이 집합건물로 된 후 그 전세권이 구분건물의 전유 부분만에 관한 전세권으로 이기된 경우, 구분소유자가 가지는 전유 부분과 대지사용권의 분리처분이 가능하도록 규약으로 정하는 등의 특별한 사정이 없는 한, 그 전유 부분의 소유자가 대지사용권을 취득함으로써 전유 부분과 대지권이 동일소유자에게 귀속하게 되었다면 위 전세권의 효력은 그 대지권에까지 미친다고 보아야 할 것이고, 위 집합건물에 관하여 경매가 실행된 경우 대지권의 환가대금에 대한 배당순위에 있어서, 위 전세권이, 대지사용권이 성립하기 전의 토지에 관하여 이미 설정된 저당권보다 우선한다고 할 수는 없는 바, 이는 대지사용권에 대한 전세권의 효력은 대지사용권이 성립함으로써 비로소 미치게 되는 것이므로 대지사용권이 성립하기 전에 그 토지에 관하여 이미 저당권을 가지고 있는 자의 권리를 해쳐서는 안 되기 때문이다(대판 2002.6.14, 2001다68389).

(2) 전세권자의 목적물 유지·수선 의무

> 第309조【전세권자의 유지, 수선의무】
> 전세권자는 목적물의 현상을 유지하고 그 통상의 관리에 속한 수선을 하여야 한다.

전세권자는 목적물에 대한 유지, 수선의무가 있다. 즉 전세권설정자는 전세권자의 사용·수익권을 방해해서는 안 될 소극적인 의무를 질 뿐, 목적 부동산을 사용·수익에 적합한 상태에 둘 적극적 의무를 지지는 않는다. 따라서 전세권자는 필요비를 지출하였더라도 전세권설정자에게 필요비 상환을 청구하지 못한다.

2. 전세권의 처분

(1) 전세권의 처분성

> 第306조【전세권의 양도, 임대등】
> 전세권자는 전세권을 타인에게 양도 또는 담보로 제공할 수 있고 그 존속기간내에서 그 목적물을 타인에게 전전세 또는 임대할 수 있다. 그러나 설정행위로 이를 금지한 때에는 그러하지 아니하다.

전세권자는 임차권과는 달리 전세권을 전세권설정자의 동의 없이 타인에게 양도·담보제공·존속기간 내에서 임대·전전세 등을 할 수 있다. 다만 이를 설정행위로 금지할 수도 있다는 점에서 지상권(제282조)과 다르다. 단, 이러한 특약을 등기해야 제3자에게 대항할 수 있다(부등법 제72조 제1항 제5호).

(2) 전세권의 양도

> 第307条【전세권양도의 효력】
> 전세권 양수인은 전세권설정자에 대하여 전세권양도인과 동일한 권리의무가 있다.

1) 의의

① 전세권양도의 합의와 등기가 있어야 그 효력이 생기고(제186조), 그 외에 전세권설정자의 동의나 그에 대한 양도통지 등은 요구되지 않는다. 이 경우 전세권양수인은 전세권설정자에 대하여 전세권양도인과 동일한 권리・의무를 가진다(제307조).

② 민법 제307조가 규정하고 있는 것은 전세금의 액수나 전세기간 등 전세권양도인과 전세권설정자 사이에서 정해진 전세권의 기본적인 요소에 관한 내용만을 전세권양수인이 그대로 승계한다는 것이지, 전세권과 관련한 전세권설정자 또는 양도인의 제3자에 대한 채무를 양수인이 당연히 승계한다는 것은 아니고, 민법 제309조에 따라 전세권자는 전세권설정자에 대하여 전세권목적물의 유지・수선의무를 부담할 뿐 제3자에 대하여 직접 유지・수선의무를 부담한다고 볼 수 없다(대판 2003.9.5, 2003다30210).

2) 전세금반환채권의 분리양도

전세권이 담보물권적 성격도 가지는 이상 부종성과 수반성이 있는 것이므로, 전세권을 그 담보하는 전세금반환채권과 분리하여 양도하는 것은 원칙상 허용되지 않는다(대판 1997.11.25, 97다29790).

판례 연구 관련판례 정리

1. 전세금반환청구권의 분리양도 ★★

(1) 전세금반환청구권만의 분리양도가 허용되는지 여부

전세권은 전세금을 지급하고 타인의 부동산을 그 용도에 따라 사용・수익하는 권리로서 전세금의 지급이 없으면 전세권은 성립하지 아니하는 등으로 전세금은 전세권과 분리될 수 없는 요소일 뿐 아니라, 전세권에 있어서는 그 설정행위에서 금지하지 아니하는 한 전세권자는 전세권 자체를 처분하여 전세금으로 지출한 자본을 회수할 수 있도록 되어 있으므로, 전세권이 존속하는 동안은 전세권을 존속시키기로 하면서 전세금반환채권만을 전세권과 분리하여 확정적으로 양도하는 것은 허용되지 않는 것이며, 다만 전세권 존속 중에는 장래에 그 전세권이 소멸하는 경우에 전세금 반환채권이 발생하는 것을 조건으로 그 장래의 조건부 채권을 양도할 수 있을 뿐이라 할 것이다(대판 2002.8.23, 2001다69122).

(2) 전세금반환청구권만의 분리양도가 허용되는 예외적인 경우

전세권이 담보물권적 성격도 가지는 이상 부종성과 수반성이 있는 것이므로 전세권을 그 담보하는 전세금반환채권과 분리하여 양도하는 것은 허용되지 않는다고 할 것이나, 한편 담보물권의 수반성이란 피담보채권의 처분이 있으면 언제나 담보물권도 함께 처분된다는 것이 아니라, 채권 담보라고 하는 담보물권 제도의 존재 목적에 비추어 볼 때 특별한 사정이 없는 한 피담보채권의 처분에는 담보물권의 처분도 포함된다고 보는 것이 합리적이라는 것일 뿐이므로, 전세권이 존속기간의 만료로 소멸한 경우이거나 전세계약의 합의해지 또는 당사자 간의 특약에 의하여 전세권반환채권의 처분에도 불구하고, 전세권의 처분이 따르지 않는 경우 등의 특별한 사정이 있는 때에는 채권양수인은 담보물권이 없는 무담보의 채권을 양수한 것이 된다(대판 1997.11.25, 97다29790).

(3) 전세권의 존속기간 만료 후의 전세금반환청구권의 분리양도와 그 대항요건

전세권설정등기를 마친 민법상의 전세권은 그 성질상 용익물권적 성격과 담보물권적 성격을 겸비한 것으로서, 전세권의 존속기간이 만료되면 전세권의 용익물권적 권능은 전세권설정등기의 말소 없이도 당연히 소멸하고 단지 전세금반환채권을 담보하는 담보물권적 권능의 범위 내에서 전세금의 반환 시까지 그 전세권설정등기의 효력이 존속하고 있다 할 것인데, 이와 같이 존속기간의 경과로서 본래의 용익물권적 권능이 소멸하고 담보물권적 권능만 남은 전세권에 대해서도 그 피담보채권인 전세금반환채권과 함께 제3자에게 이를 양도할 수 있다 할 것이지만 이 경우에는 민법 제450조 제2항 소정의 확정일자 있는 증서에 의한 채권양도절차를 거치지 않는 한 위 전세금반환채권의 압류・전부 채권자 등 제3자에게 위 전세보증금반환채권의 양도사실로써 대항할 수 없다. 전세기간 만료 이후 전세권양도계약 및 전세권이전의 부기등기가 이루어진 것만으로는 전세금반환채권의 양도에 관하여 확정일자 있는 통지나 승낙이 있었다고 볼 수 없어 이로써 제3자인 전세금반환채권의 압류・전부 채권자에게 대항할 수 없다(대판 2005.3.25, 2003다35659).

2. 전세권이 존속기간만료로 소멸한 경우 전세권을 목적으로 하는 저당권의 실행방법 ★★★

1) 전세권이 기간만료로 종료된 경우 전세권은 전세권설정등기의 말소등기 없이도 당연히 소멸하고, 저당권의 목적물인 전세권이 소멸하면 저당권도 당연히 소멸하는 것이므로 전세권을 목적으로 한 저당권자는 전세권의 목적물인 부동산의 소유자에게 더 이상 저당권을 주장할 수 없다(대판 1999.9.17, 98다31301).

2) 전세권에 대하여 저당권이 설정된 경우 그 저당권의 목적물은 물권인 전세권 자체이지 전세금반환채권은 그 목적물이 아니고, 전세권의 존속기간이 만료되면 전세권은 소멸하므로 더 이상 전세권 자체에 대하여 저당권을 실행할 수 없게 되고(대판 2008.4.10, 2005다47663), 이러한 경우에는 민법 제370조, 제342조 및 민사소송법 제733조에 의하여 저당권의 목적물인 전세권에 갈음하여 존속하는 것으로 볼 수 있는 전세금반환채권에 대하여 압류 및 추심명령 또는 전부명령을 받거나 제3자가 전세금반환채권에 대하여 실시한 강제집행절차에서 배당요구를 하는 등의 방법으로 자신의 권리를 행사하여 비로소 전세권설정자에 대해 전세금의 지급을 구할 수 있게 된다는 점 … (중략) … 전세권이 기간만료로 소멸되면 전세권설정자는 전세금반환채권에 대한 제3자의 압류 등이 없는 한 전세권자에 대하여만 전세금 반환의무를 부담한다고 보아야 한다(대판 1999.9.17, 98다31301; 대판 2008.4.10, 2005다47663).

---

(3) 전세권의 담보제공(제371조)

여기서의 담보제공이란 전세권을 목적으로 한 저당권 또는 양도담보의 설정만을 의미한다(제371조). 전세권에 대해 질권을 설정할 수는 없기 때문이다(제345조 단서).

(4) 전전세(轉傳貰)

> **제308조【전전세 등의 경우의 책임】**
> 전세권의 목적물을 전전세 또는 임대한 경우에는 전세권자는 전전세 또는 임대하지 아니하였으면 면할 수 있는 불가항력으로 인한 손해에 대하여 그 책임을 부담한다.

1) 의의

전세권자(전전세권설정자)가 자신의 전세권을 그대로 유지하면서 그 전세목적물의 일부 또는 전부에 관하여 제3자(전전세권자)와 다시 전세권을 설정하는 것을 전전세라고 한다(제306조, 제308조).

2) 성립요건

물권적 합의와 등기를 요하고, 당사자는 원전세권자와 전전세권자이며, 전전세권의 존속기간은 원전세권의 존속기간 내이어야 하고, 전전세금의 지급을 요하며(전전세금은 원전세금의 한도 내), 원전세권의 일부를 목적으로 하는 전전세권도 유효하다.

3) 전전세의 효과

① 전전세권이 설정되더라도 원전세권은 소멸하지 않고, 전전세권이 존속하는 동안 전세권자는 전전세권의 기초가 되는 전세권을 소멸시키지 못하며, 전세권이 소멸하면 전전세권도 소멸한다.

② 전세권자는 전전세하지 아니하였으면 면할 수 있었던 불가항력으로 인한 손해에 대해서도 책임을 진다(제308조). 즉, 전전세로 인해 원전세권자의 책임이 가중된다.

③ 전전세권자는 경매청구권(제318조)과 우선변제권(제303조 제1항)을 가진다. 단, 전전세권은 원전세권을 기초로 하므로 전전세권의 존속기간이 만료되더라도 원전세권의 존속기간이 만료되기 전에는 경매청구를 할 수 없고, 전세권설정자가 원전세금의 반환을 지체하고 있는 경우에 경매를 청구할 수 있는 것이므로, 전세권설정자가 이미 전세금을 반환한 때에는 경매를 청구할 수 없다.

Ⅳ. 전세권의 소멸

1. 전세권의 소멸사유

(1) 물권소멸의 일반론

> **제314조【불가항력으로 인한 멸실】**
> ① 전세권의 목적물의 전부 또는 일부가 불가항력으로 인하여 멸실된 때에는 그 멸실된 부분의 전세권은 소멸한다.
> ② 전항의 일부멸실의 경우에 전세권자가 그 잔존부분으로 전세권의 목적을 달성할 수 없는 때에는 전세권설정자에 대하여 전세권전부의 소멸을 통고하고 전세금의 반환을 청구할 수 있다.

> 第315조【전세권자의 손해배상책임】
> ① 전세권의 목적물의 전부 또는 일부가 전세권자에 책임 있는 사유로 인하여 멸실된 때에는 전세권자는 손해를 배상할 책임이 있다.
> ② 전항의 경우에 전세권설정자는 전세권이 소멸된 후 전세금으로써 손해의 배상에 충당하고 잉여가 있으면 반환하여야 하며 부족이 있으면 다시 청구할 수 있다.

목적부동산의 멸실, 존속기간의 만료, 혼동, 소멸시효, 전세권에 우선하는 저당권실행에 따른 경매, 전세권의 포기, 약정소멸사유 등이 있다. 단 전세권자는 전세권을 자유로이 포기할 수 있지만(통설), 전세권이 저당권의 목적이 된 경우와 같이 전세권이 제3자의 권리의 목적인 경우에는 제3자의 동의 없이 포기할 수 없다(제371조 제2항). 이하에서는 특히 문제가 되는 것만을 살펴보기로 한다.

1) 목적부동산의 멸실

가) 전부멸실의 경우

전세권자의 귀책사유 유무를 불문하고 전세권은 당연히 소멸한다(제314조 제1항). 다만 그 멸실이 불가항력에 의한 경우에는 손해배상책임이 없으나, 전세권자의 책임 있는 사유에 의한 전부멸실인 경우에는 전세권자는 손해배상책임을 부담한다(제315조 제1항).

나) 일부멸실의 경우

① **불가항력에 의한 일부멸실** : (ㄱ) 잔존부분으로 전세권의 목적을 달성할 수 있다면 전세권은 잔존부분에 존속하고, 이 경우 멸실부분에 해당하는 만큼 전세금은 감액되는 것으로 해석된다. (ㄴ) 잔존부분만으로 전세권의 목적을 달성할 수 없으면 전세권자는 전세권 전부의 소멸통고를 하고 전세금의 반환을 청구할 수 있다(제314조 제2항). 이때 소멸통고는 제313조의 소멸통고가 아니라 제311조의 소멸청구와 같은 의미로 해석된다(통설). 전세권자의 귀책사유가 없음에도 6월을 기다려야 한다면 부당하기 때문이다.

② **전세권자의 귀책사유에 의한 일부멸실** : 잔존부분만으로 전세권의 목적을 달성할 수 없으면 전세권설정자는 제311조에 의한 전세권 전부의 소멸을 청구할 수 있다.

2) 존속기간의 만료

판례에 따르면 존속기간이 있는 전세권은 그 기간의 만료로 인하여 전세권등기의 말소등기 없이도 당연히 소멸한다고 하고, 나아가 저당권의 목적물인 전세권이 소멸하면 저당권도 당연히 소멸하게 되므로, 전세권을 목적으로 한 저당권자는 전세권의 목적물인 부동산의 소유자에게 더 이상 저당권을 주장할 수 없다고 한다(대판 1999.9.17, 98다31301).

(2) 전세권 특유의 소멸사유

> **제311조 【전세권의 소멸청구】**
> ① 전세권자가 전세권설정계약 또는 그 목적물의 성질에 의하여 정하여진 용법으로 이를 사용, 수익하지 아니한 경우에는 전세권설정자는 전세권의 소멸을 청구할 수 있다.
> ② 전항의 경우에 전세권설정자는 전세권자에 대하여 원상회복 또는 손해배상을 청구할 수 있다.
> **제313조 【전세권의 소멸통고】**
> 전세권의 존속기간을 약정하지 아니한 때에는 각 당사자는 언제든지 상대방에 대하여 전세권의 소멸을 통고할 수 있고 상대방이 이 통고를 받은 날로부터 6월이 경과하면 전세권은 소멸한다.

① 각 당사자는 언제든지 전세권의 소멸을 통고할 수 있고, 통고 후 6개월이 지나면 전세권은 소멸한다(제313조). 다만, 건물전세권의 경우에는 소멸통고의 방법에 의하더라도 1년 이내에 전세권을 소멸시킬 수는 없다. 제312조 제2항은 강행규정이기 때문이다.

② 당사자 간의 합의로 계약을 10년의 범위 내에서 갱신할 수 있을 뿐(제312조 제3항), 지상권처럼 갱신청구권(제283조)은 인정되지 않는다. 다만 건물전세권자의 보호를 위해 건물전세권에 한하여 예외적으로 묵시적 갱신을 인정하고 있는데(제312조 제4항), 이 경우 전세권의 존속기간은 정함이 없는 것으로 보며, 등기할 필요는 없다(대판 1989.7.11, 88다카21029).

2. 전세권 소멸시의 법률관계 – 전세권관계의 청산

(1) 서설

> **제317조 【전세권의 소멸과 동시이행】**
> 전세권이 소멸한 때에는 전세권설정자는 전세권자로부터 그 목적물의 인도 및 전세권설정등기의 말소등기에 필요한 서류의 교부를 받는 동시에 전세금을 반환하여야 한다.

1) 동시이행관계

① 전세권설정자는 전세권이 소멸한 경우 전세권자로부터 그 목적물의 인도 및 전세권설정등기의 말소등기에 필요한 서류의 교부를 받는 동시에 전세금을 반환할 의무가 있을 뿐이므로, 전세권자가 그 목적물을 인도하였다고 하더라도 전세권설정등기의 말소등기에 필요한 서류를 교부하거나 그 이행의 제공을 하지 아니하는 이상, 전세권설정자는 전세금의 반환을 거부할 수 있고, 이 경우 다른 특별한 사정이 없는 한 그가 전세금에 대한 이자 상당액의 이득을 법률상 원인 없이 얻는다고 볼 수 없다(대판 2002.2.5, 2001다62091).

② 전세권설정자가 전세금을 반환할 때까지 전세권자는 목적물을 점유할 권리를 가진다(대판 1976.10.26, 76다1184).

임대차계약을 체결하면서 임대차보증금을 전세금으로 하는 전세권설정등기를 경료한 경우, 임대차보증금 반환의무와 전세권설정등기 말소의무가 동시이행관계에 있는지 여부(원칙적 적극) ★
임대인과 임차인이 임대차계약을 체결하면서 임대차보증금을 전세금으로 하는 전세권설정등기를 경료한 경우 임대차보증금은 전세금의 성질을 겸하게 되므로, 당사자 사이에 다른 약정이 없는 한 임대차보증금 반환의무는 민법 제317조에 따라 전세권설정등기의 말소의무와도 동시이행관계에 있다(대판 2011.3.24, 2010다95062).

2) 반환의무의 당사자

전세권이 성립한 후 전세목적물의 소유권이 이전된 경우 민법이 전세권 관계로부터 생기는 상환청구, 소멸청구, 갱신청구, 전세금증감청구, 원상회복, 매수청구 등의 법률관계의 당사자로 규정하고 있는 전세권설정자 또는 소유자는 모두 목적물의 소유권을 취득한 신소유자로 새길 수밖에 없다고 할 것이므로, 전세권은 전세권자와 목적물의 소유권을 취득한 신소유자 사이에서 계속 동일한 내용으로 존속하게 된다고 보아야 할 것이고, 따라서 목적물의 신소유자는 구소유자와 전세권자 사이에 성립한 전세권의 내용에 따른 권리의무의 직접적인 당사자가 되어 전세권이 소멸하는 때에 전세권자에 대하여 전세권설정자의 지위에서 전세금 반환의무를 부담하게 된다(대판 2006.5.11, 2006다6072).

(2) 전세권자의 경매신청권 및 우선변제권

> 제318조【전세권자의 경매청구권】
> 전세권설정자가 전세금의 반환을 지체한 때에는 전세권자는 민사집행법의 정한 바에 의하여 전세권의 목적물의 경매를 청구할 수 있다.

전세권설정자가 전세금의 반환을 지체하면 전세권자는 목적물의 경매를 신청할 수 있고(제318조), 후순위권리자 기타 채권자보다 우선 변제를 받을 권리가 있다(제303조 제1항).

1) 전세권자의 우선적 지위

① 전세권자는 대항력이 없는 일반채권자에 대해서는 언제든지 우선하지만, 저당권과 같은 물권과의 관계에서는 그 순위에 의한다. 따라서 전세권이 선순위인 경우 전세권자가 경매신청하면 전세권보다 후순위인 저당권도 함께 소멸한다.

② 그러나 후순위 저당권자가 경매를 신청하면 선순위의 전세권은 소멸하지 않는다. 반면에 저당권이 선순위인 경우 저당권자나 전세권자 중 어느 쪽이 경매를 신청하든 양자 모두 소멸한다.

2) 전세권자의 경매신청권

1개의 건물의 일부분에 전세권이 설정되어 있는 경우에 그 전세권자는 그 건물 전부에 대하여 후순위 권리자 기타 채권자보다 전세금의 우선변제를 받을 권리가 있으나, 전세권설정자가 전세금의 반환을 지체하더라도 전세권의 목적물이 아닌 나머지 건물부분에 대하여는 우선변제권은 별론으로 하고 경매신청권은 없다.

건물일부에 대한 전세권이 설정된 경우, 경매신청권의 범위 ★★

건물의 일부에 대하여 전세권이 설정되어 있는 경우 그 전세권자는 민법 제303조 제1항의 규정에 의하여 그 건물 전부에 대하여 후순위권리자 기타 채권자보다 전세금의 우선변제를 받을 권리가 있고, 민법 제318조의 규정에 의하여 전세권설정자가 전세금의 반환을 지체한 때에는 전세권의 목적물의 경매를 청구할 수 있는 것이나, 전세권의 목적물이 아닌 나머지 건물부분에 대하여는 우선변제권은 별론으로 하고 경매신청권은 없으므로, 위와 같은 경우 전세권자는 전세권의 목적이 된 부분을 초과하여 건물 전부의 경매를 청구할 수 없다고 할 것이고, 그 전세권의 목적이 된 부분이 구조상 또는 이용상 독립성이 없어 독립한 소유권의 객체로 분할할 수 없고, 따라서 그 부분만의 경매신청이 불가능하다고 하여 달리 볼 것은 아니다(대결 2001.7.2, 2001마212).

→ [해설] : 판례는 부분전세의 경우에 분할이 가능하더라도 나머지 부분에 관하여 경매를 청구할 수 없고, 분할이 불가능하다면 전혀 경매를 청구할 수 없다고 하였는바, 이는 부분전세권자의 경매청구권을 사실상 부정하는 결과가 된다(대결 2001.7.2, 2001마212).

3) 전세권자의 우선변제권

① 전세권과 저당권의 순위는 원칙적으로 설정등기의 선후에 의한다. 따라서 저당권이 실행되더라도 전세권이 저당권 보다 먼저 설정된 경우에는 아직 존속하고 있는 전세권은 그 경락으로 말미암아 영향을 받지 않아 경락인은 전세권의 부담 있는 소유권을 취득하게 된다. 즉 저당권보다 먼저 설정된 전세권의 경우에는 경매로 인하여 소멸되지 않는다. 다만 그 전세권자가 배당요구를 한 경우라면 전세권은 소멸한다.

② 예컨대, 甲소유 X부동산에 대하여 乙은 그 존속기간을 2년으로 하는 전세권을 설정하고 그 등기를 하였다. 그 후 X부동산에 丙의 저당권이 설정되었는데, 甲이 丙에 대한 채무를 변제하지 못하자 丙의 담보권실행이 들어왔다. 이 당시 전세권의 남은 존속기간은 10개월 정도였다. 이 때 丙의 담보권실행에 따른 경매절차에서 전세권자 乙의 배당요구가 있었다면 乙의 전세권은 소멸된다(대판 2000.2.25, 98다50869).

주택임대차보호법상 임차인으로서의 지위와 전세권자로서의 지위를 함께 가지고 있는 자가 임차인으로서의 지위에 기하여 경매법원에 배당요구를 한 경우, 전세권에 관하여도 배당요구가 있는 것으로 볼 수 있는지 여부(소극) ★

민사집행법 제91조 제3항은 "전세권은 저당권·압류채권·가압류채권에 대항할 수 없는 경우에는 매각으로 소멸된다"라고 규정하고, 같은 조 제4항은 "제3항의 경우 외의 전세권은 매수인이 인수한다. 다만, 전세권자가 배당요구를 하면 매각으로 소멸된다"라고 규정하고 있고, 이는 저당권 등에 대항할 수 없는 전세권과 달리 최선순위의 전세권은 오로지 전세권자의 배당요구에 의하여만 소멸되고, 전세권자가 배당요구를 하지 않는 한 매수인에게 인수되며, 반대로 배당요구를 하면 존속기간에 상관없이 소멸한다는 취지라고 할 것인 점, 주택임차인이 그 지위를 강화하고자 별도로 전세권설정등기를 마치더라도 주택임대차보호법상 임차인으로서 우선변제를 받을 수 있는 권리와 전세권자로서 우선변제를 받을 수 있는 권리는 근거규정 및 성립요건을 달리하는 별개의 권리라고 할 것인 점 등에 비추어 보면, 주택임대차보호법상 임차인으로서의 지위와 전세권자로서의 지위를 함께 가지고 있는 자가 그 중 임차인으로서의 지위에 기하여 경매법원에 배당요구를 하였다면 배당요구를 하지 아니한 전세권에 관하여는 배당요구가 있는 것으로 볼 수 없다(대판 2010.6.24, 2009다40790).

③ 건물의 일부를 목적으로 하는 전세권은 그 목적물인 건물부분에 한하여 그 효력을 미치므로 건물 중 일부를 목적으로 한 전세권이 경락으로 인하여 소멸한다고 하더라도 그 전세권보다 나중에 설정된 전세권이 건물의 다른 부분을 목적물로 하고 있었던 경우에는 그와 같은 사정만으로는 아직 존속기간이 남아 있는 후순위의 전세권까지 경락으로 인하여 함께 소멸한다고 볼 수 없다(대판 2000.2.25, 98다50869).

④ 경매법원이 경락으로 인하여 경락인에게 인수되는 전세권에 대하여 그 전세권자에게 배당을 한 경우, 전세권자는 후순위권리자에 대한 부당이득반환의무를 진다(대판 2007.1.11, 2006다59762).

(3) 원상회복의무와 부속물수거

> 第316조【원상회복의무, 매수청구권】
> ① 전세권이 그 존속기간의 만료로 인하여 소멸한 때에는 전세권자는 그 목적물을 원상에 회복하여야 하며 그 목적물에 부속시킨 물건은 수거할 수 있다. 그러나 전세권설정자가 그 부속물건의 매수를 청구한 때에는 전세권자는 정당한 이유 없이 거절하지 못한다.
> ② 전항의 경우에 그 부속물건이 전세권설정자의 동의를 얻어 부속시킨 것인 때에는 전세권자는 전세권설정자에 대하여 그 부속물건의 매수를 청구할 수 있다. 그 부속물건이 전세권설정자로부터 매수한 것인 때에도 또한 같다.

1) 의의

전세권이 소멸하면, 전세권자는 그 목적물을 원상에 회복해야 하고, 그 목적물에 부속시킨 물건을 수거할 수 있다(제316조 제1항). 그러나 전세권설정자가 그 부속물건의 매수를 청구한 때에는 인정되지 않는다(제316조 제1항 단서).

2) 부속물매수청구권

가) 토지임차인의 지상물매수청구권에 관한 민법 제643조는 토지 전세권에도 유추적용 인정 : 토지임차인의 건물 기타 공작물의 매수청구권에 관한 민법 제643조의 규정은 성질상 토지의 전세권에도 유추 적용될 수 있다고 할 것이지만, 그 매수청구권은 토지임차권 등이 건물 기타 공작물의 소유 등을 목적으로 한 것으로서 기간이 만료되어야 하고 건물 기타 지상시설이 현존하여야만 행사할 수 있는 것이다(대판 2007.9.21, 2005다41740).

나) 전세권설정자의 부속물매수청구권 : 전세권이 소멸하면 전세권설정자는 언제든지 그 부속물의 매수를 청구할 수 있고, 이 경우 전세권자는 정당한 이유 없이 거절하지 못한다(제316조 제1항 단서).

다) 전세권자의 부속물매수청구권 : 부속물을 전세권설정자의 동의를 얻어 부속시킨 경우와 부속물을 전세권설정자로부터 매수한 경우에는, 전세권자도 전세권설정자에 대해 부속물매수청구권을 갖는다(제316조 제2항).

(4) 유익비상환청구권

> 제310조【전세권자의 상환청구권】
> ① 전세권자가 목적물을 개량하기 위하여 지출한 금액 기타 유익비에 관하여는 그 가액의 증가가 현존한 경우에 한하여 소유자의 선택에 좇아 그 지출액이나 증가액의 상환을 청구할 수 있다.
> ② 전항의 경우에 법원은 소유자의 청구에 의하여 상당한 상환기간을 허여할 수 있다.

1) 의의

전세권자는 목적물의 현상유지와 수선의무가 있으므로 필요비에 대해서는 상환청구를 할 수 없다. 그러나 유익비에 관해서는 목적물 가치의 증가가 현존하는 경우에 한하여 전세권설정자의 선택에 좇아서 그 지출액이나 증가액의 상환을 청구할 수 있다(제310조 제1항). 다만 전세권설정자(소유자)가 법원에서 상환기간을 유예받으면 유치권은 소멸하므로 전세권자는 일단 목적물을 인도해 주어야 한다(제310조 제2항).

2) 유익비상환청구권의 사전포기 가능

판례는 전세권자가 유익비상환청구권을 미리 포기하는 약정도 유효하고, 전세권자가 전세권소멸시에 목적물을 원상복구하기로 약정한 때에는 위 청구권을 포기한 것으로 해석하며, 이 때 채권이 존재하지 않으므로 유치권도 소멸한다는 입장이다.

Ⅴ. 채권적 전세

1. 의의 및 성질

① 타인의 부동산을 사용・수익하기 위하여 전세권 이외에 채권적 전세나 임대차를 이용할 수 있다. 이 중 「채권적 전세」란 목적물의 사용대가로서 전세금(또는 보증금)을 정하고 타인의 부동산을 점유하여 그 부동산의 용도에 좇아 사용・수익하는 것을 내용으로 하는 것을 말한다.

② 전세권은 물권임에 반해, 채권적 전세는 등기를 하지 않은 상태에서 부동산의 사용・수익을 목적으로 하는 채권에 불과하다.

2. 법적규율

채권적 전세권은 채권으로서 임대차에 관한 규정이 적용된다. 나아가 목적물이 주택인 경우에는 주택임대차보호법에 의해 보호되고 있다.

3. 효력

채권적 전세는 ① 원칙적으로 대항력이 인정되지 않으며, ② 설정자의 동의 없이는 양도하거나 목적물을 전대하지 못한다. ③ 또한 전세권과 달리 우선변제권이 인정되지 않는다. 다만 전세금반환의무와 목적물반환의무 상호간에 동시이행항변권이 인정될 뿐이다.

chapter

06 담보물권

제1절 총설

Ⅰ. 담보제도의 의의

채무자가 채무를 이행하지 않은 경우에 채권자는 채무자의 일반재산에 대해 강제집행을 함으로써 채권의 만족을 얻을 수 있다. 그런데 채무자의 책임재산이 충분치 않은 경우에는 채권자가 자기 채권액의 만족을 얻지 못하므로, 이런 경우를 대비하여 보다 확실한 변제수단을 확보하기 위한 제도가 담보제도이다.

Ⅱ. 담보물권의 종류

1. 인적 담보와 물적 담보

인적담보란 책임재산으로서 채무자의 재산뿐만 아니라 제3자의 재산도 추가시키는 것을 말하고(예 보증채무, 연대채무 등), 물적담보란 책임재산 중 어느 특정의 재화를 가지고 채권의 담보에 충당하여 다른 일반 채권자보다 우선하여 변제받는 것을 말한다(예 저당권 등 담보물권).

2. 전형담보와 비전형담보

전형담보란 민법상 규정되어 있는 담보로서 유치권, 질권, 저당권을 말한다. 반면 비전형담보란 민법 이외의 담보로서 양도담보, 가등기담보, 매도담보 등을 말하며 가등기담보 등에 관한 법률에 의하여 규제된다.

유치권, 질권, 저당권 비교

구분	유치권	질권	저당권
성립	• 법정담보물권(제320조)	• 설정계약 + 인도(제330조) • 약정담보물권	• 설정계약 + 등기(제186조) • 약정담보물권
목적물	• 물건(동산 · 부동산) • 유가증권(제320조 제1항)	• 동산(제329조 – 부동산 제외) • 재산권(제345조)	부동산 (제356조 – 동산 제외)
본질적 효력	• 유치적 효력(제320조 제1항) • 점유요건 必要	• 유치적 효력(제335조), 우선변제효(제329조) • 점유요건 必要	• 우선변제효(제356조) • 점유요건 不要
경매신청권	인정(제322조 제1항)	인정(제338조 제1항)	인정(제363조)

간이변제 충당권	인정(제322조 제2항)	인정(제338조 제2항)	부정
물상대위	불가	가능(제342조)	가능(제370조)

3. 법률구성에 의한 분류

(1) 제한물권 형식에 의한 것

채무자에게 물건의 소유권을 유보하는 법정담보물권(예 유치권, 법정질권, 법정저당권 등)과 약정담보물권(예 질권, 저당권, 전세권 등)이 있다.

(2) 소유권이전 형식에 의한 것

소유권을 채권자에게 이전하되 채무자가 변제하면 소유권이 복귀하고 변제하지 못하면 채권자가 확정적으로 소유권을 취득하거나 환가하여 정산하는 경우를 말한다(예 양도담보, 환매 · 재매매의 예약(매도담보), 대물변제의 예약, 매매의 예약, 소유권유보부매매 등).

Ⅲ. 담보물권의 특성

1. 기본적 성질

① 담보물권은 목적물의 교환가치의 확보를 목적으로 하는 가치권성을 가지고, ② 그러한 교환가치를 직접 지배하는 물권이다. 이 점에서 목적물을 직접 사용 · 수익하여 그 사용가치의 취득을 목적으로 하는 용익물권과 다르다.

2. 담보물권의 통유성

(1) 부종성(제369조 참조)

담보물권은 피담보채권의 존재를 전제로 하는 것으로, 피담보채권과 성립상 · 존속상 부종성을 가지고 있다. 따라서 피담보채권이 발생하지 않으면 담보물권도 발생하지 않으며, 피담보채권이 소멸하면 담보물권도 소멸한다.

(2) 수반성(제361조 참조)

피담보채권이 이전하면 담보물권도 이전한다. 다만, 전세권 소멸을 전제로 하여 전세권과 분리하여 전세금반환채권만을 무담보의 채권으로서 양도할 수는 있다.

담보물권의 수반성 의미

담보권의 수반성이란 피담보채권의 처분이 있으면 언제나 담보권도 함께 처분된다는 것이 아니라 채권담보라고 하는 담보권 제도의 존재 목적에 비추어 볼 때 특별한 사정이 없는 한 피담보채권의 처분에는 담보권의 처분도 당연히 포함된다고 보는 것이 합리적이라는 것일 뿐이므로, 피담보채권의 처분이 있음에도 불구하고, 담보권의 처분이 따르지 않는 특별한 사정이 있는 경우에는 채권양수인은 담보권이 없는 무담보의 채권을 양수한 것이 되고 채권의 처분에 따르지 않은 담보권은 소멸한다(대판 2004.4.28, 2003다61542).

(3) 물상대위성(제342조 참조)

> **제342조【물상대위】**
> 질권은 질물의 멸실, 훼손 또는 공용징수로 인하여 질권설정자가 받을 금전 기타 물건에 대하여도 이를 행사할 수 있다. 이 경우에는 그 지급 또는 인도 전에 압류하여야 한다.

1) 의의

① 담보물권의 목적물이 멸실・훼손・공용징수되어 그 목적물에 갈음하는 금전 기타의 물건으로 변하여 목적물소유자에게 귀속되면, 담보물권은 그 목적물에 갈음하는 금전 기타의 물건에 대해서도 존속하게 된다.

② 민법은 제342조에서 동산질권의 물상대위에 관하여 규정하고, 이를 권리질권 및 저당권에 각 준용하고 있다(제355조, 제370조).

2) 적용범위

물상대위성은 우선변제적 효력을 전제로 하기 때문에 유치권에는 인정되지 않으며, 물상대위성은 목적물을 추급할 수 없는 경우를 전제로 하기 때문에 추급이 가능한 경우(예 매매 등)에는 인정되지 않는다.

3) 물상대위의 요건

가) 물상대위의 원인・객체

① 물상대위가 인정되는 경우는 목적물의 멸실・훼손・공용징수로 한정되어 있다. 이 경우 멸실・훼손의 원인은 사람의 행위이든 사건이든 이를 묻지 않으며, 물리적인 것에 한하지 않고 법률상의 멸실(예 부합, 가공 등)을 포함한다. 다만 질권자(내지 저당권자)의 과실에 기하지 않은 것이어야 한다.

② 물상대위의 객체는 현실의 금전 기타의 물건이 아니라, 질권설정자가 제3채무자에 대하여 가지는 금전 기타 대위물의 지급청구권 또는 인도청구권이며, 질권설정자가 가지는 보험금청구권, 손해배상청구권, 보상금청구권 등에 대위가능하다.

③ 목적물이 매각(예 공공용지취득 및 손실보상특례법에 의해 협의취득된 경우도 사법상 매매의 성질이므로 이에 포함된다)되거나 임대된 경우에는 목적물이 현존하여 그 위에 담보물권이 그대로 존속하므로(추급효), 질권설정자가 받을 매각대금이나 차임은 물상대위의 대상이 되지 않는다.

> **공공용지의 취득 및 손실보상에 관한 특례법에 의한 토지의 협의취득에 따라 토지소유자가 받을 보상금에 대한 동 토지의 저당권자의 물상대위의 가부**(소극)
> 공용용지의 취득 및 손실보상에 관한 특례법에 따라 저당권이 설정된 토지의 취득에 관하여 토지소유자와 사업시행자 사이에 협의가 성립된 경우에 동 토지의 저당권자는 토지소유자가 수령할 보상금에 대하여 민법 제370조, 제342조에 의한 물상대위를 할 수 없다(대판 1981.5.26, 80다2109).

나) 지급 또는 인도 전 압류

① 질권자가 물상대위를 행사하려면, 질권설정자가 받을 금전 기타의 물건에 대해 그 지급 또는 인도 전에 이를 압류하여야 한다(제342조 단서). 압류를 요건으로 하는 취지는 질권설정자가 지급 또는 인도 받으면 그의 일반재산과 혼재되어 특정성을 잃게 되므로, 그 후에까지 질권자의 추급을 허용하면 다른 채권자의 이익을 해칠 우려가 있기 때문이다(특정성 보전설).

② 따라서 압류는 반드시 질권자에 의한 압류에 국한되지 않는다(대판 1987.5.26, 86다카1058). 제3자가 압류한 경우에도 특정성보전의 목적은 달성되기 때문이다. 또한 공탁을 통해 특정성이 유지되는 경우에도 물상대위가 가능하다(대판 2000.6.23, 98다31899).

근저당권자가 근저당권의 목적이 된 토지의 공용징수 등으로 토지의 소유자가 받을 금전이나 물건의 인도청구권을 압류하기 전에 토지의 소유자가 인도청구권에 기하여 금전 등을 수령한 경우, 근저당권자가 물상대위권을 행사할 수 있는지 여부(소극) ★★

근저당권자는 근저당권의 목적이 된 토지의 공용징수 등으로 토지의 소유자가 받을 금전이나 그 밖의 물건에 대하여 물상대위권을 행사할 수 있으나, 다만 그 지급이나 인도 전에 압류하여야 하고(제370조, 제342조), 근저당권자가 금전이나 물건의 인도청구권을 압류하기 전에 토지의 소유자가 인도청구권에 기하여 금전 등을 수령한 경우 근저당권자는 더 이상 물상대위권을 행사할 수 없다(대판 2015.9.10, 2013다216273).

4) 행사방법

가) 압류 및 추심·전부명령

통상적으로는 물상대위권의 목적인 채권 등을 압류한 다음 (또는 동시에) 추심명령 또는 전부명령을 신청하는 방법을 취하게 된다(대판 2003.3.28, 2002다13539).

나) 배당요구

이미 제3자가 해당 지급 또는 인도청구권을 압류하고 있는 경우에도 중첩적으로 압류명령을 신청할 수도 있지만, 담보권자 스스로 압류 및 전부명령을 받지 아니하고 민사집행법에 의하여 배당요구를 할 수 있다(대판 1999.5.14, 98다62688).

저당권자의 물상대위권의 행사 방법과 그 시한 및 이를 제한하는 취지 및 배당요구의 종기가 지난 후 물상대위에 기한 채권압류 및 전부명령이 제3채무자에게 송달된 경우 물상대위권자가 배당절차에서 우선변제를 받을 수 있는지 여부(소극)

① 민법 제370조, 제342조에 의한 저당권자의 물상대위권의 행사는 구 민사소송법 제733조에 의하여 담보권의 존재를 증명하는 서류를 집행법원에 제출하여 채권압류 및 전부명령을 신청하거나, 구 민사소송법 제580조에 의하여 배당요구를 하는 방법에 의하여 하는 것이고, 이는 늦어도 구 민사소송법 제580조 제1항 각 호 소정의 배당요구의 종기까지 하여야 하는 것으로 그 이후에는 물상대위권자로서의 우선변제권을 행사할 수 없다고 하여야 할 것인바, 물상대위권자로서의 권리행사의 방법과 시한을 위와 같이 제한하는 취지는 물상대위의 목적인 채권의 특정성을 유지하여 그 효력을 보전하고 평등배당을 기대한 다른 일반 채권자의 신뢰를 보호하는 등 제3자에게 불측의 손해를 입히지 아니함과 동시에 집행절차의 안정과 신속을 꾀하고자 함에 있다. 따라서 ② 저당권자의 물상대위권

행사로서의 압류 및 전부는 그 명령이 제3채무자에게 송달됨으로써 효력이 생기며, 물상대위권의 행사를 제한하는 취지인 특정성의 유지나 제3자의 보호는 물상대위권자의 압류 및 전부명령이 효력을 발생함으로써 비로소 달성될 수 있는 것이므로, 배당요구의 종기가 지난 후에 물상대위에 기한 채권압류 및 전부명령이 제3채무자에게 송달되었을 경우에는, 물상대위권자는 배당절차에서 우선변제를 받을 수 없다(대판 2003.3.28, 2002다13539).

5) 효과

가) 추급력 및 우선변제권

① 담보권의 공시는 물상대위에 관한 공시로서의 작용을 하므로, 물상대위는 채권의 양도나 전부명령 등에 의해 영향을 받지 않는다(물상대위의 추급력). 또한 ② 담보권자가 압류하지 않은 경우에도 물상대위권자는 압류를 행한 제3의 채권자 등에 우선하여 변제받을 수 있다(우선변제권).

나) 물상대위와 상계항변

① 전세권을 목적으로 한 저당권이 설정된 경우, 전세권의 존속기간이 만료되면 전세권의 용익물권적 권능이 소멸하기 때문에 더 이상 전세권 자체에 대하여 저당권을 실행할 수 없게 되고, 저당권자는 저당권의 목적물인 전세권에 갈음하여 존속하는 것으로 볼 수 있는 전세금반환채권에 대하여 압류 및 추심명령 또는 전부명령을 받거나 제3자가 전세금반환채권에 대하여 실시한 강제집행절차에서 배당요구를 하는 등의 방법으로 물상대위권을 행사하여 전세금의 지급을 구하여야 한다. 전세권저당권자가 위와 같은 방법으로 전세금반환채권에 대하여 물상대위권을 행사한 경우, 종전 저당권의 효력은 물상대위의 목적이 된 전세금반환채권에 존속하여 저당권자가 전세금반환채권으로부터 다른 일반채권자보다 우선변제를 받을 권리가 있으므로, 설령 전세금반환채권이 압류된 때에 전세권설정자가 전세권자에 대하여 반대채권을 가지고 있고 반대채권과 전세금반환채권이 상계적상에 있다고 하더라도 그러한 사정만으로 전세권설정자가 전세권저당권자에게 상계로써 대항할 수는 없다. 그러나 전세금반환채권은 전세권이 성립하였을 때부터 이미 발생이 예정되어 있다고 볼 수 있으므로, 「전세권저당권이 설정된 때」에 이미 전세권설정자가 전세권자에 대하여 반대채권을 가지고 있고 반대채권의 변제기가 장래 발생할 전세금반환채권의 변제기와 동시에 또는 그보다 먼저 도래하는 경우와 같이 전세권설정자에게 합리적 기대 이익을 인정할 수 있는 경우에는 특별한 사정이 없는 한 전세권설정자는 반대채권을 자동채권으로 하여 전세금반환채권과 상계함으로써 전세권저당권자에게 대항할 수 있다(대판 2014.10.27, 2013다91672).

② 동산 양도담보권자는 양도담보 목적물이 소실되어 양도담보 설정자가 보험회사에 대하여 화재보험계약에 따른 보험금청구권을 취득한 경우 담보물 가치의 변형물인 화재보험금청구권에 대하여 양도담보권에 기한 물상대위권을 행사할 수 있는데, 동산 양도담보권자가 물상대위권 행사로 양도담보 설정자의 화재보험금청구권에 대하여 압류 및 추심명령을 얻어 추심권을 행사하는 경우 특별한 사정이 없는 한 제3채무자인 보험회사는 양도담보 설정 후 취득한

양도담보 설정자에 대한 별개의 채권을 가지고 상계로써 양도담보권자에게 대항할 수 없다. 그리고 이는 보험금청구권과 본질이 동일한 공제금청구권에 대하여 물상대위권을 행사하는 경우에도 마찬가지이다(대판 2014.9.25, 2012다58609).

공동저당에 제공된 채무자 소유의 부동산과 물상보증인 소유의 부동산 가운데 물상보증인 소유의 부동산이 먼저 경매되어 매각대금에서 선순위공동저당권자가 변제를 받은 경우, 채무자가 물상보증인에 대한 반대채권으로 물상보증인의 구상금 채권과 상계함으로써 물상보증인 소유의 부동산에 대한 후순위저당권자에게 대항할 수 있는지 여부(원칙적 소극) ★★★

① 공동저당에 제공된 채무자 소유의 부동산과 물상보증인 소유의 부동산 가운데 물상보증인 소유의 부동산이 먼저 경매되어 매각대금에서 선순위공동저당권자가 변제를 받은 때에는 물상보증인은 채무자에 대하여 구상권을 취득함과 동시에 변제자대위에 의하여 채무자 소유의 부동산에 대한 선순위공동저당권을 대위취득한다. ② 물상보증인 소유의 부동산에 대한 후순위저당권자는 물상보증인이 대위취득한 채무자 소유의 부동산에 대한 선순위공동저당권에 대하여 물상대위를 할 수 있다. ③ 이 경우에 채무자는 물상보증인에 대한 반대채권이 있더라도 특별한 사정이 없는 한 물상보증인의 구상금 채권과 상계함으로써 물상보증인 소유의 부동산에 대한 후순위저당권자에게 대항할 수 없다. 채무자는 선순위공동저당권자가 물상보증인 소유의 부동산에 대해 먼저 경매를 신청한 경우에 비로소 상계할 것을 기대할 수 있는데, 이처럼 우연한 사정에 의하여 좌우되는 상계에 대한 기대가 물상보증인 소유의 부동산에 대한 후순위저당권자가 가지는 법적 지위에 우선할 수 없다(대판 2017.4.26, 2014다221777 · 2014다221784).

판례 연구 **관련판례 정리**

1) 공동저당의 목적인 채무자 소유의 부동산과 물상보증인 소유의 부동산에 각각 채권자를 달리하는 후순위저당권이 설정되어 있는 경우, 물상보증인 소유의 부동산에 대하여 먼저 경매가 이루어져 그 경매대금의 교부에 의하여 1번저당권자가 변제를 받은 때에 1번저당권자에게 대위변제를 한 물상보증인은 채무자 소유의 부동산에 대한 1번저당권을 대위취득하고, 그 물상보증인 소유의 부동산의 후순위저당권자는 1번저당권에 대하여 물상대위를 할 수 있으므로, 채무자 소유의 부동산으로부터 우선변제를 받을 수 있다(대판 1994.5.10, 93다25417).
2) 저당권자가 물상대위권의 행사로 금전 또는 물건의 인도청구권을 압류하기 전에 저당목적물 소유자가 그 인도청구권에 기하여 금전 등을 수령한 경우, 저당목적물 소유자가 피담보채권액 상당의 부당이득을 반환할 의무를 부담한다. ① 저당목적물 소유자가 얻은 위와 같은 이익은 ② 저당권자의 손실로 인한 것으로서 ③ 인과관계가 있을 뿐 아니라, 공평의 관념에 위배되는 재산적 가치의 이동이 있는 경우 수익자로부터 그 이득을 되돌려받아 손실자와 재산상태의 조정을 꾀하는 부당이득제도의 목적에 비추어 보면 ④ 위와 같은 이익을 소유권자에게 종국적으로 귀속시키는 것은 저당권자에 대한 관계에서 공평의 관념에 위배되어 법률상 원인이 없다고 봄이 상당하므로, 저당목적물 소유자는 저당권자에게 이를 부당이득으로 반환할 의무가 있다(대판 2009.5.14, 2008다17656). ★
3) 민법 제370조, 제342조 단서가 저당권자는 물상대위권을 행사하기 위하여 저당권설정자가 받을 금전 기타 물건의 지급 또는 인도 전에 압류하여야 한다고 규정한 것은 물상대위의 목적인 채권의 특정성을 유지하여 그 효력을 보전함과 동시에 제3자에게 불측의 손해를 입히지 않으려는 데에 그 취지가 있다.

따라서 저당목적물의 변형물인 금전 기타 물건에 대하여 이미 제3자가 압류하여 그 금전 또는 물건이 특정된 이상 저당권자가 스스로 이를 압류하지 않고서도 물상대위권을 행사하여 일반 채권자보다 우선변제를 받을 수 있으나, 그 행사방법은 민사집행법 제273조에 의하여 담보권의 존재를 증명하는 서류를 집행법원에 제출하여 채권압류 및 전부명령을 신청하는 것이거나 민사집행법 제247조 제1항에 의하여 배당요구를 하는 것이므로, 이러한 물상대위권의 행사에 나아가지 아니한 채 단지 수용대상토지에 대하여 담보물권의 등기가 된 것만으로는 그 보상금으로부터 우선변제를 받을 수 없다. 그렇다면 저당권자가 물상대위권의 행사에 나아가지 아니하여 우선변제권을 상실한 이상, 다른 채권자가 그 보상금 또는 이에 관한 변제공탁금으로부터 이득을 얻었다고 하더라도 저당권자는 이를 부당이득으로서 반환청구 할 수 없다(대판 2010.10.28, 2010다46756). ★★

(4) 불가분성(제321조 참조)

① 담보물권은 피담보채권의 전부에 대한 변제가 있을 때까지 목적물 전부에 대해 그 효력이 미친다.

② 판례는 유치물은 그 각 부분으로써 피담보채권의 전부를 담보하며, 이와 같은 유치권의 불가분성은 그 목적물이 분할 가능하거나 수개의 물건인 경우에도 적용된다고 하면서 다세대주택의 창호 등의 공사를 완성한 하수급인이 공사대금채권 잔액을 변제받기 위하여 위 다세대주택 중 한 세대를 점유하여 유치권을 행사하는 경우, 그 유치권은 위 한 세대에 대하여 시행한 공사대금만이 아니라 다세대주택 전체에 대하여 시행한 공사대금채권의 잔액 전부를 피담보채권으로 하여 성립한다고 하였다(대판 2007.9.7, 2005다16942).

민법 제321조에서 정한 유치권의 불가분성은 목적물이 분할 가능하거나 수 개의 물건인 경우에도 적용되는지 여부(적극) 및 이는 상법 제58조의 상사유치권에도 적용되는지 여부(적극) ★
민법 제321조는 "유치권자는 채권 전부의 변제를 받을 때까지 유치물 전부에 대하여 그 권리를 행사할 수 있다." 라고 정하므로, 유치물은 그 각 부분으로써 피담보채권의 전부를 담보하고, 이와 같은 유치권의 불가분성은 그 목적물이 분할 가능하거나 수 개의 물건인 경우에도 적용되며, 상법 제58조의 상사유치권에도 적용된다(대판 2022.6.16, 2018다301350).

Ⅳ. 효력

1. 담보물권의 순위

동일목적물 위에 2개 이상의 담보물권이 존재할 때 그 담보물권 상호간의 순위는 설정된 순위에 의한다. 선순위의 담보물권이 소멸하면 후순위 담보물권의 순위가 승진한다(순위승진의 원칙).

2. 효력

(1) 물권 일반의 효력

담보권도 물권이므로 채권에 대하여 우선하는 효력이 있다. 또한 가치권의 확보를 위하여 물권적 청구권이 인정된다. 다만 유치권은 점유의 상실로 권리도 상실하므로 유치권 자체에 기한 물권적 청구권은 인정되지 않으며(통설), 저당권은 목적물의 점유를 요소로 하지 않으므로 물권적 청구권으로서 반환청구권은 인정되지 않는다.

(2) 우선변제적 효력

채무변제를 받지 못한 때에 채권자는 목적물을 환가해서 다른 채권자보다 우선하여 변제를 받을 수 있는 우선변제적 효력이 있다. 다만 유치권은 우선변제적 효력이 없다(사실상의 우선변제적 효력은 있다).

(3) 유치적 효력

목적물을 채권자에게 유치시켜 채무자에게 심리적 압박을 주어 채무의 변제를 간접적으로 강제하는 효력이다. 다만 저당권은 목적물의 점유를 요소로 하지 않으므로 유치적 효력이 없다.

(4) 추급효

담보물권이 누구에게 귀속하든 그 소재하는 곳에 추급하여 담보물권을 행사할 수 있다. 다만 유치권은 점유의 상실로 권리도 상실하므로 추급효가 없다.

V. 담보물권 실행방법(경매)

1. 강제경매와 담보권실행경매

① 강제경매라 함은 채권자가 채무자에게 대해 가지는 확정판결 등 집행권원에 기초하여 채무자 소유의 일반재산을 강제집행의 일환으로서 매각하는 것을 말하며, ② 담보권 실행에 따른 경매(=임의경매)라 함은 질권・저당권에 기초하여 제공된 담보물에 대해 경매가 이루어지는 것을 말한다.

2. 담보권실행경매에 의한 담보물권의 실행

(1) 민사집행법에 따른 경매절차

경매절차는 대체로 목적물을 압류하여 현금화(환가)한 후에 채권자의 채권을 변제하는 3단계의 과정을 거친다. 즉, 경매신청(동법 제4조, 제80조) → 경매개시결정(동법 제83조 제1항, 제4항) → 현금화절차(동법 제97조 이하) → 배당절차(동법 제145조)의 순으로 진행된다.

(2) 매각의 효과

1) 매수인의 권리취득

매수인은 매각대금을 완납한 때에 매각의 목적인 권리를 취득한다(동법 제135조). 매수인이 부동산 소유권을 취득하는 시기는 그 등기가 경료된 때가 아니라 매각대금을 완납한 때이다.

2) 경매목적물 위의 다른 권리

경매의 기초가 된 담보물권의 설정등기시를 기준으로 하여 먼저 등기된 권리는 소멸하지 않고, 후에 등기된 권리는 소멸하는 것이 원칙이다. 다만, 저당권은 그 선후를 불문하고 모두 소멸한다(소제주의).

제2절 유치권

Ⅰ. 총설

1. 의의

> 제320조 【유치권의 내용】
> ① 타인의 물건 또는 유가증권을 점유한 자는 그 물건이나 유가증권에 관하여 생긴 채권이 변제기에 있는 경우에는 변제를 받을 때까지 그 물건 또는 유가증권을 유치할 권리가 있다.
> ② 전항의 규정은 그 점유가 불법행위로 인한 경우에 적용하지 아니한다.

유치권이란 타인의 물건 또는 유가증권을 점유한 자가 그 물건이나 유가증권에 관하여 생긴 채권을 가지는 경우에, 그 채권의 변제를 받을 때까지 그 물건이나 유가증권을 유치할 수 있는 권리를 말한다. 채무자의 변제를 간접적으로 강제하는 법정담보물권이다(제320조 제1항).

2. 법적 성질

(1) 물권

특정물을 직접 지배하는 배타적 권리라는 점에서 물권 일반의 성질을 갖는다. 그러나 유치권은 점유의 상실로 소멸하므로 추급효가 없다(따라서 점유를 침탈당한 경우 점유물반환청구에 의해 점유를 회복할 수밖에 없음).

(2) 담보물권

① 유치권은 법정담보물권으로서 담보물권의 통유성인 부종성·수반성·불가분성을 갖는다.
② 그러나 유치권에는 우선변제적 효력 및 그에 따른 물상대위성이 없다는 점에서 다른 담보물권과 다르다. 다만 채무자 또는 제3자가 목적물의 인도를 받으려면 유치권자에게 변제하여야 하므로 사실상 우선변제권이 있는 것과 동일한 효과가 있다.

사실상 최우선순위담보권인 유치권의 제도적 취지와 한계

우리 법에서 유치권제도는 무엇보다도 권리자에게 그 목적인 물건을 유치하여 계속 점유할 수 있는 대세적 권능을 인정한다(민법 제320조 제1항, 민사집행법 제91조 제5항 등 참조). 그리하여 소유권 등에 기하여 목적물을 인도받고자 하는 사람(물건의 점유는 대부분의 경우에 그 사용수익가치를 실현하는 전제가 된다)은 유치권자가 가지는 그 피담보채권을 만족시키는 등으로 유치권이 소멸하지 아니하는 한 그 인도를 받을 수 없으므로 실제로는 그 변제를 강요당하는 셈이 된다. 그와 같이 하여 유치권은 유치권자의 그 채권의 만족을 간접적으로 확보하려는 것이다. 저당권 등의 설정 후에 유치권이 성립한 경우에도 마찬가지로 유치권자는 그 저당권의 실행절차에서 목적물을 매수한 사람을 포함하여 목적물의 소유자 기타 권리자에 대하여 위와 같은 대세적인 인도거절권능을 행사할 수 있다. 따라서 부동산유치권은 대부분의 경우에 사실상 최우선순위의 담보권으로서 작용하여, 유치권자는 자신의 채권을 목적물의 교환가치로부터 일반채권자는 물론 저당권자 등에 대하여도 그 성립의 선후를 불문하여 우선적으로 자기 채권의 만족을 얻을 수 있게 된다. 이렇게 되면 유치권의 성립 전에 저당권 등 담보를 설정받고 신용을 제공한 사람으로서는 목적물의 담보가치가 자신이 애초 예상·계산하였던 것과는 달리 현저히 하락하는 경우가 발생할 수 있다. 이와 같이 유치권제도는 "시간에서 앞선 사람은 권리에서도 앞선다"는 일반적 법원칙의 예외로 인정되는 것으로서, 특히 부동산담보거래에 일정한 부담을 주는 것을 감수하면서 마련된 것이다. 유치권은 목적물의 소유자와 채권자와의 사이의 계약에 의하여 설정되는 것이 아니라 법이 정하는 일정한 객관적 요건(민법 제320조 제1항, 상법 제58조, 제91조, 제111조, 제120조, 제147조 등 참조)을 갖춤으로써 발생하는 이른바 법정담보물권이다. 다만 유치권제도와 관련하여서는 거래당사자가 유치권을 자신의 이익을 위하여 고의적으로 작출함으로써 앞서 본 유치권의 최우선순위담보권으로서의 지위를 부당하게 이용하고 전체 담보권질서에 관한 법의 구상을 왜곡할 위험이 내재한다. 이러한 위험에 대처하여, 개별 사안의 구체적인 사정을 종합적으로 고려할 때 신의성실의 원칙에 반한다고 평가되는 유치권제도 남용의 유치권 행사는 이를 허용하여서는 안 될 것이다(대판 2011.12.22, 2011다84298).

유치권의 피담보채권이 되기 위한 요건 및 법률과 관습법이 인정하지 않는 새로운 종류나 내용의 물권을 창설할 수 있는지 여부(소극)

① 유치권은 점유하는 물건으로써 유치권자의 피담보채권에 대한 우선적 만족을 확보하여 주는 법정담보물권이다. 민법 제320조 제1항은 "타인의 물건 또는 유가증권을 점유한 자는 그 물건이나 유가증권에 관하여 생긴 채권이 변제기에 있는 경우에는 변제를 받을 때까지 그 물건 또는 유가증권을 유치할 권리가 있다."라고 규정하고 있으므로, 유치권의 피담보채권은 '그 물건에 관하여 생긴 채권'이어야 한다. 민법 제185조는 "물권은 법률 또는 관습법에 의하는 외에는 임의로 창설하지 못한다."라고 정하여 물권법정주의를 선언하고 있다. 물권법의 강행법규성에 따라 법률과 관습법이 인정하지 않는 새로운 종류나 내용의 물권을 창설하는 것은 허용되지 않는다. ② 한편, 인접한 구분건물 사이에 설치된 경계벽이 제거됨으로써 각 구분건물이 구분건물로서의 구조상 및 이용상 독립성을 상실하게 되었다고 하더라도, 각 구분건물의 위치와 면적 등을 특정할 수 있고 사회통념상 그것이 구분건물로서의 복원을 전제로 한 일시적인 것일 뿐만 아니라 복원이 용이한 것이라면, 각 구분건물이 구분건물로서의 실체를 상실한다고 쉽게 단정할 수는 없고, 아직도 그 등기는 구분건물을 표상하는 등기로서 유효하다고 해석해야 한다(대판 2023.4.27, 2022다273018).

→ [사실관계 및 해설] : 甲 주식회사가 구분등기가 마쳐진 4개 호실 중 1개 호실을 임차하면서 임대인과 '임대차 계약이 종료된 경우에 임대인은 임차인에게 임차인이 위 부동산에 관하여 뷔페 영업을 위하여 투입한 총공사비의 70%를 반환한다.'는 내용의 공사비 반환 약정을 하였고, 그 후 甲 회사는 4개 호실을 점유하면서 각 호실을 구분하던 칸막이를 철거하는 등의 공사를 한 다음 점유 부분 전부를 뷔페 영업을 위한 공간으로 사용하였는데, 4개 호실이 경매절차에서 일괄매각되자 甲 회사가 위 약정에 따른 유익비상환채권을 피담보채권으로 하는 유치권의 존재 확인을 구한 사안에서, 甲 회사가 지출하였다고 주장하는 총공사비에 따라 산정한 금액을 유치권의 피담보채권으로 인정한 다음 甲 회사가 각 호실 전체에 대하여 유치권을 주장할 수 있다고 본 원심판단에 법리오해의 잘못이 있다고 한 사례이다.

3. 동시이행항변권과의 비교

구분		유치권	동시이행항변권
공통점		① 공평의 원칙에 근거한다는 점, ② 변제기 도래를 요한다는 점, ③ 항변이 이유 있을 때 소송상 상환급부판결을 받는다는 점이 공통이다. 즉 물건의 인도를 청구하는 소송에 있어서 피고의 유치권 항변이 인정되는 경우에는 그 물건에 관하여 생긴 채권의 변제와 상환으로 그 물건의 인도를 명하여야 한다(대판 1969.11.25, 69다1592).	
차이점	본질	법정담보물권	쌍무계약상 채권에 부수된 권능
	발생원인	채권의 발생원인은 계약, 부당이득, 불법행위 등 불문	쌍무계약상 채권에 한정
	권리의 내용	채권변제를 받을 때까지 인도거절권능	상대방의 단순 청구에 대한 이행거절권능 및 이행지체저지효과를 가져오는 권능
	상대방	물권이므로 누구에게나 주장할 수 있음(대세적 효력)	채권의 권능이므로 원칙적으로 계약당사자에게만 주장할 수 있다.
	효력	경매청구권 등 인정	경매청구권은 인정되지 않고, 청구권행사의 저지효, (이행)지체저지효, 상계금지효과를 가져오며 후2자는 존재효과이다.
	소멸	상당한 담보제공을 통한 소멸청구권 행사가 가능	이행제공을 통해 소멸
양자의 관계 – 병존가능성		채권이 목적물에 관하여 생긴 것이면서 쌍무계약에 기하여 생긴 것이면 양자는 병존할 수 있다. 예 계약관계의 무효·취소 시 매수인의 매매대금반환채권 담보를 위하여 유치권과 동시이행항변권이 인정된다(통설).	

Ⅱ. 유치권의 성립요건

1. 목적물

① 유치권은 타물권이므로 그 목적물은 타인 소유의 독립한 물건(동산·부동산) 또는 유가증권이어야 한다. 타인의 범위에 대해 통설은 채무자 이외의 제3자의 소유에 속하는 것도 무방하다고 한다.

> **가등기가 되어 있는 부동산 소유자가 필요비나 유익비를 지출한 것이 가등기에 의한 본등기가 된 경우에는 타인의 물건에 대하여 비용을 투입한 것이 되는지 여부**
> 가등기가 되어 있는 부동산 소유권을 이전받은 자가 그 부동산에 대하여 필요비나 유익비를 지출한 것은, 가등기에 의한 본등기가 경유됨으로써 가등기 이후의 저촉되는 등기라 하여 직권으로 말소를 당한 소유권이전등기의 명의자와 본등기 명의자 내지 그 특별승계인과의 법률관계에서는 결과적으로 타인의 물건에 대하여 그 점유기간 내에 비용을 투입한 것이 된다고 보는 것이 상당하다(대판 1976.10.26, 76다2079).

② 건물의 신축공사를 도급받은 수급인이 사회통념상 독립한 건물이라고 볼 수 없는 정착물을 토지에 설치한 상태에서 공사가 중단된 경우에 위 정착물은 토지의 부합물에 불과하여 이러한 정착물에 대하여 유치권을 행사할 수 없다(대결 2008.4.30, 97마98).

2. 피담보채권과 목적물의 견련관계

채권이 유치권의 목적물에 '관하여 생긴 것'이어야 한다(제320조 제1항). 즉, 채권과 목적물 사이에 견련관계가 있어야 한다.

(1) '관하여 생긴 것'의 의미

통설 및 판례는 피담보채권이 ① 목적물 자체로부터 발생한 경우와 ② 목적물의 반환청구권과 동일한 법률관계 또는 사실관계로부터 발생한 경우에 견련성을 인정한다(이원설).

1) 목적물 자체로부터 발생한 경우

① 물건의 가치를 보존·증대시키거나 또는 그 물건 자체로부터 손해를 입은 경우가 이에 해당한다. 예컨대 물건에 지출된 필요비·유익비의 상환청구권, 목적물의 하자로 인한 손해의 배상청구권, 물건의 수선대금 등이 이에 속한다.

② 임차보증금반환채권, 권리금반환청구권은 임대차목적물과는 무관한 점(별도의 약정에 의한 관계인 점), 부속물매수대금채권은 부속물에 관해서는 임차인 자신의 소유라는 점(아울러 별도의 약정에 의한 관계인 점)과 임차목적물인 건물에 관해서는 그것과 별개의 물건(부속물)에 관한 것이라는 점에서 유치권이 인정되지 않는다.

③ 부동산의 이중매매에서 매도인의 채무불이행으로 인한 제1매수인의 손해배상청구권이나 임대차에서 임대인이 목적물에 대한 시설을 해주지 않아서 발생한 이행불능으로 인한 임차인의 손해배상청구권(대판 1976.5.11, 75다1305)은 별도의 배신행위에 기한 것이라는 점에서 유치권이 인정되지 않는다.

판례 연구 **관련판례 정리**

1. 채무불이행에 기한 손해배상청구권

수급인의 공사잔금채권이나 그 지연손해금청구권과 도급인의 건물인도청구권은 모두 건물신축도급계약이라고 하는 동일한 법률관계로부터 생긴 것임이 인정될 수 있으므로, 수급인의 손해배상채권 역시 건물에 관하여 생긴 채권이라 할 것이며, 채무불이행에 의한 손해배상청구권은 원채권의 연장으로 보아야 할 것이므로, 물건과 원채권과 사이에 견련관계가 있는 경우에는 그 손해배상채권과 그 물건과의 사이에도 견련관계가 있어, 손해배상채권에 관한 수급인의 유치권이 인정된다(대판 1976.9.28, 76다582).

2. 수급인의 공사대금채권 ★★

(1) 도급인 소유(긍정)

주택건물의 신축공사를 한 수급인이 그 건물을 점유하고 있고 또 그 건물에 관하여 생긴 공사금 채권이 있다면, 수급인은 그 채권을 변제받을 때까지 건물을 유치할 권리가 있다고 할 것이고, 이러한 유치권은 수급인이 점유를 상실하거나 피담보채무가 변제되는 등 특단의 사정이 없는 한 소멸되지 않는다(대판 1995.9.15, 95다16202·16219).

(2) 수급인 소유(부정)

유치권은 타물권인 점에 비추어 볼 때 수급인의 재료와 노력으로 건축되었고 독립한 건물에 해당되는 기성부분은 수급인의 소유라 할 것이므로 수급인은 공사대금을 지급받을 때까지 이에 대하여 유치권을 가질 수 없다(대판 1993.3.26, 91다14116).

3. 임대차관계상 여러 채권과 유치권의 성부 ★★

(1) 임차보증금반환청구권(부정)

건물의 임대차에 있어서 임차인의 임대인에게 지급한 임차보증금 반환청구권이나 임대인이 건물시설을 아니하기 때문에 임차인에게 건물을 임차목적대로 사용 못한 것을 이유로 하는 손해배상청구권은 모두 민법 제320조 소정 소위 그 건물에 관하여 생긴 채권이라 할 수 없다(대판 1976.5.11, 75다1305).

(2) 권리금반환청구권(부정)

임대인과 임차인 사이에 건물명도시 권리금을 반환하기로 하는 약정이 있었다 하더라도, 그와 같은 권리금반환청구권은 건물에 관하여 생긴 채권이라 할 수 없으므로 그와 같은 채권을 가지고 건물에 대한 유치권을 행사할 수 없다(대판 1994.10.14, 93다62119).

(3) 부속물・지상물매매대금채권(부정)

임차인의 부속물매수청구권은 그가 건물 기타 공작물을 임대차한 경우에 생기는 것(제646조)이고, 보증금반환청구권은 본조에서 말하는 그 건물에 관하여 생긴 채권이 아니기 때문에, 토지임차인은 임차지상에 해 놓은 시설물에 대한 매수청구권과 보증금반환청구권으로서 임대인에게 임차물인 토지에 대한 유치권을 주장할 수 없다(대판 1977.12.13, 77다115).

(4) 유익비상환청구권(긍정)

건물임차인이 건물에 관한 유익비상환청구권에 터잡아 취득하게 되는 유치권은 임차건물의 유지・사용에 필요한 범위 내에서 임차대지 부분에도 그 효력이 미친다(대판 1980.10.14, 79다1170).

4. 계약명의신탁에 있어 명의신탁자가 명의수탁자에 대하여 가지는 매매대금 상당의 부당이득반환청구권 (부정) ★★★

계약명의신탁에 있어 명의신탁자가 명의수탁자에 대하여 가지는 매매대금 상당의 부당이득반환청구권은 유치권의 피보전채권이 될 수 없다(대판 2009.3.26, 2008다34828). 명의신탁자의 이와 같은 부당이득반환청구권은 부동산 자체로부터 발생한 채권이 아닐 뿐만 아니라 소유권 등에 기한 부동산의 반환청구권과 동일한 법률관계나 사실관계로부터 발생한 채권이라고 보기도 어려우므로, 결국 민법 제320조 제1항에서 정한 유치권 성립요건으로서의 목적물과 채권 사이의 견련관계를 인정할 수 없다는 것이다.

5. 매매계약에 따른 매매대금채권 또는 건축자재대금채권(부정) ★★

1) 甲이 건물 신축공사 수급인인 乙 주식회사와 체결한 약정에 따라 공사현장에 시멘트와 모래 등의 건축자재를 공급한 사안에서, 甲의 건축자재대금채권은 매매계약에 따른 매매대금채권에 불과할 뿐 건물 자체에 관하여 생긴 채권이라고 할 수는 없음에도 건물에 관한 유치권의 피담보채권이 된다고 본 원심판결에 유치권의 성립요건인 채권과 물건 간의 견련관계에 관한 법리오해의 위법이 있다(대판 2012.1.26, 2011다96208).

2) 부동산 매도인이 매매대금을 다 지급받지 아니한 상태에서 매수인에게 소유권이전등기를 마쳐주어 목적물의 소유권을 매수인에게 이전한 경우에는, 매도인의 목적물인도의무에 관하여 동시이행의 항변권 외에 물권적 권리인 유치권까지 인정할 것은 아니다. 왜냐하면 법률행위로 인한 부동산물권변동의 요건으로 등기를 요구함으로써 물권관계의 명확화 및 거래의 안전・원활을 꾀하는 우리 민법의 기본정신에 비추어 볼 때, 만일 이를 인정한다면 매도인은 등기에 의하여 매수인에게 소유권을 이전하였음에도 매수인 또는 그의 처분에 기하여 소유권을 취득한 제3자에 대하여 소유권에 속하는 대세적인 점유의 권능을 여전히 보유하게 되는 결과가 되어 부당하기 때문이다. 또한 매도인으로서는 자신이 원래 가지는 동시이행의 항변권을 행사하지 아니하고 자신의 소유권이전의무를 선이행함으로써 매수인에게 소유권을 넘겨 준 것이므로 그에 필연적으로 부수하는 위험은 스스로 감수하여야 한다. 따라서 매도인이 부동산을 점유하고 있고 소유권을 이전받은 매수인에게서 매매대금 일부를 지급받지 못하고 있다고 하여 매매대금채권을 피담보채권으로 매수인이나 그에게서 부동산 소유권을 취득한 제3자를 상대로 유치권을 주장할 수 없다(대결 2012.1.12, 2011마2380).

6. 건물의 옥탑・외벽 등에 설치된 간판 설치공사 대금채권

건물의 옥탑, 외벽 등에 설치된 간판의 경우 일반적으로 건물의 일부가 아니라 독립된 물건으로 남아 있으면서 과다한 비용을 들이지 않고 건물로부터 분리할 수 있는 것이 충분히 있을 수 있고, 그러한 경우에는 특별한 사정이 없는 한 간판 설치공사 대금채권을 그 건물 자체에 관하여 생긴 채권이라고 할 수 없으므로, 설치된 간판의 종류와 형태, 간판 설치공사의 내용 등을 심리하여 그 간판이 건물의 일부인지 아니면 별도의 독립한 물건인지 등을 명확히 한 다음 간판 설치공사 대금채권이 건물에 관한 유치권의 피담보채권이 될 수 있는지 여부를 판단하여야 한다(대판 2013.10.24, 2011다44788).

---

2) 목적물반환청구권과 동일한 법률관계 또는 사실관계로부터 발생한 경우

① 제한능력을 이유로 매매계약을 취소하는 경우에 발생하는 대금반환청구권과 목적물의 반환의무는 매매계약의 취소라는 동일한 법률관계로부터 발생한 것이기 때문에 유치권이 성립될 수 있다(통설).

② 우연히 서로 물건을 바꾸어간 경우와 같이 동일한 사실관계로부터 발생한 상호간의 반환청구권도 견련관계를 가진다.

(2) 채권과 목적물 점유와의 관련성 - 불요

채권은 목적물의 점유 중에 생긴 것이어야 하는지가 문제되는데, 통설・판례는 공평의 원리에 비추어 채권과 목적물 사이에 견련관계가 있으면 충분하고, 그 채권이 목적물의 점유 중에 발생한 것임을 요구하지는 않는다. 따라서 현행법상 유치권의 성립에는 채권자의 채권과 유치권의 목적인 물건과의 사이에 일정한 관련이 있으면 충분하고, 물건의 점유 이전에 그 물건에 관련하여 채권이 발생한 후 그 물건에 대하여 점유를 취득한 경우에도 그 채권자는 유치권으로써 보호되어야 할 것이다(대판 1965.3.30, 64다1977).

(3) 채권의 발생원인

채권은 목적물에 관하여 생긴 것이면 족하고, 계약·사무관리·부당이득·불법행위 등 그 발생원인은 묻지 않는다. 또한 채권은 반드시 금전채권임을 요하지 않는다.

3. 피담보채권의 변제기 도래

① 다른 담보물권에서는 변제기 도래가 담보물권의 실행요건이지만, 유치권에서는 성립요건이다. 따라서 채권이 변제기에 도달하기 전에는 유치권은 성립하지 않는다(제320조 제1항). 또한 채무자가 법원으로부터 기한을 허여 받은 경우에는 유치권을 잃는다(제203조 제2항, 제310조 제2항, 제325조 제2항, 제626조 제2항 단서 등).

② 판례는 유치권은 그 목적물에 관하여 생긴 채권이 변제기에 있는 경우에 성립하는 것이므로 아직 변제기에 이르지 아니한 채권에 기하여 유치권을 행사할 수는 없다고 한다. 즉, 피고가 주장하는 지상물매수청구권이나 부속물매수청구권 또는 비용상환청구권 등은 어느 것이나 피고의 전세권의 존속기간이 만료되는 때에 발생하거나 변제기에 이르는 것인데, 아직 그 전세권의 존속기간이 만료되지 아니하였으므로 위 각 채권에 기한 피고의 유치권은 성립되지 아니한다는 취지로 판단한 것은 정당하고, 거기에 상고이유의 주장과 같은 법리오해 등의 위법이 없다(대판 2007.9.21, 2005다41740).

4. 점유

(1) 점유의 계속

① 유치권자의 점유는 계속되어야 한다. 유치권자가 목적물의 점유를 잃으면 유치권은 당연히 소멸한다(제328조).

② 유치권자의 점유에는 직접점유뿐만 아니라, 공동점유와 간접점유도 포함된다. 판례는 유치권의 성립요건이자 존속요건인 유치권자의 점유는 직접점유이든 간접점유이든 관계가 없으나, 다만 유치권은 목적물을 유치함으로써 채무자의 변제를 간접적으로 강제하는 것을 본체적 효력으로 하는 권리인 점 등에 비추어, 그 직접점유자가 채무자인 경우에는 유치권의 요건으로서의 점유에 해당하지 않는다고 한다(대판 2008.4.11, 2007다27236).

민법 제320조에서 규정한 유치권의 성립요건이자 존속요건인 점유의 의미 ★★

민법 제320조에서 규정한 유치권의 성립요건이자 존속요건인 점유는 물건이 사회 통념상 그 사람의 사실적 지배에 속한다고 보이는 객관적 관계에 있는 것을 말하고, 이때 사실적 지배는 반드시 물건을 물리적·현실적으로 지배하는 것에 국한하는 것이 아니라 물건과 사람과의 시간적·공간적 관계와 본권관계, 타인 지배의 배제 가능성 등을 고려하여 사회관념에 따라 합목적적으로 판단하여야 한다. 나아가 위 규정의 경우에는 직접점유뿐만 아니라 간접점유도 포함된다(대판 2013.10.24, 2011다44788).

→ [사실관계] : 건물 신축공사의 하수급인이 다른 하수급인을 통하여 신축건물을 간접점유함으로써 유치권 성립요건을 충족하였다고 인정한 원심의 판단을 정당하다고 본 사례이다.

(2) 적법한 점유

① 불법행위로 인한 점유에는 유치권이 성립되지 않는다(제320조 제2항). 불법행위로 인하여 점유를 취득한 자에게까지 유치권을 인정하여 그의 채권을 보호할 필요가 없기 때문이다. 불법점유인지의 여부는 비용지출 시를 기준으로 판단한다.

② 예컨대, 임대차계약의 해제·해지 후에 비용을 지출한 경우, 매매계약의 해제 후에 비용을 지출한 경우 등은 적법한 권원을 상실하였으므로 유치권이 인정되지 않는다. 그러나 임대차계약 존속 중에 비용을 지출하여 유치권이 성립하고 이를 행사하던 중에 임대차계약이 해제·해지된 경우에는 유치권이 존속하며, 유치권 행사 중에 지출된 비용에 대해서도 유치권이 인정된다.

판례 연구 **관련판례 정리**

1. 유치권의 성립요건으로서 '적법한 점유'

임야에 대한 유익비상환청구권을 기초로 하는 유치권의 주장을 배척하려면, 적어도 임야에 대한 점유가 불법행위로 인하여 개시되었거나, 유익비 지출당시에 이를 점유할 권원이 없음을 알았거나, 이를 알지 못함이 중대한 과실에 기인하였다고 인정할만한 사유를, 상대방의 주장입증에 의하여 인정하여야 할 것이다(대판 1966.6.7, 66다600·601).

2. 임대차계약 해제·해지 후의 비용지출

건물임차인이 임대차계약의 해제·해지 후에도 계속 건물을 점유하고 그 기간 동안 필요비나 유익비를 지출하더라도 그 상환청구권에 관해서는 유치권이 성립되지 않는다(대판 1967.1.24, 66다2144).

3. 제3자에게 불법점유가 되는 경우 ★★

건물점유자(수급인)가 건물의 원시취득자(도급인)에게 그 건물에 관한 유치권이 있다고 하더라도, 그 건물의 존재와 점유가 토지소유자에게 불법행위가 되고 있다면 그 유치권으로 토지소유자에게 대항할 수 없다(대판 1989.2.14, 87다카3073).

5. 유치권 포기·배제 특약의 부존재

당사자 간에 유치권의 발생을 배제하는 특약이 있는 경우에, 그 특약은 유효하므로 유치권이 성립하기 위해서는 이러한 특약이 없어야 한다. 건물의 임차인이 임대차관계 종료시에는 건물을 원상으로 복구하여 임대인에게 명도하기로 약정한 것은, 건물에 지출한 각종 유익비 또는 필요비의 상환청구권을 미리 포기하기로 한 취지의 특약이라고 볼 수 있어 임차인은 유치권을 주장을 할 수 없다(대판 1975.4.22, 73다2010).

유치권 배제 특약의 효력 및 조건 부가의 가부(대판 2018.1.24, 2016다234043) ★★★

[1] 유치권 배제 특약의 효력(유효) 및 특약에 따른 효력은 특약의 상대방뿐 아니라 그 밖의 사람도 주장할 수 있는지 여부(적극)

① 제한물권은 이해관계인의 이익을 부당하게 침해하지 않는 한 자유로이 포기할 수 있는 것이 원칙이다. 유치권은 채권자의 이익을 보호하기 위한 법정담보물권으로서, 당사자는 미리 유치권의 발생을 막는 특약을 할 수 있고 이러한 특약은 유효하다. 유치권 배제 특약이 있는 경우 다른 법정요건이 모두 충족되더라도 유치권은 발생하지 않는데, 특약에 따른 효력은 특약의 상대방뿐 아니라 그 밖의 사람도 주장할 수 있다.

② 유치권은 법정담보물권이기는 하나 채권자의 이익보호를 위한 채권담보의 수단에 불과하므로 이를 포기하는 특약은 유효하고, 유치권을 사전에 포기한 경우 다른 법정요건이 모두 충족되더라도 유치권이 발생하지 않는 것과 마찬가지로 유치권을 사후에 포기한 경우 곧바로 유치권은 소멸한다(대판 2016.5.12, 2014다52087).

[2] 유치권 배제 특약에 조건을 붙일 수 있는지 여부(적극) 및 조건을 붙이고자 하는 의사가 있는지 판단하는 기준

조건은 법률행위의 효력 발생 또는 소멸을 장래의 불확실한 사실의 발생 여부에 의존케 하는 법률행위의 부관으로서, 법률행위에서 효과의사와 일체적인 내용을 이루는 의사표시 그 자체라고 볼 수 있다. 유치권 배제 특약에도 조건을 붙일 수 있는데, 조건을 붙이고자 하는 의사가 있는지는 의사표시에 관한 법리에 따라 판단하여야 한다.

→ [해설] : 선진종합개발이 이 사건 사업약정의 당사자로서 유치권 포기 약정을 하였는데, 甲은 이 사건 건물을 공매절차에서 매수한 자로서 위 특약의 당사자가 아니더라도 위 약정의 효력을 주장할 수 있다고 본 사례이다.

Ⅲ. 유치권의 효력

1. 유치권자의 권리

제321조【유치권의 불가분성】 유치권자는 채권 전부의 변제를 받을 때까지 유치물 전부에 대하여 그 권리를 행사할 수 있다.

(1) 목적물의 유치

① 유치권자는 채권 전부의 변제를 받을 때까지 목적물의 점유를 계속하면서 인도를 거절할 수 있다. 유치권자는 모든 사람, 즉 채무자뿐만 아니라 선순위 담보권자, 목적물의 양수인 또는 경락인에 대해서도 주장할 수 있다.

유치권자로부터 유치물을 유치하기 위한 방법으로 유치물의 점유나 보관을 위탁받은 자가 소유자의 소유물반환청구를 거부할 수 있는지 여부(원칙적 적극) ★

소유자는 그 소유에 속한 물건을 점유한 자에 대하여 반환을 청구할 수 있다. 그러나 점유자가 그 물건을 점유할 권리가 있는 때에는 반환을 거부할 수 있다(민법 제213조). 여기서 반환을 거부할 수 있는 점유할 권리에는 유치권도 포함되고, 유치권자로부터 유치물을 유치하기 위한 방법으로 유치물의 점유 내지 보관을 위탁받은 자는 특별한 사정이 없는 한 점유할 권리가 있음을 들어 소유자의 소유물반환청구를 거부할 수 있다(대판 2014.12.24, 2011다62618).

② 유치권자가 경락인에 대해 유치권을 주장할 수 있다고 하여 직접 피담보채권의 변제를 청구할 수 있다는 의미는 아니다(대판 1996.8.23, 95다8713).

유치권자가 경매절차의 매수인에 대하여 피담보채권의 변제를 청구할 수 있는지 여부(소극) ★
민사집행법 제268조에 의하여 담보권의 실행을 위한 경매절차에 준용되는 같은 법 제91조 제5항은 매수인은 유치권자에게 그 유치권으로 담보하는 채권을 변제할 책임이 있다고 규정하고 있다. 여기에서 '변제할 책임이 있다'는 의미는 부동산상의 부담을 승계한다는 취지로서 인적채무까지 인수한다는 취지는 아니므로, 유치권자는 경락인에 대하여 그 피담보채권의 변제가 있을 때까지 유치목적물인 부동산의 인도를 거절할 수 있을 뿐이고 그 피담보채권의 변제를 청구할 수는 없다(대결 2014.12.30, 2014마1407).

③ 채무자 소유의 부동산에 경매개시결정의 기입등기가 경료되어 압류의 효력이 발생한 이후에 채권자가 채무자로부터 위 부동산의 점유를 이전받고 이에 관한 공사 등을 시행함으로써 채무자에 대한 공사대금채권 및 이를 피담보채권으로 한 유치권을 취득한 경우, 이러한 점유의 이전은 목적물의 교환가치를 감소시킬 우려가 있는 처분행위에 해당하여 민사집행법 제92조 제1항, 제83조 제4항에 따른 압류의 처분금지효에 저촉되므로, 위와 같은 경위로 부동산을 점유한 채권자로서는 위 유치권을 내세워 그 부동산에 관한 경매절차의 매수인에게 대항할 수 없고, 이 경우 위 부동산에 경매개시결정의 기입등기가 경료되어 있음을 채권자가 알았는지 여부 또는 이를 알지 못한 것에 관하여 과실이 있는지 여부 등은 채권자가 그 유치권을 매수인에게 대항할 수 없다는 결론에 아무런 영향을 미치지 못한다(대판 2006.8.25, 2006다22050).

근저당권설정 후 경매로 인한 압류의 효력 발생 전에 취득한 유치권으로 경매절차의 매수인에게 대항할 수 있는지 여부(적극) ★★★
부동산 경매절차에서의 매수인은 민사집행법 제91조 제5항에 따라 유치권자에게 그 유치권으로 담보하는 채권을 변제할 책임이 있는 것이 원칙이나, 채무자 소유의 건물 등 부동산에 경매개시결정의 기입등기가 경료되어 압류의 효력이 발생한 후에 채무자가 위 부동산에 관한 공사대금 채권자에게 그 점유를 이전함으로써 그로 하여금 유치권을 취득하게 한 경우, 그와 같은 점유의 이전은 목적물의 교환가치를 감소시킬 우려가 있는 처분행위에 해당하여 민사집행법 제92조 제1항, 제83조 제4항에 따른 압류의 처분금지효에 저촉되므로 점유자로서는 위 유치권을 내세워 그 부동산에 관한 경매절차의 매수인에게 대항할 수 없다. 그러나 이러한 법리는 경매로 인한 압류의 효력이 발생하기 전에 유치권을 취득한 경우에는 적용되지 아니하고, 유치권 취득시기가 근저당권설정 후라거나 유치권 취득 전에 설정된 근저당권에 기하여 경매절차가 개시되었다고 하여 달리 볼 것은 아니다(대판 2009.1.15, 2008다70763).

채무자 소유의 건물에 관하여 공사를 도급받은 수급인이 경매개시결정의 기입등기가 마쳐지기 전에 채무자에게서 건물의 점유를 이전받았으나 경매개시결정의 기입등기가 마쳐져 압류의 효력이 발생한 후에 공사를 완공하여 공사대금채권을 취득함으로써 유치권이 성립한 경우, 수급인이 유치권을 내세워 경매절차의 매수인에게 대항할 수 있는지 여부(소극) ★★★
유치권은 목적물에 관하여 생긴 채권이 변제기에 있는 경우에 비로소 성립하고(민법 제320조), 한편 채무자 소유의 부동산에 경매개시결정의 기입등기가 마쳐져 압류의 효력이 발생한 후에 유치권을 취득한 경우에는 그로써 부동산에 관한 경매절차의 매수인에게 대항할 수 없는데, 채무자 소유의 건물에 관하여 증·개축 등 공사를 도급받은 수급인이 경매개시결정의 기입등기가 마쳐지기 전에 채무자에게서 건물의 점유를 이전받았다 하더라도 경매개시결정의 기입등기가 마쳐져 압류의 효력이 발생한 후에 공사를 완공하여 공사대금채권을 취득함으로써 그때 비로소 유치권이 성립한 경우에는, 수급인은 유치권을 내세워 경매절차의 매수인에게 대항할 수 없다(대판 2011.10.13, 2011다55214).

부동산에 관하여 경매개시결정등기가 된 뒤에 부동산의 점유를 이전받거나 피담보채권이 발생하여 유치권을 취득한 사람이 경매절차의 매수인에 대하여 유치권을 행사할 수 있는지 여부(소극) ★★★

민사집행법 제91조 제3항이 "지상권·지역권·전세권 및 등기된 임차권은 저당권·압류채권·가압류채권에 대항할 수 없는 경우에는 매각으로 소멸된다."라고 규정하고 있는 것과는 달리, 같은 조 제5항은 "매수인은 유치권자에게 그 유치권으로 담보하는 채권을 변제할 책임이 있다." 라고 규정하고 있으므로, 유치권은 특별한 사정이 없는 한 그 성립시기에 관계없이 경매절차에서 매각으로 인하여 소멸하지 않는다. 다만 부동산에 관하여 이미 경매절차가 개시되어 진행되고 있는 상태에서 비로소 그 부동산에 유치권을 취득한 경우에도 아무런 제한 없이 경매절차의 매수인에 대한 유치권의 행사를 허용하면 경매절차에 대한 신뢰와 절차적 안정성이 크게 위협받게 됨으로써 경매 목적 부동산을 신속하고 적정하게 환가하기가 매우 어렵게 되고 경매절차의 이해관계인에게 예상하지 못한 손해를 줄 수도 있으므로, 그러한 경우에까지 압류채권자를 비롯한 다른 이해관계인들의 희생 아래 유치권자만을 우선 보호하는 것은 집행절차의 법적 안정성이라는 측면에서 받아들일 수 없다. 그리하여 대법원은 집행절차의 법적 안정성을 보장할 목적으로 부동산에 관하여 경매개시결정등기가 된 뒤에 비로소 부동산의 점유를 이전받거나 피담보채권이 발생하여 유치권을 취득한 경우에는 경매절차의 매수인에 대하여 유치권을 행사할 수 없다고 본 것이다(대판 2022.12.29, 2021다253710).

부동산에 가압류등기가 경료된 후에 채무자의 점유이전으로 제3자가 유치권을 취득하는 경우, 가압류의 처분금지효에 저촉되는지 여부(소극) ★★★

부동산에 가압류등기가 경료되면 채무자가 당해 부동산에 관한 처분행위를 하더라도 이로써 가압류채권자에게 대항할 수 없게 되는데, 여기서 처분행위란 당해 부동산을 양도하거나 이에 대해 용익물권, 담보물권 등을 설정하는 행위를 말하고 특별한 사정이 없는 한 점유의 이전과 같은 사실행위는 이에 해당하지 않는다. 다만 부동산에 경매개시결정의 기입등기가 경료되어 압류의 효력이 발생한 후에 채무자가 제3자에게 당해 부동산의 점유를 이전함으로써 그로 하여금 유치권을 취득하게 하는 경우 그와 같은 점유의 이전은 처분행위에 해당한다는 것이 당원의 판례이나, 이는 어디까지나 경매개시결정의 기입등기가 경료되어 압류의 효력이 발생한 후에 채무자가 당해 부동산의 점유를 이전함으로써 제3자가 취득한 유치권으로 압류채권자에게 대항할 수 있다고 한다면 경매절차에서의 매수인이 매수가격 결정의 기초로 삼은 현황조사보고서나 매각물건명세서 등에서 드러나지 않는 유치권의 부담을 그대로 인수하게 되어 경매절차의 공정성과 신뢰를 현저히 훼손하게 될 뿐만 아니라, 유치권신고 등을 통해 매수신청인이 위와 같은 유치권의 존재를 알게 되는 경우에는 매수가격의 즉각적인 하락이 초래되어 책임재산을 신속하고 적정하게 환가하여 채권자의 만족을 얻게 하려는 민사집행제도의 운영에 심각한 지장을 줄 수 있으므로, 위와 같은 상황하에서는 채무자의 제3자에 대한 점유이전을 압류의 처분금지효에 저촉되는 처분행위로 봄이 타당하다는 취지이다. 따라서 이와 달리 부동산에 가압류등기가 경료되어 있을 뿐 현실적인 매각절차가 이루어지지 않고 있는 상황하에서는 채무자의 점유이전으로 인하여 제3자가 유치권을 취득하게 된다고 하더라도 이를 처분행위로 볼 수는 없다(대판 2011.11.24, 2009다19246).

체납처분압류가 되어 있는 부동산에 대하여 경매절차가 개시되기 전에 민사유치권을 취득한 유치권자가 경매절차의 매수인에게 유치권을 행사할 수 있는지 여부(적극) ★

[다수의견] 부동산에 관한 민사집행절차에서는 경매개시결정과 함께 압류를 명하므로 압류가 행하여짐과 동시에 매각절차인 경매절차가 개시되는 반면, 국세징수법에 의한 체납처분절차에서는 그와 달리 체납처분에 의한 압류(이하 '체납처분압류'라고 한다)와 동시에 매각절차인 공매절차가 개시되는 것이 아닐 뿐만 아니라, 체납처분압류가 반드시 공매절차로 이어지는 것도 아니다. 또한 체납처분절차와 민사집행절차는 서로 별개의 절차로서 공매절차

와 경매절차가 별도로 진행되는 것이므로, 부동산에 관하여 체납처분압류가 되어 있다고 하여 경매절차에서 이를 그 부동산에 관하여 경매개시결정에 따른 압류가 행하여진 경우와 마찬가지로 볼 수는 없다. 따라서 체납처분압류가 되어 있는 부동산이라고 하더라도 그러한 사정만으로 경매절차가 개시되어 경매개시결정등기가 되기 전에 부동산에 관하여 민사유치권을 취득한 유치권자가 경매절차의 매수인에게 유치권을 행사할 수 없다고 볼 것은 아니다(대판(전) 2014.3.20, 2009다60336).[63]

(2) 경매청구권과 간이변제충당권

제322조【경매, 간이변제충당】
① 유치권자는 채권의 변제를 받기 위하여 유치물을 경매할 수 있다.
② 정당한 이유 있는 때에는 유치권자는 감정인의 평가에 의하여 유치물로 직접 변제에 충당할 것을 법원에 청구할 수 있다. 이 경우에는 유치권자는 미리 채무자에게 통지하여야 한다.

① 민법은 유치물의 경매권을 인정함으로써 유치권의 담보적 기능을 강화하였다.
② 경매절차의 복잡성과 과다한 비용 등으로 인해 채권자에게 불리한 경우가 많을 것이므로, 민법은 정당한 이유가 있는 때에 유치권자는 유치물로 직접 변제에 충당할 수 있는 길을 열어 놓고 있는바, 법원의 허가결정이 있으면 유치권자는 유치물의 소유권을 취득하게 된다.

민법 제322조 제1항에 따른 유치권에 의한 경매가 목적부동산 위의 부담을 소멸시키는 것을 법정매각조건으로 하여 실시되는지 여부(적극)**와 유치권자의 배당순위**(=일반채권자와 동일한 순위)
민법 제322조 제1항에 의하여 실시되는 유치권에 의한 경매도 강제경매나 담보권 실행을 위한 경매와 마찬가지로 목적부동산 위의 부담을 소멸시키는 것을 법정매각조건으로 하여 실시되고 우선채권자뿐만 아니라 일반채권자의 배당요구도 허용되며, 유치권자는 일반채권자와 동일한 순위로 배당을 받을 수 있다고 봄이 상당하다(대판 2011.8.18, 2011다35593).

유치물의 간이변제충당의 요건인 정당한 이유의 존부에 관한 판단
유치물의 처분에 관하여 이해관계를 달리하는 다수의 권리자가 존재하거나 유치물의 공정한 가격을 쉽게 알 수 없는 등의 경우에는 민법 제322조 제2항에 의하여 유치권자에게 유치물의 간이변제충당을 허가할 정당한 이유가 있다고 할 수 없다(대결 2000.10.30, 2000마4002).

---

63) 참고로 이에 대해 「반대의견」은 국세징수법에 의한 체납처분절차는 압류로써 개시되고, 체납처분에 의한 부동산 압류의 효력은 민사집행절차에서 경매개시결정의 기입등기로 인한 부동산 압류의 효력과 같으므로, 조세체납자 소유의 부동산에 체납처분압류등기가 마쳐져 압류의 효력이 발생한 후에 조세체납자가 제3자에게 그 부동산의 점유를 이전하여 유치권을 취득하게 하는 행위는 체납처분압류권자가 체납처분압류에 의하여 파악한 목적물의 교환가치를 감소시킬 우려가 있는 처분행위에 해당하여 체납처분압류의 처분금지효에 저촉되므로 유치권으로써 공매절차의 매수인에게 대항할 수 없다고 하였다.

(3) 과실수취권

> **제323조【과실수취권】**
> ① 유치권자는 유치물의 과실을 수취하여 다른 채권보다 먼저 그 채권의 변제에 충당할 수 있다. 그러나 과실이 금전이 아닌 때에는 경매하여야 한다.
> ② 과실은 먼저 채권의 이자에 충당하고 그 잉여가 있으면 원본에 충당한다.

유치권자는 유치물의 과실을 수취하여 다른 채권보다 먼저 그 채권의 변제에 충당할 수 있다. 과실에는 천연과실·법정과실(사용이익도 포함) 모두가 포함되며, 과실이 금전이 아닐 때에는 경매하여 이자에 충당하고 나머지가 있으면 원본에 충당한다(제323조).

(4) 필요비·유익비 상환청구권

> **제325조【유치권자의 상환청구권】**
> ① 유치권자가 유치물에 관하여 필요비를 지출한 때에는 소유자에게 그 상환을 청구할 수 있다.
> ② 유치권자가 유치물에 관하여 유익비를 지출한 때에는 그 가액의 증가가 현존한 경우에 한하여 소유자의 선택에 좇아 그 지출한 금액이나 증가액의 상환을 청구할 수 있다. 그러나 법원은 소유자의 청구에 의하여 상당한 상환기간을 허여할 수 있다.

2. 유치권자의 의무

> **제324조【유치권자의 선관의무】**
> ① 유치권자는 선량한 관리자의 주의로 유치물을 점유하여야 한다.
> ② 유치권자는 채무자의 승낙 없이 유치물의 사용, 대여 또는 담보제공을 하지 못한다. 그러나 유치물의 보존에 필요한 사용은 그러하지 아니하다.
> ③ 유치권자가 전2항의 규정에 위반한 때에는 채무자는 유치권의 소멸을 청구할 수 있다.

① 유치물의 보존에 필요한 사용은 채무자의 승낙 없이도 할 수 있다(제324조 제2항 단서). 그러나 그 외의 사용에는 채무자의 승낙이 있어야 한다. 보존에 필요하지 않음에도 승낙 없이 유치물을 사용하였다면, 소유자는 유치권의 소멸청구를 할 수 있다. 이 청구권은 형성권이므로 채무자의 유치권자에 대한 일방적 의사표시로써 유치권 소멸의 효력이 생긴다.

> **유치권자의 과실수취권과 유치물의 사용·대여의 관계 ★**
> 민법 제324조에 의하면, 유치권자는 선량한 관리자의 주의로 유치물을 점유하여야 하고, 소유자의 승낙 없이 유치물을 보존에 필요한 범위를 넘어 사용하거나 대여 또는 담보제공을 할 수 없으며, 소유자는 유치권자가 위 의무를 위반한 때에는 유치권의 소멸을 청구할 수 있고, 한편 민법 제323조에 의해 유치권자에게 과실수취권이 인정되지만, 이는 유치물의 사용·임대 등에 소유자의 승낙이 있거나 그것이 보존행위에 해당함을 전제로 하는 것이므로 유치권자에 대한 과실수취권의 인정이 승낙 없는 사용이나 대여를 정당화할 수는 없다고 할 것이다(대판 2006.2.23, 2005다57523).

→ [해설] : ① 유치권자는 채무자의 승낙을 받은 경우에는 보존에 필요한 범위를 넘어 적법하게 사용할 수 있지만, 그 사용으로 인한 차임 상당의 이득은 과실에 준하여 유치권자는 자기 채권의 변제에 충당할 수 있다. 또한 채무자의 승낙이 없으나 보존에 필요한 범위 내에서 사용하는 것은 적법행위이지만 그로 인한 차임 상당의 이득은 부당이득으로서 반환해야 한다. 다만 이 경우에도 유치권자는 과실에 준하여 자기 채권의 변제에 충당함을 주장할 수 있다. 그러나 ② 채무자의 승낙 없이 유치물의 보존에 필요한 범위를 넘어 사용한 경우에는 적법한 유치권 행사에 따른 것이 아니므로, 부당이득으로서 반환해야 하고 소유자는 유치권의 소멸을 청구할 수 있다.

하나의 채권을 피담보채권으로 하여 여러 필지의 토지에 대하여 유치권을 취득한 유치권자가 그중 일부 필지의 토지에 대하여 선량한 관리자의 주의의무를 위반한 경우, 위반행위가 있었던 필지의 토지에 대하여만 유치권 소멸청구가 가능한지 여부(원칙적 적극) ★

민법 제324조는 '유치권자에게 유치물에 대한 선량한 관리자의 주의의무를 부여하고, 유치권자가 이를 위반하여 채무자의 승낙 없이 유치물을 사용, 대여, 담보 제공한 경우에 채무자는 유치권의 소멸을 청구할 수 있다.'고 정한다. 하나의 채권을 피담보채권으로 하여 여러 필지의 토지에 대하여 유치권을 취득한 유치권자가 그중 일부 필지의 토지에 대하여 선량한 관리자의 주의의무를 위반하였다면 특별한 사정이 없는 한 위반행위가 있었던 필지의 토지에 대하여만 유치권 소멸청구가 가능하다고 해석하는 것이 타당하다. 구체적인 이유는 다음과 같다. ① 여러 필지의 토지에 대하여 유치권이 성립한 경우 유치권의 불가분성으로 인하여 각 필지의 토지는 다른 필지의 토지와 관계없이 피담보채권의 전부를 담보한다. 이때 일부 필지 토지에 대한 점유를 상실하여도 나머지 필지 토지에 대하여 피담보채권의 담보를 위한 유치권이 존속한다. 같은 취지에서 일부 필지 토지에 대한 유치권자의 선량한 관리자의 주의의무 위반을 이유로 유치권 소멸청구가 있는 경우에도 그 위반 필지 토지에 대하여만 소멸청구가 허용된다고 해석함이 타당하다. ② 민법 제321조에서 '유치권의 불가분성'을 정한 취지는 담보물권인 유치권의 효력을 강화하여 유치권자의 이익을 위한 것으로서 이를 근거로 오히려 유치권자에게 불이익하게 선량한 관리자의 주의의무 위반이 문제 되지 않는 유치물에 대한 유치권까지 소멸한다고 해석하는 것은 상당하지 않다. ③ 유치권은 점유하는 물건으로써 유치권자의 피담보채권에 대한 우선적 만족을 확보하여 주는 법정담보물권이다(민법 제320조 제1항, 상법 제58조). 한편 민법 제324조에서 정한 유치권 소멸청구는 유치권자의 선량한 관리자의 주의의무 위반에 대한 제재로서 채무자 또는 유치물의 소유자를 보호하기 위한 규정이다. 유치권자가 선량한 관리자의 주의의무를 위반한 정도에 비례하여 유치권소멸의 효과를 인정하는 것이 유치권자와 채무자 또는 소유자 사이의 이익균형을 고려한 합리적인 해석이다(대판 2022.6.16, 2018다301350).

소유자의 동의 없이 유치권자로부터 유치물을 임차한 자의 점유할 정당한 권원의 유무(소극) ★

유치권의 성립요건인 유치권자의 점유는 직접점유이든 간접점유이든 관계없지만, 유치권자는 채무자 또는 소유자의 승낙이 없는 이상 그 목적물을 타에 임대할 수 있는 권한이 없으므로(민법 제324조 제2항 참조), 유치권자의 그러한 임대행위는 소유자의 처분권한을 침해하는 것으로서 소유자에게 그 임대의 효력을 주장할 수 없다. 따라서 소유자의 승낙 없는 유치권자의 임대차에 의하여 유치권의 목적물을 임차한 자의 점유는 소유자에게 대항할 수 있는 적법한 권원에 기한 것이라고 볼 수 없다(대결 2002.11.27, 2002마3516).

소유자의 승낙을 받은 유치권자의 사용과 임대차계약에 따른 점유매개관계

① 유치권자가 이 사건 부동산의 종전 소유자로부터 그 부동산의 사용 등에 관하여 승낙을 받았고 그 승낙을 받은 범위 내에서 사용 등을 하였다면, 유치권자가 새로운 소유자로부터 별도의 승낙을 받지 않았다고 하여 민법 제324조 제2항에 따른 유치물 사용금지의무를 위반하였다고 볼 수는 없다.

② 유치권의 성립요건인 유치권자의 점유는 직접점유이든 간접점유이든 관계없다. 간접점유를 인정하기 위해서는 간접점유자와 직접점유를 하는 자 사이에 일정한 법률관계, 즉 점유매개관계가 필요한데, 간접점유에서 점유매개관계를 이루는 임대차계약 등이 해지 등의 사유로 종료되더라도 직접점유자가 목적물을 반환하기 전까지는 간접점유자의 직접점유자에 대한 반환청구권이 소멸하지 않는다. 따라서 점유매개관계를 이루는 임대차계약 등이 종료된 이후에도 직접점유자가 목적물을 점유한 채 이를 반환하지 않고 있는 경우에는, 간접점유자의 반환청구권이 소멸한 것이 아니므로 간접점유의 점유매개관계가 단절된다고 할 수 없다(대판 2019.8.14, 2019다205329).

민법 제324조의 유치권소멸청구 등 ★★★

[1] 대여에 임대차뿐만 아니라 사용대차도 포함되는지 여부(적극)

민법 제324조는 유치권자에게 유치물의 점유에 관하여 선량한 관리자의 주의의무를 부여하고, 유치권자가 이를 위반하여 유치물의 보존에 필요한 사용의 범위를 넘어 채무자의 승낙 없이 유치물을 사용, 대여 또는 담보 제공한 경우 채무자에게 유치권의 소멸을 청구할 수 있는 권리를 부여하고 있다. 여기에서 말하는 대여는 임대차뿐만 아니라 사용대차도 포함되는데, 유치권자가 유치물을 다른 사람으로 하여금 사용하게 한 경우에 그것이 유치물의 보존에 필요한 사용을 넘어서는 것으로서 유치권 소멸 청구의 사유가 되는 사용 또는 대여에 해당하는지 여부는 유치물의 특성과 유치권자의 점유 태양, 유치권자와 사용자 사이의 관계, 사용자의 구체적인 사용방법 및 사용의 경위, 사용행위가 유치물의 가치나 효용에 미치는 영향, 사용자가 유치권자에게 대가를 지급하였는지 여부 등을 종합적으로 고려하여 판단하여야 한다(대판 2023.7.13, 2021다274243).

[2] 유치권자의 민법 제324조 제2항을 위반한 임대행위가 있은 뒤에 유치물의 소유권을 취득한 제3자도 유치권소멸청구를 할 수 있는지 여부(원칙적 적극)

유치권은 점유하는 물건으로써 유치권자의 피담보채권에 대한 우선적 만족을 확보하여 주는 법정담보물권이다(민법 제320조 제1항, 상법 제58조). 한편 유치권자가 민법 제324조 제2항을 위반하여 유치물 소유자의 승낙 없이 유치물을 임대한 경우 유치물의 소유자는 이를 이유로 민법 제324조 제3항에 의하여 유치권의 소멸을 청구할 수 있다. 민법 제324조에서 정한 유치권소멸청구는 유치권자의 선량한 관리자의 주의의무 위반에 대한 제재로서 채무자 또는 유치물의 소유자를 보호하기 위한 규정이므로, 특별한 사정이 없는 한 민법 제324조 제2항을 위반한 임대행위가 있은 뒤에 유치물의 소유권을 취득한 제3자도 유치권소멸청구를 할 수 있다(대판 2023.8.31, 2019다295278).

→ [사실관계 및 해설] : ① 甲은 2006년경부터 채무자에 대한 공사대금채권을 피담보채권으로 하는 유치권을 주장하며 X부동산을 점유하고 있다가, 2007.10.4.부터 X부동산을 당시 소유자의 승낙을 받지 않고 A에게 임대하였고 2012.2.3. A로부터 이를 반환받았다. 그 후 甲은 계속 X부동산에 거주하면서 이를 점유·사용하고 있던 중 2018.5.21. X부동산의 소유권을 취득한 乙이 甲을 상대로 X부동산 인도청구 및 사용이익 상당액의 부당이득반환청구를 하였다. 이에 대하여 甲은 유치권 항변을 하였고, 乙은 위 무단임대를 이유로 유치권소멸청구권을 행사한 사안이다. 이에 대법원은 임대행위 종료 후 유치물의 소유권을 취득한 자도 특별한 사정이 없는 한 이를 이유로 유치권소멸청구권을 행사할 수 있다고 본 사례이다. ② 또한 대법원은 "이 사건 부동산의 소유권을 취득한 乙은 이 사건 준비서면의 송달로써 유치권소멸청구의 의사표시를 하였으므로 특별한 사정이 없는 한 유치권은 그때부터 소멸하였다. 따라서 위 준비서면이 甲에게 송달된 때부터는 甲은 이 사건 부동산을 점유할 권원이 없으므로 원고 乙에게 이 사건 부동산을 인도하여야 하고 甲은 그 인도 완료일까지 이 사건 부동산을 점유·사용하여 얻은 차임 상당 이익을 부당이득으로 반환하여야 한다. 원고 乙은 유치권이 소멸할 때까지 甲의 이 사건 부동산 점유·사용으로 인한 이익도 부당이득으로 반환을 구하나, 이 기간 동안의 사용은 유치물의 보존에 필요한 사용으로 甲에게 민법 제323조의 과실수취권이 인정되고 이에 따라 甲이 그 사용이익 상당을 피담보채권 변제에 충당한 이상 원고 乙은 부당이득 반환을 구할 수 없다."고 하였다.

② 유치권자가 유치물에 대한 보존행위로서 목적물을 사용하는 것은 적법행위이므로 불법점유로 인한 손해배상책임이 없다(대판 1972.1.31, 71다2414).

유치물 소유자의 변동과 유치권행사 ★★

유치권자의 점유 하에 있는 유치물의 소유자가 변동하더라도 유치권자의 점유는 유치물에 대한 보존행위로서 하는 것이므로 적법하고, 그 소유자변동 후 유치권자가 유치물에 관하여 새로이 유익비를 지급하여 그 가격의 증가가 현존하는 경우에는 이 유익비에 대하여도 유치권을 행사할 수 있다(대판 1972.1.31, 71다2414).

③ 그러나 유치권자가 유치물을 보관하기 위하여 유치건물을 사용하였을 경우 특별한 사정이 없는 한 임차료에 상당한 이득을 반환하여야 할 의무가 있다(대판 1963.8.31, 62나294).

공사대금채권에 기하여 유치권을 행사하는 자가 스스로 유치물인 주택에 거주하며 사용하는 것이 유치물의 보존에 필요한 사용에 해당하는지 여부(적극) 및 이 경우 차임 상당 이득을 소유자에게 반환할 의무가 있는지 여부(적극) ★★★

민법 제324조에 의하면, 유치권자는 선량한 관리자의 주의로 유치물을 점유하여야 하고, 소유자의 승낙 없이 유치물을 보존에 필요한 범위를 넘어 사용하거나 대여 또는 담보제공을 할 수 없으며, 소유자는 유치권자가 위 의무를 위반한 때에는 유치권의 소멸을 청구할 수 있다고 할 것인바, 공사대금채권에 기하여 유치권을 행사하는 자가 스스로 유치물인 주택에 거주하며 사용하는 것은 특별한 사정이 없는 한 유치물인 주택의 보존에 도움이 되는 행위로서 유치물의 보존에 필요한 사용에 해당한다고 할 것이다. 그리고 유치권자가 유치물의 보존에 필요한 사용을 한 경우에도 특별한 사정이 없는 한 차임에 상당한 이득을 소유자에게 반환할 의무가 있다(대판 2009.9.24, 2009다40684).

유치권자가 유치물에 관하여 제3자와 전세계약을 체결하여 전세금을 수령한 경우, 유치권자가 반환하여야 할 부당이득의 범위(=전세금에 대한 법정이자 상당액) ★

유치권자는 유치물 소유자의 승낙 없이 유치물을 보존에 필요한 범위를 넘어 사용할 수 없고, 유치권자가 유치물을 그와 같이 사용한 경우에는 그로 인한 이익을 부당이득으로 소유자에게 반환하여야 한다. 그 경우에 그 반환의무의 구체적인 내용은 다른 부당이득반환청구에서와 마찬가지로 의무자가 실제로 어떠한 구체적 이익을 얻었는지에 좇아 정하여진다. 따라서 유치권자가 유치물에 관하여 제3자와의 사이에 전세계약을 체결하여 전세금을 수령하였다면 전세금이 종국에는 전세입자에게 반환되어야 할 것임에 비추어 다른 특별한 사정이 없는 한 그가 얻은 구체적 이익은 그가 전세금으로 수령한 금전의 이용가능성이고, 그가 이와 같이 구체적으로 얻은 이익과 관계없이 추상적으로 산정된 차임 상당액을 부당이득으로 반환하여야 한다고 할 수 없다. 그리고 이러한 이용가능성은 그 자체 현물로 반환될 수 없는 성질의 것이므로 그 '가액'을 산정하여 반환을 명하여야 하는바, 그 가액은 결국 전세금에 대한 법정이자 상당액이다(대판 2009.12.24, 2009다32324).

IV. 유치권의 소멸

1. 일반적 소멸사유

(1) 물권 일반에 공통된 소멸사유

물권 일반의 공통된 소멸사유인 목적물의 멸실, 토지수용, 혼동, 포기 등에 의해 유치권도 소멸한다. 다만, 유치권 자체는 시효로 소멸하지는 않는다. 유치물을 점유하고 있는 동안에는 그 권리를 계속 행사하는 것이기 때문이다.

(2) 담보물권에 공통된 소멸사유

> 제326조【피담보채권의 소멸시효】
> 유치권의 행사는 채권의 소멸시효의 진행에 영향을 미치지 아니한다.

채권자가 유치권을 행사하고 있더라도 피담보채권의 소멸시효 진행이 중단되지 않으므로(제326조), 피담보채권의 소멸시효는 그와 관계없이 계속 진행된다(제326조). 목적물을 유치하고 있다고 해서 그것이 곧 채권을 행사하고 있는 것은 아니기 때문이다. 즉 유치권의 행사는 채권의 소멸시효의 진행에 영향을 미치지 않는다.

2. 유치권에 특유한 소멸사유

> 제327조【타담보제공과 유치권소멸】
> 채무자는 상당한 담보를 제공하고 유치권의 소멸을 청구할 수 있다.
> 제328조【점유상실과 유치권소멸】
> 유치권은 점유의 상실로 인하여 소멸한다.

① 점유는 유치권의 존속요건이므로, 점유를 상실하면 당연히 유치권도 소멸한다(제328조).

② 점유를 침탈당한 경우에도 유치권은 소멸하나, 점유물반환청구권에 의하여 점유를 회복한 때에는 점유를 상실하지 않았던 것으로 되므로(제192조 제2항 단서), 유치권도 처음부터 소멸하지 않았던 것으로 된다.

민법 제327조에 따른 유치권 소멸청구를 채무자뿐만 아니라 유치물의 소유자도 할 수 있는지 여부(적극) 및 이때 채무자나 소유자가 제공하는 담보가 상당한지 판단하는 기준 ★

채무자는 상당한 담보를 제공하고 유치권의 소멸을 청구할 수 있다(제327조). 유치권 소멸청구는 민법 제327조에 규정된 채무자뿐만 아니라 유치물의 소유자도 할 수 있다. 민법 제327조에 따라 채무자나 소유자가 제공하는 담보가 상당한지는 담보 가치가 채권 담보로서 상당한지, 유치물에 의한 담보력을 저하시키지 않는지를 종합하여 판단해야 한다. 따라서 유치물 가액이 피담보채권액보다 많을 경우에는 피담보채권액에 해당하는 담보를 제공하면 되고, 유치물 가액이 피담보채권액보다 적을 경우에는 유치물 가액에 해당하는 담보를 제공하면 된다(대판 2021. 7.29, 2019다216077).

점유회수의 소에 의한 점유회복 시 유치권 인정 여부(적극) ★

甲 주식회사가 건물신축 공사대금 일부를 지급받지 못하자 건물을 점유하면서 유치권을 행사해 왔는데, 그 후 乙이 경매절차에서 건물 중 일부 상가를 매수하여 소유권이전등기를 마친 다음 甲 회사의 점유를 침탈하여 丙에게 임대한 경우, 乙의 점유침탈로 甲 회사가 점유를 상실한 이상 유치권은 소멸하고, 甲 회사가 점유회수의 소를 제기하여 승소판결을 받아 점유를 회복하면 점유를 상실하지 않았던 것으로 되어 유치권이 되살아나지만, 위와 같은 방법으로 점유를 회복하기 전에는 유치권이 되살아나는 것이 아니므로, 甲 회사가 점유회수의 소를 제기하여 점유를 회복할 수 있다는 사정만으로 甲 회사의 유치권이 소멸하지 않았다고 볼 수 없다(대판 2012.2.9, 2011다72189).

점유의 상실과 유치권 소멸

비록 건물에 대한 점유를 승계한 사실이 있다 하더라도 전점유자를 대위하여 유치권을 주장할 수는 없는 것이다(대판 1972.5.30, 72다548).

→ [해설] : 소외인 甲이 이 사건 건물에 관하여 공사금 채권이 있어 이 건물을 점유하고 있다면 甲에게는 위 공사금 채권을 위하여 이 건물에 대한 유치권이 인정될 것이다. 그러나 A가 甲으로부터 그 점유를 승계한 사실이 있다고 하여 A가 甲을 대위하여 유치권을 주장할 수는 없다. 왜냐하면 피대위자인 甲은 그 점유를 상실하면서 곧 유치권을 상실한 것이기 때문이다.

근저당권자가 유치권 신고를 한 사람을 상대로 경매절차에서 유치권을 내세워 대항할 수 있는 범위를 초과하는 유치권의 부존재 확인을 구할 법률상 이익이 있는지 여부(적극) **및 유치권 신고를 한 사람이 피담보채권으로 주장하는 금액 중 일부만 경매절차에서 유치권으로 대항할 수 있는 경우, 법원이 취할 조치**(=유치권 부분에 대한 일부패소 판결) ★

민사집행법 제268조에 의하여 담보권의 실행을 위한 경매절차에 준용되는 같은 법 제91조 제5항에 의하면 유치권자는 경락인에 대하여 피담보채권의 변제를 청구할 수는 없지만 자신의 피담보채권이 변제될 때까지 유치목적물인 부동산의 인도를 거절할 수 있어 경매절차의 입찰인들은 낙찰 후 유치권자로부터 경매목적물을 쉽게 인도받을 수 없다는 점을 고려하여 입찰하게 되고 그에 따라 경매목적 부동산이 그만큼 낮은 가격에 낙찰될 우려가 있다. 이와 같이 저가낙찰로 인해 경매를 신청한 근저당권자의 배당액이 줄어들거나 경매목적물 가액과 비교하여 거액의 유치권 신고로 매각 자체가 불가능하게 될 위험은 경매절차에서 근저당권자의 법률상 지위를 불안정하게 하는 것이므로 위 불안을 제거하는 근저당권자의 이익을 단순한 사실상·경제상의 이익이라고 볼 수는 없다. 따라서 근저당권자는 유치권 신고를 한 사람을 상대로 유치권 전부의 부존재뿐만 아니라 경매절차에서 유치권을 내세워 대항할 수 있는 범위를 초과하는 유치권의 부존재 확인을 구할 법률상 이익이 있고, 심리 결과 유치권 신고를 한 사람이 유치권의 피담보채권으로 주장하는 금액의 일부만이 경매절차에서 유치권으로 대항할 수 있는 것으로 인정되는 경우에는 법원은 특별한 사정이 없는 한 그 유치권 부분에 대하여 일부패소의 판결을 하여야 한다(대판 2016.3.10, 2013다99409).

유치권부존재확인의 소의 이익 유무 ★

[1] 경매절차에서 유치권이 주장되었으나 소유부동산 또는 담보목적물이 매각된 경우, 소유권을 상실하거나 근저당권이 소멸된 소유자와 근저당권자가 유치권의 부존재 확인을 구할 법률상 이익이 있는지 여부(소극)

근저당권자에게 담보목적물에 관하여 각 유치권의 부존재 확인을 구할 법률상 이익이 있다고 보는 것은 경매절차에서 유치권이 주장됨으로써 낮은 가격에 입찰이 이루어져 근저당권자의 배당액이 줄어들 위험이 있다는 데에 근거가 있고, 이는 소유자가 그 소유의 부동산에 관한 경매절차에서 유치권의 부존재 확인을 구하는 경우에도 마찬가지이다. 위와 같이 경매절차에서 유치권이 주장되었으나 소유부동산 또는 담보목적물이 매각되어 그 소유권이 이전되어 소유권을 상실하거나 근저당권이 소멸하였다면, 소유자와 근저당권자는 유치권의 부존재 확인을 구할 법률상 이익이 없다(대판 2020.1.16, 2019다247385).

[2] 경매절차에서 유치권이 주장되지 아니한 경우, 채권자인 근저당권자가 유치권의 부존재 확인을 구할 법률상 이익이 있는지 여부(적극) 및 이때 채무자가 아닌 소유자가 유치권의 부존재 확인을 구할 법률상 이익이 있는지 여부(소극)

① 경매절차에서 유치권이 주장되지 아니한 경우에는, 담보목적물이 매각되어 그 소유권이 이전됨으로써 근저당권이 소멸하였더라도 채권자는 유치권의 존재를 알지 못한 매수인으로부터 민법 제575조, 제578조 제1항, 제2항에 의한 담보책임을 추급당할 우려가 있고, 위와 같은 위험은 채권자의 법률상 지위를 불안정하게 하는 것이므로, 채권자인 근저당권자로서는 위 불안을 제거하기 위하여 유치권 부존재 확인을 구할 법률상 이익이 있다. 반면 ② 채무자가 아닌 소유자는 위 각 규정에 의한 담보책임을 부담하지 아니하므로, 유치권의 부존재 확인을 구할 법률상 이익이 없다(대판 2020.1.16, 2019다247385).

[3] 채무자 소유의 목적물에 이미 저당권 기타 담보물권이 설정되어 있는데 채권자가 자기 채권의 우선적 만족을 위하여 채무자와 의도적으로 유치권의 성립요건을 충족하는 내용의 거래를 하고 목적물을 점유함으로써 유치권이 성립한 경우, 유치권을 저당권자 등에게 주장하는 것이 허용되는지 여부(소극) 및 이 경우 저당권자 등이 경매절차 기타 채권실행절차에서 유치권을 배제하기 위하여 그 부존재확인 등을 소로써 청구할 수 있는지 여부(적극)

채무자가 채무초과의 상태에 이미 빠졌거나 그러한 상태가 임박함으로써 채권자가 원래라면 자기 채권의 충분한 만족을 얻을 가능성이 현저히 낮아진 상태에서 이미 채무자 소유의 목적물에 저당권 기타 담보물권이 설정되어 있어서 유치권의 성립에 의하여 저당권자 등이 그 채권 만족상의 불이익을 입을 것을 잘 알면서 자기 채권의 우선적 만족을 위하여 위와 같이 취약한 재정적 지위에 있는 채무자와의 사이에 의도적으로 유치권의 성립요건을 충족하는 내용의 거래를 일으키고 그에 기하여 목적물을 점유하게 됨으로써 유치권이 성립하였다면, 유치권자가 그 유치권을 저당권자 등에 대하여 주장하는 것은 다른 특별한 사정이 없는 한 신의칙에 반하는 권리행사 또는 권리남용으로서 허용되지 아니한다. 그리고 저당권자 등은 경매절차 기타 채권실행절차에서 위와 같은 유치권을 배제하기 위하여 그 부존재의 확인 등을 소로써 청구할 수 있다고 할 것이다(대판 2011.12.22, 2011다84298).

제3절 질권

제1관 총설

Ⅰ. 질권의 의의

1. 개념

질권이란 채권자가 그 채권의 담보로 채무자 또는 제3자(물상보증인)가 제공한 동산 또는 재산권을 점유하고, 그 동산 또는 재산권에 대하여 다른 채권자보다 자기채권을 우선적으로 변제를 받을 수 있는 권리를 말한다(제329조, 제345조).

2. 비교개념

(1) 유치권

① 유치권은 법정담보물권이며, 유치적 효력만 있을 뿐 우선변제적 효력은 없다.

② 반면에 질권은 유치권과 달리 당사자의 의사에 기해 성립하는 약정담보물권임을 원칙으로 하며, 유치적 효력과 우선변제적 효력이 있다.

(2) 저당권

질권과 저당권 모두 약정담보물권으로서 우선변제적 효력이 있다는 점에서는 동일하지만, 질권은 저당권과 달리 ① 유치적 효력도 있다는 점, ② 등기나 등록의 공시방법이 아닌 인도(점유)의 공시방법이 요구된다는 점, ③ 질권의 객체는 동산과 일정한 재산권에 한하고 부동산은 포함되지 않는다는 점 등에서 차이가 있다.

Ⅱ. 질권의 법적 성질

① 질권은 목적물의 교환가치를 직접적・배타적으로 지배하는 물권으로서, 원칙적으로 질권자와 질권설정자 사이의 약정에 의하여 성립하고, 법정질권은 예외적으로 인정된다(제648조, 제650조).

② 채권의 변제가 있을 때까지 목적물을 유치(점유)할 수 있는 권능(단, 사용・수익 권능은 없다)과 우선변제를 받을 수 있는 권능이 있다.

③ 질권은 담보물권이므로 담보물권의 일반적 성질, 즉 부종성・수반성・불가분성・물상대위성을 갖는다.

Ⅲ. 질권의 종류

질권은 ① 목적물에 따라 동산질권(제329조)과 권리질권(제345조, 채권 기타 재산권을 목적으로 하는 질권)으로, ② 발생원인에 따라 약정질권(설정계약과 인도 또는 양도에 의해 성립하는 질권)과 법정질권(법률 규정에 의하여 성립하는 질권으로 제648조・제650조에서 규율하고 있다)으로 나뉜다.

제2관 동산질권

Ⅰ. 동산질권의 성립

> **제329조【동산질권의 내용】**
> 동산질권자는 채권의 담보로 채무자 또는 제3자가 제공한 동산을 점유하고 그 동산에 대하여 다른 채권자보다 자기채권의 우선변제를 받을 권리가 있다.
> **제330조【설정계약의 요물성】**
> 질권의 설정은 질권자에게 목적물을 인도함으로써 그 효력이 생긴다.
> **제331조【질권의 목적물】**
> 질권은 양도할 수 없는 물건을 목적으로 하지 못한다.
> **제332조【설정자에 의한 대리점유의 금지】**
> 질권자는 설정자로 하여금 질물의 점유를 하게 하지 못한다.

동산질권은 당사자 간의 질권설정계약과 목적물의 인도에 의해 성립한다. 한편 법률의 규정에 의해 질권이 성립하는 예외적인 경우도 있다.

1. 약정질권

질권설정계약(당사자 : 질권자(채권자)와 질권설정자(채무자 또는 제3자로서 물상보증인))과 동산의 인도 및 피담보채권의 존재로 성립한다.

(1) 질권설정계약

1) 계약의 당사자

① 질권설정계약의 당사자는 질권을 취득하게 되는 질권자와 목적동산에 질권을 설정하는 질권설정자이다. ⅰ) 질권자는 피담보채권의 채권자에 한한다. 반면, ⅱ) 질권설정자는 피담보채권의 채무자뿐만 아니라, 제3자(물상보증인)라도 무방하다(제329조). 다만, 질권설정자는 목적물을 처분할 권리 또는 처분 권한(예 대리권 등)을 가지는 자이어야 한다.

② 질권설정자에게 목적물에 관한 처분권이 없는 경우에도 채권자(질권자)가 선의취득의 요건을 갖춘 경우에는 질권을 선의취득 한다(제343조, 제249조).

2) 물상보증인

> **제341조【물상보증인의 구상권】**
> 타인의 채무를 담보하기 위한 질권설정자가 그 채무를 변제하거나 질권의 실행으로 인하여 질물의 소유권을 잃은 때에는 보증채무에 관한 규정에 의하여 채무자에 대한 구상권이 있다.

가) 의의

물상보증인은 타인의 채무를 담보하기 위하여 자기 소유의 재산 위에 질권 또는 저당권을 설정해준 자를 말한다(제341조, 제370조). 물상보증인은 담보로 제공한 동산의 한도에서 책임을 질 뿐 피담보채무를 부담하지 않는다. 이 점에서 (연대)보증인과 다르다. 이러한 제도에 의해서 담보재산이 없는 자도 금융제공을 받을 수 있는 장점이 있다.

나) 성립

① 물상보증계약에 의한 성립

물상보증은 물상보증인과 채권자와의 계약에 의해 성립된다. 물론 채무자가 물상보증인의 대리인으로서 체결할 수도 있다.

② 선의취득에 따른 성립

채무자가 타인의 물건을 담보로 제공하고 채권자가 선의취득의 규정에 의해 질권을 유효하게 취득한 경우, 목적물의 소유자는 질권설정자는 아니지만 자신의 소유물 위에 담보물권의 부담을 받게 되므로 물상보증인과 같은 입장에 서게 된다.

다) 물상보증인과 채권자와의 관계

① 물적 유한책임

물상보증인은 채권자에 대하여 채무를 부담하지 않으며 담보로 제공한 물건의 한도 내에서 책임을 부담할 뿐이다.

② 채권자의 채무이행청구의 불가

물상보증인은 채무 없는 책임만을 부담하는 자로서 원칙적으로 채권자는 물상보증인을 피고로 하여 이행의 소를 제기할 수는 없다.

③ 물상보증인의 변제 가능

채무자가 변제하지 않는 경우 물상보증인은 채권자의 담보권실행에 의해 자신의 소유권을 상실할 염려가 있으므로, 이해관계 있는 제3자로서 채무자의 의사에 반하여도 변제할 수 있다(제469조).

라) 물상보증인과 채무자와의 관계

① 보증채무규정에 의한 구상권 인정

물상보증인은 이해관계 있는 제3자로서 담보된 채무를 변제하거나 질권 실행으로 소유권을 상실한 경우에 보증인이 가지는 것과 같은 구상권을 갖는다(제341조). 물상보증인이 경락인이 되어 자신의 소유권을 보전한 때에도 마찬가지로 취급해야 한다.

금융기관으로부터 대출을 받으면서 형식상의 주채무자로서 자신의 명의를 사용하도록 한 제3자가 연대보증인에 대하여 주채무자로서 구상의무를 부담하는 경우 및 이는 물상보증의 경우에도 마찬가지인지 여부(적극) ★

금융기관으로부터 대출을 받으면서 제3자가 자신의 명의를 사용하도록 한 경우에는 그가 채권자인 금융기관에 대하여 주채무자로서 책임을 지는지와 관계없이 내부관계에서는 실질상의 주채무자가 아닌 한 연대보증책임을 이행한 연대보증인에 대하여 당연히 주채무자로서의 구상의무를 부담한다고 할 수는 없고, 연대보증인이 제3자가 실질적 주채무자라고 믿고 보증을 하였거나 보증책임을 이행하였고, 그와 같이 믿은 데에 제3자에게 귀책사유가 있어 제3자에게 책임을 부담시키는 것이 구체적으로 타당하다고 보이는 경우 등에 한하여 제3자가 연대보증인에 대하여 주채무자로서의 전액 구상의무를 부담하며, 이는 물상보증의 경우에도 마찬가지로 보아야 한다(대판 2014.4.30, 2013다80429 · 80436).

물상보증인이 담보권의 실행으로 타인의 채무를 담보하기 위하여 제공한 부동산의 소유권을 잃은 경우, 물상보증인이 채무자에게 구상할 수 있는 범위는 담보권의 실행으로 부동산의 소유권을 잃게 된 때의 부동산 시가를 기준으로 하여야 하는지 여부(원칙적 적극) ★★

① 물상보증은 채무자 아닌 사람이 채무자를 위하여 담보물권을 설정하는 행위이고 물상보증인은 담보물로 물적 유한책임만을 부담할 뿐 채권자에 대하여 채무를 부담하지 않는다. 보증인은 '변제 기타의 출재로 주채무를 소멸하게 한 때' 주채무자에 대한 구상권이 있는 반면(민법 제441조 제1항, 제444조 제1항, 제2항), 물상보증인은 '그 채무를 변제'한 경우 외에 '담보권의 실행으로 인하여 담보물의 소유권을 잃은 때'에도 채무자에 대한 구상권이 있다(민법 제341조). ② 물상보증인이 담보권의 실행으로 타인의 채무를 담보하기 위하여 제공한 부동산의 소유권을 잃은 경우 물상보증인이 채무자에게 구상할 수 있는 범위는 특별한 사정이 없는 한 담보권의 실행으로 부동산의 소유권을 잃게 된 때, 즉 매수인이 매각대금을 다 낸 때의 부동산 시가를 기준으로 하여야 하고, 매각대금을 기준으로 할 것이 아니다. 경매절차에서 유찰 등의 사유로 소유권 상실 당시의 시가에 비하여 낮은 가격으로 매각되는 경우가 있는데, 이 경우 소유권 상실로 인한 부동산 시가와 매각대금의 차액에 해당하는 손해는 채무자가 채무를 변제하지 못한 데 따른 담보권의 실행으로 물상보증인에게 발생한 손해이므로, 이를 채무자에게 구상할 수 있어야 하기 때문이다(대판 2018.4.10, 2017다283028).

② 구상권의 성질

물상보증은 채무자 아닌 사람이 채무자를 위하여 담보물권을 설정하는 행위이고 채무자를 대신해서 채무를 이행하는 사무의 처리를 위탁받는 것이 아니므로, 물상보증인이 변제 등에 의하여 채무자를 면책시키는 것은 위임사무의 처리가 아니고 법적 의미에서는 의무 없이 채무자를 위하여 사무를 관리한 것에 유사하다. 따라서 물상보증인의 채무자에 대한 구상권은 그들 사이의 물상보증위탁계약의 법적 성질과 관계없이 민법에 의하여 인정된 별개의 독립한 권리이고, 그 소멸시효에 있어서는 민법상 일반채권에 관한 규정이 적용된다(대판 2001.4.24, 2001다6237).

③ 사전구상권 인정 여부

판례는 물상보증인은 사전구상권을 행사할 수 없다고 한다. 민법 제370조에 의하여 민법 제341조가 저당권에 준용되는데, 민법 제341조는 타인의 채무를 담보하기 위한 저당권설정자가 그 채무를 변제하거나 저당권의 실행으로 인하여 저당물의 소유권을 잃은 때에 채무자에 대하여 구상권을 취득한다고 규정하여 물상보증인의 구상권 발생 요건을 보증인의 경우와 달리 규정하고 있는 점, 물상보증은 채무자 아닌 사람이 채무자를 위하여 담보물권을 설정하는 행위이고 채무자를 대신해서 채무를 이행하는 사무의 처리를 위탁받는 것이 아니므로 물상보증인은 담보물로서 물적 유한책임만을 부담할 뿐 채권자에 대하여 채무를 부담하는 것이 아닌 점, 물상보증인이 채무자에게 구상할 구상권의 범위는 특별한 사정이 없는 한 채무를 변제하거나 담보권의 실행으로 담보물의 소유권을 상실하게 된 시점에 확정된다는 점 등을 종합하면, 원칙적으로 수탁보증인의 사전구상권에 관한 민법 제442조는 물상보증인에게 적용되지 아니하고 물상보증인은 사전구상권을 행사할 수 없다는 것이다(대판 2009. 7.23, 2009다19802·19819).

마) 물상보증인의 변제자대위

① 개관

물상보증인은 변제할 정당한 이익이 있는 자로서 채무자의 채무를 변제한 경우라면 채무자에 대한 구상권을 담보(확보)하기 위하여 당연 변제자대위가 인정된다(제481조). 이는 담보권 실행에 의해 소유권을 상실한 경우에도 마찬가지이다(통설).

물상보증인이 채무를 변제하였으나 다른 사정에 의하여 채무자에 대하여 구상권이 없는 경우, 물상보증인이 채권자를 대위하여 채권자의 채권 및 담보에 관한 권리를 행사할 수 있는지 여부(소극)

타인의 채무를 담보하기 위하여 근저당권을 설정한 물상보증인이 채무를 변제한 때에는 채무자에 대한 구상권이 있고, 물상보증인은 변제할 정당한 이익이 있으므로 변제로 당연히 채권자를 대위하여 채권자의 채권 및 그 담보에 관한 권리를 행사할 수 있다. 다만 물상보증인은 자기의 권리에 의하여 구상할 수 있는 범위에서 그와 같은 권리를 행사할 수 있으므로, 물상보증인이 채무를 변제한 때에도 다른 사정에 의하여 채무자에 대하여 구상권이 없는 경우에는 채권자를 대위하여 채권자의 채권 및 담보에 관한 권리를 행사할 수 없다고 해석하여야 한다(대판 2014.4.30, 2013다80429·80436).

② 일부 대위변제의 경우 채권자와의 관계

채권의 일부에 대위변제가 있는 때에는, 대위자는 그 변제한 가액에 비례하여 채권자와 함께 그 권리를 행사한다(제483조 제1항). '함께'의 의미에 대해서 판례는 대위할 권리가 가분채권인 경우에도 변제자가 단독으로 담보권을 행사할 수 있는 것이 아니라 채권자가 담보권을 행사하는 경우에만 변제자가 함께 그 권리를 행사할 수 있고, 또 그 때에도 배당에 관해서 채권자가 우선하는 것으로 보는 입장이다. 즉 권리행사 및 배당의 순서에 대해서 채권자가 우선한다고 한다(채권자 우위 긍정설 : 대판 1988.9.27, 88다카1797). 따라서 일부대위자는 채권자의 의사에 반하여 저당권을 실행할 수 없고, 또한 배당절차에서 채권자가 우선하여 배당 받고 그 잔액에 대하여 일부대위자가 배당받게 된다.

일부 대위변제자와 채권자의 관계

변제할 정당한 이익이 있는 자가 채무자를 위하여 채권의 일부를 대위변제할 경우에 대위변제자는 변제한 가액의 범위 내에서 종래 채권자가 가지고 있던 채권 및 담보에 관한 권리를 취득하게 되고 따라서 채권자가 부동산에 대하여 저당권을 가지고 있는 경우에는 채권자는 대위변제자에게 일부 대위변제에 따른 저당권의 일부이전의 부기등기를 경료해 주어야 할 의무가 있다 할 것이나, 이 경우에도 채권자는 일부 대위변제자에 대하여 우선변제권을 가지고 있다(대판 1988.9.27, 88다카1797).

③ 물상보증인 상호간의 관계

물상보증인이 수인 있는 경우에는 각 담보목적물의 가액에 비례하여 대위한다(제482조 제2항 제4호).

④ 물상보증인과 보증인 상호간의 관계

물상보증인과 보증인 간에는 그 인원수에 비례해서 대위한다. 이 경우 물상보증인이 수인인 때에는 보증인의 부담부분을 제외하고 그 잔액에 대하여 각 재산가액에 비례해서 대위한다(제482조 제2항 제5호).

⑤ 물상보증인과 후순위저당권자와의 관계64)

공동저당권자는 목적물의 소유자와 채무자가 서로 다른 경우에도 아무런 영향 없이 공동저당권을 실행할 수 있다. 이러한 공동저당권의 실행으로 인하여 목적물의 소유자였던 물상보증인은 변제자대위규정(제481조, 제482조)에 의하여 다른 목적물 위의 공동저당권자를 대위한다. 그리하여 물상보증인에 의한 변제자대위와 공동저당권의 후순위저당권자 상호간에 이해관계의 충돌이 생기는데, 이 중 누구를 우선 보호할 것인지 여부가 문제된다.

이에 대해 판례는 물상보증인(변제자)을 우선시켜 보호한다(물상보증인 우선설 : 변제자대위 우선설). 즉 이시배당에서 후순위저당권자의 대위권은 채무자 소유의 부동산에만 저당권이 설정된 경우에 인정되고, 공동저당의 목적인 채무자 소유의 부동산과 물상보증인 소유의 부동산에 각각 채권자를 달리하는 후순위저당권이 설정되어 있는 경우, 물상보증인 소유의 부동산에 대하여 먼저 경매가 이루어져 그 경매대금의 교부에 의하여 1번저당권자가 변제를 받은 때에는 물상보증인은 채무자에 대하여 구상권을 취득함과 동시에, 민법 제481조, 제482조의 규정에 의한 변제자대위에 의하여 채무자 소유의 부동산에 대한 1번저당권을 취득하고, 이러한 경우 물상보증인 소유의 부동산에 대한 후순위저당권자는 1번저당권에 대하여 물상대위에 의하여 물상보증인에게 이전한 1번저당권으로부터 우선하여 변제를 받을 수 있다고 한다.

(2) 목적동산의 인도

1) 설정계약의 요물성(제330조)

동산의 인도(점유의 이전)는 동산물권변동의 효력발생요건이므로 질권설정계약은 낙성계약이라는 견해가 다수설이다.

2) 점유개정의 금지(제332조)

제330조의 「인도」에는 현실의 인도, 간이인도, 목적물반환청구권의 양도가 포함되나, 유치적 효력의 확보를 위하여 점유개정에 의한 질권설정을 금지한다. 질권에 있어 목적물의 점유는 질권의 존속요건이기도 하다. 따라서 질권자가 질물을 임의로 반환할 경우 질권은 소멸한다(질권소멸설).

64) 상세한 설명은 후술하는 공동저당편을 참조하기 바란다.

3) 동산질권의 목적물

① 양도할 수 없는 동산(예 문화재, 아편)은 질권의 목적이 될 수 없다(제331조).

② 또한 압류금지된 동산 중에서 압류금지사유가 양도까지 금한다는 이유를 포함하는 때에는 질권의 목적이 되지 못한다. 다만, 채무자 보호를 위하여 그 의사에 반한 압류가 금지되는 동산은 소유자의 의사에 의하여 질권의 목적물이 될 수 있다(예 침구, 의복 등).

(3) 동산질권을 설정할 수 있는 채권(피담보채권)

동산질권의 피담보채권에는 법률상 아무런 제한이 없다. 따라서 ① 장래의 특정채권인 조건부채권이나 기한부채권을 위한 질권의 설정도 유효하고, ② 장래의 증감변동하는 불특정의 채권을 담보하는 근질도 유효하다(통설).

근질권이 설정된 금전채권에 대하여 제3자의 압류로 강제집행절차가 개시된 경우, 근질권의 피담보채권의 확정 시기

근질권의 목적이 된 금전채권에 대하여 근질권자가 아닌 제3자의 압류로 강제집행절차가 개시된 경우, 제3채무자가 그 절차의 전부명령이나 추심명령에 따라 전부금 또는 추심금을 제3자에게 지급하거나 채권자의 경합 등을 사유로 위 금전채권의 채권액을 법원에 공탁하게 되면 그 변제의 효과로서 위 금전채권은 소멸하고 그 결과 바로 또는 그 후의 절차진행에 따라 종국적으로 근질권도 소멸하게 되므로, 근질권자는 위 강제집행절차에 참가하거나 아니면 근질권을 실행하는 방법으로 그 권리를 행사할 것이 요구된다. 이런 까닭에 위 강제집행절차가 개시된 때로부터 위와 같이 근질권이 소멸하게 되기까지의 어느 시점에서인가는 근질권의 피담보채권도 확정된다고 하지 않을 수 없다. 근질권자가 제3자의 압류 사실을 알고서도 채무자와 거래를 계속하여 추가로 발생시킨 채권까지 근질권의 피담보채권에 포함시킨다고 하면 그로 인하여 근질권자가 얻을 수 있는 실익은 별 다른 것이 없는 반면 제3자가 입게 되는 손해는 위 추가된 채권액만큼 확대되고 이는 사실상 채무자의 이익으로 귀속될 개연성이 높아 부당할 뿐 아니라, 경우에 따라서는 근질권자와 채무자가 그러한 점을 남용하여 제3자 등 다른 채권자의 채권 회수를 의도적으로 침해할 수 있는 여지도 제공하게 된다. 따라서 이러한 여러 사정을 적정·공평이란 관점에 비추어 보면, 근질권이 설정된 금전채권에 대하여 제3자의 압류로 강제집행절차가 개시된 경우 근질권의 피담보채권은 근질권자가 위와 같은 강제집행이 개시된 사실을 알게 된 때에 확정된다고 봄이 타당하다(대판 2009.10.15, 2009다43621).

2. 법정질권

제648조【임차지의 부속물, 과실등에 대한 법정질권】
토지임대인이 임대차에 관한 채권에 의하여 임차지에 부속 또는 그 사용의 편익에 공용한 임차인의 소유동산 및 그 토지의 과실을 압류한 때에는 질권과 동일한 효력이 있다.
제650조【임차건물 등의 부속물에 대한 법정질권】
건물 기타 공작물의 임대인이 임대차에 관한 채권에 의하여 그 건물 기타 공작물에 부속한 임차인소유의 동산을 압류한 때에는 질권과 동일한 효력이 있다.

Ⅱ. 동산질권의 효력

1. 동산질권의 효력이 미치는 범위

(1) 피담보채권의 범위

> 제334조【피담보채권의 범위】
> 질권은 원본, 이자, 위약금, 질권실행의 비용, 질물보존의 비용 및 채무불이행 또는 질물의 하자로 인한 손해배상의 채권을 담보한다. 그러나 다른 약정이 있는 때에는 그 약정에 의한다. → 임의규정에 해당

① 질권은 원본, 이자, 위약금, 질권실행의 비용, 질물보존의 비용, 채무불이행에 의한 손해배상, 질물의 하자로 생긴 손해배상을 담보한다(제334조 본문). 그러나 이 범위는 당사자의 특약으로 변경할 수 있다(제334조 단서).

② 질권에 있어 피담보채권의 범위는 저당권에 있어서보다 상당히 넓다(제360조 참조).

저당권의 피담보채권 범위와의 비교

> 저당권의 피담보채권의 범위에는 목적물 보존의 비용과 목적물의 하자로 인한 손해배상채권은 속하지 않고, 또한 채무불이행에 의한 손해배상채권의 경우 원본의 이행기일을 경과한 후에 1년분에 한하여 인정되므로(제360조 참조), 질권의 피담보채권의 범위는 저당권보다 넓다. 이는 동일 목적물 위에 질권이 경합하는 경우가 비교적 적어 다른 채권자를 해할 염려가 크지 않기 때문이다.

③ 피담보채권 전부의 변제를 받을 때까지 목적물 전부에 질권의 효력이 미친다(불가분성 – 343조, 제321조).

(2) 목적물의 범위

1) 종물과 과실

질권의 목적으로 인도된 물건 전부에 그 효력이 미치는데, 종물이 인도된 경우에 한하여 질권의 효력이 미치고, 과실(천연과실, 법정과실)에도 질권의 효력이 미친다.

2) 물상대위(제342조)

질권은 목적물의 교환가치를 취득하는 것이므로, 질물의 멸실・훼손・공용징수로 질권이 소멸하더라도 그 교환가치를 대표하는 것이 존재하면, 질권은 그 대표물 위에 존속한다(제342조).

2. 유치적 효력

> 제335조【유치적효력】
> 질권자는 전조의 채권의 변제를 받을 때까지 질물을 유치할 수 있다. 그러나 자기보다 우선권이 있는 채권자에게 대항하지 못한다.

질권자는 피담보채권의 전부를 변제받을 때까지 질물을 유치할 수 있다(불가분성). 그러나 질권자보다 우선권이 있는 채권자(예 선순위질권자 등)에게는 대항할 수 없으므로, 유치권에서처럼 질물의 인도를 거절하지 못하고 배당에 참가할 수 있을 뿐이다(제335조). 그 외는 유치권의 규정이 준용되므로(제343조), 질권자는 과실수취권(제323조) · 비용상환청구권(제325조) 등을 갖는다.

3. 우선변제적 효력

동산질권자는 질물로부터 다른 채권자보다 먼저 우선변제를 받을 권리가 있고(제329조), 질권설정자가 파산한 경우에는 별제권에 의해 우선변제를 받는다(파산법 제84조).

(1) 순위

> 제333조 【동산질권의 순위】
> 수개의 채권을 담보하기 위하여 동일한 동산에 수개의 질권을 설정한 때에는 그 순위는 설정의 선후에 의한다.

동산질권 상호 간은 설정의 선후에 의한다(제333조). 그러나 우선특권을 갖는 선박채권자(상법 제872조, 제861조), 질권자에 우선하는 조세채권자(국세징수법 제5조)와의 관계에서는 우선특권을 갖는 선박채권자 · 조세채권자(국가)가 우선한다.

(2) 우선변제권의 행사

> 제338조 【경매, 간이변제충당】
> ① 질권자는 채권의 변제를 받기 위하여 질물을 경매할 수 있다.
> ② 정당한 이유 있는 때에는 질권자는 감정인의 평가에 의하여 질물로 직접변제에 충당할 것을 법원에 청구할 수 있다. 이 경우에는 질권자는 미리 채무자 및 질권설정자에게 통지하여야 한다.
> 제340조 【질물 이외의 재산으로부터의 변제】
> ① 질권자는 질물에 의하여 변제를 받지 못한 부분의 채권에 한하여 채무자의 다른 재산으로부터 변제를 받을 수 있다.
> ② 전항의 규정은 질물보다 먼저 다른 재산에 관한 배당을 실시하는 경우에는 적용하지 아니한다. 그러나 다른 채권자는 질권자에게 그 배당금액의 공탁을 청구할 수 있다.

① 우선변제권을 행사하기 위해서는 채무자가 이행지체에 빠져야 하고, 피담보채권이 금전을 목적으로 하지 않는 경우에는 그것이 손해배상채권 등 금전채권으로 변한 후에 행사할 수 있다.

② 우선변제권의 행사방법으로는 경매, 간이변제충당이 있으며, 질권에 기하여 우선변제를 받더라도 채권 전부를 변제받지 못하는 경우에는 그 잔액에 관해서 채무자의 일반재산에 대하여 일반채권자로서 권리를 행사할 수 있다(제340조 제1항).

4. 유질계약의 금지

> 제339조【유질계약의 금지】
> 질권설정자는 채무변제기전의 계약으로 질권자에게 변제에 갈음하여 질물의 소유권을 취득하게 하거나 법률에 정한 방법에 의하지 아니하고 질물을 처분할 것을 약정하지 못한다.

① 유질계약이란 질권설정자가 채무변제기 전의 계약으로 질권자에게 채무변제에 갈음하여 질물의 소유권을 취득하게 하거나 법률에 정한 방법에 의하지 않는 질물처분의 약정을 하는 것을 유질계약이라고 한다.

② 채무변제기 전 유질계약은 궁박한 상태의 채무자가 폭리행위에 의해 희생될 수 있으므로 금지되는 것이지만, 채무의 변제기 후에 하는 유질계약은 일종의 대물변제로서 유효하다. 또한 상법상의 질권은 유질계약이 허용된다(상법 제59조).

③ 유질계약금지규정은 강행규정이므로, 이에 위반한 유질계약은 당연히 무효가 되는 것이지만, 유질계약이 무효라고 하여 처음의 질권설정계약이나 질권 자체가 무효가 되는 것은 아니다. 따라서 질권자는 민사집행법상 경매를 신청하여 질권을 실행해야 한다.

5. 동산질권의 침해에 대한 구제

(1) 점유보호청구권 및 물권적 청구권

질권은 질물을 점유할 권리를 포함하므로 ① 점유보호청구권(제204조~제206조)이 가능하고, ② 질권 자체에 기한 물권적 청구권에 관해서는 명문규정은 없지만, 통설은 질권 그 자체에 기한 물권적 청구권을 인정하고 있다.

(2) 질물훼손에 따른 효과

① 질권설정자(채무자)가 질물을 훼손한 경우에는 기한의 이익이 상실된다(제388조). 따라서 질권자는 즉시 피담보채권의 이행을 청구할 수 있고, 잔존물이 있으면 질권을 실행할 수 있으며, 손해배상을 청구(→ 침해행위시 즉시 청구가능)할 수도 있다.

② 제3자가 질물을 훼손한 경우에는 불법행위로 인한 손해배상청구권이 발생한다(제750조).

6. 동산질권자의 의무

① 유치권자의 선관의무에 관한 규정이 준용되므로, 질권자는 선량한 관리자의 주의를 가지고 질물을 점유하여야 하며, 설정자의 승낙 없이 질물을 임의로 사용 · 임대하거나 전질 이외의 방법으로 담보에 제공하지 못한다. 이러한 의무를 질권자가 위반하면 질권설정자는 질권의 소멸을 청구할 수 있고, 손해가 생기면 그 배상을 청구할 수 있다(제343조, 제324조).

② 질권소멸 시 질권자는 질물을 반환할 의무가 있는데, 이 경우 질물반환의 상대방은 채무자가 아니라 질권설정자이다.

③ 질물반환의무는 피담보채권의 변제와 동시이행의 관계에 있는 것이 아니라, 채권의 변제 후에 비로소 발생한다. 따라서 피담보채권이 소멸하지 아니하는 동안에 질권설정자가 질물의 반환을 청구하면 원칙적으로 원고패소의 판결을 해야 한다(통설).

Ⅲ. 동산질권의 소멸

1. 동산질권의 소멸원인

물권 일반에 공통되는 소멸원인(예 목적물의 멸실, 몰수, 첨부, 취득시효, 포기, 혼동), 담보물권에 공통되는 소멸원인(예 담보채권의 소멸, 질권의 실행, 질권에 우선하는 다른 채권자의 경매), 질권에 특유한 소멸원인(예 질권자가 질권설정자에게 목적물을 반환한 때, 질권설정자가 소멸청구를 한 때)에 기해 소멸한다.

2. 동산질권 소멸의 효과

채권 전부의 변제 시까지 질물 전부에 그 권능을 행사할 수 있고, 채권의 완급으로 질권이 소멸되면 질권자는 질물을 질권설정자에게 반환해야 한다.

Ⅳ. 동산질권자의 전질권

1. 의의

전질이란 질권자가 채권의 담보로서 인도받아 유치하고 있는 질물을 이용하여 다시 자신의 제3자에 대한 채무의 담보를 위해 질권을 설정하는 것을 말한다. 이에는 책임전질(제336조)과 승낙전질(제343조, 제324조 제2항)이 있다.

2. 책임전질

> 제336조【전질권】
> 질권자는 그 권리의 범위 내에서 자기의 책임으로 질물을 전질할 수 있다. 이 경우에는 전질을 하지 아니하였으면 면할 수 있는 불가항력으로 인한 손해에 대하여도 책임을 부담한다.
> 제337조【전질의 대항요건】
> ① 전조의 경우에 질권자가 채무자에게 전질의 사실을 통지하거나 채무자가 이를 승낙함이 아니면 전질로써 채무자, 보증인, 질권설정자 및 승계인에게 대항하지 못한다.
> ② 채무자가 전항의 통지를 받거나 승낙을 한 때에는 전질권자의 동의없이 질권자에게 채무를 변제하여도 이로써 전질권자에게 대항하지 못한다.

(1) 법적 성질

책임전질은 질권과 함께 피담보채권도 입질하는 것이라고 보는 채권질권공동입질설이 다수설이다. 이에 따르면 질권은 원질권에 기초하여 성립하는 것이므로 원질권이 소멸하면 전질권도 소멸한다고 본다(부종성).

(2) 요건

① 원질권자와 전질권자 사이에 물권적 합의와 질물의 인도가 있어야 한다.

② 전질권은 원질권의 범위 내이어야 한다(제336조 전단). 즉, 전질권의 경우 피담보채권은 원질권의 피담보채권을 초과할 수 없고, 초과한 경우 초과부분만 무효가 된다(통설).

③ 질권자가 채무자에게 전질의 사실을 통지하거나 채무자가 승낙하여야 제3자에게 대항할 수 있다(제337조 제1항).

(3) 효과

1) 전질권설정자의 책임 가중(제336조 후단)

질권자는 전질을 하지 않았더라면 생기지 않았을 불가항력에 의한 손해도 배상할 책임이 있다.

2) 전질권자의 권리

가) **인도거절권** : 질권에는 유치적 효력이 있으므로, 자기채권의 변제를 받을 때까지 질물을 유치할 수 있다.

나) **변제수령** : 전질권자는 원질권자로부터 변제를 수령할 수 있으며, 또한 원질권자의 피담보채권을 원질권설정자에게 직접 청구하고 급부목적물을 수령할 수 있다(제353조 유추적용). 채무자가 통지를 받거나 승낙을 한 때에는 전질권자의 동의 없이 질권자에게 채무를 변제하여도 이로써 전질권자에게 대항하지 못한다(제337조 제2항).

다) **전질권실행요건(경매권 및 간이변제충당)** : 전질권자가 전질권을 실행하려면 자기의 채권 외에 원질권자의 채권도 변제기가 도래해야 한다.

3. 승낙전질(제343조, 제324조 제2항의 반대해석)

> **제343조【준용규정】**
> 제249조 내지 제251조, 제321조 내지 제325조의 규정은 동산질권에 준용한다.
> **제324조 제2항【유치권자의 선관의무】**
> 유치권자는 채무자의 승낙 없이 유치물의 사용, 대여 또는 담보제공을 하지 못한다. 그러나 유치물의 보존에 필요한 사용은 그러하지 아니하다.

(1) 의의

질물소유자의 승낙을 얻어 그 질물 위에 다시 질권을 설정하는 것을 말한다.

(2) 법적 성질

승낙전질권은 원질권과는 전혀 별개로서 독립적으로 설정되는 것이므로 질물의 재입질이라고 봄이 통설이다(질물재입질설).

(3) 요건

질물소유자의 승낙이 있으면 족하다. 승낙전질은 원질권자의 질권이나 피담보채권과 무관하므로 원질권의 범위에 의한 제한이 없으며, 승낙이 있었으므로 책임전질에서와 같이 통지를 할 필요가 없다.

(4) 효과

질권자는 불가항력에 의한 손해배상의무를 부담하지 않고, 승낙전질은 원질권과는 무관계한 새로운 질권이므로 원질권설정자는 자기의 채무를 원질권자에게 변제해서 질권을 소멸시킬 수 있다. 그러나 원질권이 소멸하여도 전질권은 새로운 권리이므로 영향이 없다.

제3관 권리질권

Ⅰ. 총설

> 제345조【권리질권의 목적】
> 질권은 재산권을 그 목적으로 할 수 있다. 그러나 부동산의 사용, 수익을 목적으로 하는 권리는 그러하지 아니하다.

1. 의의

동산을 제외한 채권 기타 재산권을 목적으로 하는 질권을 말한다(제345조).

2. 권리질권의 객체(목적)

(1) 양도성을 가지는 재산권(제355조, 제331조)

① 양도성을 가지는 재산권일 것을 요하기 때문에 채권・주식・무체재산권 등은 권리질권의 목적이 될 수 있다. 그러나 ② 인격권・친족권・상속권・부양청구권 등은 권리질권의 목적이 될 수 없다. 또한 ③ 양도성이 있는 재산권인 경우에도 부동산의 사용・수익을 목적으로 하는 권리는 목적이 될 수 없다(제345조 단서). 즉, 지상권, 전세권, 부동산임차권 등은 권리질권의 목적이 될 수 없고, 저당권의 목적이 된다(제371조).

(2) 성질상 또는 법률상 제한이 없을 것

점유권・소유권・지역권 등은 성질상 권리질권의 목적이 될 수 없다. 광업권・어업권에 대해서는 특별법에 의해 질권의 설정이 금지되고, 저당권의 목적이 된다(광업법 제13조, 수산업법 제15조 제3항).

Ⅱ. 채권질권

1. 채권질권의 설정

(1) 채권질권의 목적

1) 채권질권의 목적이 될 수 있는 것

통상의 채권은 원칙적으로 양도할 수 있으므로(제449조) 질권의 목적이 될 수 있다. 그리고 질권자 자신에 대한 채권이라도 무방하며(예 A은행이 甲에 대한 대출금채권의 담보를 위해 甲의 A은행 자신에 대한 예금채권을 질권의 목적으로 하는 것), 장래의 채권・조건부채권・선택채권 등도 목적이 될 수 있다.

2) 채권질권의 목적이 될 수 없는 것

법률상 담보에 제공하는 것이 금지된 채권(예 공무원, 군인의 연금청구권), 성질상 양도금지채권(예 특정인에게 강의하는 것을 내용으로 하는 채권, 부작위채권), 법률상 양도금지채권(예 부양청구권, 재해보상청구권), 양도금지의 특약이 있는 채권(다만, 선의의 제3자에게 대항하지 못함. 제449조 제2항) 등이 이에 해당한다.

(2) 채권질권의 설정방법

제346조【권리질권의 설정방법】
권리질권의 설정은 법률에 다른 규정이 없으면 그 권리의 양도에 관한 방법에 의하여야 한다.
제347조【설정계약의 요물성】
채권을 질권의 목적으로 하는 경우에 채권증서가 있는 때에는 질권의 설정은 그 증서를 질권자에게 교부함으로써 그 효력이 생긴다.
제348조【저당채권에 대한 질권과 부기등기】
저당권으로 담보한 채권을 질권의 목적으로 한 때에는 그 저당권등기에 질권의 부기등기를 하여야 그 효력이 저당권에 미친다.
제349조【지명채권에 대한 질권의 대항요건】
① 지명채권을 목적으로 한 질권의 설정은 설정자가 제450조의 규정에 의하여 제3채무자에게 질권설정의 사실을 통지하거나 제3채무자가 이를 승낙함이 아니면 이로써 제3채무자 기타 제3자에게 대항하지 못한다.
② 제451조의 규정은 전항의 경우에 준용한다.
제350조【지시채권에 대한 질권의 설정방법】
지시채권을 질권의 목적으로 한 질권의 설정은 증서에 배서하여 질권자에게 교부함으로써 그 효력이 생긴다.
제351조【무기명채권에 대한 질권의 설정방법】
무기명채권을 목적으로 한 질권의 설정은 증서를 질권자에게 교부함으로써 그 효력이 생긴다.

① 권리질권의 설정방법은 그 권리의 양도방법에 의하므로 지명채권질권의 경우 본조와 같이 지명채권양도방법에 의한다. 다만 채권증서가 있는 때에는 질권의 설정은 그 증서를 질권자에게 교부함으로써 그 효력이 생긴다.

민법 제347조에서 채권질권의 설정을 위하여 교부하도록 정한 '채권증서'의 의미 및 임대차계약서 등 계약 당사자 쌍방의 권리의무관계 내용을 정한 서면이 위 '채권증서'에 해당하는지 여부(소극) ★

민법 제347조는 채권을 질권의 목적으로 하는 경우에 채권증서가 있는 때에는 질권의 설정은 그 증서를 질권자에게 교부함으로써 효력이 생긴다고 규정하고 있다. 여기에서 말하는 '채권증서'는 채권의 존재를 증명하기 위하여 채권자에게 제공된 문서로서 특정한 이름이나 형식을 따라야 하는 것은 아니지만, 장차 변제 등으로 채권이 소멸하는 경우에는 민법 제475조에 따라 채무자가 채권자에게 그 반환을 청구할 수 있는 것이어야 한다. 이에 비추어 임대차계약서와 같이 계약 당사자 쌍방의 권리의무관계의 내용을 정한 서면은 그 계약에 의한 권리의 존속을 표상하기 위한 것이라고 할 수는 없으므로 위 채권증서에 해당하지 않는다(대판 2013.8.22, 2013다32574).

② 채권질권설정의 경우 설정자는 제3채무자에게 통지하거나 제3채무자가 승낙해야 양수인・권리질권자가 대항력을 갖는다.

질권의 목적인 채권에 대하여 질권설정자의 일반채권자의 신청으로 압류・전부명령이 내려졌고, 위 명령이 송달된 날보다 먼저 질권자가 확정일자 있는 문서에 의해 대항요건을 갖춘 경우, 제3채무자가 질권자의 동의 없이 질권의 목적인 채무를 변제하였음을 이유로 질권자에게 대항할 수 있는지 여부(소극) ★

질권설정자가 민법 제349조 제1항에 따라 제3채무자에게 질권이 설정된 사실을 통지하거나 제3채무자가 이를 승낙한 때에는 제3채무자가 질권자의 동의 없이 질권의 목적인 채무를 변제하더라도 질권자에게 대항할 수 없고, 질권자는 여전히 제3채무자에게 직접 채무의 변제를 청구할 수 있다. 질권의 목적인 채권에 대하여 질권설정자의 일반채권자의 신청으로 압류・전부명령이 내려진 경우에도 그 명령이 송달된 날보다 먼저 질권자가 확정일자 있는 문서에 의해 민법 제349조 제1항에서 정한 대항요건을 갖추었다면, 전부채권자는 질권이 설정된 채권을 이전받을 뿐이고 제3채무자는 전부채권자에게 변제했음을 들어 질권자에게 대항할 수 없다(대판 2022.3.31, 2018다21326).

질권자가 제3채무자에게 질권설정계약의 해지 사실을 통지하였으나 아직 해지되지 않은 경우, 선의인 제3채무자가 질권설정자에게 대항할 수 있는 사유로 질권자에게 대항할 수 있는지 여부(적극) **및 해지 통지를 믿은 제3채무자의 선의가 추정되는지 여부**(적극)**와 그 통지의 효력발생시기**(=제3채무자에게 도달한 때)

① 제3채무자가 질권설정 사실을 승낙한 후 질권설정계약이 합의해지된 경우 질권설정자가 해지를 이유로 제3채무자에게 원래의 채권으로 대항하려면 질권자가 제3채무자에게 해지 사실을 통지하여야 하고, 만일 질권자가 제3채무자에게 질권설정계약의 해지 사실을 통지하였다면, 설사 아직 해지가 되지 아니하였다고 하더라도 선의인 제3채무자는 질권설정자에게 대항할 수 있는 사유로 질권자에게 대항할 수 있다고 봄이 타당하다. 그리고 위와 같은 해지 통지가 있었다면 해지 사실은 추정되고, 그렇다면 해지 통지를 믿은 제3채무자의 선의 또한 추정된다고 볼 것이어서 제3채무자가 악의라는 점은 선의를 다투는 질권자가 증명할 책임이 있다. 그리고 ② 위와 같은 해지 사실의 통지는 질권자가 질권설정계약이 해제되었다는 사실을 제3채무자에게 알리는 이른바 관념의 통지로서, 통지는 제3채무자에게 도달됨으로써 효력이 발생하고, 통지에 특별한 방식이 필요하지는 않다(대판 2014.4.10, 2013다76192).[65]

---

65) 甲은행에 대한 예금채권자인 A는 甲의 승낙을 받아 甲은행에 대한 예금채권을 乙에게 질권설정하였는데, 그 후 甲은행은 질권자인 乙로부터 질권해제통지서를 받은 직후 丙에게 예금을 지급한 사안이다. 이에 대법원은 지명채권에 대한 질권설정의 경우 제451조의 규정을 준용하고 있고, 제452조 제1항 역시 유추적용됨을 전제로 하여 위와 같이 판시하였다.

③ 채권의 양도나 질권의 설정에 대하여 이의를 보류하지 아니하고 승낙을 하였더라도 양수인 또는 질권자가 악의 또는 중과실의 경우에 해당하는 한 채무자의 승낙 당시까지 양도인 또는 질권설정자에 대하여 생긴 사유로써 양수인 또는 질권자에게 대항할 수 있다(대판 2002.3.29, 2000다13887).

④ 지시채권의 경우 질권설정의 합의와 증서에 배서하여 질권자에게 교부함으로써 그 효력이 생긴다(제350조).

⑤ 무기명채권의 경우에는 질권설정의 합의와 증서를 질권자에게 교부함으로써 효력이 발생한다(제351조, 제523조).

⑥ 저당권부채권의 경우 질권설정의 합의와 저당권등기에 질권을 설정하였다는 질권의 부기등기를 하여야 질권의 효력이 저당권에도 미친다(제348조). 따라서 부기등기를 하지 않으면 저당권에 의해 담보되지 않는 채권에 대해서만 질권을 취득하는 것이 된다.

근저당권부 질권자의 지위와 변제자대위(대판 2023.1.12, 2020다296840)

[1] 채권의 지연손해금을 별도로 등기부에 기재하지 않았을 경우, 근저당권부 질권의 피담보채권의 범위가 등기부에 기재된 약정이자에 한정되는지 여부(소극)

민법 제335조의 규정에 의하여 권리질권에 준용되는 민법 제334조 전문은 '질권은 원본, 이자, 위약금, 질권 실행의 비용, 질물보존의 비용 및 채무불이행 또는 질물의 하자로 인한 손해배상의 채권을 담보한다.'고 정하고 있다. 부동산등기법 제76조 제1항은 등기관이 민법 제348조에 따라 저당권부 채권에 대한 질권의 등기를 할 때에는 부동산등기법 제48조에서 규정한 사항 외에 '채권액 또는 채권최고액, 채무자의 성명 또는 명칭과 주소 또는 사무소 소재지, 변제기와 이자의 약정이 있는 경우에는 그 내용'을 기록하여야 한다고 정하고 있어 채권의 지연손해금을 등기사항으로 정하고 있지 않다. 이러한 사정에 비추어 보면, 채권의 지연손해금을 별도로 등기부에 기재하지 않았더라도 근저당권부 질권의 피담보채권의 범위가 등기부에 기재된 약정이자에 한정된다고 볼 수 없다.

[2] 제3자가 채무자를 위하여 채무를 변제함으로써 채무자에 대하여 구상권을 취득하는 경우, 그 구상권의 범위 내에서 종래 채권자가 가지고 있던 채권과 그 담보에 관한 권리가 변제자에게 이전하는지 여부(적극)

채무자를 위하여 변제한 자는 변제와 동시에 채권자의 승낙을 얻어 채권자를 대위할 수 있다(민법 제480조 제1항). 제3자가 채무자를 위하여 채무를 변제함으로써 채무자에 대하여 구상권을 취득하는 경우, 그 구상권의 범위 내에서 종래 채권자가 가지고 있던 채권과 그 담보에 관한 권리는 동일성을 유지한 채 법률상 당연히 변제자에게 이전한다.

→ [사실관계] : 근저당권자인 甲 주식회사가 乙 주식회사와 제1 대출 약정을 체결하면서 乙 회사에 근저당권부 질권을 설정해 주었고, 그 후 丙 주식회사가 甲 회사 등과 제2 대출 약정을 체결하면서, 甲 회사를 대신하여 乙 회사에 제1 대출 약정 채무 잔액을 대위변제하고 乙 회사로부터 근저당권부 질권을 이전받았는데, 근저당권의 목적 부동산이 임의경매절차에서 매각되어 丙 회사가 근저당권부 질권자로서 배당받게 되자, 후순위 근저당권부 질권자인 丁 등이 丙 회사를 상대로 배당이의의 소를 제기한 사안에서, 丙 회사는 甲 회사를 위하여 제1 대출 약정 채무 잔액을 乙 회사에 대위변제함으로써 채무자 甲 회사에 대하여 구상권을 취득하였고, 그 범위에서 종래 乙 회사가 가지고 있던 제1 대출 약정 채권과 담보에 관한 권리가 동일성을 유지한 채 법률상 당연히 丙 회사에 이전하므로, 丙 회사가 이전받은 근저당권부

질권의 피담보채권은 대위변제자의 변제에 의하여 소멸하는 제1대출 약정 채권이고, 丙 회사의 구상금 채권을 초과하여 근저당권부 질권이 甲 회사의 丙 회사에 대한 채무인 제2대출 약정 채권을 담보한다고 볼 근거가 없는데도, 이와 달리 본 원심판결에 법리오해 등의 잘못이 있다고 한 사례이다.

채권질권의 설정방법

종류	설정방법
지명채권	질권설정의 합의 및 채권증서(예 예금증서, 예금통장, 보험증권, 차용증서 등)가 있으면 그 교부를 요하지만(제347조), 그 교부방식은 점유개정으로 족하다. 만약 증서가 없으면 교부하지 않아도 질권설정의 효력이 있다. 다만 대항요건으로서 통지나 승낙이 요구된다(제349조, 이를 갖추지 못하면 채무자 또는 제3자에게 대항할 수 없다).
지시채권	증서의 배서 및 교부를 요한다(제350조, 제508조). → 효력요건
무기명 채권	증서의 교부를 요한다(제351조, 제523조). → 효력요건
저당권부 채권	저당권등기에 질권설정의 부기등기를 하여야 저당권에도 권리질권의 효력이 미친다(제348조). → 효력요건

2. 채권질권의 효력

제352조【질권설정자의 권리처분제한】
질권설정자는 질권자의 동의 없이 질권의 목적된 권리를 소멸하게 하거나 질권자의 이익을 해하는 변경을 할 수 없다.
제353조【질권의 목적이 된 채권의 실행방법】
① 질권자는 질권의 목적이 된 채권을 직접 청구할 수 있다.
② 채권의 목적물이 금전인 때에는 질권자는 자기채권의 한도에서 직접 청구할 수 있다.
③ 전항의 채권의 변제기가 질권자의 채권의 변제기보다 먼저 도래한 때에는 질권자는 제3채무자에 대하여 그 변제금액의 공탁을 청구할 수 있다. 이 경우에 질권은 그 공탁금에 존재한다.
④ 채권의 목적물이 금전 이외의 물건인 때에는 질권자는 그 변제를 받은 물건에 대하여 질권을 행사할 수 있다.
제354조【동전】
질권자는 전조의 규정에 의하는 외에 민사소송법에 정한 집행방법에 의하여 질권을 실행할 수 있다.
제355조【준용규정】
권리질권에는 본절의 규정 외에 동산질권에 관한 규정을 준용한다.

(1) 효력의 범위

1) 피담보채권의 범위

피담보채권의 범위와 관련해서는 제334조가 준용되므로 동산질권에서와 같다(제355조).

2) 질권의 효력이 미치는 범위

① 질권이 설정된 채권 즉 입질채권 전부에 미친다. 특히 피담보채권액이 입질채권액보다 적은 경우에도 담보물권의 불가분성 때문에 입질채권 전부에 미친다(대판 1972.12.26, 72다1941 → 예컨대, 100만원의 채무를 담보하기 위해 채무자가 제3자에 대해 갖고 있는 130만원의 채권에 대해 질권을 설정한 경우 질권자는 제3채무자에게 채권 100만원을 전부 직접 추심하여 변제받기 전까지는 채무자는 제3채무자에 대해 피담보채권 100만원을 제외한 나머지 30만원에 대해서도 추심할 수 없다).

② 나아가 입질채권에 이자가 있는 경우에는 그 이자에도 미치고(제100조 제2항), 입질채권의 지연손해금과 같은 부대채권에도 미친다(대판 2005.2.25, 2003다40668).

(2) 질권설정자의 권리처분제한

질권설정자가 제3채무자로부터 채권의 변제를 받거나 상계, 경개, 채무면제 등으로 그 채권을 소멸하게 할 수 있다면 질권자의 이익이 부당하게 침해되므로, 질권자의 동의 없이 질권설정자가 질권의 목적이 되는 권리를 소멸하게 하거나 질권자의 이익을 해하는 변경행위(예 이자부채권을 무이자채권으로 만드는 것)를 할 수 없다(제352조). 다만 이는 상대적 효력만 있으므로 질권의 목적인 권리를 소멸시키는 행위는 질권자에 대한 관계에서만 무효이다.

민법 제352조에 위반한 질권설정자의 행위의 효력 ★

① 민법 제352조의 규정은 질권자가 질권의 목적인 채권의 교환가치에 대하여 가지는 배타적 지배권능을 보호하기 위한 것이므로, 질권설정자와 제3채무자가 질권의 목적된 권리를 소멸하게 하는 행위를 하였다고 하더라도 이는 질권자에 대한 관계에 있어 무효일 뿐이어서 특별한 사정이 없는 한 질권자 아닌 제3자가 그 무효의 주장을 할 수는 없다(대판 1997.11.11, 97다35375).

② 질권설정자가 제3채무자에게 질권설정의 사실을 통지하거나 제3채무자가 이를 승낙한 때에는 제3채무자가 질권자의 동의 없이 질권의 목적인 채무를 변제하더라도 이로써 질권자에게 대항할 수 없고, 질권자는 민법 제353조 제2항에 따라 여전히 제3채무자에 대하여 직접 채무의 변제를 청구할 수 있다. 제3채무자가 질권자의 동의 없이 질권설정자와 상계합의를 함으로써 질권의 목적인 채무를 소멸하게 한 경우에도 마찬가지로 질권자에게 대항할 수 없고, 질권자는 여전히 제3채무자에 대하여 직접 채무의 변제를 청구할 수 있다(대판 2018.12.27, 2016다265689).

질권의 목적인 채권의 양도에 있어서 질권자의 동의가 필요한지 여부(소극) ★

질권의 목적인 채권의 양도행위는 민법 제352조 소정의 질권자의 이익을 해하는 변경에 해당되지 않으므로 질권자의 동의를 요하지 아니한다(대판 2005.12.22, 2003다55059).

(3) 우선변제적 효력

1) 실행방법

질권설정자는 질권의 목적이 된 채권의 추심이 금지되고, 질권자는 채권질권의 실행방법으로 제353조의 채권의 직접청구(입질채권과 피담보채권의 변제기가 모두 도래한 경우)와 제354조의 민사집행법에 의한 집행방법으로서 추심·환가·교환 등을 통해 질권을 실행하고, 우선변제를 받는다.

2) 직접청구권

① 질권자는 질권의 목적인 채권을 직접 청구할 수 있다(제353조 제1항). 여기서 직접 청구할 수 있다는 것은 제3채무자에 대한 집행권원이나 질권설정자의 추심위임 등을 요하지 않고, 또한 질권설정자의 대리인으로서가 아니라 질권자 자신의 이름으로 추심할 수 있다는 의미이다.

② 질권의 목적이 된 채권이 금전채권인 때에는 질권자는 자기채권의 한도에서 질권의 목적이 된 채권을 직접 청구할 수 있고, 채권질권의 효력은 질권의 목적이 된 채권의 지연손해금 등과 같은 부대채권에도 미치므로, 채권질권자는 질권의 목적이 된 채권과 그에 대한 지연손해금채권을 피담보채권의 범위에 속하는 자기채권액에 대한 부분에 한하여 직접 추심하여 자기채권의 변제에 충당할 수 있다(대판 2005.2.25, 2003다40668).

③ 따라서 질권자가 피담보채권을 초과하여 질권의 목적이 된 금전채권을 추심하였다면 그 중 피담보채권을 초과하는 부분은 특별한 사정이 없는 한 법률상 원인이 없는 것으로서 질권설정자에 대한 관계에서 부당이득이 된다(대판 2011.4.14, 2010다5694).

(4) 유치적 효력

채권질권자는 피담보채권 전부의 변제를 받을 때까지 교부받은 채권증서 또는 증권을 유치할 수 있다(제355조, 제335조).

제4절 저당권

제1관 총설

Ⅰ. 의의

제356조【저당권의 내용】 저당권자는 채무자 또는 제3자가 점유를 이전하지 아니하고 채무의 담보로 제공한 부동산에 대하여 다른 채권자보다 자기채권의 우선변제를 받을 권리가 있다.

1) 저당권이란 채무자 또는 제3자(물상보증인)가 점유를 이전하지 아니하고 채무의 담보로 제공한 부동산 기타 목적물에 대하여 우선변제를 받을 권리를 가지는 담보물권을 말한다(제356조).

2) 저당권은 우선변제적 효력이 있다는 점에서 질권과는 공통된 성질을 가지나, 저당권설정자가 목적물을 계속 점유하고 저당권자는 단지 그 목적물에 대해 교환가치만을 파악하는 점에서 유치적 효력이 인정되는 질권과 근본적인 차이점이 있다.

Ⅱ. 근대 저당제도와 우리 민법의 저당제도

근대 저당제도	우리 민법의 저당제도
공시의 원칙	저당권의 성립에는 등기가 필요하다(다만, 법정저당권은 예외이다).
순위확정의 원칙	한번 정해진 순위는 어떤 사유로든 변경되지 않으며, 순위가 승진하지 않는다는 순위확정의 원칙은 적용되지 않는다. 즉 우리 민법은 순위승진의 원칙을 인정한다. → 선순위저당권이 소멸하면 후순위저당권의 순위가 승진하게 된다.
독립의 원칙	피담보채권이나, 후순위저당권으로부터 영향을 받지 않는다는 독립의 원칙은 인정되지 않는다. 즉 우리 민법은 부종성의 원칙에 입각하고 있다. 따라서 ① 피담보채권과 분리하여 양도하거나 다른 채권의 담보로 하지 못하고(제361조), 소유자저당제도를 원칙적으로 부정한다. ② 후순위저당권자에 의해 경매가 신청되어 경락이 되면 선순위저당권도 함께 소멸한다(소각주의 내지 소멸주의).

Ⅲ. 저당권의 법적 성질

① 타물권(다만, 혼동의 예외로서 소유자저당이 인정될 뿐이다)이고, ② 원칙적으로 약정담보물권이며, 예외적으로 법정저당권이 인정될 뿐이다(제649조). 또한 ③ 부종성(제369조, 제361조), 수반성(제361조), 불가분성(제370조, 제321조. 단 제368조의 공동저당은 불가분성 완화), 물상대위성(제370조, 제342조) 등을 지닌다.

제2관 저당권의 성립

저당권은 약정담보물권으로서 당사자 사이의 저당권설정을 목적으로 하는 합의, 즉 저당권설정계약과 등기에 의해 성립하는 것이 원칙이다(제186조). 그 외에 법정저당권 등 특수한 경우가 있다.

Ⅰ. 저당권 설정계약에 의한 성립

1. 계약의 당사자

1) 저당권설정계약은 직접 저당권의 발생을 목적으로 하는 이른바 물권계약으로서 원칙적으로 불요식행위이다.
2) 저당권자는 저당권의 부종성 때문에 원칙적으로 피담보채권의 채권자에 한하고, 저당권설정자는 보통 채무자이지만, 제3자(물상보증인)라도 무방하다(제356조). 또한 저당권설정계약은 일종의 처분행위이므로 설정자는 목적물에 관한 처분권 내지 처분권한(대리권)을 가지고 있어야 한다.

판례 연구 관련판례 정리

1. 제3자 명의의 저당권설정등기의 유효성

(1) 원칙

① 채권과 그를 담보하는 저당권은 담보물권의 부종성에 의하여 그 주체를 달리 할 수 없다(대판 1986. 1.21, 84다카681).

② 계약상의 채무자와 다른 사람을 채무자로 한 근저당권 설정등기는 무효이다(대판 1981.9.8, 80다1468).

(2) 예외 ★★

① 근저당권은 채권담보를 위한 것이므로 원칙적으로 채권자와 근저당권자는 동일인이 되어야 하지만, 제3자를 근저당권 명의인으로 하는 근저당권을 설정하는 경우 그 점에 대하여 채권자와 채무자 및 제3자 사이에 합의가 있고, 채권양도, 제3자를 위한 계약, 불가분적 채권관계(가령 근저당권설정등기상 근저당권자가 다른 사람과 함께 채무자로부터 유효하게 채권을 변제받을 수 있고 채무자도 그들 중 누구에게든 채무를 유효하게 변제할 수 있는 관계)의 형성 등 방법으로 채권이 그 제3자에게 실질적으로 귀속되었다고 볼 수 있는 특별한 사정이 있는 경우에는 제3자 명의의 근저당권설정등기도 유효하다고 보아야 할 것이고(대판 2020.7.9, 2019다212594; 대판 2020.8.20, 2020다227356), 한편 ② 부동산을 매수한 자가 소유권이전등기를 마치지 아니한 상태에서 매도인인 소유자의 승낙 아래 매수 부동산을 타에 담보로 제공하면서 당사자 사이의 합의로 편의상 매수인 대신 등기부상 소유자인 매도인을 채무자로 하여 마친 근저당권설정등기는 실제 채무자인 매수인의 근저당권자에 대한 채무를 담보하는 것으로서 유효하다고 볼 것인바, ③ 위 양자의 형태가 결합된 근저당권이라 하여도 그 자체만으로는 부종성의 관점에서 근저당권이 무효라고 보아야 할 것은 아니라 할 것이다. 그리고 매매잔대금 채무를 지고 있는 부동산 매수인이 매도인과 사이에 소유권이전등기를 경료하지 아니한 상태에서 그 부동산을 담보로 하여 대출받는 돈으로 매매잔대금을 지급하기로 약정하는 한편, 매매잔대금의 지급을 위하여 당좌수표를 발행·교부하고 이를 담보하기 위하여 그 부동산에 제1순위 근저당권을 설정하되, 그 구체적 방안으로서 채권자인 매도인과 채무자인 매수인 및 매도인이 지정하는 제3자 사이의 합의 아래 근저당권자를 제3자로, 채무자를 매도인으로 하기로 하고, 이를 위하여 매도인이 제3자로부터 매매잔대금 상당액을 차용하는 내용의 차용금증서를 작성·교부하였다면, 매도인이 매매잔대금 채권의 이전 없이 단순히 명의만을 제3자에게 신탁한 것으로 볼 것은 아니고, 채무자인 매수인의 승낙 아래 매매잔대금 채권이 제3자에게 이전되었다고 보는 것이 일련의 과정에 나타난 당사자들의 진정한 의사에 부합하는 해석일 것이므로, 제3자 명의의 근저당권설정등기는 그 피담보채무가 엄연히 존재하고 있어 그 원인이 없거나 부종성에 반하는 무효의 등기라고 볼 수 없다(대판(전) 2001.3.15, 99다48948).

2. 부동산실권자명의등기에 관한 법률의 위반 여부

제3자를 근저당권자로 하는 근저당권을 설정하는 경우, 그에 대하여 채권자와 채무자 및 제3자 사이에 합의가 있고, 채권양도, 제3자를 위한 계약, 불가분적 채권관계의 형성 등 방법으로 채권이 그 제3자에게 실질적으로 귀속되었다고 볼 수 있는 특별한 사정이 있다면, 제3자 명의의 근저당권설정등기도 유효하고, 이러한 법리가 부동산 실권리자명의 등기에 관한 법률에 규정된 명의신탁약정의 금지에 위반된다고 할 것은 아니다(대판 2008.5.15, 2007다23807).

3. 저당부동산의 양도 후 저당권설정자의 저당권설정등기의 말소청구의 가부 ★

저당권설정자는 현재 저당부동산의 소유자가 아니더라도 피담보채무가 소멸하면 저당권설정계약의 당사자로서 저당권의 말소를 구할 수 있다. 이는 계약에 기초한 채권적 청구권이다(대판(전) 1994.1.25, 93다16338).

2. 저당권 설정등기

물권변동에 관한 형식주의 하에서 등기가 있어야 비로소 저당권이 성립한다(제186조). 이와 관련하여 다음과 같은 것이 문제된다.

(1) 불법말소된 경우 등기의 효력

판례는 ① 등기가 물권의 효력발생요건일 뿐 효력존속요건이 아니므로 등기가 원인 없이 말소된 경우에 그 말소등기는 실체관계에 부합하지 않는 것이어서 물권의 효력에 아무런 영향을 미치지 않고, 따라서 저당권자는 저당권을 상실하지 않고 그 말소된 등기의 회복등기를 할 수 있다고 한다(대판 1968.8.30, 68다1187). 또한 ② 불법행위로 인한 재산상 손해가 있다고 하려면 위법한 가해행위로 인하여 발생한 재산상 불이익, 즉 그 위법행위가 없었더라면 존재하였을 재산상태와 그 위법행위가 가해진 현재의 재산상태에 차이가 있어야 한다고 본다. 그런데 등기는 물권의 효력발생요건이고 존속요건은 아니어서 등기가 원인 없이 말소된 경우에는 그 물권의 효력에 아무런 영향이 없고, 그 회복등기가 마쳐지기 전이라도 말소된 등기의 등기명의인은 적법한 권리자로 추정되며, 그 회복등기 신청절차에 의하여 말소된 등기를 회복할 수 있으므로(부동산등기법 제59조), 근저당권설정등기가 불법행위로 인하여 원인 없이 말소되었다 하더라도 말소된 근저당권설정등기의 등기명의인이 곧바로 근저당권 상실의 손해를 입게 된다고 할 수는 없다고 하였다(대판 2010.2.11, 2009다68408). 그러나 ③ 부동산이 경매절차에서 경락되면 그 부동산에 존재하였던 근저당권은 당연히 소멸하는 것이므로, 근저당권설정등기가 원인 없이 말소된 이후에 그 근저당 목적물인 부동산에 관하여 다른 근저당권자 등 권리자의 경매신청에 따라 경매절차가 진행되어 경락허가결정이 확정되고 경락인이 경락대금을 완납하였다면, 원인 없이 말소된 근저당권은 이에 의하여 소멸한다. 따라서 근저당권설정등기가 위법하게 말소되어 아직 회복등기를 경료하지 못한 연유로 그 부동산에 대한 경매절차에서 피담보채권액에 해당하는 금액을 전혀 배당받지 못한 근저당권자로서는 위 경매절차에서 실제로 배당받은 자에 대하여 부당이득반환 청구로서 그 배당금의 한도 내에서 그 근저당권설정등기가 말소되지 아니하였더라면 배당받았을 금액의 지급을 구할 수 있을 뿐이고, 이미 소멸한 근저당권에 관한 말소등기의 회복등기를 위하여 현소유자를 상대로 그 승낙의 의사표시를 구할 수는 없다(대판 1998.10.2, 98다27197).

(2) 무효인 저당권등기의 유용

저당권의 부종성에 의하여 채권이 소멸하면 저당권도 당연히 효력을 잃는 것이 원칙이다. 여기서 피담보채권이 소멸하여 이미 효력을 잃은 저당권등기가 말소되지 않고 그대로 남아 있는 경우 그 등기를 당사자의 특약으로 다른 저당권을 위한 등기로서 유용할 수 있는지가 문제된다. 이에 대하여 판례는 등기가 무효로 된 후 당사자가 그 무효등기를 유용하기로 합의할 때까지의 사이에 등기부상 이해관계 있는 제3자가 나타나지 않는 한 유효하다고 한다(대판 1998.3.24, 97다56242).

저당권등기의 유용(대판 1998.3.24, 97다56242) ★

[1] 저당권등기 유용의 합의에 따른 저당권 이전의 부기등기가 경료된 경우의 법률관계

부동산의 소유자 겸 채무자가 채권자인 저당권자에게 당해 저당권설정등기에 의하여 담보되는 채무를 모두 변제함으로써 저당권이 소멸된 경우 그 저당권설정등기 또한 효력을 상실하여 말소되어야 할 것이나, 그 부동산의 소유자가 새로운 제3의 채권자로부터 금원을 차용함에 있어 그 제3자와 사이에 새로운 차용금채무를 담보하기 위하여 잔존하는 종전 채권자 명의의 저당권설정등기를 이용하여 이에 터잡아 새로운 제3의 채권자에게 저당권 이전의 부기등기를 경료하기로 하는 내용의 저당권등기 유용의 합의를 하고 실제로 그 부기등기를 경료하였다면, 그 저당권이전등기를 경료받은 새로운 제3의 채권자로서는 언제든지 부동산의 소유자에 대하여 그 등기 유용의 합의를 주장하여 저당권설정등기의 말소청구에 대항할 수 있다고 할 것이고, 다만 그 저당권 이전의 부기등기 이전에 등기부상 이해관계를 가지게 된 자에 대하여는 위 등기 유용의 합의 사실을 들어 위 저당권설정등기 및 그 저당권 이전의 부기등기의 유효를 주장할 수는 없다(대판 2008.4.11, 2007다20891).

[2] 저당권등기 유용의 합의는 있었으나 저당권 이전의 부기등기를 경료하지 못한 경우의 법률관계

① 채무자인 부동산 소유자와 새로운 제3의 채권자와 사이에 저당권등기의 유용의 합의를 하였으나 아직 종전의 채권자 겸 근저당권자의 협력을 받지 못하여 저당권 이전의 부기등기를 경료하지 못한 경우에는 부동산 소유자와 종전의 채권자 사이에서는 저당권설정등기는 여전히 등기원인이 소멸한 무효의 등기라고 할 것이므로 부동산 소유자는 종전의 채권자에 대하여 그 저당권설정등기의 말소를 구할 수 있다고 할 것이지만, ② 부동산 소유자와 종전의 채권자 그리고 새로운 제3의 채권자 등 3자가 합의하여 저당권설정등기를 유용하기로 합의한 경우라면 종전의 채권자는 부동산 소유자의 저당권설정등기말소청구에 대하여 그 3자 사이의 등기 유용의 합의 사실을 들어 대항할 수 있고 또한 부동산 소유자로부터 그 부동산을 양도받기로 하였으나 아직 소유권이전등기를 경료받지 아니하여 그 소유자를 대위하여 저당권설정등기의 말소를 구할 수밖에 없는 자에 대하여도 마찬가지로 대항할 수 있다.

3. 저당권의 객체

제371조【지상권, 전세권을 목적으로 하는 저당권】

① 본장의 규정은 지상권 또는 전세권을 저당권의 목적으로 한 경우에 준용한다.

② 지상권 또는 전세권을 목적으로 저당권을 설정한 자는 저당권자의 동의없이 지상권 또는 전세권을 소멸하게 하는 행위를 하지 못한다.

저당권은 목적물의 점유를 요건으로 하지 않으므로, 등기・등록으로 공시할 수 있는 것에 한하여 설정할 수 있다.

(1) 민법상 저당권의 객체

부동산(제356조)과 지상권, 전세권을 저당권의 목적으로 할 수 있다(제371조 제1항). ① 1필의 토지의 일부에 관하여는 저당권을 설정할 수 없지만 분필절차를 밟아 분할등기를 한 후에는 가능하고,

② 1동의 건물의 일부에는 저당권설정을 할 수 없지만, 구분소유권의 목적이 된 1동의 건물의 일부에 관해서는 저당권을 설정할 수 있으며, 공유지분에 관해서도 저당권설정이 가능하다.

전세권에 저당권을 설정한 후, 전세권이 소멸된 후의 법률관계(대판 1999.9.17, 98다31301) ★★★

[1] 전세권이 기간만료로 종료된 경우 전세권은 전세권설정등기의 말소등기 없이도 당연히 소멸하고, 저당권의 목적물인 전세권이 소멸하면 저당권도 당연히 소멸하는 것이므로 전세권을 목적으로 한 저당권자는 전세권의 목적물인 부동산의 소유자에게 더 이상 저당권을 주장할 수 없다(대결 1995.9.18, 95마684 참조).

[2] 전세권에 대하여 저당권이 설정된 경우 그 저당권의 목적물은 물권인 전세권 자체이지 전세금반환채권은 그 목적물이 아니고, 전세권의 존속기간이 만료되면 전세권은 소멸하므로 더 이상 전세권 자체에 대하여 저당권을 실행할 수 없게 되고, 이러한 경우에는 민법 제370조, 제342조 및 민사소송법 제733조에 의하여 저당권의 목적물인 전세권에 갈음하여 존속하는 것으로 볼 수 있는 전세금반환채권에 대하여 압류 및 추심명령 또는 전부명령을 받거나 제3자가 전세금반환채권에 대하여 실시한 강제집행절차에서 배당요구를 하는 등의 방법으로 자신의 권리를 행사하여 비로소 전세권설정자에 대해 전세금의 지급을 구할 수 있게 된다는 점, 원래 동시이행항변권은 공평의 관념과 신의칙에 입각하여 각 당사자가 부담하는 채무가 서로 대가적 의미를 가지고 관련되어 있을 때 그 이행에 있어서 견련관계를 인정하여 당사자 일방은 상대방이 채무를 이행하거나 이행의 제공을 하지 아니한 채 당사자 일방의 채무의 이행을 청구할 때에는 자기의 채무이행을 거절할 수 있도록 하는 제도인 점, 전세권을 목적물로 하는 저당권의 설정은 전세권의 목적물 소유자의 의사와는 상관없이 전세권자의 동의만 있으면 가능한 것이고, 원래 전세권에 있어 전세권설정자가 부담하는 전세금반환의무는 전세금반환채권에 대한 제3자의 압류 등이 없는 한 전세권자에 대해 전세금을 지급함으로써 그 의무이행을 다할 뿐이라는 점에 비추어 볼 때, 전세권저당권이 설정된 경우에도 전세권이 기간만료로 소멸되면 전세권설정자는 전세금반환채권에 대한 제3자의 압류 등이 없는 한 전세권자에 대하여만 전세금반환의무를 부담한다고 보아야 한다.

(2) 특별법상 저당권의 객체

민법 이외의 법률에서 인정되는 저당권의 객체로는 등기된 선박이나 어업권, 광업권, 공장재단(공장저당법 제1조), 등록된 자동차(자동차저당법 제3조), 항공기, 건설기계 등을 들 수 있다.

4. 저당권에 의해 담보될 수 있는 채권(피담보채권)

(1) 금전채권

금전채권인 경우가 보통이지만, 반드시 금전채권에 한하는 것은 아니다. 즉 금전지급 이외의 급부를 목적으로 하는 채권도 저당권실행시기에 금전채권으로 전환될 수 있으면 가능하다.

(2) 장래채권

조건부・기한부 채권과 같이 장래 발생할 채권을 위하여 저당권을 설정할 수 있다는 것이 통설이다. 따라서 장래의 특정채권뿐만 아니라, 장래의 불특정 채권을 담보하는 근저당도 유효하다(제357조).

Ⅱ. 특수한 경우

1. 법정저당권

> **제649조【임차지상의 건물에 대한 법정저당권】**
> 토지임대인이 변제기를 경과한 최후 2년의 차임채권에 의하여 그 지상에 있는 임차인소유의 건물을 압류한 때에는 저당권과 동일한 효력이 있다.

토지임대인의 법정저당권이 성립되기 위해서는 토지임대인이 변제기를 경과한 최후 2년의 차임채권을 담보하기 위한 것일 것, 임차인이 임차지에 임차인 소유의 건물을 가질 것, 토지임대인이 임차인 소유의 건물을 압류하여야 한다. 일시사용을 위한 임대차의 경우에도 적용된다.

2. 부동산공사수급인의 저당권설정등기청구권

> **제666조【수급인의 목적 부동산에 대한 저당권설정청구권】**
> 부동산공사의 수급인은 전조의 보수에 관한 채권을 담보하기 위하여 그 부동산을 목적으로 한 저당권의 설정을 청구할 수 있다.

① 수급인의 저당권설정청구권 행사로 곧바로 저당권이 성립하는 것이 아니고, 도급인의 승낙과 등기가 있어야 저당권이 성립한다. 즉 저당권설정청구권은 형성권이 아니고 청구권에 불과하다.

② 한편 도급받은 공사의 공사대금채권은 민법 제163조 제3호에 따라 3년의 단기소멸시효가 적용되고, 그 공사에 부수되는 채권도 마찬가지라고 할 것인데, 저당권설정청구권은 공사대금채권을 담보하기 위하여 저당권설정등기절차의 이행을 구하는 채권적 청구권으로서 공사에 부수되는 채권에 해당하므로 그 소멸시효기간 역시 3년이라고 보아야 한다(대판 2016.10.27, 2014다211978).

> **민법 제666조의 저당권설정청구권과 사해행위 해당 여부**(대판 2018.11.29, 2015다19827) ★★★
> [1] 수급인의 저당권설정청구권에 관한 민법 제666조의 입법 취지 및 수급인의 저당권설정청구권 행사에 따라 도급인이 저당권을 설정하는 행위가 사해행위에 해당하는지 여부(소극)
> 민법 제666조는 "부동산공사의 수급인은 보수에 관한 채권을 담보하기 위하여 그 부동산을 목적으로 한 저당권의 설정을 청구할 수 있다"고 규정하고 있는바, 이는 부동산공사에서 그 목적물이 보통 수급인의 자재와 노력으로 완성되는 점을 감안하여 그 목적물의 소유권이 원시적으로 도급인에게 귀속되는 경우 수급인에게 목적물에 대한 저당권설정청구권을 부여함으로써 수급인이 사실상 목적물로부터 공사대금을 우선적으로 변제받을 수 있도록 하는 데 그 취지가 있고, 이러한 수급인의 지위가 목적물에 대하여 유치권을 행사하는 지위보다 더 강화되는 것은 아니어서 도급인의 일반 채권자들에게 부당하게 불리해지는 것도 아닌 점 등에 비추어, 신축건물의 도급인이 민법 제666조가 정한 수급인의 저당권설정청구권의 행사에 따라 공사대금채무의 담보로 그 건물에 저당권을 설정하는 행위는 특별한 사정이 없는 한 사해행위에 해당하지 아니한다.

[2] 공사대금채권이 양도되는 경우 저당권설정청구권도 이에 수반하여 함께 이전되는지 여부(적극), 신축건물의 수급인으로부터 공사대금채권을 양수받은 자의 저당권설정청구에 의하여 신축건물의 도급인이 그 건물에 저당권을 설정하는 행위가 사해행위에 해당하는지 여부(소극)

① 민법 제666조에서 정한 수급인의 저당권설정청구권은 공사대금채권을 담보하기 위하여 인정되는 채권적 청구권으로서 공사대금채권에 부수하여 인정되는 권리이므로, 당사자 사이에 공사대금채권만을 양도하고 저당권설정청구권은 이와 함께 양도하지 않기로 약정하였다는 등의 특별한 사정이 없는 한, 공사대금채권이 양도되는 경우 저당권설정청구권도 이에 수반하여 함께 이전된다고 봄이 타당하다. 따라서 ② 신축건물의 수급인으로부터 공사대금채권을 양수받은 자의 저당권설정청구에 의하여 신축건물의 도급인이 그 건물에 저당권을 설정하는 행위 역시 다른 특별한 사정이 없는 한 사해행위에 해당하지 아니한다고 할 것이다.

제3관 저당권의 효력

Ⅰ. 저당권의 효력이 미치는 범위

1. 피담보채권의 범위

> **제360조【피담보채권의 범위】**
> 저당권은 원본, 이자, 위약금, 채무불이행으로 인한 손해배상 및 저당권의 실행비용을 담보한다. 그러나 지연배상에 대하여는 원본의 이행기일을 경과한 후의 1년분에 한하여 저당권을 행사할 수 있다.

(1) 내용

① 민법은 원본, 이자, 위약금, 채무불이행으로 인한 손해배상 및 저당권의 실행비용이라고 정하고 있다. 그 중 지연배상에 대하여는 원본의 이행기일을 경과한 후의 1년분에 한한다. 그러나 이자는 지연이자와 달리 무제한으로 담보된다.

② 피담보채권이 조금이라도 남아 있는 한, 그 변제를 받기 위하여 저당권을 실행할 수 있고, 또한 저당권설정자는 저당권등기의 말소를 청구하지 못한다.

(2) 저당권설정자에게도 제360조가 적용되는지 여부

저당권의 피담보채무의 범위에 관하여 민법 제360조가 지연배상에 대하여는 원본의 이행기일을 경과한 후의 1년분에 한하여 저당권을 행사할 수 있다고 규정하고 있는 것은 저당권자의 제3자에 대한 관계에서의 제한이며 채무자 겸 저당권설정자가 저당권자에 대하여 대항할 수 있는 것이 아니고, 민법 제360조가 양도담보의 경우에 준용된다고 하여도 마찬가지로 해석하여야 할 것인 만큼, 양도담보의 채무자가 양도담보권자에 대하여 민법 제360조에 따른 피담보채권의 제한을 주장할 수는 없는 것이다(대판 1992.5.12, 90다8855).

2. 목적물의 범위

> **제358조 【저당권의 효력의 범위】**
> 저당권의 효력은 저당부동산에 부합된 물건과 종물에 미친다. 그러나 법률에 특별한 규정 또는 설정행위에 다른 약정이 있으면 그러하지 아니하다.
> **제359조 【과실에 대한 효력】**
> 저당권의 효력은 저당부동산에 대한 압류가 있은 후에 저당권설정자가 그 부동산으로부터 수취한 과실 또는 수취할 수 있는 과실에 미친다. 그러나 저당권자가 그 부동산에 대한 소유권, 지상권 또는 전세권을 취득한 제3자에 대하여는 압류한 사실을 통지한 후가 아니면 이로써 대항하지 못한다.
> **제365조 【저당지상의 건물에 대한 경매청구권】**
> 토지를 목적으로 저당권을 설정한 후 그 설정자가 그 토지에 건물을 축조한 때에는 저당권자는 토지와 함께 그 건물에 대하여도 경매를 청구할 수 있다. 그러나 그 건물의 경매대가에 대하여는 우선변제를 받을 권리가 없다.

(1) 저당부동산에 부합된 물건

원칙적으로 저당권의 효력은 저당부동산에 부합된 물건에 미친다(제358조). ① 저당권설정 전에 부합한 것이든 그 후에 부합한 것이든 불문한다(통설 · 판례). 따라서 건물의 증축부분이 기존건물에 부합하여 기존건물과 분리하여서는 별개의 독립물로서의 효용을 갖지 못하는 이상 기존건물에 대한 근저당권은 민법 제358조에 의하여 부합된 증축부분에도 효력이 미치는 것이므로 기존건물에 대한 경매절차에서 경매목적물로 평가되지 아니하였다고 할지라도 경락인은 부합된 증축부분의 소유권을 취득한다(대판 1992.12.8, 92다26772). 그러나 ② 사회적 관점에서 저당건물과 별개의 독립된 건물로 인정되는 건물을 부합물 또는 종물로 보고 경락허가결정을 하였다고 하여도 그 소유권의 변동에 영향이 없다(대판 1974.2.12, 73다298).

> **저당건물과는 별개의 독립된 건물을 저당건물의 부합물이나 종물로 보아 경락허가를 한 경우에 독립된 건물의 소유권에 변동이 초래될 수 있는지 여부**
> 저당권은 법률에 특별한 규정이 있거나 설정행위에 다른 약정이 있는 경우를 제외하고 그 저당부동산에 부합된 물건과 종물 이외에까지 그 효력이 미치는 것은 아니므로 사회적 관점이나 경제적 관점에 비추어 보아 저당건물과는 별개의 독립된 건물을 저당건물의 부합물이나 종물로 보아 경매법원에서 저당건물과 같이 경매를 진행하고 경락허가를 하였다고 하여 위 건물의 소유권에 변동이 초래될 수는 없다(대판 1974.2.12, 73다298).

(2) 종물 및 종된 권리

저당권의 효력은 저당부동산의 종물에도 미친다(제358조). ① 통설과 판례는 저당부동산에 종된 권리(예 지상권 · 전세권 · 임차권 등)도 종물에 준하여 취급하므로(대판 1993.4.13, 92다24950), 저당권의 효력은 저당물의 소유를 위한 지상권 · 전세권 등에도 미친다. 그리고 ② 집합건물의 전유부분에 관한 저당권은 대지이용권 및 공용부분에 대한 지분권에 관하여 그 효력이 미친다.

건물에 대한 저당권의 효력이 그 건물의 소유를 목적으로 한 지상권에도 미치는지 여부(적극) 및 그 건물 양도 시 지상권도 함께 양도되는지 여부(적극) ★★
저당권의 효력이 저당부동산에 부합된 물건과 종물에 미친다는 민법 제358조 본문을 유추하여 보면 건물에 대한 저당권의 효력은 그 건물에 종된 권리인 건물의 소유를 목적으로 하는 지상권에도 미치게 되므로, 건물에 대한 저당권이 실행되어 경락인이 그 건물의 소유권을 취득하였다면 경락 후 건물을 철거한다는 등의 매각조건에서 경매되었다는 등 특별한 사정이 없는 한, 경락인은 건물 소유를 위한 지상권도 민법 제187조의 규정에 따라 등기 없이 당연히 취득하게 되고, 한편 이 경우에 경락인이 건물을 제3자에게 양도한 때에는, 특별한 사정이 없는 한 민법 제100조 제2항의 유추적용에 의하여 건물과 함께 종된 권리인 지상권도 양도하기로 한 것으로 봄이 상당하다(대판 1996.4.26, 95다52864).

(3) 과실

저당권은 목적물의 이용을 설정자에게 맡겨두는 것을 그 특질로 하기 때문에, 과실에는 저당권의 효력이 원칙적으로 미치지 않지만, 이를 무제한적으로 관철할 경우 목적물 소유자가 고의로 경매절차를 지연시켜서 과실을 취득하는 불합리한 경우가 생길 수 있다. 민법은 이를 방지하고자 예외적으로 저당권실행에 착수하여 저당부동산을 압류한 후에는 과실에 대하여도 저당권의 효력이 미치도록 규정하였다(제359조).

저당부동산에 대한 압류 이후의 저당권설정자의 저당부동산에 관한 차임채권 등에 저당권의 효력이 미치는지 여부(적극) 및 저당권의 효력이 미치는 차임채권 등에 대한 저당권 실행 방법
민법 제359조 전문은 "저당권의 효력은 저당부동산에 대한 압류가 있은 후에 저당권설정자가 그 부동산으로부터 수취한 과실 또는 수취할 수 있는 과실에 미친다."라고 규정하고 있는데, 위 규정상 '과실'에는 천연과실뿐만 아니라 법정과실도 포함되므로, 저당부동산에 대한 압류가 있으면 압류 이후의 저당권설정자의 저당부동산에 관한 차임채권 등에도 저당권의 효력이 미친다. 다만 저당부동산에 대한 경매절차에서 저당부동산에 관한 차임채권 등을 관리하면서 이를 추심하거나 저당부동산과 함께 매각할 수 있는 제도가 마련되어 있지 아니하므로, 저당권의 효력이 미치는 차임채권 등에 대한 저당권의 실행이 저당부동산에 대한 경매절차에 의하여 이루어질 수는 없고, 그 저당권의 실행은 저당권의 효력이 존속하는 동안에 채권에 대한 담보권의 실행에 관하여 규정하고 있는 민사집행법 제273조에 따른 채권집행의 방법으로 저당부동산에 대한 경매절차와 별개로 이루어질 수 있을 뿐이다(대판 2016.7.27, 2015다230020).

(4) 저당부동산으로부터 분리·반출된 부합물 또는 종물

압류 후에 분리·반출된 경우에는 당연히 저당권의 효력이 미친다. 그러나 산림의 수목을 벌채하거나, 저당건물에 부착된 시설을 분리하거나, 또는 저당건물의 일부가 붕괴되어 목재 등의 건축자재로 변형된 것들을 압류 전에 반출하는 경우에는 견해의 대립이 있으나, 우선 추급력이 미치지 않는다는 전제하에 분리된 부합물 또는 종물은 목적부동산과 결합하여 공시의 작용이 미치는 한도 내에서만 저당권의 효력이 미친다고 하는 견해가 다수설이다(공시원칙설).

(5) 저당토지 위의 건물

토지를 저당권의 목적으로 한 경우에 토지와 건물은 별개의 부동산이므로 그 토지 위의 건물에 저당권의 효력이 미치지 않음이 원칙이지만, 토지를 목적으로 하는 저당권을 설정한 후 그 설정자가 저당토지 위에 건물을 축조한 때에는 저당권자는 토지와 함께 그 건물에 대해서도 경매를 청구할 수 있는데(일괄경매청구), 이 경우 건물의 경매대가에 대하여는 우선변제를 받지는 못한다(제365조).

(6) 건물경락인으로부터 건물을 양수한 자의 지위

건물에 대한 저당권의 효력은 그 건물의 소유를 목적으로 한 지상권에도 미치므로 건물의 경락인은 건물소유를 위한 지상권도 민법 제187조 본문의 규정에 따라 등기 없이 당연히 취득하게 되고(대판 1992.7.14, 92다527), 한편 이 경우에 경락인이 건물을 제3자에게 양도한 때에는, 특별한 사정이 없는 한 민법 제100조 제2항의 유추적용에 의하여 건물과 함께 종된 권리인 지상권도 양도하기로 합의한 것으로 봄이 상당하다(대판 1996.4.26, 95다52864). 다만, 양수인은 지상권이전등기를 하여야 지상권을 취득한다(제187조 단서와 제186조).

(7) 물상대위

질권에 관한 물상대위의 규정(제342조)은 저당권에도 준용된다(제370조). 따라서 저당물의 멸실・훼손・공용징수로 인하여 저당권설정자가 받을 금전 기타 물건에 대하여도 저당권을 행사할 수 있다. 다만, 그 지급 또는 인도 전에 압류하여야 한다.

저당목적물의 소실로 저당권설정자가 취득하게 된 화재보험계약상의 보험금청구권에 대하여 저당권자가 물상대위권을 행사할 수 있는지 여부(적극)

저당목적물이 소실되어 저당권설정자가 보험회사에 대하여 화재보험계약에 따른 보험금청구권을 취득한 경우 그 보험금청구권은 저당목적물이 가지는 가치의 변형물이라 할 것이므로 저당권자는 민법 제370조, 제342조에 의하여 저당권설정자의 보험회사에 대한 보험금청구권에 대하여 물상대위권을 행사할 수 있다고 봄이 상당하다(대판 2004.12.24, 2004다52798).

저당권자의 물상대위권

[1] 저당권자가 물상대위권을 행사하는 방법과 그 시한 및 이를 제한하는 취지

민법 제370조, 제342조에 따라 저당권자가 물상대위권을 행사하기 위해서는 민사집행법 제273조에 의하여 담보권의 존재를 증명하는 서류를 집행법원에 제출하여 채권압류 및 추심명령 또는 전부명령을 신청하거나, 민사집행법 제247조에 의하여 배당요구를 하는 방법으로 하여야 하고, 이는 늦어도 민사집행법 제247조 제1항 각 호 소정의 배당요구의 종기까지 하여야 한다. 이와 같이 물상대위권자의 권리행사 방법과 시한을 제한하는 취지는 물상대위의 목적인 채권의 특정성을 유지하여 그 효력을 보전함과 동시에 제3자에게 불측의 손해를 입히지 않으려는 것이다.

[2] 저당권자가 물상대위권을 행사하여 채권압류 및 추심명령 또는 전부명령을 신청하면서 청구채권 중 이자 · 지연손해금 등 부대채권의 범위를 신청일 무렵까지의 확정금액으로 기재한 경우, 배당기일까지의 부대채권을 포함하여 원래 우선변제권을 행사할 수 있는 범위에서 우선배당을 받을 수 있는지 여부(원칙적 적극)

저당권자가 물상대위권을 행사하여 채권압류 및 추심명령 또는 전부명령(이하 '채권압류명령 등'이라 한다)을 신청하면서 그 청구채권 중 이자 · 지연손해금 등 부대채권(이하 '부대채권'이라 한다)의 범위를 신청일 무렵까지의 확정금액으로 기재한 경우, 그 신청 취지와 원인 및 집행 실무 등에 비추어 저당권자가 부대채권에 관하여는 신청일까지의 액수만 배당받겠다는 의사를 명확하게 표시하였다고 볼 수 있는 등의 특별한 사정이 없는 한, 그 배당절차에서는 채권계산서를 제출하였는지 여부에 관계없이 배당기일까지의 부대채권을 포함하여 원래 우선변제권을 행사할 수 있는 범위에서 우선배당을 받을 수 있다고 봄이 타당하다. 그 이유는 다음과 같다. ① 금전채권에 대하여 채권압류명령 등이 신청된 경우 제3채무자는 순전히 타의에 의하여 다른 사람들 사이의 법률분쟁에 편입된 것이므로, 제3채무자가 압류된 채권이나 범위를 파악할 때 과도한 부담을 가지지 않도록 보호할 필요가 있다. 이에 현행 민사집행 실무에서는 금전채권에 대한 압류명령신청서에 기재하여야 하는 청구채권 중 부대채권의 범위를 신청일까지의 확정금액으로 기재하도록 요구하고 있다. 이러한 실무는 법령상 근거가 있는 것은 아니나, 제3채무자가 압류 범위를 파악하는 데 과도한 부담을 가지지 않도록 압류채권자에게 협조를 구하는 한도에서 합리적인 측면이 있다. ② 그러나 본래 저당권자는 물상대위권을 행사할 때 청구채권인 저당권의 피담보채권 중 부대채권의 범위를 원금의 지급일까지로 하는 채권압류명령 등을 신청할 수 있다. 따라서 물상대위권을 행사하는 저당권자가 민사집행 실무에서 요구하는 바에 따라 부대채권의 범위를 신청일 무렵까지의 확정금액으로 기재한 것은 다른 특별한 사정이 없는 한, 위와 같이 제3채무자를 배려하기 위한 것일 뿐 나머지 부대채권에 관한 우선변제권을 확정적으로 포기하려는 의사에 기한 것이라고 추단할 수 없다. ③ 게다가 제3채무자의 공탁(민사집행법 제248조) 등의 이유로 배당절차가 개시된 경우에는 제3채무자의 보호가 처음부터 문제 되지 않으므로, 물상대위권을 행사하는 저당권자는 원래 배당절차에서 우선변제권을 행사할 수 있는 범위에서 우선배당을 받고자 하는 것이 통상적인 의사라고 볼 수 있다(대판 2022.8.11, 2017다256668).

저당권자의 물상대위권의 행사방법

민법 제370조, 제342조에 의한 저당권자의 물상대위권의 행사는 민사소송법 제733조에 의하여 담보권의 존재를 증명하는 서류를 집행법원에 제출하여 채권압류 및 전부명령을 신청하거나, 민사소송법 제580조에 의하여 배당요구를 하는 방법에 의하여 하는 것인바, 이는 늦어도 민사소송법 제580조 제1항에서 규정하고 있는 배당요구의 종기까지 하여야 하는 것이고, 저당권자의 물상대위권은 어디까지나 그 권리실행의사를 저당권자 스스로 법원에 명확하게 표시하는 방법으로 저당권자 자신에 의하여 행사되어야 하는 것이지, 저당권자 아닌 다른 채권자나 제3채무자의 태도나 인식만으로 저당권자의 권리행사를 의제할 수는 없으므로, 저당권자 아닌 다른 채권자나 제3채무자가 저당권의 존재와 피담보채무액을 인정하고 있고, 나아가 제3채무자가 채무액을 공탁하고 공탁사유를 신고하면서 저당권자를 피공탁자로 기재하는 한편 저당권의 존재를 증명하는 서류까지 제출하고 있다 하더라도, 그것을 저당권자 자신의 권리행사와 같이 보아 저당권자가 그 배당절차에서 다른 채권자들에 우선하여 배당 받을 수 있는 것으로 볼 수 없으며, 저당권자로서는 제3채무자가 공탁사유신고를 하기 이전에 스스로 담보권의 존재를 증명하는 서류를 제출하여 물상대위권의 목적채권을 압류하거나 법원에 배당요구를 한 경우에 한하여 공탁금으로부터 우선배당을 받을 수 있을 뿐이다. (따라서) 저당권자의 물상대위권 행사로서의 압류 및 전부는 그 명령이 제3채무자에게 송달됨으로써 효력이 생기며, 물상대위권의 행사를 제한하는 취지인 '특정성의 유지'나 '제3자의 보호'는 물상대위권자의 압류 및 전부명령이 효력을 발생함으로써 비로소 달성될 수 있는 것이므로, 배당요구의 종기가 지난 후에 물상대위에 기한 채권압류 및 전부명령이 제3채무자에게 송달되었을 경우에는, 물상대위권자는 배당절차에서 우선변제를 받을 수 없다(대판 1999.5.14, 98다62688).

Ⅱ. 우선변제적 효력

1. 저당권의 우선변제적 효력

(1) 다른 물권자에 대한 관계

① 우선변제권은 반드시 저당권자가 경매절차개시신청을 하여 개시된 경매절차에서만 행사할 수 있는 것이 아니고, 후순위저당권자가 신청한 경매절차나 국세 등 체납처분으로 인한 공매절차 또는 일반채권자에 의한 강제집행절차에서도 행사될 수 있다.

② 목적부동산에 존재하던 저당권은 경매신청인의 저당권이 아니라도 그 순위여하를 불문하고 모두 소멸한다(소제주의 내지 소멸주의). 즉 경락인은 저당권의 부담이 없는 소유권을 취득하게 된다. 따라서 경매목적물에 저당권을 가지는 자는 모두 해당 경매절차에서의 환가금으로부터 그 채권의 만족을 얻도록 하여야 한다. 그러나 용익물권은 저당권설정과의 시기의 선후로 저당권 실행 시 그 존속 여부를 따진다(예외적으로 인수주의 인정).

(2) 일반채권자에 대한 관계

① 저당권자는 그 부동산의 경매대금으로부터 일반채권자들에 앞서 우선 자기채권 전부의 만족을 얻을 수 있다.

② 물권상호 간의 순위는 등기의 선후에 따르고, 물권인 저당권은 채권보다 앞선다. 그러나 예외적으로 주택임대차보호법과 상가임대차보호법의 대항력과 확정일자를 갖춘 주택 내지 상가의 임차인에 대해서는 대항력의 취득시기에 의해 선후가 판단된다. 따라서 후순위저당권의 실행으로 부동산이 경락된 경우 소멸한 선순위 저당권보다 뒤에 등기되었거나, 늦게 대항력을 갖춘 임차인은 경락인에게 대항할 수 없다(대판 1990.1.23, 89다카33043). 다만 소액임차인은 성립순서에 관계없이 일정 요건 하에서 담보물권자보다 우선하여 변제받을 권리가 있다(주택임대차보호법 제8조 제1항).

2. 저당권자가 변제를 받는 모습

제363조【저당권자의 경매청구권, 경매인】 ① 저당권자는 그 채권의 변제를 받기 위하여 저당물의 경매를 청구할 수 있다. ② 저당물의 소유권을 취득한 제3자도 경매인이 될 수 있다.

(1) 저당권자로서 우선변제 받는 경우

1) 담보권실행경매에 의한 저당권의 실행의 경우

가) 내용 : ① 저당권을 실행하기 위해서는 채권이 존재하고 채무자가 변제기에 채무를 이행하지 않아야 한다. 이 경우 저당권자는 그 채권의 변제를 받기 위하여 저당물의 경매를 청구할 수 있다(제363조 제1항). ② 임의경매에 의해 매수인이 권리를 취득하는 시기는 매각대금을 완납한

때이다(민사집행법 제135조). 경매목적물 위의 다른 권리로서 저당권자의 권리보다 후에 등기된 권리는 경락대금의 완납으로 소멸한다(소멸주의).

나) 경매의 하자 : ① 절차상의 하자 : 경락허가 결정이 확정되면 절차상의 하자는 치유된다. ② 실체법상의 하자 : 저당권이 처음부터 존재하지 않은 경우를 제외하고, '존재했던 저당권'이 소멸되었음에도 절차가 진행되어 경락이 된 경우 매수인은 소유권을 취득한다(민사집행법 제267조).

무효인 저당권에 기한 임의경매절차에서의 경락인이 위 부동산의 소유권을 취득할 수 있는지 여부(소극) ★★

부동산등기에는 공신력이 인정되지 아니하므로, 무효인 근저당권에 기하여 진행된 임의경매절차에서 부동산을 경락받았다 하더라도 그 소유권을 취득할 수 없다(대판 2009.2.26, 2006다72802 등 참조). 즉 근저당권자가 집행법원을 기망하여 원인무효이거나 피담보채권이 존재하지 않는 근저당권에 기해 채무자 또는 물상보증인 소유의 부동산에 대하여 임의경매신청을 함으로써 경매절차가 진행된 결과 그 부동산이 매각되었다 하더라도 그 경매절차는 무효로서 채무자나 물상보증인은 부동산의 소유권을 잃지 않고, 매수인은 그 부동산의 소유권을 취득할 수 없다(대판 2017.6.19, 2013도564).

이미 소멸한 근저당권에 기하여 임의경매가 개시되고 매각이 이루어진 경우, 그 경매의 효력(무효) **및 민사집행법 제267조는 경매개시결정이 있은 뒤에 담보권이 소멸하였음에도 경매가 계속 진행되어 매각된 경우에만 적용되는지 여부**(적극) ★

[다수의견] 종래 대법원은 민사집행법 제267조가 신설되기 전에도 실체상 존재하는 담보권에 기하여 경매개시결정이 이루어졌으나 그 후 경매 과정에서 담보권이 소멸한 경우에는 예외적으로 공신력을 인정하여, 경매개시결정에 대한 이의 등으로 경매절차가 취소되지 않고 매각이 이루어졌다면 경매는 유효하고 매수인이 소유권을 취득한다고 해석해 왔다. 대법원은 민사집행법 제267조가 신설된 후에도 같은 입장을 유지하였다. 즉, 민사집행법 제267조는 경매개시결정이 있은 뒤에 담보권이 소멸하였음에도 경매가 계속 진행되어 매각된 경우에만 적용된다고 보는 것이 대법원의 일관된 입장이다. 위와 같은 현재의 판례는 타당하므로 그대로 유지되어야 한다. ① 임의경매의 정당성은 실체적으로 유효한 담보권의 존재에 근거하므로, 담보권에 실체적 하자가 있다면 그에 기초한 경매는 원칙적으로 무효이다. 특히 채권자가 경매를 신청할 당시 실행하고자 하는 담보권이 이미 소멸하였다면, 그 경매개시결정은 아무런 처분권한이 없는 자가 국가에 처분권을 부여한 데에 따라 이루어진 것으로서 위법하다. 반면 일단 유효한 담보권에 기하여 경매개시결정이 개시되었다면, 이는 담보권에 내재하는 실체적 환가권능에 기초하여 그 처분권이 적법하게 국가에 주어진 것이다. 이러한 점에서 담보권의 소멸은 그 소멸 시기가 경매개시결정 전인지 또는 후인지에 따라 그 법률적 의미가 본질적으로 다르다고 할 수 있다. (중략) ② 경매개시결정이 있기 전에 담보권이 소멸한 경우에도 그 담보권에 기한 경매의 공신력을 인정한다면, 이는 소멸한 담보권 등기에 공신력을 인정하는 것과 같은 결과를 가져오므로 현재의 등기제도와도 조화된다고 볼 수 없다(대판(전) 2022.8.25, 2018다205209).

2) 경매에 의하지 않는 저당권 실행(유저당)

저당부동산의 소유권을 저당권자에게 귀속시키는 방법에 의한 유저당의 경우 그 유효성에 대하여 통설・판례는 민법 제607조와 제608조의 규정을 적용하여 정산케 함으로써 유효하다고 본다. 판례에 따르면 제607조에 위반하는 대물변제예약은 제608조에 따라 무효이고, 이에 의한 소유권

취득 역시 무효가 되지만, 대물변제예약에 포함되어 있는 채권담보계약은 약한 의미의 양도담보로서 유효하고, 그 효력으로서 저당권자는 청산의무를 부담한다고 한다(대판 1968.6.28, 68다762·763; 대판 1962.5.24, 62다67).

(2) 일반채권자로서 변제를 받는 경우

> **제370조【준용규정】**
> 제214조, 제321조, 제333조, 제340조, 제341조 및 제342조의 규정은 저당권에 준용한다.
> **제340조【질물 이외의 재산으로부터의 변제】**
> ① 질권자는 질물에 의하여 변제를 받지 못한 부분의 채권에 한하여 채무자의 다른 재산으로부터 변제를 받을 수 있다.
> ② 전항의 규정은 질물보다 먼저 다른 재산에 관한 배당을 실시하는 경우에는 적용하지 아니한다. 그러나 다른 채권자는 질권자에게 그 배당금액의 공탁을 청구할 수 있다.

저당권자가 특정부동산에 관한 경매대금으로부터 채권전부의 만족을 얻지 못한 경우에는 저당채권자는 무담보의 일반채권자로 남게 된다. 따라서 저당권자는 채무명의를 얻어 채무자의 일반재산에 대하여 강제집행을 하거나 타인이 하는 집행의 배당절차에 참가할 수 있다.

Ⅲ. 저당권과 용익권의 관계

1. 저당권과 용익권과의 관계

(1) 저당권설정 전에 설정된 용익권

저당권이 실행되더라도 용익권자(예 지상권, 지역권, 전세권, 대항력 있는 임차권)는 그 경매에 의하여 아무런 영향을 받지 않는다. 다만, 전세권의 경우에는 담보물권의 성질도 있기 때문에 전세권자가 배당요구를 하면 매각으로 소멸된다는 특칙이 있다(민사집행법 제268조, 제91조 제4항).

(2) 저당권설정 후에 설정된 용익권

저당권의 실행이 있을 때까지는 용익할 수 있으나, 저당권이 실행되면 용익권은 소멸한다.

(3) 용익권 소멸 여부의 판단기준

경매를 신청한 저당권자와의 우열로 정해지는 것이 아니라, 목적부동산 위의 최선순위 저당권과의 우열로 정해진다(대판 1987.2.24, 86다카1936). 왜냐하면 후순위저당권의 신청에 의한 경매에 의해서도 최선순위 저당권은 소멸하므로, 결국 실질적으로 선순위저당권의 실행과 같은 관계가 발생하기 때문이다.

2. 법정지상권

> **제366조【법정지상권】**
> 저당물의 경매로 인하여 토지와 그 지상건물이 다른 소유자에 속한 경우에는 토지소유자는 건물소유자에 대하여 지상권을 설정한 것으로 본다. 그러나 지료는 당사자의 청구에 의하여 법원이 이를 정한다.

(1) 의의 및 취지

1) 우리 법제는 토지와 건물을 독립한 부동산으로 다루므로, 동일인에게 속하는 토지와 건물 중 어느 하나에만 저당권이 설정될 수 있고, 또 양자 위에 설정되더라도 그 경매를 통해 토지의 소유자와 건물의 소유자가 다를 수 있게 된다. 이 경우 저당권의 실행으로 말미암아 토지와 건물의 소유자가 달라진 때에 건물소유자에게 법률규정상 인정되는 지상권을 법정지상권이라 한다(제366조).

2) 법정지상권을 인정하는 취지는 ① 건물의 소유자에게 대지이용권을 취득하게 함으로써 건물철거라는 사회경제적 손실을 방지하고, 건물로서의 가치를 유지하자는 데 그 취지가 있다(사회경제적 손실의 방지). 또한 ② 토지와 그 지상건물이 동일한 소유자에 속하는 경우 토지에 대해서만 저당권을 설정한 때에는 저당권자는 그 지상건물의 부담을 토지의 교환가치에서 고려하였을 것이고, 건물에 대해서만 저당권을 설정한 때에는 그 지상건물의 존재를 위한 토지의 이용이 묵시적으로 전제된 것으로 볼 수 있기 때문이다(저당권자의 불측의 손해 방지 및 경락인 또는 제3자의 법적안정성 등 고려).

(2) 법적 성격

제366조의 법정지상권은 가치권과 이용권의 조절을 위한 공익상의 이유로 지상권의 설정을 강제하는 것으로서 강행규정이므로, 이에 관한 적용배제의 특약은 무효이다(대판 1988.10.25, 87다카1564).

> **저당목적물인 토지에 대하여 법정지상권을 배제하는 특약의 효력 ★★★**
> 민법 제366조는 가치권과 이용권의 조절을 위한 공익상의 이유로 지상권의 설정을 강제하는 것이므로 저당권설정 당사자간의 특약으로 저당목적물인 토지에 대하여 법정지상권을 배제하는 약정을 하더라도 그 특약은 효력이 없다(대판 1988.10.25, 87다카1564).
>
> **법정지상권의 분리처분이 가능한지 여부**
> 민법 제366조 소정의 법정지상권은 토지와 그 토지상의 건물이 같은 사람의 소유에 속하였다가 그 중의 하나가 경매 등으로 인하여 다른 사람의 소유에 속하게 된 경우에 그 건물의 유지, 존립을 위하여 특별히 인정된 권리이기는 하지만, 그렇다고 하여 위 법정지상권이 건물의 소유에 부속되는 종속적인 권리가 되는 것이 아니며 하나의 독립된 법률상의 물권으로서의 성격을 지니고 있는 것이기 때문에 건물의 소유자가 건물과 법정지상권 중 어느 하나만을 처분하는 것도 가능하다(대판 2001.12.27, 2000다1976).

(3) 법정지상권의 성립요건

1) 저당권 설정 당시 건물의 존재

가) 내용

① 저당권(여러 개의 저당권이 설정된 경우에는 최선순위 저당권 설정 당시를 기준)이 설정될 당시에 건물이 실재하고 있어야 한다. 따라서 건물이 없는 토지에 저당권을 설정하고 그 후에 건물을 축조한 경우에는 법정지상권이나 관습법상 법정지상권은 성립하지 않는다(대판 1993.6.25, 92다20330. 이 경우에는 제365조의 일괄경매청구권을 행사할 수 있다).

② 토지에 대한 저당권설정 당시 저당권설정자가 건물을 건축 중이었고, 그것이 사회관념상 독립한 건물이 아니라고 하더라도 건물의 규모나 종류가 외형상 예상할 수 있는 정도까지 진전되어 있다면 법정지상권이 성립한다(대판 2004.2.13, 2003다29043). 다만, 이 경우 저당권실행경매에 의해 경락될 당시에 (구체적으로는 경락인이 매각대금을 완납할 때까지) 독립한 건물로서의 요건을 갖추면 법정지상권이 성립하고, 그 등기 여부는 묻지 않는다(대판 2004.6.11, 2004다13533).

③ 나아가 건물이 존재한 이상 그것이 무허가 건물이거나 미등기 건물이거나 가리지 않는다(대판 2004.6.11, 2004다13533 등). 특히 문제되는 경우는 다음과 같다.

나) 가설건축물의 경우 : 민법 제366조의 법정지상권은 저당권 설정 당시 동일인의 소유에 속하던 토지와 건물이 경매로 인하여 양자의 소유자가 다르게 된 때에 건물의 소유자를 위하여 발생하는 것으로서, 법정지상권이 성립하려면 경매절차에서 매수인이 매각대금을 다 낸 때까지 해당 건물이 독립된 부동산으로서 건물의 요건을 갖추고 있어야 하고, 독립된 부동산으로서 건물은 토지에 정착되어 있어야 하는데(제99조 제1항), 가설건축물(㊟ 일정기간 동안 한시적으로 사용할 목적으로 건축하는 건축물을 말한다. 보통 공사현장 사무실·숙소를 위한 컨테이너, 조립식 철골, 천막창고 등으로 그 용도가 일시적이며, 철거 및 이전이 용이한 구조와 방법으로 건축된다)은 일시 사용을 위해 건축되는 구조물로서 설치 당시부터 일정한 존치기간이 지난 후 철거가 예정되어 있어 일반적으로 토지에 정착되어 있다고 볼 수 없다. 민법상 건물에 대한 법정지상권의 최단 존속기간은 견고한 건물이 30년, 그 밖의 건물이 15년인 데 비하여, 건축법령상 가설건축물의 존치기간은 통상 3년 이내로 정해져 있다. 따라서 가설건축물은 특별한 사정이 없는 한 독립된 부동산으로서 건물의 요건을 갖추지 못하여 법정지상권이 성립하지 않는다(대판 2021.10.28, 2020다224821).

다) 건물이 없는 토지에 저당권을 설정한 후 설정자가 저당권자로부터 법정지상권의 성립을 인정한다는 양해를 얻어 건물을 지은 경우 : 이는 주관적인 것이고 공시할 수도 없어 경락인에게 불측의 손실을 가져다줄 수 있으므로, 법정지상권은 성립하지 않는다(대판 2003.9.5, 2003다26051). 다만 저당권설정 당시에 실재하기만 하면 되므로, 그 건물이 무허가 건물로서 보존등기가 되어 있지 않다거나 평수가 지극히 작은 건물이라 하더라도 법정지상권은 성립한다(대판 1991.10.11, 91다23462).

라) 저당권설정 당시의 건물을 그 후 증축·개축한 경우 – 저당권 설정 당시의 건물을 그 후 개축·증축한 경우는 물론이고 그 건물이 멸실되거나 철거된 후 재건축·신축한 경우에도 법정지상권이 성립하나(대판 2001.3.13, 2000다48517·48524·48531), 그 내용인 존속기간·범위 등은 구 건물을 기준으로 한다(대판 1997.1.21, 96다40080).

마) 공동저당권이 설정된 후에 건물이 철거되고 새로 건물이 신축된 경우 : 종전 판례(대판 2001.3.13, 2000다48517·48524·48531)는 단독저당이든 공동저당이든 묻지 않고, 법정지상권이 성립한다고 하였으나, 현재 변경판례는 토지와 건물 모두에 공동저당권이 설정된 후에 건물이 신축된 경우에는 특별한 사정이 없는 한 법정지상권의 성립을 부정한다(대판(전) 2003.12.18, 98다43601).

판례 연구 **관련판례 정리**

1. 저당권자의 동의하에 신축된 건물 ★★

민법 제366조의 법정지상권은 저당권 설정 당시부터 저당권의 목적되는 토지 위에 건물이 존재할 경우에 한하여 인정되며, 토지에 관하여 저당권이 설정될 당시 그 지상에 토지소유자에 의한 건물의 건축이 개시되기 이전이었다면, 건물이 없는 토지에 관하여 저당권이 설정될 당시 근저당권자가 토지소유자에 의한 건물의 건축에 동의하였다고 하더라도 그러한 사정은 주관적 사항이고 공시할 수도 없는 것이어서 토지를 낙찰받는 제3자로서는 알 수 없는 것이므로 그와 같은 사정을 들어 법정지상권의 성립을 인정한다면 토지소유권을 취득하려는 제3자의 법적안정성을 해하는 등 법률관계가 매우 불명확하게 되므로 법정지상권이 성립되지 않는다(대판 2003.9.5, 2003다26051).

★ 비교판례 – 토지와 건물이 동일인의 소유이었다가 매매 기타의 원인으로 그 소유자가 달라지게 된 경우에는, 특히 그 건물을 철거한다는 특약이 없는 이상 건물소유자는 토지소유자에 대하여 관습상의 법정지상권을 취득하게 되는 것이나, 토지의 소유자가 건물을 건축할 당시 이미 토지를 타에 매도하여 소유권을 이전하여 줄 의무를 부담하고 있었다면, 토지의 매수인이 그 건축행위를 승낙하지 않는 이상 그 건물은 장차 철거되어야 하는 운명에 처하게 될 것이고 토지소유자가 이를 예상하면서도 건물을 건축하였다면 그 건물을 위한 관습상의 법정지상권은 생기지 않는다고 보아야 할 것이다(대판 1994.12.22, 94다41072·41089).

2. 저당권설정 당시 건축 중인 건물 ★★★

민법 제366조의 법정지상권은 저당권 설정 당시 동일인의 소유에 속하던 토지와 건물이 경매로 인하여 양자의 소유자가 다르게 된 때에 건물의 소유자를 위하여 발생하는 것으로서, ① 토지에 관하여 저당권이 설정될 당시 토지소유자에 의하여 그 지상에 건물을 건축 중이었던 경우 그것이 사회관념상 독립된 건물로 볼 수 있는 정도에 이르지 않았다 하더라도 건물의 규모·종류가 외형상 예상할 수 있는 정도까지 건축이 진전되어 있었고, ② 그 후 경매절차에서 매수인이 매각대금을 다 낸 때까지 최소한의 기둥과 지붕 그리고 주벽이 이루어지는 등 독립된 부동산으로서 건물의 요건을 갖추면 법정지상권이 성립하며, 그 건물이 미등기라 하더라도 법정지상권의 성립에는 아무런 지장이 없는 것이다(대판 2004.6.11, 2004다13533).

3. 공동저당권설정 후 건물 철거 후 신축 ★★★

[1] 동일인의 소유에 속하는 토지 및 그 지상 건물에 관하여 공동저당권이 설정된 후 그 지상 건물이 철거되고 새로 건물이 신축된 경우에는, 그 신축건물의 소유자가 토지의 소유자와 동일하고 토지의 저당권자에게 신축건물에 관하여 토지의 저당권과 동일한 순위의 공동저당권을 설정해 주는 등 특별한 사정이 없는 한, 저당물의 경매로 인하여 토지와 그 신축건물이 다른 소유자에 속하게 되더라도 그 신축건물을 위한 법정지상권은 성립하지 않는다고 해석하여야 하는바, 그 이유는 동일인의 소유에 속하는 토지 및 그 지상 건물에 관하여 공동저당권이 설정된 경우에는, 처음부터 지상 건물로 인하여 토지의 이용이 제한받는 것을 용인하고 토지에 대하여만 저당권을 설정하여 법정지상권의 가치만큼 감소된 토지의 교환가치를 담보로 취득한 경우와는 달리, 공동저당권자는 토지 및 건물 각각의 교환가치 전부를 담보로 취득한 것으로서, 저당권의 목적이 된 건물이 그대로 존속하는 이상은 건물을 위한 법정지상권이 성립해도 그로 인하여 토지의 교환가치에서 제외된 법정지상권의 가액 상당 가치는 법정지상권이 성립하는 건물의 교환가치에서 되찾을 수 있어 궁극적으로 토지에 관하여 아무런 제한이 없는 나대지로서의 교환가치 전체를 실현시킬 수 있다고 기대하지만, 건물이 철거된 후 신축된 건물에 토지와 동순위의 공동저당권이 설정되지 아니하였는데도 그 신축건물을 위한 법정지상권이 성립한다고 해석하게 되면, 공동저당권자가 법정지상권이 성립하는 신축건물의 교환가치를 취득할 수 없게 되는 결과 법정지상권의 가액 상당 가치를 되찾을 길이 막혀 위와 같이 당초 나대지로서의 토지의 교환가치 전체를 기대하여 담보를 취득한 공동저당권자에게 불측의 손해를 입게 하기 때문이다(대판(전) 2003.12.18, 98다43601).

[2] 이러한 법리는 집합건물의 전부 또는 일부 전유부분과 대지 지분에 관하여 공동저당권이 설정된 후 그 지상 집합건물이 철거되고 새로운 집합건물이 신축된 경우에도 마찬가지로 보아야 한다(대판 2014.9.4, 2011다73038 · 73045).

★ **비교판례** – 토지와 함께 공동근저당권이 설정된 건물이 그대로 존속함에도 불구하고 사실과 달리 등기부에 멸실의 기재가 이루어지고 이를 이유로 「등기부가 폐쇄」된 경우, 저당권자로서는 멸실 등으로 인하여 폐쇄된 등기기록을 부활하는 절차 등을 거쳐 건물에 대한 저당권을 행사하는 것이 불가능한 것이 아닌 이상 저당권자가 건물의 교환가치에 대하여 이를 담보로 취득할 수 없게 되는 불측의 손해가 발생한 것은 아니라고 보아야 하므로, 그 후 토지에 대하여만 경매절차가 진행된 결과 토지와 건물의 소유자가 달라지게 되었다면 그 건물을 위한 법정지상권은 성립한다 할 것이고, 단지 건물에 대한 등기부가 폐쇄되었다는 사정만으로 건물이 멸실된 경우와 동일하게 취급하여 법정지상권이 성립하지 아니한다고 할 수는 없다(대판 2013.3.14, 2012다108634). ★★★

4. 민법 제366조 소정의 법정지상권은 저당권 설정 당시의 건물과 재건축 또는 신축된 건물 사이에 동일성이 없어도 성립하는지 여부(적극) 및 그 내용인 존속기간 · 범위 등의 기준(구건물) ★★

민법 제366조 소정의 법정지상권이 성립하려면 저당권 설정 당시 저당권의 목적이 되는 토지 위에 건물이 존재하여야 하는데, 저당권 설정 당시의 건물을 그 후 개축 · 증축한 경우는 물론이고 그 건물이 멸실되거나 철거된 후 재건축 · 신축한 경우에도 법정지상권이 성립하며, 이 경우 신건물과 구건물 사이에 동일성이 있거나 소유자가 동일할 것을 요하는 것은 아니라 할 것이지만, 그 법정지상권의 내용인 존속기간 · 범위 등은 구건물을 기준으로 하여야 할 것이다(대판 2001.3.13, 2000다48517 · 48524 · 48531).

5. 토지에 관한 저당권설정 당시 그 지상에 건물이 건축 중이었던 경우 법정지상권이 인정되기 위한 건물의 요건 및 이때 토지에 관한 저당권설정과 동시에 설정된 지상권이 저당권 실행으로 소멸한 경우, 건물을 위한 법정지상권이 발생하지 않는지 여부(원칙적 소극)

민법 제366조의 법정지상권은 저당권설정 당시 동일인의 소유에 속하던 토지와 건물이 경매로 인하여 양자의 소유자가 다르게 된 때에 건물의 소유자를 위하여 발생하는 것으로서, 토지에 관하여 저당권이 설정될 당시 토지소유자에 의하여 그 지상에 건물이 건축 중이었던 경우 그것이 사회관념상 독립된 건물로 볼 수 있는 정도에 이르지 않았다 하더라도 건물의 규모, 종류가 외형상 예상할 수 있는 정도까지 건축이 진전되어 있었고, 그 후 경매절차에서 매수인이 매각대금을 다 낸 때까지 최소한의 기둥과 지붕 그리고 주벽이 이루어지는 등 독립된 부동산으로서 건물의 요건을 갖춘 경우에는 법정지상권이 성립한다(대판 2011.1.13, 2010다67159 등 참조). 이 경우 토지에 관하여 저당권이 설정될 당시 저당권자를 위하여 동시에 지상권이 설정되었다고 하더라도 저당권설정 당시 그 토지 위에 건축 중이던 건물을 철거하기로 하는 등 특별한 사유가 없고 저당권의 실행으로 그 지상권도 소멸하였다면 건물을 위한 법정지상권이 발생하지 않는다고 할 수 없다(대판 2013.10.17, 2013다51100).

---

2) 저당권설정 당시 토지와 건물이 동일한 소유자에게 속할 것

가) 내용 : ① 저당권설정 당시 토지와 건물의 소유자가 서로 다른 때에는, 보통 그 건물에 관하여 이미 토지소유자에게 대항할 수 있는 용익권이 설정되어 있을 것이므로, 다시 법정지상권을 인정할 필요가 없다. ② 한편 저당권설정 당시 동일한 소유자에게 속하고 있었던 이상 그 뒤에 소유자가 다르게 되더라도 무방하다. 즉, 저당권실행 당시에까지 소유자가 동일할 것을 요구하지는 않는다. 따라서 저당권설정 당시에 미등기건물이 존재하였고, 이 미등기건물을 양도하였으나 이전등기를 경료하지 못한 상황에서 대지에 대한 저당권이 실행된 경우, 건물에 대한 법정지상권은 양도인이 취득한다(대판 1991.5.28, 91다6658).

동일인 소유의 토지와 지상건물 중 건물양수인이 미등기건물인 관계로 소유권이전등기를 경료하지 못한 사이에 토지에 설정된 저당권이 실행되어 토지와 건물의 소유자가 달라진 경우 양도인이 건물의 소유를 위한 법정지상권을 취득하는지 여부(적극) ★

동일인의 소유에 속하던 토지와 지상건물 중 건물을 양수한 자가 미등기건물인 관계로 소유권이전등기를 경료하지 못하였다면 그 소유권은 여전히 양도인에게 남아있다고 할 것이고, 그러는 사이에 토지 위에 설정된 저당권이 실행된 결과 토지와 건물의 소유자가 달라진 경우에는 양도인이 건물의 소유를 위한 법정지상권을 취득한다(대판 1991.5.28, 91다6658).

◈ **비교판례 - 토지에 저당권을 설정할 당시 그 지상에 건물이 존재하였고 그 양자가 동일인의 소유였다가 그 후 저당권의 실행으로 토지가 낙찰되기 전에 건물이 제3자에게 양도된 경우, 건물을 양수한 제3자가 법정지상권을 취득하는지 여부**(적극) ★★★

토지에 저당권을 설정할 당시 토지의 지상에 건물이 존재하고 있었고 그 양자가 동일 소유자에게 속하였다가 그 후 저당권의 실행으로 토지가 낙찰되기 전에 건물이 제3자에게 양도된 경우, 민법 제366조 소정의 법정지상권을 인정하는 법의 취지가 저당물의 경매로 인하여 토지와 그 지상 건물이 각 다른 사람의 소유에 속하게

된 경우에 건물이 철거되는 것과 같은 사회경제적 손실을 방지하려는 공익상 이유에 근거하는 점, 저당권자로서는 저당권설정 당시에 법정지상권의 부담을 예상하였을 것이고 또 저당권설정자는 저당권설정 당시의 담보가치가 저당권이 실행될 때에도 최소한 그대로 유지되어 있으면 될 것이므로 위와 같은 경우 법정지상권을 인정하더라도 저당권자 또는 저당권설정자에게는 불측의 손해가 생기지 않는 반면, 법정지상권을 인정하지 않는다면 건물을 양수한 제3자는 건물을 철거하여야 하는 손해를 입게 되는 점 등에 비추어 위와 같은 경우 건물을 양수한 제3자는 민법 제366조 소정의 법정지상권을 취득한다(대판 1999.11.23, 99다52602).

나) 대지와 미등기건물을 함께 매수하면서 대지에 대해서만 등기를 갖춘 경우 : 법정지상권이나 관습법상 법정지상권 모두 인정되지 않는다. 왜냐하면 미등기건물에 대해서는 법률상 소유권을 취득하지 못한 것이므로, 저당권설정 당시에 소유자의 동일성 요건이 탈락되기 때문이다(대판(전) 2002.6.20, 2002다9660).

미등기건물을 대지와 함께 매수하였으나 대지에 관하여만 소유권이전등기를 넘겨받고 대지에 대하여 저당권을 설정한 후 저당권이 실행된 경우, 민법 제366조 소정의 법정지상권이 성립하는지 여부(소극) ★★★

민법 제366조의 법정지상권은 저당권 설정 당시에 동일인의 소유에 속하는 토지와 건물이 저당권의 실행에 의한 경매로 인하여 각기 다른 사람의 소유에 속하게 된 경우에 건물의 소유를 위하여 인정되는 것이므로, 미등기건물을 그 대지와 함께 매수한 사람이 그 대지에 관하여만 소유권이전등기를 넘겨받고 건물에 대하여는 그 등기를 이전 받지 못하고 있다가, 대지에 대하여 저당권을 설정하고 그 저당권의 실행으로 대지가 경매되어 다른 사람의 소유로 된 경우에는, 그 저당권의 설정 당시에 이미 대지와 건물이 각각 다른 사람의 소유에 속하고 있었으므로 법정지상권이 성립될 여지가 없다(대판(전) 2002.6.20, 2002다9660).

다) 건물에 대해 명의신탁한 경우 : 소유자의 동일성 요건이 탈락되기 때문에 법정지상권이 인정되지 않는다(대판 2004.2.13, 2003다29043).

건물에 관해 명의신탁을 한 토지소유자(신탁자)가 민법 제366조 소정의 법정지상권을 취득할 수 있는지 여부(소극)

건물의 등기부상 소유명의를 타인에게 신탁한 경우에 신탁자는 제3자에게 그 건물이 자기의 소유임을 주장할 수 없고, 따라서 그 건물과 부지인 토지가 동일인의 소유임을 전제로 한 법정지상권을 취득할 수 없다(대판 2004.2.13, 2003다29043).

라) 토지의 공유자 중 1인이 건물을 소유한 경우 : ① 공유토지를 직접 (협의)분할한 결과 토지와 건물의 소유자가 달라진 경우에는 법정지상권이 인정되나(대판 1974.2.12, 73다353), ② 토지 지분만을 매각하여 소유자가 달라진 경우에는 법정지상권이 성립하지 않는다(대판 1987.6.23, 86다카2188). ③ 구분소유적 공유인 토지에 있어서 각자 독자적으로 별개의 건물을 소유하고 있다가 토지에 대한 저당권이 실행되어 소유자가 달라진 경우에는 법정지상권이 성립한다(대판 2004.6.11, 2004다13533).

구분소유적 공유인 토지에 각자 건물을 소유하는 경우 ★★

공유로 등기된 토지의 소유관계가 구분소유적 공유관계에 있는 경우에는, 공유자 중 1인이 소유하고 있는 건물과 그 대지는 다른 공유자와의 내부관계에 있어서는 그 공유자의 단독소유로 되었다 할 것이므로, 건물을 소유하고 있는 공유자가 그 건물 또는 토지지분에 대하여 저당권을 설정하였다가 그 후 저당권의 실행으로 소유자가 달라지게 되면 건물 소유자는 그 건물의 소유를 위한 법정지상권을 취득하게 되며, 이는 구분소유적 공유관계에 있는 토지의 공유자들이 그 토지 위에 각자 독자적으로 별개의 건물을 소유하면서 그 토지 전체에 대하여 저당권을 설정하였다가, 그 저당권의 실행으로 토지와 건물의 소유자가 달라지게 된 경우에도 마찬가지라 할 것이다(대판 2004.6.11, 2004다13533).

토지공유 또는 토지와 건물 모두가 공유인 경우 토지에 관한 공유자 일부의 지분만을 목적으로 하는 근저당권이 설정되었다가 경매로 그 지분을 제3자가 취득하게 된 경우에도 민법 제366조의 법정지상권이 성립하는지 여부(소극) ★★★

토지공유자의 한 사람이 다른 공유자의 지분 과반수의 동의를 얻어 건물을 건축한 후 토지와 건물의 소유자가 달라진 경우 토지에 관하여 관습법상의 법정지상권이 성립되는 것으로 보게 되면 이는 토지공유자의 1인으로 하여금 자신의 지분을 제외한 다른 공유자의 지분에 대하여서까지 지상권설정의 처분행위를 허용하는 셈이 되어 부당하다. 그리고 이러한 법리는 민법 제366조의 법정지상권의 경우에도 마찬가지로 적용되고, 나아가 토지와 건물 모두가 각각 공유에 속한 경우에 토지에 관한 공유자 일부의 지분만을 목적으로 하는 근저당권이 설정되었다가 경매로 인하여 그 지분을 제3자가 취득하게 된 경우에도 마찬가지로 적용된다(대판 2014.9.4, 2011다73038·73045).

건물공유자의 1인이 그 건물의 부지인 토지를 단독으로 소유하면서 그 토지에 관하여만 저당권을 설정하였다가 위 저당권에 의한 경매로 토지소유자가 달라진 경우에도 민법 제366조의 법정지상권이 성립하는지 여부(적극) ★★★

건물공유자의 1인이 그 건물의 부지인 토지를 단독으로 소유하면서 그 토지에 관하여만 저당권을 설정하였다가 위 저당권에 의한 경매로 인하여 토지의 소유자가 달라진 경우에도, 위 토지소유자는 자기뿐만 아니라 다른 건물공유자들을 위하여도 위 토지의 이용을 인정하고 있었다고 할 것인 점, 저당권자로서도 저당권 설정 당시 법정지상권의 부담을 예상할 수 있었으므로 불측의 손해를 입는 것이 아닌 점, 건물의 철거로 인한 사회경제적 손실을 방지할 공익상의 필요성도 인정되는 점 등에 비추어 위 건물공유자들은 민법 제366조에 의하여 토지 전부에 관하여 건물의 존속을 위한 법정지상권을 취득한다고 보아야 한다(대판 2011.1.13, 2010다67159).

3) 저당권의 설정

① 토지와 지상건물 중 어느 한쪽 또는 양자 위에 저당권이 설정되었어야 한다.

② 토지와 건물의 어느 쪽에도 저당권이 설정되지 않았으나 어떤 원인으로 토지와 건물의 소유자가 달라진 경우에는 관습법상 지상권이 성립할 수 있을 뿐이다.

4) 저당권 실행(임의경매)으로 토지와 건물의 소유자가 달라질 것

① 경매 이외의 방법으로 소유자를 달리하게 된 경우에는 관습법상의 법정지상권이 성립될 수는 있어도, 제366조에 법정지상권은 성립하지 않는다(대판 1991.4.9, 89다카1305).

② 여기의 경매에 대해서 판례는 제366조의 취지상 통상의 강제경매는 포함되지 않고 그 경우에는 제366조 법정지상권이 아닌, 관습법상 지상권을 인정하면 족하다고 한다(대판 1970.9.29, 70다1454).

(4) 성립시기와 등기

1) 성립시기

토지 또는 그 지상건물의 경매로 인하여 그 소유권이 서로 다른 소유자에게 속한 때에 법정지상권은 성립하기 때문에, 매수인이 매각대금을 완납한 때에 법정지상권은 성립하게 된다.

2) 등기 요부

① 법정지상권은 제366조의 규정에 의하여 성립하기 때문에 제187조에서 말하는 법률의 규정에 의한 물권의 취득으로서 등기를 요하지 아니한다. 다만, 동조 단서에 의해서 이를 등기하지 아니하면 그 지상권을 처분할 수 없다.

② 판례도 관습상 지상권은 관습법에 의한 물권의 취득으로 이를 취득한 당시의 토지소유자나 그 토지소유권을 전득한 제3자에게 대하여는 등기 없이도 위 지상권을 주장할 수 있지만, 관습상 지상권자가 이를 등기하지 아니하면 그 지상권을 처분할 수 없을 뿐이라고 한다(대판 1971.1.26, 70다2576).

법정지상권성립 후 건물을 양수한 자의 법적 지위 ★★

법정지상권을 가진 건물소유자로부터 건물을 양수하면서 법정지상권까지 양도받기로 한 자는 채권자대위의 법리에 따라 전건물소유자 및 대지소유자에 대하여 차례로 지상권의 설정등기 및 이전등기절차이행을 구할 수 있으므로, 이러한 법정지상권을 취득할 지위에 있는 자에 대하여 대지소유자가 소유권에 기하여 건물 철거를 구함은 지상권의 부담을 용인하고 그 설정등기절차를 이행할 의무가 있는 자가 그 권리자를 상대로 한 청구라 할 것이므로 신의성실의 원칙상 허용될 수 없다(대판(전) 1985.4.9, 84다카1131·1132). 다만, 이 경우 불법행위는 성립하지 않지만 부당이득은 성립한다.

법정지상권을 취득한 사람으로부터 경매에 의하여 건물 소유권을 이전받은 매수인은 그 지상권을 당연 취득하는지 여부(원칙적 적극) 및 이는 사해행위의 수익자 또는 전득자가 건물의 소유자로서 법정지상권을 취득한 후 채권자취소권 행사에 따라 수익자와 전득자 명의의 소유권이전등기가 말소된 다음 경매절차에서 건물이 매각되는 경우에도 마찬가지로 적용되는지 여부(적극) ★★★

저당권설정 당시 동일인의 소유에 속하고 있던 토지와 지상 건물이 경매로 인하여 소유자가 다르게 된 경우에 건물소유자는 건물의 소유를 위한 민법 제366조의 법정지상권을 취득한다. 그리고 건물 소유를 위하여 법정지상권을 취득한 사람으로부터 경매에 의하여 건물의 소유권을 이전받은 매수인은 매수 후 건물을 철거한다는 등의 매각조건하에서 경매되는 경우 등 특별한 사정이 없는 한 건물의 매수취득과 함께 위 지상권도 당연히 취득하는데, 이러한 법리는 사해행위의 수익자 또는 전득자가 건물의 소유자로서 법정지상권을 취득한 후 채무자와 수익자 사이에 행하여진 건물의 양도에 대한 채권자취소권의 행사에 따라 수익자와 전득자 명의의 소유권이전등기가 말소된 다음 경매절차에서 건물이 매각되는 경우에도 마찬가지로 적용된다(대판 2014.12.24, 2012다73158).

(5) 효력

1) 범위

건물부지뿐만 아니라 건물을 사용하는 데 필요한 범위 내의 토지까지 포함된다.

2) 지료

① 일반지상권과 다르게, 법정지상권의 경우에는 토지소유자의 의사에 기하지 않고 지상권의 부담을 강제하게 되므로 지료지급의무가 있다.

② 지료는 우선 당사자의 협의로 정하게 되나, 협의가 이루어지지 않을 때에는 당사자의 청구로 법원이 이를 정한다(제366조 단서). 법원에 의해 결정된 지료는 지상권이 성립한 때로 소급해서 효력을 발생한다.

3) 존속기간

제281조의 규정을 준용한다(통설). 따라서 건물의 종류에 따라 그 존속기간은 30년 또는 15년이 된다(제280조).

(6) 소멸

토지소유자의 지상권소멸청구나(제287조), 지상권의 포기 및 당사자 간의 계약에 의해 소멸하게 된다. 다만, 지료지급연체를 이유로 한 지상권소멸청구는 지료에 대한 협의가 이루어지지 않은 경우에는 인정되지 않는다(대판 1994.12.2, 93다52297).

법정지상권에 관한 지료가 결정되지 않은 경우, 지료 지급이 2년 이상 연체되었다는 이유로 지상권소멸청구를 할 수 있는지 여부(소극)(대판 2001.3.13, 99다17142) ★★

① 법정지상권의 경우 당사자 사이에 지료에 관한 협의가 있었다거나 법원에 의하여 지료가 결정되었다는 아무런 입증이 없다면, 법정지상권자가 지료를 지급하지 않았다고 하더라도 지료 지급을 지체한 것으로는 볼 수 없으므로 법정지상권자가 2년 이상의 지료를 지급하지 아니하였음을 이유로 하는 토지소유자의 지상권소멸청구는 이유가 없고, 지료액 또는 그 지급시기 등 지료에 관한 약정은 이를 등기하여야만 제3자에게 대항할 수 있는 것이고, 법원에 의한 지료의 결정은 당사자의 지료결정청구에 의하여 형식적 형성소송인 지료결정판결로 이루어져야 제3자에게도 그 효력이 미친다.

② 지상권의 지료지급연체가 토지소유권의 양도 전후에 걸쳐 이루어진 경우, 양도인에 대하여 2년 이상의 지료를 연체하더라도 양수인에 대한 연체가 2년 이상이 아니라면 양수인은 지상권의 소멸을 청구할 수 없다.

3. 일괄경매청구권

> 제365조【저당지상의 건물에 대한 경매청구권】
> 토지를 목적으로 저당권을 설정한 후 그 설정자가 그 토지에 건물을 축조한 때에는 저당권자는 토지와 함께 그 건물에 대하여도 경매를 청구할 수 있다. 그러나 그 건물의 경매대가에 대하여는 우선변제를 받을 권리가 없다.

(1) 의의 및 취지

토지를 목적으로 저당권을 설정한 후 저당권설정자가 그 토지에 건물을 축조한 때에는, 토지저당권에 기해 경매가 실행되는 경우에 건물을 위한 법정지상권은 인정되지 않는다(제366조). 이에 민법 제365조는 그 저당권의 실행으로 토지가 제3자에게 경락될 경우에 건물을 철거하여야 한다면 사회경제적으로 현저한 불이익이 생기게 되어 이를 방지할 필요가 있으므로 이러한 이해관계를 조절하고, 저당권자에게도 저당토지상의 건물의 존재로 인하여 생기게 되는 경매의 어려움을 해소하여 저당권의 실행을 쉽게 할 수 있도록 마련된 규정이다(대결 2001.6.13, 2001마1632).

(2) 요건

1) 저당권설정 당시에 지상에 건물이 없을 것

저당권설정 후에 저당토지상에 건물이 신축된 경우에 한해 본조가 적용된다. 저당권설정 당시에 건물이 이미 존재하는 경우에는 제366조의 법정지상권이 적용될 수 있다. 나아가 판례는 "저당권설정 당시에 건물의 존재가 예측되고 또한 당시 사회경제적 관점에서 그 가치의 유지를 도모할 정도로 건물의 축조가 진행되어 있는 경우에는 일괄경매청구에 관한 규정은 적용되지 아니한다"고 하였다(대판 1987.4.28, 86다카2856).

2) 저당권설정자가 축조하여 소유하고 있을 것

① 원칙적으로 토지소유자인 저당권설정자가 축조하여 그가 소유하고 있는 건물이어야 한다(대결 1994.1.24, 93마1736). 따라서 저당권설정자 이외의 제3자(해당 토지의 지상권자 등 용익권자)가 건물을 축조한 경우에는 일괄경매청구권이 인정되지 않는다.

② 또한 저당권설정자가 건물축조 후 이를 제3자에게 양도한 경우에도 일괄경매청구권은 성립하지 않는다(대결 1999.4.20, 99마146).

③ 다만, 저당권설정자가 원시취득한 건물에 한하지 않으므로, 저당권설정자로부터 저당토지에 대한 용익권을 설정받은 자가 그 토지에 건물을 축조한 경우라도 그 후 저당권설정자가 그 건물의 소유권을 취득한 경우에는 저당권자는 토지와 함께 그 건물에 대하여 경매를 청구할 수 있다(대판 2003.4.11, 2003다3850).

저당권설정자가 건물신축 후 제3자에게 양도한 경우 일괄경매청구권의 인정 여부 ★

민법 제365조가 토지를 목적으로 한 저당권을 설정한 후 그 저당권설정자가 그 토지에 건물을 축조한 때에는 저당권자가 토지와 건물을 일괄하여 경매를 청구할 수 있도록 규정한 취지는, 저당권은 담보물의 교환가치의 취득을 목적으로 할 뿐 담보물의 이용을 제한하지 아니하여 저당권설정자로서는 저당권설정 후에도 그 지상에 건물을 신축할 수 있는데, 후에 그 저당권의 실행으로 토지가 제3자에게 경락될 경우에 건물을 철거하여야 한다면 사회경제적으로 현저한 불이익이 생기게 되어 이를 방지할 필요가 있으므로 이러한 이해관계를 조절하고, 저당권자에게도 저당 토지 상의 건물의 존재로 인하여 생기게 되는 경매의 어려움을 해소하여 저당권의 실행을 쉽게 할 수 있도록 한 데에 있다고 풀이되며, 그러한 규정 취지에 비추어 보면 민법 제365조에 기한 일괄경매청구권은 저당권설정자가 건물을 축조하여 소유하고 있는 경우에 한한다고 봄이 상당하다(대결 1999.4.20, 99마146).

용익권자가 축조한 건물을 저당권설정자가 취득한 경우 일괄경매청구권의 인정 여부 ★★

저당지상의 건물에 대한 일괄경매청구권은 저당권설정자가 건물을 축조한 경우뿐만 아니라 저당권설정자로부터 저당토지에 대한 용익권을 설정받은 자가 그 토지에 건물을 축조한 경우라도 그 후 저당권설정자가 그 건물의 소유권을 취득한 경우에는 저당권자는 토지와 함께 그 건물에 대하여 경매를 청구할 수 있다(대판 2003.4.11, 2003다3850).

(3) 효과

1) 저당권자의 행사의 자유(일괄경매의 임의성)

① 저당권자의 일괄경매청구권은 권리이지 의무는 아니다. 즉, 일괄경매청구권의 행사 여부는 저당권자의 의사에 맡겨진 것으로 저당권자에게 일괄경매청구권이 인정된다고 하여도 그가 그 권리를 언제나 행사하여야 할 의무를 부담하지는 않는다.

② 토지만을 경매하여 그 대금으로부터 충분히 피담보채권의 변제를 받을 수 있다 하더라도, 토지 저당권자의 일괄경매청구권에는 그 취지상 과잉경매금지의 규정(민집법 제124조)은 적용되지 않는다(대결 1967.12.22, 67마1162).

2) 우선변제적 효력의 범위

① 일괄경매를 하는 경우에도 토지저당권의 우선변제적 효력은 건물에 관하여는 미치지 않으므로, 저당권자가 우선변제를 받는 범위는 토지의 경매대가에 한정된다(제365조 단서). 이 경우 건물에 대하여는 일반채권자로서 배당에 가입할 수 있을 뿐이다.

② 이와 관련하여 판례는 "법정지상권이 성립하지 않는 경우 토지와 신축건물에 대하여 민법 제365조에 의하여 일괄매각이 이루어졌다면 일괄매각대금 중 토지에 안분할 매각대금은 법정지상권 등 이용 제한이 없는 상태의 토지로 평가하여 산정하여야 한다."고 하였고, 민법 제365조 본문의 취지와 단서에 비추어 보면, "위와 같은 경우 토지의 저당권자가 건물의 매각대금에서 배당을 받으려면 민사집행법 제268조, 제88조의 규정에 의한 적법한 배당요구를 하였거나 그 밖에 달리 배당을 받을 수 있는 채권으로서 필요한 요건을 갖추고 있어야 한다."고 하였다.

민법 제365조의 일괄경매(대판 2012.3.15, 2011다54587) ★★★

[1] 동일인 소유 토지와 지상 건물에 공동저당권이 설정된 후 건물이 철거되고 새로 건물이 신축되었으나 신축건물에는 토지의 저당권과 동일한 순위의 공동저당권이 설정되지 않은 상태에서 토지와 신축건물이 민법 제365조에 의해 일괄매각된 경우, 토지에 안분할 매각대금은 법정지상권 등 이용 제한이 없는 상태의 토지를 기준으로 산정하여야 하는지 여부(적극)

동일인의 소유에 속하는 토지 및 지상 건물에 관하여 공동저당권이 설정된 후 건물이 철거되고 새로 건물이 신축된 경우에는, 신축건물의 소유자가 토지의 소유자와 동일하고 토지의 저당권자에게 신축건물에 관하여 토지의 저당권과 동일한 순위의 공동저당권을 설정해 주었다는 등 특별한 사정이 없는 한 저당물의 경매로 인하여 토지와 신축건물이 다른 소유자에 속하게 되더라도 신축건물을 위한 법정지상권이 성립하지 않으므로, 위와 같은 경우 토지와 신축건물에 대하여 민법 제365조에 의하여 일괄매각이 이루어졌다면 일괄매각대금 중 토지에 안분할 매각대금은 법정지상권 등 이용 제한이 없는 상태의 토지로 평가하여 산정하여야 한다. 그리고 집행법원이 위와 같은 일괄매각절차에서 각 부동산별 매각대금의 안분을 잘못하여 적법한 배당요구를 한 권리자가 정당한 배당액을 수령하지 못하게 되었다면 그러한 사유도 배당이의의 청구사유가 될 수 있다.

[2] 민법 제365조 본문에서 토지의 저당권자로 하여금 토지와 건물에 대해 일괄하여 경매를 청구할 수 있도록 한 취지 및 이 경우 토지의 저당권자가 건물의 매각대금에서 배당을 받기 위한 요건

민법 제365조 본문이 토지를 목적으로 한 저당권을 설정한 후 저당권설정자가 그 토지에 건물을 축조한 때에는 저당권자가 토지와 건물에 대하여 일괄하여 경매를 청구할 수 있도록 규정한 취지는, 저당권설정자로서는 저당권 설정 후에도 그 지상에 건물을 신축할 수 있는데 후에 저당권 실행으로 토지가 제3자에게 매각될 경우에 건물을 철거하여야 한다면 사회경제적으로 현저한 불이익이 생기게 되므로 이를 방지할 필요가 있고, 저당권자에게도 저당토지상 건물의 존재로 인하여 생기게 되는 경매의 어려움을 해소하여 저당권 실행을 쉽게 할 수 있도록 한 데 있으며, 같은 조 단서에 의하면 그때 저당권자에게는 건물의 매각대금에 대하여 우선변제를 받을 권리가 없도록 규정되어 있는 점에 비추어 보면, 위와 같은 경우 토지의 저당권자가 건물의 매각대금에서 배당을 받으려면 민사집행법 제268조, 제88조의 규정에 의한 적법한 배당요구를 하였거나 그 밖에 달리 배당을 받을 수 있는 채권으로서 필요한 요건을 갖추고 있어야 한다.

→ [사실관계 및 해설] : 甲 소유의 X토지와 그 지상의 Z건물에 공동저당권이 설정된 후 甲이 Z건물을 철거하고 새로 Y건물을 신축하였다. 甲의 채권자 丙이 X토지에 대한 저당권을 실행하면서 민법 제365조에 의한 일괄경매를 신청하여 乙이 경매절차에서 X토지와 Y건물을 일괄매각대금 6억원에 취득하였고, X토지와 Y건물을 일괄하여 평가한 전체 감정가액은 4억원이며, X토지의 감정가액은 나대지 상태에서 2억원, 지상권의 이용 제한이 있는 상태에서 1억원으로 평가된 경우, 丙에 대한 배당금의 액수가 문제되었다(단, 丙의 채권액은 3억 5,000만원이고, 배당에 참가한 다른 채권자는 없으며, 丙은 Y건물에 대하여 별도로 압류나 배당요구를 하지는 않았다). 이 경우 ① 일괄매각대금은 6억원이고, ② X토지에 안분할 매각대금은 법정지상권 등 이용 제한이 없는 상태의 토지로 평가하여 산정하여야 하므로, X토지와 Y건물을 일괄하여 평가한 전체 감정가액 4억원에서 나대지 상태에서의 X토지 감정가액이 2억원이라면 이를 제외한 나머지 2억원이 Y건물의 감정가액이 된다. 따라서 일괄매각대금 6억원 중 X토지에 대한 안분비율은 1/2 (X토지 : Y건물 = 1 : 1)로서 丙의 채권액 3억 5,000만원 중 3억원(6억원 × 1/2)을 우선하여 변제받게 되고, 나머지 5,000은 Y건물의 일반채권자로서 배당받을 수 있다. 그런데 丙은 Y건물에 대하여 별도로 압류나 배당요구를 하지 않았으므로, Y건물의 매각대금에서 배당받을 수 없다. 결국 丙은 일괄매각대금 6억원 중에서 3억원을 배당받게 된다.

4. 제3취득자의 지위

제363조 제2항【저당권자의 경매청구권, 경매인】
저당물의 소유권을 취득한 제3자도 경매인이 될 수 있다.
제364조【제3취득자의 변제】
저당부동산에 대하여 소유권, 지상권 또는 전세권을 취득한 제3자는 저당권자에게 그 부동산으로 담보된 채권을 변제하고 저당권의 소멸을 청구할 수 있다.
제367조【제3취득자의 비용상환청구권】
저당물의 제3취득자가 그 부동산의 보존, 개량을 위하여 필요비 또는 유익비를 지출한 때에는 제203조 제1항, 제2항의 규정에 의하여 저당물의 경매대가에서 우선상환을 받을 수 있다.

(1) 의의

저당부동산의 제3취득자란 저당권이 설정된 후에 저당목적물을 양도받은 양수인 또는 그 저당부동산 위에 지상권이나 전세권을 취득한 자를 말한다. 이러한 저당부동산의 제3취득자는 채무자의 채무불이행으로 저당권이 실행된 후에는 그 권리를 상실하게 된다.

(2) 민법상 저당부동산의 제3취득자 보호규정

이러한 제3취득자를 보호하기 위해 민법에서는, ① 제3취득자는 피담보채권의 소멸에 의해 직접 이익을 받는 자로서 소멸시효의 완성을 주장할 수 있고, ② 변제할 정당한 이익이 있는 자로서 변제로 당연히 채권자를 대위한다(제481조). 또한 ③ 저당권의 실행으로 그 권리를 상실한 때에는 매도인에 대해 담보책임을 물을 수 있다(제576조). 그 밖에 물권편에서는 다음과 같은 규정을 두고 있다.

1) 경매인이 될 수 있는 권리

저당물의 소유권을 취득한 제3자도 경매인(경락인)이 될 수 있다(제363조 제2항).

2) 제3취득자의 변제

가) 의의

저당부동산의 제3취득자는 저당권자에게 그 부동산으로 담보된 채권을 변제하고 저당권의 소멸을 청구할 수 있다(제364조). 즉, 이해관계 있는 제3자로서 채무자의 의사에 반해서도 저당부동산 위에 취득된 권리를 스스로 보전할 수 있도록 한 것으로서, 이를 위해 제3취득자에게 고유의 변제권을 인정한 취지이다.

제3취득자의 범위(한정설) ★

민법 제364조는 "저당부동산에 대하여 소유권, 지상권 또는 전세권을 취득한 제3자는 저당권자에게 그 부동산으로 담보된 채권을 변제하고 저당권의 소멸을 청구할 수 있다"고 규정하고 있다. 그러므로 근저당부동산에 대하여 민법 제364조의 규정에 의한 권리를 취득한 제3자는 피담보채무가 확정된 이후에 채권최고액의 범위 내에서 그 확정된 피담보채무를 변제하고 근저당권의 소멸을 청구할 수 있으나, 근저당부동산에 대하여 후순위근저당권을 취득한 자는 민법 제364조에서 정한 권리를 행사할 수 있는 제3취득자에 해당하지 아니하므로 이러한 후순위근저당권자가 선순위근저당권의 피담보채무가 확정된 이후에 그 확정된 피담보채무를 변제한 것은 민법 제469조의 규정에 의한 이해관계 있는 제3자의 변제로서 유효한 것인지 따져볼 수는 있을지언정 민법 제364조의 규정에 따라 선순위근저당권의 소멸을 청구할 수 있는 사유로는 삼을 수 없다(대판 2006.1.26, 2005다17341).

나) 변제의 범위

① 민법 제469조에 의해 채무의 변제는 제3자도 할 수 있는 것인데, 그럼에도 불구하고 저당부동산의 제3취득자에 대해서 민법은 제364조를 별도로 규정하고 있다. 이는 저당부동산의 제3취득자일 경우 그 변제의 범위와 관련하여 제360조가 정하는 범위의 금액만을 변제하면 된다는 데 그 의미가 있다. 따라서 지연배상에 대해서는 원본의 이행기일을 경과한 후의 1년분까지만을 변제하면 족하다(통설 · 판례).

② 후순위 저당권자는 본조 소정의 제3취득자에 해당하지 않으므로, 선순위 근저당권의 피담보채무가 채권최고액을 초과하는 경우, 제364조에 따라 채권최고액까지만 변제하고 선순위 근저당권의 말소를 구할 수는 없고, 제469조에 따른 이해관계 있는 제3자로서 피담보채무 전액을 변제하여야만 말소를 구할 수 있다(대판 2006.1.26, 2005다17341).

다) 변제의 시기

① 제3취득자가 변제기 전에도 변제할 수 있는지에 관해 견해가 대립하나, 이를 긍정하는 것은 저당권의 투자수단으로서의 작용을 해치는 결과를 가져오며 저당권의 추급력을 부정하는 것이 되므로 통설・판례는 부정한다.

② 즉 근저당부동산의 제3취득자는 민법 제364조에 의하여 결산기에 이르러 확정되는 피담보채무를 변제(확정된 피담보채무를 채권최고액의 범위 내에서 변제)하고 근저당권설정등기의 말소를 구할 수는 있으나, 근저당권설정계약종료 전에 이를 해지하고 그 당시까지의 채무액만을 변제하는 조건으로 그 말소를 구할 수는 없다(대판 1979.8.21, 79다783).

라) 변제의 효과

① 피담보채권의 변제에 의해 말소등기 없이도 부종성으로 인해 저당권은 당연히 소멸하므로, 민법 제364조가 '저당권의 소멸을 청구할 수 있다'고 규정한 것은 무의미하다(통설). 또한 변제를 하면 저당부동산의 제3취득자는 당연히 채권자를 대위하고(제481조), 채무자에 대하여 구상권을 가진다.

② 판례도 저당부동산의 제3취득자가 채무를 변제하거나 저당권의 실행으로 저당물의 소유권을 잃은 때에는 물상보증인의 구상권에 관한 민법 제370조・제341조의 규정을 유추적용하여 보증채무에 관한 규정에 의하여 채무자에 대한 구상권이 있다고 판시하였다(대판 1997.7.25, 97다8403).

마) 관련문제 – 피담보채무의 인수

① 제3취득자가 매매계약을 체결할 때 피담보채무를 인수한 경우에는, 그 때부터 그는 채권자에 대한 관계에서 채무자의 지위로 변경되므로 제364조의 규정은 적용되지 않는다. 다만 이 경우 채무인수의 요건을 구비하여야 한다(제453조, 제454조 참조).

② 따라서 제3취득자와 채무자와의 계약으로 채무를 인수한 때에는 채권자의 승낙이 있어야 하고(제454조), 만약 그러한 승낙이 없이 단지 매도인이 매매대금에서 피담보채무를 공제한 잔액만을 현실로 수수하였다는 사정만으로는 채무인수가 있었다고 할 수 없다(판례는 이 경우 특별한 사정이 없는 한 이행인수로 본다). 따라서 이러한 경우라면 매수인은 제3취득자로서 채무를 변제하고 저당권을 소멸시킬 수 있다.

저당부동산의 제3취득자가 피담보채무를 인수한 경우 민법 제364조를 적용할 수 있는지 여부(소극) 및 저당권설정자와 제3취득자가 매매계약을 체결하면서 매매대금에서 피담보채무를 공제한 잔액을 수수한 경우 제3취득자가 피담보채무를 인수한 것으로 보아 민법 제364조 소정의 저당권소멸청구권을 상실하는지 여부(소극) ★

저당부동산의 제3취득자가 피담보채무를 인수한 경우에는 그 때부터는 제3취득자는 채권자에 대한 관계에서 채무자의 지위로 변경되므로 민법 제364조의 규정은 적용될 여지가 없을 것이다. 다만, 민법 제364조를 둔 취지가, 저당권설정자가 제3취득자로부터 매매목적물의 대가 전액을 받고서도 저당권자에 대한 피담보채무를 변제하지 않는 경우에 저당권의 실행으로 말미암아 제3취득자의 권리가 상실될 위험이 있으므로, 제3취득자로 하여금 대가 전액을 저당권설정자에 대하여 지급하고 다시 저당권설정자가 그 피담보채무를 변제하게 할 것이 아니라 저당권자에게 직접 담보된 채권을 변제하도록 하게 함으로써 제3취득자의 보호를 도모하고자 한 것이라는 점을 감안해 볼 때, 저당부동산에 관한 매매계약을 체결하는 당사자 사이에 매매대금에서 피담보채무 또는 채권최고액을 공제한 잔액만을 현실로 수수하였다는 사정만을 가지고 언제나 매수인이 매도인의 저당채권자에 대한 피담보채무를 인수한 것으로 보아 제3취득자는 채권자에 대한 관계에서 제3취득자가 아니라 채무자와 동일한 지위에 놓이게 됨으로써 저당부동산의 제3취득자가 원래 행사할 수 있었던 저당권소멸청구권을 상실한다고 볼 수는 없고, 오히려 이러한 매매대금 지급방법상의 약정은 다른 특별한 사정이 없는 한 매매당사자 사이에서는 매수인이 피담보채무 또는 채권최고액에 해당하는 매매대금 부분을 매도인에게 지급하는 것이 아니라 채권자에게 직접 지급하기로 하여 그 매매목적 부동산에 관한 저당권의 말소를 보다 확실하게 보장하겠다고 하는 취지로 그런 약정을 하게 된 것이라고 볼 것이다(대판 2002.5.24, 2002다7176).

3) 제3취득자의 비용상환청구권

제3취득자가 그 부동산의 보존·개량을 위하여 필요비 또는 유익비를 지출한 경우 점유자의 비용상환청구권의 규정(제203조)에 의하여 저당물의 경매대가로부터 우선 상환을 받을 수 있고 유치권을 행사할 수 있다(통설·판례). 여기서, ① 지상권자나 전세권자는 필요비상환청구권은 인정되지 않고 유익비상환청구권만 인정되는데, 저당물에 대해 지상권이나 전세권을 취득한 제3취득자인 경우에는 필요비도 상환받을 수 있게 된다는 점을 유의해야 한다. 또한 ② 비용상환청구권자에는 지상권이나 전세권을 취득한 자 외에 저당부동산의 소유권을 취득한 자도 포함된다. ③ 본조는 제203조 제3항의 규정은 준용하고 있지 않으므로, 경매법원은 유익비의 상환에 관해 상당기간을 유예할 수 없다.

저당물에 관한 소유권을 취득한 자도 제367조 규정의 제3취득자에 해당하는지 여부(적극) ★

민법 제367조가 저당물의 제3취득자가 그 부동산에 관한 필요비 또는 유익비를 지출한 때에는 저당물의 경매대가에서 우선상환을 받을 수 있다고 규정한 취지는 저당권설정자가 아닌 제3취득자가 저당물에 관한 필요비 또는 유익비를 지출하여 저당물의 가치가 유지·증가된 경우, 매각대금 중 그로 인한 부분은 일종의 공익비용과 같이 보아 제3취득자가 경매대가에서 우선상환을 받을 수 있도록 한 것이므로 저당물에 관한 지상권, 전세권을 취득한 자만이 아니고 소유권을 취득한 자도 민법 제367조 소정의 제3취득자에 해당한다(대판 2004.10.15, 2004다36604).

저당부동산의 소유권을 취득한 자가 민법 제367조의 제3취득자에 해당하는지 여부(적극) / 제3취득자가 민법 제367조를 근거로 직접 저당권설정자, 저당권자 또는 경매절차 매수인 등에 대하여 비용상환을 청구할 수 있는지 여부(소극) 및 이를 피담보채권으로 주장하면서 유치권을 행사할 수 있는지 여부(소극)

★★★

① 민법 제367조는 저당물의 제3취득자가 그 부동산의 보존, 개량을 위하여 필요비 또는 유익비를 지출한 때에는 제203조 제1항, 제2항의 규정에 의하여 저당물의 경매대가에서 우선상환을 받을 수 있다고 규정하고 있다. 이는 저당권이 설정되어 있는 부동산의 제3취득자가 저당부동산에 관하여 지출한 필요비, 유익비는 부동산 가치의 유지 · 증가를 위하여 지출된 일종의 공익비용이므로 저당부동산의 환가대금에서 부담하여야 할 성질의 비용이고 더욱이 제3취득자는 경매의 결과 그 권리를 상실하게 되므로 특별히 경매로 인한 매각대금에서 우선적으로 상환을 받도록 한 것이다. 저당부동산의 소유권을 취득한 자도 민법 제367조의 제3취득자에 해당한다. 제3취득자가 민법 제367조에 의하여 우선상환을 받으려면 저당부동산의 경매절차에서 배당요구의 종기까지 배당요구를 하여야 한다(민사집행법 제268조, 제88조). ② 위와 같이 민법 제367조에 의한 우선상환은 제3취득자가 경매절차에서 배당받는 방법으로 민법 제203조 제1항, 제2항에서 규정한 비용에 관하여 경매절차의 매각대금에서 우선 변제받을 수 있다는 것이지 이를 근거로 제3취득자가 직접 저당권설정자, 저당권자 또는 경매절차 매수인 등에 대하여 비용상환을 청구할 수 있는 권리가 인정될 수 없다. 따라서 제3취득자는 민법 제367조에 의한 비용상환청구권을 피담보채권으로 주장하면서 유치권을 행사할 수 없다(대판 2023.7.13, 2022다265093).

→ [사실관계 및 해설] : 피고 乙은 근저당권이 설정되어 있었던 토지를 매수하여 소유권이전등기를 마치고 이를 점유하고 있는데, 위 근저당권이 실행되는 경매절차에서 토지를 매수한 원고 甲이 피고 乙을 상대로 토지 인도를 구하였고, ① 이에 원심은 피고 乙은 민법 제367조에 따른 비용상환청구권을 가지고 이를 피담보채권으로 하여 경매절차 매수인인 원고 甲에게 대항 가능한 유치권을 행사할 수 있다고 판단하였다. ② 그러나 대법원은 피고 乙이 근저당권이 설정된 토지 소유권을 취득한 자로서 토지 개량을 위하여 유익비를 지출하였다면 민법 제367조에 의하여 근저당권이 실행되는 경매절차의 매각대금에서 우선변제받는 것은 별론으로 하고, 민법 제367조에 따라 곧바로 피고 乙이 경매절차 매수인인 원고 甲에 대하여 비용상환청구권을 가진다거나 이를 피담보채권으로 하여 유치권을 갖는다고 볼 수 없다고 본 사례이다.

(3) 제3취득자와 물상보증인의 비교

1) 공통점

이해관계 있는 제3자이므로 채무자의 의사에 반해서도 채무를 변제할 수 있고, 변제하면 채무자에게 구상권을 취득한다.

2) 차이점

① 변제자대위에 있어서 물상보증인은 다른 물상보증인이나 보증인 또는 제3취득자에게 대위할 수 있으나, 제3취득자는 다른 물상보증인이나 보증인에게 대위할 수 없다.

② 비용상환청구권은 제3취득자에게는 인정되나, 물상보증인에게는 인정되지 않는다.

3) 물상보증인이 제공한 저당물을 취득한 제3자의 구상권 인정 여부

① 제3취득자가 피담보채무의 이행을 인수한 경우, 그 이행인수는 매매당사자 사이의 내부적인 계약에 불과하여 이로써 물상보증인의 책임이 소멸하지 않는 것이므로 저당권이 실행된 경우

제3취득자가 아닌 원래의 물상보증인이 채무자에 대한 구상권을 취득한다(대판 1997.5.30, 97다1556).

② 피담보채무에 대한 인수약정이 없는 경우, 제3취득자는 물상보증인과 유사한 지위에 있다고 할 것이므로, 저당권의 실행으로 소유권을 잃은 때에는 물상보증인의 구상권에 관한 제370조, 제341조의 규정을 유추적용하여 보증채무에 관한 규정에 의하여 채무자에 대한 구상권이 있다(대판 1997.7.25, 97다8403).

Ⅳ. 저당권의 침해와 구제

1. 저당권의 침해

1) 저당권자의 담보를 위태롭게 하는 일체의 행위(대체로 교환가치의 감소)는 저당권을 침해하는 것이 된다. 구체적으로 ① 저당목적물을 멸실 또는 훼손하거나 이를 부당히 방치하는 것, ② 부당관리에 의하여 저당목적물이 붕괴되는 것, ③ 저당산림을 부당히 벌채하는 것, ④ 저당목적물로부터 종물을 부당히 분리하는 것, ⑤ 원인무효의 선순위등기를 경료하는 것, ⑥ 위법한 강제집행을 수락하는 것 등이 저당권을 침해하는 행위에 해당한다. 또한 ⑦ 저당부동산에 대한 점유가 저당부동산의 본래의 용법에 따른 사용·수익의 범위를 초과하여 그 교환가치를 감소시키는 경우 저당권의 침해가 인정될 수 있다(대판 2005.4.29, 2005다3243).

저당부동산에 대한 점유가 저당권을 침해하는 경우

저당권은 경매절차에 의하여 실현되는 저당부동산의 교환가치로부터 다른 채권자에 우선하여 피담보채권의 변제를 받는 것을 내용으로 하는 물권으로서 부동산의 점유를 저당권자에게 이전하지 않은 상태에서 설정되므로 저당권자는 원칙적으로 저당부동산의 소유자가 행하는 저당부동산의 사용 또는 수익에 관하여 간섭할 수 없다고 할 것이나, 저당부동산에 대한 소유자 또는 제3자의 점유가 저당부동산의 본래의 용법에 따른 사용·수익의 범위를 초과하여 그 교환가치를 감소시키거나, 점유자에게 저당권의 실현을 방해하기 위하여 점유를 개시하였다는 점이 인정되는 등, 그 점유로 인하여 정상적인 점유가 있는 경우의 경락가격과 비교하여 그 가격이 하락하거나 경매절차가 진행되지 않는 등 저당권의 실현이 곤란하게 될 사정이 있는 경우에는 저당권의 침해가 인정될 수 있다(대판 2008.1.17, 2006다586).

→ [사실관계 및 해설] : 물상보증인이 저당권의 목적인 토지 위에 포장도로 개설공사·옹벽축조 공사를 시행하여 일반 공중이 사용하는 도로로 제공함으로써 그 교환가치를 감소시킨 경우, 공사시공자와 함께 저당권자에 대한 공동불법행위책임을 부담한다고 한 사례이다. 즉 위와 같은 행위는 사회통념에 비추어 토지의 본래의 용법에 따른 정상적인 사용·수익행위라고 볼 수는 없으므로, 피고들의 위와 같은 행위는 이 사건 토지의 훼손으로 그 교환가치를 감소시켜 원고의 저당권을 침해하는 위법한 행위로서 원고에 대한 관계에서 공동불법행위를 구성한다고 할 것이다.

2) 저당토지에 건물을 신축하는 것이 저당권의 침해에 해당하는지가 문제되는데, 판례는 일정한 경우 이를 긍정한다. 즉 "대지의 소유자가 나대지 상태에서 저당권을 설정한 다음 대지상에 건물을 신축하기 시작하였으나, 피담보채무를 변제하지 못함으로써 저당권이 실행에 이르렀

거나 실행이 예상되는 상황인데도 소유자 또는 제3자가 신축공사를 계속한다면, 신축건물을 위한 법정지상권이 성립하지 않는다고 할지라도 경매절차에 의한 매수인으로서는 신축건물의 소유자로 하여금 이를 철거하게 하고 대지를 인도받기까지 별도의 비용과 시간을 들여야 하므로, 저당목적 대지상에 건물신축공사가 진행되고 있다면, 이는 경매절차에서 매수희망자를 감소시키거나 매각가격을 저감시켜 결국 저당권자가 지배하는 교환가치의 실현을 방해하거나 방해할 염려가 있는 사정에 해당한다. 이 경우 저당권자는 저당권의 침해를 이유로 저당권에 기한 방해배제청구권을 행사하여 방해행위의 제거, 즉 건축공사의 중지를 청구할 수 있다."고 하였다(대판 2006.1.27, 2003다58454).

2. 저당권침해에 대한 구제방법

(1) 물권적 청구권

1) 설정자나 제3자의 저당목적물에 대한 침해가 있는 때에는 저당권 자체에 의거하여 침해행위에 대한 방해제거 및 방해예방을 청구할 수 있다(제370조, 제214조). 다만, 저당권자는 목적물을 점유하지 않기 때문에 반환청구권은 부정된다. 그리고 저당권의 침해가 있는 한, 비록 목적부동산의 교환가치가 피담보채권을 만족시킬 수 있다 하더라도 위의 청구권은 여전히 발생한다(통설)는 점이 손해배상청구와 다르다.

2) 판례는 ① 공장저당권의 목적 동산이 저당권자의 동의를 얻지 아니하고 설치된 공장으로부터 반출된 경우에는 저당권자는 점유권이 없기 때문에 설정자로부터 일탈한 저당목적물을 저당권자 자신에게 반환할 것을 청구할 수는 없지만, 저당목적물이 제3자에게 선의취득되지 아니하는 한 원래의 설치장소에 원상회복할 것을 청구함은 저당권의 성질에 반하지 아니함은 물론 저당권자가 가지는 방해배제청구권의 당연한 행사에 해당한다고 하였다(대판 1996.3.22, 95다55184). 또한 ② 저당권자의 우선변제청구권의 행사가 방해되는 결과가 발생할 경우, 저당권자는 저당권에 기한 방해배제청구권을 행사하여 방해행위의 제거를 청구할 수 있다고 한다(대판 2006.1.27, 2003다58454; 대판 2007.10.25, 2007다47896).

저당권자가 저당권에 기한 방해배제청구권을 행사하여 방해행위의 제거를 청구할 수 있는 경우
저당권자는 저당권 설정 이후 환가에 이르기까지 저당물의 교환가치에 대한 지배권능을 보유하고 있으므로 저당목적물의 소유자 또는 제3자가 저당목적물을 물리적으로 멸실·훼손하는 경우는 물론 그 밖의 행위로 저당부동산의 교환가치가 하락할 우려가 있는 등 저당권자의 우선변제청구권의 행사가 방해되는 결과가 발생한다면 저당권자는 저당권에 기한 방해배제청구권을 행사하여 방해행위의 제거를 청구할 수 있다(대판 2006.1.27, 2003다58454).

(2) 손해배상청구권

1) 요건

불법행위의 일반요건, 특히 상대방의 귀책사유가 있어야 하고, 아울러 목적물의 침해로 인하여 저당권자가 채권의 완전한 만족을 얻을 수 없어야 한다. 따라서 저당물의 가액이 감소되더라도 채권의 만족을 얻을 수 있는 경우에는 손해배상청구권이 발생하지 않는다.

2) 효과

침해행위를 한 설정자나 제3자 모두에게 행사할 수 있으며, 그 행사시기는 침해행위가 있는 때이다. 즉, 피담보채무의 변제기 도래 여부를 묻지 않으므로, 경매시를 기다릴 필요 없이 저당권 실행 전이라도 배상청구를 할 수 있다(통설).

3) 다른 권리와의 관계

손해배상청구권은 ① 담보물보충청구권과는 선택적으로 행사할 수 있지만, ② 즉시변제청구권과는 함께 행사할 수 있다.

(3) 담보물보충청구권

> **제362조【저당물의 보충】**
> 저당권설정자의 책임 있는 사유로 인하여 저당물의 가액이 현저히 감소된 때에는 저당권자는 저당권설정자에 대하여 그 원상회복 또는 상당한 담보제공을 청구할 수 있다.

① 저당권설정자(채무자 또는 물상보증인)의 책임 있는 사유로 저당물의 가격이 현저히 감소된 때, 저당권설정자에 대해 원상회복 또는 상당한 담보제공을 청구할 수 있다(제362조). 보충해야 할 자는 채무자가 아니라 저당권설정자이므로 물상보증인의 귀책사유로 저당물의 가액이 현저히 감소된 때에도 저당권자는 담보물보충청구권을 행사할 수 있다.

② 이 청구권을 행사하는 경우에는 손해배상청구나 기한의 이익상실에 의한 즉시변제청구는 할 수 없다.

(4) 즉시변제청구권

① 채무자(물상보증인 제외)의 귀책사유로 담보물이 손상·감소·멸실된 경우에는 채무자의 기한이익은 상실되므로, 저당권자는 곧 변제를 청구할 수 있고 저당권을 실행할 수 있다(제388조 제1호 참조).

② 그러나 즉시변제청구권은 담보물보충청구권과 동시에 행사될 수 없다.

제4관 저당권의 처분 및 소멸

Ⅰ. 저당권의 처분

> 第361条【저당권의 처분제한】
> 저당권은 그 담보한 채권과 분리하여 타인에게 양도하거나 다른 채권의 담보로 하지 못한다.

저당권은 피담보채권과 분리하여 양도하거나 다른 채권의 담보로 할 수 없다(제361조). 즉 저당권과 피담보채권은 일체로만 처분할 수 있고, 저당권만의 양도・입질은 무효이다.

1. 저당권부채권의 양도

(1) 효력요건

① 저당권에 의해 담보되는 채권과 그 저당권을 함께 양도하는 경우로서, 물권적 합의와 양수인 앞으로의 저당권이전의 부기등기(제186조) 및 채권양도의 합의가 있어야 한다.

② 이때 물권적 합의는 저당권의 양도・양수받는 당사자 사이에 있으면 족하고 그 외에 그 채무자나 물상보증인 사이에까지 있어야 하는 것은 아니다(대판 1994.9.27, 94다23975).

> **저당권의 양도에 있어서 물권적 합의를 요하는 당사자의 범위 ★**
> 저당권은 피담보채권과 분리하여 양도하지 못하는 것이어서 저당권부 채권의 양도는 언제나 저당권의 양도와 채권양도가 결합되어 행해지므로 저당권부 채권의 양도는 민법 제186조의 부동산물권변동에 관한 규정과 민법 제449조 내지 제452조의 채권양도에 관한 규정에 의해 규율되므로 저당권의 양도에 있어서도 물권변동의 일반원칙에 따라 저당권을 이전할 것을 목적으로 하는 물권적 합의와 등기가 있어야 저당권이 이전된다고 할 것이나, 이 때의 물권적 합의는 저당권의 양도・양수받는 당사자 사이에 있으면 족하고 그 외에 그 채무자나 물상보증인 사이에까지 있어야 하는 것은 아니라 할 것이고, 단지 채무자에게 채권양도의 통지나 이에 대한 채무자의 승낙이 있으면 채권양도를 가지고 채무자에게 대항할 수 있게 되는 것이다(대판 2005.6.10, 2002다15412・15429).

③ 피담보채권의 처분이 있음에도 불구하고, 담보권의 처분이 따르지 않는 특별한 사정이 있는 경우에는 채권양수인은 담보권이 없는 무담보의 채권을 양수한 것이 되고 채권의 처분에 따르지 않은 담보권은 소멸한다(대판 2004.4.28, 2003다61542).

(2) 대항요건

채권의 양도에 관해서는 그 대항요건을 갖추어야 한다. 여기서 저당권이전의 부기등기는 하였으나 채권양도의 대항요건을 갖추지 못한 경우 그 효력이 문제되는데, 판례는 피담보채권을 저당권과 함께 양수한 자는 저당권이전의 부기등기를 마치고 저당권실행의 요건을 갖추고 있는 한 채권양도의 대항요건을 갖추고 있지 아니하더라도 경매신청을 할 수 있다고 본다(대판 2005.6.23, 2004다29279).

(3) 피담보채무의 소멸과 말소등기청구

채권양도와 함께 근저당권이 이전된 후 피담보채무가 소멸되었거나 또는 애초에 근저당권설정등기가 원인무효임이 밝혀진 경우, 근저당권설정자는 ① 주등기인 '근저당권설정등기'의 말소만 구하면 되고 그 부기등기는 별도로 말소를 구하지 않더라도 주등기의 말소에 따라 등기관의 직권으로 말소된다(대판 2000.10.10, 2000다19526 – 부기등기의 말소를 구하는 경우에는 소의 이익의 흠을 이유로 각하). 또한 ② 이 경우 말소등기청구의 상대방은 '근저당권의 양수인'이고 양도인은 피고적격이 없다(대판 2003.4.11, 2003다5016).

2. 저당권부채권의 입질

권리질권에 관한 규정(제349조)이 적용되고, 저당권등기에 권리질권의 부기등기를 해야 그 효력이 저당권에도 미치게 된다(제348조 적용).

무담보 채권에 질권을 설정한 후 그 채권담보를 위해 저당권이 설정된 경우의 법률관계(대판 2020.4.29, 2016다235411) ★★

[1] 무담보 채권에 질권을 설정한 다음 그 채권을 담보하기 위해 저당권이 설정된 경우 그 저당권이 당연히 질권의 목적이 되는지 여부(한정 적극)

민법 제361조는 '저당권은 그 담보한 채권과 분리하여 타인에게 양도하거나 다른 채권의 담보로 하지 못한다.'고 정하고 있을 뿐 피담보채권을 저당권과 분리해서 양도하거나 다른 채권의 담보로 하지 못한다고 정하고 있지 않다. 채권담보라고 하는 저당권 제도의 목적에 비추어 특별한 사정이 없는 한 피담보채권의 처분에는 저당권의 처분도 당연히 포함된다고 볼 것이지만, 피담보채권의 처분이 있으면 언제나 저당권도 함께 처분된다고는 할 수 없다. 따라서 저당권으로 담보된 채권에 질권을 설정한 경우 원칙적으로는 저당권이 피담보채권과 함께 질권의 목적이 된다고 보는 것이 합리적이지만, 질권자와 질권설정자가 피담보채권만을 질권의 목적으로 하고 저당권은 질권의 목적으로 하지 않는 것도 가능하고 이는 저당권의 부종성에 반하지 않는다. 이는 저당권과 분리해서 피담보채권만을 양도한 경우 양도인이 채권을 상실하여 양도인 앞으로 된 저당권이 소멸하게 되는 것과 구별된다. 이와 마찬가지로 담보가 없는 채권에 질권을 설정한 다음 그 채권을 담보하기 위하여 저당권이 설정된 경우 원칙적으로는 저당권도 질권의 목적이 되지만, 질권자와 질권설정자가 피담보채권만을 질권의 목적으로 하였고 그 후 질권설정자가 질권자에게 제공하려는 의사 없이 저당권을 설정받는 등 특별한 사정이 있는 경우에는 저당권은 질권의 목적이 되지 않는다. 이때 저당권은 저당권자인 질권설정자를 위해 존재하며, 질권자의 채권이 변제되거나 질권설정계약이 해지되는 등의 사유로 질권이 소멸한 경우 저당권자는 자신의 채권을 변제받기 위해서 저당권을 실행할 수 있다.

[2] 질권의 효력이 저당권에 미치기 위하여 질권의 부기등기가 요구되는지 여부(적극)

한편 민법 제348조는 저당권으로 담보한 채권을 질권의 목적으로 한 때에는 그 저당권설정등기에 질권의 부기등기를 하여야 그 효력이 저당권에 미친다고 정한다. 저당권에 의하여 담보된 채권에 질권을 설정하였을 때 저당권의 부종성으로 인하여 등기 없이 성립하는 권리질권이 당연히 저당권에도 효력이 미친다고 한다면, 공시의 원칙에 어긋나고 그 저당권에 의하여 담보된 채권을 양수하거나 압류한 사람, 저당부동산을 취득한 제3자 등에게 예측할 수 없는 질권의 부담을 줄 수 있어 거래의 안전을 해할 수 있다. 이에 따라 민법 제348조는 저당권설정등기에 질권의 부기등기를 한 때에만 질권의 효력이 저당권에 미치도록 한 것이다. 이는 민법 제186조에서 정하는 물권변동에 해당한다. 이러한 민법 제348조의 입법취지에 비추어 보면, '담보가 없는 채권에 질권을 설정한 다음 그 채권을 담보하기 위해서 저당권을 설정한 경우'에도 '저당권으로 담보한 채권에 질권을 설정한 경우'와 달리 볼 이유가 없다. 또한 앞서 본 바와 같이 담보가 없는 채권에 질권을 설정한 다음 그 채권을 담보하기 위해 저당권을 설정한 경우에, 당사자 간 약정 등 특별한 사정이 있는 때에는 저당권이 질권의 목적이 되지 않을 수 있으므로, 질권의 효력이 저당권에 미치기 위해서는 질권의 부기등기를 하도록 함으로써 이를 공시할 필요가 있다. 따라서 담보가 없는 채권에 질권을 설정한 다음 그 채권을 담보하기 위해 저당권이 설정되었더라도, 민법 제348조가 유추적용되어 저당권설정등기에 질권의 부기등기를 하지 않으면 질권의 효력이 저당권에 미친다고 볼 수 없다.

→ [사실관계 및 해설] : 임대차보증금 반환채권에 관해 원고 A(질권자) 앞으로 질권이 설정된 후 임차인 乙(질권설정자)과 임대인 甲이 위 임대차보증금 반환채권을 담보하기 위해 임대차목적물에 근저당권을 설정하였다. 피고 B는 임대인 甲으로부터 재산분할을 원인으로 임대차목적물의 소유권을 이전받았고 그 후 임차인 乙과 합의하여 위 근저당권을 말소하였다. 원고 A는 피고 B가 질권자인 원고 A의 동의 없이 근저당권을 말소하였음을 이유로 질권에 기한 방해배제청구로서 근저당권등기의 말소 회복을 청구하였는데, 이에 대법원은 질권자 A(원고)와 질권설정자 乙(임차인)이 임대차보증금 반환채권만을 질권의 목적으로 하고 질권설정자가 질권자에게 제공하려는 의사 없이 근저당권을 설정받는 등 저당권이 질권의 목적이 되지 않는 특별한 사정이 있는 경우에 해당한다고 볼 여지가 있고, 원고 A가 근저당권설정등기에 관하여 질권의 부기등기를 마치지 않았으므로 이점에서도 원고 A의 질권의 효력이 이 사건 근저당권에 미친다고 할 수 없다고 판단하여, 원고의 청구를 부정한 사례이다.

Ⅱ. 저당권의 소멸

1. 일반적 소멸사유

① 저당권의 포기, 저당부동산의 멸실·공용징수 등으로 저당권은 소멸된다. 다만 저당부동산의 멸실·공용징수의 경우라면 저당권자는 물상대위권을 행사할 수 있다.

② 저당권의 목적이 된 지상권이나 전세권의 소멸로 저당권은 소멸한다. 다만 이 경우 지상권이나 전세권의 소멸에 대한 저당권자의 동의가 있어야 한다(제371조 제2항).

③ 저당권실행이나 저당부동산의 제3취득자가 변제함으로써 저당권은 소멸한다. 피담보채권이 소멸되었음에도 불구하고 저당권 말소등기가 경료되기 전에 그 저당권부채권을 가압류하고 압류 및 전부 명령을 받아 저당권 이전의 부기등기를 경료한 자라 할지라도, 그 가압류 이전에 그 저당권의 피담보채권이 소멸된 이상, 그 근저당권을 취득할 수 없고, 실체관계에 부합하지 않는 그 근저당권 설정등기를 말소할 의무를 부담한다(대판 2002.9.24, 2002다27910).

2. 피담보채권의 시효소멸

> 제369조【부종성】
> 저당권으로 담보한 채권이 시효의 완성 기타 사유로 인하여 소멸한 때에는 저당권도 소멸한다.

부종성으로 인해 피담보채권이 소멸시효로 인하여 소멸하면 저당권도 소멸하지만(제369조), 저당권만 단독으로 소멸시효에 걸리지는 않는다(통설). 또한 제3자가 취득시효로 인해 저당목적물의 소유권을 취득하면, 이는 원시취득이므로 저당권은 소멸한다는 것이 통설이다.

판례 연구 관련판례 정리

1. 저당부동산 양도 후 종전 소유자인 저당권설정자의 등기말소청구권행사 가부 ★

근저당권이 설정된 후에 그 부동산의 소유권이 제3자에게 이전된 경우에는 현재의 소유자가 자신의 소유권에 기하여 피담보채권의 소멸을 원인으로 그 근저당권설정등기의 말소를 청구할 수 있음은 물론이지만, 소유권양도 전의 소유자도 근저당권설정계약의 당사자로서 근저당권소멸에 따른 원상회복으로 근저당권자에게 근저당권설정등기의 말소를 구할 수 있는 계약상 권리가 있으므로 이러한 계약상 권리에 터잡아 근저당권자에게 피담보채무의 소멸을 이유로 하여 그 근저당권설정등기의 말소를 청구할 수 있다고 봄이 상당하고, 목적물의 소유권을 상실하였다는 이유만으로 그러한 권리를 행사할 수 없다고 볼 것은 아니다(대판(전) 1994.1.25, 93다16338).

2. 임의경매와 공신의 원칙

① 경매개시결정 이전에 저당권이 소멸되었다면 소멸된 저당권을 바탕으로 하는 일련의 절차는 무효라 할 것이다(대판 1976.2.10, 75다994). 다만, ② 경매진행 중 유효이었던 저당권이 피담보채권의 소멸 기타 사유로 무효가 되었다 하여도 경락인이 이를 모르고 대금을 완납하여 소유권을 취득하였다면 경락인의 부동산소유권 취득은 담보권의 소멸에 의하여 방해받지 아니하므로 경락인은 소유권을 취득할 수 있다(민사집행법 제267조).

3. 피담보채권이 소멸되어 무효인 근저당권에 기초하여 개시된 부동산 임의경매절차의 효력 및 매수인의 부당이득반환청구의 가부 ★★

임의경매의 정당성은 실체적으로 유효한 담보권의 존재에 근거하므로, 담보권에 실체적 하자가 있다면 그에 기초한 경매는 원칙적으로 무효이다. 특히 채권자가 경매를 신청할 당시 실행하고자 하는 담보권이 이미 소멸하였다면, 그 경매개시결정은 아무런 처분권한이 없는 자가 국가에 처분권을 부여한 데에 따라 이루어진 것으로서 위법하다. 그러므로 피담보채권이 소멸되어 무효인 근저당권에 기초하여 임의경매절차가 개시되고 매수인이 해당 부동산의 매각대금을 지급하였더라도, 그 경매절차는 무효이므로 매수인은 부동산의 소유권을 취득할 수 없다(대판 2022.8.25, 2018다205209). 이와 같이 경매가 무효인 경우 매수인은 경매채권자 등 배당금을 수령한 자를 상대로 그가 배당받은 금액에 대하여 부당이득반환을 청구할 수 있다(대판 2023.7.27, 2023다228107).

제5관 특수한 형태의 저당권

Ⅰ. 공동저당

제368조【공동저당과 대가의 배당, 차순위자의 대위】
① 동일한 채권의 담보로 수개의 부동산에 저당권을 설정한 경우에 그 부동산의 경매대가를 동시에 배당하는 때에는 각 부동산의 경매대가에 비례하여 그 채권의 분담을 정한다.
② 전항의 저당부동산중 일부의 경매대가를 먼저 배당하는 경우에는 그 대가에서 그 채권전부의 변제를 받을 수 있다. 이 경우에 그 경매한 부동산의 차순위저당권자는 선순위저당권자가 전항의 규정에 의하여 다른 부동산의 경매대가에서 변제를 받을 수 있는 금액의 한도에서 선순위자를 대위하여 저당권을 행사할 수 있다.
제481조【변제자의 법정대위】
변제할 정당한 이익이 있는 자는 변제로 당연히 채권자를 대위한다.
제342조【물상대위】
질권은 질물의 멸실, 훼손 또는 공용징수로 인하여 질권설정자가 받을 금전 기타 물건에 대하여도 이를 행사할 수 있다. 이 경우에는 그 지급 또는 인도 전에 압류하여야 한다.

1. 의의 및 취지

1) 동일한 채권의 담보로서 수 개의 부동산 위에 설정된 저당권을 말한다(제368조). 이는 수 개의 부동산 위에 1개의 저당권이 있는 것이 아니라, 수 개의 각 부동산별로 저당권이 성립하는 것이다(다만, 공통으로 하는 피담보채권이 있으며, 이 경우에도 피담보채권이 하나여야 하는 것은 아니다).
2) 공동저당은 채권자로서는 채권의 실현을 확보할 수 있고, 채무자로서는 신용을 보다 용이하게 확보할 수 있는 장점이 있으나, 공동저당권자의 자의에 의해 후순위저당권자들은 예측할 수 없는 손해를 입을 수 있으므로 민법은 이러한 이해관계인들의 공평을 도모하기 위해 제368조를 두고 있다.

2. 공동저당권의 성립

(1) 설정계약

동시에 또는 때를 달리하여 설정하여도 무방하고, 목적물의 전부 또는 일부가 타인소유라도 무방하며, 저당권의 순위가 다르더라도 상관이 없다.

(2) 등기

각 부동산별로 저당권설정등기를 하되, 다른 부동산과 함께 동일한 채권의 공동담보로 되어 있다는 것을 아울러 기재해야 한다(부등법 제78조).

동일한 기본계약에 기하여 발생한 채권을 중첩적으로 담보하기 위하여 수 개의 근저당권설정등기를 마친 경우, 공동근저당관계의 등기 여부와 상관없이 그 수 개의 근저당권 사이에 공동근저당관계가 성립하는지 여부(적극) 및 그 범위 ★★

부동산등기법 제149조는 같은 법 제145조의 규정에 의한 공동담보등기의 신청이 있는 경우 각 부동산에 관한 권리에 대하여 등기를 하는 때에는 그 부동산의 등기용지 중 해당 구 사항란에 다른 부동산에 관한 권리의 표시를 하고 그 권리가 함께 담보의 목적이라는 뜻을 기재하도록 규정하고 있지만, 이는 공동저당권의 목적물이 수 개의 부동산에 관한 권리인 경우에 한하여 적용되는 등기절차에 관한 규정일 뿐만 아니라, 수 개의 저당권이 피담보채권의 동일성에 의하여 서로 결속되어 있다는 취지를 공시함으로써 권리관계를 명확히 하기 위한 것에 불과하므로, 이와 같은 공동저당관계의 등기를 공동저당권의 성립요건이나 대항요건이라고 할 수 없다. 따라서 근저당권설정자와 근저당권자 사이에서 동일한 기본계약에 기하여 발생한 채권을 중첩적으로 담보하기 위하여 수 개의 근저당권을 설정하기로 합의하고 이에 따라 수 개의 근저당권설정등기를 마친 때에는 부동산등기법 제149조에 따라 공동근저당관계의 등기를 마쳤는지 여부와 관계없이 그 수 개의 근저당권 사이에는 각 채권최고액이 동일한 범위 내에서 공동근저당관계가 성립한다(대판 2010.12.23, 2008다57746).

→ [해설] : 건물에 설정된 근저당권과 그 건물 일부분에 관한 전세권에 설정된 근저당권이 비록 부동산등기법 제149조가 규정하는 공동근저당관계의 등기가 마쳐져 있지 않지만, 피담보채권과 채권최고액이 각각 동일한 점 등 여러 사정에 비추어, 그 동일한 채권최고액의 범위 내에서 동일한 피담보채무를 중첩적으로 담보하기 위하여 설정된 공동근저당권이라고 본 원심판단이 정당하다고 한 사례이다.

3. 공동저당권의 효력

(1) 원칙

저당권자는 임의로 어느 저당목적물로부터도 채권의 전부나 일부의 우선변제를 요구할 수 있다.

(2) 후순위저당권자와의 관계

1) 동시배당의 경우

가) 안분적 분담

목적물 전부를 동시에 경매하여 그 대가를 동시에 배당하는 때에는 각 부동산의 경매대가에 비례하여 피담보채권의 분담을 정한다(제368조 제1항). 그 비례안분액을 초과하는 부분은 후순위저당권자의 변제에 충당된다.

민법 제368조의 규정 취지 및 특정 공동근저당권에 있어 공동저당물이 추가되기 전에 기존의 저당물에 관하여 후순위 근저당권이 설정된 경우, 제368조 제1항이 적용되는지 여부(적극) ★

[1] 민법 제368조 제1항은 동일한 채권의 담보로 수개의 부동산에 저당권을 설정한 경우에 그 부동산의 경매대가를 동시에 배당하는 때에는 각 부동산의 경매대가에 비례하여 그 채권의 분담을 정하도록 규정하고 있다. 위 규정은 공동저당권의 목적물 전체 환가대금을 동시에 배당하는 이른바 동시배당의 경우에 공동저당권자의 실행선택권과 우선변제권을 침해하지 않는 범위 내에서 각 부동산의 책임을 안분시킴으로써 각 부동산상의 소유자와 차순위 저당권자 기타의 채권자의 이해관계를 조절하는 데에 취지가 있고, 공동근저당권의 경우에도 적용된다(대판 2006.10.27, 2005다14502 참조).

[2] 한편 당사자는 최초 근저당권 설정 시는 물론 그 후에도 공동근저당권임을 등기하여 공동근저당권의 저당물을 추가할 수 있는데, 이와 같이 특정 공동근저당권에 있어 공동저당물이 추가되기 전에 기존의 저당물에 관하여 후순위 근저당권이 설정된 경우에도 민법 제368조 제1항이 마찬가지로 적용된다(대판 2014.4.10, 2013다36040).

나) 적용범위

① 제368조 제1항은 각 부동산의 책임을 안분시킴으로써 부동산의 경매대가의 배당에 참가하는 다른 담보권자, 집행권원 있는 채권자, 가압류채권자 등의 보호도 필요하기 때문에 후순위저당권자가 없는 경우에도 적용된다(통설).

② 다만 최근 판례는 공동저당권이 설정되어 있는 수개의 부동산 중 일부는 채무자 소유이고 일부는 물상보증인의 소유인 경우 위 각 부동산의 경매대가를 동시에 배당하는 때에는 민법 제368조 제1항은 적용되지 아니한다고 봄이 상당하다고 하면서 이러한 경우 경매법원으로서는 채무자 소유 부동산의 경매대가에서 공동저당권자에게 우선적으로 배당을 하고, 부족분이 있는 경우에 한하여 물상보증인 소유 부동산의 경매대가에서 추가로 배당을 하여야 한다고 보았다(대판 2010.4.15, 2008다41475).

2) 이시배당의 경우

가) 후순위저당권자의 대위권

목적물의 일부만을 경매하여 그 대가를 배당하는 때에는, 공동저당권자는 그 대가로부터 채권액의 전부를 변제받을 수 있다(제368조 제2항 제1문). 이 경우 그 경매된 목적물 위의 후순위저당권자는 만약 동시배당을 하였더라면 공동저당권자가 다른 부동산의 경매대가에서 변제를 받을 수 있는 금액의 한도에서 공동저당권자를 대위하여 그 저당권을 행사할 수 있다(제368조 제2항 제2문).

공동저당의 경우 후순위저당권자의 대위권(대판 2021.12.16, 2021다247258) ★★★

[1] 공동저당이 설정된 복수의 부동산이 같은 물상보증인의 소유에 속하고 그중 하나의 부동산에 후순위저당권이 설정되어 있는데 그 부동산의 대가만 배당되는 경우, 후순위저당권자가 공동저당이 설정된 다른 부동산에 대한 선순위 공동저당권자의 저당권을 대위 행사할 수 있는지 여부(적극) 및 이는 공동저당이 설정된 부동산이 제3자에게 양도되어 소유자가 다르게 되더라도 마찬가지인지 여부(적극)

① 공동저당이 설정된 복수의 부동산이 '같은 물상보증인의 소유'에 속하고 그중 하나의 부동산에 후순위저당권이 설정되어 있는 경우에, 그 부동산의 대가만이 배당되는 때에는 후순위저당권자는 민법 제368조 제2항에 따라 선순위 공동저당권자가 같은 조 제1항에 따라 공동저당이 설정된 다른 부동산으로부터 변제를 받을 수 있었던 금액에 이르기까지 선순위 공동저당권자를 대위하여 그 부동산에 대한 저당권을 행사할 수 있다.

② 이 경우 공동저당이 설정된 부동산이 제3자에게 양도되어 그 소유자가 다르게 되더라도 민법 제482조 제2항 제3호, 제4호에 따라 각 부동산의 소유자는 그 부동산의 가액에 비례해서만 변제자대위를 할 수 있으므로 후순위저당권자의 지위는 영향을 받지 않는다.

[2] 채무자 소유의 부동산과 물상보증인 소유의 부동산에 공동저당이 설정되고 그중 채무자 소유의 부동산에 후순위저당권이 설정되어 있는데 선순위 공동저당권자가 물상보증인으로부터 먼저 채권을 변제받은 경우, 물상보증인은 채무자에 대한 구상권을 취득함과 동시에 변제자대위에 의하여 채무자 소유 부동산에 대한 선순위 공동저당권을 취득하는지 여부(적극)

채무자 소유의 부동산과 물상보증인 소유의 부동산에 공동저당이 설정되고 그중 채무자 소유의 부동산에 후순위저당권이 설정된 경우에, 선순위 공동저당권자가 물상보증인이 소유한 부동산의 대가만을 배당받는 등 물상보증인으로부터 먼저 채권을 변제받은 때에는 물상보증인은 채무자에 대하여 구상권을 취득함과 동시에 민법 제481조, 제482조에 따른 변제자대위에 의하여 채무자 소유의 부동산에 대한 선순위 공동저당권을 취득한다.

[3] 물상보증인이 소유하는 복수의 부동산에 공동저당이 설정되고 그중 한 부동산에 후순위저당권이 설정된 다음에 그 부동산이 채무자에게 양도됨으로써 채무자 소유의 부동산과 물상보증인 소유의 부동산에 대해 공동저당이 설정된 상태가 된 경우, 물상보증인의 변제자대위는 후순위저당권자의 지위에 영향을 주지 않는 범위에서만 성립하는지 여부(적극) 및 이는 물상보증인으로부터 부동산을 양수한 제3취득자가 변제자대위를 하는 경우에도 마찬가지인지 여부(적극)

같은 물상보증인이 소유하는 복수의 부동산에 공동저당이 설정되고 그중 한 부동산에 후순위저당권이 설정된 다음에 그 부동산이 채무자에게 양도됨으로써 채무자 소유의 부동산과 물상보증인 소유의 부동산에 대해 공동저당이 설정된 상태에 있게 된 경우에는 물상보증인의 변제자대위는 후순위저당권자의 지위에 영향을 주지 않는 범위에서 성립한다고 보아야 하고, 이는 물상보증인으로부터 부동산을 양수한 제3취득자가 변제자대위를 하는 경우에도 마찬가지이다. 이 경우 물상보증인이 자신이 변제한 채권 전부에 대해 변제자대위를 할 수 있다고 본다면, 후순위저당권자는 저당부동산이 채무자에게 이전되었다는 우연한 사정으로 대위를 할 수 있는 지위를 박탈당하는 반면, 물상보증인 또는 그로부터 부동산을 양수한 제3취득자는 뜻하지 않은 이득을 얻게 되어 부당하다. 같은 물상보증인이 소유하는 복수의 부동산에 공동저당이 설정된 경우 그 부동산 중 일부에 대한 후순위저당권자는 선순위 공동저당권자가 공동저당이 설정된 부동산의 가액에 비례하여 배당받는 것을 전제로 부동산의 담보가치가 남아있다고 기대하여 저당권을 설정받는 것이 일반적이고, 이러한 기대를 보호하는 것이 민법 제368조의 취지에 부합한다.

→ [사실관계 및 해설] : 같은 물상보증인 乙이 소유하는 X, Y부동산에 공동근저당이 설정되고 X에 후순위 전세권이 설정된 다음에 그 부동산은 채무자 甲에게 양도되고, Y부동산은 제3취득자에게 이전되었는데, 제3취득자가 공동근저당 채무를 전부 변제하고 변제자대위로써 X부동산에 대한 선순위 근저당권을 취득하였다고 주장하며 후순위 전세권자에 대한 우선배당을 주장한 사안에서, 제3취득자의 변제자대위는 후순위 전세권자의 지위에 영향을 주지 않는 범위에서 성립하므로 그 범위를 넘어서는 우선하여 배당받을 수 없다고 본 사안이다.

나) 채권의 전액변제 요부

후순위저당권자가 대위권을 행사하기 위해서는 공동저당권자의 채권 전액이 변제되어야 하는지가 문제되는데, 이에 대해 통설은 일부변제의 경우에도 성립한다고 본다. 전액변제를 받아야만 인정된다고 보면 채권의 일부변제를 받은 경우 그 부동산의 후순위저당권자는 담보권을 상실한 것과 같은 결과가 되어 부당하기 때문이다.

다) 효과

① 대위의 효과로 공동저당권자가 가지고 있던 저당권은 후순위저당권자에게 이전한다. 이는 법률규정에 의한 이전이므로 제187조에 의해 등기 없이도 효력이 생긴다.

② 후순위저당권자의 대위권은 일단 배당기일에 그 배당표에 따라 배당이 실시되어 배당기일이 종료되었을 때 발생하는 것이지, 배당이의소송의 확정 등 그 배당표가 확정되는 것을 기다려 그 때에 비로소 발생하는 것은 아니다(대판 2006.5.26, 2003다18401).

라) 적용범위 – 관련문제

① 선순위 공동저당권자가 공동저당 목적 부동산 중 일부에 관한 저당권을 포기한 경우, 다른 부동산의 후순위저당권자와의 관계

선순위 공동저당권자가 공동저당 목적 부동산 중 일부에 관한 저당권을 포기한 후 후순위저당권자가 있는 부동산의 경매를 신청한 경우에도 선순위 공동저당권자는 저당권을 포기하지 않았더라면 후순위저당권자가 대위할 수 있었던 한도에서는 후순위저당권자에 우선하여 배당받을 수 없다.

선순위 공동저당권자가 피담보채권을 변제받기 전에 공동저당 목적 부동산 중 일부에 관한 저당권을 포기한 경우, 후순위저당권자가 있는 부동산에 관한 경매절차에서 '저당권을 포기하지 아니하였더라면 후순위저당권자가 대위할 수 있었던 한도'에서도 후순위저당권자에 우선하여 배당받을 수 있는지 여부(소극) ★★

후순위저당권자로서는 선순위 공동저당권자가 피담보채권을 변제받지 않은 상태에서도 추후 공동저당 목적 부동산 중 일부에 관한 경매절차에서 선순위 공동저당권자가 그 부동산의 책임분담액을 초과하는 경매대가를 배당받는 경우 다른 공동저당 목적 부동산에 관하여 선순위 공동저당권자를 대위하여 저당권을 행사할 수 있다는 대위의 기대를 가진다고 보아야 하고, 후순위저당권자의 이와 같은 대위에 관한 정당한 기대는 보호되어야 하므로, 선순위 공동저당권자가 피담보채권을 변제받기 전에 공동저당 목적 부동산 중 일부에 관한 저당권을 포기한 경우에는, 후순위저당권자가 있는 부동산에 관한 경매절차에서, 저당권을 포기하지 아니하였더라면 후순위저당권자가 대위할 수 있었던 한도에서는 후순위저당권자에 우선하여 배당을 받을 수 없다고 보아야 하고, 이러한 법리는 공동근저당권의 경우에도 마찬가지로 적용된다고 보아야 한다(대판 2009.12.10, 2009다41250).

② 채무자 소유 부동산과 물상보증인 소유 부동산에 공동저당권이 설정된 경우

제368조 제2항 후문은 채무자 소유의 여러 부동산 위에 저당권이 설정된 경우에 한하여 적용되므로, 채무자와 채무자 이외의 제3자, 즉 채무자와 물상보증인의 부동산 위에 각 1번 저당권을 가진 자에 의해 채무자의 부동산이 경매 실행된 경우, 그 후순위자는 물상보증인의 부동산에 대하여 1번 저당권을 대위하여 저당권을 실행할 수 없다(대판 1996.3.8, 95다36596).

(3) 채무자 소유 부동산과 물상보증인 소유 부동산에 공동저당권이 설정된 경우의 법률관계

1) 동시배당의 경우 – 제368조 제1항의 적용 여부

공동저당권의 목적물인 채무자 소유 부동산과 물상보증인 소유 부동산의 경매대가를 동시에 배당하는 경우, 민법 제368조 제1항이 적용되는지 여부(소극) 및 배당 방법 / 이는 물상보증인이 채무자를 위한 연대보증인의 지위를 겸하고 있는 경우에도 마찬가지인지 여부(적극) ★★

공동저당권이 설정되어 있는 수개의 부동산 중 일부는 채무자 소유이고 일부는 물상보증인 소유인 경우 각 부동산의 경매대가를 동시에 배당하는 때에는 민법 제368조 제1항은 적용되지 아니하고, 채무자 소유 부동산의

경매대가에서 공동저당권자에게 우선적으로 배당을 하고, 부족분이 있는 경우에 한하여 물상보증인 소유 부동산의 경매대가에서 추가로 배당을 하여야 한다. 그리고 이러한 이치는 물상보증인이 채무자를 위한 연대보증인의 지위를 겸하고 있는 경우에도 마찬가지이다(대판 2016.3.10, 2014다231965).

2) 이시배당의 경우

가) 채무자 소유 부동산에의 이시배당 - 제368조 제2항 후문의 적용 여부

공동저당의 목적인 채무자 소유의 부동산과 물상보증인 소유의 부동산 중 채무자 소유의 부동산에 경매가 이루어져 1번 공동저당권자가 변제를 받은 경우, 채무자 소유의 부동산에 대한 후순위 저당권자가 1번 공동저당권자를 대위하여 물상보증인 소유의 부동산에 저당권을 행사할 수 있는지 여부(소극) 및 채무자 소유의 부동산에 후순위 저당권이 설정된 후 물상보증인 소유의 부동산이 추가로 공동저당의 목적으로 된 경우 같은 법리가 적용되는지 여부(적극) ★★

공동저당의 목적인 채무자 소유의 부동산과 물상보증인 소유의 부동산 중 채무자 소유의 부동산에 대하여 먼저 경매가 이루어져 그 경매대금의 교부에 의하여 1번 공동저당권자가 변제를 받더라도 채무자 소유의 부동산에 대한 후순위 저당권자는 민법 제368조 제2항 후단에 의하여 1번 공동저당권자를 대위하여 물상보증인 소유의 부동산에 대하여 저당권을 행사할 수 없다. 그리고 이러한 법리는 채무자 소유의 부동산에 후순위 저당권이 설정된 후에 물상보증인 소유의 부동산이 추가로 공동저당의 목적으로 된 경우에도 마찬가지로 적용된다(대판 2014.1.23, 2013다207996).

나) 물상보증인 소유 부동산에의 이시배당

① 채무자 소유 부동산의 후순위저당권자와 물상보증인 또는 제3취득자와의 관계

(ㄱ) 문제점

공동저당권자는 목적물의 소유자와 채무자가 서로 다른 경우에도 아무런 영향 없이 공동저당권을 실행할 수 있다. 이러한 공동저당권의 실행으로 인하여 목적물의 소유자였던 물상보증인·제3취득자는 변제자대위규정(제481조, 제482조)에 의하여 다른 목적물 위의 공동저당권자를 대위한다. 그리하여 물상보증인 또는 제3취득자에 의한 변제자대위와 공동저당권의 후순위저당권자의 대위 상호간에 이해관계의 충돌이 생긴다. 즉, 경매되는 저당목적물 또는 물상보증인·제3취득자에 의하여 대위되는 저당목적물에 후순위저당권자가 있는 경우에 후순위저당권자도 후순위저당권자 대위규정(제368조 제2항 제2문)에 의해 대위권을 취득하게 되므로, 변제자의 대위권(제481조)과 후순위저당권자의 대위권이 충돌하게 되는데, 그 중 어느 대위권을 우선할 것인지 여부가 문제된다.

(ㄴ) 판례

판례는 이 경우 물상보증인(변제자)을 우선시켜 보호한다(물상보증인 우선설 : 변제자대위 우선설). 즉 이시배당에서 후순위저당권자의 대위권은 채무자 소유의 부동산에만 저당권이 설정된 경우에 인정되고, 공동저당의 목적인 채무자 소유의 부동산과 물상보증인 소유의 부동산에 각각 채권자를 달리하는 후순위저당권이 설정되어 있는 경우, 물상보증인 소유의

부동산에 대하여 먼저 경매가 이루어져 그 경매대금의 교부에 의하여 1번저당권자가 변제를 받은 때에는 물상보증인은 채무자에 대하여 구상권을 취득함과 동시에, 민법 제481조, 제482조의 규정에 의한 변제자대위에 의하여 채무자 소유의 부동산에 대한 1번저당권을 취득하고, 이러한 경우 물상보증인 소유의 부동산에 대한 후순위저당권자는 1번저당권에 대하여 물상대위에 의하여 물상보증인에게 이전한 1번저당권으로부터 우선하여 변제를 받을 수 있다고 한다.

공동저당과 물상보증인(대판 2015.11.27, 2013다41097·2013다41103)

[1] 공동저당의 목적인 물상보증인 소유의 부동산에 후순위저당권이 설정되어 있는데 그 부동산이 먼저 경매되어 선순위공동저당권자가 변제를 받은 경우, 물상보증인 소유 부동산의 후순위저당권자는 물상보증인이 대위취득한 채무자 소유 부동산에 대한 선순위공동저당권자의 저당권에 대하여 물상대위를 할 수 있는지 여부(원칙적 적극) ★★★

공동저당의 목적인 물상보증인 소유의 부동산에 후순위저당권이 설정되어 있는 경우에 물상보증인 소유의 부동산이 먼저 경매되어 경매대금에서 선순위공동저당권자가 변제를 받은 때에는 특별한 사정이 없는 한 물상보증인은 채무자에 대하여 구상권을 취득함과 동시에 변제자대위에 관한 민법 제481조, 제482조에 따라 채무자 소유의 부동산에 대한 선순위공동저당권자의 저당권을 대위취득하고, 물상보증인 소유의 부동산에 대한 후순위저당권자는 물상보증인이 대위취득한 채무자 소유의 부동산에 대한 선순위공동저당권자의 저당권에 대하여 물상대위를 할 수 있다.

[2] 실질적인 채무자와 실질적인 물상보증인이 공동으로 담보를 제공하여 대출을 받으면서 물상보증인이 저당권설정등기에 자신을 채무자로 등기하도록 한 경우, 실질적 채무자인 물상보증인이 채권자를 대위하여 실질적 물상보증인인 채무자에 대한 담보권을 취득하는지 여부(소극) 및 이러한 법리가 실질적 물상보증인인 채무자와 실질적 채무자인 물상보증인 소유 각 부동산에 공동저당이 설정된 후 물상보증인 소유 부동산에 후순위저당권이 설정된 경우에도 적용되는지 여부(적극) / 물상보증인이 채무자에게 구상권이 없어 변제자대위에 의하여 채무자 소유 부동산에 대한 선순위공동저당권자의 저당권을 대위취득할 수 없는 경우, 물상보증인 소유 부동산에 대한 후순위저당권자가 채무자 소유 부동산에 대한 선순위공동저당권자의 저당권에 대하여 물상대위를 할 수 있는지 여부(소극)

변제자대위에 관한 민법 제481조, 제482조에 의하면 물상보증인은 자기의 권리에 의하여 구상할 수 있는 범위에서 채권 및 담보에 관한 권리를 행사할 수 있으므로, 물상보증인이 채무를 변제하거나 저당권의 실행으로 저당물의 소유권을 잃었더라도 다른 사정에 의하여 채무자에 대하여 구상권이 없는 경우에는 채권자를 대위하여 채권자의 채권 및 담보에 관한 권리를 행사할 수 없다. 따라서 실질적인 채무자와 실질적인 물상보증인이 공동으로 담보를 제공하여 대출을 받으면서 실질적인 물상보증인이 저당권설정등기에 자신을 채무자로 등기하도록 한 경우, 실질적 물상보증인인 채무자는 채권자에 대하여 채무자로서의 책임을 지는지와 관계없이 내부관계에서는 실질적 채무자인 물상보증인이 변제를 하였더라도 그에 대하여 구상의무가 없으므로, 실질적 채무자인 물상보증인이 채권자를 대위하여 실질적 물상보증인인 채무자에 대한 담보권을 취득한다고 할 수 없다. 그리고 이러한 법리는 실질적 물상보증인인 채무자와 실질적 채무자인 물상보증인 소유의 각 부동산에 공동저당이 설정된 후에 실질적 채무자인 물상보증인 소유의 부동산에 후순위저당권이 설정되었다고 하더라도 다르지 아니하다.

이와 같이 물상보증인이 채무자에게 구상권이 없어 변제자대위에 의하여 채무자 소유의 부동산에 대한 선순위공동저당권자의 저당권을 대위취득할 수 없는 경우에는 물상보증인 소유의 부동산에 대한 후순위저당권자는 물상대위할 대상이 없으므로 채무자 소유의 부동산에 대한 선순위공동저당권자의 저당권에 대하여 물상대위를 할 수 없다.

공동저당에 제공된 채무자 소유의 부동산과 물상보증인 소유의 부동산 가운데 물상보증인 소유의 부동산이 먼저 경매되어 매각대금에서 선순위공동저당권자가 변제를 받은 경우, 채무자가 물상보증인에 대한 반대채권으로 물상보증인의 구상금 채권과 상계함으로써 물상보증인 소유의 부동산에 대한 후순위저당권자에게 대항할 수 있는지 여부(원칙적 소극) ★★★

① 공동저당에 제공된 채무자 소유의 부동산과 물상보증인 소유의 부동산 가운데 물상보증인 소유의 부동산이 먼저 경매되어 매각대금에서 선순위공동저당권자가 변제를 받은 때에는 물상보증인은 채무자에 대하여 구상권을 취득함과 동시에 변제자대위에 의하여 채무자 소유의 부동산에 대한 선순위공동저당권을 대위취득한다. ② 물상보증인 소유의 부동산에 대한 후순위저당권자는 물상보증인이 대위취득한 채무자 소유의 부동산에 대한 선순위공동저당권에 대하여 물상대위를 할 수 있다. ③ 이 경우에 채무자는 물상보증인에 대한 반대채권이 있더라도 특별한 사정이 없는 한 물상보증인의 구상금 채권과 상계함으로써 물상보증인 소유의 부동산에 대한 후순위저당권자에게 대항할 수 없다. 채무자는 선순위공동저당권자가 물상보증인 소유의 부동산에 대해 먼저 경매를 신청한 경우에 비로소 상계할 것을 기대할 수 있는데, 이처럼 우연한 사정에 의하여 좌우되는 상계에 대한 기대가 물상보증인 소유의 부동산에 대한 후순위저당권자가 가지는 법적 지위에 우선할 수 없다(대판 2017.4.26, 2014다221777 · 2014다221784).

② 물상보증인 소유 부동산의 후순위저당권자가 채무자 소유 부동산에 공동저당의 대위등기를 하지 아니하고 있는 사이에 선순위저당권자 등에 의해 그 부동산에 관한 저당권등기가 말소되고, 그 부동산에 관하여 제3취득자가 있는 경우

(ㄱ) 물상보증인 소유 부동산의 후순위저당권자는 불법행위를 이유로 채무자와 공동저당권자를 상대로 불법행위를 이유로 한 손해배상을 청구할 수 있는지 여부 ★★★

공동근저당의 목적인 채무자 甲 소유 부동산과 물상보증인 乙 소유 부동산 중 乙 소유 부동산이 먼저 경매가 이루어져 공동근저당권자인 丙이 변제를 받았는데, 乙 소유 부동산에 대한 후순위저당권자 丁이 乙 명의로 대위의 부기등기를 하지 않고 있는 동안 丙이 임의로 甲 소유 부동산에 설정되어 있던 공동근저당권을 말소하였고(丙과 甲의 공동신청에 의해), 그 후 甲 소유 부동산에 戊 명의의 근저당권이 설정되었다가 경매로 그 부동산이 제3자에게 매각되어 대금이 완납된 사안에서, 대법원은 丁은 매각대금 완납으로 더 이상 乙의 권리를 대위하여 공동근저당권설정등기의 회복등기절차 이행을 구하거나 경매절차에서 실제로 배당받은 자에 대하여 부당이득반환청구로서 배당금 한도 내에서 공동근저당권설정등기가 말소되지 않았더라면 배상받았을 금액의 지급을 구할 여지가 없으므로, 매각대금이 완납된 날 丙의 공동근저당권 불법말소로 인한 丁의 손해가 확정적으로 발생하였고, 乙 소유 부동산의 매각대금으로 丙이 배당을 받은 날과 공동근저당권이 말소된 날 사이에 丁이 대위의 부기등기를 마치지 않은 사정만으로 丙의 불법행위와 丁의 손해 사이에 존재하는 인과관계가 단절된다고 할 수 없다고 하였다(대판 2011.8.18, 2011다30666 · 30673). 결국 丁은 甲과 丙을 상대로 乙이 대위취득할 금액 중 물상대위를 한도로 하여 손해배상을 구할 수 있다는 것이다.[66]

66) 공동근저당의 목적인 채무자 甲 소유 부동산과 물상보증인 乙 소유 부동산 중 乙 소유 부동산에 먼저 경매가 이루어져 공동근저당권자인 丙이 변제를 받았는데, 乙 소유 부동산에 대한 후순위저당권자 丁이 乙 명의로 대위의 부기등

(ㄴ) 후순위저당권자가 민법 제368조 제2항에 따른 대위를 주장할 수 있는지 여부

대법원은 "민법 제482조 제2항 제1호, 제5호는 변제자대위의 효과로 채권자가 가지고 있던 채권 및 그 담보에 관한 권리가 법률상 당연히 변제자에게 이전하는 경우에도, 변제로 인하여 저당권 등이 소멸한 것으로 믿고 목적부동산을 취득한 제3취득자를 불측의 손해로부터 보호하기 위하여 미리 저당권 등에 대위의 부기등기를 하지 아니하면 제3취득자에 대하여 채권자를 대위하지 못하도록 정하고 있다. 이에 따라 자기의 재산을 타인의 채무의 담보로 제공한 물상보증인이 수인일 때 그 중 일부의 물상보증인이 채무를 변제한 뒤 다른 물상보증인 소유 부동산에 설정된 근저당권설정등기에 관하여 대위의 부기등기를 하여 두지 아니하고 있는 동안에 제3취득자가 위 부동산을 취득하였다면, 대위변제한 물상보증인들은 제3취득자에 대하여 채권자를 대위할 수 없다. 그런데 이와 같이 법률상 당연히 이전되는 저당권과 관련하여 그 후에 해당 부동산에 대하여 권리를 취득한 제3취득자를 보호할 필요성은 후순위저당권자의 대위의 경우에도 마찬가지로 존재한다. 그리고 후순위저당권자의 대위의 경우에도 부동산등기법 제80조에서 정한 공동저당의 대위등기를 통하여 제3취득자에게 공시할 수 있으므로, 변제자대위와 마찬가지로 일정한 경우에 대위등기를 선행하도록 요구한다고 하더라도 후순위저당권자에게 크게 불리하지 아니하다. 더욱이 변제자대위의 경우에는 저당권뿐 아니라 채권까지 이전됨에 비하여 후순위저당권자의 대위의 경우에는 채권이 이전되지 아니한다는 점까지 고려하면, 후순위저당권자를 변제자보다 항상 더 보호하여야 할 필요성이 있다고 보기는 어렵다. 한편 후순위저당권자의 대위에 의하여 선순위저당권자가 가지고 있던 다른 부동산에 관한 저당권이 후순위저당권자에게 이전된 후에 아직 저당권이 말소되지 아니하고 부동산등기부에 존속하는 경우라면, 비록 공동저당의 대위등기를 하지 아니하더라도 제3취득자로서는 저당권이 유효하게 존재함을 알거나 적어도 저당권이 공동저당권으로서 공시되어 있는 상태에서 이를 알면서 해당 부동산을 취득할 것이므로 저당권의 이전과 관련하여 제3취득자를 보호할 필요성은 적다. 이러한 사정들을 종합하여 보면, 먼저 경매된 부동산의 후순위저당권자가 다른 부동산에 공동저당의 대위등기를 하지 아니하고 있는 사이에 선순위저당권자 등에 의해 그 부동산에 관한 저당권등기가 말소되고, 그와 같이 저당권등기가 말소되어 등기부상 저당권의 존재를 확인할 수 없는 상태에서 그 부동산에 관하여 소유권이나 저당권 등 새로 이해관계를 취득한 사람에 대해서는, 후순위저당권자가 민법 제368조 제2항에 의한 대위를 주장할 수 없다."고 하였다(대판 2015.3.20, 2012다99341).[67]

기를 하지 않고 있는 동안 丙이 임의로 甲 소유 부동산에 설정되어 있던 공동근저당권을 말소하였고, 그 후 甲 소유 부동산에 戊 명의의 근저당권이 설정되었다가 경매로 그 부동산이 매각된 사안에서, 민법 제482조 제2항 제1호에 의하여 甲과 丁은 戊에게 대항할 수 없다.

67) 공동저당의 목적으로서 물상보증인인 甲 소유의 X, Y 부동산과 채무자 乙 소유의 Z 부동산 중 먼저 X, Z 부동산에 대한 경매가 이루어져 공동근저당권자로서 신청채권자인 B가 채권신고액 7억 2천만원 중 6억 8천만원을 배당받은 사실, B는 그 후 물상보증인 甲으로부터 배당 부족분 중 당시까지의 실제 미변제금액인 4천만원을 대위변제받음으로써 B의 채권 전액이 변제되자, 이 사건 Y 부동산에 관하여 B 명의의 근저당권설정등기(이하 '이 사건 근저당권설

③ 채무자 소유 부동산에 관한 선순위저당권을 포기한 공동저당권자의 지위

공동(근)저당과 물상보증인(대판 2018.7.11, 2017다292756) ★★★

[1] 공동저당에 제공된 채무자 소유 부동산과 물상보증인 소유 부동산 가운데 물상보증인 소유 부동산이 먼저 경매되어 매각대금에서 선순위 공동저당권자가 변제를 받은 경우, 물상보증인이 채무자에 대하여 구상권을 취득함과 동시에 채무자 소유 부동산에 대한 선순위 공동저당권을 대위취득하는지 여부(적극) 및 물상보증인 소유 부동산에 대한 후순위 저당권자가 물상보증인이 대위취득한 채무자 소유 부동산에 대한 선순위 공동저당권에 대하여 물상대위를 할 수 있는지 여부(적극) / 이러한 법리는 공동근저당권의 경우에도 마찬가지로 적용되는지 여부(적극)

공동저당에 제공된 채무자 소유 부동산과 물상보증인 소유 부동산 가운데 물상보증인 소유 부동산이 먼저 경매되어, 매각대금에서 선순위 공동저당권자가 변제를 받은 때에는, 물상보증인은 채무자에 대하여 구상권을 취득함과 동시에 변제자대위에 의하여 채무자 소유 부동산에 대한 선순위 공동저당권을 대위취득한다. 또한 물상보증인 소유 부동산에 대한 후순위 저당권자는 물상보증인이 대위취득한 채무자 소유 부동산에 대한 선순위 공동저당권에 대하여 물상대위를 할 수 있다. 이러한 법리는 공동근저당권의 경우에도 마찬가지로 적용된다.

[2] 채무자 소유 부동산과 물상보증인 소유 부동산에 공동근저당권을 설정한 채권자가 공동담보 중 채무자 소유 부동산에 대한 담보 일부를 포기하거나 순위를 불리하게 변경하여 담보를 상실하게 하거나 감소하게 한 경우, 물상보증인이 그로 인하여 상환받을 수 없는 한도에서 책임을 면하는지 여부(적극) 및 이 경우 공동근저당권자가 나머지 공동담보 목적물인 물상보증인 소유 부동산에 관한 경매절차에서, 물상보증인이 담보 상실 내지 감소로 인한 면책을 주장할 수 있는 한도에서 물상보증인 소유 부동산의 후순위 근저당권자에 우선하여 배당받을 수 없는지 여부(적극)

물상보증인의 변제자대위에 대한 기대권은 민법 제485조에 의하여 보호되어, 채권자가 고의나 과실로 담보를 상실하게 하거나 감소하게 한 때에는, 특별한 사정이 없는 한 물상보증인은 그 상실 또는 감소로 인하여 상환을 받을 수 없는 한도에서 면책 주장을 할 수 있다. 채권자가 물적 담보인 담보물권을 포기하거나 순위를 불리하게 변경하는 것은 담보의 상실 또는 감소행위에 해당한다. 따라서 채무자 소유 부동산과 물상보증인 소유 부동산에 공동근저당권을 설정한 채권자가 공동담보 중 채무자 소유 부동산에 대한 담보 일부를 포기하

정등기'라고 한다)를 말소해 준 사실, 그 후 Y 부동산에 관하여 C 명의의 소유권이전등기가 마쳐지고, 채무자를 C로 하는 서대전농업협동조합 명의의 근저당권설정등기가 마쳐진 사실이 인정되었다. 이러한 사실관계에 기초하여, 원심은 X 부동산의 후순위근저당권자인 A는 민법 제368조 제2항 후문에 따라, 만일 이 사건 X, Y, Z 부동산의 경매대가를 동시에 배당하였더라면 선순위근저당권자인 B가 공동저당의 목적부동산 중 경매되지 아니한 Y 부동산의 경매대가에서 변제를 받을 수 있었던 금액의 한도에서, A가 X 부동산이 먼저 경매됨으로써 입은 배당상 불이익액에 관하여 B를 대위하여 Y 부동산에 관한 B의 근저당권을 행사할 수 있다고 판단하였다. 그런 다음 원심은, A가 미처 이 사건 근저당권설정등기에 관하여 대위의 부기등기를 마치지 못한 사이에 이 사건 근저당권설정등기를 말소할 권한이 없는 B와 물상보증인 甲이 임의로 이를 말소하였으므로 이는 A에 대하여 불법행위를 구성하고, 그 후 이 사건 근저당권설정등기의 말소회복등기가 이루어지지 아니하여 A가 이 사건 근저당권설정등기에 관하여 대위의 부기등기를 마치지 못하고 있는 상태에서 C가 Y 부동산의 소유권 등을 취득함으로써 A로서는 제3취득자인 C에 대하여 대항할 수 없게 되어 C가 A에 대한 관계에서 이 사건 근저당권설정등기의 말소회복등기에 승낙하여야 할 실체법상의 의무를 부담하지 아니하게 되었으므로, B와 물상보증인 甲의 이 사건 근저당권설정등기의 불법말소로 인한 A의 손해가 확정적으로 발생하였다고 판단하였다. 이에 대법원은 원심판결 이유를 적법하게 채택된 증거들에 비추어 살펴보면, 위와 같은 원심의 판단은 앞서 본 법리에 기초한 것으로 보이고, 거기에 상고이유 주장과 같이 민법 제368조 제2항에서 정한 후순위저당권자의 대위에 관한 법리를 오해하는 등의 위법이 없다고 하였다.

거나 순위를 불리하게 변경하여 담보를 상실하게 하거나 감소하게 한 경우, 물상보증인은 그로 인하여 상환받을 수 없는 한도에서 책임을 면한다. 그리고 이 경우 공동근저당권자는 나머지 공동담보 목적물인 물상보증인 소유 부동산에 관한 경매절차에서, 물상보증인이 위와 같이 담보 상실 내지 감소로 인한 면책을 주장할 수 있는 한도에서는, 물상보증인 소유 부동산의 후순위 근저당권자에 우선하여 배당받을 수 없다.

판례 연구 관련판례 정리

1. 채무자 소유의 부동산이 먼저 경매된 경우

1) 채권자가 물상보증인 소유 토지와 공동담보로 주채무자 소유 토지에 1번 근저당권을 취득한 후 이와 별도로 주채무자 소유 토지에 2번 근저당권을 취득한 사안에서, 먼저 주채무자의 토지에 대하여 피담보채무의 불이행을 이유로 근저당권이 실행되어 경매대금에서 1번 근저당권의 피담보채권액을 넘는 금액이 배당된 경우에는, 변제자대위의 법리에 비추어 볼 때 민법 제368조 제2항은 적용되지 않으므로 후순위(2번) 저당권자인 채권자는 물상보증인 소유 토지에 대하여 자신의 1번 근저당권을 대위행사할 수 없고, 따라서 물상보증인의 근저당권설정등기는 그 피담보채무의 소멸로 인하여 말소되어야 한다(대판 1996.3.8, 95다36596).

2) 공동저당의 목적인 채무자 소유의 부동산과 물상보증인 소유의 부동산 중 채무자 소유의 부동산에 대하여 먼저 경매가 이루어져 그 경매대금의 교부에 의하여 1번 공동저당권자가 변제를 받더라도 채무자 소유의 부동산에 대한 후순위 저당권자는 민법 제368조 제2항 후단에 의하여 1번 공동저당권자를 대위하여 물상보증인 소유의 부동산에 대하여 저당권을 행사할 수 없다. 그리고 이러한 법리는 채무자 소유의 부동산에 후순위 저당권이 설정된 후에 물상보증인 소유의 부동산이 추가로 공동저당의 목적으로 된 경우에도 마찬가지로 적용된다(대판 2014.1.23, 2013다207996).

2. 물상보증인 소유의 부동산이 먼저 경매된 경우

1) 공동저당의 목적인 채무자 소유의 부동산과 물상보증인 소유의 부동산에 각각 채권자를 달리하는 후순위저당권이 설정되어 있는 경우, 물상보증인 소유의 부동산에 대하여 먼저 경매가 이루어져 그 경매대금의 교부에 의하여 1번저당권자가 변제를 받은 때에는 물상보증인은 채무자에 대하여 구상권을 취득함과 동시에, 민법 제481조, 제482조의 규정에 의한 변제자대위에 의하여 채무자 소유의 부동산에 대한 1번저당권을 취득하고, 이러한 경우 물상보증인 소유의 부동산에 대한 후순위저당권자는 물상보증인에게 이전한 1번저당권으로부터 우선하여 변제를 받을 수 있으며, 물상보증인이 수인인 경우에도 마찬가지라 할 것이므로(이 경우 물상보증인들 사이의 변제자대위의 관계는 민법 제482조 제2항 제4호, 제3호에 의하여 규율될 것이다), 자기 소유의 부동산이 먼저 경매되어 1번저당권자에게 대위변제를 한 물상보증인은 1번저당권을 대위취득하고, 그 물상보증인 소유의 부동산의 후순위저당권자는 1번저당권에 대하여 물상대위를 할 수 있다. (한편) 물상보증인이 대위취득한 선순위저당권설정등기에 대하여는 말소등기가 경료될 것이 아니라 물상보증인 앞으로 대위에 의한 저당권이전의 부기등기가 경료되어야 할 성질의 것이며, 따라서 아직 경매되지 아니한 공동저당물의 소유자로서는 1번저당권자에 대한 피담보채무가 소멸하였다는 사정만으로는 말소등기를 청구할 수 없다(대판 1994.5.10, 93다25417).

2) 공동근저당의 목적인 채무자 甲 소유 부동산과 물상보증인 乙 소유 부동산 중 乙 소유 부동산이 먼저 경매가 이루어져 공동근저당권자인 丙이 변제를 받았는데, 乙 소유 부동산에 대한 후순위저당권자 丁이 乙 명의로 대위의 부기등기를 하지 않고 있는 동안 丙이 임의로 甲 소유 부동산에 설정되어 있던 공동근저당권을 말소하였고(丙과 甲의 공동신청에 의해), 그 후 甲 소유 부동산에 戊 명의의 근저당권이 설정되었다가 경매로 그 부동산이 제3자에게 매각되어 대금이 완납된 사안에서, 丁은 매각대금 완납으로 더 이상 乙의 권리를 대위하여 공동근저당권설정등기의 회복등기절차 이행을 구하거나 경매절차에서 실제로 배당받은 자에 대하여 부당이득반환청구로서 배당금 한도 내에서 공동근저당권설정등기가 말소되지 않았더라면 배상받았을 금액의 지급을 구할 여지가 없으므로, 매각대금이 완납된 날 丙의 공동근저당권 불법말소로 인한 丁의 손해가 확정적으로 발생하였고, 乙 소유 부동산의 매각대금으로 丙이 배당을 받은 날과 공동근저당권이 말소된 날 사이에 丁이 대위의 부기등기를 마치지 않은 사정만으로 丙의 불법행위와 丁의 손해 사이에 존재하는 인과관계가 단절된다고 할 수 없다(대판 2011.8.18, 2011다30666 · 30673).

3. 공동저당물이 모두 물상보증인 소유인 경우

위 2.의 판례의 법리는 수인의 물상보증인이 제공한 부동산 중 일부에 대하여 경매가 실행된 경우에도 마찬가지로 적용되어야 하므로, 자기 소유의 부동산이 먼저 경매되어 1번 저당권자에게 대위변제를 한 물상보증인은 다른 물상보증인의 부동산에 대한 1번 저당권을 대위취득하고, 그 물상보증인 소유 부동산의 후순위 저당권자는 1번 저당권에 대하여 물상대위를 할 수 있으므로 물상보증인이 대위취득한 선순위 저당권설정등기에 대하여는 말소등기가 경료될 것이 아니라 물상보증인 앞으로 대위에 의한 저당권이전의 부기등기가 경료되어야 하고, 아직 경매되지 아니한 공동저당물의 소유자로서는 1번 저당권자에 대한 피담보채무가 소멸하였다는 사정만으로 말소등기를 청구할 수 없다(대판 2001.6.1, 2001다21854).

(4) 공동저당 법리의 유추적용

1) 사용자 소유의 수 개의 부동산 중 일부가 먼저 경매되어 근로자가 임금채권우선특권에 의해 우선 배당받음으로써, 저당권자가 임금채권이 동시배당되는 경우보다 불이익을 받은 경우(대판 2002.12.10, 2002다48399), 대지와 건물이 동시에 경매되어 주택임차인이 소액보증금에 대해 우선 배당받는 경우(대판 2003.9.5, 2001다66291), 조세우선특권(대판 2001.11.27, 99다22311), 공장저당법에 의한 저당(대판 1998.4.24, 97다51650) 등에서는 그 채권자를 보호하기 위해 공동저당의 법리를 유추적용한다.

2) 다만, 부동산과 선박에 공동저당권을 설정한 경우에는 경매절차가 서로 다르므로 제368조가 유추적용되지 않는다(대판 2002.7.12, 2001다53264).

판례 연구 관련판례 정리

1. 임금채권우선특권

임금채권 우선특권은 사용자의 총재산에 대하여 저당권 등에 의하여 담보된 채권, 조세 등에 우선하여 변제받을 수 있는 이른바 법정담보물권으로서, 사용자 소유의 수 개의 부동산 중 일부가 먼저 경매되어 그 경매대가에서 임금채권자가 우선특권에 따라 우선변제 받은 결과 그 경매한 부동산의 저당권자가 민법 제368조 제1항에 의하여 위 수 개의 부동산으로부터 임금채권이 동시배당되는 경우보다 불이익을 받은 경우에는, 같은 조 제2항 후문을 유추적용하여 위와 같이 불이익을 받은 저당권자로서는 임금채권자가 위 수 개의 부동산으로부터 동시에 배당받았다면 다른 부동산의 경매대가에서 변제를 받을 수 있었던 금액의 한도 안에서 선순위자인 임금채권자를 대위하여 다른 부동산의 경매절차에서 우선하여 배당받을 수 있다(대판 2002.12.10, 2002다48399).

2. 주택임차인의 소액보증금의 최우선변제

주택임대차보호법 제8조에 규정된 소액보증금반환청구권은 임차목적 주택에 대하여 저당권에 의하여 담보된 채권, 조세 등에 우선하여 변제받을 수 있는 이른바 법정담보물권으로서, 주택임차인이 대지와 건물 모두로부터 배당을 받는 경우에는 마치 그 대지와 건물 전부에 대한 공동저당권자와 유사한 지위에 서게 되므로 대지와 건물이 동시에 매각되어 주택임차인에게 그 경매대가를 동시에 배당하는 때에는 민법 제368조 제1항을 유추적용하여 대지와 건물의 경매대가에 비례하여 그 채권의 분담을 정하여야 한다(대판 2003.9.5, 2001다66291).

3. 공장저당법에 의한 저당

민법 제368조 제1항은 동일한 채권의 담보로 수 개의 부동산에 저당권을 설정한 경우에 그 부동산의 경매대가를 동시에 배당하는 때에는 각 부동산의 경매대가에 비례하여 채권의 분담을 정하도록 규정하고 있는바, 위 조항은 저당목적물이 수 개의 부동산인 경우만이 아니라 공장저당법에 의한 저당권의 목적물인 토지와 건물 및 거기에 설치된 기계・기구의 경매대가를 동시에 배당하는 경우에도 적용 및 준용되고, 이러한 법리는 선순위 근저당권자가 토지에 대한 단독 근저당권을 취득한 시점과 그 단독 근저당권을 공장저당법에 의하여 공장에 속하는 동일한 토지와 그 지상의 건물 및 기계・기구에 대한 공동근저당권으로 변경하여 취득한 시점과의 사이에 후순위 근저당권자가 토지에 대한 근저당권을 취득한 경우에도 마찬가지로 적용 및 준용된다(대판 1998.4.24, 97다51650).

4. 부동산과 선박에 대한 공동저당의 경우

동일한 채권의 담보로 부동산과 선박에 대하여 저당권이 설정된 경우에는 민법 제368조 제2항 후문의 규정이 적용 또는 유추적용되지 아니하므로, 동일한 채권을 담보하기 위하여 부동산과 선박에 선순위 저당권이 설정된 후 선박에 대하여서만 후순위 저당권이 설정된 경우, 먼저 선박에 대하여 담보권 실행절차가 진행되어 선순위 저당권자가 선박에 대한 경매대가에서 피담보채권 전액을 배당받음으로써 선박에 대한 후순위 저당권자가 부동산과 선박에 대한 담보권 실행절차가 함께 진행되어 동시에 배당을 하였더라면 받을 수 있었던 금액보다 적은 금액만을 배당받게 되었다고 하더라도, 선박에 대한 후순위 저당권자는 민법 제368조 제2항 후문의 규정에 따라 부동산에 대한 선순위 저당권자의 저당권을 대위할 수 없다(대판 2002.7.12, 2001다53264). → 선박 등의 동산은 부동산과는 경매절차가 다르므로 동일 채권의 담보로 부동산과 선박에 근저당권이 설정된 경우에도 동시배당이 불가능하기 때문에, 공동저당의 법리가 적용될 수 없다고 설명된다.

Ⅱ. 근저당

> **제357조【근저당】**
> ① 저당권은 그 담보할 채무의 최고액만을 정하고 채무의 확정을 장래에 보류하여 이를 설정할 수 있다. 이 경우에는 그 확정될 때까지의 채무의 소멸 또는 이전은 저당권에 영향을 미치지 아니한다.
> ② 전항의 경우에는 채무의 이자는 최고액 중에 산입한 것으로 본다.

1. 의의 및 특징

1) 근저당권은 그 담보할 채무의 최고액만을 정하고, 채무의 확정을 장래에 보류하여 설정하는 저당권으로서(민법 제357조 제1항), 계속적인 거래관계로부터 발생하는 다수의 불특정채권을 장래의 결산기에서 일정한 한도까지 담보하기 위한 목적으로 설정되는 담보권이다.

2) 근저당권은 증감·변동하는 장래의 불특정채권을 담보하므로(불특정성·불확정성), 중간에 피담보채권이 변제, 상계 등으로 인하여 일시 소멸하더라도 저당권의 존속 자체에는 아무런 영향이 없다(부종성의 완화·배제).

2. 근저당권의 성립

(1) 근저당권설정계약

1) 근저당권 설정계약에는 담보할 채권의 최고액을 정하고, 피담보채권으로 될 채권의 기초가 되는 계속적 법률관계, 즉 기본계약관계도 명백히 정해져 있어야 한다.

2) 판례는 ① 근저당권설정행위와는 별도로 근저당권의 피담보채권을 성립시키는 법률행위가 있어야 하고, 근저당권의 성립 당시 근저당권의 피담보채권을 성립시키는 법률행위가 있었는지 여부에 대한 입증책임은 그 존재를 주장하는 측에 있다고 하고(대판 2004.5.28, 2003다70041; 대판 2009.12.24, 2009다72070), ② 채권자가 채무자와의 사이에 근저당권설정계약을 체결하였으나 그 계약에 기한 근저당권설정등기가 채권자가 아닌 제3자의 명의로 경료되었다면 그 등기절차에 하자가 있다고 하더라도 그 후 다시 채권자가 위 근저당권을 이전받았다면 그 근저당권설정등기는 유효한 등기가 된다고 한다(대판 2007.1.11, 2006다50055).

> **근저당권설정등기가 채권자 아닌 제3자 명의로 경료된 후 채권자가 근저당권이전의 부기등기를 경료받은 경우, 위 근저당권설정등기가 실체관계에 부합하는지 여부**(한정 적극) ★★★
> ① 근저당권은 채권담보를 위한 것이므로 원칙적으로 채권자와 근저당권자는 동일인이 되어야 하고, 다만 제3자를 근저당권 명의인으로 하는 근저당권을 설정하는 경우 그 점에 관하여 채권자와 채무자 및 제3자 사이에 합의가 있고, 채권양도, 제3자를 위한 계약, 불가분적 채권관계의 형성 등 방법으로 채권이 그 제3자에게 실질적으로 귀속되었다고 볼 수 있는 특별한 사정이 있는 경우에 한하여 제3자 명의의 근저당권설정등기도 유효하다.

② 무효등기의 유용에 관한 합의 내지 추인은 묵시적으로도 이루어질 수 있으나, 위와 같은 묵시적 합의 내지 추인을 인정하려면 무효등기 사실을 알면서 장기간 이의를 제기하지 아니하고 방치한 것만으로는 부족하고 그 등기가 무효임을 알면서도 유효함을 전제로 기대되는 행위를 하거나 용태를 보이는 등 무효등기를 유용할 의사에서 비롯되어 장기간 방치된 것이라고 볼 수 있는 특별한 사정이 있어야 한다.

③ 등기가 실체적 권리관계에 부합한다고 하는 것은 그 등기절차에 어떤 하자가 있더라도 진실한 권리관계와 합치되는 것을 의미하는바, 채권자가 채무자와 사이에 근저당권설정계약을 체결하였으나 그 계약에 기한 근저당권설정등기가 채권자가 아닌 제3자의 명의로 경료되고 그 후 다시 채권자가 위 근저당권설정등기에 대한 부기등기의 방법으로 위 근저당권을 이전받았다면, 특별한 사정이 없는 한 그때부터 위 근저당권설정등기는 실체관계에 부합하는 유효한 등기로 볼 수 있다. (그러나) 채권자 아닌 제3자 명의의 근저당권설정등기가 경료된 부동산에 소유권이전청구권 가등기가 경료되고 그 후 다시 채권자 명의의 위 근저당권이전의 부기등기가 경료된 경우, 채권자는 위 부기등기가 경료된 시점에 비로소 근저당권을 취득하는데, 부기등기의 순위가 주등기의 순위에 의하도록 되어 있는 부동산등기법 제6조 제1항에 따라 등기부상으로는 채권자가 위 제3자 명의의 근저당권설정등기가 경료된 시점에 근저당권을 취득한 것이 되어 위 가등기보다 그 순위가 앞서게 되므로, 결국 위 근저당권설정등기는 실체관계에 부합하는 유효한 등기라고 볼 수 없다(대판 2007.1.11, 2006다50055).

(2) 등기

등기원인이 '근저당권'이라는 것을 구체적으로 기재해야 하며(예컨대 '0년 0월 0일 근저당권설정계약'), 채권의 최고액은 반드시 등기해야 한다(부등법 제75조 제2항). 한편 이자는 채권최고액 속에 포함되어 있다고 보므로 별도로 등기할 필요가 없고(제357조 제2항), 근저당권의 존속기간이나 결산기는 필요적 등기사항이 아니므로, 이를 등기하지 않더라도 유효하다.

근저당권설정등기의 접수일자의 변경을 구하는 청구의 소의 이익 유무

부동산등기부의 사항란에 기재된 근저당권설정등기의 접수일자는 등기가 접수된 날을 나타내는 하나의 사실기재에 불과하고 권리에 관한 기재가 아니므로, 그 접수일자의 변경을 구하는 것은 구체적인 권리 또는 법률관계에 관한 쟁송이라 할 수 없고, 또 등기의 접수일자는 실체적 권리관계와 무관한 것으로서 그 변경에 등기권리자와 등기의무자의 관념이 있을 수 없어 이행청구의 대상이 될 수도 없으므로, 소의 이익이 없어 부적법하다(대판 2003.10.24, 2003다13260).

3. 근저당권의 효력

(1) 피담보채권의 범위

1) 채권최고액

① 등기에는 근저당이라는 취지를 밝히고 채권의 최고액을 명시하여야 한다. 채권의 최고액은 반드시 등기하여야 한다(부동산등기법 제75조 제2항).

② 계속적 거래관계에 기하여 이미 채권이 발생한 후 그 계속적 거래관계를 기본계약으로 하여 근저당권을 설정한 경우에는 특별한 사정이 없는 한 근저당권은 전에 발생한 채권도 담보한다(대판 1970.4.28, 70다103).

③ 최고액으로서 등기되는 것은 채권원본의 한도액이 아니라 이자를 포함하는 원리금의 한도액이므로 이자의 등기를 별도로 할 필요는 없다. 즉 지연이자 내지 지연배상은 1년분에 한정되지 않고 채권 최고액에 포함되는 이상 모두 담보된다(통설).

저당권의 피담보채권 범위에 관한 민법 제360조 단서가 근저당권에도 적용되는지 여부(소극) **및 이는 근저당권의 피담보채권이 회생담보권인 경우에도 마찬가지인지 여부**(적극)

저당권의 피담보채권 범위에 관한 민법 제360조 단서는 근저당권에 적용되지 않으므로 근저당권의 피담보채권 중 지연손해금도 근저당권의 채권최고액 한도에서 전액 담보된다. 이는 근저당권의 피담보채권이 회생담보권(채무자 회생 및 파산에 관한 법률 제141조 참고)인 경우라고 해서 달리 볼 이유가 없다(대판 2021.10.14, 2021다240851).

④ 한편 최고액은 당사자 사이의 계속적 거래관계에서 생긴 채권 중 담보할 한도액을 말하는 것이고, 근저당권실행비용이 채권최고액에 포함된다면 근저당권자의 채권 중 우선변제를 받을 수 있는 최고액의 범위에 포함되는 부분이 줄어들어 근저당권자에게 불리하게 되기 때문에 근저당권의 실행비용은 포함되지 않는다(대판 2001.11.27, 2001다47986).

2) 피담보채권액이 채권최고액을 초과하는 경우

① 근저당권자와 채무자 겸 근저당권설정자와의 관계에 있어서 근저당권의 효력범위는 최고액을 초과한 채권액 전부를 피담보채권으로 한다. 따라서 채무자 겸 근저당권설정자는 피담보채권 전액을 변제해야 말소등기청구가 가능하다(대판 2001.10.12, 2000다59081).

② 근저당권의 목적물을 취득한 제3취득자는 채권의 최고액까지만 변제하고 근저당권의 소멸을 청구할 수 있다(대판 1971.4.6, 71다26). 물상보증인도 제3취득자와 같다. 즉, 자기의 부동산에 타인을 위하여 근저당을 설정한 물상보증인은 최고액까지만 변제하고 근저당권의 소멸을 청구할 수 있다(대판 1974.12.10, 74다998).

채무액이 채권최고액을 초과하는 경우에 채무자 겸 근저당권설정자가 위 근저당권설정등기의 말소를 구하기 위하여 변제할 채무액

채무자의 채무액이 근저당 채권최고액을 초과하는 경우에 채무자 겸 근저당권설정자가 그 채무의 일부인 채권최고액과 지연손해금 및 집행비용 만을 변제하였다면 채권전액의 변제가 있을 때까지 근저당권의 효력은 잔존채무에 미치는 것이므로 위 채무일부의 변제로써 위 근저당권의 말소를 청구할 수 없다(대판 1981.11.10, 80다2712).

확정된 피담보채권액이 채권최고액을 초과하는 경우, 근저당권의 효력 ★★

근저당권의 확정된 피담보채권은 채권최고액을 한도로 하여 우선변제를 받게 되고, 근저당권자와 후순위 근저당권자 등 제3자와의 관계는 채권최고액에 의해 조정된다. 그러나 원래 저당권은 원본, 이자, 위약금, 채무불이행으로 인한 손해배상 및 저당권의 실행비용을 담보하는 것이며, 채권최고액의 정함이 있는 근저당권에 있어서 이러한 채권의 총액이 그 채권최고액을 초과하는 경우, 적어도 근저당권자와 채무자 겸 근저당권설정자와의 관계에 있어서는 위 채권 전액의 변제가 있을 때까지 근저당권의 효력은 채권최고액과는 관계없이 잔존채무에 여전히 미친다. 따라서 채무자는 피담보채무 전액을 변제하고 근저당권설정등기의 말소를 구할 수 있다(대판 2001.10.12, 2000다59081).

근저당권설정자와 채무자가 동일하고 민사집행법 제148조에 따라 배당받을 채권자나 제3취득자가 없는 상황에서 근저당권자의 채권액이 근저당권의 채권최고액을 초과하는 경우, 매각대금 중 근저당권의 채권최고액을 초과하는 부분의 처리

민사집행법상 경매절차에 있어 근저당권설정자와 채무자가 동일한 경우에 근저당권의 채권최고액은 민사집행법 제148조에 따라 배당받을 채권자나 저당목적 부동산의 제3취득자에 대한 우선변제권의 한도로서의 의미를 갖는 것에 불과하고, 그 부동산으로써는 그 최고액 범위 내의 채권에 한하여서만 변제를 받을 수 있다는 이른바 책임의 한도라고까지는 볼 수 없다. 그러므로 민사집행법 제148조에 따라 배당받을 채권자나 제3취득자가 없는 한 근저당권자의 채권액이 근저당권의 채권최고액을 초과하는 경우에 매각대금 중 그 최고액을 초과하는 금액이 있더라도 이는 근저당권설정자에게 반환할 것은 아니고 근저당권자의 채권최고액을 초과하는 채무의 변제에 충당하여야 한다(대판 2009.2.26, 2008다4001).

근저당권자가 물상보증인을 상대로 피담보채무의 확정을 위한 확인의 소를 제기할 확인의 이익이 있는지 여부(적극) ★

근저당권자가 근저당권의 피담보채무의 확정을 위하여 스스로 물상보증인을 상대로 확인의 소를 제기하는 것이 부적법하다고 볼 것은 아니며, 물상보증인이 근저당권자의 채권에 대하여 다투고 있을 경우 그 분쟁을 종국적으로 종식시키는 유일한 방법은 근저당권의 피담보채권의 존부에 관한 확인의 소라고 할 것이므로, 근저당권자가 물상보증인을 상대로 제기한 확인의 소는 확인의 이익이 있어 적법하다(대판 2004.3.25, 2002다20742).

◈ 비교 판례 ◈

확인의 소에서 확인의 대상은 현재의 권리 또는 법률관계일 것을 요하므로 특별한 사정이 없는 한 과거의 권리 또는 법률관계의 존부확인은 인정되지 아니하는바, 근저당권의 피담보채무에 관한 부존재확인의 소는 근저당권이 말소되면 과거의 권리 또는 법률관계의 존부에 관한 것으로서 확인의 이익이 없게 된다(대판 2013.8.23, 2012다17585).

3) 채무의 범위나 채무자의 변경

채무의 범위나 채무자가 변경된 경우에는 당연히 변경 후의 범위에 속하는 채권이나 채무자에 대한 채권만이 해당 근저당권에 의하여 담보되고, 변경 전의 범위에 속하는 채권이나 채무자에 대한 채권은 그 근저당권에 의하여 담보되는 채무의 범위에서 제외된다(대판 1999.5.14, 97다15777 · 15784).

피담보채권의 확정 '전' 채무범위나 채무자의 변경

① 채권최고액이나 존속기간은 변경할 수 있고, 이를 등기하면 제3자에게 대항할 수 있으나, 변경등기 이전에 이해관계를 맺은 자에게는 대항할 수 없다. 한편 채무자를 변경하는 것은 계약인수의 성질을 지니므로, 기본계약의 당사자와 인수인의 3면계약으로 이루어져야 하고, 변경된 계약에 기한 채무만이 근저당권에 의해 담보된다(대판 1999.5.14, 97다15777 · 15784).

② 근저당권은 피담보채무의 최고액만을 정하고 채무의 확정을 장래에 보류하여 설정하는 저당권이다(제357조 제1항 본문 참조). 근저당권을 설정한 후에 근저당설정자와 근저당권자의 합의로 채무의 범위 또는 채무자를 추가하거나 교체하는 등으로 피담보채무를 변경할 수 있다. 이러한 경우 위와 같이 변경된 채무가 근저당권에 의하여 담보된다. 후순위저당권자 등 이해관계인은 근저당권의 채권최고액에 해당하는 담보가치가 근저당권에 의하여 이미 파악되어 있는 것을 알고 이해관계를 맺었기 때문에 이러한 변경으로 예측하지 못한 손해를 입었다고 볼 수 없으므로, 피담보채무의 범위 또는 채무자를 변경할 때 이해관계인의 승낙을 받을 필요가 없다.

또한 등기사항의 변경이 있다면 변경등기를 해야 하지만, 등기사항에 속하지 않는 사항은 당사자의 합의만으로 변경의 효력이 발생한다(대판 2021.12.16, 2021다255648).

물상보증인이 피담보채무를 면책적으로 인수한 경우 근저당권에 의해 담보되는 채무의 범위
물상보증인이 근저당권의 채무자의 계약상의 지위를 인수한 것이 아니라, 다만 그 채무만을 면책적으로 인수하고 이를 원인으로 하여 근저당권 변경의 부기등기가 경료된 경우, 특별한 사정이 없는 한 그 변경등기는 당초 채무자가 근저당권자에 대하여 부담하고 있던 것으로서 물상보증인이 인수한 채무만을 그 대상으로 하는 것이지, 그 후 채무를 인수한 물상보증인이 다른 원인으로 근저당권자에 대하여 부담하게 된 새로운 채무까지 담보하는 것으로 볼 수는 없다(대판 2002.11.26, 2001다73022).

4) 채권의 일부양도와 대위변제

① 근저당 거래관계가 계속 중인 경우, 즉 근저당권의 피담보채권이 확정되기 전에 그 채권의 일부를 양도하거나 대위변제한 경우 근저당권이 양수인이나 대위변제자에게 이전할 여지가 없다(대판 1996.6.14, 95다53812).

② 그러나 피담보채권이 확정된 후에는 채권의 일부양도가 가능하고, 이 경우에는 근저당권도 일부양도되어 근저당권의 준공유로 된다. 또한 일부변제의 경우 근저당권에 의하여 담보되는 피담보채권이 확정되게 되면, 그 피담보채권액이 그 근저당권의 채권최고액을 초과하지 않는 한 그 근저당권 내지 그 실행으로 인한 경락대금에 대한 권리 중 그 피담보채권액을 담보하고 남는 부분은 저당권의 일부이전의 부기등기의 경료 여부와 관계없이 대위변제자에게 법률상 당연히 이전된다.

(2) 피담보채권의 확정

1) 확정의 의미

근저당권에서는 채무가 확정되는 시점의 채무를 최고액의 범위 내에서 담보하는 것이고, 그 이후에 발생하는 채무는 더 이상 근저당권에 의해 담보되지 않는다. 따라서 어느 시기에 채무가 확정되는지에 따라 후순위담보권자 · 물상보증인 · 제3취득자 · 일반채권자 등에게 직접적인 영향을 미치게 된다.

2) 확정사유 · 시기

가) 개관

결산기의 도래, 존속기간의 만료, 기본계약 또는 근저당권 설정계약의 해지 또는 해제, 저당목적물에 대한 경매신청 등으로 피담보채권은 확정된다. 한편, 기본계약 또는 근저당권설정계약의 해지 · 해제는 존속기간의 정함이 없거나, 존속기간의 정함이 있더라도 사정이 변경된 경우에 인정되고, 저당목적물의 제3취득자도 원용할 수 있다(대판 2002.5.24, 2002다7176).

나) 근저당권의 존속기간 · 결산기를 정한 경우

① 원칙적으로 결산기가 도래하거나 존속기간이 만료한 때에 피담보채무가 확정된다. 여기에서 결산기의 지정은 일반적으로 근저당권 피담보채무의 확정시기와 방법을 정한 것으로서

피담보채무의 이행기에 관한 약정과는 구별된다(대판 2017.10.31, 2015다65042).

② 다만 이 경우에도 근저당권에 의하여 담보되는 채권이 전부 소멸하고 채무자가 채권자로부터 새로이 금원을 차용하는 등 거래를 계속할 의사가 없는 경우에는, 그 존속기간 또는 결산기가 경과하기 전이라 하더라도 근저당권설정자는 계약을 해지하고 근저당권설정등기의 말소를 구할 수 있다(대판 2002.5.24, 2002다7176).

다) 근저당권의 존속기간·결산기의 정함이 없는 경우

근저당권의 피담보채무의 확정방법에 관한 다른 약정이 있으면 그에 따르되, 이러한 약정이 없는 경우라면 근저당권설정자가 근저당권자를 상대로 언제든지 계약 해지의 의사표시를 함으로써 피담보채무를 확정시킬 수 있다(대판 2002.5.24, 2002다7176).

근저당권의 피담보채무의 확정시기 및 피담보채무의 확정에 관한 근저당권설정자의 권한을 근저당부동산의 소유권을 취득한 제3자가 원용할 수 있는지 여부(적극) ★★

근저당권이라 함은 그 담보할 채권의 최고액만을 정하고 채무의 확정을 장래에 유보하여 설정하는 저당권을 말하고, 이 경우 그 피담보채무가 확정될 때까지의 채무의 소멸 또는 이전은 근저당권에 영향을 미치지 아니하므로, 근저당부동산에 대하여 소유권을 취득한 제3자는 피담보채무가 확정된 이후에 그 확정된 피담보채무를 채권최고액의 범위 내에서 변제하고 근저당권의 소멸을 청구할 수 있다고 할 것인바, 피담보채무는 근저당권설정계약에서 근저당권의 존속기간을 정하거나 근저당권으로 담보되는 기본적인 거래계약에서 결산기를 정한 경우에는 원칙적으로 존속기간이나 결산기가 도래한 때에 확정되지만, 이 경우에도 근저당권에 의하여 담보되는 채권이 전부 소멸하고 채무자가 채권자로부터 새로이 금원을 차용하는 등 거래를 계속할 의사가 없는 경우에는, 그 존속기간 또는 결산기가 경과하기 전이라 하더라도 근저당권설정자는 계약을 해제하고 근저당권설정등기의 말소를 구할 수 있고, 존속기간이나 결산기의 정함이 없는 때에는 근저당권설정자가 근저당권자를 상대로 언제든지 해지의 의사표시를 함으로써 피담보채무를 확정시킬 수 있으며, 이러한 계약의 해제 또는 해지에 관한 권한은 근저당부동산의 소유권을 취득한 제3자도 원용할 수 있다고 할 것이다(대판 2001.11.9, 2001다47528).

→ [사실관계 및 해설] : 근저당부동산을 매수하고 소유권이전등기를 경료한 제3자가 근저당권자에게 피담보채무를 대위변제하면서 피담보채무의 소멸을 이유로 근저당권의 말소를 요구한 경우, 그 의사표시에는 근저당부동산의 소유권을 취득한 제3자로서 근저당권설정계약을 해지하고 피담보채무를 확정시키고자 하는 의사표시가 포함되어 있다고 볼 수 있으므로, 근저당권의 피담보채무는 그 설정계약에서 정한 바(계약해지의 의사표시를 한 경우, 그에 의한 해지의 의사표시가 채권자 앞으로 도달한 날로부터 45일이 경과한 때에 해지의 효력이 발생하며 이 때 피담보채무가 확정된다고 약정)에 따라 확정된다고 본 사례이다.

라) 경매신청의 경우

① 근저당권자 자신이 경매신청한 경우

i) 근저당권자가 그 피담보채무의 불이행을 이유로 경매신청을 한 때에는 그 경매신청 시에 근저당권은 확정되는 것이고 근저당권이 확정되면 그 이후에 발생하는 원금채권은 그 근저당권에 의하여 담보되지 않는다(대판 1989.11.28, 89다카15601).

ii) 또한 경매신청 시에 근저당 채무액이 확정되면, 그 이후부터 근저당권은 부종성을 가지게 되어 보통의 저당권과 같은 취급(전환)을 받게 되는바, 위와 같이 경매신청을 하여 경매개시결정이 있은 후에 경매신청이 취하되었다고 하더라도 채무확정의 효과가 번복되

는 것은 아니다(대판 2002.11.26, 2001다73022).[68]

② 제3자가 경매신청한 경우

다만 후순위 근저당권자가 경매를 신청한 경우 후순위 근저당권은 경매신청시에 확정되나, 선순위 근저당권의 피담보채권은 그 근저당권이 소멸하는 시기, 즉 경락인이 경락대금을 완납한 때에 확정된다(대판 1999.9.21, 99다26085).

공동근저당권자가 목적 부동산 중 일부 부동산에 대하여 제3자가 신청한 경매절차에 소극적으로 참가하여 우선배당을 받은 경우, 해당 부동산에 관한 근저당권의 피담보채권이 확정되는 시기(매수인이 매각대금을 지급한 때) **및 같은 시기에 나머지 목적 부동산에 관한 근저당권의 피담보채권도 확정되는지 여부**(원칙적 소극) ★

공동근저당권자가 목적 부동산 중 일부 부동산에 대하여 제3자가 신청한 경매절차에 소극적으로 참가하여 우선배당을 받은 경우, ①「해당 부동산」에 관한 근저당권의 피담보채권은 그 근저당권이 소멸하는 시기, 즉 매수인이 매각대금을 지급한 때에 확정되지만, ②「나머지 목적 부동산」에 관한 근저당권의 피담보채권은 기본거래가 종료하거나 채무자나 물상보증인에 대하여 파산이 선고되는 등의 다른 확정사유가 발생하지 아니하는 한 확정되지 아니한다. 공동근저당권자가 제3자가 신청한 경매절차에 소극적으로 참가하여 우선배당을 받았다는 사정만으로는 당연히 채권자와 채무자 사이의 기본거래가 종료된다고 볼 수 없고, 기본거래가 계속되는 동안에는 공동근저당권자가 나머지 목적 부동산에 관한 근저당권의 담보가치를 최대한 활용할 수 있도록 피담보채권의 증감·교체를 허용할 필요가 있으며, 위와 같이 우선배당을 받은 금액은 나머지 목적 부동산에 대한 경매절차에서 다시 공동근저당권자로서 우선변제권을 행사할 수 없어 이후에 피담보채권액이 증가하더라도 나머지 목적 부동산에 관한 공동근저당권자의 우선변제권 범위는 우선배당액을 공제한 채권최고액으로 제한되므로 후순위 근저당권자나 기타 채권자들이 예측하지 못한 손해를 입게 된다고 볼 수 없기 때문이다(대판 2017.9.21, 2015다50637).

3) 확정의 효과

가) 통상 저당권으로의 전환

① 근저당권이 확정되면 그 때를 기준으로 피담보채권이 특정되고 그 후 발생하는 채권은 더 이상 근저당권에 의하여 담보되지 않으며 일반 저당권으로 전환된다(대판 1993.3.12, 92다48567; 대판 1997.12.9, 97다25521). 판례는 근저당권자의 경매신청 등의 사유로 인하여 근저당권의 피담보채권이 확정되었을 경우, 확정 전에 발생한 원본채권에 관하여 확정 후에 발생하는 이자나 지연손해금 채권은 담보되나, 확정 이후에 새로운 거래관계에서 발생한 원본채권은 채권최고액의 범위 내에서 근저당권에 의하여 여전히 담보되지 않는다고 한다(대판 2007.4.26, 2005다38300).

② 근저당권자는 피담보채권이 확정되고 변제기가 도래하면 근저당권을 실행할 수 있으며, 실행절차는 보통의 저당권과 동일하다.

68) 경매신청 후 경매신청의 취하가 있더라도 근저당권은 경매신청시에 확정된다.

나) 확정된 피담보채권액이 채권최고액을 초과하는 경우 근저당권의 효력

① 원래 저당권은 원본, 이자, 위약금, 채무불이행으로 인한 손해배상 및 저당권의 실행비용을 담보하는 것이며, 채권최고액의 정함이 있는 근저당권에 있어서 이러한 채권의 총액이 그 채권최고액을 초과하는 경우, 적어도 근저당권자와 채무자 겸 근저당권설정자와의 관계에 있어서는 위 채권 전액의 변제가 있을 때까지 근저당권의 효력은 채권최고액과는 관계없이 잔존채무에 여전히 미친다. 따라서 채무자는 피담보채무 전액을 변제하고 근저당권설정등기의 말소를 구할 수 있다(대판 2001.10.12, 2000다59081).

② 근저당권의 목적물을 취득한 제3취득자는 채권의 최고액까지만 변제하고 근저당권의 소멸을 청구할 수 있다(대판 1971.4.6, 71다26). 물상보증인도 제3취득자와 같다. 즉, 자기의 부동산에 타인을 위하여 근저당을 설정한 물상보증인은 채무의 전액이 아닌 최고액까지만 변제하고 근저당권의 말소를 구할 수 있다(대판 1974.12.10, 74다998).

근저당권자가 물상보증인을 상대로 피담보채무의 확정을 위한 확인의 소를 제기할 확인의 이익이 있는지 여부(적극)
근저당권자가 근저당권의 피담보채무의 확정을 위하여 스스로 물상보증인을 상대로 확인의 소를 제기하는 것이 부적법하다고 볼 것은 아니며, 물상보증인이 근저당권자의 채권에 대하여 다투고 있을 경우 그 분쟁을 종국적으로 종식시키는 유일한 방법은 근저당권의 피담보채권의 존부에 관한 확인의 소라고 할 것이므로, 근저당권자가 물상보증인을 상대로 제기한 확인의 소는 확인의 이익이 있어 적법하다(대판 2004.3.25, 2002다20742).

4. 공동근저당

수개의 부동산에 근저당권을 설정하는 경우를 말하는데, 근저당이 장래 확정됨을 전제로 채권최고액의 범위 내에서 우선변제를 받는 것이 예정되어 있으므로, 공동저당에 관한 민법 제368조는 공동근저당에 대해서도 적용된다.

공동근저당의 제 문제 1(대판(전) 2017.12.21, 2013다16992) ★★★
[1] 공동근저당권이 설정된 목적 부동산에 대하여 동시배당 또는 이시배당이 이루어지는 경우에 공동근저당권자가 민법 제368조에 따라 배당받을 수 있는 한도
민법 제368조는 공동근저당권의 경우에도 적용되고, 공동근저당권자가 스스로 근저당권을 실행한 경우는 물론이며 타인에 의하여 개시된 경매 등의 환가절차에서 그 환가대금 등으로부터 다른 권리자에 우선하여 피담보채권의 일부에 대하여 배당받은 경우에도 적용된다. (따라서) 공동근저당권이 설정된 목적 부동산에 대하여 동시배당이 이루어지는 경우에 공동근저당권자는 채권최고액 범위 내에서 피담보채권을 민법 제368조 제1항에 따라 부동산별로 나누어 각 환가대금에 비례한 액수로 배당받으며, 공동근저당권의 각 목적 부동산에 대하여 채권최고액만큼 반복하여, 이른바 누적적으로 배당받지 아니한다. 그렇다면 공동근저당권이 설정된 목적 부동산에 대하여 이시배당이 이루어지는 경우에도 동시배당의 경우와 마찬가지로 공동근저당권자가 공동근저당권 목적 부동산의 각 환가대금으로부터 채권최고액만큼 반복하여 배당받을 수는 없다고 해석하는 것이 민법 제368조 제1항 및 제2항의 취지에 부합한다.

[2] 공동근저당권자가 다른 사람의 신청에 의하여 개시된 경매·공매절차 또는 회생절차 등(이하 '경매 등의 환가절차')을 통하여 공동담보의 목적 부동산 중 일부에 대한 환가대금 등으로부터 다른 권리자에 우선하여 피담보채권의 일부에 대하여 변제를 받은 경우에, 공동담보의 나머지 목적 부동산에 대한 경매 등의 환가절차에서 공동근저당권자로서 다시 최초의 채권최고액 전부에 대하여 공동근저당권자로서 우선변제권을 행사할 수 있는지 여부(소극)

① 공동근저당권자가 스스로 근저당권을 실행하거나 타인에 의하여 개시된 경매 등의 환가절차를 통하여 공동담보의 목적 부동산 중 일부에 대한 환가대금 등으로부터 다른 권리자에 우선하여 피담보채권의 일부에 대하여 배당받은 경우에, 그와 같이 우선변제받은 금액에 관하여는 공동담보의 나머지 목적 부동산에 대한 경매 등의 환가절차에서 다시 공동근저당권자로서 우선변제권을 행사할 수 없다고 보아야 하며, 공동담보의 나머지 목적 부동산에 대하여 공동근저당권자로서 행사할 수 있는 우선변제권의 범위는 피담보채권의 확정 여부와 상관없이 최초의 채권최고액에서 위와 같이 우선변제받은 금액을 공제한 나머지 채권최고액으로 제한된다고 해석함이 타당하다. 그리고 이러한 법리는 채권최고액을 넘는 피담보채권이 원금이 아니라 이자·지연손해금인 경우에도 마찬가지로 적용된다.

② 이와 달리, 공동근저당권의 목적 부동산이 일부씩 나누어 순차로 경매가 실행되는 경우에 공동근저당권자가 선행 경매절차에서 배당받은 원본 및 이자·지연손해금의 합산액이 결과적으로 채권최고액으로 되어 있는 금액을 넘더라도 나머지 목적 부동산에 관한 경매 등의 환가절차에서 다시 우선변제권을 행사할 수 있다는 취지로 판단한 대판 2009.12.10, 2008다72318 판결은 이 판결의 견해에 배치되는 범위 내에서 이를 변경하기로 한다.

→ [사실관계] : 피고(공동근저당권자)가 이 사건 공동근저당권(채권최고액 71억 5,000만원)의 목적부동산 중 일부인 이 사건 제1부동산의 소유자인 채무자(A주식회사)에 대한 회생절차에서 회생계획에 따라 이 사건 제1부동산의 환가대금에서 약 41억원을 우선변제받은 사안에서, ① 이와 같이 우선변제받은 금액에 대해서는, 이 사건 공동근저당권의 다른 목적 부동산으로서 물상보증인(B주식회사)의 소유인 이 사건 제2부동산에 대하여 이 사건 회생절차 종결 후에 이루어진 이 사건 공매절차에서 피고가 다시 공동근저당권자로서 우선변제권을 행사할 수 없고, ② 이 사건 공동근저당권에 따라 이 사건 회생절차에서 우선변제받은 위 금액은 그만큼 이 사건 공동근저당권의 채권최고액에서 공제되어야 하며, ③ 피고는 이 사건 공매절차에서 그 공제 후의 채권최고액 범위 내에서만 이 사건 공동근저당권의 피담보채권에 대하여 배당받을 수 있다고 판단한 원심을 수긍한 사례이다.

◈ **비교판례** ◈

누적적 근저당(대판 2020.4.9, 2014다51756·2014다51763) ★★★

[1] 누적적 근저당권의 의미와 권리실행 방법

당사자 사이에 하나의 기본계약에서 발생하는 동일한 채권을 담보하기 위하여 여러 개의 부동산에 근저당권을 설정하면서 각각의 근저당권 채권최고액을 합한 금액을 우선변제받기 위하여 공동근저당권의 형식이 아닌 개별 근저당권의 형식을 취한 경우(주 - 각 부동산에 각각의 채권최고액을 정하여 피담보채권을 누적하여 부담시키도록 하는 경우로서 수개의 근저당권은 각각 독립된 근저당권으로서 존재하므로 각 근저당권에 기해 채권최고액 범위에서 반복적으로 우선변제를 받을 수 있는 특징이 있다), 이러한 근저당권은 민법 제368조가 적용되는 공동근저당권이 아니라 피담보채권을 누적적(累積的)으로 담보하는 근저당권에 해당한다.[69] 이와 같은 누적적 근저당권

69) ※ **[참고]** - 예컨대, 甲 부동산 위에 최고액 6,000만원의 근저당권을 설정한 후 동일한 근저당거래를 확대하기 위하여 다시 최고액을 3,000만원 증액할 필요가 있어 乙 부동산을 추가담보로 제공하면서 공동근저당권의 등기를 하지 않은 경우 민법 제368조가 적용되는지 여부가 문제된다. 이에 대하여 일본에서는 다른 견해도 있었지만, 1971년

은 공동근저당권과 달리 담보의 범위가 중첩되지 않으므로, 누적적 근저당권을 설정받은 채권자는 여러 개의 근저당권을 동시에 실행할 수도 있고, 여러 개의 근저당권 중 어느 것이라도 먼저 실행하여 그 채권최고액의 범위에서 피담보채권의 전부나 일부를 우선변제 받은 다음 피담보채권이 소멸할 때까지 나머지 근저당권을 실행하여 그 근저당권의 채권최고액 범위에서 반복하여 우선변제를 받을 수 있다.

[2] 채권자가 동일한 채권을 담보하기 위하여 채무자 소유의 부동산과 물상보증인 소유의 부동산에 누적적 근저당권을 설정한 뒤 물상보증인 소유의 부동산이 먼저 경매되어 매각대금에서 채권자가 변제를 받은 경우, 물상보증인이 변제자대위에 의하여 채무자 소유 부동산에 관한 근저당권을 행사할 수 있는지 여부(적극)

채권자가 하나의 기본계약에서 발생하는 동일한 채권을 담보하기 위하여 채무자 소유의 부동산과 물상보증인 소유의 부동산에 누적적 근저당권을 설정받았는데, 물상보증인 소유의 부동산이 먼저 경매되어 매각대금에서 채권자가 변제를 받은 경우, 물상보증인은 채무자에 대하여 구상권을 취득함과 동시에 민법 제481조, 제482조에 따라 종래 채권자가 가지고 있던 채권 및 담보에 관한 권리를 행사할 수 있다. 이때 물상보증인은 변제자대위에 의하여 종래 채권자가 보유하던 채무자 소유 부동산에 관한 근저당권을 대위취득하여 행사할 수 있다고 보아야 한다. 그 상세한 이유는 다음과 같다. ① 누적적 근저당권은 모두 하나의 기본계약에서 발생한 동일한 피담보채권을 담보하기 위한 것이다. 이와 달리 당사자가 근저당권 설정 시 피담보채권을 여러 개로 분할하여 분할된 채권별로 근저당권을 설정하였다면 이는 그 자체로 각각 별개의 채권을 담보하기 위한 개별 근저당권일 뿐 누적적 근저당권이라고 할 수 없다. 누적적 근저당권은 각 근저당권의 담보 범위가 중첩되지 않고 서로 다르지만 이러한 점을 들어 피담보채권이 각 근저당권별로 자동으로 분할된다고 볼 수도 없다. 이는 동일한 피담보채권이 모두 소멸할 때까지 자유롭게 근저당권 전부 또는 일부를 실행하여 각각의 채권최고액까지 우선변제를 받고자 누적적 근저당권을 설정한 당사자의 의사에 반하기 때문이다. 채무자 소유의 부동산과 물상보증인 소유의 부동산에 설정된 누적적 근저당권도 마찬가지이다. 따라서 채무자 소유 부동산에 설정된 근저당권은 물상보증인이 변제로 채권자를 대위할 경우 민법 제482조 제1항에 따라 행사할 수 있는 채권의 담보에 관한 권리에 해당한다. ② 민법 제481조, 제482조가 대위변제자로 하여금 채권자의 채권과 그 채권에 대한 담보권을 행사할 수 있도록 하는 이유는 대위변제자의 채무자에 대한 구상권의 만족을 실효성 있게 보장하기 위함이다. 물상보증인은 채무자의 자력이나 함께 담보로 제공된 채무자 소유 부동산의 담보력을 기대하고 자신의 부동산을 담보로 제공한다. 누적적 근저당권의 피담보채권액이 각각의 채권최고액을 합한 금액에 미달하는 경우 물상보증인은 변제자대위 등을 통해 채무자 소유의 부동산이 가장 우선적으로 책임을 부담할 것을 기대하고 담보를 제공한다(누적적 근저당권의 피담보채권액이 각각의 채권최고액을 합한 금액보다 큰 경우에는 채권자만이 모든 근저당권으로부터 만족을 받게 되므로 물상보증인의 변제자대위가 인정될 여지가 없다). 그 후에 채무자 소유 부동산에 후순위저당권이 설정되었다는 사정 때문에 물상

민법 개정으로 공동근저당권 등기가 있는 경우에 한하여 공동근저당권에 관한 규정을 적용하고, 그 등기가 없는 경우에는 누적적 근저당권으로 하여 공동근저당권에 관한 규정의 적용을 배제하고 있다. 즉 일본 민법은 누적적 공동근저당권을 원칙으로 하여 공동저당에 관한 규정의 적용을 배제하고, 공동저당의 등기를 한 경우에 한하여 순수공동근저당권으로서 공동저당에 관한 규정이 적용된다고 규정하고 있다. 우리나라는 일본과 달리 누적적 근저당에 관한 규정이 없지만, 통설은 누적적 근저당 자체는 인정하되, 다만 어디까지나 공동근저당이 아닌 별개의 근저당으로 등기되어 있는 경우 공시 자체가 별개의 근저당권으로 등기되어 있어 후순위권리자가 불측의 손해를 입는다거나 거래의 안전을 해하지 않으므로 민법 제368조의 적용을 배제하자는 것으로, 이에 의하면 공동근저당의 취지가 등기된 공동근저당권의 경우 원칙적으로 순수공동근저당권으로 해석하여 민법 제368조가 적용된다고 보고, 동일한 채권을 담보하면서도 공동근저당관계를 등기하지 않은 경우에는 누적적 근저당으로 보게 될 수 있다.

PART 02

보증인의 기대이익을 박탈할 수 없다. ③ 반면 누적적 근저당권은 공동근저당권이 아니라 개별 근저당권의 형식으로 등기되므로 채무자 소유 부동산의 후순위저당권자는 해당 부동산의 교환가치에서 선순위근저당권의 채권최고액을 뺀 나머지 부분을 담보가치로 파악하고 저당권을 취득한다. 따라서 선순위근저당권의 채권최고액 범위에서 물상보증인에게 변제자대위를 허용하더라도 후순위저당권자의 보호가치 있는 신뢰를 침해한다고 볼 수 없다.

→ [사실관계 및 해설] : ① 채권자 A가 동일한 채권을 담보하기 위하여 채무자 甲소유의 X부동산과 물상보증인 乙소유의 Y부동산에 여러 개의 누적적 근저당권을 설정한 뒤, 물상보증인 乙소유 Y부동산이 공익사업으로 협의취득되자 채권자 A가 협의취득 보상금에 물상대위권을 행사하여 채권 일부를 변제받았다. 그 후 채무자 甲은 자신 소유의 X부동산에 B를 위한 후순위 근저당권을 설정하였는데, X부동산이 경매로 매각되자 물상보증인 乙이 변제자대위에 따라 누적적 근저당권에 기한 배당을 요구하였다. 배당법원은 물상보증인 乙에게 배당하지 않고 위 경매 배당 부동산의 후순위근저당권자인 B에게 배당하였다. 그러자 乙(원고)은 B(피고)에 대한 배당에 이의를 제기하고 이 사건 배당이의의 소를 제기하였다. ② 이 사건의 쟁점은 채무자의 X부동산에 대한 채권자 A의 근저당권이 물상보증인 乙이 대위할 수 있는 위 민법 제481조, 제482조에 따른 '채권의 담보에 관한 권리'에 해당하는지 여부이다. 왜냐하면 만약 하나의 채권이라도 근저당권별로 피담보채권이 분할되는 것처럼 해석된다면 물상보증인 乙은 전혀 다른 별개의 채권에 대한 권리를 대위할 수는 없고, 결국 민법 제368조 제2항에 따라 후순위저당권자인 B가 선순위저당권자인 채권자 A를 대위한다고 볼 수 있기 때문이다. ③ 이에 대법원은 물상보증인 소유의 부동산과 채무자 소유 부동산에 설정된 누적적 근저당권은 담보 범위가 다르더라도 동일한 채권을 담보하기 위한 것이므로, 물상보증인 乙은 변제자대위에 의하여 채권자 A가 보유하던 채무자 甲 소유의 X부동산에 관한 근저당권을 대위취득하여 행사할 수 있으므로, 물상보증인 乙에게 먼저 배당하여야 한다고 보았다.

공동근저당의 제 문제 2 – 공동(근)저당과 물상보증인(대판 2018.7.11, 2017다292756) ★★

[1] 채무자 소유 부동산과 물상보증인 소유 부동산에 공동근저당권이 설정된 후 공동담보의 목적 부동산 중 채무자 소유 부동산을 제3자에게 매각하여 그 대가로 피담보채권의 일부를 변제하는 경우, 공동근저당권자가 그와 같이 변제받은 금액에 관하여 물상보증인 소유 부동산에 대한 경매 등의 환가절차에서 우선변제권을 행사할 수 있는지 여부(소극)

① 공동근저당권자가 스스로 근저당권을 실행하거나 타인에 의하여 개시된 경매 등의 환가절차를 통하여 공동담보의 목적 부동산 중 일부에 대한 환가대금 등으로부터 다른 권리자에 우선하여 피담보채권의 일부를 배당받은 경우, 그와 같이 우선변제받은 금액에 관하여는 공동담보의 나머지 목적 부동산에 대한 경매 등의 환가절차에서 다시 공동근저당권자로서 우선변제권을 행사할 수 없다.

② 이러한 법리는 채무자 소유 부동산과 물상보증인 소유 부동산에 공동근저당권이 설정된 후 공동담보의 목적 부동산 중 채무자 소유 부동산을 임의환가하여 청산하는 경우, 즉 공동담보의 목적 부동산 중 채무자 소유 부동산을 제3자에게 매각하여 그 대가로 피담보채권의 일부를 변제하는 경우에도 적용되어, 공동근저당권자는 그와 같이 변제받은 금액에 관하여는 더 이상 물상보증인 소유 부동산에 대한 경매 등의 환가절차에서 우선변제권을 행사할 수 없다. 만일 위와 달리 공동근저당권자가 임의환가 방식을 통해 채무자 소유 부동산의 대가로부터 피담보채권의 일부를 변제받았음에도, 이후 공동근저당권의 다른 목적 부동산인 물상보증인 소유 부동산에 대한 경매 등의 환가절차에서 우선변제권을 행사할 수 있다고 보게 되면, 채무자 소유 부동산의 담보력을 기대하고 자기의 부동산을 담보로 제공한 물상보증인의 기대이익을 박탈하게 되는 것일 뿐만 아니라, 공동근저당권자가 담보 목적물로부터 변제받는 방법으로 임의환가 방식을 선택하였다는 이유만으로 물상보증인의 책임 범위가 달라지게 되어 형평에 어긋나기 때문이다.

[2] 공동저당에 제공된 채무자 소유 부동산과 물상보증인 소유 부동산 가운데 물상보증인 소유 부동산이 먼저 경매되어 매각대금에서 선순위 공동저당권자가 변제를 받은 경우, 물상보증인이 채무자에 대하여 구상권을 취득함과 동시에 채무자 소유 부동산에 대한 선순위 공동저당권을 대위취득하는지 여부(적극) 및 물상보증인 소유 부동산에 대한 후순위 저당권자가 물상보증인이 대위취득한 채무자 소유 부동산에 대한 선순위 공동저당권에 대하여 물상대위를 할 수 있는지 여부(적극) / 이러한 법리는 공동근저당권의 경우에도 마찬가지로 적용되는지 여부(적극)

공동저당에 제공된 채무자 소유 부동산과 물상보증인 소유 부동산 가운데 물상보증인 소유 부동산이 먼저 경매되어, 매각대금에서 선순위 공동저당권자가 변제를 받은 때에는, 물상보증인은 채무자에 대하여 구상권을 취득함과 동시에 변제자대위에 의하여 채무자 소유 부동산에 대한 선순위 공동저당권을 대위취득한다. 또한 물상보증인 소유 부동산에 대한 후순위 저당권자는 물상보증인이 대위취득한 채무자 소유 부동산에 대한 선순위 공동저당권에 대하여 물상대위를 할 수 있다. 이러한 법리는 공동근저당권의 경우에도 마찬가지로 적용된다.

[3] 채무자 소유 부동산과 물상보증인 소유 부동산에 공동근저당권을 설정한 채권자가 공동담보 중 채무자 소유 부동산에 대한 담보 일부를 포기하거나 순위를 불리하게 변경하여 담보를 상실하게 하거나 감소하게 한 경우, 물상보증인이 그로 인하여 상환받을 수 없는 한도에서 책임을 면하는지 여부(적극) 및 이 경우 공동근저당권자가 나머지 공동담보 목적물인 물상보증인 소유 부동산에 관한 경매절차에서, 물상보증인이 담보 상실 내지 감소로 인한 면책을 주장할 수 있는 한도에서 물상보증인 소유 부동산의 후순위 근저당권자에 우선하여 배당받을 수 없는지 여부(적극)

물상보증인의 변제자대위에 대한 기대권은 민법 제485조에 의하여 보호되어, 채권자가 고의나 과실로 담보를 상실하게 하거나 감소하게 한 때에는, 특별한 사정이 없는 한 물상보증인은 그 상실 또는 감소로 인하여 상환을 받을 수 없는 한도에서 면책 주장을 할 수 있다. 채권자가 물적 담보인 담보물권을 포기하거나 순위를 불리하게 변경하는 것은 담보의 상실 또는 감소행위에 해당한다. 따라서 채무자 소유 부동산과 물상보증인 소유 부동산에 공동근저당권을 설정한 채권자가 공동담보 중 채무자 소유 부동산에 대한 담보 일부를 포기하거나 순위를 불리하게 변경하여 담보를 상실하게 하거나 감소하게 한 경우, 물상보증인은 그로 인하여 상환받을 수 없는 한도에서 책임을 면한다. 그리고 이 경우 공동근저당권자는 나머지 공동담보 목적물인 물상보증인 소유 부동산에 관한 경매절차에서, 물상보증인이 위와 같이 담보 상실 내지 감소로 인한 면책을 주장할 수 있는 한도에서는, 물상보증인 소유 부동산의 후순위 근저당권자에 우선하여 배당받을 수 없다.

[4] 공동근저당의 목적 부동산 중 일부에 대한 경매절차에서 공동근저당권자가 선순위근저당권자로서의 자신의 채권 전액을 청구한 경우, 선순위근저당권자가 경매대가로부터 우선하여 변제받고 후순위근저당권자가 잔액으로부터 변제를 받는지 여부(적극) 및 이는 선순위근저당권자와 후순위근저당권자가 동일인이라도 마찬가지인지 여부(적극)

공동근저당의 목적 부동산 중 일부에 대한 경매절차에서, 공동근저당권자가 선순위근저당권자로서의 자신의 채권 전액을 청구하였다면, 민법 제370조, 제333조, 제368조 제1항 전문의 규정에 따라 선순위근저당권자가 경매대가로부터 우선하여 변제받고, 후순위근저당권자는 잔액으로부터 변제를 받는 것이며, 이는 선순위근저당권자와 후순위근저당권자가 동일인이라고 하여 달라지는 것은 아니다.

5. 포괄근저당

(1) 의의

채권자와 채무자 사이에 당좌대월계약이나 어음할인계약과 같이 기초적인 거래 관계조차도 특정하지 않고서 채권자가 채무자에 대하여 가지게 되는 모든 채권을 담보하는 근저당권을 포괄근저당이라 한다.

(2) 유효성

판례는 근저당설정계약서에 그 피담보채권으로서 근저당권설정 당시에 차용금 채무뿐만 아니라 기타 각종 원인으로 장래 부담하게 될 모든 채무까지 담보한다라고 기재되어 있으면 그 계약서의 내용은 포괄근저당으로서 유효하다고 하였다(대판 1982.12.14, 82다카413).

(3) 피담보채권의 범위

"저당권설정계약서에 그 피담보채권으로서 근저당권설정당시의 차용금채무뿐만 아니라 기타 각종 원인으로 장래 부담하게 될 모든 채무까지 담보한다."라고 기재되어 있으면 위 계약서의 내용은 위 차용금 채무뿐만 아니라 원고가 피고에 대하여 현재 또는 장래 부담하게 될 보증채무를 포함한 모든 채무를 담보하기 위하여 위 근저당권이 설정된 것이라고 해석하여야 하고, 다른 특별한 사유 없이 약관의 해석을 달리하여 위 근저당권의 피담보채무는 저당권설정 당시의 차용금채무에 국한된다고 볼 수 없다(대판 1982.12.14, 82다카413).

금융기관과 근저당권설정계약을 체결할 때 작성한 근저당권설정계약서에 금융기관의 여신거래로부터 생기는 모든 채무를 담보하기로 하는 이른바 포괄근저당권을 설정한다는 문언이 기재된 경우, 근저당권설정계약서의 문언에 따라 의사표시의 내용을 해석하여야 하는지 여부(원칙적 적극) **/ 이때 피담보채무 범위에 관한 의사표시의 해석방법**

금융기관과 근저당권설정자가 근저당권설정계약을 체결할 때 작성한 근저당권설정계약서에 금융기관의 여신거래로부터 생기는 모든 채무를 담보하기로 하는 이른바 포괄근저당권을 설정한다는 문언이 기재된 경우 근저당권설정계약서는 처분문서이므로 특별한 사정이 없는 한 계약서의 문언에 따라 의사표시의 내용을 해석하여야 함이 원칙이다. 그러나 근저당권설정계약서가 일반거래약관의 형태로 일률적으로 부동문자로 인쇄해 두고 사용하는 것이고 근저당권설정계약 체결의 경위와 목적, 피담보채무액, 근저당권설정자 · 채무자 · 채권자의 상호관계 등 여러 사정에 비추어 당사자의 의사가 계약서 문언과는 달리 특정한 채무만을 피담보채무로 하려는 취지였다고 인정할 수 있는 경우에는 당사자의 의사에 따라 담보책임의 범위를 제한하여야 한다(대판 2020.10.15, 2019다222041).

제5절 비전형담보(물권)

제1관 총설

민법이 규정하고 있는 전형적인 담보물권이 아니면서 실제 거래계에서 담보적 기능을 수행하고 있는 새로운 물적 담보방법을 비전형담보라 한다. 여기에는 소비대차계약 체결과 동시에 목적물의 소유권을 채권자에게 이전하는 형식을 취하는 좁은 의미의 양도담보와 소비대차계약을 체결하면서 대물변제의 예약이나 매매예약을 함과 동시에, 장차 채무불이행시 목적물의 소유권을 채권자에게 이전할 것을 약정하고, 미리 그 소유권이전등기청구권을 보전하기 위하여 가등기의 형식을 취하는 가등기담보의 유형이 중요하다.

제2관 가등기담보

Ⅰ. 서설

1. 의의

피담보채권을 담보하기 위하여 채권자와 채무자(또는 제3자) 사이에서 채무자(또는 제3자) 소유의 부동산을 목적으로 하는 대물변제예약 또는 매매예약 등을 하고, 이와 동시에 채무자의 채무불이행이 있는 경우에 채권자가 그 목적물의 소유권을 확보할 수 있도록 미리 소유권이전등기청구권을 보전하기 위하여 가등기를 하는 담보방법을 가등기담보라 한다.

2. 법적 규제

(1) 필요성

종래 민법 제104조, 제607조 및 제608조에 의해 규율하였으나 실효성이 없었고, 또한 판례는 양도담보의 성질에 대하여 신탁적 소유권이전설(대내적 소유권 보유, 대외적 소유권 이전)의 법리로 구성하여 왔으므로, 채권자가 경제적 약자에 대해 폭리를 취득하는 문제점이 발생하여 가등기담보 등에 관한 법률이 제정되기에 이르렀다.

(2) 민법 제607조 및 제608조(대물변제의 예약)

> **제607조【대물반환의 예약】**
> 차용물의 반환에 관하여 차주가 차용물에 갈음하여 다른 재산권을 이전할 것을 예약한 경우에는 그 재산의 예약당시의 가액이 차용액 및 이에 붙인 이자의 합산액을 넘지 못한다.
> **제608조【차주에 불이익한 약정의 금지】**
> 전2조의 규정에 위반한 당사자의 약정으로서 차주에 불리한 것은 환매 기타 여하한 명목이라도 그 효력이 없다.

1) 제607조 및 제608조에 위반한 대물변제예약에 대하여 채권자는 바로 소유권을 취득할 수 없고 정산을 하여야만 한다(약한 의미의 양도담보로의 전환).
2) 결국 양도담보를 비롯하여 모든 비전형담보는 제607조와 제608조의 적용을 받게 되어 '정산형'으로만 존속할 수 있게 되었다.
3) 다만, 변제기 이후의 약정인 대물변제에는 제607조, 제608조가 적용되지 않는다(대판 1992.2.28, 91다25574).

(3) 가등기담보 등에 관한 법률

1) 유담보 특약형 양도담보가 민법 제607조 및 제608조의 적용에 의해 정산형으로만 존속한다고 하더라도 채무자의 보호에 충분하지 않다는 문제점이 지적되었다.
2) 즉, 변제기가 지나면 곧바로 채권자는 목적물을 처분할 수 있고 그에 의하여 제3자가 유효하게 소유권을 취득하므로 채무자는 더 이상 목적물을 회수할 수 없는 문제가 있다. 또한 담보권실행의 처분을 하고 난 후에야 비로소 정산금반환채권이 발생하므로(이를 고유한 의미의 처분청산이라 한다. 즉, 목적물에 대한 등기 및 인도청구와 정산금지급이 동시이행관계에 있지 않다), 채권자로부터 정산금을 받지 못하는 사실상의 문제점도 있다.
3) 이러한 문제들을 해결하기 위해 '가등기담보 등에 관한 법률'이 제정되었다.

3. 법적 성질

1) 채권자가 가등기에 기하여 본등기를 청구하려면 청산기간이 경과하여야 하고(가담법 제4조 제2항), 청산금을 지급하여야 하므로 가등기담보권의 법적 성질은 담보물권이다(다수설). 따라서 가등기담보권에도 담보물권의 통유성(부종성 · 수반성 · 불가분성 · 물상대위성)이 당연히 인정된다.
2) 가등기담보 등에 관한 법률은 강행법규이다. 따라서 가담법에 정한 절차에 위반된 본등기는 무효가 된다. 다만, 청산절차를 거치지 않아 무효가 되더라도 후에 청산절차를 거치면 실체관계에 부합하여 유효로 될 수 있다(대판 2002.12.10, 2002다42001).

가담법에 정한 절차에 위반된 본등기의 효력 ★★

① 가등기담보 등에 관한 법률 제3조, 제4조의 각 규정에 비추어 볼 때 위 각 규정을 위반하여 담보가등기에 기한 본등기가 이루어진 경우에는 그 본등기는 무효라고 할 것이고, 설령 그와 같은 본등기가 가등기권리자와 채무자 사이에 이루어진 특약에 의하여 이루어졌다고 할지라도 만일 그 특약이 채무자에게 불리한 것으로서 무효라고 한다면 그 본등기는 여전히 무효일 뿐, 이른바 약한 의미의 양도담보로서 담보의 목적 내에서는 유효하다고 할 것이 아니다(대판 1994.1.25, 92다20132).

② 다만 가등기권리자가 가등기담보 등에 관한 법률 제3조, 제4조에 정한 절차에 따라 청산금의 평가액을 채무자 등에게 통지한 후 채무자에게 정당한 청산금을 지급하거나 지급할 청산금이 없는 경우에는 채무자가 그 통지를 받은 날로부터 2월의 청산기간이 경과하면 위 무효인 본등기는 실체적 법률관계에 부합하는 유효한 등기가 될 수 있다(대판 2002.12.10, 2002다42001; 대판 2017.5.17, 2017다202296).

③ 그러므로 가등기담보법의 규정을 위반하여 무효인 본등기가 마쳐진 후 가등기에 기한 본등기를 이행한다는 내용의 화해권고결정이 확정되었다고 하더라도, 그러한 화해권고결정의 내용이 가등기담보법 제3조, 제4조가 정한 청산절차를 갈음하는 것으로 채무자 등에게 불리하지 않다고 볼 만한 특별한 사정이 없는 한, 위와 같이 확정된 화해권고결정이 있다는 사정만으로는 무효인 본등기가 실체관계에 부합하는 유효한 등기라고 주장할 수 없다. 나아가 그러한 화해권고결정에 기하여 다시 본등기를 마친다고 하더라도 본등기는 가등기담보법의 위 각 규정을 위반하여 이루어진 것이어서 여전히 무효라고 할 것이다(대판 2017.8.18, 2016다30296).

Ⅱ. 가등기담보권의 성립

가담법 제1조【목적】
이 법은 차용물의 반환에 관하여 차주가 차용물을 갈음하여 다른 재산권을 이전할 것을 예약할 때 그 재산의 예약 당시 가액이 차용액과 이에 붙인 이자를 합산한 액수를 초과하는 경우에 이에 따른 담보계약과 그 담보의 목적으로 마친 가등기 또는 소유권이전등기의 효력을 정함을 목적으로 한다. → 적용범위 : 소비대차(준소비대차) + 대물변제예약 + 가등기(소유권이전등기)

가담법 제2조【정의】
이 법에서 사용하는 용어의 뜻은 다음과 같다.

1. '담보계약'이란 '민법' 제608조에 따라 그 효력이 상실되는 대물반환의 예약(환매, 양도담보 등 명목이 어떠하든 그 모두를 포함한다)에 포함되거나 병존하는 채권담보 계약을 말한다.
2. '채무자등'이란 다음 각 목의 자를 말한다.
   가. 채무자
   나. 담보가등기목적 부동산의 물상보증인
   다. 담보가등기 후 소유권을 취득한 제3자
3. '담보가등기'란 채권담보의 목적으로 마친 가등기를 말한다.
4. '강제경매등'이란 강제경매와 담보권의 실행 등을 위한 경매를 말한다.
5. '후순위권리자'란 담보가등기 후에 등기된 저당권자 · 전세권자 및 담보가등기권리자를 말한다.

가담법 제18조【다른 권리를 목적으로 하는 계약에의 준용】
등기 또는 등록할 수 있는 부동산소유권 외의 권리(질권 · 저당권 및 전세권은 제외한다)의 취득을 목적으로 하는 담보계약에 관하여는 제3조부터 제17조까지의 규정을 준용한다. 다만, 「동산 · 채권 등의 담보에 관한 법률」에 따라 담보등기를 마친 경우에는 그러하지 아니하다.

1. 가등기담보계약

(1) 당사자

가등기담보권자는 채권자이고, 가등기담보설정자는 채무자 또는 제3자(물상보증인)이다. 채권담보를 목적으로 가등기를 하는 경우에는 원칙적으로 채권자와 가등기 명의자가 동일인이 되어야 하지만, 제3자 명의의 가등기가 유효하다고 볼 수 있는 특별한 경우에는 그 가등기는 부동산 실권리자명의 등기에 관한 법률이 금지하고 있는 실권리자 아닌 자의 등기라고 할 수 없다(대판 2002.12.24, 2002다50484).

(2) 성립요건

1) 전제요건

가담법이 적용되기 위해서는, 제607조와 제608조가 적용됨을 전제로 한다. 즉, 대물변제예약 당시의 목적물 가액이 피담보채권액을 초과하여야 한다.

가담법의 적용 여부(대판 2006.8.24, 2005다61140) ★★

① 가담법은 재산권 이전의 예약에 의한 가등기담보에 있어서 재산의 예약 당시의 가액이 차용액 및 이에 붙인 이자의 합산액을 초과하는 경우에 적용되는바, 재산권 이전의 예약 당시 재산에 대하여 선순위 근저당권이 설정되어 있는 경우에는 재산의 가액에서 피담보채무액을 공제한 나머지 가액이 차용액 및 이에 붙인 이자의 합산액을 초과하는 경우에만 적용된다. 따라서 가등기담보부동산에 대한 예약 당시의 시가가 그 피담보채무액에 미치지 못하는 경우에 있어서는 같은 법 제3, 4조가 정하는 청산금평가액의 통지 및 청산금지급 등의 절차를 이행할 여지가 없다(대판 1993.10.26, 93다27611).

② 가담법이 적용되지 않는 경우에도 채권자가 채권담보의 목적으로 부동산에 가등기를 경료하였다가 그 후 변제기까지 변제를 받지 못하여 위 가등기에 기한 소유권이전의 본등기를 경료한 경우에는, 당사자들 사이에 채무자가 변제기에 피담보채무를 변제하지 아니하면 채권채무관계는 소멸하고 부동산의 소유권이 확정적으로 채권자에게 귀속된다는 명시의 특약이 없는 한, 그 본등기도 채권담보의 목적으로 경료된 것으로서 정산절차를 예정하고 있는 이른바 '약한 의미의 양도담보'가 된다. 그리고 이와 같이 약한 의미의 양도담보가 된 경우에는 채무의 변제기가 도과한 후에도 채권자가 담보권을 실행하여 정산절차를 마치기 전에는 채무자는 언제든지 채무를 변제하고 채권자에게 위 가등기 및 그 가등기에 기한 본등기의 말소를 청구할 수 있다.

2) 소비대차에 기한 피담보채권일 것

판례는 소비대차에 의한 채권만으로 한정시키고 있다(제한설의 입장. 단, 금전채권에 한하지는 않음). 따라서 매매대금채권(대판 2002.12.24, 2002다50484), 물품대금선급금반환채권(대판 1992.10.27, 92다22879), 매매계약해제에 따른 대금반환채무(대판 1996.11.29, 96다31895), 공사대금채권(대판 1992.4.10, 91다45356・91다45363), 채무불이행에 기한 손해배상(대판 1990.6.26, 88다카20392), 불하대금채권(대판 1995.4.21, 94다26080) 등의 경우에는 담보목적의 가등기가 존재하더라도 가담법이 적용되지 않는다.

가등기담보법의 적용 여부 ★★

① 가등기의 주된 목적이 매매대금채권의 확보에 있고, 대여금채권의 확보는 부수적 목적인 경우 가등기담보 등에 관한 법률이 적용되지 않는다(대판 2002.12.24, 2002다50484).

② 가등기나 소유권이전등기가 금전소비대차나 준소비대차에 기한 차용금반환채무와 그 외의 원인으로 발생한 채무를 동시에 담보할 목적으로 경료되었으나 그 후 금전소비대차나 준소비대차에 기한 차용금반환채무만이 남게 된 경우, 그 가등기 담보나 양도담보에 가등기담보 등에 관한 법률이 적용된다(대판 2004.4.27, 2003다29968).

3) 채무불이행 시에 일정한 권리를 채권자에게 이전한다는 내용일 것

대물변제의 예약이나 재매매의 예약, 환매 기타 명목 여하를 불문한다. 즉, 모든 비전형담보에 적용된다.

4) 가등기할 수 있는 것일 것

등기나 등록으로 공시가 가능한 소유권, 지상권, 지역권, 임차권 등과 각종 특별법에 의한 권리여야 한다. 다만, 질권·저당권·전세권은 가등기담보의 목적이 될 수 없다(가담법 제18조). 또한 주식, 동산 등의 양도담보에는 가담법이 적용되지 않는다.

2. 가등기(또는 소유권이전등기)

① 가등기가 성립요건이므로, 대물변제예약만을 하고 가등기를 하지 않은 때에는 가담법이 적용되지 않는다.

② 담보가등기를 경료한 부동산을 인도받아 점유하더라도 담보가등기의 피담보채권의 소멸시효가 중단되는 것은 아니지만, 채무의 일부를 변제하는 경우에는 채무 전부에 관하여 시효중단의 효력이 발생하는 것이므로, 채무자가 채권자에게 담보가등기를 경료하고 부동산을 인도하여 준 다음 피담보채권에 대한 이자 또는 지연손해금의 지급에 갈음하여 채권자로 하여금 부동산을 사용·수익할 수 있도록 한 경우라면, 채권자가 부동산을 사용·수익하는 동안에는 채무자가 계속하여 이자 또는 지연손해금을 채권자에게 변제하고 있는 것으로 볼 수 있으므로 피담보채권의 소멸시효가 중단된다고 보아야 한다(대판 2009.11.12, 2009다51028).

Ⅲ. 가등기담보권의 이전

1. 가등기의 부기등기

부동산물권변동의 일반원칙(제186조)에 따라 양도가 가능한데, 이 경우 가등기의 가등기(가등기의 이전을 공시하는 부기등기형식의 이전등기)를 허용할 것인지에 관해, 판례는 기존의 가등기에 권리이전의 부기등기를 하는 형식으로 가등기의 가등기를 인정하고 있다(대판(전) 1998.11.19, 98다24105).

2. 피담보채권의 양도

또한 피담보채권의 양도도 포함하고 있으므로 채권양도에 관한 규정(제449조~제452조)이 적용된다.

Ⅳ. 가등기담보권의 효력

1. 일반적 효력

(1) 효력이 미치는 범위

피담보채권의 범위에 대해서는 저당권에 관한 제360조가 적용된다. 다만, 약정에 의해 그 외의 채무도 포함시킬 수 있다. 그리고 목적물의 범위에 대해서는 저당권에 관한 제358조 및 제342조가 적용된다.

(2) 대내적 효력

① 가등기담보권을 실행할 때까지는 담보목적물의 소유권은 대내적이든 대외적이든 가등기담보권설정자에게 있으므로, 설정자는 목적물을 자유로이 점유·사용할 수 있고 제3자를 위한 용익권설정도 가능하다.

② 가등기담보권설정자가 목적물의 담보가치를 감소시킨 경우 가등기담보권자는 손해배상을 청구할 수 있으며, 그 배상액은 피담보채권을 한도로 한다.

(3) 대외적 효력

① 가등기담보권자(채권자)는 피담보채권과 함께 가등기담보권을 제3자에게 양도할 수 있다(제361조 참조).

② 국세기본법·국세징수법 등의 적용에 있어서 가등기담보권은 저당권으로 본다(가담법 제17조 제3항).

③ 가등기담보권설정자가 파산한 경우에 가등기담보권자는 별제권을 가진다(동법 제17조 제1항).

2. 가등기담보권의 실행 – 귀속청산과 처분청산

(1) 권리취득에 의한 실행(귀속청산)

1) 실행통지와 청산기간(가담법 제3조)

가담법 제3조【담보권 실행의 통지와 청산기간】

① 채권자가 담보계약에 따른 담보권을 실행하여 그 담보목적부동산의 소유권을 취득하기 위하여는 그 채권의 변제기 후에 제4조의 청산금의 평가액을 채무자등에게 통지하고, 그 통지가 채무자등에게 도달한 날부터 2개월(이하 '청산기간'이라 한다)이 지나야 한다. 이 경우 청산금이 없다고 인정되는 경우에는 그 뜻을 통지하여야 한다.

② 제1항에 따른 통지에는 통지 당시의 담보목적부동산의 평가액과 「민법」 제360조에 규정된 채권액을 밝혀야 한다. 이 경우 부동산이 둘 이상인 경우에는 각 부동산의 소유권이전에 의하여 소멸시키려는 채권과 그 비용을 밝혀야 한다.

가담법 제6조【채무자 등 외의 권리자에 대한 통지】

① 채권자는 제3조 제1항에 따른 통지가 채무자 등에게 도달하면 지체 없이 후순위권리자에게 그 통지의 사실과 내용 및 도달일을 통지하여야 한다.

② 제3조 제1항에 따른 통지가 채무자 등에게 도달한 때에는 담보가등기 후에 등기한 제3자(제1항에 따라 통지를 받을 자를 제외하고, 대항력 있는 임차권자를 포함한다)가 있으면 채권자는 지체 없이 그 제3자에게 제3조 제1항에 따른 통지를 한 사실과 그 채권액을 통지하여야 한다.
③ 제1항과 제2항에 따른 통지는 통지를 받을 자의 등기부상의 주소로 발송함으로써 그 효력이 있다. 그러나 대항력 있는 임차권자에게는 그 담보목적부동산의 소재지로 발송하여야 한다.

가담법 제7조 【청산금에 대한 처분 제한】
① 채무자가 청산기간이 지나기 전에 한 청산금에 관한 권리의 양도나 그 밖의 처분은 이로써 후순위권리자에게 대항하지 못한다.
② 채권자가 청산기간이 지나기 전에 청산금을 지급한 경우 또는 제6조 제1항에 따른 통지를 하지 아니하고 청산금을 지급한 경우에도 제1항과 같다.

가담법 제8조 【청산금의 공탁】
① 청산금채권이 압류되거나 가압류된 경우에 채권자는 청산기간이 지난 후 이에 해당하는 청산금을 채무이행지를 관할하는 지방법원이나 지원에 공탁하여 그 범위에서 채무를 면할 수 있다.
② 제1항에 따라 공탁이 있는 경우에는 채무자등의 공탁금출급청구권이 압류되거나 가압류된 것으로 본다.
③ 채권자는 제14조에 따른 경우 외에는 공탁금의 회수를 청구할 수 없다.
④ 채권자는 제1항에 따라 공탁을 한 경우에는 채무자등과 압류채권자 또는 가압류채권자에게 지체 없이 공탁의 통지를 하여야 한다.

가) 통지사항

① 채권자가 가등기담보권을 실행하여 목적부동산의 소유권을 취득하기 위하여는 그 채권의 변제기 후에 '청산금의 평가액'(통지 당시의 목적부동산의 가액에서 제360조에 규정된 채권액, 그리고 선순위담보권 등의 권리가 있을 때에는 그 채권액을 공제한 금액)을 통지하고, 이 경우 청산금이 없다고 인정되는 때에는 그 뜻을 통지하여야 한다(다만, 가등기당시에 부동산의 시가가 피담보채권액보다 적은 경우엔 통지할 필요가 없다).

귀속정산에서 부동산 평가액이 피담보채권액에 미달하는 경우 통지의 내용 ★
채권의 담보 목적으로 양도된 재산에 관한 담보권의 실행은 다른 약정이 없는 한 처분정산이나 귀속정산 중 채권자가 선택하는 방법에 의할 수 있는바, 그 재산에 관한 담보권이 귀속정산의 방법으로 실행되어 채권자에게 확정적으로 이전되기 위해서는 채권자가 이를 적정한 가격으로 평가한 후 그 가액으로 피담보채권의 원리금에 충당하고 그 잔액을 반환하거나, 평가액이 피담보채권액에 미달하는 경우에는 채무자에게 그와 같은 내용의 통지를 하는 등 정산절차를 마쳐야 하며, 귀속정산의 통지방법에는 아무런 제한이 없어 구두로든 서면으로든 가능하고, 담보부동산의 평가액이 피담보채권액에 미달하는 경우에는 청산금이 있을 수 없으므로 귀속정산의 통지방법으로 부동산의 평가액 및 채권액을 구체적으로 언급할 필요 없이 그 미달을 이유로 채무자에 대하여 담보권의 실행으로 그 부동산을 확정적으로 채권자의 소유로 귀속시킨다는 뜻을 알리는 것으로 족하다(대판 2001.8.24, 2000다15661).

② 이러한 통지를 하지 않으면 가등기담보권자는 가등기에 기한 본등기를 청구할 수 없으며, 설령 당사자 사이의 합의에 의해 본등기를 경료하거나, 기타 편법으로 본등기를 마쳤다고 하더라도 그 소유권을 취득하지 못하며, 약한 의미의 양도담보로서의 효력도 생기지 않는다(대판

2002.4.23, 2001다81856). 다만, 청산절차를 거치지 않고 경료된 본등기도 후에 청산절차를 거치면, 실체관계에 부합하는 것으로 유효하게 될 수 있다(대판 2002.12.10, 2002다42001).

채권자와 채무자가 담보계약을 체결하였지만 담보목적부동산에 관하여 가등기나 소유권이전등기를 마치지 아니한 상태에서 채권자가 귀속정산 절차에 의하지 않고 담보목적부동산을 타에 처분하여 채권을 회수할 수 있도록 약정한 경우, 그러한 약정이 가등기담보 등에 관한 법률을 위반하여 무효인지 여부(원칙적 소극)

가등기담보 등에 관한 법률(이하 '가등기담보법'이라 한다) 제3조, 제4조는 채권자가 가등기담보법 제2조 제1호에 정한 담보계약에 따른 '담보권'을 실행하는 방법으로서 귀속정산 절차를 규정한 것이므로, 가등기담보법 제3조, 제4조가 적용되기 위해서는 채권자가 담보목적부동산에 관하여 가등기나 소유권이전등기 등을 마침으로써 '담보권'을 취득하였음을 요한다. 이와 달리 채권자가 채무자와 담보계약을 체결하였지만, 담보목적부동산에 관하여 가등기나 소유권이전등기를 마치지 아니한 경우에는 '담보권'을 취득하였다고 할 수 없으므로, 이러한 경우에는 가등기담보법 제3조, 제4조는 원칙적으로 적용될 수 없다. 따라서 채권자와 채무자가 담보계약을 체결하였지만, 담보목적부동산에 관하여 가등기나 소유권이전등기를 마치지 아니한 상태에서 채권자로 하여금 귀속정산 절차에 의하지 않고 담보목적부동산을 타에 처분하여 채권을 회수할 수 있도록 약정하였다 하더라도, 그러한 약정이 가등기담보법의 규제를 잠탈하기 위한 탈법행위에 해당한다는 등의 특별한 사정이 없는 한 가등기담보법을 위반한 것으로 보아 무효라고 할 수는 없다(대판 2013.9.27, 2011다106778).

공동명의로 담보가등기를 마친 수인의 채권자가 각자의 지분별로 별개의 독립적인 매매예약완결권을 가지는 경우, 채권자 중 1인이 단독으로 자신의 지분에 관한 청산절차를 이행한 후 소유권이전의 본등기절차 이행을 구할 수 있는지 여부(적극) ★★

공동명의로 담보가등기를 마친 수인의 채권자가 각자의 지분별로 별개의 독립적인 매매예약완결권을 가지는 경우, 채권자 중 1인은 단독으로 자신의 지분에 관하여 가등기담보 등에 관한 법률이 정한 청산절차를 이행한 후 소유권이전의 본등기절차 이행청구를 할 수 있다(대판(전) 2012.2.16, 2010다82530).

가등기담보법(대판 2019.6.13, 2018다300661) ★★

[1] 가등기담보 등에 관한 법률 제3조, 제4조를 위반하여 청산절차를 거치지 않고 이루어진 담보가등기에 기한 본등기의 효력(무효)과 그 본등기가 약한 의미의 양도담보로서의 효력이 있는지 여부(소극) 및 이 경우 나중에 청산절차를 마치면 무효인 본등기가 실체적 법률관계에 부합하는 유효한 등기가 되는지 여부(적극)

가등기담보 등에 관한 법률(이하 '가등기담보법'이라고 한다) 제3조는 채권자가 담보계약에 의한 담보권을 실행하여 그 담보목적 부동산의 소유권을 취득하기 위해서는 그 채권의 변제기 후에 같은 법 제4조의 청산금의 평가액을 채무자 등에게 통지하여야 하고, 이 통지에는 통지 당시 부동산의 평가액과 민법 제360조에 규정된 채권액을 밝혀야 하며, 그 통지를 받은 날부터 2월의 청산기간이 지나야 한다고 규정하고 있다. 가등기담보법 제4조는 채권자는 위 통지 당시 부동산의 가액에서 피담보채권의 가액을 공제한 청산금을 지급하여야 하고, 부동산에 관하여 이미 소유권이전등기를 마친 경우에는 청산기간이 지난 후 청산금을 채무자 등에게 지급한 때에 부동산의 소유권을 취득하고, 담보가등기를 마친 경우에는 청산기간이 지나야 그 가등기에 따른 본등기를 청구할 수 있으며, 이에 반하는 특약으로서 채무자 등에게 불리한 것은 효력이 없다고 규정하고 있다. 위 규정들은 강행법규에 해당하여 이를 위반하여 담보가등기에 기한 본등기가 이루어진 경우 본등기는 무효라고 할 것이고, 설령 그와 같은 본등기가 가등기권리자와 채무자 사이에 이루어진 특약에 의하여 이루어졌다고 할지라도 만일 특약이 채무자에게 불리한 것으로서 무효라고 한다면 본등기는 여전히 무효일 뿐, 이른바 약한 의미의 양도담보로서 담보의 목적 내에서는 유효하다고 할 것이 아니다. 다만 가등기권리자가 가등기담보법 제3조, 제4조에 정한 절차에 따라 청산금의 평가액을 채무자 등에게 통지한 후 채무자에게 정당한 청산금을 지급하거나 지급할 청산금이 없는 경우에는 채무자가 통지를 받은 날부터 2월의 청산기간이 지나면 위와 같이 무효인 본등기는 실체적 법률관계에 부합하는 유효한 등기로 될 수 있을 뿐이다.

[2] 담보가등기에 기하여 마쳐진 본등기가 무효인 경우, 담보가등기 설정자인 채무자 등이 담보목적 부동산에 대한 소유권 내지 사용수익권을 보유하는지 여부(적극) 및 채무자가 담보목적 부동산에 관하여 채권자와 임대차계약을 체결하고 채권자에게 차임을 지급하거나 채무자가 자신과 임대차계약을 체결하고 있는 임차인으로 하여금 채권자에게 차임을 지급하도록 하여 채권자가 차임을 수령한 경우, 차임이 피담보채무의 변제에 충당된 것으로 보아야 하는지 여부(원칙적 적극)

담보가등기에 기하여 마쳐진 본등기가 무효인 경우, 담보목적 부동산에 대한 소유권은 담보가등기 설정자인 채무자 등에게 있고 소유권의 권능 중 하나인 사용수익권도 당연히 담보가등기 설정자가 보유한다. 따라서 채무자가 자신이 소유하는 담보목적 부동산에 관하여 채권자와 임대차계약을 체결하고 채권자에게 차임을 지급하거나 채무자가 자신과 임대차계약을 체결하고 있는 임차인으로 하여금 채권자에게 차임을 지급하도록 하여 채권자가 차임을 수령하였다면, 채권자와 채무자 사이에 위 차임을 피담보채무의 변제와는 무관한 별개의 것으로 취급하기로 약정하였거나 달리 차임이 피담보채무의 변제에 충당되었다고 보기 어려운 특별한 사정이 없는 한 위 차임은 피담보채무의 변제에 충당된 것으로 보아야 한다.

나) 통지의 효력

> **가담법 제9조【통지의 구속력】**
> 채권자는 제3조 제1항에 따라 그가 통지한 청산금의 금액에 관하여 다툴 수 없다.

채권자는 그가 통지한 청산금의 금액에 관하여 다툴 수 없다(동법 제9조). 한편, 실제 평가액보다 많은 경우에도 청산금을 지급해야 하며, 객관적 평가액에 미치지 못하는 경우에도 청산은 유효하나, 통지의 상대방들은 정당한 평가액을 지급받을 때까지 이행을 거절할 수 있다(대판 1994.6.28, 94다3087 · 3094).

청산금이 객관적 평가액에 못 미치는 경우 ★
채권자가 나름대로 평가한 청산금의 액수가 객관적인 청산금의 평가액에 미치지 못한다고 하더라도 담보권 실행의 통지로서의 효력이나 청산기간의 진행에는 아무런 영향이 없고, 다만 채무자 등은 정당하게 평가된 청산금을 지급받을 때까지 목적부동산의 소유권이전등기 및 인도 채무의 이행을 거절하면서 피담보채무 전액을 채권자에게 지급하고 채권담보의 목적으로 마쳐진 가등기의 말소를 구할 수 있을 뿐이다(대판 1996.7.30, 96다6974 · 6981).

다) 통지의 상대방

채무자 · 물상보증인 · 담보가등기 이후에 소유권을 취득한 제3취득자에게 통지하여야 한다. 청산금의 통지가 없으면 담보권 실행 자체는 유효하나 이들에게 대항하지 못한다.

라) 통지의 시기와 방법

통지의 시기는 피담보채권의 변제기 이후이면 족하고 통지의 방법에는 제한이 없다.

2) 청산

> **가담법 제4조【청산금의 지급과 소유권의 취득】**
> ① 채권자는 제3조 제1항에 따른 통지 당시의 담보목적부동산의 가액에서 그 채권액을 뺀 금액(이하 "청산금"이라 한다)을 채무자 등에게 지급하여야 한다. 이 경우 담보목적부동산에 선순위담보권 등의 권리가 있을 때에는 그 채권액을 계산할 때에 선순위담보 등에 의하여 담보된 채권액을 포함한다.
> ② 채권자는 담보목적부동산에 관하여 이미 소유권이전등기를 마친 경우에는 청산기간이 지난 후 청산금을 채무자 등에게 지급한 때에 담보목적부동산의 소유권을 취득하며, 담보가등기를 마친 경우에는 청산기간이 지나야 그 가등기에 따른 본등기를 청구할 수 있다.
> ③ 청산금의 지급채무와 부동산의 소유권이전등기 및 인도채무의 이행에 관하여는 동시이행의 항변권에 관한 「민법」 제536조를 준용한다.
> ④ 제1항부터 제3항까지의 규정에 어긋나는 특약으로서 채무자 등에게 불리한 것은 그 효력이 없다. 다만, 청산기간이 지난 후에 행하여진 특약으로서 제3자의 권리를 침해하지 아니하는 것은 그러하지 아니하다.
> **가담법 제5조【후순위권리자의 권리행사】**
> ① 후순위권리자는 그 순위에 따라 채무자 등이 지급받을 청산금에 대하여 제3조 제1항에 따라 통지된 평가액의 범위에서 청산금이 지급될 때까지 그 권리를 행사할 수 있고, 채권자는 후순위권리자의 요구가 있는 경우에는 청산금을 지급하여야 한다.
> ② 후순위권리자는 제1항의 권리를 행사할 때에는 그 피담보채권의 범위에서 그 채권의 명세와 증서를 채권자에게 교부하여야 한다.
> ⑤ 담보가등기 후에 대항력 있는 임차권을 취득한 자에게는 청산금의 범위에서 동시이행의 항변권에 관한 「민법」 제536조를 준용한다.

가) **청산기간** : 실행통지가 채무자 등에게 도달한 날로부터 2월이 경과하기까지 채무자의 변제가 없는 경우에는 청산에 들어간다.

나) **청산금의 산정** : 통지 당시의 목적부동산의 가액에서 제360조에 규정된 채권액, 그리고 선순위담보권 등의 권리가 있을 때에는 그 채권액을 공제한 금액이다.

다) **청산금청구권자** : 설정자(채무자 또는 물상보증인), 제3취득자, 후순위권리자이다. 한편, 대항력 있는 임차권자는 보증금에 대한 반환청구권을 가지나(가담법 제5조 제5항), 선순위담보권자는 청산금 산정 단계에서 만족을 얻으므로 청구권자에 해당하지 않는다.

라) **청산금의 지급시기** : 채권자는 청산기간 만료 시에 청산금을 채무자 등에게 지급하여야 한다.

3) 소유권의 취득

가) 취득시기와 동시이행의 관계

① 청산기간(실행통지가 도달한 날로부터 2개월)이 경과된 후, 청산금이 없는 경우에는 곧바로 담보가등기에 기하여 본등기를 청구하여 본등기를 갖춘 때에 소유권을 취득하고, 청산금이 있는 경우에는 그 청산금을 지급하거나 공탁한 때에는 본등기를 청구할 수 있는데, 이 때 가등기담보권자의 본등기청구 및 목적물의 인도청구와 청산금지급채무는 동시이행에 관계에 선다(가담법 제4조 제3항).

가등기담보법에 의한 규율(대판 2022.4.14, 2021다263519) ★★

[1] 가등기담보 등에 관한 법률이 적용되는 경우, 채권자가 담보목적 부동산에 관하여 소유자로 등기되어 있다고 하더라도 청산절차 등 요건을 충족해야만 담보목적 부동산의 소유권을 취득할 수 있는지 여부(적극)

가등기담보 등에 관한 법률(이하 '가등기담보법'이라 한다) **제1조는 '이 법은 차용물의 반환에 관하여 차주가 차용물을 갈음하여 다른 재산권을 이전할 것을 예약할 때 그 재산의 예약 당시 가액이 차용액과 이에 붙인 이자를 합산한 액수를 초과하는 경우에 이에 따른 담보계약과 그 담보의 목적으로 마친 가등기 또는 소유권 이전등기의 효력을 정함을 목적으로 한다.'고 정하고 있고, 제3조 제2항은 '채권자가 담보계약에 따른 담보권을 실행하여 그 담보목적 부동산의 소유권을 취득하기 위하여는 그 채권의 변제기 후에 제4조의 청산금의 평가액을 채무자 등에게 통지하고, 그 통지가 채무자 등에게 도달한 날부터 2개월이 지나야 한다. 이 경우 청산금이 없다고 인정되는 경우에는 그 뜻을 통지하여야 한다.'고 정하고 있으며, 제4조 제2항은 '채권자는 담보부동산에 관하여 이미 소유권이전등기가 경료된 경우에는 청산기간 경과 후 청산금을 채무자 등에게 지급한 때에 목적부동산의 소유권을 취득한다.'고 정하고 있다. 이러한 규정에 따르면 가등기담보법이 적용되는 경우에는 채권자가 담보목적 부동산에 관하여 소유자로 등기되어 있다고 하더라도 청산절차 등 법에 정한 요건을 충족해야만 비로소 담보목적 부동산의 소유권을 취득할 수 있다.**

[2] 채무를 담보하기 위하여 채무자가 자기의 비용과 노력으로 신축하는 건물의 신축허가 명의를 채권자 명의로 한 경우, 완성될 건물을 양도담보로 제공하는 담보권 설정의 합의가 있다고 볼 수 있는지 여부(적극) 및 위 양도담보가 가등기담보 등에 관한 법률의 적용 대상인 경우, 양도담보권자가 청산절차 등을 거쳐 소유권을 취득하기 전까지 대지 소유자에게 대지 점유에 따른 부당이득반환의무를 부담하는지 여부(원칙적 소극)

채무를 담보하기 위하여 채무자가 자기의 비용과 노력으로 신축하는 건물의 신축허가 명의를 채권자 명의로 한 경우 이는 완성될 건물을 양도담보로 제공하기로 하는 담보권 설정의 합의가 있다고 볼 수 있다. 이때 완성된 건물의 소유권은 이를 건축한 채무자가 원시적으로 취득하고, 채권자가 그 명의로 소유권보존등기를 함으로써 건물에 대한 양도담보가 설정된 것으로 보아야 한다. 이러한 양도담보가 가등기담보 등에 관한 법률의 적용 대상이 되는 경우에는 양도담보권자가 청산절차 등을 거쳐 담보목적 부동산의 소유권을 취득하기 전까지 특별한 사정이 없는 한 양도담보 설정자가 건물의 소유자로서 이를 현실적으로 점유하면서 사용・수익하고 있다고 볼 수 있으므로 채권자가 건물에 대한 양도담보권을 취득했다고 해서 그 대지 소유자에게 부당이득반환 의무를 부담하는 것은 아니다.

동시이행관계가 인정되지 않는 처분정산이 인정되는지 여부 ★★★

가등기담보 등에 관한 법률이 제3조와 제4조에서 가등기담보권의 사적 실행방법으로 귀속정산의 원칙을 규정함과 동시에 제12조와 제13조에서 그 공적 실행방법으로 경매의 청구 및 우선변제청구권 등 처분정산을 별도로 규정하고 있는 점, 위 제4조가 제1항 내지 제3항에서 채권자의 청산금 지급의무, 청산기간 경과와 본등기청구, 청산금의 지급의무와 부동산의 소유권이전등기 및 인도 채무의 동시이행관계 등을 순차로 규정한 다음, 제4항에서 제1항 내지 제3항에 반하는 특약으로서 채무자 등에게 불리한 것은 그 효력이 없다(다만, 청산기간 경과 후에 행하여진 특약으로서 제3자의 권리를 해하지 아니하는 경우는 제외된다)고 규정하고 있는 점, 나아가 제11조는 채무자 등이 청산금 채권을 변제받을 때까지 그 채무액을 채권자에게 지급하고 그 채권담보의 목적으로 경료된 소유권이전등기의 말소를 청구할 수 있다고 규정하고 있는 점 등을 종합하여 보면, 가등기담보권의 사적 실행에 있어서 채권자가 청산금의 지급 이전에 본등기와 담보목적물의 인도를 받을 수 있다거나 청산기간이나 동시이행관계를 인정하지 아니하는 '처분정산'형의 담보권실행은 가등기담보 등에 관한 법률상 허용되지 아니한다(대판 2002.4.23, 2001다81856).

② 단, 피담보채권의 변제와 가등기 내지 본등기의 말소청구는 동시이행의 관계가 아니다. 따라서 설정자 내지 대위변제자가 변제공탁하면서 가등기 및 본등기의 말소를 반대급부로 청구할 수는 없다(대판 1982.12.14, 82다카1321・1322).

나) 법정지상권

> **가담법 제10조【법정지상권】**
> 토지와 그 위의 건물이 동일한 소유자에게 속하는 경우 그 토지나 건물에 대하여 제4조 제2항에 따른 소유권을 취득하거나 담보가등기에 따른 본등기가 행하여진 경우에는 그 건물의 소유를 목적으로 그 토지 위에 지상권이 설정된 것으로 본다. 이 경우 그 존속기간과 지료는 당사자의 청구에 의하여 법원이 정한다.

토지 및 그 지상의 건물이 동일한 소유자에게 속하는 경우에 그 토지 또는 건물에 대하여 소유권을 취득하거나 담보가등기에 기한 본등기가 행하여진 경우에는 그 건물의 소유를 목적으로 그 토지위에 지상권이 설정된 것으로 본다. 이 경우 그 존속기간 및 지료는 당사자의 청구에 의하여 법원이 정한다(가담법 제10조).

4) 채무자 등의 가등기말소청구권

> **가담법 제11조【채무자 등의 말소청구권】**
> 채무자 등은 청산금채권을 변제받을 때까지 그 채무액(반환할 때까지의 이자와 손해금을 포함한다)을 채권자에게 지급하고 그 채권담보의 목적으로 마친 소유권이전등기의 말소를 청구할 수 있다. 다만, 그 채무의 변제기가 지난 때부터 10년이 지나거나 선의의 제3자가 소유권을 취득한 경우에는 그러하지 아니하다.

채무자 등은 청산금이 없는 경우 채권자의 본등기 전까지, 청산금이 있는 경우 청산금을 변제받을 때까지 그 채무액을 채권자에게 지급하고 가등기의 말소를 청구할 수 있다(동법 제11조). 그러나 그 채무의 변제기가 경과한 때로부터 10년이 경과하거나, 또는 선의의 제3자가 소유권을 취득한 때는 그러하지 아니하다(동법 제11조 단서).

> **채무자 등이 제척기간이 경과하기 전에 피담보채무를 변제하지 아니한 채 또는 변제를 조건으로 가등기담보 등에 관한 법률 제11조에 따른 말소청구권을 행사한 경우, 위 말소청구권이 제척기간의 경과로 확정적으로 소멸하는지 여부(적극)**
> 가등기담보 등에 관한 법률 제11조의 내용(채권담보의 목적으로 마친 소유권이전등기의 말소를 구하기 위해서는 그때까지의 이자와 손해금을 포함한 피담보채무액을 전부 지급함으로써 그 요건을 갖추어야 한다)과 제척기간 제도의 본질에 비추어 보면, 채무자 등이 위 제척기간이 경과하기 전에 피담보채무를 변제하지 아니한 채 또는 변제를 조건으로 담보목적으로 마친 소유권이전등기의 말소를 청구하더라도 이를 제척기간 준수에 필요한 권리의 행사에 해당한다고 볼 수 없으므로, 채무자 등의 위 말소청구권은 제척기간의 경과로 확정적으로 소멸한다. 이러한 법리는 채무자 등이 피담보채무를 변제하지 아니한 채 또는 변제를 조건으로 위 소유권이전등기의 말소등기를 청구하는 소를 제기한 경우에도 마찬가지로 적용된다(대판 2014.8.20, 2012다47074).

가등기담보 등에 관한 법률 제11조(대판 2018.6.15, 2018다215947) ★

[1] 채무자 등이 가등기담보 등에 관한 법률 제11조에 따라 채권담보의 목적으로 마친 소유권이전등기의 말소를 구하기 위한 요건 / 같은 법 제11조 단서에서 정한 기간의 법적 성격(제척기간) 및 채무자 등의 말소청구권이 위 제척기간의 경과로 확정적으로 소멸하는지 여부(적극)

가등기담보 등에 관한 법률(이하 '가등기담보법'이라고 한다) 제11조 본문은 같은 법 제2조 제2호에서 정한 채무자 등은 청산금채권을 변제받을 때까지 그 피담보채무액(반환할 때까지의 이자와 손해금을 포함한다)을 채권자에게 지급하고 그 채권담보의 목적으로 마친 소유권이전등기의 말소를 청구할 수 있다고 하면서도, 같은 조 단서 전단에서 그 채무의 변제기가 지난 때부터 10년이 지난 경우에는 그러하지 아니하다고 규정하고 있다. 따라서 채무자 등이 가등기담보법 제11조 본문에 따라 채권담보의 목적으로 마친 소유권이전등기의 말소를 구하기 위해서는 그때까지의 이자와 손해금을 포함한 피담보채무액을 전부 지급함으로써 그 요건을 갖추어야 한다. 그리고 가등기담보법 제11조 단서에 정한 10년의 기간은 제척기간이고, 제척기간은 그 기간의 경과 자체만으로 권리 소멸의 효과가 발생하므로, 가등기담보법 제11조 본문에 정한 채무자 등의 말소청구권은 위 제척기간의 경과로 확정적으로 소멸한다.

[2] 가등기담보 등에 관한 법률 제11조 단서에 정한 제척기간이 경과함으로써 채무자 등의 말소청구권이 소멸하고 이로써 채권자가 담보목적부동산의 소유권을 확정적으로 취득한 경우, 채권자가 같은 법 제4조에 따라 산정한 청산금을 채무자 등에게 지급할 의무가 있는지 여부(적극)

가등기담보 등에 관한 법률(이하 '가등기담보법'이라고 한다)은 가등기담보계약 등의 법률관계를 명확히 하여 채무자를 보호하고 채권자 및 후순위권리자 등 이해관계인과의 법률관계를 합리적으로 조정하는 데 그 입법 취지가 있다. 이를 위하여 가등기담보법은 제3조, 제4조 등에서 채권자가 가등기담보계약에 따른 담보권을 실행하여 담보목적부동산의 소유권을 취득하려면 반드시 청산절차를 거치도록 규정하고 있다. 이러한 가등기담보법의 입법 취지 및 가등기담보법 제3조, 제4조의 각 규정 내용에 비추어 볼 때, 가등기담보법 제11조 단서에 정한 제척기간이 경과함으로써 채무자 등의 말소청구권이 소멸하고 이로써 채권자가 담보목적부동산의 소유권을 확정적으로 취득한 때에는 채권자는 가등기담보법 제4조에 따라 산정한 청산금을 채무자 등에게 지급할 의무가 있고, 채무자 등은 채권자에게 그 지급을 청구할 수 있다.

가등기담보 등에 관한 법률(대판 2021.10.28, 2016다248325) ★

[1] 가등기담보 등에 관한 법률 제3조, 제4조를 위반하여 적법한 청산절차를 거치지 않고 이루어진 담보가등기에 기한 본등기의 효력(무효) / 이때 채무자 등이 무효인 본등기의 말소를 청구할 수 없는 경우로서 같은 법 제11조 단서 후문에서 정한 '선의의 제3자가 소유권을 취득한 경우'의 의미 및 제3자가 악의라는 사실에 관한 주장·증명책임의 소재(=무효를 주장하는 사람)

가등기담보 등에 관한 법률(이하 '가등기담보법'이라고 한다) 제3조, 제4조를 위반하여 적법한 청산절차를 거치지 아니한 채 담보가등기에 기한 본등기가 이루어진 경우 그 본등기는 무효이다. 이때 가등기담보법 제2조 제2호에서 정한 채무자 등은 청산금채권을 변제받을 때까지는 여전히 가등기담보계약의 존속을 주장하여 그때까지의 이자와 손해금을 포함한 피담보채무액 전부를 변제하고 무효인 위 본등기의 말소를 청구할 수 있다(제11조 본문). 그러나 선의의 제3자가 소유권을 취득한 경우에는 그러하지 아니하다(제11조 단서 후문). 여기서 '선의의 제3자'라 함은 채권자가 적법한 청산절차를 거치지 않고 담보목적부동산에 관하여 본등기를 마쳤다는 사실을 모르고 그 본등기에 터 잡아 소유권이전등기를 마친 자를 뜻한다. 제3자가 악의라는 사실에 관한 주장·증명책임은 무효를 주장하는 사람에게 있다.

[2] 가등기담보 등에 관한 법률 제3조, 제4조의 청산절차를 위반하여 담보가등기에 기한 본등기가 이루어진 후 선의의 제3자가 그 본등기에 터 잡아 소유권이전등기를 마치는 등으로 담보목적부동산의 소유권을 취득한 경우, 무효인 채권자 명의의 본등기가 그 등기를 마친 시점으로 소급하여 확정적으로 유효하게 되고, 담보목적부동산에 관한 채권자의 가등기담보권은 소멸하는지 여부(적극) 및 이때 채권자의 위 본등기에 터 잡아 이루어진 등기 역시 소급하여 유효하게 되는지 여부(적극) / 이러한 법리는 무효인 본등기가 마쳐진 담보목적부동산에 관하여 진행된 경매절차에서 경락인이 본등기가 무효인 사실을 알지 못한 채 담보목적부동산을 매수한 경우에도 마찬가지로 적용되는지 여부(적극)

① 가등기담보 등에 관한 법률(이하 '가등기담보법'이라고 한다) 제3조, 제4조의 청산절차를 위반하여 이루어진 담보가등기에 기한 본등기가 무효라고 하더라도 선의의 제3자가 그 본등기에 터 잡아 소유권이전등기를 마치는 등으로 담보목적부동산의 소유권을 취득하면, 가등기담보법 제2조 제2호에서 정한 채무자 등(이하 '채무자 등'이라고 한다)은 더 이상 가등기담보법 제11조 본문에 따라 채권자를 상대로 그 본등기의 말소를 청구할 수 없게 된다. 이 경우 그 반사적 효과로서 무효인 채권자 명의의 본등기는 그 등기를 마친 시점으로 소급하여 확정적으로 유효하게 되고, 이에 따라 담보목적부동산에 관한 채권자의 가등기담보권은 소멸하며, 청산절차를 거치지 않아 무효였던 채권자의 위 본등기에 터 잡아 이루어진 등기 역시 소급하여 유효하게 된다고 보아야 한다. 다만 이 경우에도 채무자 등과 채권자 사이의 청산금 지급을 둘러싼 채권·채무 관계까지 모두 소멸하는 것은 아니고, 채무자 등은 채권자에게 청산금의 지급을 청구할 수 있다. ② 이러한 법리는 경매의 법적 성질이 사법상 매매인 점에 비추어 보면 무효인 본등기가 마쳐진 담보목적부동산에 관하여 진행된 경매절차에서 경락인이 본등기가 무효인 사실을 알지 못한 채 담보목적부동산을 매수한 경우에도 마찬가지로 적용된다.

(2) 경매에 의한 가등기담보권의 실행(처분정산)

가담법 제12조【경매의 청구】
① 담보가등기권리자는 그 선택에 따라 제3조에 따른 담보권을 실행하거나 담보목적부동산의 경매를 청구할 수 있다. 이 경우 경매에 관하여는 담보가등기권리를 저당권으로 본다.
② 후순위권리자는 청산기간에 한정하여 그 피담보채권의 변제기 도래 전이라도 담보목적부동산의 경매를 청구할 수 있다.

① 사적 실행으로서의 처분청산은 인정되지 않고, 경매에 의한 공적 실행으로서의 처분청산만 인정된다. 즉, 가등기담보권자는 권리취득에 의한 담보권실행 대신 목적물을 경매하여 가등기인 채로 그 가등기의 순위를 가지고 우선변제를 받을 수 있는 경매에 의한 담보권실행을 할 수 있다(동법 제12조, 제15조 참조).

② 경매에 있어서 가등기담보권은 저당권으로 본다.

담보가등기권리자가 가등기담보 등에 관한 법률 제3조에 따른 담보권 실행이 아니라 담보목적부동산의 경매를 청구하는 방법을 선택하여 경매절차가 진행 중인 경우, 담보가등기에 따른 본등기를 청구할 수 있는지 여부(원칙적 소극)

가등기담보 등에 관한 법률(이하 '가등기담보법'이라 한다) 제12조 제1항 전문은 "담보가등기권리자는 그 선택에 따라 제3조에 따른 담보권을 실행하거나 담보목적부동산의 경매를 청구할 수 있다."라고 규정하고, 제13조 전문은 "담보가등기를 마친 부동산에 대하여 강제경매 등이 개시된 경우에 담보가등기권리자는 다른 채권자보다 자기채권을 우선변제 받을 권리가 있다."라고 규정하며, 제14조는 "담보가등기를 마친 부동산에 대하여 강제경매 등의 개시 결정이 있는 경우에 그 경매의 신청이 청산금을 지급하기 전에 행하여진 경우(청산금이 없는 경우에는 청산기간이 지나기 전)에는 담보가등기권리자는 그 가등기에 따른 본등기를 청구할 수 없다."라고 규정하고 있다. 이러한 가등기담보법 규정의 문언 형식과 내용 및 체계에 더하여 담보목적부동산에 대한 경매절차가 개시된 경우 그 경매절차에 참가할 수 있을 것이라는 후순위권리자 등의 기대를 보호할 필요가 있는 점 등을 고려하면, 담보가등기권리자가 담보목적부동산의 경매를 청구하는 방법을 선택하여 그 경매절차가 진행 중인 때에는 특별한 사정이 없는 한 가등기담보법 제3조에 따른 담보권을 실행할 수 없으므로 그 가등기에 따른 본등기를 청구할 수 없다고 봄이 타당하다(대판 2022.11.30, 2017다232167 · 232174).

(3) 다른 채권자가 실행한 경매에 배당참가

가담법 제13조【우선변제청구권】
담보가등기를 마친 부동산에 대하여 강제경매 등이 개시된 경우에 담보가등기권리자는 다른 채권자보다 자기채권을 우선변제 받을 권리가 있다. 이 경우 그 순위에 관하여는 그 담보가등기권리를 저당권으로 보고, 그 담보가등기를 마친 때에 그 저당권의 설정등기가 행하여진 것으로 본다.

가담법 제14조【강제경매등의 경우의 담보가등기】
담보가등기를 마친 부동산에 대하여 강제경매등의 개시 결정이 있는 경우에 그 경매의 신청이 청산금을 지급하기 전에 행하여진 경우(청산금이 없는 경우에는 청산기간이 지나기 전)에는 담보가등기권리자는 그 가등기에 따른 본등기를 청구할 수 없다.

가담법 제16조【강제경매등에 관한 특칙】
① 법원은 소유권의 이전에 관한 가등기가 되어 있는 부동산에 대한 강제경매등의 개시결정이 있는 경우에는 가등기권리자에게 다음 각 호의 구분에 따른 사항을 법원에 신고하도록 적당한 기간을 정하여 최고하여야 한다.
  1. 해당 가등기가 담보가등기인 경우 : 그 내용과 채권[이자나 그 밖의 부수채권을 포함한다]의 존부 · 원인 및 금액
  2. 해당 가등기가 담보가등기가 아닌 경우 : 해당 내용
② 압류등기 전에 이루어진 담보가등기권리가 매각에 의하여 소멸되면 제1항의 채권신고를 한 경우에만 그 채권자는 매각대금을 배당받거나 변제금을 받을 수 있다. 이 경우 그 담보가등기의 말소에 관하여는 매수인이 인수하지 아니한 부동산의 부담에 관한 기입을 말소하는 등기의 촉탁에 관한 「민사집행법」 제144조 제1항 제2호를 준용한다.
③ 소유권의 이전에 관한 가등기권리자는 강제경매등 절차의 이해관계인으로 본다.

1) 우선변제적 효력

목적물이 다른 채권자에 의하여 개시된 경매절차에도 가등기담보권자는 그 배당에 참가하여 우선변제를 받을 권리가 있다(동법 제13조). 이 때의 가등기담보권은 저당권으로 보며, 경매에 의한 부동산의 매각으로 소멸한다(동법 제15조).

가등기담보권 설정 후 이해관계 있는 제3자가 생긴 상태에서 새로운 약정으로 기존 가등기담보권에 피담보채권을 추가하거나 피담보채권의 내용을 변경, 확장하는 경우, 피담보채권으로 추가, 확장한 부분이 이해관계 있는 제3자에 대한 관계에서 우선변제권 있는 피담보채권에 포함되는지 여부(소극)

① 채권자와 채무자가 가등기담보권설정계약을 체결하면서 가등기 이후에 발생할 채권도 후순위권리자에 대하여 우선변제권을 가지는 가등기담보권의 피담보채권에 포함시키기로 약정할 수 있고, 가등기담보권을 설정한 후에 채권자와 채무자의 약정으로 새로 발생한 채권을 기존 가등기담보권의 피담보채권에 추가할 수도 있으나, ② 가등기담보권 설정 후에 후순위권리자나 제3취득자 등 이해관계 있는 제3자가 생긴 상태에서 새로운 약정으로 기존 가등기담보권에 피담보채권을 추가하거나 피담보채권의 내용을 변경, 확장하는 경우에는 이해관계 있는 제3자의 이익을 침해하게 되므로, 이러한 경우에는 피담보채권으로 추가, 확장한 부분은 이해관계 있는 제3자에 대한 관계에서는 우선변제권 있는 피담보채권에 포함되지 않는다고 보아야 한다(대판 2011.7.14, 2011다28090).

2) 배당절차참가

① 법원은 경매개시결정 후 가등기담보권자에게 그 가등기가 담보가등기인 사실과 채권액을 신고할 것을 최고하여야 하며, 이 때 채권신고를 한 가등기담보권자만이 배당을 받을 수 있다(동법 제16조).

② 이러한 배당참가의 경우 가등기담보권을 저당권으로 보고 그 순위는 가등기가 된 때에 저당권 설정등기가 있는 것으로 본다(동법 제13조).

귀속정산의 방식으로 부동산에 대한 가등기담보권을 실행하는 경우, 청산금에서 공제할 수 있는 가등기담보권 실행비용은 경매절차의 집행비용에 상응하는 것이어야 하는지 여부(적극) **/ 청산의 결과로서 본등기인 소유권이전등기를 마치기 위해 지출한 절차비용과 취득세 등이 청산금에서 공제할 수 있는 가등기담보권 실행비용에 해당하는지 여부**(소극)

① 담보권의 실행이란 목적물의 교환가치로부터 채무를 변제받음으로써 채권의 만족을 실현하는 것이다. 담보목적물을 매각해 현금화하여 채무의 변제를 받는 것이 담보권의 전형적인 실행방법이고, 담보권의 성격이나 합의에 따라 담보물 가액에서 피담보채권액 등을 빼고 남은 금액을 채무자에게 지급함으로써 담보물의 소유권을 넘겨받는 방식도 가능하다. 채권자가 어떤 방법을 선택하든지 목적물의 교환가치를 파악하여 피담보채권의 만족을 도모하는 것이 담보권 실행의 본질이고, 담보물의 소유권 변동은 그에 뒤따른 결과일 뿐이다. 채권자가 담보권 실행을 위해 경매를 신청한 경우에 그 경매를 직접 목적으로 하여 지출된 돈으로서 경매절차의 준비 또는 실시를 위하여 필요한 비용이어야 집행비용(민사집행법 제275조, 제53조 제1항)으로서 배당재단에서 우선적으로 변상된다. 매각에 따라 소유권을 취득한 매수인은 소유권이전등기를 넘겨받기 위해 지출한 비용과 취득세 등을 자기가 부담해야 한다. 이는 경매를 신청한 채권자가 매수인이 된 경우에도 마찬가지이다. ② 귀속정산에 의한 가등기담보권 실행도 민사집행법에 따라 담보물을 매각하지 않을 뿐 담보로 파악한 교환가치만큼을 채권자에게 이전한다는 점에서 경매에 의한 실행과 본질이 같으므로, 청산금에서 공제할 수 있는 가등기담보권 실행비용은 경매절차의 집행비용에 상응하는 것이어야 한다. 그러므로 가등기담보권자는 귀속정산 과정에서 담보목적물의 교환가치를 파악하기 위하여 쓴 감정평가비용 등을 실행비용으로서 청산금에서 공제할 수 있을 뿐, 청산의 결과로서 본등기를 마치기 위해 지출한 절차비용과 취득세 등은 스스로 부담해야 한다(대판 2022.4.14, 2017다266177).

V. 가등기담보권의 소멸

> 가담법 제15조【담보가등기권리의 소멸】
> 담보가등기를 마친 부동산에 대하여 강제경매등이 행하여진 경우에는 담보가등기권리는 그 부동산의 매각에 의하여 소멸한다.

1) ① 소유권이전에 의한 소멸(동법 제3조, 제4조), ② 경매에 의한 소멸(동법 제15조), ③ 기타 채무의 변제, 목적물의 멸실, 피담보채권의 시효소멸로 소멸한다. 그러나 가등기담보권은 독립하여 시효에 걸리지 않는다. 또한 ④ 담보가등기의 말소청구(동법 제11조)에 의해 소멸한다.
2) 그러나 채무의 변제기가 지난 때부터 10년이 지나거나 선의의 제3자가 소유권을 취득한 경우에는 가등기의 말소를 청구할 수 없다.

제3관 양도담보

I. 서설

1. 의의

채권담보의 목적으로 물건의 소유권 기타 재산권을 채권자에게 이전하고, 채무불이행이 있으면 채권자가 그 목적물로부터 우선변제를 받게 되지만, 채무이행이 있으면 목적물을 원소유자에게 반환하는 비전형담보를 양도담보라 한다.

2. 유형 – 좁은 의미의 양도담보

소비대차형식으로 신용을 수수하고, 이를 담보하기 위해 목적물의 소유권을 채권자에게 이전하는 형식의 양도담보를 좁은 의미의 양도담보라 한다. 이는 다시 채권자의 청산의무 유무에 따라 청산절차를 요하는 약한 의미의 양도담보와 청산절차를 요구하지 않는 강한 의미의 양도담보로 나눌 수 있다.

3. 유담보형 양도담보의 유효성

유담보형의 양도담보에 관해 판례는 "채무의 변제기에 채무변제를 하지 않으면 청산절차 없이 목적물의 소유권이 채권자에게 귀속되기로 하는 약정이 있는 경우에, 그 대물변제의 예약부분은 제607조, 제608조에 의하여 무효가 되고 나머지 담보계약은 유효하다"고 하여 약한 의미의 양도담보로서의 효력만을 인정하고 있다(대판 1982.7.13, 81다254). 또한 가등기담보 등에 관한 법률도 "매도담보를 비롯한 모든 양도담보에 있어서 청산절차를 밟아야 한다"고 규정함으로써(동법 제4조 제2항, 제11조 단서), 약한 의미의 양도담보만을 유효한 것으로 보고 있다.

4. 양도담보의 법적 구성 및 규율

(1) 법적 구성

양도담보는 그 목적이 채권담보임에도 불구하고 소유권이전의 형식을 채택하고 있으므로, 목적과 형식 사이에 불일치가 발생한다. 따라서 양도담보의 목적을 중시하여 담보물권으로 이론구성할 것인가, 아니면 양도담보의 형식을 중시하여 소유권이 이전된다는 이론구성을 할 것인가가 문제된다. 이에 대해 판례(이원적 규율설)는 ① 동산의 양도담보에 관하여는 가등기담보 등에 관한 법률 시행 전·후를 불문하고 신탁적 소유권 이전설(채권자와 채무자 사이의 대내적 관계에서는 채무자가 소유권을 보유하나, 대외적 관계에서는 채권자인 양도담보권자에게 소유권이 이전된다)에 입각하여 이론구성을 하고, ② 부동산에 관하여는 가등기담보법의 적용을 받지 않는 경우에는 신탁적 소유권 이전설에 입각하되, 가등기담보법의 적용을 받는 경우로서 동법 시행 후에는 주로 담보물권설로 그 이론구성을 하고 있다.

(2) 법적 규율

양도담보 중 부동산이나 그 밖에 등기·등록으로 공시되는 재산권을 목적으로 하는 것은 가등기담보 등에 관한 법률에 의해 규율된다.

Ⅱ. 양도담보권의 성립

1. 양도담보설정계약

채권담보의 목적으로 목적물을 양도하고, 채무불이행시 그 목적물로부터 채권의 변제를 우선적으로 받기로 하는 내용의 약정을 말한다. 양도담보설정계약은 채권자와 채무자(또는 제3자) 사이에서 이루어지는 낙성·불요식 계약이다.

> **양도담보설정자에게 목적물에 대한 소유권이나 처분권 등 양도담보를 설정할 권한이 없는 경우, 양도담보가 유효하게 성립할 수 있는지 여부**(원칙적 소극)
> 양도담보를 설정하려면 양도담보설정자에게 목적물에 대한 소유권이나 처분권 등 양도담보를 설정할 권한이 있어야 한다. 양도담보설정자에게 이러한 권한이 없는데도 양도담보설정계약을 체결한 경우에는 특별한 사정이 없는 한 양도담보가 유효하게 성립할 수 없다(대판 2022.1.27. 2019다295568).

2. 공시방법

동산인 경우에는 인도, 부동산의 경우에는 이전등기, 채권 기타의 재산권인 경우에는 권리이전에 필요한 공시방법을 갖추어야 양도담보권이 성립한다. 특히 동산의 경우에는 점유개정에 의해 양도담보가 설정됨이 보통이다.

점유개정에 의한 동산 이중양도담보의 효력 ★★

① 금전채무를 담보하기 위하여 채무자가 그 소유의 동산을 채권자에게 양도하되 점유개정의 방법으로 인도하고 채무자가 이를 계속 점유하기로 약정한 경우 특별한 사정이 없는 한 그 동산의 소유권은 신탁적으로 이전되는 것에 불과하여, 채권자와 채무자 사이의 대내적 관계에서는 채무자가 소유권을 보유하나 대외적인 관계에서의 채무자는 동산의 소유권을 이미 채권자에게 양도한 무권리자가 되는 것이어서 다시 다른 채권자와 사이에 양도담보설정계약을 체결하고 점유개정의 방법으로 인도하더라도 선의취득이 인정되지 않는 한 나중에 설정계약을 체결한 채권자로서는 양도담보권을 취득할 수 없는데, 현실의 인도가 아닌 점유개정의 방법으로는 선의취득이 인정되지 아니하므로 결국 뒤의 채권자는 적법하게 양도담보권을 취득할 수 없다(대판 2005.2.18, 2004다37430).

② 동산에 대하여 점유개정의 방법으로 이중양도담보를 설정한 경우 원래의 양도담보권자는 뒤의 양도담보권자에 대하여 배타적으로 자기의 담보권을 주장할 수 있으므로, 뒤의 양도담보권자가 양도담보의 목적물을 처분함으로써 원래의 양도담보권자로 하여금 양도담보권을 실행할 수 없도록 하는 행위는, 이중양도담보 설정행위가 횡령죄나 배임죄를 구성하는지 여부나 뒤의 양도담보권자가 이중양도담보 설정행위에 적극적으로 가담하였는지 여부와 관계없이, 원래의 양도담보권자의 양도담보권을 침해하는 위법한 행위이다. 따라서 불법행위에 의한 손해배상책임을 진다(대판 2000.6.23, 99다65066).

Ⅲ. 양도담보권의 효력

1. 효력이 미치는 범위

가등기담보와 같이 피담보채권의 범위에 관해서는 제360조가 적용되고, 목적물의 범위에 관해서는 제358조가 적용되며, 동산양도담보권자도 제342조에 따라 물상대위권을 행사할 수 있다.

동산양도담보권자의 물상대위권 ★

동산에 대하여 양도담보를 설정한 경우 채무자는 담보의 목적으로 그 소유의 동산을 채권자에게 양도해 주되 점유개정에 의하여 이를 계속 점유하지만, 채무자가 위 채무를 불이행하면 채권자는 담보목적물인 동산을 사적으로 타에 처분하거나 스스로 취득한 후 정산하는 방법으로 이를 환가하여 우선변제받음으로써 위 양도담보권을 실행하게 되는데, 채무자가 채권자에게 위 동산의 소유권을 이전하는 이유는 채권자가 양도담보권을 실행할 때까지 스스로 담보물의 가치를 보존할 수 있도록 함으로써 만약 채무자가 채무를 이행하지 않더라도 채권자가 양도받았던 담보물을 환가하여 우선변제받는 데에 지장이 없도록 하기 위한 것인바, 이와 같이 담보물의 교환가치를 취득하는 것을 목적으로 하는 양도담보권의 성격에 비추어 보면, 양도담보로 제공된 목적물이 멸실, 훼손됨에 따라 양도담보 설정자와 제3자 사이에 교환가치에 대한 배상 또는 보상 등의 법률관계가 발생되는 경우에도 그로 인하여 양도담보 설정자가 받을 금전 기타 물건에 대하여 담보적 효력이 미친다. 따라서 양도담보권자는 양도담보 목적물이 소실되어 양도담보 설정자가 보험회사에 대하여 화재보험계약에 따른 보험금청구권을 취득한 경우에도 담보물 가치의 변형물인 위 화재보험금청구권에 대하여 양도담보권에 기한 물상대위권을 행사할 수 있다(대판 2009.11.26, 2006다37106).

2. 대내적 효력

(1) 담보목적물의 이용관계

담보목적물의 점유와 이용은 당사자 간의 합의로 결정되지만, 합의가 없으면 양도담보의 기능상 양도담보권설정자가 목적물을 점유·이용할 권한을 가지는 것으로 보아야 할 것이다(대판 1988.11.22, 87다카2555).

부동산양도담보에 있어 목적부동산의 사용수익권자(=양도담보설정자) ★
일반적으로 부동산을 채권담보의 목적으로 양도한 경우 특별한 사정이 없는 한 목적부동산에 대한 사용수익권은 채무자인 양도담보설정자에게 있으므로, 양도담보권자는 사용수익할 수 있는 정당한 권한이 있는 채무자나 채무자로부터 그 사용수익할 수 있는 권한을 승계한 자에 대하여는 사용수익을 하지 못한 것을 이유로 임료 상당의 손해배상이나 부당이득반환청구를 할 수 없다(대판 2008.2.28, 2007다37394·37400).

양도담보권자가 담보물을 점유하고 있으면서 그 인도를 거부하는 제3자에 대하여 임료 상당의 손해배상을 구할 수 있는지 여부(소극) ★
양도담보권자는 담보권의 실행을 위하여 담보채무자가 아닌 제3자에 대하여도 담보물의 인도를 구할 수 있고, 인도를 거부하는 경우에는 담보권 실행이 방해된 것을 이유로 하는 손해배상을 구할 수는 있으나, 그러한 경우에도 양도담보권자에게는 목적 부동산에 대한 사용수익권이 없으므로 임료 상당의 손해배상을 구할 수는 없다(대판 1991.10.8, 90다9780).

양도담보 설정자가 채권을 담보하기 위하여 그 소유의 동산을 채권자에게 양도한 경우, 담보목적물인 동산의 사용·수익권의 귀속자 및 그 동산이 일정한 토지 위에 설치되어 있어 토지의 점유·사용이 문제된 경우, 양도담보 설정자가 토지를 점유·사용하고 있는 것으로 보아야 하는지 여부(원칙적 적극) ★
양도담보 설정자가 채권을 담보하기 위하여 그 소유의 동산을 채권자에게 양도한 경우 담보목적물을 누가 사용·수익할 수 있는지는 당사자의 합의로 정할 수 있지만, 반대의 특약이 없는 한 양도담보 설정자가 동산에 대한 사용·수익권을 가진다. 따라서 그 동산이 일정한 토지 위에 설치되어 있어 토지의 점유·사용이 문제 된 경우에는 특별한 사정이 없는 한 양도담보 설정자가 토지를 점유·사용하고 있는 것으로 보아야 한다(대판 2018.5.30, 2018다201429).
→ [사실관계] : 甲이 乙 등이 소유하고 있던 토지에 수조식 육상종표배양시설을 설치한 후 丙과 동업약정을 체결하여 치어양식판매업체를 공동으로 운영하다가 분쟁으로 동업관계가 종료되었고, 관련 소송에서 '丙은 甲으로부터 조정에서 정한 돈을 모두 지급받을 때까지 양도담보 형식으로 시설물의 소유권을 보유하고, 甲은 그 기간 동안 시설물을 점유·관리·수익한다'는 내용의 조정이 성립하였는데, 丁이 위 토지에 관한 소유권이전등기를 마친 후 丙을 상대로 토지 차임 상당의 부당이득반환을 구한 사안에서, 조정을 통해서 甲이 자신의 채무를 담보하기 위해서 시설물을 丙에게 양도하면서 양도담보 기간 동안 시설물에 대한 사용·수익권을 갖고 있었던 이상, 양도담보 설정자인 甲이 시설물이 설치된 토지를 점유·사용하고 있다고 보아야 하고, 채권자인 丙이 토지를 점유·사용하고 있다고 볼 수 없는데도, 丙이 조정 성립 이후에도 시설물의 소유자로서 부지로 사용되는 토지를 점유·사용하고 있음을 전제로 丙에게 차임 상당의 부당이득반환의무가 있다고 본 원심판단에 법리오해 등의 잘못이 있다고 한 사례이다.

(2) 양도담보권자 및 양도담보설정자의 목적물보관의무

양도담보권자는 자기가 취득한 권리를 담보의 목적을 초과하여 행사할 수 없다(가담법 제4조). 한편 양도담보권설정자는 목적물을 점유·이용함에 있어서 양도담보권자가 담보의 목적을 달성할 수 있도록 목적물을 보관하여야 한다.

판례 연구 관련판례 정리

☑ 동산에 대한 양도담보권의 효력범위

1. 통상의 동산 양도담보에서 과실수취권자 ★★

돼지를 양도담보의 목적물로 하여 소유권을 양도하되 점유개정의 방법으로 양도담보설정자가 계속하여 점유·관리하면서 무상으로 사용·수익하기로 약정한 경우, 양도담보 목적물로서 원물인 돼지가 출산한 새끼 돼지는 천연과실에 해당하고 그 천연과실의 수취권은 원물인 돼지의 사용·수익권을 가지는 양도담보설정자에게 귀속되므로, 다른 특별한 약정이 없는 한 천연과실인 새끼 돼지에 대하여는 양도담보의 효력이 미치지 않는다(대판 1996.9.10, 96다25463).

2. 집합동산의 양도담보

(1) 유효성

일반적으로 일단의 증감 변동하는 동산을 하나의 물건으로 보아 이를 채권담보의 목적으로 삼으려는 이른바 집합물에 대한 양도담보설정계약 체결도 가능하며 이 경우 그 목적 동산이 담보설정자의 다른 물건과 구별될 수 있도록 그 종류, 장소 또는 수량지정 등의 방법에 의하여 특정되어 있으면 그 전부를 하나의 재산권으로 보아 이에 유효한 담보권의 설정이 된 것으로 볼 수 있다(대판 1990.12.26, 88다카20224).

(2) 유동집합물에 대한 양도담보의 효력 ★★

1) 집합물에 대한 양도담보권설정계약이 이루어지면 그 집합물을 구성하는 개개의 물건이 변동되거나 변형되더라도 한 개의 물건으로서 동일성을 잃지 아니하므로 양도담보권의 효력은 항상 현재의 집합물 위에 미치는 것이고, 따라서 양도담보권자가 담보권설정계약 당시 존재하는 집합물을 점유개정의 방법으로 그 점유를 취득하면 그 후 양도담보 설정자가 그 집합물을 이루는 개개의 물건을 반입하였다 하더라도 그때마다 별도의 양도담보권 설정계약을 맺거나 점유개정의 표시를 하여야 하는 것은 아니다(대판 1990.12.26, 88다카20224).

2) 다만 양도담보권설정자가 양도담보권설정계약에서 정한 종류·수량에 포함되는 물건을 계약에서 정한 장소에 반입하였더라도 그 물건이 제3자의 소유라면 담보목적인 집합물의 구성부분이 될 수 없고 따라서 그 물건에는 양도담보권의 효력이 미치지 않는다(대판 2016.4.28, 2012다19659).

(3) 유동집합물 양도담보에서 과실수취권자 ★★

돈사에서 대량으로 사육되는 돼지를 집합물에 대한 양도담보의 목적물로 삼은 경우, 그 돼지는 번식, 사망, 판매, 구입 등의 요인에 의하여 증감 변동하기 마련이므로 양도담보권자가 그 때마다 별도의 양도담보권설정계약을 맺거나 점유개정의 표시를 하지 않더라도 하나의 집합물로서 동일성을 잃지 아니한 채 양도담보권의 효력은 항상 현재의 집합물 위에 미치게 되고, 양도담보설정자로부터 위 목적물을 양수한 자가 이를 선의취득하지 못하였다면 위 양도담보권의 부담을 그대로 인수하게 된다. (따라서) 돈사에서 대량으로 사육되는 돼지를 집합물에 대한 양도담보의 목적물로 삼은 경우, 위 양도담보권의 효력은 양도담보설정자로부터 이를 양수한 양수인이 당초 양수한 돈사 내에 있던 돼지들 및 통상적인 양돈방식에 따라 그 돼지들을 사육·관리하면서 돼지를 출하하여 얻은 수익으로 새로 구입하거나 그 돼지와 교환한 돼지 또는 그 돼지로부터 출산시켜 얻은 새끼돼지에 한하여 미치는 것이지, 양수인이 별도의 자금을 투입하여 반입한 돼지에까지는 미치지 않는다. (한편) 유동집합물에 대한 양도담보계약의 목적물을 선의취득하지 못한 양수인이 그 양도담보의 효력이 미치는 목적물에다 자기 소유인 동종의 물건을 섞어 관리함으로써 당초의 양도담보의 효력이 미치는 목적물의 범위를 불명확하게 한 경우에는 양수인으로 하여금 그 양도담보의 효력이 미치지 아니하는 물건의 존재와 범위를 입증하도록 하는 것이 공평의 원칙에 부합한다(대판 2004.11.12, 2004다22858).

집합물에 대한 양도담보와 제261조(대판 2016.4.28, 2012다19659)

[1] 집합물에 대한 양도담보권자가 점유개정의 방법으로 양도담보권설정계약 당시 존재하는 집합물의 점유를 취득한 후 양도담보권설정자가 집합물을 이루는 개개의 물건을 반입한 경우, 양도담보권의 효력이 나중에 반입한 물건에 미치는지 여부(적극) 및 반입한 물건이 제3자 소유인 경우, 그 물건에 양도담보권의 효력이 미치는지 여부(소극)

재고상품, 제품, 원자재 등과 같은 집합물을 하나의 물건으로 보아 일정 기간 계속하여 채권담보의 목적으로 삼으려는 이른바 집합물에 대한 양도담보권설정계약에서는 담보목적인 집합물을 종류, 장소 또는 수량지정 등의 방법에 의하여 특정할 수 있으면 집합물 전체를 하나의 재산권 객체로 하는 담보권의 설정이 가능하므로, 그에 대한 양도담보권설정계약이 이루어지면 집합물을 구성하는 개개의 물건이 변동되거나 변형되더라도 한 개의 물건으로서의 동일성을 잃지 아니한 채 양도담보권의 효력은 항상 현재의 집합물 위에 미치고, 따라서 그러한 경우에 양도담보권자가 점유개정의 방법으로 양도담보권설정계약 당시 존재하는 집합물의 점유를 취득하면 그 후 양도담보권설정자가 집합물을 이루는 개개의 물건을 반입하였더라도 별도의 양도담보권설정계약을 맺거나 점유개정의 표시를 하지 않더라도 양도담보권의 효력이 나중에 반입된 물건에도 미친다. 다만 양도담보권설정자가 양도담보권설정계약에서 정한 종류・수량에 포함되는 물건을 계약에서 정한 장소에 반입하였더라도 그 물건이 제3자의 소유라면 담보목적인 집합물의 구성부분이 될 수 없고 따라서 그 물건에는 양도담보권의 효력이 미치지 않는다.

[2] 민법 제261조에서 정한 '부당이득에 관한 규정에 의하여 보상을 청구할 수 있다'는 것의 의미

민법 제261조는 첨부에 관한 민법 규정에 의하여 어떤 물건의 소유권 또는 그 물건 위의 다른 권리가 소멸한 경우 이로 인하여 손해를 받은 자는 '부당이득에 관한 규정에 의하여 보상을 청구할 수 있다'고 규정하고 있는데, 여기서 '부당이득에 관한 규정에 의하여 보상을 청구할 수 있다'는 것은 법률효과만이 아니라 법률요건도 부당이득에 관한 규정이 정하는 바에 따른다는 의미이다.

[3] 양도담보권의 목적인 주된 동산에 다른 동산이 부합되어 부합된 동산에 관한 권리자가 권리를 상실하는 손해를 입은 경우, 민법 제261조에 따라 보상을 청구할 수 있는 상대방(=양도담보권설정자)

부당이득반환청구에서 이득이란 실질적인 이익을 의미하는데, 동산에 대하여 양도담보권을 설정하면서 양도담보권설정자가 양도담보권자에게 담보목적인 동산의 소유권을 이전하는 이유는 양도담보권자가 양도담보권을 실행할 때까지 스스로 담보물의 가치를 보존할 수 있게 함으로써 만약 채무자가 채무를 이행하지 않더라도 채권자인 양도담보권자가 양도받은 담보물을 환가하여 우선변제받는 데에 지장이 없도록 하기 위한 것이고, 동산양도담보권은 담보물의 교환가치 취득을 목적으로 하는 것이다. 이러한 양도담보권의 성격에 비추어 보면, 양도담보권의 목적인 주된 동산에 다른 동산이 부합되어 부합된 동산에 관한 권리자가 권리를 상실하는 손해를 입은 경우 주된 동산이 담보물로서 가치가 증가된 데 따른 실질적 이익은 주된 동산에 관한 양도담보권설정자에게 귀속되는 것이므로, 이 경우 부합으로 인하여 권리를 상실하는 자는 양도담보권설정자를 상대로 민법 제261조에 따라 보상을 청구할 수 있을 뿐 양도담보권자를 상대로 보상을 청구할 수는 없다.

3. 대외적 효력

판례는 동산에 관하여 양도담보계약이 이루어지고 양도담보권자가 점유개정의 방법으로 인도를 받았다면 그 청산절차를 마치기 전이라 하더라도 담보목적물에 대한 사용수익권은 없지만, 제3자에 대한 관계에 있어서는 그 물건의 소유자임을 주장하고 그 권리를 행사할 수 있다고 하였다 (대판 1994.8.26, 93다44739).

구분		신탁적 소유권이전설	담보물권설
대내적 관계		양도담보설정자가 소유권자이다.	양도담보권자는 담보물권자에 불과하다.
대외적 관계	변제기도래 전 양도담보권자의 처분	• 가담법 시행 전: 양수인의 선·악의를 불문하고 소유권을 취득한다. • 가담법 시행 후: 선의의 양수인만 소유권을 취득한다(가담법 제11조 단서).	선의의 양수인만 소유권을 취득한다(가담법 제11조 단서).
	변제기도래 전 양도담보설정자의 처분	무권한자의 처분행위에 해당하므로 무효이다.	• 부동산: 처분권한은 있으나 등기부상 양도담보권자가 소유자이므로 사실상 처분이 불가능하다. • 동산: 제3자는 양도담보권의 부담 있는 소유권을 취득한다.
	제3자에 의한 목적물 침탈	• 양도담보권자: 소유권에 기한 물권적 청구권을 행사할 수 있다. • 양도담보설정자: 점유보호청구권을 행사할 수 있다.	양도담보권자·양도담보설정자 모두 제3자에 대한 반환청구와 방해배제청구가 가능하다. 즉 양도담보권자는 양도담보권에 기한 물권적 청구권을 갖고, 양도담보설정자는 소유권에 기한 물권적 청구권을 갖는다.

Ⅳ. 양도담보권의 실행

1) 목적물이 부동산인 경우 가등기담보 등에 관한 법률(제2조~제11조)이 적용된다. 따라서 실행통지, 청산, 소유권 취득의 순서를 거친다.
2) 한편, 소유권의 취득시기에 관하여는 청산금이 없는 때에는 청산기간의 경과로, 청산금이 있는 때에는 청산기간경과 후 청산금을 그 청구권자에게 지급하거나 공탁한 때에 소유권을 취득한다(등기부상 소유권이전등기가 이미 경료되어 있지만 청산금을 지급한 때 비로소 양도담보권자는 소유권을 취득하게 되는 것임).

Ⅴ. 양도담보권의 소멸

피담보채권의 소멸 또는 목적물의 멸실·훼손 등으로 소멸한다.

제4관 동산 · 채권 등의 담보에 관한 법률

Ⅰ. 총설

1. 제정 목적

동산을 담보로 하는 제도로는 질권과 양도담보가 있다. 그러나 질권을 설정하려면 점유의 이전이 필요하므로, 설정자의 점유가 필요한 경우에는 그 실효성에 의문이 있고, 양도담보에서는 통상 점유개정의 방식으로 이전된다는 점에서 공시의 효과를 기할 수 없다는 문제가 있다. 한편 채권을 담보로 하는 제도로 채권질권이 있으나, 질권의 설정을 제3자에게 대항하기 위해서는 확정일자부 통지·승낙이 필요한 관계로, 대량의 채권을 담보로 제공하는 데에는 많은 비용이 따른다는 문제가 있다. 이에 담보가 부동산에 편중되어 있는 것을 해소함과 아울러 동산과 채권에 대한 기존의 담보제도의 문제점을 개선하여, 중소기업과 자영업자의 자금조달의 편의를 제공하기 위해, 동산·채권 등의 담보에 관한 법률을 제정하기에 이르렀다(동법 제1조).

다만 동법에 의한 담보권과는 별개로 기존의 담보제도는 존속한다. 따라서 당사자들은 그 선택에 따라 담보권을 설정할 수 있다.

2. 인적 적용범위

동산·채권을 담보로 제공하는 경우에는 법인(상사법인, 민법법인, 특별법에 따른 법인, 외국법인을 말한다) 또는 부가가치세법에 따라 사업자등록을 한 사람으로 한정한다(제2조 제5호). 다만 담보권설정자의 사업자등록이 말소된 경우에도 이미 설정된 동산담보권의 효력에는 영향을 미치지 아니한다(제4조).

Ⅱ. 동산담보권

1. 동산담보권의 목적물

> **제3조【동산담보권의 목적물】**
> ① 법인 또는 「부가가치세법」에 따라 사업자등록을 한 사람(이하 "법인 등"이라 한다)이 담보약정에 따라 동산을 담보로 제공하는 경우에는 담보등기를 할 수 있다. 〈개정 2020.10.20.〉
> ② 여러 개의 동산(장래에 취득할 동산을 포함한다)이더라도 목적물의 종류, 보관장소, 수량을 정하거나 그 밖에 이와 유사한 방법으로 특정할 수 있는 경우에는 이를 목적으로 담보등기를 할 수 있다.
> ③ 제1항 및 제2항에도 불구하고 다음 각 호의 어느 하나에 해당하는 경우에는 이를 목적으로 하여 담보등기를 할 수 없다.
> 1. 「선박등기법」에 따라 등기된 선박, 「자동차 등 특정동산 저당법」에 따라 등록된 건설기계·자동차·항공기·소형선박, 「공장 및 광업재단 저당법」에 따라 등기된 기업재산, 그 밖에 다른 법률에 따라 등기되거나 등록된 동산

2. 화물상환증, 선하증권, 창고증권이 작성된 동산
3. 무기명채권증서 등 대통령령으로 정하는 증권

제33조 【준용규정】
동산담보권에 관하여는 민법 「제331조 및 제369조」를 준용한다.

2. 동산담보권의 성립

제2조 【정의】
2. 동산담보권은 담보약정에 따라 동산(여러 개의 동산 또는 장래에 취득할 동산을 포함한다)을 목적으로 등기(동산담보등기부)한 담보권을 말한다.

제6조 【동산담보권을 설정하려는 자의 명시의무】
동산담보권을 설정하려는 자는 담보약정을 할 때 다음 각 호의 사항을 상대방에게 명시하여야 한다.
1. 담보목적물의 소유 여부
2. 담보목적물에 관한 다른 권리의 존재 유무

제47조 【등기부의 작성 및 기록사항】
① 담보등기부는 담보목적물인 동산 또는 채권의 등기사항에 관한 전산정보자료를 전산정보처리조직에 의하여 담보권설정자별로 구분하여 작성한다(인적 편성주의).

3. 동산담보권의 효력

(1) 피담보채권의 범위

제12조 【피담보채권의 범위】
동산담보권은 원본, 이자, 위약금, 담보권실행의 비용, 담보목적물의 보존비용 및 채무불이행 또는 담보목적물의 흠으로 인한 손해배상의 채권을 담보한다. 다만, 설정행위에 다른 약정이 있는 경우에는 그 약정에 따른다.

제5조 【근담보권】
① 동산담보권은 그 담보할 채무의 최고액만을 정하고 채무의 확정을 장래에 보류하여 설정할 수 있다. 이 경우 그 채무가 확정될 때까지 채무의 소멸 또는 이전은 이미 설정된 동산담보권에 영향을 미치지 아니한다.
② 제1항의 경우 채무의 이자는 최고액 중에 포함된 것으로 본다.

(2) 물적 범위

제10조【동산담보권 효력의 범위】
동산담보권의 효력은 담보목적물에 부합된 물건과 종물에 미친다. 다만, 법률에 다른 규정이 있거나 설정행위에 다른 약정이 있으면 그러하지 아니하다.
제11조【과실에 대한 효력】
동산담보권의 효력은 담보목적물에 대한 압류 또는 제25조 제2항의 인도 청구가 있은 후에 담보권설정자가 그 담보목적물로부터 수취한 과실 또는 수취할 수 있는 과실에 미친다.

(3) 담보물권적 효력 – 우선변제적 효력 등

제7조【담보등기의 효력】
① 약정에 따른 동산담보권의 득실변경은 담보등기부에 등기를 하여야 그 효력이 생긴다.
② 동일한 동산에 설정된 동산담보권의 순위는 등기의 순서에 따른다.
③ 동일한 동산에 관하여 담보등기부의 등기와 인도(「민법」에 규정된 간이인도, 점유개정, 목적물반환청구권의 양도를 포함한다)가 행하여진 경우에 그에 따른 권리 사이의 순위는 법률에 다른 규정이 없으면 그 선후에 따른다.
제8조【동산담보권의 내용】
담보권자는 채무자 또는 제3자가 제공한 담보목적물에 대하여 다른 채권자보다 자기채권을 우선변제받을 권리가 있다.
제9조【동산담보권의 불가분성】
담보권자는 채권 전부를 변제받을 때까지 담보목적물 전부에 대하여 그 권리를 행사할 수 있다.
제13조【동산담보권의 양도】
동산담보권은 피담보채권과 분리하여 타인에게 양도할 수 없다.
제14조【물상대위】
동산담보권은 담보목적물의 매각, 임대, 멸실, 훼손 또는 공용징수 등으로 인하여 담보권설정자가 받을 금전이나 그 밖의 물건에 대하여도 행사할 수 있다. 이 경우 그 지급 또는 인도 전에 압류하여야 한다.
제16조【물상보증인의 구상권】
타인의 채무를 담보하기 위한 담보권설정자가 그 채무를 변제하거나 동산담보권의 실행으로 인하여 담보목적물의 소유권을 잃은 경우에는 민법의 보증채무에 관한 규정에 따라 채무자에 대한 구상권이 있다.
제18조【제3취득자의 비용상환청구권】
담보목적물의 제3취득자가 그 담보목적물의 보존·개량을 위하여 필요비 또는 유익비를 지출한 경우에는 「민법」 제203조 제1항 또는 제2항에 따라 담보권자가 담보목적물을 실행하고 취득한 대가에서 우선하여 상환받을 수 있다.
제19조【담보목적물 반환청구권】
① 담보권자는 담보목적물을 점유한 자에 대하여 담보권설정자에게 반환할 것을 청구할 수 있다.
② 담보권자가 담보목적물을 점유할 권원이 있거나 담보권설정자가 담보목적물을 반환받을 수 없는 사정이 있는 경우에 담보권자는 담보목적물을 점유한 자에 대하여 자신에게 담보목적물을 반환할 것을 청구할 수 있다.

③ 제1항 및 제2항에도 불구하고 점유자가 그 물건을 점유할 권리가 있는 경우에는 반환을 거부할 수 있다.
제20조【담보목적물의 방해제거청구권 및 방해예방청구권】
담보권자는 동산담보권을 방해하는 자에게 방해의 제거를 청구할 수 있고, 동산담보권을 방해할 우려가 있는 행위를 하는 자에게 방해의 예방이나 손해배상의 담보를 청구할 수 있다.

4. 동산담보권의 실행

제21조【동산담보권의 실행방법】
① 담보권자는 자기의 채권을 변제받기 위하여 담보목적물의 경매를 청구할 수 있다.
② 정당한 이유가 있는 경우 담보권자는 담보목적물로써 직접 변제에 충당하거나 담보목적물을 매각하여 그 대금을 변제에 충당할 수 있다. 다만, 선순위권리자(담보등기부에 등기되어 있거나 담보권자가 알고 있는 경우로 한정한다)가 있는 경우에는 그의 동의를 받아야 한다.

5. 동산담보권의 존속기간

제49조【담보권의 존속기간 및 연장등기】
① 이 법에 따른 담보권의 존속기간은 5년을 초과할 수 없다. 다만, 5년을 초과하지 않는 기간으로 이를 갱신할 수 있다.
② 담보권설정자와 담보권자는 제1항의 존속기간을 갱신하려면 그 만료 전에 연장등기를 신청하여야 한다.

Ⅲ. 채권담보권

채권담보권은 담보약정에 따라 금전의 지급을 목적으로 하는 지명채권(여러 개의 채권 또는 장래에 발생할 채권을 포함한다)을 목적으로 등기한 담보권을 말한다(제2조 제3호). 이와 같은 채권담보권에 대해서는 그 성질에 반하지 않는 이상 동산담보권에 관한 규정이 준용되므로(제37조), 동산담보권과 다른 내용을 중심으로 살펴본다.

1. 채권담보권의 목적

제34조【채권담보권의 목적】
① 법인 등이 담보약정에 따라 금전의 지급을 목적으로 하는 지명채권을 담보로 제공하는 경우에는 담보등기를 할 수 있다.
② 여러 개의 채권(채무자가 특정되었는지 여부를 묻지 아니하고 장래에 발생할 채권을 포함한다)이더라도 채권의 종류, 발생 원인, 발생 연월일을 정하거나 그 밖에 이와 유사한 방법으로 특정할 수 있는 경우에는 이를 목적으로 하여 담보등기를 할 수 있다.

2. 담보등기의 효력

제35조 【담보등기의 효력】
① 약정에 따른 채권담보권의 득실변경은 담보등기부에 등기한 때에 지명채권의 채무자(이하 "제3채무자"라 한다) 외의 제3자에게 대항할 수 있다.
② 담보권자 또는 담보권설정자(채권담보권 양도의 경우에는 그 양도인 또는 양수인을 말한다)는 제3채무자에게 제52조(담보등기부의 열람 및 증명서의 발급)의 등기사항증명서를 건네주는 방법으로 그 사실을 통지하거나 제3채무자가 이를 승낙하지 아니하면 제3채무자에게 대항하지 못한다.
③ 동일한 채권에 관하여 담보등기부의 등기와 민법 제349조 또는 제450조 제2항에 따른 통지 또는 승낙이 있는 경우에 담보권자 또는 담보의 목적인 채권의 양수인은 법률에 다른 규정이 없으면 제3채무자 외의 제3자에게 등기와 그 통지의 도달 또는 승낙의 선후에 따라 그 권리를 주장할 수 있다.
④ 제2항의 통지, 승낙에 관하여는 민법 제451조 및 제452조를 준용한다.

3. 채권담보권의 실행

제36조 【채권담보권의 실행】
① 담보권자는 피담보채권의 한도에서 채권담보권의 목적이 된 채권을 직접 청구할 수 있다.
② 채권담보권의 목적이 된 채권이 피담보채권보다 먼저 변제기에 이른 경우에는 담보권자는 제3채무자에게 그 변제금액의 공탁을 청구할 수 있다. 이 경우 제3채무자가 변제금액을 공탁한 후에는 채권담보권은 그 공탁금에 존재한다.
③ 담보권자는 제1항 및 제2항에 따른 채권담보권의 실행방법 외에 민사집행법에서 정한 집행방법으로 채권담보권을 실행할 수 있다.

Ⅳ. 지식재산권의 담보에 관한 특례

지식재산권담보권은 담보약정에 따라 특허권, 실용신안권, 디자인권, 상표권, 저작권, 반도체집적회로의 배치설계권 등 지식재산권(법률에 따라 질권을 설정할 수 있는 경우로 한정한다)을 목적으로 그 지식재산권을 규율하는 개별 법률에 따라 등록한 담보권을 말한다(제2조 제4호).

제58조 【지식재산권담보권 등록】
① 지식재산권자가 약정에 따라 동일한 채권을 담보하기 위하여 2개 이상의 지식재산권을 담보로 제공하는 경우에는 특허원부, 저작권등록부 등 그 지식재산권을 등록하는 공적 장부(이하 "등록부"라 한다)에 이 법에 따른 담보권을 등록할 수 있다.
② 제1항의 경우에 담보의 목적이 되는 지식재산권은 그 등록부를 관장하는 기관이 동일하여야 하고, 지식재산권의 종류와 대상을 정하거나 그 밖에 이와 유사한 방법으로 특정할 수 있어야 한다.
제59조 【등록의 효력】
① 약정에 따른 지식재산권담보권의 득실변경은 그 등록을 한 때에 그 지식재산권에 대한 질권의 득실변경을 등록한 것과 동일한 효력이 생긴다.
② 동일한 지식재산권에 관하여 이 법에 따른 담보권 등록과 그 지식재산권을 규율하는 개별 법률에 따른 질권 등록이 이루어진 경우에 그 순위는 법률에 다른 규정이 없으면 그 선후에 따른다.

판례색인 선고일자별 대법원 판결 · 결정 색인

1950 – 1960년대

1970년

1978년

1979년

1980년

1981년

1982년

1983년

1984년

1985년

1986년

1987년

1988년

1989년

1990년

1991년

1992년

1993년

1994년

1995년

1996년

1997년

1998년

1999년

2000년

2001년

2002년

2003년

2004년

2005년

2006년

2007년

2008년

2009년

2010년

2011년

2012년

2013년

2014년

2015년

2016년

2017년

2018년

2019년

2020년

2021년

2022년

2023년

2024년